La Bible
et sa culture

Sous la direction de

Michel Quesnel et Philippe Gruson

La Bible et sa culture

Ancien Testament

Desclée de Brouwer

76 *bis*, rue des Saints-Pères, 75007 Paris

ISBN : 2-220-04854-3

Présentation générale

La Bible. On en parle beaucoup aujourd'hui, non seulement chez les croyants qui ont redécouvert son intérêt pour approfondir leur foi dans le Dieu unique, mais aussi dans les écoles, collèges, lycées et universités. On en fait des livres, des CD Rom, des pièces de théâtre et des films. On ne compte plus les sites Internet qui y sont consacrés. C'est, dit-on, le livre le plus vendu au monde, mais il n'est pas forcément le plus lu.

Un ouvrage original

La Bible et sa culture est un ouvrage qui tient à la fois du manuel d'introduction à la Bible et de l'encyclopédie biblique. Rédigé par des exégètes* de métier choisis parmi les meilleurs biblistes francophones, il a pour but de fournir à toutes les personnes auxquelles un livre ne fait pas peur les moyens de lire les textes bibliques et de les apprécier. Il est rédigé dans une langue simple, accessible à de grands lycéens ou à de jeunes étudiants, les termes techniques étant réduits autant que possible et, chaque fois que nécessaire, expliqués. Il peut être lu à la suite, ou par chapitres, ou par paragraphes, ou encore il peut être consulté en utilisant les index en fin de volume.

La Bible y est d'abord présentée comme un monument culturel, qu'il est indispensable de connaître si l'on veut comprendre quelque chose à la culture des pays qu'elle a profondément marqués : le Proche-Orient, l'Europe, l'Amérique, et, plus récemment, l'Océanie, l'Afrique et certains pays d'Extrême-Orient. Combien de lecteurs de livres ou de journaux, de visiteurs d'églises ou de musées, d'auditeurs de pièces musicales chantées, éprouvent des difficultés de compréhension parce qu'ils rencontrent des allusions à la Bible dont ils ne connaissent à peu près rien ! En donnant accès à la Bible et à sa culture, ce livre peut permettre une meilleure familiarité avec un monde qui se réfère constamment à la Bible, souvent même sans le dire.

Monument culturel, la Bible l'est encore parce qu'elle est marquée par l'histoire et les coutumes des régions du monde dans lesquelles elle a pris naissance, celles du pays des Juifs ou Terre sainte, dont les limites correspondent à peu près à l'état moderne d'Israël et aux territoires palestiniens. Les textes bibliques les plus anciens ont environ trois mille ans d'existence, et les plus récents, environ deux mille. Cette double distance, géographique et historique, contribue à la difficulté d'aborder les textes bibliques. Tous les renseignements qui peuvent aider à la franchir sont fournis dans le texte courant ou dans les encadrés.

La Bible est enfin présentée dans ces deux volumes comme le livre des croyants, juifs (pour le premier volume) et chrétiens (pour les deux volumes). Les auteurs de *La Bible et sa culture*, compétents en histoire et en étude des textes anciens, sont aussi pour la plupart des croyants, juifs, protestants et catholiques ; plusieurs sont prêtres ou pasteurs. Ils tiennent compte du fait que la Bible a nourri la foi des grandes religions pour lesquelles elle est Parole de Dieu, Écriture sainte. La théologie – le discours sur Dieu – s'est nourrie de la Bible et continue de s'en nourrir. Les rédacteurs de la Bible, très nombreux et pour la plupart anonymes, étaient des croyants qui ont témoigné de leur expérience religieuse, et la tradition juive et chrétienne estime qu'ils ont rédigé leurs œuvres sous l'inspiration de l'Esprit Saint. Ne pas en tenir compte serait ne pas respecter les textes. Mais cette perspective croyante n'est pas faite pour écarter de la Bible les incroyants ou les agnostiques. Elle est simplement un plus dont pourront bénéficier les lecteurs qui sont eux-mêmes croyants.

Deux volumes qui font un tout

L'importance du sujet abordé a obligé à composer deux volumes. De nombreux manuels bibliques en deux volumes présentent, dans le premier, l'Ancien Testament, et dans le second, le Nouveau Testament. *La Bible et sa culture* suit grosso modo cette division, mais avec une particularité importante.

Pour les lecteurs de la Bible chrétienne, en effet, les deux Testaments ne sont pas deux volets équivalents, comme s'ils succédaient tout simplement l'un à l'autre. L'Ancien Testament a été rédigé au cours d'une période d'un millénaire environ, qui couvre l'histoire juive depuis l'entrée des Hébreux en Terre promise jusqu'à la conquête de la Palestine par les Romains. Pour les Juifs, il est la seule Écriture qui mérite ce nom. Et la pensée juive s'est poursuivie au cours des siècles, sans rapports avec la pensée chrétienne. L'idée, répandue dans certains milieux chrétiens, que le christianisme succède purement et simplement à la religion juive est fausse, y compris en théologie chrétienne. L'Église* ne remplace pas Israël.

Quant au Nouveau Testament, il fut rédigé sur une période de temps beaucoup plus courte, un peu moins d'un siècle. Il n'est pas lié à une histoire longue, mais à un événement unique, la vie et la mort de Jésus de Nazareth, qui était juif et dont la religion était le judaïsme*.

Comment le livre se présente-t-il ?

Les deux volumes de *La Bible et sa culture* sont un tout, comme la Bible est un tout. Des renvois sont souvent faits d'un volume à l'autre. Chaque volume a cependant son identité et son autonomie. Le premier est consacré à la Bible juive, que les chrétiens appellent Ancien Testament ou Premier Testament. Le second est consacré à Jésus et au Nouveau Testament.

La base de ces deux volumes est un **texte courant** d'introduction aux livres bibliques – car la Bible est une bibliothèque plus qu'un livre proprement dit –, citant de nombreux **textes bibliques** eux-mêmes, en italiques lorsque la citation est longue. Cette présentation a été retenue pour que le lecteur de ces volumes puisse s'initier sans avoir à consulter une Bible. Il n'est en effet pas nécessaire d'en posséder une pour utiliser cet ouvrage avec profit.

En plus du texte courant, de nombreux **encadrés** permettent d'éclairer les passages bibliques présentés, en fournissant des renseignements complémentaires. Ils sont de plusieurs sortes :

– **Bible :** autres textes extraits de la Bible, soit plus anciens soit plus récents, qui méritent d'être mis en rapport avec des passages dont il est question dans le texte courant.

– **Document :** présentation de textes de l'Antiquité, de coutumes, de façons de vivre, nécessaires à la juste compréhension d'un passage. Ils sont souvent empruntés aux cultures avoisinantes : mésopotamienne, égyptienne, grecque, romaine. On y trouve également des citations de documents apocryphes juifs ou chrétiens.

– **Repère :** présentation synthétique, en quelques lignes, d'un thème ou d'une notion abordés par la Bible (par exemple : Vie et mort dans la Bible, Démons et exorcismes), ou réponses données à des questions, le plus souvent religieuses, que se pose le lecteur de la Bible (par exemple : Science et foi sont-elles compatibles ? Jésus a-t-il fondé l'Église ?).

Les deux volumes comportent en outre des **illustrations en hors-texte** et des cartes et plans en fin de volume. Avec leurs légendes, ces documents visuels constituent un complément du texte courant et des encadrés pour la compréhension de la Bible et de sa culture.

Des **renvois** [entre crochets] invitent à passer d'un chapitre à un autre lorsqu'ils sont liés. Les termes techniques expliqués dans le glossaire (p. 537) sont suivis d'un astérique la première fois qu'ils apparaissent dans un chapitre.

Enfin, en conclusion de chaque volume, des **index** et des **tables** permettent de circuler dans les pages, au rythme des centres d'intérêt du lecteur.

Il en résulte que le Nouveau Testament ne peut être lu indépendamment de l'Ancien, auquel il se réfère constamment et qui lui donne sa consistance historique ; et que, puisqu'il se réfère constamment à Jésus dont les chrétiens considèrent qu'il accomplit* les Écritures juives, Jésus est le chaînon indispensable qui permet de passer de l'Ancien au Nouveau Testament.

Cette conviction théologique commande le plan de l'ensemble que constituent les deux volumes. Le premier volume est entièrement consacré à l'Ancien Testament. Le second se subdivise en deux parties : la première consacrée à Jésus, la seconde consacrée aux écrits du Nouveau Testament, présenté livre par livre et auteur par auteur.

Nous espérons qu'ainsi conçue *La Bible et sa culture* rejoindra les interrogations, culturelles et religieuses, des lecteurs de ce début du troisième millénaire, et qu'elle aidera à y répondre. Nous leur conseillons de reprendre ces volumes aussi souvent qu'ils voudront éclairer des questions qu'ils se posent. Nous leur souhaitons une lecture enrichissante et agréable.

M. Q. - P. Gr.

Qu'est-ce que l'Ancien Testament ?

Ce gros recueil de livres juifs très anciens a toujours fasciné mais aussi gêné les chrétiens, qui l'opposent parfois à « l'Évangile », le livre qui leur est propre. Bien souvent dans nos cultures européennes, et notamment dans les pays catholiques, on l'appelle « la Bible ». Si cette appellation se révèle inexacte – car « la Bible » est un terme chrétien qui désigne l'ensemble des deux Testaments –, les relations contradictoires d'attraction et de répulsion envers les livres juifs durent depuis vingt siècles. Ne sont-elles pas, finalement, dues aux rapports complexes qui relient et séparent à la fois Juifs et chrétiens ? Les disciples de Jésus savent bien que leur maître était un Juif, qu'il lisait et priait ces Écritures, mais ils considèrent qu'il a fondé une autre religion, qui tantôt hérite du judaïsme et tantôt s'oppose à lui. Découvrir l'Ancien Testament, c'est accepter de dépasser des polémiques et des préjugés – parfois meurtriers – et chercher à comprendre le fondement religieux des cultures occidentales.

Ces livres juifs, souvent réinterprétés par les chrétiens, ont fourni une grande quantité des images et des récits qui ont meublé l'imaginaire de nos ancêtres et dont nous héritons. Jusqu'à la Renaissance, ceux-ci connaissaient souvent mieux l'« Histoire sainte » que l'histoire de leur propre royaume et savaient reconnaître les grands personnages de l'Ancien Testament, aux portails et aux vitraux des églises, grâce en particulier aux « mystères » qui y étaient joués. Nous n'assistons plus à ces mystères médiévaux, mais la scolarisation générale, la diffusion du livre, le développement des médias et même le tourisme ne permettent-ils pas aujourd'hui de faire bien davantage ? L'Ancien Testament est toujours là qui s'offre à notre lecture.

Un beau jour des années 30, sur la route de Jérusalem à Gaza, un Éthiopien venu en pèlerinage rentrait chez lui, assis sur son char, en lisant les Écritures. Philippe, qui marchait à côté, entendit qu'il lisait le prophète Isaïe. *Il lui demanda : « Comprends-tu donc ce que tu lis ? » – « Et comment le pourrais-je, si personne ne me guide ? » Et il invita Philippe à monter et à s'asseoir près de lui.* (Ac 8,30-31)

Un vieux testament ?

L'Ancien Testament est le nom donné par les chrétiens à l'ensemble des livres qui forment les Écritures saintes ou l'Écriture du peuple juif. Ce nom vient d'un texte de saint Paul, à propos de la lecture des Écritures par les Juifs : « Jusqu'à ce jour, lorsqu'on lit l'Ancien Testament, ce voile demeure ; [...] lors de la lecture de Moïse un voile est posé sur leur cœur » (2 Co 3,14-15). Peu avant, Paul vient de parler d'une « alliance nouvelle » (v.6). Le terme « alliance », *diathèkè* en grec, a été traduit par *testamentum* en latin ; d'où « testament » en français. Ce terme ne désigne pas ici les dernières volontés de quelqu'un, mais la disposition légale qu'il décide librement en faveur d'un autre. C'est bien ce sens que les Juifs ont donné à l'Alliance décidée par Dieu en leur faveur, au temps de Moïse. Les chrétiens ont choisi ces deux expressions pour distinguer les deux étapes de l'histoire biblique : l'ancienne Alliance avec Israël, depuis Moïse, et la nouvelle Alliance depuis Jésus Christ.

Mais l'opposition habituelle entre « ancien » et « nouveau » risque de faire penser que le Nouveau Testament annule et remplace l'Ancien Testament ; ce qui serait absolument faux. Les rares chrétiens comme Marcion, dès le IIe s., qui ont pensé ainsi ont toujours été condamnés.

Repère

La lecture des références

Pour indiquer la référence d'un texte précis, on donne l'abréviation du livre, puis le numéro du chapitre et, après une virgule, celui du verset. Si l'on indique plusieurs versets qui se suivent, leurs numéros sont liés par un tiret, mais s'ils ne se suivent pas, ils sont séparés par un point. On indique toujours le dernier verset « compris » et non le n° du verset suivant, bien qu'il semble servir de borne au texte indiqué.

On lira ainsi :

Gn 2,7 = livre de la Genèse, chapitre 2, verset 7

Ex 12–15 = livre de l'Exode, chapitre 12 à chapitre 15 (compris)

Is 9,1-6 = livre d'Isaïe, chapitre 9, versets 1 à 6 (compris)

Ps 8,2.10 = Psaume 8, versets 2 et 10 (compris)

Sg 7,22 – 8,1 = livre de la Sagesse, chapitre 7 verset 22 à chapitre 8 verset 1 (compris).

Une liste alphabétique de tous les livres de la Bible et de leurs abréviations est donnée en annexe [*voir* p. 548].

Les chrétiens n'ont jamais cessé de lire l'« Histoire sainte » et de prier les Psaumes. Il serait donc plus exact de parler du « Premier » Testament et du Nouveau Testament. En effet le Christ n'a pas aboli l'alliance entre Dieu et le peuple d'Israël, le peuple élu : « car les dons et l'appel de Dieu sont sans repentance ». (Rm 11,29)

Une bibliothèque

L'Ancien ou le Premier Testament est une véritable bibliothèque. La liste officielle de ces livres reconnus comme inspirés par Dieu s'appelle le « canon », c'est-à-dire la règle (le terme est d'origine chrétienne). Cette liste a été fixée par les Juifs, vers la fin du Ier s. de notre ère, et compte 39 livres qui forment la « Bible hébraïque ». Ces livres sont répartis en trois groupes depuis environ 200 avant notre ère : le Prologue du Siracide énumère : « la Loi, les Prophètes et les autres livres ».
– **La Loi** (*Nomos* en grec, alors que *Tora* en hébreu signifie « instruction, enseignement ») comprend les cinq livres (en grec le « Pentateuque ») attribués à Moïse : la *Genèse*, l'*Exode*, le *Lévitique*, les *Nombres* et le *Deutéronome*. Le premier rapporte les origines de l'humanité et l'histoire des Patriarches Abraham, Isaac, Jacob et

Repère

Les noms divins

Dans l'Ancien Testament, Dieu, le Dieu d'Israël, peut être désigné par plusieurs noms. En hébreu, les deux noms divins les plus fréquents sont *Elohim* (2 596 fois) et *Yhvh* (6 809 fois).
– ***Elohim*** signifie « Dieu » et il est toujours traduit ainsi.
– ***Yhvh*** est le nom propre du Dieu d'Israël, révélé à Moïse :

Moïse dit à Dieu : « Voici, je vais trouver les Israélites et je leur dis : Le Dieu de vos pères m'a envoyé vers vous. Mais s'ils me disent : Quel est son nom, que leur dirai-je ? » Dieu dit à Moïse : « Je suis celui qui est. » Et il dit : « Voici ce que tu diras aux Israélites : "Je suis" m'a envoyé vers vous. [...] Le Seigneur, le Dieu de vos pères, le Dieu d'Abraham, le Dieu d'Isaac et le Dieu de Jacob m'a envoyé vers vous. C'est mon nom pour toujours, c'est ainsi que l'on m'invoquera de génération en génération. » (Ex 3,13-15)

Mais, comme l'hébreu ancien n'écrivait que les consonnes, la vocalisation de ce nom Yhvh n'est pas certaine. Contrairement à la *Bible de Jérusalem* – dont nous citons la traduction – qui vocalise ce nom « Yahvé », nous traduisons ce nom divin par « le Seigneur » (en petites capitales, comme dans la Traduction œcuménique de la Bible, la TOB). Ce faisant, nous suivons à la fois la tradition juive, qui ne prononce jamais ce nom mais le remplace par *Adonaï*, « le Seigneur », et la tradition chrétienne, qui l'a toujours traduit par « Seigneur » : *Kyrios* en grec ou *Dominus* en latin.

Joseph. Les quatre autres contiennent les récits de l'Exode : la sortie d'Égypte avec Moïse et le séjour au désert, mais surtout les lois données par Dieu au Sinaï, lors de l'Alliance avec Israël. La Tora est la partie principale de la Bible juive.
– **Les Prophètes** (en hébreu : *Nebiim*) rassemblent deux sortes de livres. D'abord des livres rapportant *l'histoire d'Israël* depuis son entrée en Terre promise (vers 1200) jusqu'à l'Exil (587) : ce sont les livres de *Josué*, des *Juges*, de *Samuel* et des *Rois*. Ces deux derniers ont été divisés chacun en deux parties (1 et 2 Samuel ; 1 et 2 Rois).

Ensuite les livres contenant *les paroles des prophètes*, leurs oracles : trois gros livres portant les noms des prophètes *Isaïe*, *Jérémie*, *Ézéchiel* puis un ensemble de douze petits livres, d'où le terme de « petits prophètes » : *Osée, Joël, Amos, Abdias, Jonas, Michée, Nahum, Sophonie, Habaquq, Aggée, Zacharie* et *Malachie*.
– **Les Écrits** (en hébreu : *Ketoubim*). Sous ce nom on trouve des prières : les *Psaumes* et les *Lamentations*, mais surtout des livres de sagesse : *Job, les Proverbes, le Cantique des cantiques, Qohélet* (ou l'*Ecclésiaste*) et une série de récits, les uns historiques : *Esdras, Néhémie, les Chroniques ;* les autres fictifs : *Ruth, Esther, Daniel.*
– À ces trois groupes il faut en ajouter un quatrième : celui des **deutérocanoniques**. Il s'agit de sept livres juifs conservés en grec, et donc gardés dans la Bible chrétienne, mais absents des Écritures juives. Ce qui porte le nombre total des livres de 39 à 46. Les catholiques les appellent deutérocanoniques (c'est-à-dire du « deuxième canon » : la liste grecque), mais les protestants les nomment plutôt « apocryphes ». Parmi ces sept livres supplémentaires on trouve deux livres de récits historiques : *1 et 2 Maccabées*, deux récits fictifs : *Judith* et *Tobit*, et trois livres de sagesse : la *Sagesse* (*de Salomon*), le *Siracide* (ou l'*Ecclésiastique*) et *Baruch*. Dans les bibles imprimées, ces sept livres sont tantôt dispersés parmi les autres, comme dans la Bible latine, la Vulgate, tantôt regroupés à la fin de l'Ancien Testament. La plupart des bibles protestantes ne les contiennent pas.

Trois langues sur un millénaire

Achevons cette présentation de l'Ancien Testament en précisant que ces 47 livres ont été rédigés sur environ dix siècles : depuis les premiers écrits, à la cour de David et Salomon, jusqu'au livre de la Sagesse, à Alexandrie, quelques décennies avant notre ère. Ajoutons que beaucoup de récits sur les périodes anciennes (les Patriarches, les Juges, etc.) ont pu être transmis oralement pendant plusieurs siècles, lors des fêtes dans les sanctuaires locaux.

La majeure partie des livres a été écrite en *hébreu*, même après l'Exil (VIe s.), lorsque la langue courante de tout l'Empire perse était l'*araméen*. Quelques livres ont été écrits dans cette langue, notamment une partie des livres de Daniel et d'Esdras. Une présentation de ces deux langues est donnée en annexe de ce volume [*voir* p. 521]. Enfin les sept livres deutérocanoniques ont été écrits ou traduits en *grec*, la langue des royaumes hellénistiques, à partir de 300 environ. À partir du IIIe s. en effet, les Juifs d'Égypte ont traduit leurs Écritures en grec : on les appelle « la Bible des Septante », ou plus brièvement « la Septante ». Les chrétiens de langue grecque ont naturellement utilisé cette traduction juive du Premier Testament, entraînant d'ailleurs son abandon par les Juifs. Une présentation du grec biblique est donnée en annexe du volume 2 : *Jésus et le Nouveau Testament* [*voir* p. 566].

Le plan de cet ouvrage

Plutôt que de suivre l'ordre des livres de l'Ancien Testament (qui diffère d'ailleurs selon les traductions – voir l'encadré page suivante), nous avons choisi de suivre le plus possible l'ordre chronologique, c'est-à-dire l'histoire d'Israël, qui est le meilleur fil conducteur pour la lecture des Écritures. Cette histoire se divise naturellement en quatre grandes parties.

1. Les origines et les Patriarches

L'importance du livre de la Genèse est telle qu'il fait l'objet, à lui seul, de cette première partie. En effet, ses récits fondateurs sur les débuts de l'humanité et sur les Patriarches n'appartiennent pas encore à l'histoire d'Israël ; ils ont des rapports à l'histoire très particuliers et doivent être lus dans leur propre perspective.

2. L'Exode et les tribus d'Israël

Les traditions sur le peuple d'Israël commencent réellement avec l'événement qui marque sa naissance : la sortie d'Égypte, rapportée dans le livre de l'Exode et développée dans les trois autres livres qui contiennent des lois : le Lévitique, les Nombres et le Deutéronome. À cette période, qui constitue une sorte de « préhistoire » d'Israël, appartiennent également les traditions sur l'installation des tribus en Canaan et sur la période des Juges, soit environ du XIIIe au XIe siècle.

3. Les deux Royaumes

La troisième partie couvre toute la période de la royauté, de Saül à l'Exil en Babylonie, soit du XIe au VIe siècle. C'est la période la mieux documentée dans les traditions bibliques, grâce aux annales des royaumes d'Israël et de Juda utilisées dans les livres des Rois. Le parcours historique sera ensuite complété par celui des trois grandes institutions : *les sages* et le roi, *les prêtres* et le culte, et enfin *les prophètes.*

4. Sous les Perses, les Grecs et les Romains

La dernière partie présente la vie d'Israël depuis la fin de l'exil jusqu'aux abords de l'ère chrétienne. Comme dans la partie précédente, le parcours historique des trois périodes perse (539-332), grecque (332-63) et romaine (depuis 63 av.J.C.) sera suivi du parcours des institutions et grands courants du judaïsme : la Tora et le Temple, la fin du prophétisme et la réflexion théologique des sages. Enfin deux chapitres seront consacrés à deux réalités centrales du judaïsme qui se sont développées dans les derniers siècles avant notre ère : la Synagogue et le livre des Psaumes.

P. GR.

REPÈRE

L'ANCIEN TESTAMENT DES BIBLES CATHOLIQUES

Le classement des livres de l'Ancien Testament présenté ci-dessus est suivi par certaines Bibles comme la *Traduction œcuménique de la Bible* (*TOB*), la Bible d'Osty, la Bible de la Pléiade et les Bibles protestantes. Mais beaucoup de Bibles catholiques, comme la *Bible de Jérusalem* (*BJ*), ont gardé le classement des premières Bibles chrétiennes, celui de la Septante (les Écritures juives traduites en grec), repris ensuite par la Bible latine, la Vulgate. Les livres de l'Ancien Testament y sont classés en quatre parties : le ***Pentateuque***, les ***Livres historiques***, les ***Livres poétiques*** et les ***Livres prophétiques***. Les principales différences d'avec la « Bible hébraïque » portent sur trois points.

1. Les ***Livres historiques*** sont tous regroupés après les « Prophètes antérieurs » (*Josué*, *Juges* + *Ruth*, *Samuel* et *Rois*) ; ce sont : les *Chroniques*, *Esdras* et *Néhémie* ; trois petits romans : *Tobie*, *Judith* et *Esther* ; enfin les deux livres des *Maccabées*.
2. Les ***Livres poétiques*** et sapientiaux (ou de sagesse) : *Job*, *les Psaumes*, *les Proverbes*, *Qohélet* (ou *l'Ecclésiaste*), *le Cantique des cantiques*, *la Sagesse* et *le Siracide* (ou *l'Ecclésiastique*).
3. Les ***Livres prophétiques*** (= les « Prophètes postérieurs ») sont placés à la fin, juste avant le Nouveau Testament qu'ils annoncent. Les trois « grands » prophètes *Isaïe*, *Jérémie*, *Ézéchiel* sont suivis de *Daniel*, puis des douze « petits » (*Osée*, *Joël*, *Amos*, etc.). De plus on a rattaché à *Jérémie* les *Lamentations* et *Baruch*.

Les livres deutérocanoniques sont répartis selon qu'ils sont historiques ou narratifs (*Tobie*, *Judith* et *Maccabées*), poétiques (*Sagesse et Siracide*) ou prophétiques (*Baruch* et *Daniel 13-14*).

Voici les deux canons, les deux listes des livres de l'Ancien Testament avec leurs abréviations. Les livres deutérocanoniques du canon catholique sont soulignés.

CANON JUIF (ET PROTESTANT)
(= « Bible » hébraïque : 39 livres)

Loi (*Tora*) (5 livres)
Genèse (Gn)
Exode (Ex)
Lévitique (Lv)
Nombres (Nb)
Deutéronome (Dt)

Prophètes (*Nebiim*) (21 livres)
ANTÉRIEURS
Josué (Jos)
Juges (Jg)

1-2 Samuel (1 S ; 2 S)
1-2 Rois (1 R ; 2 R)

POSTÉRIEURS
Isaïe (Is)
Jérémie (Jr)
Ézéchiel (Ez)
Osée (Os)
Joël (Jl)
Amos (Am)
Abdias (Abd)
Jonas (Jon)
Michée (Mi)
Nahum (Na)
Habaquq (Ha)
Sophonie (So)
Aggée (Ag)
Zacharie (Za)
Malachie (Ml)

Écrits (*Ketoubim*) (13 livres)
Psaumes (Ps)
Job (Jb)
Proverbes (Pr)

Ruth (Rt)
Cantique des cantiques (Ct)
Qohélet (Qo)
Lamentations (Lm)
Esther (Est)

Daniel (1-12) (Dn)
Esdras (Esd)
Néhémie (Ne)
1-2 Chroniques (1 Ch ; 2 Ch)

CANON CATHOLIQUE
(= Ancien Testament de la Vulgate : 46 livres)

Pentateuque (livres législatifs : 5 livres)
Genèse (Gn)
Exode (Ex)
Lévitique (Lv)
Nombres (Nb)
Deutéronome (Dt)

Livres historiques (16 livres)
Josué (Jos)
Juges (Jg)
Ruth (Rt)
1-2 Samuel (1 S ; 2 S)
1-2 Rois (1 R ; 2 R)
1-2 Chroniques (1 Ch ; 2 Ch)
Esdras (Esd)
Néhémie (Ne)
Tobie (Tb)
Judith (Jdt)
Esther (Est)
1 Maccabées (1 M)
2 Maccabées (2 M)

Livres poétiques (7 livres)
Job (Jb)
Psaumes (Ps)
Proverbes (Pr)
Qohélet (ou Ecclésiaste) (Qo)
Cantique des cantiques (Ct)
Sagesse (Sg)
Siracide (ou Ecclésiastique) (Si)

Livres prophétiques (18 livres)
Isaïe (Is)
Jérémie (Jr)
Lamentations (Lm)
Baruch (Ba)
Ézéchiel (Ez)

Daniel (1-12 + 13–14) (Dn)
Osée (Os)
Joël (Jl)
Amos (Am)
Abdias (Abd)
Jonas (Jon)
Michée (Mi)
Nahum (Na)
Sophonie (So)
Habaquq (Ha)
Aggée (Ag)
Zacharie (Za)
Malachie (Ml)

Première partie :

Les origines et les Patriarches

Cette première partie est entièrement consacrée au premier livre de l'Ancien Testament : le livre de la Genèse. Il sera largement présenté, car ses textes sont doublement fondateurs. En effet sa première section (Gn 1–11) évoque « les origines » du monde et de l'humanité, puis la seconde (Gn 12–50) rassemble les traditions sur les Patriarches, les ancêtres du peuple d'Israël.

Mais avant d'ouvrir la Genèse, il est sinon nécessaire du moins utile d'évoquer le cadre historique de l'Ancien Orient au IIe millénaire avant notre ère, du moins entre 2000 et 1400. Car cette période correspond à peu près à celle que les archéologues appellent le Bronze Moyen, dans laquelle on peut raisonnablement situer l'origine des traditions patriarcales. Il est en effet impossible de dater plus précisément les Patriarches comme personnages historiques, car les textes bibliques ne les associent à aucun événement ni à aucun souverain de l'histoire de l'Ancien Orient. L'habitude de situer la migration d'Abraham autour de 1800 avant notre ère (au temps du roi Hammourabi) reposait sur des connaissances trop partielles ou erronées de l'Ancien Orient. Mais si les Patriarches eux-mêmes échappent aux recherches de l'historien, les textes bibliques qui leur sont consacrés appartiennent bien à l'histoire d'Israël. De nombreux* *travaux récents permettent de mieux comprendre la formation et la transmission de ces textes de la Genèse. La tradition biblique n'a d'ailleurs jamais cherché à dater ces lointains ancêtres ; ils surplombent l'histoire de leurs descendants comme des figures devenues nationales et surtout comme les premiers croyants au Dieu de la révélation biblique.*

L'Ancien Orient de 2000 à 1400

Le pays de la Bible : un couloir stratégique

L'histoire du Proche Orient ancien est commandée par la géographie. Pour que des États puissants se constituent, il faut des sociétés installées et développées. Ceci n'est possible qu'à deux conditions : de l'eau en permanence, un espace habitable et cultivable. Dans l'espace qui intéresse la Bible, ces conditions se trouvent réunies en Égypte, avec le Nil dont la crue annuelle dépose un limon qui renouvelle la fertilité du sol ; en Mésopotamie, avec le Tigre et l'Euphrate ; ou encore en Asie Mineure, avec le Halys (l'actuel Kizilirmak), quoique l'espace cultivable soit nettement plus réduit dans cette région montagneuse. Tels sont les trois pôles essentiels de la géopolitique de l'Ancien Orient autour desquels vont se former les grandes puissances. Ces trois centres vitaux sont constamment harcelés par les populations voisines des régions montagneuses ou moins fertiles. Ainsi les Araméens menacèrent longtemps l'Assyrie et les Peuples de la Mer vinrent déstabiliser l'Égypte.

L'Asie Mineure et la Mésopotamie communiquent avec l'Égypte par un étroit couloir nord-sud qui emprunte les vallées de l'Oronte et du Litani, la haute vallée du Jourdain, la plaine de Yizréel puis la plaine côtière. Resserré entre la mer, les montagnes de l'arrière-pays et le désert de Syrie, puissamment fortifié par l'Égypte dans sa partie méridionale, ce couloir stratégique voit passer à plusieurs reprises, dans les deux sens, les armées des grands empires. Des champs de batailles célèbres le jalonnent : Qadesh, Qarqar, Meguiddo, etc. Les populations qui l'habitent ne peuvent jouer qu'un rôle politique limité, lorsqu'un déclin des grandes puissances le leur permet. C'est le cas des Araméens*, d'Israël et de Juda* et des royaumes environnants. Seuls les Phéniciens préférèrent se tourner résolument vers la mer pour assurer leur avenir.

La Mésopotamie

La basse Mésopotamie

Vers la fin du XXIe siècle, les cités de Mésopotamie sont menacées par les populations du désert, appelées Amorites et considérées dans les textes comme des nomades redoutables. On construit des défenses contre leur progression, mais en vain ; les Amorites pénètrent dans le territoire urbanisé, prennent les villes l'une après l'autre et finissent par s'imposer dans les cités conquises. Au changement de millénaire correspond ainsi un changement politique : la chute de la IIIe dynastie d'Our (la ville d'origine des ancêtres d'Abraham), en 2004, vaincue par une armée venue de l'est. L'événement fait l'objet d'une *Lamentation sur la destruction de Sumer et d'Our* qui nous est parvenue. À propos de cette date et de toutes celles qui vont suivre dans ce chapitre, précisons qu'elles n'ont pas le même degré de certitude que nos chronologies modernes. Selon les historiens consultés, on pourra trouver des variations d'une dizaine d'années, voire davantage.

Les États voisins du royaume de Sumer, Élam, Assour et Mari retrouvent aussitôt leur liberté. Our sombrera définitivement sous les coups des Élamites quelque temps plus tard. Un nouveau régime s'établit à Isin, dont le souverain le mieux connu est Lipit-Ishtar, grâce au Code de lois qu'il a promulgué et qui nous est parvenu. Après la chute d'Our, plusieurs villes se disputent l'hégémonie : Isin, Larsa, Ourouk. La première dynastie de Babylone est fondée par un sémite vers 1894. Cette cité entre rapidement en conflit avec ses voisines, notamment Isin.

Hammourabi règne à Babylone de 1792 à 1750. Il réunifie le territoire, achève la conquête de Sumer et d'Akkad (Larsa prise en 1763), soumet l'Assyrie et l'Amourrou (Mari prise en 1760), organise une administration forte et donne une législation développée : le *Code de Hammourabi* (vers 1755) [*voir* p. 143]. Les invasions des Cassites commencent en 1740. En 1595, le roi hittite Moursil Ier s'empare de Babylone, renverse la dynastie amorite et permet la dynastie cassite.

La haute Mésopotamie

Vers 1875, Sargon Ier, roi d'Assyrie, lutte contre Babylone ; il étend son autorité sur la Cappadoce. Il est soumis au protectorat de Sumer jusqu'à la chute de la IIIe dynastie d'Our, puis l'Assyrie devient indépendante. Shamshi-Adad Ier (1813-1781) atteint la côte méditerranéenne, donnant au royaume assyrien sa dimension maximum. La cité-État de Mari, sur le Haut-Euphrate, connaît son âge d'or de 1830 à 1760. Une dynastie comprend trois rois aux noms amorites : Yaggid-Lim, Yahdoun-Lim, Zimri-Lim. Des noms amorites apparaissent d'ailleurs dans les documents de toutes les cités mésopotamiennes.

En 1595, l'équilibre du Proche-Orient est rompu par le roi hittite Moursil Ier qui investit Babylone sans en retirer pourtant d'avantage substantiel. Contesté dans son pays, Moursil Ier est assassiné et le Hatti, en proie aux querelles de palais, entre dans une période de décadence pour plus d'un siècle. L'Asie Mineure et la Mésopotamie se trouvent donc hors jeu sur le plan international.

Le vide ainsi créé dans cette zone profite à certaines populations, telles les Hourrites et d'autres moins connues, qui fondent le puissant royaume du Mitanni, en haute Mésopotamie, dans une région appelée le Hanigalbat (par les Hittites et les Assyriens) ou le Naharina (par les Égyptiens) ; ce dernier terme désigne précisément la boucle du fleuve (*nahar*) Euphrate. L'empire du Mitanni, fondé par des Indo-Européens sur l'Euphrate supérieur entre 1550 et 1500, n'est actuellement connu que par les archives de ses voisins (Égyptiens, Assyriens et surtout Hittites). La cité de Wassouganni, qui semble avoir été sa capitale, n'a pas été retrouvée. Par ailleurs, la langue hourrite demeure mal connue. Or ses rois portent tous des noms indo-européens et non hourrites.

Malgré sa rivalité avec les Hittites, le Mitanni étend son influence de la Méditerranée jusqu'à l'est du Tigre. Ce royaume connaît son apogée sous le règne de Shaoushshatar (1470-1440), qui reconquiert une partie de la Syrie (1450-1425). L'*Inscription d'Idrimi* témoigne des tensions entre Barattarna, roi du Mitanni, et Idrimi, roi d'Alalah. Quelques aspects de la vie socio-économique du Mitanni sont partiellement connus par les *Tablettes de Nouzi*. En 1459, les Mitanniens sont vaincus à Alep et à Karkémish par les Égyptiens qui atteignent l'Euphrate sans pousser plus avant. Dans cette région, les affrontements entre l'Égypte et le Mitanni dureront une dizaine d'années. Avec le règne d'Artatama Ier (1440-1420), les relations entre l'Égypte et le Mitanni s'améliorent brutalement, comme le montre la série des mariages de princesses mitanniennes avec des pharaons. Ce rapprochement pourrait s'expliquer par la crainte qu'inspire à ces deux puissances le renouveau hittite.

L'Anatolie

Au début du IIe millénaire, l'Asie Mineure est morcelée en un grand nombre de principautés indépendantes réduites le plus souvent à une ville. Certains textes laissent à penser que l'Assyrie a pu dominer économiquement les cités anatoliennes. Vers 1830 interviennent des bouleversements. La documentation concernant les siècles suivants provient de sources hittites du XVe siècle, indiquant que, vers 1850, le prince anatolien Anitta s'est emparé de Hattousha (aujourd'hui Bogazköy) et a réalisé une certaine unification de la région. Un important document, le *Rescrit de Telepinou*, mentionne le règne de Labarna (1680-1650).

C'est en 1650 que commence à proprement parler l'histoire hittite avec Hattousil Ier (1650-1600) dont les faits et gestes sont assez bien documentés. Plusieurs séries de campagnes permettent à Hattousil Ier d'étendre son empire dans toutes les directions. La principale opposition qu'il doit affronter est celle des Hourrites établis en Syrie qui envahiront pour un temps le territoire hittite (Hanigalbat).

Son fils Moursil Ier (1620-1590) prolonge sa politique et parvient à s'emparer d'Alep, puis, vers 1595, de Babylone. Il est possible que cette conquête ait été réalisée avec le concours des Cassites auxquels Moursil Ier abandonne la Babylonie en échange, semble-t-il, d'un soutien militaire qui aboutira à la défaite des Hourrites. Moursil Ier est assassiné vers 1590. Jusqu'en 1525, le royaume hittite est harcelé par ses voisins et miné par des dissensions internes. Telepinou (vers 1525-1500) entre en campagne et conclut un traité avec le roi de Kizzouwatna. Puis il tente de fixer les règles de succession au trône dans le célèbre Rescrit qui demeure la meilleure source sur l'histoire de la royauté hittite.

La période suivante est mal documentée et voit un certain déclin de la puissance hittite. À partir de 1450 environ, trois souverains inversent la tendance et posent les bases d'un nouvel empire ; ce qui incitera l'Égypte et le Mitanni à se rapprocher pour mieux lui résister.

L'Égypte

Amenemhet Ier fonde la ***XIIe dynastie*** à Thèbes (1991) ; il construit le « Mur du Prince » pour repousser les Bédouins du Sinaï. Il meurt assassiné. Le règne de son successeur Sésostris Ier (1962-1928) est trouble, comme le montre l'*Histoire de Sinouhé*. Pourtant la présence égyptienne s'intensifie en Asie. Sésostris Ier conquiert la Nubie (1955), puis Sésostris III (1877-1843) la soumet de nouveau et entre au Soudan ; il fait campagne en Canaan (1848). En 1786 la XIIe dynastie s'achève, et avec elle la période du Moyen-Empire. De nombreux groupes asiatiques s'infiltrent en Égypte.

Les Hyksos

L'invasion des Hyksos dans le delta commence vers 1730, avec la prise de la capitale Avaris. Cette domination hyksos ne nous est connue que par le texte, aujourd'hui disparu, de l'historien égyptien Manéthon, cité par Flavius Josèphe. Leur nom égyptien (*heqaou hasout*) désigne les « chefs des pays étrangers ». Il s'agit certainement d'Asiatiques, originaires du Levant, majoritairement sémites comme le suggèrent à la fois les noms (ex. Yaqoub-el, Yaqoub-har, Anat-el, Anat-har) et les indices religieux ; en effet, sous le nom du dieu Seth, les Hyksos ont introduit le culte du dieu Baal dans le panthéon égyptien.

L'installation des Hyksos au pouvoir ne résulte ni d'une brusque et massive migration d'éléments asiatiques vers l'Égypte aux siècles précédents, ni d'une mutation violente. L'archéologie montre en effet que la Palestine a été exceptionnellement stable et prospère aux XVIIIe-XVIIe siècles. D'après Manéthon, l'arrivée des Hyksos au pouvoir semble s'être produite sans combats. Le premier roi hyksos (fondateur de la ***XVe dynastie***) est un certain Salitis qui s'établit à Memphis. Les rois suivants s'installeront à Avaris, à l'est du delta, peut-être pour mieux garder le contact avec le Proche Orient. Les traditions parvenues par Manéthon ou d'autres textes égyptiens donnent une image négative de ces rois qui auraient commis des destructions en tous genres. L'archéologie tend à prouver le contraire, car ils semblent avoir parfaitement assimilé la culture égyptienne et prolongé le modèle pharaonique.

La ***XVIIe dynastie*** est fondée à Thèbes en 1550 ; elle marque le début de la reconquête, tout en coexistant avec la dynastie hyksos d'Avaris. Certains documents suggèrent même une certaine allégeance de Thèbes à Avaris, dont le roi Apophis Ier est appelé « roi de Haute et Basse-Égypte ». Puis les rois thébains engagent la lutte contre les Hyksos : d'abord Sékénenré, puis Kamosis. Mais la reconquête du delta est l'œuvre d'Ahmosis, frère de Kamosis, qui reprend aux Hyksos Memphis et Avaris (1567). Le coup définitif est porté avec la prise de Sharouhen (Tell el-Farah du Sud) dans le Sud-Ouest palestinien, qui prive les Hyksos de leur principale base arrière asiatique. Leur expulsion peut être datée aux alentours de 1550. Cette période hyksos intéresse spécialement la Bible parce qu'elle offre un excellent cadre à l'installation des éléments préisraélites en Égypte, dans le secteur d'Avaris précisément, ainsi qu'à leur départ vers l'Asie, tels qu'ils sont évoqués par l'histoire de Joseph dans la Genèse et par la sortie d'Égypte dans l'Exode.

Ahmosis (1570-1546) est le fondateur de la ***XVIIIe dynastie ;*** il rétablit l'unité de l'Égypte et ouvre la période prestigieuse du Nouvel Empire (1570-1070). Son successeur Aménophis Ier (1546-1524) ne se contente plus de repousser les infiltrations asiatiques mais les prévient en contrôlant la proche Asie, Canaan.

Le contrôle de Canaan (1506-1364)

Les grandes campagnes en Asie reprennent avec Thoutmès (ou Thoutmosis) Ier (1506-1494), qui atteint et traverse l'Euphrate. Une inscription parle alors pour la première fois d'un « pays qui est appelé le Mitanni » ; il semble que Thoutmès se soit heurté à ce qu'il voulait enrayer : l'expansion mitannienne. Ses successeurs, Thoutmès II (1494-1490) et la reine Hatshepsout (1490-1468), n'accompliront rien de significatif en Asie.

Thoutmès III (1468-1436), longtemps tenu en tutelle par la reine Hatshepsout, entreprend la conquête de l'Asie à travers dix-sept campagnes. Dès 1468, sa première campagne vise la coalition formée autour du prince de Qadesh, à l'instigation du Mitanni. Il prend Meguiddo, soumet la Galilée et le Golan, puis disloque la coalition de Qadesh. Lors de sa huitième campagne (1457), Thoutmès entre dans le Mitanni, dont il réduit la puissance sans toutefois l'abattre définitivement.

Thoutmès IV (1425-1417) maintient d'abord les positions héritées de son prédécesseur, puis le ton change entre l'Égypte et le Mitanni : Thoutmès IV obtient en mariage une fille du roi mitannien Artatama. L'explication de ce rapprochement est à chercher du côté des Hittites qui émergent alors de plus d'un siècle de crise, sous la conduite de Toudhalia II. Les liens vont se renforcer entre l'Égypte et le Mitanni, grâce aux mariages princiers d'Aménophis III (1417-1379). On entre alors dans la période des *Lettres d'El-Amarna* [*voir* p. 134].

CANAAN

Divers documents égyptiens ou mésopotamiens du second millénaire évoquent le territoire et les populations de Canaan, région des ancêtres d'Israël. Leur intérêt est donc de tout premier ordre, en particulier les listes de toponymes et de princes locaux qui nous offrent les plus anciennes descriptions du territoire ainsi que des renseignements ethnologiques sur les habitants.

Les mentions

L'histoire de Sinouhé est un texte autobiographique, probablement composé sous Sésostris Ier (1962-1928). Redoutant des troubles possibles à la mort d'Amenemhet Ier (1991-1962), un Égyptien nommé Sinouhé décide de fuir en Asie. Le récit évoque le pays des Sétyou, le Téhénou, le Reténou, les « coureurs des sables », les Aamou : les noms égyptiens habituels concernant la Proche-Asie. Ce texte mentionne le « Mur du prince » contre les nomades venus d'Asie.

Les *textes d'exécration* sont des listes de villes, de princes et de peuples hostiles à l'Égypte et à son pouvoir. Ces textes étaient copiés sur des vases ou des figurines destinés à un rite magique : ils étaient brisés ou simplement enterrés ; ce qui était censé neutraliser les ennemis. Ces textes datent du début du IIe millénaire. Les toponymes de ces textes d'exécration dessinent une première image précise du territoire cananéen : Yaanaq, Ascalon, Rehob, Jérusalem, Yarmout, Sichem, Pella, Aphek, Haçor, Ashtarot, Bouçranou, Tyr, Meguiddo (?), Ofra (?), Akko, Ekrôn, Laïsh, Boutishou. Les noms de peuples et de personnes font apparaître une population dans l'ensemble ouest-sémitique. On remarquera particulièrement le nom du prince de Shoutou, Zaboulanou, qui est également celui d'une tribu israélite : Zabulon.

Les textes de Mari mentionnent la ville de Haçor, comme lieu de transit de l'étain, et les Cananéens (*Kinahnou*). L'*Inscription d'Idrimi* évoque les Soutou (les Shosou des documents égyptiens), les Hapirou*, et le pays de Canaan (*Kinanoum*).

À partir du XVe siècle, la reprise en mains du territoire cananéen par l'Égypte va donner lieu à une correspondance diplomatique et administrative avec les princes locaux de Syrie-Palestine dont les *Lettres d'El-Amarna* constituent une part importante (298 tablettes sur 382). Dans ces lettres, les scribes égyptiens commencent à remplacer le terme *Reténou* par celui de *Hourou* pour désigner la Proche-Asie et la topographie cananéenne se précise. Plusieurs toponymes, qui deviendront bibliques, complètent ainsi la liste de ceux que nous connaissons déjà par la documentation antérieure : Gath-Carmel, Guézer, Shounama (Shounem), Yalouna (Ayyalon), Hazatou (Gaza), Bit-Sani (Bet Shan), Qilti (Qéïla), Bit-Ninourta.

Le nom

L'Inscription d'Idrimi est la plus ancienne attestation connue du nom de Canaan. Puis le terme apparaît régulièrement par la suite, à Alalah, à El-Amarna, à Ougarit. Les textes égyptiens disent habituellement : « le Canaan », avec l'article. Le gentilice dérivé, « cananéen », est plus rare :

kn'ny apparaît à Ougarit. La seule mention de Canaan dans les inscriptions phéniciennes se trouve sur des monnaies hellénistiques du IIe siècle av.J.C., à Laodicée-de-Phénicie (*Phoïnikès* en grec) ou Laodicée-en-Canaan (*kn'n* en phénicien) : c'est l'ancien nom de Beyrouth.

Le nom de Canaan est reconnu comme sémitique. Quatre étymologies en ont été proposées. 1) En opposition à la montagne, Canaan serait le bas-pays (voir Nb 13,29). Mais *kn'* signifie « courber, incliner », et non être bas. 2) À Nouzi, *kinahhou* signifie « teinture pourpre ». Or, en grec, *phoinix*, « la pourpre », a donné *Phoinikê*, « Phénicie ». 3) Dans la Bible, *kena'ni* signifie aussi « marchand » (Is 23,8), mais cette équivalence n'existe qu'en hébreu. 4) Corrigeant la première étymologie, certains proposent d'entendre Canaan comme « le couchant », le pays où le soleil s'incline. Mais ce ne peut être alors qu'une désignation extracananéenne. Rien de décisif ne semble donc s'imposer, puisque « bas-pays » ou « couchant » paraissent douteux et que « pourpre » et « marchand » peuvent dériver du terme géographique et non le contraire.

Quel territoire désigne exactement ce toponyme ? Dans l'*Inscription d'Idrimi*, Canaan commence à Ammia, à 20 km au nord de Byblos, sur la côte syrienne. Les *lettres d'El-Amarna* semblent inclure en Canaan la côte phénicienne et l'intérieur du pays jusqu'à Haçor. Sous Ramsès II Ougarit n'est pas en Canaan, puisqu'un conflit entre les populations d'Ougarit et de Canaan est tranché par un émissaire du pharaon. Au XIIIe siècle, le *Papyrus Anastasi I* évoque Raphia et Gaza sans citer le mot Canaan. Une statuette portant le nom d'un « envoyé royal en Canaan et en Philistie » est la dernière mention égyptienne, datant peut-être de la XXIIe dynastie. Les textes du IIe millénaire ne permettent donc aucune précision sur la localisation et les frontières de Canaan.

Les nombreuses occurrences bibliques des termes « Canaan » (91 fois) et « Cananéen » (70 fois) ne sont pas très éclairantes pour l'historien. Aucun texte biblique n'est contemporain des origines d'Israël. Les textes les plus précis sont plutôt tardifs. L'usage des termes varie selon les circonstances historiques. À part Gn 50,10-11, aucun texte biblique ne permet d'étendre Canaan au-delà du Jourdain. Ce trait caractéristique s'explique-t-il par la reprise israélite d'un usage égyptien ? La chose est possible pour Nb 34,2-12 et Ez 47,12-20.

Les populations

Amorites

MAR.TU en sumérien, *Amourrou* en akkadien, sont les noms donnés par les Mésopotamiens aux gens de l'Ouest qui constituent pour eux un danger. Ils apparaissent dans les textes de la fin du IIIe millénaire et aux XIVe et XIIIe siècles. *Amourrou* désigne un royaume au nord de Canaan, connu sous la forme *Amor* dans les textes égyptiens de Ramsès II, et qui s'étend de Tadmor (Palmyre) à la Méditerranée dès l'époque de Téglat-Phalasar Ier, à la fin du XIIe siècle. L'Égypte connaît aussi la menace asiatique et tente de s'y opposer : Amenemhet Ier construit notamment le « Mur du Prince » pour repousser les Sétyou. Les textes égyptiens ne connaissent pas le terme *Amourrou*, mais les populations désignées par le terme *Aamou* répondent en tous points aux descriptions qui en sont faites par les textes mésopotamiens. L'onomastique montre que, comme à Mari, les noms portés par les Aamou sont ouest-sémitiques. La « vague » amorite ne reste toutefois qu'une hypothèse. Les Benjaminites (*ben yamin* : fils du Sud), qui apparaissent dans les textes de Mari, ne doivent laisser aucune illusion : ce n'est qu'une désignation assez banale d'une population qui n'a rien à voir avec la tribu israélite de Benjamin.

Les Amorites dont il est question dans la Bible (84 occurrences) n'ont rien à voir non plus avec les populations du IIe millénaire. Les études récentes montrent que l'emploi du terme « amorite » ne relève pas de traditions bibliques anciennes.

Hourrites

On sait que les documents égyptiens commencent à désigner la Proche-Asie par *Hourou* dès la XVIIIe dynastie (1567-1307), abandonnant ainsi le terme classique de Reténou. Dans les *Lettres d'El-Amarna* un prince de Jérusalem porte un nom hourrite : Abdi-Hepa. L'extension des Hourrites vers la Palestine ne remonte pas au-delà du XVe siècle et peut s'expliquer par l'essor du Mitanni à cette période.

Les Horites de la Bible (10 emplois : Gn 14,6 ; 36,20 ; etc.) n'existent que dans la région d'Édom, zone très précise où n'apparaît actuellement aucune trace d'occupation hourrite. Les Hiwites, parfois confondus avec les Horites pour des raisons d'orthographe (Gn 34,2 ; etc.), sont une population distincte.

Hittites

L'empire hittite existe jusqu'à la fin du XIIIe siècle, mais le nom continue de désigner une région entre l'Euphrate et Amourrou, ainsi que ses habitants, dans les textes assyriens, à partir de Téglat-Phalasar Ier à la fin du XIIe siècle.

Dans la Bible, Heth, ancêtre éponyme de ce peuple, est nommé 12 fois dans la Genèse et une fois en 1 Ch 1,13. Les Hittites apparaissent

47 fois dans la Bible, essentiellement dans des textes sacerdotaux comme Gn 23, mais ils portent tous des noms sémitiques. L'acte de vente de Gn 23 ne relève pas d'un modèle hittite, mais néobabylonien. Comme le terme « amorite », « hittite » n'a aucune valeur historique directe dans la Bible.

Soutou / Shosou :
Appelés *Soutou* en Asie, à partir des textes de Mari, et *Shosou* en Égypte, depuis Aménophis Ier, ils désignent une population bédouine répandue dans le désert de Syrie et dans le Sud palestinien. Une liste du temple de Soleb (Nubie), de l'époque d'Aménophis III, donne une énumération de différents « pays des Shosou » parmi lesquels le « pays des Shosou *Yhw'* », forme encore attestée dans une copie de cette liste à l'époque de Ramsès II trouvée dans le temple d'Amara-Ouest (Nubie). Une autre liste d'Amara porte également le nom de « pays des Shosou *S'rr* », que l'on peut rapprocher de Séir (= Édom). La comparaison de ces deux expressions montre que *Yhw'* et *S'rr* sont des toponymes. La prudence s'impose donc en ce qui concerne le terme *Yhw'*, fort proche du tétragramme Yhwh (Yahvé ?), mais qui n'indique qu'une zone indéterminée du Sud palestinien. Les Fils de Seth (*Beney-Shet*) de Nb 24,17 pourraient se rattacher à ces populations Soutou.

Ahlamou / Araméens :
L'apparition des *Ahlamou / Araméens* ne semble pas remonter au-delà des textes cunéiformes* de Téglat-Phalasar Ier, roi assyrien qui combat ces populations vers 1100. Le terme *Ahlamou* seul est attesté dès le XIVe siècle dans les textes mésopotamiens et à El-Amarna. Il paraît vain de vouloir faire remonter plus haut que le XIe siècle les Araméens de la Bible, en les rattachant notamment aux Amorites, ce que ne recommande pas l'onomastique.

D. N.

Les origines et les Patriarches

Le livre de la Genèse

Après avoir évoqué le cadre historique des traditions anciennes d'Israël, il est temps maintenant d'ouvrir le livre de la Genèse. Désigner un livre par un titre est une invention des Grecs. Avant eux, les Juifs désignaient chaque livre par son premier mot en hébreu. Le premier livre s'appelle donc en hébreu : *Beréshit*, « Au commencement ». Lorsque des Juifs d'Alexandrie le traduisirent en grec, au IIIe s. avant notre ère, ils choisirent une expression du texte employée deux fois et résumant bien l'ensemble : « Voici le livre de la génération (*biblos genéséôs*) du ciel et de la terre » (2,4) puis « Voici le livre de la génération d'Adam » (5,1). « Livre de la génération », de la naissance, des origines : à la fois du monde et de l'humanité. Ce « livre de la Genèse » comprend en effet beaucoup de généalogies et raconte bien des naissances, à commencer par celle d'Isaac qu'Abraham et Sara n'osaient plus espérer.

Les deux parties du livre

La matière narrative du livre de la Genèse forme deux grandes parties, très inégales :

1–11 : les origines de l'humanité
12–50 : les Patriarches
    12 – 25,18 : les récits sur Abraham
    25,19 – 36 : les récits sur Jacob
    37–50 : l'histoire de Joseph.

Mais il faut corriger ce découpage schématique. Abraham (appelé Abram avant le ch. 17) entre en scène dès Gn 11,26. Son fils Isaac n'apparaît comme personnage principal qu'en Gn 26 ; avant cela, il est surtout présenté comme fils d'Abraham, par exemple lors du sacrifice (Gn 22) et ensuite comme père de Jacob et d'Ésaü. Enfin l'histoire de Joseph met souvent en scène son père Jacob, dont le cycle* se prolonge en fait jusqu'à ses funérailles en Gn 50. Cette construction résulte d'une histoire littéraire assez complexe, qui sera présentée notamment à propos du cycle de Jacob [*voir* p. 107] et de l'histoire de Joseph [*voir* p. 119]. Ajoutons que, si les Patriarches sont les personnages principaux, leur histoire est incompréhensible sans leurs épouses, les matriarches Sara, Rébecca, Rachel et Léa, qui sont les héroïnes de bon nombre de récits.

Un peuple parmi les autres

Il est remarquable que les derniers auteurs de la Genèse aient voulu lui donner l'allure d'une histoire suivie qui rattache tout le peuple d'Israël aux douze fils de Jacob et celui-ci à Abraham. L'unité du peuple est donc fortement affirmée par ses origines, même si celles-ci ont été plus complexes qu'il n'y paraît. Par ailleurs, les récits ne cachent pas que bien des peuples voisins d'Israël lui sont apparentés : le frère de Jacob, Ésaü, est présenté comme l'ancêtre d'Édom, au sud de la mer Morte. Le fils aîné d'Abraham, Ismaël, compte parmi les ancêtres des peuples d'Arabie ; c'est d'ailleurs par lui que les musulmans se rattachent à *Ibrahim*, le premier des croyants.

De plus, Abraham lui-même est présenté comme le descendant de deux séries de 10 patriarches : la première d'Adam à Noé et la seconde, après le Déluge, de Noé à Abraham. Ce faisant, les scribes de la Genèse – probablement pendant l'Exil ou peu après – ont voulu rattacher leurs ancêtres, les Patriarches, aux 70 peuples de l'Ancien Orient, d'après la « table des peuples » de Gn 10. Ces 70 peuples sont eux-mêmes issus des trois fils de Noé : Sem (l'Orient), Cham (l'Afrique) et Japhet (l'Europe). Une telle vision internationale – mondiale pour l'époque – affirme clairement que toute l'humanité est concernée par l'histoire de ce petit peuple qui proclame avoir été choisi par son Dieu.

La géographie plutôt que l'histoire

Les historiens ne peuvent dire grand-chose sur les textes de la Genèse. D'abord parce que les récits sur les origines de l'humanité plongent leurs racines dans des traditions légendaires comparables aux autres légendes et mythes* de l'Ancien Orient. Mais aussi parce que les récits sur les Patriarches ne concernent que le destin de quelques tribus de semi-nomades qui n'ont guère pu laisser de traces dans la grande histoire, celle des villes, des palais et des temples. Au point qu'il est impossible de dater, même au siècle près, les personnages historiques d'Abraham, Isaac ou Jacob.

Par contre les rédacteurs bibliques des VIIIe-VIe siècles étaient les héritiers de diverses traditions orales, souvent conservées dans des sanctuaires précis, et transmettant les récits que ces groupes locaux gardaient de leurs ancêtres. En simplifiant un peu, on peut dire que la Genèse ne contient aucune date historique, mais beaucoup d'indications géographiques : les lieux en question sont les bourgs et les sanctuaires où, pendant des siècles, les tribus et le peuple d'Israël ont vécu et se sont forgé leur identité.

P. Gr.

Les origines *(Genèse 1–11)*

La lecture de Genèse 1–11 au fil des siècles

Les onze premiers chapitres de la *Genèse* font partie des textes bibliques qui restent les plus populaires au sein même des cultures modernes où la Bible n'est plus lue assidûment comme texte sacré. Ses récits – scènes du Jardin d'Éden, fratricide de Caïn sur son frère Abel, histoires du Déluge, de la tour de Babel – continuent à habiter les mémoires. Ils constituent les passages obligés de l'imaginaire occidental des commencements du monde. Comme il se doit, cet imaginaire s'appuie sur des images produites au long des siècles par des artistes qui ont interprété le récit biblique. Ève a désormais les traits de la femme serpentine du sculpteur d'Autun ou de la jeune fille à la belle chevelure ondoyante du *Jardin des Délices* de Jérôme Bosch. Tout le monde voit la tour de Babel à travers la grande construction en chantier représentée par Brueghel. La langue continue à porter des allusions à ces textes : on « attend le déluge », on jette sur un déshonneur « le manteau de Noé ». Aux débuts du cinéma hollywoodien, non sans intrépidité, les cinéastes ont donné des visages à Adam, Ève, Caïn et Abel. La publicité fait allusion fréquemment à une tentation revue et corrigée en péché de gourmandise. Avec plus de gravité, les philosophes ou les psychanalystes continuent à solliciter ces textes pour réfléchir sur la violence, sur la vérité, sur la finitude de l'homme.

Cet intérêt des Modernes fait suite à une longue histoire au cours de laquelle ces chapitres ont été interminablement commentés, illustrés, associés même à d'âpres débats sur les rapports de la Bible avec l'histoire ou avec la science. Aux premiers siècles de l'Église et jusqu'à l'époque médiévale, pourtant, leur lecture est paisible. En fait, elle est inséparable d'un contexte de foi où la Bible est avant tout la parole par laquelle Dieu se fraie un passage jusqu'à l'homme pour révéler son visage, le sens profond de la condition humaine, le salut qu'apporte le Christ. Ces chapitres sont alors lus essentiellement dans cette perspective : ils sont tenus pour une parole qui exprime le « principe », l'origine de l'existence de l'univers, beaucoup plus que ses débuts matériels, au sens où nous l'entendons communément. Certes, en des temps dépourvus de nos savoirs scientifiques, on peut solliciter ces textes pour répondre aux questions sur les commencements que l'homme se pose et auxquelles il n'a pas de réponse. Les commentaires de la *Genèse* « selon la lettre », que l'on écrit alors, n'hésitent pas à reconstituer la géographie du jardin originel, des chronologies fantaisistes de l'histoire du monde.

Mais les mêmes auteurs utilisent d'abord ces textes pour méditer sur le mystère du salut. Ainsi, ils sont en quête de leur sens spirituel. Ceci explique leur recours fréquent à l'allégorie*, qui a pour but de dégager de la lettre et de la représentation matérielle, des lumières pour la vie chrétienne. Tel est le but de la lecture typologique* qui voit dans le jardin d'Éden, dans le Déluge ou l'épisode de Babel, des préfigurations d'événements futurs de l'histoire du salut. Le Paradis* est ainsi désigné comme figure de l'Église à laquelle le baptême donne accès. Grégoire de Nysse, l'un des Pères* de l'Église du IVe s., exhorte ainsi les futurs baptisés : « Tu es hors du Paradis, ô catéchumène, compagnon d'exil d'Adam, notre premier père. Maintenant la porte s'ouvre ; rentre là d'où tu étais sorti. » Dans cette ligne, l'arbre de vie du jardin d'Éden est relié à l'arbre de la Croix sur laquelle le Christ sauve l'humanité. Le Déluge est décrit comme préfiguration du jugement dernier, l'arche dans laquelle entre Noé comme figure de l'Église, où le Christ prend avec lui ceux auxquels il fait traverser les grandes eaux de la mort. L'épisode de Babel sert à éclairer l'événement de la Pentecôte, où l'unité refaite est symbolisée par le don des langues.

La culture médiévale est imprégnée de ces pensées. La lecture typologique demeure vivante. Ainsi, par exemple, voit-on les artistes transformer l'arche du Déluge en solide demeure symbolisant l'Église ou bien faire figurer dans des représentations de l'Annonciation à Marie des allusions à l'arbre qui, au jardin d'Éden, a porté le fruit de la désobéissance. Les mêmes textes de la *Genèse* servent, de façon plus douteuse, à étayer une misogynie ambiante. On se met, à la même époque, à donner au serpent un visage féminin, décalquant celui d'Ève, sous le prétexte que les mêmes s'attirent et s'assemblent. Et encore, c'est en passant par le récit de Babel que l'on scrute la question fascinante des origines du langage et que l'on part en quête d'une langue « adamique ». Les utopies qui fleurissent au XVIe siècle et à l'âge classique rêvent précisément d'un retour au temps d'avant Babel. Quand l'abbé Grégoire, à l'époque révolutionnaire, lancera la campagne d'élimination des patois du territoire national français, il argumentera : « Avec trente-trois patois différents, nous en sommes encore, pour le langage, à la tour de Babel, tandis que pour la liberté, nous formons l'avant-garde des nations. »

Dans le même temps, l'apparition d'une lecture critique de la Bible va placer ces textes fameux au centre de polémiques virulentes. Des débats portant sur l'auteur du Pentateuque* ou sur la vraisemblance des textes sacrés font de la *Genèse* leur point d'application favori. Le texte reçu jusqu'alors sans aucune gêne, tant qu'il était lu dans une perspective allégorique et spirituelle, se charge d'une étrangeté qui trouble des lecteurs pourtant aussi évidemment chrétiens qu'un Bossuet. Le sens allégorique étant de plus en plus marginalisé, seul compte le sens littéral. La lecture devient enquête sur un texte abordé de manière exclusivement historique et philologique. Les onze premiers chapitres de la *Genèse* font dès lors figure de récit réaliste du commencement, sur le mode naïf, primitif et préscientifique qui caractérise nécessairement des auteurs appartenant à un passé lointain et étranger aux lumières modernes.

Le *Dictionnaire philosophique* de Voltaire (1764), aux articles « Adam », « Babel », « Inondation » ou encore « Genèse », donne idée des débats qui enflamment les esprits. Le texte de la *Genèse*, explique-t-il, reprend « des préjugés vagues et grossiers » en cours dans les cultures du temps. Il est rempli d'inconséquences : il « ne fait créer le soleil et la lune que quatre jours après la lumière ». Le philosophe ironise : « Il est difficile de concevoir qu'il y ait eu un arbre qui enseignât le bien et le mal, comme il y a des poiriers et des abricotiers. » Il feint de savants calculs sur le temps nécessaire pour que toute la terre soit recouverte par les eaux du Déluge. Il conclut que toute cette histoire n'est que chimère. Les apologistes, ses contemporains, tentent de répondre en maintenant le débat sur le même terrain. Ils cherchent à concilier l'Écriture et les nouveaux savoirs qu'apportent la physique et l'histoire naturelle. Par exemple, ils multiplient les « preuves » physiques d'un déluge universel ayant laissé des traces dans les paysages du monde, ou ils invoquent les témoignages d'une paléontologie dans son enfance.

Pourtant la critique progresse inexorablement. Au début du XIXe siècle, on se met à parler de mythes* à propos de ces textes, en chargeant le mot d'un sens résolument négatif. La naissance du comparatisme, associée à la redécouverte par l'archéologie des grandes civilisations du Proche-Orient ancien, amène à découvrir que les vieux récits bibliques sont précédés de documents plus anciens dont ils s'inspirent. Des exégètes allemands de renom comme H. Gunkel (*Création et chaos*, 1895) ou F. Delitzsch (*Babel et la Bible*, 1902) contribuent à cette prise de conscience. La civilisation babylonienne, en particulier, apparaît comme une source d'inspiration majeure de ces premiers chapitres. Le grand public se passionne pour ces travaux qui placent la Bible sous la lumière crue de la critique historique. Au tournant du XIXe siècle, le monde chrétien, dans sa majorité, s'émeut en voyant dans ces recherches une entreprise de sape du texte biblique et de sa crédibilité. L'obsession d'une historicité de ces textes, analogue à celle que peuvent revendiquer d'autres textes de la Bible, suggère d'entreprendre des vérifications fantasmatiques des données bibliques. On cherche où aurait pu être planté le jardin d'Éden, on spécule sur les monts d'Ararat où l'arche de Noé s'est arrêtée. Dans le même temps, les thèses évolutionnistes accréditent de nouvelles conceptions de l'histoire de l'humanité, qui font un écart problématique avec les représentations que l'on avait cru pouvoir tirer de la *Genèse*. Certains vont développer un concordisme mettant en relation les ères géologiques avec les données du texte.

Peu vont savoir, comme M.-J. Lagrange, garder une égale confiance dans le texte sacré et dans l'enquête historique. C'est sur cette voie pourtant que les résultats les plus fructueux vont être acquis. L'exégèse* contemporaine fera la preuve que le texte résiste à la critique historique, mais plus encore que celle-ci conduit à y découvrir des finesses insoupçonnées. Logique de l'arroseur arrosé… un Voltaire croyait établir définitivement la naïveté des récits qui ouvrent la *Genèse;* les connaissances acquises aujourd'hui suggèrent que la naïveté était du côté de l'enquêteur qui posait des questions enfantines, ignorantes de la nature des textes, de leur finalité ou encore des subtilités polémiques qu'ils entretiennent avec les cultures et les religions qui leur étaient contemporaines. Hormis pour des cercles isolés qui prétendent faire une lecture littérale et réaliste de ces textes, il est clair désormais que les premiers chapitres de la *Genèse* ne sauraient passer pour une chronique des commencements du monde qui pourraient entrer en compétition avec les savoirs apportés par la science. Ils ne parlent ni du *big bang* ni de la météorologie ancienne : leur projet est autre et, à certains égards, plus ambitieux. Ils veulent éclairer le sens d'une condition humaine que la science ne peut qu'aménager.

Quoi qu'il en soit des bourrasques et des ébranlements qui ont secoué les siècles passés, ces textes ont gardé une étonnante fraîcheur et un pouvoir d'inspiration qui s'est renouvelé au long du XXe siècle. Parmi bien d'autres, un Borges en témoigne quand il croise le mythe du labyrinthe avec celui de Babel pour édifier sa *Bibliothèque de Babel.* D'une autre manière, Péguy illustre cette actualité du texte quand il consacre un immense poème à *Ève*, « mère ensevelie hors du premier jardin », et quand il déploie sous son inspiration la fresque d'une humanité besogneuse, éprouvée mais sauvée.

REPÈRE

LA CRÉATION : SCIENCE ET FOI SONT-ELLES COMPATIBLES ?

Avant que la physique moderne n'établisse que notre univers a eu un commencement, les cultures humaines n'ont cessé d'évoquer une origine de l'humanité et du monde : des êtres surpuissants, en un temps initial, auraient créé le monde et l'humanité. La tradition biblique a repris cette représentation aux cultures qui l'entouraient, non sans lui apporter un rectificatif majeur en substituant à l'idée de créateurs multiples, plus ou moins en compétition, l'affirmation que le monde est l'œuvre d'un Dieu unique et universel. Mais jusqu'à l'époque moderne l'idée dominante et générale est celle d'un processus instantané : soit que la vie ait surgi de façon spontanée (génération spontanée), soit que les êtres aient été créés par Dieu dans un geste unique qui les a faits tels que nous les connaissons (créationnisme). Un non-chrétien comme Voltaire se ralliait sans conteste à cette seconde hypothèse.

Le créationnisme chrétien prit, lui, ses appuis dans les premiers chapitres de la *Genèse* lus littéralement et tenus, dans leur acception réaliste, pour parole révélée. On conçoit le choc causé par les thèses évolutionnistes qui, de Darwin à Mendel, imposèrent une vision du monde désormais inséparable de l'évolution. En réponse à ce défi, fut avancée l'idée d'un créationnisme à répétition, qui continuait à refuser toute idée de transformation des espèces. En dernier ressort le créationnisme consentit à la perspective d'une évolution, mais en y soustrayant l'homme, distingué en cela du reste du règne animal. À l'heure présente la majorité des Églises chrétiennes a délaissé le créationnisme qui n'est plus professé que par des groupes fondamentalistes aux USA.

Mais cette nouvelle attitude ne signifie pas l'abandon des affirmations bibliques traditionnelles déclarant que le monde a été créé par Dieu et que l'homme est fait à son image. Bien au contraire, on assiste à un recentrage sur le sens profond de ces propositions : à savoir que l'homme n'est pas sa propre source, qu'il n'habite pas le monde en potentat qui pourrait en user arbitrairement, que le monde est pénétré d'une intelligence qui déborde celle de l'homme, ou encore que l'homme, tout en appartenant au règne animal, est porteur d'une dignité qui est irréductible à une supériorité morphologique (la station debout ou l'usage de la main) ou intellectuelle (le volume du cerveau). De telles propositions ne s'opposent pas à la logique scientifique. Elles sont seulement, et sans concurrence, d'un autre ordre.

La création (Genèse 1–3)

Le premier livre de la Bible, la Genèse, s'ouvre par deux textes relatifs à la création du monde (Gn 1,1 – 2,4a puis 2,4b – 3,24). Ce début peut sembler très naturel : quoi de plus normal que de commencer par le commencement ? Pourtant ce commencement n'est simple qu'en apparence. D'abord parce qu'il est un peu étrange que, pour dire l'origine de tout, deux textes soient proposés, qui semblent être des doublets. N'aurait-on pas voulu, ou pas su choisir entre ces deux versions ? En outre, bien loin de constituer les documents les plus primitifs de la Bible, ces chapitres, spécialement le premier, appartiennent à un stade déjà avancé de la rédaction du livre. Le second récit est d'ailleurs plus

Repère

Qu'est-ce qu'un mythe ?

Le mythe est un récit qui a pour objet de dire l'origine de ce qui existe, d'explorer la complexité du monde au milieu duquel vivent les hommes. Il a une fonction explicative. Comme tel, il représente une des modalités de la réflexion humaine. Il sert aussi à justifier les conventions qui organisent la vie des individus et des groupes : il vise à fonder et à instaurer la vie de ceux qui le racontent. Pour ce faire, il se situe volontiers dans un temps primordial, « en ce temps-là », temps des dieux, hors de notre chronologie. Le mythe est anonyme et collectif. Souvent il est lu au cours de la célébration d'une fête qui en reprend rituellement des éléments. Ainsi du mythe mésopotamien d'Ishtar et de Tammouz : elle est maîtresse du sol et de la végétation, et lui, le dieu-berger, rend compte de l'alternance des saisons. Ce mythe, mimé lors de la fête du Nouvel An, devait assurer au pays une année féconde. D'autres mythes ont pour fonction d'éclairer les mystères de la condition humaine. Il existe également des mythes qui expriment non pas les origines mais le terme de l'histoire, le monde nouveau espéré ; on les appelle « eschatologiques* ». On les trouve notamment dans les apocalypses*.

Le rationalisme du XIXe siècle a porté sur le mythe des jugements très négatifs en l'assimilant à une forme de pensée prélogique, irrationnelle, qui relèverait du seul imaginaire. Plus récemment une conception beaucoup plus positive s'est affirmée : le mythe apparaît comme un langage fait pour saisir des réalités que le langage courant échoue à désigner ; il est le moyen de signifier des réalités invisibles ou transcendantes, d'explorer les arcanes de la vie. Par là, il peut être porteur d'une vérité plus profonde que la vérité historique. On a pu dire qu'il était un « effort de connaissance de l'inconnaissable » (Buess). Il se pourrait même que, bien compris, il implique un jeu et une distance qui empêchent de le prendre à la lettre, à l'inverse de la naïveté que nous prêtons à ses auditeurs ou à ses lecteurs.

Aussi la tradition biblique rencontre-t-elle le langage du mythe, spécialement dans les onze premiers chapitres de la *Genèse* qui se tiennent à la racine obscure de l'histoire. Le souvenir de mythes très fameux dans le monde antique affleure dans ce texte. Mais la Bible privilégie trop l'histoire pour avoir un rapport paisible au mythe, par essence anhistorique. En fait, elle utilise des motifs mythiques qu'elle soumet à un sévère traitement démythologisant. Elle en fait les moyens d'expression d'un langage symbolique qui lui permet d'évoquer des réalités qui débordent l'expérience.

ancien que le premier : tout se passe comme si on avait éprouvé le besoin de le préfacer par un texte plus récent. Enfin, la lecture montre vite que nous avons affaire ici à tout autre chose qu'à des reconstitutions imaginaires et naïves des débuts du monde. Ces textes sont remplis de finesses, d'intentions subtiles qui en rendent la lecture délicate pour les Modernes. On les tient à l'occasion pour puérils, sans s'apercevoir que la faiblesse est du côté du lecteur.

Avant de les parcourir, il nous faut en effet dissiper un malentendu. Ces récits ne relèvent pas d'une intention réaliste. Ils ne proposent pas la version ancienne et enfantine de notre mythe moderne du *big bang*. S'ils avaient voulu le faire, ils auraient éliminé, par exemple, la contradiction qui fait que les animaux sont créés avant l'homme dans le premier récit, mais après lui dans le second. Mais le souci des rédacteurs n'est pas là. Leur visée est d'abord théologique, c'est-à-dire occupée à discerner les intentions de Dieu qui sous-tendent le monde dont lequel l'homme vit. Leur ambition est d'éclairer les mystères de la condition humaine, de dire sa vérité, telle que Dieu l'a faite, et par là, de montrer la voie du bonheur. C'est pourquoi aussi ces textes regardent, en fait, moins vers le passé, qu'ils ne sont tournés vers le présent, et même vers l'avenir. Pour le voir, il nous faut décrypter des langages qui ne sont plus les nôtres, apprivoiser une expression symbolique qui utilise des fragments de mythologies dont elle fait son matériau littéraire. Difficulté supplémentaire : ces textes sont en relation polémique subtile avec les traditions religieuses et culturelles de l'Ancien Orient auxquelles ils empruntent ces matériaux.

Le premier récit de création (Gn 1,1 – 2,4a)

Les exégètes le datent aujourd'hui couramment de l'époque de l'Exil à Babylone, au VIe siècle. Ils le relient aux milieux sacerdotaux : les prêtres exilés du Temple de Jérusalem. Cette provenance éclaire bien le ton très particulier de ce texte. D'une part, on y retrouve l'écho de l'expérience d'Israël qui a vécu ces années d'Exil au contact d'une civilisation païenne puissante, mettant en scène de façon grandiose les mythes de la religion babylonienne, en particulier l'*Enouma Elish*. D'autre part, le cadre temporel de cette évocation de la création porte la trace de milieux sacerdotaux dont la fonction est d'assurer le service liturgique qui culmine, chaque fin de semaine, dans la célébration du sabbat. En choisissant ce cadre chronologique, l'objectif n'est pas de faire croire que Dieu a créé le monde en sept jours ; il est d'évoquer une œuvre de Dieu qui déborde notre histoire, celle que prend en charge notre temps chronologique. Pour ce faire, les rédacteurs ont eu recours précisément au temps liturgique qui leur était familier et qui a la particularité de nouer ensemble le temps de la vie humaine et le temps des actions de Dieu. Ainsi s'explique, entre autres, l'ample développement sur le septième jour, jour du sabbat, qui clôt le texte.

Le rythme de ce chapitre est remarquable. Le lecteur est saisi par la puissance incantatoire et poétique de ces versets. Nous n'avons pas à proprement parler affaire à un récit, mais plutôt à une sorte d'hymne scandée non seulement par la mention des jours qui défilent comme une procession, mais par une série de formules reprises de place en place : « Dieu dit » revient 10 fois, « Dieu fit » 8 fois, « Dieu vit » 7 fois. Régulièrement encore, Dieu nomme ce qu'il a créé, il bénit, il commente son œuvre (« Dieu vit que cela était bon ») jusqu'à la déclaration finale : « Dieu vit tout ce qu'il avait fait : cela était très bon » (v.31). Par là aussi on voit qu'il n'est pas si facile de dégager la structure du texte : s'appuiera-t-on sur les 7 jours, sur les 8 œuvres successivement créées (lumière, ciel, terre, plantes, astres, oiseaux et poissons, animaux terrestres, homme) ou sur les 10 paroles introduites par « Dieu dit » ?

On voit aussi la complexité de l'image de l'acte créateur qui est donnée. Dieu est déclaré créer par un « faire » qui fait surgir le monde, mais aussi par une parole qui a la capacité d'accomplir ce qu'elle dit : « Dieu dit : Que la lumière soit ! Et la lumière fut » (1,3). En tout cas, un motif est essentiel, celui de la séparation. C'est en séparant ce qui est initialement mélangé, indistinct, chaotique, que Dieu promeut à l'existence. Le monde advient au terme d'une série de séparations entre ténèbres et lumière, eaux d'en haut et eaux d'en bas, ou encore grâce à des luminaires qui séparent le jour de la nuit. De la même façon, règnes animal et végétal sont ordonnés « selon leur espèce ». Cette insistance sur le motif de la séparation peut évoquer une préhistoire du texte renvoyant à un substrat mythique. Mais il prend ici un relief inédit. Dieu crée en séparant, c'est-à-dire aussi en instaurant des relations entre les réalités que sa parole individualise. On notera que cette pensée est loin d'être étrangère à notre psychologie moderne, qui sait combien il est important de sortir de l'indistinction et du fusionnel, pour que l'être humain trouve son identité en entrant dans un monde de différences et de relations.

1,1 Au commencement, Dieu créa le ciel et la terre. 2 Or la terre était vide et vague, les ténèbres couvraient l'abîme et un souffle de Dieu agitait la surface des eaux.

Cette scène du commencement nous place en plein mystère. Il est bien qu'il en soit ainsi, car tout commencement est inconnaissable. Un monde en gésine, caché dans le secret de Dieu, est suggéré par la mention d'une « terre vide et vague » (en hébreu *tohu bohu)*, des ténèbres, d'un abîme (*tehôm*), des eaux et d'un « souffle de Dieu ». Un autre texte biblique, écrit plus tardivement, au IIe siècle avant notre ère, insistera sur le fait que Dieu a créé le monde *ex nihilo*, de rien (2 M 7,28). Le texte présent ne prend pas en charge cette affirmation ; il montre, en revanche, un Dieu créateur, préexistant à tout, dont la Parole amène à l'existence, étape par étape, le monde que nous habitons. Le verbe « créer » (*bara*), utilisé ici, est d'ailleurs réservé à Dieu. Et le mystérieux « souffle de Dieu », qui plane sur les eaux comme l'oiseau sur sa couvée, se retrouvera plus tard, en des moments clés de la Bible, pour dire la présence de Dieu.

1,3 Dieu dit : « Que la lumière soit » et la lumière fut. 4 Dieu vit que la lumière était bonne, et Dieu sépara la lumière et les ténèbres. 5 Dieu appela la lumière « jour » et les ténèbres « nuit. » Il y eut un soir et il y eut un matin : premier jour.

6 Dieu dit : « Qu'il y ait un firmament au milieu des eaux et qu'il sépare les eaux d'avec les eaux » et il en fut ainsi. 7 Dieu fit le firmament, qui sépara les eaux qui sont sous le firmament d'avec les eaux qui sont au-dessus du firmament, 8 et Dieu appela le firmament « ciel ». Il y eut un soir et il y eut un matin : deuxième jour [...].

Au terme du premier jour un partage décisif est accompli entre lumière et ténèbres, sans d'ailleurs que les astres, non encore créés selon notre texte, y soient pour quelque chose. Soleil et lune sont facilement divinisés autour d'Israël : notre auteur a soin de les ramener à une identité plus modeste. Ainsi, provisoirement, du moins, ils sont passés sous silence. Au second jour, la création se poursuit par une nouvelle séparation qui met en jeu le firmament. Le monde se dessine avec plus de précision, selon une représentation traditionnelle dans les textes orientaux et bibliques : la terre est surmontée d'un dôme, la voûte céleste, qui sépare eaux supérieures et eaux inférieures, et dont les ouvertures laissent passer la pluie et la neige.

Après quoi apparaissent la terre et toutes les plantes qui la couvrent. Ce sera là un troisième jour (v.9-13). Dieu constatera combien cela est bon. Au quatrième jour seulement (v.14-19) sont créés les astres, luminaires destinés à séparer le jour et la nuit qui ne les ont pas attendus pour exister... Ils auront pour fonction de fixer le calendrier, de rappeler les temps et les fêtes qu'Israël doit célébrer. *Sin*, le dieu lune et *Shamash*, le dieu soleil des Mésopotamiens, ne sont que des créatures du Dieu unique qui a fait le ciel et la terre ; c'est pourquoi les mots de

« soleil » et de « lune » ne sont même pas prononcés. Nous avons là l'indice d'une polémique contre les cultes païens des peuples voisins.

Le cinquième jour (v.20-23) est consacré à faire advenir les animaux qui vivent dans les mers, poissons et monstres marins, et ceux qui vivent dans les airs. Là aussi affleure la polémique, car, dans bien des mythologies anciennes, les premiers se retrouvent facilement sous forme de divinités maléfiques. Ici ils sont déclarés créés par Dieu, qui donc a maîtrise sur eux. Dieu donne à tous l'ordre d'être féconds et de se multiplier. Sur ce cinquième jour retentissent la bénédiction* de Dieu et le constat que tout cela est bon.

1,24 Dieu dit : « Que la terre produise des êtres vivants selon leur espèce : bestiaux, bestioles, bêtes sauvages selon leur espèce » et il en fut ainsi. 25 Dieu fit les bêtes sauvages selon leur espèce, les bestiaux selon leur espèce et toutes les bestioles du sol selon leur espèce, et Dieu vit que cela était bon.

26 Dieu dit : « Faisons l'homme à notre image, comme notre ressemblance, et qu'ils dominent sur les poissons de la mer, les oiseaux du ciel, les bestiaux, toutes les bêtes sauvages et toutes les bestioles qui rampent sur la terre. » 27 Dieu créa l'homme à son image,
à l'image de Dieu il le créa,
homme et femme il les créa.

28 Dieu les bénit et leur dit : « Soyez féconds, multipliez, emplissez la terre et soumettez-la ; dominez sur les poissons de la mer, les oiseaux du ciel et tous les animaux qui rampent sur la terre. »

29 Dieu dit : « Je vous donne toutes les herbes portant semence, qui sont sur toute la surface de la terre, et tous les arbres qui ont des fruits portant semence : ce sera votre nourriture. 30 À toutes les bêtes sauvages, à tous les oiseaux du ciel, à tout ce qui rampe sur la terre et qui est animé de vie, je donne pour nourriture toute la verdure des plantes » et il en fut ainsi. 31 Dieu vit tout ce qu'il avait fait : cela était très bon. Il y eut un soir et il y eut un matin : sixième jour.

Avec ce sixième jour nous arrivons au point culminant de la création. Les animaux de la terre voient le jour, toujours soigneusement distingués « selon leur espèce ». Puis vient une sorte de délibération de Dieu avec lui-même : « Faisons l'homme à notre image. » Ce préambule exprime déjà la solennité de ce nouveau moment de la création. Les précisions qui suivent confirment l'importance du nouvel être qui va apparaître maintenant : seul parmi tous les autres, il sera à l'« image » et à la « ressemblance » de Dieu. Le v.27 reprend sur un mode narratif le projet de création de l'humanité qui vient d'être formulé. Il y ajoute un détail majeur : l'homme, l'être humain, est créé d'emblée masculin et féminin. En une seule phrase sont dites l'unité d'une part, la différence qui articule cette unité, d'autre part. Un subtil jeu sur le singulier et le pluriel (« il le créa », « il les créa ») confirme cette proposition qui fonde l'égalité de l'homme et la femme en les déclarant l'un et l'autre à l'image de Dieu. À cet homme, Dieu donne la consigne déjà adressée aux animaux d'être féconds et de se multiplier. Mais cette fois il s'agit d'une parole de personne à personne (« il *leur* dit ») ; elle nous oriente vers une fécondité qui ne sera pas tout à fait identique à celle des animaux, puisque ce sera celle d'une humanité qui porte l'effigie de Dieu.

En outre, l'homme reçoit autorité sur les animaux. Le détail peut échapper ; il est pourtant plein de sens et d'enseignement. Dans ce monde de l'origine, où Dieu remet à l'homme pour sa nourriture « toutes les herbes portant semence » et « tous les arbres qui ont des fruits » (v.29), il ne peut s'agir que d'une domination pacifique. L'homme est instauré maître du monde animal, mais il a pour sceptre la douceur. Et en cela il est ici image de Dieu. Par ce biais discret, détourné – puisqu'il s'agit de reconnaître le modèle en passant par l'image… – le lecteur apprend que le Dieu biblique, créateur du monde, est tout-puissant, mais d'une puissance de douceur. De cette douceur, un commentateur dit qu'« elle est sans doute le don le plus intime, le plus secret de l'acte créateur » (P. Beauchamp). Ce reflet de Dieu en l'homme s'effacera au temps du déluge, lorsque Dieu prenant acte de la violence qui travaille le cœur de l'homme, l'autorisera à verser le sang animal pour se nourrir (Gn 9,2-3). Mais précisément le plan de Dieu aura alors été altéré, la violence aura brouillé la frontière mise entre l'homme et l'animal. C'est pour cette raison aussi que la tradition des prophètes (Osée, Isaïe) évoque les temps futurs du salut en usant de l'image de la réconciliation entre hommes et animaux sauvages : c'est là un signe de l'accomplissement de l'Alliance*. Il est clair que notre texte de la *Genèse* est écrit par des hommes qui ont cette vision d'avenir en mémoire : ainsi ils invitent à contempler le terme de l'histoire, tandis qu'ils semblent ne parler que d'origine. Le commentaire divin au soir de ce sixième jour affirmera que « tout cela était très bon ».

***2,1** Ainsi furent achevés le ciel et la terre, avec toute leur armée. 2 Au septième jour Dieu avait terminé l'ouvrage qu'il avait fait et, le septième jour, il chôma, après tout l'ouvrage qu'il avait fait. 3 Dieu bénit le septième jour et le sanctifia, car il avait chômé après tout son ouvrage de création. 4 Telle fut l'histoire du ciel et de la terre, quand ils furent créés.*

Alors que tout est achevé, le septième jour fait l'objet d'un long développement. Il montre précisément Dieu cessant de travailler, « chômant » pour contempler son œuvre. Ce Dieu tout-puissant est aussi maître de sa puissance. Il commande à son travail, puisqu'il sait l'interrompre. Si notre texte s'attarde avec insistance sur ce dernier

DOCUMENT

LES MYTHES DE LA CRÉATION

Les grandes cultures du Proche-Orient ancien ont, bien avant la Bible, élaboré des récits de création. Ces mythes d'origine tentent de répondre aux interrogations qui habitent l'homme : qui sommes-nous ? pourquoi existons-nous ? quelles relations lient l'humanité aux dieux ? pourquoi l'homme travaille-t-il ? En confrontant la Bible à ces documents on mesure les emprunts que les auteurs bibliques ont faits aux cultures qui les entouraient. On découvre aussi comment ils ont profondément réinterprété ces matériaux au service d'une vision de Dieu et de l'homme bien différente.

Le poème babylonien *Enouma Elish*, rédigé probablement au milieu du IIe millénaire avant notre ère, fait partie de ces sources. Il s'ouvre par ces mots : « Lorsqu'en haut le ciel n'était pas nommé, et qu'en bas la terre n'avait pas de nom, de l'océan primordial leur père, et de la tumultueuse Tiamat leur mère à tous deux, les eaux se confondaient. » Il se poursuit en évoquant la formation du monde surgi d'un gigantesque combat mettant aux prises le dieu Mardouk et le Chaos aqueux formé par Tiamat et Apsou. Ayant triomphé de Tiamat, Mardouk édifie l'univers à partir du corps fendu du monstre. Puis Mardouk crée l'homme avec le sang de Kingou, un dieu traître qu'il a également vaincu. Le chapitre 1 de la *Genèse*, écrit au moment de l'Exil à Babylone, est en rapport d'allusion et de critique à ce mythe : tout en reprenant certains motifs, il refuse l'idée d'un combat primordial et celle d'un homme qui serait le produit dérivé du corps d'un dieu vaincu.

La Bible croise également le poème d'*Atra-Hasis* (« Le très intelligent »), datable du XVIIe siècle avant notre ère, qui raconte la création de l'humanité. Au tout début étaient les dieux qui devaient subvenir eux-mêmes à leurs besoins en travaillant de leurs mains. Les grands dieux Anounna se déchargèrent de ce labeur sur des dieux inférieurs, les Iguigou, qui finirent par se révolter. Le dieu Ea prend alors la parole en suggérant de créer les hommes chargés d'assurer le service des dieux : « Que l'homme porte le panier du dieu. » Ainsi la déesse Mama et ses auxiliaires fabriquèrent les hommes avec de l'argile mêlée au sang et à la chair d'un dieu pour servir les dieux. En contraste, le texte de la *Genèse* décrira un homme créé gratuitement et recevant à son profit la gérance du jardin d'Éden.

Le motif du serpent qui trompe l'homme, présent au chapitre 3 de la *Genèse*, est également familier à bien des mythologies. Tout près d'Israël, il apparaît en particulier dans l'épopée de *Guilgamesh* (XIe tablette, 271-290). Au terme d'un long chemin, le roi d'Ourouk a trouvé la plante de l'immortalité. Mais alors qu'il touche à son but, elle lui est ravie par le serpent :

Guilgamesh descendit dans l'abîme et saisit la plante... [Sur le chemin du retour] Guilgamesh vit une fontaine aux fraîches eaux. [Comme] il était descendu pour se laver à ses eaux, un serpent qui avait senti l'odeur de la plante, silencieusement sortit [de terre] et emporta la plante. Tout aussitôt il rejeta ses écailles. Dès lors Guilgamesh, immobile, reste à pleurer. (Trad. F. Malbran-Labat.)

Le texte biblique renvoie à d'autres sources encore, égyptiennes en particulier, mais aussi indo-européennes. Il apparaît que ses rédacteurs ont mené une enquête méticuleuse sur la question des origines en puisant leur bien dans les traditions qui leur étaient accessibles et qu'ils ont, à partir de là, élaboré leur propre synthèse.

jour, c'est certainement pour mettre sous les yeux du lecteur un modèle de comportement. L'homme fait à l'image de Dieu est invité, lui aussi, à suspendre son travail, en signe de sa liberté. Et il est invité à mettre à profit ce repos pour se souvenir de son créateur et le louer pour les biens qu'il a reçus de lui. Tels sont les enjeux du respect du *sabbat** qu'Israël recevra comme l'un des commandements du Décalogue (Ex 20,8-11) et que les rédacteurs sacerdotaux de ce texte ont voulu mettre en valeur.

Au terme de ce premier « récit », on le voit, le tout de la création que l'homme habite est disposé sous les yeux. Ce tout est un ordre, un monde bon, organisé par un ensemble de relations voulues et posées par Dieu. Telle est la première grande note fondamentale qui retentit à l'ouverture de la Bible. Le Dieu, créateur du monde et de tout ce qu'il contient, est un Dieu qui a créé hors de toute nécessité, comme par une surabondance d'être et mu par une bienveillance sans réserve. En leur plus originelle vérité, le monde et l'humanité sont baignés de cette lumière et ils sont faits pour cette harmonie. Ce qui veut dire aussi que là est leur vérité ultime, à venir, au terme de l'histoire, quand celle-ci sera achevée. Le grand repos du septième jour n'est pas pour la Bible histoire ancienne. Il est en avant du lecteur et du livre.

Le second récit de création (Gn 2,4b – 3,24)

Ce second récit, qui couvre les chapitres 2 et 3, reprend sur un mode bien différent la question des origines. Le texte est plus ancien, antérieur à l'Exil : il est communément daté du VIIIe siècle, plutôt que du Xe. L'horizon, cette fois, n'est plus le cosmos sur lequel ouvrait le chapitre 1, mais un monde humain très quotidien, celui du paysan qui cultive le sol. Dieu y est présenté de façon beaucoup plus anthropomorphique*, sous les traits d'un potier, puis d'un jardinier. Le texte est un récit, au sens strict du terme, centré sur la création de l'homme et de la femme. Sur ce point, il recoupe pour partie les données du ch. 1, bien qu'il les présente de façon fort différente. Il les prolonge surtout par la péripétie dramatique de la désobéissance qui occupe le ch. 3. Par là il jette un pont entre le « très bon » du sixième jour et l'expérience présente de la vie. Mais sa lecture ne doit pas faire oublier l'acquis du premier texte lu précédemment.

2,4b Au temps où le SEIGNEUR *Dieu fit la terre et le ciel, 5 il n'y avait encore aucun arbuste des champs sur la terre et aucune herbe des champs n'avait encore poussé, car le* SEIGNEUR *Dieu n'avait pas fait pleuvoir sur la terre et il n'y avait pas d'homme pour cultiver le sol. 6 Toutefois, un flot montait de terre et arrosait toute la surface du sol. 7 Alors le* SEIGNEUR

Dieu modela l'homme avec la glaise du sol, il insuffla dans ses narines une haleine de vie et l'homme devint un être vivant.

Loin des grandeurs évoquées précédemment, tout commence dans un décor rural décrit négativement à travers une série de « pas encore » familiers aux récits d'origine. Seul un « flot » mystérieux est mentionné, grâce auquel Dieu va pouvoir modeler un homme à partir de la poussière du sol. Le texte reprend le geste du potier, qui est déjà celui des récits de création en Égypte ou en Mésopotamie. Le mot « homme » (*adam*) fait écho au mot « terre » (*adama*, qui étymologiquement signifie « rouge », comme est rouge la terre arable et comme est rouge la matière corporelle). Ce rapprochement exprime bien que l'homme est originellement un « terreux ». C'est cet être qui reçoit ensuite de la bouche de Dieu « une haleine de vie » qui fait de lui un « être vivant ». Le mot hébreu pour dire cet « être », *nephesh*, sera rendu par *psychè* en grec, *anima* en latin, *âme* pour nous. Nous apprendrons un peu plus loin que Dieu « modela encore du sol toutes les bêtes sauvages et tous les oiseaux du ciel » (v.19) mais il ne sera pas question pour eux d'une haleine de vie issue de la bouche même de Dieu. Ainsi, malgré leur proximité, homme et animal sont séparés par une différence fondamentale.

2,8 Le SEIGNEUR Dieu planta un jardin en Éden, à l'orient, et il y mit l'homme qu'il avait modelé. 9 Le SEIGNEUR Dieu fit pousser du sol toute espèce d'arbres séduisants à voir et bons à manger, et l'arbre de vie au milieu du jardin, et l'arbre de la connaissance du bien et du mal. 10 Un fleuve sortait d'Éden pour arroser le jardin et de là il se divisait pour former quatre bras [...]. 15 Le SEIGNEUR Dieu prit l'homme et l'établit dans le jardin d'Éden pour le cultiver et le garder. 16 Et le SEIGNEUR Dieu fit à l'homme ce commandement : « Tu peux manger de tous les arbres du jardin. 17 Mais de l'arbre de la connaissance du bien et du mal tu ne mangeras pas, car le jour où tu en mangeras, tu mourras. »

Dieu tient maintenant le rôle d'un jardinier. Il établit en Éden un jardin, *gan* en hébreu, *paradeisos* selon le grec, qui reprend un mot persan. Ce jardin, bien arrosé par les eaux de quatre fleuves, est remis entre les mains de l'homme, pour être un lieu cultivé, harmonieux, à l'abri des dangers extérieurs. On note, comme le remarque un commentateur, qu'ici « l'Éden est un don et l'état édénique n'est pas une nature ». Dieu plante deux arbres dans ce jardin. L'un d'eux, l'arbre de vie, est très familier à l'Orient ancien. Il porte les fruits qui confèrent l'immortalité ; il est la nourriture des dieux. Dans l'Éden, l'homme a accès à cet arbre. Il n'est donc pas, par nature, immortel, mais il a originellement le moyen de surmonter la mort grâce à cette nourriture divine. On remarque au passage qu'en s'exprimant ainsi le texte de la *Genèse* combat l'idée attestée en Égypte selon laquelle seul le pharaon aurait accès à l'arbre de vie et à l'immortalité. Pour notre auteur biblique, c'est tout homme qui, initialement, reçoit accès à l'arbre de vie. C'est tout homme aussi qui, dans la suite de l'histoire, se verra interdire l'accès à cet arbre. Avec audace l'auteur biblique s'inscrit en faux contre tout privilège royal en la matière !

Mais un autre arbre est planté dans le jardin. Des discordances dans la suite du récit indiquent que cet « arbre de la connaissance du bien et du mal » a été introduit dans un second temps de l'élaboration du texte. Ce nouvel arbre n'a pas, cette fois, de répondant dans les mythologies proches d'Israël. Son interprétation est complexe. D'une part, « connaître le bien et le mal » est une locution hébraïque courante, qui n'a pas d'implication morale (ex. 2 S 14,17.20). D'autre part, l'arbre est ici l'objet d'un commandement, ce qui, en contexte biblique, évoque les commandements de l'Alliance, qui énoncent précisément ce qui est bien et ce qui est mal. « Connaître le bien et le mal » suggère ainsi une connaissance illimitée dont l'homme est seul arbitre. « Ni Dieu ni maître ! » selon une expression moderne. Or Dieu interdit cette voie en avertissant qu'elle mène au malheur et à la mort.

Avant de poursuivre, récapitulons le scénario qui se met en place. Après avoir créé l'homme, Dieu lui a donné le jardin dont il lui confie la gérance. Il accompagne ce don d'une parole qui occupe les v.16-17. Celle-ci est faite d'une double injonction : la première est positive, elle invite à manger de tous les arbres du jardin ; la seconde introduit une restriction en soustrayant à la jouissance de l'homme l'arbre de la connaissance du bien et du mal. Cette défense est accompagnée d'un avertissement qui n'est d'ailleurs pas une menace, contrairement à ce que laissent entendre des traductions erronées : si l'homme mange de l'arbre de la connaissance du bien et du mal, il mourra certainement. Tout cela est dit sobrement, peut-être trop au goût du lecteur qui se pose d'emblée toutes sortes de questions. Ainsi, en particulier, pourquoi cette interdiction ? N'est-ce pas piéger l'homme, le tenter, que de le placer devant cet interdit ? Et encore, l'arbre est-il mauvais parce que Dieu l'interdit ou bien Dieu l'interdit-il parce que le geste de manger de cet arbre est mauvais pour l'homme ? Dans un cas, nous avons affaire à la parole d'un potentat qui fait sentir arbitrairement son autorité. Dans l'autre, il s'agit de la parole bienveillante d'un Dieu qui veut protéger l'homme, lui garantir vie et bonheur. Dans un instant, le serpent va jouer de ces questions.

2,18. Le Seigneur Dieu dit : « Il n'est pas bon que l'homme soit seul. Il faut que je lui fasse une aide qui lui soit assortie. » 19. Le Seigneur Dieu modela encore du sol toutes les bêtes sauvages et tous les oiseaux du ciel, et il les amena à l'homme pour voir comment celui-ci les appellerait : chacun devait porter le nom que l'homme lui aurait donné. 20. L'homme donna des noms à tous les bestiaux, aux oiseaux du ciel et à toutes les bêtes sauvages, mais, pour un homme, il ne trouva pas l'aide qui lui fût assortie.

Quittant provisoirement la question des deux arbres, le texte revient à l'homme tel qu'il apparaît sous le regard de Dieu : c'est-à-dire seul. D'où la résolution divine de lui faire une « aide » en qui il se reconnaisse. Le mot doit être bien compris en se souvenant que le terme hébreu *ézer* qui est ici employé a un sens très particulier. Il est utilisé dans la Bible pour désigner le secours que Dieu apporte à l'homme qui est dans la détresse ou sous une menace mortelle. Il s'agit donc d'offrir à l'homme bien plus qu'un peu de main d'œuvre pour l'aider à cultiver le jardin. Un premier remède est cherché du côté de la création des animaux. Modelés comme l'homme de la terre mais dépourvus du souffle divin, ils ne rompent pas sa solitude, même s'il les nomme, exerçant ainsi la maîtrise sur le règne animal que le chapitre 1 lui avait conférée. Un autre acte créateur va donc être nécessaire pour arracher l'homme à la solitude. C'est en ce point qu'intervient la création de la femme.

2,21 Alors le Seigneur Dieu fit tomber une torpeur sur l'homme, qui s'endormit. Il prit une de ses côtes et referma la chair à sa place. 22 Puis, de la côte qu'il avait tirée de l'homme, le Seigneur Dieu façonna une femme et l'amena à l'homme. 23 Alors celui-ci s'écria : « Pour le coup, c'est l'os de mes os et la chair de ma chair ! Celle-ci sera appelée "femme" car elle fut tirée de l'homme, celle-ci ! »

Le langage imagé et pittoresque du texte risque de voiler sa subtilité. Compris sans intelligence, il peut même induire une représentation négative de la femme, qui d'ailleurs n'a pas manqué d'être exploitée. Certes, on perd ici l'avantage du premier texte de création qui présentait une création simultanée de l'homme et de la femme (Gn 1,16-17). Dans ce récit, où les événements se suivent linéairement, la femme vient après l'homme. Mais le texte va dire par d'autres voies la grandeur de la femme.

Tandis que Dieu crée la femme, l'homme est plongé dans un sommeil singulier (*tardéma*). Celui-ci se trouve mentionné en d'autres passages du récit biblique, associé à des moments où Dieu agit avec puissance. Il s'ensuit en particulier que l'homme n'est pas témoin des débuts de la femme ; ceux-ci lui resteront aussi mystérieux que son propre commencement. Le motif de la côte dont la femme est tirée a, lui, une origine obscure. Mais, par-delà l'image mythique, on voit le message qui se forme : si la femme est issue du corps de l'homme, elle est de même texture que lui. C'est d'ailleurs ce que va constater l'homme à l'instant où Dieu la lui présente : « Pour le coup, c'est l'os de mes os et la chair de ma chair ! » Manière de dire l'unité, autrement que le premier chapitre, mais aussi fortement.

Cette femme qui, notons-le au passage, a le privilège ici de n'être pas créée de la terre, mais directement de l'homme, va être le véritable vis-à-vis de l'homme. Loin d'être une simple utilité biologique nécessaire à la perpétuation de la race humaine, elle est cette « aide », ce secours l'arrachant à la solitude qui le condamnait à être un Narcisse sans avenir. La création de la femme est d'ailleurs concomitante avec la naissance de la parole. L'homme parle pour la première fois afin de dire son admiration devant celle que Dieu lui présente. On note enfin que les deux mots qui, en hébreu, disent « homme » et « femme » soulignent une parenté que masque notre langue. L'un est *ish* (l'homme), l'autre *ishah* (la femme). La tradition juive remarquera plus tard que les lettres qui font la différence de l'un à l'autre sont celles du nom de Dieu en abrégé : Yah (*yh*).

2,24 C'est pourquoi l'homme quitte son père et sa mère et s'attache à sa femme, et ils deviennent une seule chair. 25 Or tous deux étaient nus, l'homme et sa femme, et ils n'avaient pas honte l'un devant l'autre.

Conséquence du récit qui précède : l'homme quitte ses parents pour ne faire qu'un avec sa femme. L'amour conjugal l'emporte sur l'amour des parents. De cette manière encore est exprimée l'unité que Dieu a en vue en créant le premier couple. Le thème de la nudité qui clôt cette première phase du récit doit être éclairé. Replacé dans le monde ancien, qui est celui de notre texte, il engage plus que la question de la pudeur sexuelle. Nudité et vêtement sont en rapport avec la gloire de l'homme. Ainsi dépouillait-on les prisonniers de guerre pour manifester qu'ils étaient privés de tous leurs droits. Dans ce premier moment, avant la faute, homme et femme, en leur nudité même, se trouvent dans une relation paisible, où l'honneur de chacun est reconnu par l'autre.

3,1 Le serpent était le plus rusé de tous les animaux des champs que le SEIGNEUR *Dieu avait faits. Il dit à la femme : « Alors, Dieu a dit : Vous ne mangerez pas de tous les arbres du jardin ? » 2 La femme répondit au serpent : « Nous pouvons manger du fruit des arbres du jardin. 3 Mais du fruit de l'arbre qui est au milieu du jardin, Dieu a dit : Vous n'en mangerez pas, vous n'y toucherez pas, sous peine de mort. » 4 Le serpent répliqua à la femme : « Pas du tout ! Vous ne mourrez pas ! 5 Mais Dieu sait que, le jour où vous en mangerez, vos yeux s'ouvriront et vous serez comme des dieux, qui connaissent le bien et le mal. »*

Enjambant la frontière du chapitre, le récit se poursuit. Il met en scène un nouveau protagoniste. Celui-ci est à la vérité bien singulier : il s'agit d'un serpent qui parle, et va même argumenter en redoutable dialecticien pour entraîner la femme dans la tentation. Il est bien précisé qu'il est une créature de Dieu, l'un des animaux des champs que le Seigneur a créés. Nulle idée ici d'un Dieu du mal, qui serait concurrent du Créateur, comme dans les manichéismes qui distribuent l'histoire entre un principe du bien et un principe du mal. En fait, cette figure symbolique concentre le mystère du mal : on ne sait d'où vient ce serpent, ni comment il a pu pénétrer dans le jardin. Il se retrouve, du reste, dans bien d'autres traditions. Près d'Israël, le cobra royal (*uraeus*) orne la tiare de Pharaon et un serpent figure parmi les divinités souterraines de la religion cananéenne, lié à des croyances sur la survie après la mort.

Tout va se jouer dans le dialogue qui s'instaure entre le serpent et la femme, à propos du commandement que Dieu a donné antérieurement. Nous savons que le serpent est « le plus rusé » des animaux créés (le texte joue sur le double sens du mot hébreu qui signifie à la fois rusé et nu). Il va donc y avoir une ruse qu'il faut identifier derrière la tentation. De fait, le serpent fait mine de reprendre le propos divin. Mais il le cite en le faussant d'une manière très habile qui va conduire à la désobéissance : toute la ruse est dans cette subtilité. En effet, avant d'introduire une restriction, Dieu avait donné une consigne autorisant et même encourageant l'usage de *tous* les arbres du jardin. Le serpent, lui, ne retient que la restriction, qu'il amplifie en en faisant une interdiction de manger de tous les arbres du jardin ! Il transforme ainsi la parole de Dieu, qui n'est plus qu'interdiction. Dieu est celui qui interdit : voilà ce que la femme entend probablement avec autant de force que le lecteur. De là l'envie de transgresser et ce soupçon qui suit immédiatement : si Dieu interdit, c'est pour brimer l'homme, peut-être pour se protéger de lui, pour se réserver le meilleur.

Certes, dans un premier temps, la femme prend la peine de corriger le serpent qui a déformé par trop le propos divin. Elle proteste que Dieu a permis de manger des fruits du jardin, sauf d'un arbre auquel il ne faut pas « toucher », au risque de mourir. Subtilement, là aussi, elle transforme la parole divine. Elle retire du commandement positif la mention de la totalité (passage de « tous les arbres » à « les arbres ») tout en introduisant un élément absent de Gn 2, puisqu'elle parle de ne pas *toucher*. Nous reconnaissons là la formule du tabou, qui est interdit sacré, sans justification rationnelle. Ainsi le dialogue glisse vers le monde du paganisme que combat Israël. Un autre détail, masqué par nos traductions, va dans ce sens : le serpent a désigné Dieu, d'entrée de jeu, non par son nom de SEIGNEUR Dieu, mais seulement de Dieu (*Élohim** : la divinité).

Au terme de cette seconde reprise transformée de la parole de Dieu, le serpent peut énoncer superbement que la mise en garde de Dieu est mensongère : l'homme ne mourra pas de manger du fruit défendu ! L'insinuation est claire : Dieu est menteur, il trompe l'homme, parce qu'en fait il a peur que sa créature devienne son rival. La confiance en Dieu est irrémédiablement ébranlée. La femme ne voit plus qu'un Dieu trompeur et jaloux, là où nous avions rencontré en Gn 2 un Dieu créant libéralement un homme auquel il faisait don du jardin. Dès lors, le serpent peut faire entendre la promesse qui flatte l'orgueil du couple humain : qu'ils passent outre au commandement et ils seront « comme des dieux qui connaissent le bien et le mal ».

3,6. La femme vit que l'arbre était bon à manger et séduisant à voir, et qu'il était, cet arbre, désirable pour acquérir le discernement. Elle prit de son fruit et mangea. Elle en donna aussi à son mari, qui était avec elle, et il mangea. 7. Alors leurs yeux à tous deux s'ouvrirent et ils connurent qu'ils étaient nus ; ils cousirent des feuilles de figuier et se firent des pagnes. 8. Ils entendirent le pas du Seigneur Dieu qui se promenait dans le jardin à la brise du jour, et l'homme et sa femme se cachèrent devant le Seigneur Dieu parmi les arbres du jardin.

Avec finesse le récit montre le jeu du désir qui devient un engrenage que rien ne peut arrêter. Le fruit apparaît irrésistible. La femme prend, mange, elle le partage à l'homme qui mange à son tour. La transgression fait tache d'huile. On note qu'en tout cela il n'est pas question d'un péché sexuel, pas plus que d'un péché de gourmandise induit par un fruit désirable… C'est la relation de l'homme à Dieu qui est le nerf de toute cette histoire : une fois la confiance entamée, grâce à l'image trompeuse suggérée par le serpent, l'orgueil domine l'homme qui se laisse prendre aux mirages d'une humanité dotée de pouvoirs divins.

Le résultat de la transgression est exprimé par le v.7 : les yeux s'ouvrent… mais pour une bien piètre connaissance, celle d'une nudité qui désormais a besoin d'être dissimulée sous des pagnes de feuilles. L'harmonie paisible et heureuse de la finale du chapitre 2 est perdue et remplacée par la méfiance. De même pour la relation avec Dieu, dominée maintenant par la peur : le couple se cache. Le Dieu, dont ils se sont forgé l'image d'un rival, ne peut plus leur apparaître que comme un Dieu menaçant et dangereux.

Avant d'écouter le dialogue que Dieu va pourtant renouer, arrêtons-nous sur une étrangeté du texte. En tout cela, l'homme brille en effet par son silence et par une docilité un peu enfantine. La femme, elle, est en première ligne, dès l'apparition du serpent. Bien des commentateurs au cours des siècles ont expliqué ces dispositions par le fait que la femme serait plus facile à tenter que l'homme. Le Moyen Âge n'a pas hésité d'ailleurs à donner au serpent une tête féminine, réplique de celle de la femme à laquelle il s'adresse ! Cette interprétation conforte une misogynie bien partagée. Mais elle fait bon marché de la finesse du texte qui construit ici une figure féminine, non pas conjugale mais maternelle. En réalité, dans cette scène, nous sommes en présence d'une mère et de son enfant qu'elle nourrit (au sens étymologique, l'*infans*, est celui qui ne parle pas encore).

De cela nous avons confirmation par la suite du texte : c'est comme mère que la femme est traitée au v.15 qui évoque sa descendance, puis au v.16 qui mentionne la peine future de ses grossesses, ou encore au v.20 qui la nomme « mère des vivants ». Tout ceci s'éclaire dès lors que l'on s'avise que ce texte est aux prises non seulement avec le mystère du mal mais avec celui de sa transmission : de génération en génération, tout être humain qui vient au monde est touché par cette réalité. On comprend que l'auteur de notre texte ait choisi de camper dans ce récit de tentation une figure maternelle qui, comme telle, se trouve au plus près du phénomène de la génération et de la transmission. Ce qui ne signifie évidemment ni une responsabilité plus grande de la femme, ni une complexion qui la rendrait plus sensible que l'homme aux suggestions du serpent. La suite va le montrer.

3,9 Le SEIGNEUR Dieu appela l'homme : « Où es-tu ? » dit-il. 10 « J'ai entendu ton pas dans le jardin, répondit l'homme ; j'ai eu peur parce que je suis nu et je me suis caché. » 11 Il reprit : « Et qui t'a appris que tu étais nu ? Tu as donc mangé de l'arbre dont je t'avais défendu de manger ! » 12 L'homme répondit : « C'est la femme que tu as mise auprès de moi qui m'a donné de l'arbre, et j'ai mangé ! » 13 Le SEIGNEUR Dieu dit à la femme : « Qu'as-tu fait là ? » Et la femme répondit : « C'est le serpent qui m'a séduite, et j'ai mangé. »

La scène est pittoresque : Dieu se promène dans le jardin « à la brise du jour » et cherche l'homme, comme si, dans sa toute-puissance, il ne savait pas où il est. L'auteur biblique n'a pas craint une expression très anthropomorphique. Mais il y met de sérieuses limites : Dieu n'est connu que par sa parole, nulle vision n'en est donnée. À cela nous reconnaissons bien l'esprit de la Bible soucieux de respecter la transcendance de Dieu qui défie toute représentation humaine. Le lecteur apprend en tout cas que Dieu ne se détourne pas de l'homme. Il part à sa recherche, constate la désobéissance et interroge. Ce faisant il déclenche un étonnant jeu de renvoi de responsabilité : de l'homme à la femme, de la femme au serpent. Mais à l'évidence, l'homme ne réussira pas à se décharger de sa responsabilité sur la femme : au terme de l'histoire, c'est l'un et l'autre qui sont conduits hors du jardin.

3,14 Alors le Seigneur Dieu dit au serpent : « Parce que tu as fait cela,
maudit sois-tu entre tous les bestiaux et toutes les bêtes sauvages. Tu marcheras sur ton ventre et tu mangeras de la terre tous les jours de ta vie.
15 Je mettrai une hostilité entre toi et la femme, entre ton lignage et le
sien. Il t'atteindra à la tête et tu l'atteindras au talon. »

16 À la femme, il dit : « Je multiplierai les peines de tes grossesses, dans la peine tu enfanteras des fils. Ta convoitise te poussera vers ton mari et lui dominera sur toi. »

17 À l'homme, il dit : « Parce que tu as écouté la voix de ta femme et
que tu as mangé de l'arbre dont je t'avais interdit de manger, maudit soit le sol à cause de toi ! À force de peines tu en tireras subsistance tous les
jours de ta vie. 18 Il produira pour toi épines et chardons et tu mangeras
l'herbe des champs. 19 À la sueur de ton visage tu mangeras ton pain,
jusqu'à ce que tu retournes au sol, puisque tu en fus tiré. Car tu es glaise et tu retourneras à la glaise. »

S'adressant à chacun des protagonistes, Dieu énonce une série de sentences qui sont autant de jugements. On notera bien que ni l'homme ni la femme ne vont être objets de malédiction. Seuls le serpent et la terre seront maudits. Chacun va être puni par où il a péché. Ainsi le serpent, maître en orgueil, va être humilié, au sens étymologique du terme (*humus* signifie la terre) : désormais il rampera et mordra la poussière. Mais la sentence que Dieu prononce contre lui comporte un autre élément aussi capital que mystérieux : le v.15 annonce en effet une défaite future du serpent. Un membre du lignage de la femme le terrassera, non sans avoir été lui-même blessé au talon dans ce combat. Nous avons là certainement un emprunt à un mythe crétois utilisé dans la fameuse histoire du talon d'Achille. Une nouvelle fois le rédacteur biblique puise une image dans l'arsenal des mythologies pour évoquer, tout en mystère, une perspective de salut, dont il ne peut préciser mieux les contours. La lecture chrétienne de ce texte y reconnaîtra la figure voilée du Christ, vainqueur du mal et de la mort, et cependant blessé à mort dans le combat.

La sentence adressée à la femme poursuit l'énoncé du verdict divin. La femme-mère, qui a entraîné l'homme dans la désobéissance, va être atteinte dans sa maternité. Puis la seconde partie du verset décrit avec une concision redoutable la situation nouvelle qui s'instaure entre homme et femme : une convoitise qui fait de la femme l'obligée de l'homme qui désormais va dominer sur elle. Nous reconnaissons là, exprimés en quelque mots, des traits qui caractérisent interminablement la relation hommes-femmes dans les cultures humaines, si différentes soient-elles. L'originalité forte du texte biblique est de dire que cette situation n'est ni naturelle, ni normale, mais qu'elle résulte d'une désobéissance qui a brouillé une harmonie initiale. Désormais la question se pose : que faudra-t-il pour que hommes et femmes retrouvent entre eux la relation heureuse décrite en Gn 2 et dont ils gardent au cœur la nostalgie invincible ?

Enfin, une dernière sentence s'adresse à l'homme : c'est lui qui maintenant se trouve en position de nourricier, aux prises avec une terre que Dieu a maudite. « Chardons et épines » sont le signe de cette dégradation de la terre qui cesse d'être la glèbe féconde portant spontanément des fruits. À cela s'ajoute la parole qui déclare que l'humanité passera dorénavant par la mort. Il est à noter que le texte refuse toute dramatisation. Le ton n'est pas celui d'une condamnation, mais d'un constat. L'homme s'est mis dans une situation mortelle, il retournera à la terre dont il a été tiré. Rien n'est dit, ce faisant, de ce qui advient de l'âme. Jusqu'à une époque avancée, la Bible gardera sur ce point un silence étonnant, en invitant à renoncer à toute spéculation sur l'au-delà, à l'inverse de ce que l'esprit humain attend fébrilement. Car cette tradition se méfie de la mythologie qui invente des arrière-mondes où l'homme projette ses peurs et ses désirs. La Bible n'avancera une parole sur l'au-delà que bien plus tard, quand on aura la conviction en Israël que Dieu l'autorise et qu'il soulève le voile du mystère. Une telle ascèse est très typique de la Bible, livre en alerte, comme aucun autre, contre toute tentation mythologisante.

3,20 L'homme appela sa femme « Ève », parce qu'elle fut la mère de tous les vivants. 21 Le Seigneur *Dieu fit à l'homme et à sa femme des tuniques de peau et les en vêtit. 22 Puis le* Seigneur *Dieu dit : « Voilà que l'homme est devenu comme l'un de nous, pour connaître le bien et le mal ! Qu'il n'étende pas maintenant la main, ne cueille aussi de l'arbre de vie, n'en mange et ne vive pour toujours ! »* 23 *Et le* SEIGNEUR *Dieu le renvoya du jardin d'Éden pour cultiver le sol d'où il avait été tiré.* 24 *Il*

REPÈRE

LA LECTURE DE GN 1–3 AU XXe SIÈCLE

Malgré la distance qui sépare du monde actuel les trois premiers chapitres de la *Genèse*, ceux-ci sont restés très présents à la culture du XXe siècle. Plus encore, ils ont continué à être au centre de débats passionnés. Leur actualité tient certainement au fait que les progrès du savoir exégétique ont libéré la lecture du littéralisme où s'était enfermée l'interprétation dans les siècles passés. Dès lors qu'il devenait clair que ces pages n'avaient pas pour projet de décrire sur un mode réaliste les débuts du monde et de l'homme, la voie était ouverte pour entendre des significations plus subtiles qui concernent les grandes questions de l'humanité. De plus, le travail comparatiste a mis en évidence la solidarité du texte biblique avec les cultures orientales tout en montrant l'originalité de la tradition biblique : la création n'a ici aucune dimension sexuelle ; l'homme est créé pour lui-même et non pour le service des dieux ; la question de l'immortalité et de la mort concerne tout homme, sans privilège royal, comme en Égypte par exemple ; etc.

Mieux que par le passé, le lecteur peut apprécier aujourd'hui la finesse de l'anthropologie de la *Genèse*, qui consonne de façon inattendue avec nos connaissances de modernes : un psychanalyste, par exemple, s'enchantera de voir valorisé en Gn 2 le motif du face-à-face entre l'homme et la femme d'où jaillit une parole qui signe l'acte de naissance de l'humanité. L'insistance du texte sur la séparation, contre tout immanentisme et toute relation fusionnelle, parle aussi à notre psychologie. C'est aussi pourquoi le magistère de l'Église a fortement mis en valeur ces textes, au cours des dernières années, en développant à partir d'eux une réflexion sur le couple et sur le corps. Les milieux féministes relisent aussi avec passion ces premiers chapitres. Ils y dénoncent volontiers une représentation masculine de Dieu et y voient la source de représentations de la femme ayant alimenté la tradition misogyne de l'Occident. Assurément l'histoire témoigne d'usages très contestables où ces textes, lus à contresens, ont servi à légitimer une domination des hommes qui, paradoxalement, est dénoncée par Gn 3,16 comme état dégradé de la relation entre hommes et femmes.

En fait, ces pages de la *Genèse* sont assez complexes et leurs thèmes assez sensibles, pour que leur lecture suscite des interprétations nombreuses, contradictoires et souvent intéressées. Il n'est pas rare que le lecteur cherche à défendre une idée personnelle, à vérifier un lieu commun, plutôt que d'entendre la voix même du texte. Ainsi, par exemple, des interprétations sexuelles de Gn 3 ou de celles qui – contre toute logique biblique – font de la faute la condition de l'accomplissement de l'humanité et de l'achèvement de la création. Ainsi encore de la lecture qui voudrait que le Dieu biblique ait le projet d'interdire la connaissance à l'homme qu'il vient de créer pour l'enfermer dans un destin d'ignorance. La littérature du XXe siècle, de Paul Valéry à Michel Tournier, en passant par Péguy ou Supervielle, illustre cette liberté des interprétations. Elle témoigne aussi tout simplement de la puissance symbolique de ces vieux récits qui continuent à fournir les images à travers lesquelles l'homme occidental questionne la condition humaine. Une œuvre comme celle de Kafka peut être lue comme la douloureuse errance de l'homme exilé qui reste hanté par la pensée du Jardin dont il a été chassé (« Nous sommes séparés de Dieu de deux façons : l'arbre de la connaissance nous sépare de lui, l'arbre de la vie le sépare de nous. »)

bannit l'homme et il posta devant le jardin d'Éden les chérubins et la flamme du glaive fulgurant pour garder le chemin de l'arbre de vie.*

La confection des tuniques de peau témoigne de la sollicitude que Dieu garde pour le couple qu'il a créé : il continue à veiller soigneusement sur la vie et l'honneur de l'homme. Mais une phrase étrange vient ensuite, qui semble annuler ce geste en légitimant ce qu'avait insinué le serpent : l'image d'un Dieu jaloux qui veut se protéger de l'homme en gardant le meilleur pour lui et qui, pour cela, interdit l'arbre de vie. Le lecteur est pris dans un tourbillon un peu vertigineux : qui croire, finalement, de Dieu ou du serpent ? Comment interpréter ce v.22 ? Dans la ligne du serpent qui dit depuis le début que Dieu est menteur, ou en insérant cette décision dans la série des gestes de bienveillance et de protection que Dieu a eus à l'égard de l'homme ? Et si, par-delà le jugement, la mort était une protection évitant à l'homme une immortalité qui l'enfermerait pour toujours dans une condition viciée par la désobéissance ? Au lecteur de décider qui dit vrai. Le récit s'achève sur la vision, souvent représentée par les artistes, du couple éconduit du jardin et dont l'accès est désormais barré. Paradis perdu. La tristesse et la nostalgie travailleront le cœur de bien des lecteurs de cette histoire : on rêvera en Occident, de toutes sortes de manières, d'un retour à l'origine. Mais pour la Bible l'histoire est en marche et le salut évoqué en mystère au v.15 ne pourra être qu'une nouveauté qui accomplira en le transfigurant le projet du Créateur.

A.-M. P.

Caïn et Abel (Genèse 4,1-16)

Après les deux récits de création, les débuts de l'humanité sont illustrés par l'histoire d'une famille. Le premier couple donne naissance à deux garçons, dont le récit met en scène les relations : l'aîné vit la présence de son jeune frère comme un rapport de forces qui va tourner au drame. Commençons par lire le texte.

4,1 L'homme connut Ève, sa femme ; elle conçut et enfanta Caïn et elle dit : « J'ai acquis un homme de par le Seigneur. » 2 Elle donna aussi le jour à Abel, frère de Caïn. Or Abel devint pasteur de petit bétail et Caïn cultivait le sol. 3 Le temps passa et il advint que Caïn présenta des produits du sol en offrande au Seigneur, 4 et qu'Abel, de son côté, offrit des premiers-nés de son troupeau, et même de leur graisse. Or le Seigneur agréa Abel et son offrande. 5 Mais il n'agréa pas Caïn et son offrande, et Caïn en fut très irrité et eut le visage abattu.

6 Le SEIGNEUR dit à Caïn : « Pourquoi es-tu irrité et pourquoi ton visage est-il abattu ? 7 Si tu es bien disposé, ne relèveras-tu pas la tête ? Mais si tu n'es pas bien disposé, le péché n'est-il pas à la porte, une bête tapie qui te convoite ? pourras-tu la dominer ? » 8 Cependant Caïn dit à son frère Abel : « Allons dehors », et, comme ils étaient en pleine campagne, Caïn se jeta sur son frère Abel et le tua.

9 Le SEIGNEUR dit à Caïn : « Où est ton frère Abel ? » Il répondit : « Je ne sais pas. Suis-je le gardien de mon frère ? » 10 Le SEIGNEUR reprit : « Qu'as-tu fait ! Écoute le sang de ton frère crier vers moi du sol ! 11 Maintenant, sois maudit et chassé du sol fertile qui a ouvert la bouche pour recevoir de ta main le sang de ton frère. 12 Si tu cultives le sol, il ne te donnera plus son produit : tu seras un errant parcourant la terre. » 13 Alors Caïn dit au SEIGNEUR : « Ma peine est trop lourde à porter. 14 Vois ! Tu me bannis aujourd'hui du sol fertile, je devrai me cacher loin de ta face et je serai un errant parcourant la terre ; mais, le premier venu me tuera ! » 15 Le SEIGNEUR lui répondit : « Aussi bien, si quelqu'un tue Caïn, on le vengera sept fois » et le SEIGNEUR mit un signe sur Caïn, afin que le premier venu ne le frappât point. 16 Caïn se retira de la présence du SEIGNEUR et séjourna au pays de Nod, à l'orient d'Éden.

Première approche du récit

Le texte a la forme d'un récit au passé, dans ce temps des origines présenté comme « au commencement » : temps fondateur, mais aussi « hors du temps ». Aucune indication sur le narrateur. Les dialogues entre Caïn et le Seigneur occupent près de la moitié du texte. L'intrigue concerne surtout le destin de Caïn, provoqué par Dieu à un discernement moral, puis devenu le premier meurtrier de l'histoire biblique. Dans l'ensemble Gn 1–11, le récit de Caïn et Abel suit Gn 3 : Ève, qui a été désignée par Adam du nom de « mère des vivants » (3,20) transmet la vie pour la première fois (4,1). Les mêmes motifs et les mêmes thèmes se répondent : la mort, promise dans le premier récit (« de mort tu mourras », 2,17) devient pour la première fois réalité avec le meurtre du frère Abel.

Les séquences de Gn 4 : bienveillance de Dieu (4,1), tentation (4,5-7), péché (4,8), intervention et question de Dieu (4,9), puis châtiment (4,10-14), accompagné de la protection finale de Dieu (4,15-16) étaient déjà présentes dans le premier récit (Gn 2–3). La relation perturbée « homme / femme » du premier texte trouve un écho dans la rupture violente de la fraternité qui conduit Caïn à agresser son frère. L'expulsion d'Adam et Ève hors du jardin se prolonge par l'éloignement de Caïn : « Et Caïn sortit de la présence du SEIGNEUR » (4,16). Par rapport au récit d'Adam et Ève, une progression apparaît : d'abord dans la situation géographique – hors du jardin ; ensuite dans l'accent mis sur les risques dans la vie en société.

La légende de la rivalité entre deux frères est bien connue dans le Proche-Orient ancien, comme dans d'autres civilisations : rivalité psychologique entre deux frères, mais aussi opposition entre la vie du pasteur et celle de l'agriculteur, enfin hostilité entre nomades et sédentaires. Notre récit pourrait avoir des attaches plus précises avec l'histoire d'Israël et en particulier la situation des Qénites, les descendants de Caïn. Cette population, vivant au sud de la tribu de Juda, a intrigué les Israélites à cause de son mode de vie nomade, de sa violence et de ses tatouages. L'enracinement de ce récit dans l'Ancien Orient et dans l'histoire d'Israël est éclairant. Mais désormais, placé comme il l'est dans le cycle des textes fondateurs, ce récit s'inscrit dans la série des généalogies. Il représente le moment décisif et risqué de l'entrée de l'homme dans la vie en société. Nous allons d'abord souligner quelques pistes de lecture, avant de regarder les prolongements de ce texte dans les traditions juive et chrétienne, ainsi que dans la modernité.

Lecture du texte

L'introduction (v.1-2)

Ces deux versets introduisent les trois personnages du récit : le Seigneur, Caïn et son frère Abel. La parole d'Ève au v.1 a beaucoup embarrassé les interprètes. Le texte hébreu, qui s'appuie sur un jeu de mots entre le verbe *qanah* (j'ai acquis) et le nom Caïn (*Qaïn*) fait apparaître une relation de proximité et de dépendance de Caïn envers Dieu. Le récit est d'aillleurs écrit de son point de vue. Au contraire, Abel est introduit en des termes plus neutres : « Elle donna aussi le jour à Abel, frère de Caïn » (v.2). Présenté simplement comme « frère de Caïn », Abel n'a pas droit à la même relation que Caïn envers Dieu. L'étymologie de son nom confirme son relatif effacement dans le récit puisque Abel (*hebel*) en hébreu signifie « buée, haleine, vanité », et que l'homonyme *ébel* désigne le deuil, les funérailles.

L'épreuve (v.3-7)

Les deux offrandes des frères sont caractéristiques de l'activité de chacun : Caïn, le cultivateur, offre des produits de la terre tandis qu'Abel, le berger, « offrit des premiers-nés de son troupeau, et même de leur graisse ». Le texte ne dit rien de la qualité des offrandes respectives, pas plus qu'il ne justifie l'accueil favorable de Dieu pour l'un et le rejet pour l'autre. Il y a là un non-dit significatif qui frustre le lecteur et appelle son acte de lecture. Il est certain que ces obscurités ouvrent un immense espace à l'interprétation des lecteurs. Certains interprètes expliquent la préférence divine par la qualité supérieure des « premiers-nés » et de leur « graisse », en contraste avec les produits plus ordinaires des récoltes de Caïn. Mais une telle lecture dépasse la lettre du texte et tente d'expliquer le choix énigmatique de Dieu. D'autres évoquent la malédiction qui continuerait de peser sur la terre depuis la faute d'Adam (3,17). L'accueil du pasteur et le rejet du cultivateur pourraient aussi indiquer un classement, une hiérarchie implicite dans les civilisations anciennes ; une supériorité du cow-boy sur le fermier. Le motif de la préférence inexpliquée pour le plus jeune est aussi fréquemment attesté dans la littérature. L'Antiquité connaît des affrontements entre deux frères, tels Romulus et Remus, présentés comme le point de départ de la civilisation romaine.

L'intérêt du narrateur est ailleurs. Son silence sur les qualités respectives des offrandes oriente la lecture dans une autre direction : à travers l'épreuve subie par Caïn, dont l'offrande est mystérieusement refusée, surgissent la possibilité d'une relation nouvelle avec le Seigneur et la priorité donnée aux dispositions du cœur. Puisque rien n'est dit des raisons du choix de Dieu, la colère et l'abattement de Caïn peuvent se comprendre. Pas plus que nous lecteurs, Caïn ne peut comprendre l'attitude de Dieu qui paraît arbitraire et injuste. L'épreuve à laquelle il est soumis et son dialogue avec Dieu l'obligent à un choix décisif.

Le v.7 est difficile, mais un sens se dégage : lié au Seigneur par sa naissance, comme son nom en garde la trace, Caïn se voit dépouillé de ce qu'il pouvait revendiquer : au mieux une préférence à cause de son droit d'aînesse, à tout le moins un traitement égal à celui de son frère. Son échec est d'autant plus fort que son frère cadet reçoit ce qui lui est refusé. De là sa colère, représentée par « l'abattement » de son visage. Surgit alors cette image étonnante d'une bête « tapie à la porte » et prête à bondir, qui exprime la tentation de la violence. Caïn doit choisir : soit dominer le péché en agissant « bien » et en « relevant la tête », soit au contraire s'abandonner à la force obscure qui le guette et se laisser submerger par la violence. Dans son dialogue avec le Seigneur apparaît clairement la volonté divine de sauvegarder sa relation avec lui.

Le meurtre (v.8)
Caïn choisit : il fait échouer la volonté divine. Le texte hébreu dit simplement : « Caïn dit à son frère », comme si le texte était brisé. La Bible grecque, ainsi que plusieurs traductions anciennes, l'ont complété en ajoutant une parole : « Allons dans la plaine. » Le Targoum* – traduction du texte hébreu en araméen, après l'Exil – va encore plus loin en introduisant ici un long débat entre les deux frères. Mais dans le texte hébreu, Abel reste le silencieux, victime muette dont la mort injuste est plus éloquente que toutes les paroles. C'est d'ailleurs seulement dans sa mort que sa parole peut surgir et monter jusqu'à Dieu : « Écoute le sang de ton frère crier vers moi » (4,10).

On a remarqué que ce récit de Caïn et Abel est présenté comme une sorte de commencement de la vie sociale. En effet, il raconte le premier acte de l'homme par rapport à son frère après l'expulsion du jardin. Il inaugure l'aventure humaine et sociale sur la terre sous le signe de la violence. Comme tous les récits fondateurs, celui-ci comporte un enseignement. Il part d'un constat : la violence est depuis le commencement inhérente aux relations humaines. « Tout se passe comme si l'homme n'avait pu créer autre chose que la violence… Ici, alors que les hommes prennent leur histoire en main et peuvent la forger, ce qu'ils créent centralement c'est la mort » (André Néher). Mais ce constat débouche sur une condamnation. À la différence du mythe romain de Romulus et Remus, la Bible ne justifie pas la violence, elle la condamne. Elle se place, dès l'origine, du côté de la victime : Abel, le discret, apparaît comme l'innocent, victime de la violence de son frère. Cette insistance sur la fraternité enseigne et dénonce en même temps que, depuis le commencement, l'homme qui tue, tue toujours son frère.

Le jugement (v.9-16)
Le meurtre a été consommé en l'absence du Seigneur, comme la désobéissance d'Ève face au serpent et l'acte complice d'Adam se déroulaient hors de la présence de Dieu. Un tel retrait de Dieu exprime simplement le fait que l'homme, parce que créé libre, garde la possibilité de faire des choix qui ne correspondent pas au dessein de Dieu. Ici l'accent est mis sur le péché contre le frère. Celui qui, vivant, restait silencieux, parle, mort, à travers la « voix du sang » : cette image du sang qui parle est audacieuse et unique dans toute la Bible. Le mot « sang » employé ici au pluriel signifie le sang versé dans la violence. Dans ce cas la terre est personnifiée et elle se fait l'alliée de Dieu pour empêcher que le crime demeure impuni. Tout sang versé, dans la mentalité biblique, appelle toujours un vengeur, un « racheteur » (*goèl*). En

2 S 12,10, c'est par l'intermédiaire de Natân que Dieu manifeste la nécessité du châtiment ; en 1 R 21,19, c'est par le prophète Élie que Dieu crie justice. Ici dans le récit fondateur, Dieu lui-même se fait le « vengeur », car il est le protecteur et le gardien de toute vie.

Par rapport au récit du jardin d'Éden, il y a aggravation de la peine, puisque Caïn est « maudit » comme le serpent et la terre (3,14.17) : il est donc banni de la terre nourricière dont il tire sa subsistance. Cela équivaut pour lui à une condamnation à mort. Du coup Caïn perd en même temps l'espace privilégié où il vivait en présence de Dieu et la relation particulière qu'il avait avec lui. De fils privilégié et proche, il est devenu errant et éloigné. Il est banni « de sur la face du sol ». Il est désormais éloigné « de la face du Seigneur ». Ce double éloignement souligne sa fragilisation.

La plainte de Caïn (« ma peine est trop lourde à porter ») est moins l'expression d'un remords tardif, que la peur devant l'ampleur de son châtiment. Caïn l'assassin sait maintenant que lui aussi peut être tué ; il demande la protection du Dieu qui vient de le sanctionner. C'est ce qu'il obtient sous une double forme : d'abord une parole prenant sa défense, puis un signe mystérieux, peut-être une sorte de tatouage. On a pensé à une marque ambivalente qui, à la fois, interdit d'agresser Caïn, et perpétue en quelque sorte la malédiction. La peine n'est pas supprimée : Caïn est expulsé loin de la terre et du Seigneur. Par contre la sentence de mort, implicite dans l'éloignement de la terre nourricière, est remise en question par la parole protectrice de Dieu. La violence inaugurée par Caïn est contrôlée et limitée par une parole qui préfigure la Loi. Celle-ci est en effet, pour Israël, un des moyens de contenir la violence sans limite qui menace l'humanité si elle suit le chemin ouvert par Caïn.

Quelques relectures

Il faut attendre le livre de la Sagesse, relisant l'histoire d'Israël depuis Adam jusqu'à Moïse, pour trouver un rappel de Caïn : « Quand, dans sa colère, un injuste se fut écarté de (la Sagesse), il périt par ses fureurs fratricides » (Sg 10,3). Le lecteur reconnaît ici, bien qu'il ne soit pas nommé, Caïn sanctionné par une condamnation sans appel, pour s'être écarté de Dieu.

Les *traditions juives* ont beaucoup commenté ce texte en cherchant à l'éclairer. Ainsi le Targoum* échappe à la difficulté du v.12 en faisant des additions (en italiques) : « Adam connut Ève, sa femme, *qui* était enceinte *de Sammaël, l'ange du* SEIGNEUR. Elle enfanta ensuite *d'Adam son mari*, Abel et *sa (sœur) jumelle.* » Cette proximité entre Caïn et

Dieu, significative dans la dynamique du récit, a gêné les commentateurs juifs. Ils ont donc ici remplacé le Seigneur par l'ange Sammaël : l'ange de péché qui a fait chuter Ève. Dès lors la malice de Caïn s'explique par ses origines. De même le rejet du sacrifice de Caïn est souvent rattaché à un manque de respect de Caïn envers son Dieu. Un commentaire juif, un midrash*, éclaire ainsi le v.3 : « (Caïn) apportait des restes, comme un mauvais serviteur qui mange les premiers fruits lui-même, puis honore le roi avec les fruits tardifs qui sont flétris. »

Dans le *Nouveau Testament*, quelques références apparaissent. L'évangile de Matthieu évoque les martyrs passés et futurs « ... pour que retombe sur vous tout le sang innocent sur la terre, depuis le sang d'Abel le juste jusqu'au sang de Zacharie » (Mt 23,35). Les deux passages de la lettre aux Hébreux qui citent Gn 4 sont plus explicites. Le premier souligne, comme les lectures juives, la valeur supérieure du sacrifice d'Abel : « par la foi Abel offrit un sacrifice de plus grande valeur que celui de Caïn ; aussi fut-il proclamé juste, Dieu ayant rendu témoignage à ses dons, et par elle aussi, bien que mort, il parle encore » (He 11,4). Le second texte (He 12,22-24) fait d'Abel la figure du Christ, sa mort étant lue dans une perspective sacrificielle. Citons encore la Première lettre de Jean : « Nous devons nous aimer les uns les autres, loin d'imiter Caïn, qui, étant du Mauvais, égorgea son frère. Et pourquoi l'égorgea-t-il ? Parce que ses œuvres étaient mauvaises, tandis que celles de son frère étaient justes » (1 Jn 3,11-12). Comme dans les lectures juives du temps, Caïn est soumis au Mauvais dès sa naissance.

Beaucoup d'écrivains modernes ont été attirés par ce couple des deux frères et surtout par la figure de Caïn, déjà centrale dans le récit biblique. Chez Byron, Hugo (*La Fin de Satan*), Milton ou Baudelaire, la figure de Caïn, le révolté, va progressivement être grossie, enflée, au point d'éclipser celle d'Abel. Ces œuvres vont animer et grandir la fugitive et énigmatique figure de Caïn, au point d'en faire, à la place d'Adam, le véritable homme des débuts de l'histoire.

Le déluge (Genèse 6–9)

Le long récit du déluge est à la fois l'un des plus connus et l'un des plus complexes de la Bible. Sans en faire une analyse exhaustive, nous le situerons d'abord dans l'histoire de la critique biblique et dans la littérature du Proche-Orient ancien. Puis nous en proposerons quelques pistes de lecture.

Un récit complexe

Ce long récit – deux fois plus ample que l'histoire d'Adam et Ève – entrelace deux versions du déluge : un récit ancien (de la tradition appelée naguère *yahviste*) et de grandes additions plus récentes appartenant à la tradition sacerdotale. D'où des doublets et des incohérences qui troublent notre logique occidentale. Par exemple la crue dure soit 40 jours (7,12), soit 150 jours (7,24). Ou encore Noé fait entrer dans l'arche soit une paire de chaque espèce d'animaux (6,19), soit sept paires d'animaux purs et une paire d'animaux impurs (7,2). Mais nos exigences de logique ne doivent pas perdre de vue que celle des anciens Sémites obéissait à d'autres critères que les nôtres. Voici la mise en parallèle de quelques extraits des deux récits.

Tradition ancienne	***Tradition sacerdotale***
7,17b Les eaux grossirent et soulevèrent l'arche qui s'éleva au-dessus de la terre. *22 Tous ceux qui respiraient l'air par une haleine de vie, tous ceux qui vivaient sur la terre ferme moururent. 23 Ainsi le Seigneur effaça tous les êtres de la surface du sol. Ils furent effacés, il ne resta que Noé et ceux qui étaient avec lui dans l'arche.*	*7,18 Les eaux furent en crue, formèrent une masse énorme sur la terre, et l'arche dériva à la surface des eaux. 19 La crue des eaux devint de plus en plus forte sur la terre et, sous toute l'étendue des cieux, toutes les montagnes les plus élevées furent recouvertes 20 par une hauteur de quinze coudées. Avec la crue des eaux qui recouvrirent les montagnes, 21 expira toute chair qui remuait sur la terre, oiseaux, bestiaux, bêtes sauvages, toutes les bestioles qui grouillaient sur la terre, et tout homme. 24 La crue des eaux dura cent cinquante jours sur la terre.*

Cette complexité n'enlève rien à la puissance de ce récit, profondément symbolique, dans la violence qui le traverse et la re-création qu'il inaugure. Ce n'est pas sans raison que le thème du déluge est l'un des plus répandus dans de nombreuses civilisations. Il rejoint un archétype qui est présent dans l'inconscient collectif des hommes, quelle que soit leur culture.

La cause du déluge (6,5-8)

6,5 Le SEIGNEUR vit que la méchanceté de l'homme était grande sur la terre et que son cœur ne formait que de mauvais desseins à longueur de journée. 6 Le Seigneur *se repentit d'avoir fait l'homme sur la terre et il s'affligea dans son cœur. 7 Et le* Seigneur *dit : « Je vais effacer de la surface du sol les hommes que j'ai créés – depuis l'homme jusqu'aux bestiaux, aux bestioles et aux oiseaux du ciel –, car je me repens de les avoir faits. » 8 Mais Noé avait trouvé grâce aux yeux du* Seigneur*.*

Lorsque Dieu annonce la catastrophe à venir, il dit : « je vais faire venir *le* déluge » (Gn 6,17 *mabboul* en hébreu, *cataclysma* en grec). La présence de l'article souligne un fait exceptionnel, sans précédent, qui doit être classé dans les événements fondateurs. Les deux parties du chaos primitif aquatique, que Dieu avait séparées au moment de la création, vont être réunies à nouveau dans une confusion mortelle. Ordinairement, les « eaux inférieures » des sources et des rivières, de même que celles de la mer, sont contenues dans leurs limites par la puissance du créateur. Selon la formule du Psaume : « Tu as imposé (aux eaux) une limite à ne pas franchir ; elles ne reviendront plus couvrir la terre » (Ps 104,9). Les « eaux supérieures » se manifestent aussi lorsque quelques ouvertures contrôlées les laissent couler du firmament sous la forme de pluies. Mais Dieu va libérer toute ces eaux pour provoquer un « cataclysme » sans pareil. Dans l'expérience de l'homme, le déluge est à la fois un mythe angoissant, la destruction possible de la terre, et un mythe rassurant, car il aboutit à la promesse de Dieu de ne plus jamais refaire une telle destruction.

Depuis la faute d'Adam et Ève, le péché n'a cessé de s'accroître dans l'humanité. Genèse 1–11 décrit une montée en puissance du mal et du péché dans l'humanité. Comme en Genèse 2–3, la représentation de Dieu reste très anthropomorphique* : tel un humain, Dieu peut regretter d'avoir créé l'homme, en constatant son comportement violent et pervers. Ce mode de langage ne doit pas déconcerter le lecteur moderne. La Bible utilise les catégories de son temps pour parler du rapport de l'homme au cosmos et pour mettre en récit sa relation à Dieu.

Le récit biblique et les mythes orientaux

La confrontation avec les mythes* mésopotamiens du déluge s'avère utile pour resituer nos récits dans leur contexte culturel et prendre la mesure de leur originalité. Dans le mythe sumérien d'Atra-hasis (du IIIe millénaire avant notre ère), création et déluge sont mis en rapport : le grand dieu Enlil a créé l'homme pour libérer les autres dieux des tâches pesantes du travail quotidien, nécessaires à leur nourriture. Mais ces mêmes dieux supportent mal le bruit fait par les hommes, de plus en plus nombreux. Enlil s'écrie : « Les cris de l'humanité m'ont importuné ; je suis privé de sommeil par leur brouhaha » et il décide de les réduire par une épidémie, par une sécheresse, et enfin par un déluge. L'un des dieux, Enki, apprenant la menace, décide d'avertir un homme, Atra-hasis, pour qu'il construise un bateau et puisse survivre à la destruction universelle.

Les écrivains bibliques, qui disposaient des versions mésopotamiennes, ont censuré tout ce qui pourrait donner une vision dégradante de Dieu. D'abord le polythéisme, omniprésent dans les mythes anciens, a disparu. Ensuite c'est le péché croissant de l'humanité qui entraîne le risque de destruction généralisée, et la piété de Noé qui explique sa mise à part : « Noé était un homme juste, intègre parmi ses contemporains, et il marchait avec Dieu » (6,9). De plus les éléments trop vulgaires des mythes ont disparu, comme l'attitude des dieux à la fin du déluge « sentant l'odeur de l'offrande, et se rassemblant comme des mouches autour de celui qui leur offrait ce sacrifice ».

Dieu, tel un architecte, indique à Noé les mesures de l'arche à construire, comme dans le texte parallèle de Guilgamesh. Le mot hébreu qui désigne l'arche (*téba*) n'apparaît qu'en un seul autre endroit de la Bible pour désigner la nacelle dans laquelle le petit Moïse est confié par sa mère aux eaux du Nil (Ex 2,3). Les deux scènes ont en commun de raconter une nouvelle création sur fond de destruction, un commencement nouveau dans l'histoire de la relation entre Dieu et

DOCUMENT

LA BIBLE ET LES MYTHES DE L'ANCIEN ORIENT

Le 3 décembre 1872 un jeune assistant de 32 ans du British Museum, George Smith, bouleverse le monde chrétien en dévoilant qu'il vient de déchiffrer, dans la bibliothèque d'Assurbanipal à Ninive, une version babylonienne du déluge. L'argument traditionnel de la plus grande antiquité de la Bible, comme preuve de sa vérité, prend soudain un « coup de vieux » dont il ne se relèvera pas. Il faudra beaucoup de temps à l'Église catholique pour intégrer cette découverte et pour comprendre comment l'Écriture reste Parole de Dieu, même quand elle dépend pour une part de traditions littéraires plus anciennes qu'elle.

Aujourd'hui nous savons que plusieurs versions du déluge circulaient en Mésopotamie. La plus ancienne date du XVIIe s. avant notre ère, mais elle est en mauvais état de conservation. La bibliothèque d'Assurbanipal (VIIe siècle) nous a gardé une bonne version du récit du déluge dans la légende de Guilgamesh. Ce héros légendaire, désespéré d'avoir vu mourir son ami Enkidou, part chercher la plante de la vie. Arrivé dans un pays « au-delà des mers que personne, sauf le soleil, n'a traversées », il rencontre Outanapishtim (le « maître de la vie »), le Noé mésopotamien, qui lui révèle comment il a survécu au déluge que les dieux avaient organisé pour se débarrasser des hommes. La plupart de ces mythes ne mentionnent pas la cause du déluge ; seul le poème d'Atra-hasis (le « super-intelligent ») évoque la fatigue des dieux agacés par les cris des humains.

l'homme. Des eaux mortelles du Nil, où sont noyés les autres petits Hébreux*, émerge la vie. La mise à mort par Pharaon des fils d'Israël débouche sur le salut de Moïse.

Le récit du déluge se présente comme une sorte de retour au chaos d'avant la création, d'avant la séparation des eaux supérieures et des eaux inférieures (Gn 1,7). En laissant les eaux envahir le monde, Dieu défait la création pour en préparer une nouvelle. Le mythe s'arrête moins à la catastrophe universelle qu'au sauvetage d'un homme, germe d'une humanité nouvelle. Car c'est cela qui est la visée symbolique du récit. Après la création d'Adam, un nouvel ordre du monde est institué, avec des règles différentes : cela s'exprimera dans l'alliance* de Dieu avec Noé (*Noah* en hébreu, d'où : alliance noachique).

La fin du déluge et l'action de grâce (8,18-22)

8, 18 Noé sortit avec ses fils, sa femme et les femmes de ses fils ; 19 et toutes les bêtes sauvages, tous les bestiaux, tous les oiseaux, toutes les bestioles qui rampent sur la terre sortirent de l'arche, une espèce après l'autre. 20 Noé construisit un autel au SEIGNEUR, il prit de tous les animaux purs et de tous les oiseaux purs et offrit des holocaustes sur l'autel. 21 Le SEIGNEUR respira l'agréable odeur et il se dit en lui-même : « Je ne maudirai plus jamais la terre à cause de l'homme, parce que les desseins du cœur de l'homme sont mauvais dès son enfance ; plus jamais je ne frapperai tous les vivants comme j'ai fait. 22 Tant que durera la terre, semailles et moisson, froidure et chaleur, été et hiver, jour et nuit ne cesseront plus. »*

Le mythe du déluge est né d'expériences humaines concrètes : les grandes crues meurtrières du Tigre et de l'Euphrate s'étaient gravées dans la mémoire des peuples de Mésopotamie. Dans leurs expériences de navigation, ils se souvenaient aussi des longues errances sur la mer à la recherche de la terre tant désirée. Pline rapporte à propos des Indiens : « Il n'y a chez eux, en navigation, aucune observation des astres ; ils ne situent pas le nord. Mais ils emportent avec eux des oiseaux, ils les lâchent régulièrement et suivent leur mouvement à la recherche de la terre. »

Voici un extrait du récit du déluge babylonien, dans *l'Épopée de Guilgamesh* :

Lorsque le septième jour arriva, je fis sortir une colombe que je libérai. La colombe s'éloigna puis revint. Comme aucun endroit ne lui était apparu, elle était revenue. Je fis sortir une hirondelle que je libérai ; l'hirondelle s'éloigna puis revint. Comme aucun endroit ne lui était apparu, elle était revenue. Je fis sortir un corbeau que je libérai ; le corbeau s'éloigna ; voyant que les eaux s'étaient écoulées, il mange, volète, croasse et ne revient pas. (XI, 145-154, trad. F. Malbran-Labat)

Le récit biblique, après le lâcher du corbeau, raconte un triple lâcher de colombe. La première fois elle rentre sans avoir pu se poser. Sept jours plus tard elle rentre en rapportant un rameau d'olivier. La troisième fois, elle disparaît. Ce rameau d'olivier symbolise la puissance de la vie après le passage de la mort, puis la possibilité de la paix après le déchaînement des eaux. La colombe devient ainsi messagère d'espérance pour les hommes.

La première intervention de Noé revenu sur terre est l'offrande d'un sacrifice. Les commentateurs en ont proposé plusieurs explications : pour les uns ce serait un sacrifice de supplication pour apaiser ce qui pourrait rester de la colère de Dieu. Il est plus logique d'y voir un acte de remerciement de Noé, sauvé par Dieu d'un danger mortel. Nous avons ici la première mention dans la Bible d'un autel : la première activité dans la nouvelle création est une activité en l'honneur du Seigneur.

Comme Noé, l'homme biblique a une forte conscience de sa fragilité face à l'univers. Il ressent très fortement que la sortie du chaos n'est jamais définitive ; dans son inconscient, en partie à cause d'expériences anciennes de désastres et de cataclysmes, mais aussi par son sentiment de finitude, il conserve la crainte que le chaos puisse revenir. Il en reconnaît les signes dans les eaux qui sortent de terre et qui irriguent les cultures ou dans les pluies saisonnières, parfois si brutales et si longues. Mais ces eaux pourraient très bien devenir eaux de mort : si Dieu suspendait son acte créateur, alors les eaux d'en haut se mélangeraient aux eaux d'en bas et ce serait la fin de l'humanité. Le déluge apparaît alors comme un mythe fécond puisqu'en même temps il exprime la peur du retour au chaos primitif et il la conjure à travers la parole de Dieu : « jamais je ne frapperai tous les vivants comme je l'ai fait » (8,21).

Cette libération repose sur une parole forte qui dissocie clairement le devenir de la terre des actes de l'homme. Dieu ne revient pas sur la malédiction primitive (3,17), mais il en limite l'efficacité. Son constat initial, qui avait provoqué le déluge, reste vrai : « la méchanceté de l'homme est grande, son cœur ne forme que de mauvais desseins à longueur de journée » (6,5). Malgré cela, il sursoit à sa volonté de châtiment.

La seconde création (Gn 9,1-17)

9, 1 Dieu bénit Noé et ses fils et il leur dit : « Soyez féconds, multipliez, emplissez la terre. 2 Soyez la crainte et l'effroi de tous les animaux de la

terre et de tous les oiseaux du ciel, comme de tout ce dont la terre fourmille et de tous les poissons de la mer : ils sont livrés entre vos mains. 3
Tout ce qui se meut et possède la vie vous servira de nourriture, je vous donne tout cela au même titre que la verdure des plantes. 4 Seulement,
vous ne mangerez pas la chair avec son âme, c'est-à-dire le sang. 5 Mais je
demanderai compte du sang de chacun de vous. J'en demanderai compte à tous les animaux et à l'homme, aux hommes entre eux, je demanderai compte de l'âme de l'homme.

6 Qui verse le sang de l'homme,
par l'homme aura son sang versé.
Car à l'image de Dieu l'homme a été fait.

7 Pour vous, soyez féconds, multipliez, pullulez sur la terre et la dominez. »

8 Dieu parla ainsi à Noé et à ses fils : 9 « Voici que j'établis mon
alliance avec vous et avec vos descendants après vous, 10 et avec tous les*
êtres animés qui sont avec vous : oiseaux, bestiaux, toutes bêtes sauvages avec vous, bref, tout ce qui est sorti de l'arche, tous les animaux de la
terre. 11 J'établis mon alliance avec vous : tout ce qui est ne sera plus détruit par les eaux du déluge, il n'y aura plus de déluge pour ravager la terre. »

12 Et Dieu dit : « Voici le signe de l'alliance que j'institue entre moi et vous et tous les êtres vivants qui sont avec vous, pour les générations à
venir : 13 je mets mon arc dans la nuée et il deviendra un signe d'alliance
entre moi et la terre. 14 Lorsque j'assemblerai les nuées sur la terre et que
l'arc apparaîtra dans la nuée, 15 je me souviendrai de l'alliance qu'il y a entre moi et vous et tous les êtres vivants, en somme toute chair, et les
eaux ne deviendront plus un déluge pour détruire toute chair. 16 Quand
l'arc sera dans la nuée, je le verrai et me souviendrai de l'alliance éternelle qu'il y a entre Dieu et tous les êtres vivants, en somme toute chair qui est sur la terre.

17 Dieu dit à Noé : « Tel est le signe de l'alliance que j'établis entre moi et toute chair qui est sur la terre. »

L'ensemble 9,1-7 forme une unité, soulignée par l'inclusion* des v.1 et 7 : « soyez féconds, multipliez, emplissez la terre » ; ces versets reprennent la bénédiction de l'homme et de la femme dans le premier texte de création (1,28). Comme eux, Noé et ses fils sont bénis en vue d'être féconds, de se multiplier et de remplir la terre. Par contre, cet appel est régulé par quelques préceptes fondamentaux.

En particulier un changement important apparaît dans la relation avec les animaux. Lors de la création, l'homme, image de Dieu, était invité par lui à exercer son autorité sur les animaux avec modération et sans violence gratuite. L'homme est créé herbivore : il peut se nourrir sans tuer (1,29). Mais après le déluge la cohabitation entre l'homme et les animaux est brisée. C'est par la crainte et la terreur que l'homme domine les animaux (9,2) ; on a là l'expérience de l'homme qui chasse les animaux pour s'en nourrir ; il doit attaquer des bêtes sauvages parfois agressives, ou au moins réussir à apprivoiser certaines espèces pour les domestiquer. Dans la vision de l'auteur, l'image de la création est moins harmonieuse, au fur et à mesure de l'éloignement des temps fondateurs. La violence qui s'est déchaînée pendant le déluge n'est pas éliminée, mais Dieu lui impose deux limites importantes.

L'interdit du sang

« Vous ne mangerez pas la chair avec son âme, c'est-à-dire le sang » (9,4). Cette loi, première limite, peut s'interpréter de deux façons, nullement exclusives. Soit on peut y lire l'interdit de consommer les animaux vivants ; c'est le sens que retenait Rachi (rabbin à Troyes au XIe s.) : « Dieu leur a défendu d'enlever un membre à la bête encore vivante. » L'homme doit exercer son autorité sur les animaux « de façon humaine » et donc sans cruauté. Soit on voit ici une interdiction absolue de consommer une viande sans que l'animal ait été saigné ; probablement à cause de la croyance que le sang est « l'âme », c'est-à-dire la vie, et qu'il n'appartient qu'à Dieu. Cette règle est un des fondements de la *cashrout* : l'ensemble des règles alimentaires juives pour que la nourriture soit *casher*, c'est-à-dire « convenable ».

Cette loi, toujours en vigueur dans le judaïsme, est également suivie par les musulmans. À la naissance de l'Église primitive, les premiers chrétiens ont été divisés sur la nécessité de maintenir une telle pratique. Dans les Actes des Apôtres (10–11), on rapporte une vision de l'apôtre Pierre, inspirée de Gn 1, qui a été au départ d'un changement des règles alimentaires. Après des débats entre Paul et les judéo-chrétiens (voir Ac 15 ou Ga 2), le christianisme a pris ses distances par rapport à ces obligations. Mais ces pratiques sont respectables, car elles témoignent d'un grand sens de Dieu, seul maître de la vie. Pourtant il faut se garder d'interprétations magiques comme celles qui y lisent l'interdiction de la transfusion sanguine. L'interdit de « verser le sang de l'homme » signifie tuer, et non sauver une vie. Quand il s'agit de sauver la vie humaine, Dieu est du côté de la vie, et non de la mort.

L'alliance avec Noé englobe tous les vivants ; les lois qui lui sont données, à la différence du Décalogue destiné à Israël seul, ont pour destinataires tous les hommes, ses descendants. La tradition juive a développé autour de Gn 9 sept lois universelles, dites « noachiques » : interdictions de pratiquer l'idolâtrie, de profaner le nom de Dieu, de tuer, de commettre l'inceste, de voler, de prendre et de manger une partie d'un animal vivant, ainsi que l'obligation d'instituer une justice.

Le respect de la vie

La seconde limite (9,5-6) découle en partie de la première, mais la prolonge : la violence qui consiste à verser le sang des animaux doit se limiter à ce qui est nécessaire pour la nourriture. Par contre la violence qui attente à la vie (animale ou humaine) est prohibée. Le « sang » (*dam*) est ici pratiquement synonyme de la « vie » (*nefesh*). Dieu, garant de la vie au temps de Caïn et Abel, continue à veiller au respect de la vie. Dans ces premiers chapitres aux perspectives universalistes, le respect de la vie n'est pas limité au proche, mais concerne tout homme. Cette restriction contre le crime de sang tient au fait que tout homme est « à l'image de Dieu », quelles que soient ses appartenances sociale, ethnique ou religieuse.

REPÈRE

L'ALLIANCE : LA *BERIT*

Le mot alliance (en hébreu : *berit*) apparaît en Gn 6,18 pour la première fois, puis sept fois en 9,1-17. C'est l'un des termes théologiques les plus fréquents de l'Ancien Testament (289 fois), au point que beaucoup d'auteurs ont pensé qu'il est le concept clé qui articule l'ensemble de la Bible, et qui a d'ailleurs donné son nom aux deux parties de la Bible chrétienne. C'est sans doute vrai, mais à condition de mesurer la difficulté de le traduire. La plupart des traducteurs français le rendent par « alliance », au risque parfois de simplifier. La Septante l'a traduit par *diathèkè*, terme qui désigne chez les Grecs l'acte par lequel quelqu'un dispose de ses biens (comme un legs ou un testament) ; d'où la traduction latine par *testamentum* et les noms tradtionnels d'Ancien et de Nouveau « Testament ».

Pour l'étymologie de *berit* on a fait trois propositions. Soit le verbe *barah*, « manger », à cause du repas qui la plupart du temps scellait l'alliance. Soit le verbe *barah*, « choisir, déléguer », qui marque la décision réciproque de deux partenaires. Soit encore le mot akkadien *biritu*, « lien » (voir notre mot al-liance). Quoi qu'il en soit, la *berit* suppose toujours un engagement entre deux partenaires, mais leur implication n'est pas la même. Ici, comme plus tard avec Abraham (Gn 15,17-18), Dieu seul s'engage, et inconditionnellement, en faveur de Noé et de ses descendants. Au contraire, l'alliance au Sinaï avec Moïse sera réciproque et conditionnée par la fidélité d'Israël (Ex 24,1-11 ; *voir* p. 140). Les prophètes expliqueront les malheurs d'Israël par sa trahison de l'alliance.

La violence limitée par la parole fondatrice de Dieu a besoin d'un autre rempart. Ici c'est la loi du talion*, qui fait partie du fonds commun des lois de l'Ancien Orient, par exemple dans le code de Hammourabi (XVIIIe s. av.J.C.) : « Si quelqu'un a crevé un œil à un notable, on lui crèvera un œil. S'il a brisé un os à un notable, on lui brisera un os. S'il a crevé un œil à un homme du peuple ou brisé un os à un homme du peuple, il payera une mine d'argent » (§ 196-198). L'équivalent se retrouve dans les lois d'Israël : « Si malheur arrive, tu paieras vie pour vie, œil pour œil, dent pour dent, main pour main, pied pour pied, brûlure pour brûlure, blessure pour blessure, meurtrissure pour meurtrissure » (Ex 21,23-25). Par rapport à la violence illimitée, le talion représente sans conteste un progrès : il pose que la vengeance ne doit pas dépasser l'offense ; cette maîtrise de la sanction doit interdire toute escalade de la violence. L'Évangile dépassera la loi du talion en remplaçant la vengeance par le pardon (Mt 18,21-22).

Le déluge dans la tradition biblique

Le récit du passage de la Mer, lors de la sortie d'Égypte, rappelle fortement le thème du déluge : les eaux noient les Égyptiens, mais Israël est sauvé (Ex 14). Dans les relectures du déluge, divers motifs sont privilégiés. Noé représente un modèle souvent cité, par exemple chez le Siracide (ou Ecclésiastique) : « Noé fut trouvé parfait et juste ; au temps de la colère il assura la relève. À cause de lui il y eut un reste pour la terre quand arriva le déluge. Des alliances éternelles furent établies avec lui pour que tout être de chair ne fût plus détruit par un déluge » (Si 44,17). La promesse divine faite à Noé et ses descendants permet à un prophète de la fin de l'exil d'annoncer que le jugement de Dieu envers son peuple infidèle laissera place à sa tendresse : « C'est pour moi comme les eaux de Noé à leur sujet, j'ai juré qu'elles ne déferleraient plus, ces eaux de Noé, jusque sur la terre ; de même, j'ai juré de ne plus m'irriter contre toi et de ne plus te menacer » (Is 54,8-10).

Pour Jésus, le déluge devient la figure des derniers temps, qui adviendront dans la plus totale surprise : « Tels furent les jours de Noé, tel sera l'avènement du Fils de l'homme* ; car de même qu'en ces jours avant le déluge, on mangeait et on buvait, l'on se mariait ou l'on donnait en mariage, jusqu'au jour où Noé entra dans l'arche, et on ne se doutait de rien jusqu'à ce que vint le déluge, qui les emporta tous. Tel sera aussi l'avènement du Fils de l'homme. Veillez donc car vous ne savez pas quel jour va venir votre Maître » (Mt 24,38-42). Noé représente le juste qui par sa justice et sa foi a échappé à la destruction générale : « Par la foi, Noé, divinement averti de ce que l'on ne voyait pas

REPÈRE

LE DÉLUGE DANS LA CONSCIENCE MODERNE

L'homme moderne vit dans un monde désenchanté. Il ne redoute plus que Dieu puisse ouvrir les vannes du ciel pour détruire sa création et entraîner la disparition de l'humanité. Pourtant le mythe du déluge reste vivace. Aujourd'hui l'homme moderne a une vive conscience de sa fragilité dans le cosmos. Des tremblements de terre, des raz de marée, des inondations viennent régulièrement rappeler à l'homme que le cosmos lui échappe et peut devenir un espace mortifère.

Mais, à la différence de l'homme biblique, nous savons aujourd'hui que la menace la plus grande vient de l'homme lui-même, apprenti sorcier, souvent incapable de maîtriser ses propres progrès : l'énergie nucléaire, les substances chimiques aux puissances de mort incontrôlables ou les manipulations génétiques aux conséquences imprévisibles.

encore, prit l'oracle au sérieux, et construisit une arche pour sauver sa famille. Ainsi, il condamna le monde et devint héritier de la justice qui s'obtient par la foi » (He 11,7).

LA TOUR DE BABEL (GENÈSE 11,1-9)

11, *1 Tout le monde se servait d'une même langue et des mêmes mots. 2*
Comme les hommes se déplaçaient à l'orient, ils trouvèrent une vallée au
pays de Shinéar et ils s'y établirent. 3 Ils se dirent l'un à l'autre : « Allons !
Faisons des briques et cuisons-les au feu ! » La brique leur servit de pierre
et le bitume leur servit de mortier. 4 Ils dirent : « Allons ! Bâtissons-nous
une ville et une tour dont le sommet pénètre les cieux ! Faisons-nous un
nom et ne soyons pas dispersés sur toute la terre ! »

5 Or le SEIGNEUR descendit pour voir la ville et la tour que les hommes
avaient bâties. 6 Et le SEIGNEUR dit : «Voici que tous font un seul peuple et
parlent une seule langue, et tel est le début de leurs entreprises ! Mainte-
nant, aucun dessein ne sera irréalisable pour eux. 7 Allons ! Descendons !
Et là, confondons leur langage pour qu'ils ne s'entendent plus les uns les
autres. » 8 Le SEIGNEUR les dispersa de là sur toute la face de la terre et ils
cessèrent de bâtir la ville. 9 Aussi la nomma-t-on Babel, car c'est là que le
SEIGNEUR confondit le langage de tous les habitants de la terre et c'est de là
qu'il les dispersa sur toute la face de la terre.

Ce récit a circulé de façon autonome avant d'être intégré dans l'ensemble Genèse 1–11. Cette insertion vient interrompre le fil d'un récit consacré aux fils de Sem : « Tels furent les fils de Sem » (10,31) se poursuit après le récit de Babel en 11,10 : « Voici la descendance de Sem. » De plus ce récit sur la naissance de la première ville ne tient pas compte d'un récit antérieur où Caïn « devint un constructeur de ville » (4,17). D'ailleurs Babel, au pays de Shinéar, est déjà évoquée en 10,10. Enfin les motifs de la dispersion des peuples et de la pluralité des langues est présenté au chapitre 10 comme une conséquence normale du développement de l'humanité et non comme un châtiment venu de Dieu : « Tels furent les fils de Japhet, d'après leurs pays et chacun selon sa langue, selon leurs clans et d'après leurs nations » (10,5).

Ainsi, à quelques chapitres de distance, on passe d'une vision positive à un regard pessimiste sur la construction des cités et la variété des langues. Ce pessimisme doit être tempéré par l'introduction du personnage d'Abraham dans la suite du texte (11–12). La dispersion qui sanctionne l'orgueil de l'homme débouche alors sur la promesse que les hommes dispersés reçoivent en Abraham (12,3). Babel n'est qu'un moment dans une histoire et dans un long récit qui inclut l'ensemble de la Bible.

Lecture du texte

Il n'est pas impossible que le récit primitif ait été plus simple à l'origine. Depuis longtemps les exégètes ont noté qu'il développait deux thèmes, l'un centré sur la ville de Babel et la question des langues, l'autre sur la tour et la dispersion des peuples. Mais, tel qu'il est, le récit de la tour de Babel est lisible comme un récit au symbolisme puissant et lourd d'enseignement.

L'introduction (v.1)

Le premier verset se situe dans un commencement imaginaire où la communication entre les hommes était harmonieuse, à la différence de ce qu'expérimentaient quotidiennement les Israélites. Ce « paradis perdu » n'a jamais existé comme réalisation historique concrète. Le mythe est le résultat de l'expérience de peuplades se heurtant à d'autres groupes et découvrant l'existence d'autres langages que le leur. On sait que les mythes aiment à projeter dans les commencements un temps idéal fait d'harmonie et de perfection. Le récit est donc étiologique* : il veut expliquer comment l'humanité en est arrivée à sa situation présente de diversité de langues et de dispersion à travers le monde. Pour exprimer ce mythe, l'auteur va s'inspirer de son expérience des empires qui l'entourent et le dominent. Parler d'une « langue unique », c'est signifier un gouvernement central fort, exerçant sa domination sur d'autres peuples, en leur imposant, le plus souvent par la contrainte, la langue unique du vainqueur.

Le projet des hommes (v.2-4)

Le récit est relié aux chapitres précédents. Le jardin d'Éden était planté « à l'est » (voir 2,8). Puis Caïn, l'errant, s'est retiré « à l'est d'Éden » (4,16) et les hommes poursuivent leur déplacement dans cette direction. Les errants décident de s'installer ; peut-être y a-t-il là une mémoire lointaine de la sédentarisation et de la construction des villes. Un seul terme géographique : Shinéar, qui désigne la Mésopotamie. Le récit fondateur ouvre sur une civilisation urbaine, et raconte l'invention de la brique pour la construction des palais et des temples. En effet les Mésopotamiens, à la différence des Israélites, n'ont pas de pierre à bâtir dans leurs immenses plaines argileuses ; ils se servent de briques cuites au four et d'asphalte.

Beaucoup d'éléments ont certainement inspiré l'auteur de notre récit sur Babel. Quand on compare ce récit avec le fameux récit babylonien de création *Enouma Elish*, on est frappé par les points communs : la fabrication des briques, la construction de la tour et du sanctuaire. Mais, comme pour les autres récits de Gn 1–11, ces influences ne sont jamais des dépendances littérales. De même, on peut repérer un faisceau de motifs qui ont certainement alimenté

DOCUMENT

LES *ZIGGOURATS* ET LA BIBLE

Les « ziggourats », ces tours carrées à étages, proches des temples de Mésopotamie, sont connues depuis le IIIe millénaire. Elles sont un élément essentiel dans au moins vingt-cinq villes. Leur signification religieuse est aussi symbole de la grandeur et de la piété des rois de Mésopotamie qui les ont édifiées. Ces tours gigantesques, comparables aux pyramides égyptiennes, sont construites en briques, sur plusieurs étages. Leur fonction religieuse vise à combler, d'une certaine façon, la distance entre les dieux et les hommes pour permettre leur relation : la divinité peut descendre au sommet pour y rencontrer le roi, le grand prêtre (ou la prêtresse) qui y sont montés.

La ziggourat de Babylone, qui était encore inachevée au VIe siècle avant notre ère, a pu inspirer le récit biblique. Cette tour, qui atteignait 90 mètres, se terminait au septième niveau par des sanctuaires et une chambre à coucher où, selon Hérodote, logeait une prêtresse vierge que le dieu descendait visiter la nuit pour s'unir à elle. Cette ziggourat est désignée du nom de *E-temen-an-ki* : « maison fondement du ciel et de la terre ». Ses sept étages représentaient les sept divinités intermédiaires entre le grand dieu national Mardouk et les Babyloniens. Aussi Babylone porte-t-elle bien son nom de « porte des dieux » (en akkadien : *Bab-ilanou*).

l'imagination de notre auteur. Citons la structure des villes de Mésopotamie avec leurs hautes tours, parfois en ruine, la renommée de Babylone, ville cosmopolite où toutes les langues du Proche Orient résonnaient, le nom de *Babel* se prêtant au jeu de mots avec le verbe *balal* « mélanger, embrouiller ». En utilisant librement tous ces points d'appui, l'auteur développe un récit théologique puissant, et produit une œuvre inspirée tout à fait originale.

La décision des hommes est claire : il s'agit de construire une ville et une tour qui aille jusqu'au ciel. Le projet religieux des bâtisseurs de ziggourats disparaît de la perspective biblique. Ce sont les hommes qui décident de bâtir une grande ville et de la dresser jusqu'au domaine interdit de Dieu, le ciel, pour rivaliser avec lui. Selon la logique des tentations et des ruptures qui jalonnent Gn 1–11, l'auteur raconte comment l'humanité veut échapper à sa condition et atteindre l'espace réservé à Dieu seul. L'unité de langage évoquée au v.1 est ici discréditée parce qu'elle est mise au service d'une puissance qui se veut universelle : « une seule langue » signifie une pensée unique, une idéologie totalitaire, avec une centralisation politique, morale, religieuse de tous les peuples sous l'autorité d'un seul pouvoir, à l'ombre d'une seule ziggourat. C'est ainsi que les hommes espèrent « se faire un nom », c'est-à-dire rivaliser avec Dieu.

Tous les hommes ne cherchent-ils pas à « se faire un nom », une renommée ? Ne veulent-ils pas échapper à l'oubli et perpétuer leur mémoire par des monuments, des œuvres, une descendance ? En quoi serait-ce mal ? Mais l'univers biblique et le contexte particulier de ce récit donnent un sens négatif au projet des hommes de Babel. La Bible proclame que seul le nom de Dieu est grand : « Mais, du levant au couchant, mon Nom est grand chez les nations » (Ml 1,11) ; c'est ce nom seul que les hommes doivent « dresser » par leur adoration, et non une tour pour leur propre gloire : « Qu'ils louent le nom du SEIGNEUR : sublime est son nom, lui seul, sa majesté par-dessus terre et ciel ! » (Ps 148,13). Cette tour dont « le sommet pénètre les cieux » est bien un défi à Dieu lui-même, une volonté d'être dieu comme lui, sans lui.

L'intervention de Dieu (v.5-8)

Dans les textes mésopotamiens, le sommet de la ziggourat était aménagé afin que les dieux y descendent, pour le bien de la ville. Ce même thème apparaît dans la vision de Jacob (Gn 28,12), où un escalier relie le monde de Dieu et celui des hommes. Mais dans le récit de Babel cette descente de Dieu est une « visite » redoutable, pour un jugement et une sentence. La distance est soulignée de manière ironique entre le Seigneur, qui « descend » du ciel, et les hommes, qui rêvaient de pouvoir y monter. Dieu vient mettre un terme à leur folle entreprise : être un seul peuple et atteindre les cieux. L'auteur biblique pense ici aux empires d'Assour et de Babylone qui réussirent à dominer leurs voisins, à organiser un empire puissant en leur imposant un joug à la fois économique, religieux et culturel. Le prophète Isaïe dénonce en ces termes l'arrogance des Assyriens : « Préparez le massacre… Qu'ils ne se lèvent plus pour conquérir la terre et couvrir de villes la face du monde » (Is 14,21). Mais ce récit fondateur vise et condamne, par l'intervention de Dieu, les peuples tyranniques de tous les siècles.

L'action de Dieu est décrite de façon très anthropomorphique*, avec un langage mythologique : « il descend ». Cela rappelle d'autres textes bibliques où Dieu descend, voit, délibère et intervient. Une telle familiarité de Dieu avec l'homme révèle un Dieu proche de l'homme, à l'opposé des divinités enfermées dans des cieux lointains et silencieux. Par exemple lorsque Dieu se manifeste à Moïse, avant l'Exode : « J'ai vu la misère de mon peuple, je suis descendu… » (Ex 3,7-8) ou lorsque le prophète d'après l'Exil, devant l'épreuve du silence de Dieu, supplie : « Nous sommes, depuis longtemps, des gens sur qui tu ne règnes plus et qui ne portent plus ton nom. Ah ! si tu déchirais les cieux et si tu descendais ! » (Is 63,19).

La dispersion (v.9)

Le récit parle de l'homme en société centralisée comme d'un orgueil démesuré contre Dieu et surtout comme d'un danger pour l'homme lui-même. Mais on aurait tort de voir là un rejet de la vie en société et de la civilisation urbaine. En fait, le récit dénonce les excès des grands empires qui cherchent, par tous les moyens, à dominer les peuples voisins et se posent en puissances concurrentes de Dieu. Babylone est, dans la Bible, la figure d'une telle ambition démesurée. Les prophètes annoncent qu'un jour elle connaîtra, elle aussi, la destruction (Is 13,19-22). Jérémie se rappelle probablement le récit de Babel lorsqu'il évoque la folie d'un projet prométhéen : « Babylone escaladerait-elle le ciel, renforcerait-elle sa citadelle inaccessible ? Sur mon ordre lui viendront des dévastateurs – oracle du SEIGNEUR » (Jr 51,53). Le livre de l'Apocalypse s'inscrit dans cette tradition « anti-Babel » quand il évoque la chute de Babylone, figure de la Rome impériale persécutrice des premiers chrétiens : « elle est tombée, Babylone la Grande, elle qui a abreuvé toutes les nations du vin de la colère » (Ap 14,8 ; cf. 18,2-3).

Ouvertures

Ce récit manifeste des attaches avec des mythes anciens auxquels les ziggourats de Mésopotamie avaient donné corps. Ces constructions gigantesques ont pu servir d'éléments déclenchant pour les exilés découvrant les séductions des cités mésopotamiennes. Dans ces monuments et les textes qui les illustraient, s'exprimaient à la fois la naissance des civilisations urbaines (on parle alors de « cités-États »), et la recherche des dieux, malgré la distance infinie des cieux. Les hautes tours qui caractérisent les grandes cités mésopotamiennes, constituent les cathédrales du monde ancien où s'exprime le désir de communiquer avec le monde divin.

En devenant partie d'un ensemble religieux (Gn 1–11), le récit de Babel entre dans l'histoire des rapports des hommes entre eux et avec le Dieu de la révélation. Dès lors la lecture de la civilisation urbaine

REPÈRE

DE BABEL À LA PENTECÔTE

Dans l'ensemble de la Bible, le récit de Babel s'éclaire pour les chrétiens par le récit de la descente de l'Esprit Saint à la Pentecôte (Ac 2). Babel n'est pas nommée, mais les correspondances entre les deux récits sont fortes. L'un et l'autre évoquent la descente de Dieu parmi les hommes. Alors que dans Genèse, c'est une visite-sanction, dans les Actes, le don de l'Esprit vient prolonger la descente de Dieu parmi les hommes en la personne de Jésus. La confusion des langues inaugurée en Gn 11 est réparée, mais ce n'est pas un retour à la langue unique. À Babel, la langue unique était l'écrasement des diversités par le vainqueur ; à la Pentecôte « chacun les entendait parler en son propre idiome » (Ac 2,6). Les diversités de chaque peuple subsistent, mais une communication redevient possible, grâce à l'Esprit du Christ, qui transcende toutes les cultures sans les effacer ni les confondre. « La variété des langues qui était, à la tour de Babel, signe de dispersion et d'éparpillement vers toutes les nations, est devenue, dans le Christ, signe du rassemblement dans l'unité, par l'Esprit, et gage de l'accès aux réalités d'en haut » (Cyrille d'Alexandrie IVe s., *Glaphyres sur la Genèse II*).

Les lectures modernes de Babel s'orientent dans deux directions. Dans la ligne de Thomas More et de son Utopie, le récit évoque pour certains un monde de rêve, qui conjurerait la malédiction de Babel sous la forme d'une langue commune à toute l'humanité, qu'il appelle l'utopien. Une autre tradition de lecture, plus récente, et sans doute plus proche du projet du premier texte, interprète Babel comme une figure des pouvoirs totalitaires qui écrasent les diversités et imposent une langue uniformisée. Prenant la place de Dieu, les hommes veulent imposer à l'humanité leur langue unique qui écrase toutes les cultures particulières au profit d'un modèle unique.

L'intervention de Dieu apparaît alors comme une décision de briser ce totalitarisme pour que chaque individu et chaque société puissent vivre dans la richesse des différences. Enfin certaines lectures, inspirées par la psychanalyse, rejoignent ce sens en lisant dans la dispersion des hommes et dans la diversité des langages, l'avènement d'une humanité sortant du fusionnel, pour entrer dans l'ère de la différence créatrice.

devient franchement négative et exprime la démesure de l'homme refusant ses limites, sa finitude. Comme en Genèse 3, où Adam et Ève ont voulu usurper un privilège de Dieu, ici c'est encore le refus de la condition de l'homme et de ses limites qui s'exprime et qui provoque l'intervention de Dieu. Dans le Targoum* du Pentateuque, le dessein sacrilège des bâtisseurs est explicité par cette addition au projet des hommes : « faisons au sommet de la tour une idole ».

A. MARCH.

Les Patriarches *(Genèse 12–50)*

LES PATRIARCHES ET LES MATRIARCHES

Les récits sur les Patriarches* et Matriarches en Genèse 12–50 constituent pour le peuple juif une manière de rendre compte de ses origines, par un modèle généalogique. Selon ce modèle, le peuple juif se définit comme un groupe issu en droite ligne de ces ancêtres et de leurs épouses. Mais c'est une identité qu'il ne revendique pas de façon exclusive ; d'autres peuples, en effet, tels que les tribus arabes, les Ammonites, les Moabites et les Édomites – tous situés à l'est d'Israël – descendent également de ces mêmes ancêtres.

La Genèse nous a conservé les récits de quatre ancêtres et de leurs femmes : Abraham et Sara (Gn 12–25), Isaac et Rébecca (Gn 25–26), Jacob, Léa et Rachel (Gn 27–36), enfin Joseph qui épouse Asnat, la fille d'un grand prêtre égyptien (Gn 37–50). Bien d'autres femmes interviennent dans cette généalogie : ainsi Agar, la servante de Sara, pour Abraham, puis, après la mort de Sara, Qetoura ; pour Jacob, Bilha et Zilpa, les servantes de Léa et Rachel.

Parmi les Patriarches, Isaac est la figure la plus effacée. Très peu de récits lui sont consacrés et ceux-ci ont tous des parallèles dans l'épopée d'Abraham. Si l'on fait abstraction d'Isaac dont le rôle est essentiellement d'être le fils d'Abraham et le père de Jacob, on constate que la Genèse met en place trois types d'ancêtres : Abraham, l'ancêtre commun par excellence, géniteur des tribus israélites et arabes ; Jacob, l'ancêtre d'Israël, le père des douze tribus ; Joseph enfin, l'ancêtre de la diaspora*, c'est-à-dire du judaïsme de la dispersion. Les aires géographiques varient également pour chaque patriarche : Abraham est un ancêtre du Sud comme le montre son installation à Hébron ; Jacob est lié à des localités importantes du Nord : Béthel et Sichem ; quant à Joseph, il fait une carrière fulgurante en Égypte, en dehors du pays de Canaan. Mais les différences entre ces trois figures apparaissent surtout sur le plan littéraire.

Les genres littéraires de Genèse 12–50

Le cycle* d'Abraham a comme fil conducteur le problème de la descendance. Celui-ci est déjà préparé à l'intérieur de la généalogie en 11,27-30 où on trouve cette remarque, anormale dans le cadre d'une généalogie : « Or, Saraï était stérile : elle n'avait pas d'enfant » (11,30). Cette remarque pose cependant le problème de la continuation ou de l'interruption de l'histoire. De nombreux chapitres tournent autour de ce problème jusqu'à la naissance d'Isaac et la cruelle demande de Dieu de sacrifier ce fils (Gn 22, *voir* p. 94). Mais malgré ce fil conducteur, l'histoire d'Abraham apparaît comme un conglomérat de différents épisodes, dont la plupart ont d'abord été transmis comme des récits indépendants les uns des autres. On peut en effet raconter de nombreuses histoires sur Abraham et Sara sans connaître tout ce cycle.

Contrairement à celui d'Abraham, ***le cycle de Jacob*** ne se présente pas comme un patchwork d'épisodes plus ou moins hétérogènes : il revêt la structure d'une véritable geste, portée de bout en bout par une seule courbe de tension, une seule intrigue. L'histoire de Jacob présente en substance la structure classique d'une geste d'ancêtre expliquant les origines d'un clan ou d'un groupe tribal. Cette structure, qu'on retrouve par exemple dans la littérature orale des Bédouins arabes, mais partiellement aussi dans l'histoire biblique de David, est la suivante : un héros est obligé de quitter le clan natal pour des raisons diverses (conflit, forfait, etc.). Il s'exile et se fait accueillir dans un autre clan, où il fait une carrière prodigieuse, si bien qu'il devient vite un homme riche et puissant. Le cycle narratif se termine par le retour (souvent difficile) du héros dans sa patrie d'origine. La geste de Jacob n'est donc pas le résultat d'une agglomération de récits indépendants, car sa structure fondamentale remonte à l'origine même du cycle. Mais ceci ne signifie pas que tous les épisodes du cycle actuel aient fait partie dès le début de l'histoire primitive de Jacob. Au cours de sa transmission le cycle de Jacob, comme presque toute la littérature biblique, a subi de nombreuses modifications et des réinterprétations.

L'histoire de ***Joseph,*** quant à elle, présente un profil encore différent. Écrite dans un style divergeant de celui des histoires d'Abraham, d'Isaac et de Jacob, traversée par une théologie singulière, elle ressemble davantage à un roman ou une nouvelle qu'à une geste patriarcale. Le genre littéraire de cette histoire l'apparente aux livres bibliques de Ruth, Esther et Tobit.

Les récits patriarcaux peuvent donc être classés selon trois genres* littéraires spécifiques : l'anthologie (Abraham), la geste (Jacob), la nouvelle (Joseph). Les narrations de Gn 12–50 contiennent d'autres genres littéraires, en particulier les « listes », les « sentences tribales », les « itinéraires » et surtout les « récits ».

Les listes font apparaître les préoccupations généalogiques des auteurs de la Genèse. Gn 25 donne les noms des fils que Qetoura a enfantés pour Abraham (v.1-4), ainsi que les noms des fils d'Ismaël (v.12-15). Ces noms désignent les ancêtres de différentes tribus arabes. Gn 36 contient plusieurs listes qui systématisent la descendance d'Ésaü. Il s'agit, pour la plupart d'entre eux, de noms de tribus édomites ou nabatéennes.

Les sentences tribales. Lorsque l'ange du Seigneur annonce à Agar la naissance de son fils Ismaël, il le fait de la manière suivante : « Celui-là sera un onagre d'homme, sa main contre tous, la main de tous contre lui, il s'établira à la face de tous ses frères » (16,12). À l'origine, une sentence tribale vise à exprimer la spécificité d'un clan ou d'une tribu, le plus souvent à travers une comparaison animale. Les sentences tribales concernant les tribus d'Israël sont regroupées en Gn 49 : Juda y est comparé à un lionceau, Dan à un serpent, Nephtali à une biche, Benjamin à un loup, etc. Mais ces sentences ont été détournées de leur fonction première ; elles apparaissent désormais dans le cadre d'une bénédiction* que Jacob adresse à ses fils avant de mourir.

Les itinéraires. 12,6-9 et 13,1-3 relatent les différentes étapes du parcours d'Abraham dans le pays promis, d'abord du nord au sud, puis du sud au nord. Gn 35 contient un itinéraire de Jacob, de Sichem à Mambré. On a souvent pensé que ces indications refléteraient les migrations de certains clans pratiquant la transhumance. Mais il s'agit peut-être tout simplement de la volonté de signaler la présence des Patriarches dans les localités importantes et les sanctuaires des futurs royaumes d'Israël et de Juda*.

Parmi les ***récits*** – le genre littéraire dominant de Gn 12–50 – on peut distinguer différents types comme les récits de conflit (entre deux femmes : Sara et Agar, Gn 16 ; Léa et Rachel, Gn 29-30 ; ou entre des frères : Jacob et Ésaü, Joseph et ses frères) et les récits étiologiques* (du grec *aitia* : origine, cause). Ces derniers sont particulièrement nombreux dans l'histoire des Patriarches. Leur fonction est d'expliquer soit le nom d'un lieu ou d'une personne, soit l'origine d'une coutume.

Le songe de Jacob à Béthel (28,10-22) peut être qualifié de récit étiologique, car il explique à la fois l'origine du sanctuaire de Béthel et son nom :

Jacob arriva d'aventure en un certain lieu et il y passa la nuit, car le soleil s'était couché. Il prit une des pierres du lieu, la mit sous sa tête et dormit en ce lieu. Il eut un songe : Voilà qu'une échelle était dressée sur la terre et que son sommet atteignait le ciel, et des anges de Dieu y montaient et descendaient ! Voilà que le SEIGNEUR *se tenait devant lui [...] Jacob s'éveilla de son sommeil [...] il eut peur et dit : « Que ce lieu est redoutable ! Ce n'est rien moins qu'une maison de Dieu (*beth-Elohim*) et la porte du ciel ! » [...] À ce lieu, il donna le nom de Béthel (*= maison de El / Dieu*), mais auparavant la ville s'appelait Louz* (28,11-13.17.19).

De même l'histoire de la femme de Lot transformée en colonne de sel (19,26) sert à expliquer les formations salines que l'on peut apercevoir près de la mer Morte. Les récits étiologiques partent du présent du lecteur et lui expliquent ce qu'il connaît par un recours au passé.

Cette polyphonie des genres littéraires, des thèmes et de la géographie montre bien que les récits des ancêtres d'Israël n'ont pas été écrits par un seul auteur ni d'un seul trait. Il est d'ailleurs fort probable que les figures patriarcales de la Genèse n'étaient pas à l'origine liés les unes aux autres par une généalogie.

Le système généalogique des récits patriarcaux

C'est seulement au moment où l'on a voulu regrouper les différents Patriarches d'Israël et de Juda qu'on a affilié Abraham, Isaac et Jacob dans une relation de père, fils et petit-fils. Il semble d'ailleurs que, dans une première phase, Jacob fut considéré non pas comme le petit-fils mais comme le fils d'Abraham. En effet lors du songe de Jacob au futur sanctuaire de Béthel, Dieu s'adresse à lui dans les termes suivants : « Je suis le Seigneur, le Dieu d'Abraham ton père et le Dieu d'Isaac » (28,13). Dans ce texte, c'est Abraham qui est dit « père » de Jacob ; certes, en hébreu le mot « père » peut aussi signifier « ancêtre » (comme le traduit la Bible de Jérusalem). L'expression « Dieu d'Isaac » s'insère difficilement dans la phrase et est sans doute une addition pour harmoniser ce texte avec le système généalogique dans son état final. De nombreux textes bibliques mettent d'ailleurs Abraham et Jacob en parallèle, sans mentionner Isaac (voir par exemple Is 29,22 ; Mi 7,20 ; Ps 105,6). La fusion des différents ancêtres en une « grande famille » s'explique par la préoccupation de souligner l'origine commune des Israélites au Nord, des Judéens et d'autres clans au Sud.

La cohérence du système généalogique actuel a été renforcée par un rédacteur issu du milieu des prêtres qui a organisé la Genèse à l'aide de titres généalogiques en utilisant le terme de *toledot*, mot qui signifie littéralement « engendrements » et qui peut se traduire par « descendance » ou « histoire ». Ainsi les *toledot* de Térah en 11,27 introduisent l'histoire de son fils Abraham, et les *toledot* d'Isaac en 25,19, l'histoire de son fils Jacob. Les *toledot* de Jacob en 37,1 annoncent l'histoire de Joseph. Ce sytème explique l'absence des *toledot* d'Abraham dans la Genèse. Celles-ci auraient dû en fait introduire l'histoire d'Isaac, mais la Genèse ne contient pas de véritable cycle d'Isaac ; les rares histoires qui le concernent exclusivement (Gn 26) ayant été placées après le début de l'histoire de Jacob (25,19-34). Notons encore l'existence des *toledot* d'Ismaël (25,12) et des *toledot* d'Ésaü (36,1.9), titres qui introduisent ici non pas une histoire, mais des listes énumérant les descendants d'Ismaël et d'Ésaü. Ainsi le rédacteur sacerdotal parvient à faire une différence entre la lignée patriarcale et les lignées « latérales ».

REPÈRE

GÉNÉALOGIE DES PATRIARCHES

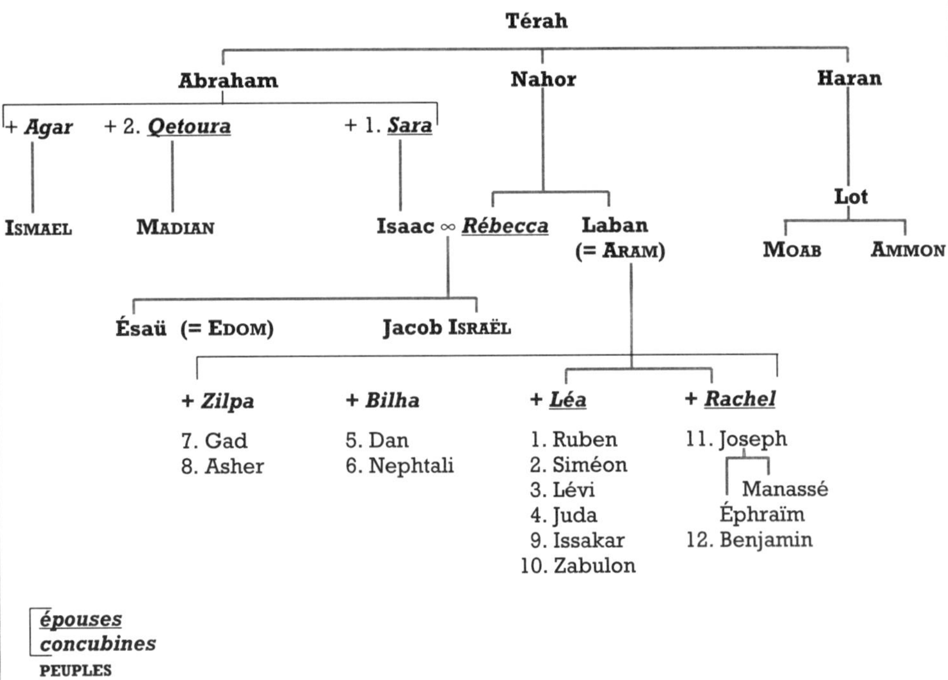

Les Patriarches et l'histoire

On a très souvent compris la chronologie biblique : Patriarches, Exode, Désert, Conquête, comme quatre périodes historiques qui se seraient succédé. En situant traditionnellement la sortie d'Égypte vers 1300-1200, on postulait une « période patriarcale » dans la première partie du IIe millénaire av.J.C. Or, puisque le début de ce IIe millénaire a vu la migration de groupes à l'apparence nomade venus des pays d'Amourrou (contrée de l'Ouest sémitique), des groupes qui auraient lentement envahi la Syrie-Palestine, ces vagues migratoires semblaient constituer un contexte historique plausible pour les ancêtres d'Israël. D'autant plus que, selon 11,27 – 12,9, Abraham arrive par étapes en Judée en partant d'Our des Chaldéens (Mésopotamie du Sud) et en passant par Harân (Mésopotamie de l'Ouest). Les noms équivalents d'Abraham et de Jacob sont d'ailleurs attestés dans des textes mésopotamiens du IIe millénaire ; le nom Abraham signifie : « Le Père (= la divinité) est élevé » et Jacob : « Que (Dieu) protège ».

Pour renforcer la datation des Patriarches dans la première moitié du IIe millénaire, on a fait appel à des textes juridiques des XVe et XIVe siècles de la ville de Nouzi située en Mésopotamie, à l'est du Tigre. Certaines tablettes qualifient par exemple l'épouse de « sœur » ; ce qui peut faire penser à Abraham présentant sa femme comme sa « sœur » (12,13 ; 20,2). D'autres textes prévoient, en cas de stérilité, le remplacement de la femme légitime par la servante ; ce qui ressemble à l'épisode où Sara suggère à Abraham de coucher avec sa servante Agar dans le but d'obtenir l'enfant qu'elle ne peut alors lui offrir (16,2). C'est ainsi que, dans de nombreuses présentations de l'histoire biblique, les Patriarches sont situés dans le contexte du IIe millénaire. Mais cette vision des choses soulève de grands problèmes.

Il faut d'abord souligner le fait qu'Abraham, Isaac et Jacob partagent le destin de tous les ancêtres légendaires : celui d'être difficilement saisissables pour l'historien. Cela dit, si les récits des Patriarches remontaient vraiment au IIe millénaire, il faudrait alors expliquer par quel canal leurs gestes auraient été véhiculées pendant plus de mille ans avant leur mise par écrit, laquelle ne s'est sans doute pas faite avant le VIIIe siècle. À ce problème s'ajoute le fait que les soi-disant parallèles du IIe millénaire sont moins probants qu'on pourrait le penser au premier coup d'œil. L'onomastique (c'est-à-dire l'étude des noms) ne prouve rien : les noms d'Abraham et de Jacob sont répandus non seulement au IIe, mais tout au long du Ier millénaire. La théorie des grandes migrations du IIe millénaire est également sujette à caution. S'il y a des mouvements migratoires à cette époque, ceux-ci se dirigent plutôt de la périphérie vers les grandes villes mésopotamiennes. Le nom « Our des Chaldéens », la ville d'origine d'Abraham, n'est attesté dans les sources assyriennes qu'au VIIe siècle. Et certains récits de la Genèse s'inspirent davantage des documents assyro-babyloniens du Ier millénaire que des textes de Nouzi. C'est clairement le cas pour le récit de Gn 16 où la proposition de Sara correspond clairement aux pratiques prévues dans un contrat de mariage assyrien.

Il faut donc admettre que les récits patriarcaux ne reflètent pas une période historique précise ; d'ailleurs aucun récit sur Abraham, Isaac, Jacob ou Joseph ne cherche à dater leurs aventures. Le mode de vie des Patriarches est attesté tout au long de l'histoire du Proche-Orient ancien jusqu'à nos jours. Si nous voulons situer les ancêtres d'Israël dans l'histoire, nous devons plutôt nous interroger sur les contextes historiques de la mise par écrit des traditions les concernant.

Les traditions sur Abraham

Elles ont vraisemblablement été transmises à Hébron, parce que c'est là que le Patriarche va finir par s'installer, et c'est aussi là que Sara et Abraham sont enterrés. Puisque David, avant de conquérir Jérusalem, a régné sept ans à Hébron, certains exégètes ont pensé que la mise par écrit de la première version de l'histoire d'Abraham aurait eu lieu vers 1000 av.J.C., pour justifier par cet ancêtre le règne de David. Mais à part le fait que David et Abraham sont liés à Hébron, aucun autre indice littéraire ne permet de rapprocher les histoires d'Abraham et le récit de l'ascension de David.

Le premier texte en dehors du Pentateuque qui nomme Abraham – un texte que l'on peut dater assez facilement – est Ez 33,24 : « Fils d'homme, ceux qui habitent ces ruines, sur le sol d'Israël, parlent ainsi : *Abraham* était seul lorsqu'il a été mis en possession de ce pays. Nous qui sommes nombreux, c'est à nous que le pays est donné en patrimoine. » Dans ce texte qui date de l'exil babylonien, la parole divine transmet au prophète une revendication de la population non déportée. Selon ce texte, cette population justifie son droit à la possession du pays contre les revendications des déportés (voir aussi Ez 11,15). L'origine de ce conflit territorial se trouve sans doute dans la redistribution des terres des déportés aux non-exilés par les Babyloniens (voir 2 R 25,12 ; Jr 39,10), donc peu après 587. L'auteur d'Ez 33,24ss, qui représente les intérêts des exilés à Babylone, condamne violemment cette revendication dans la suite de l'oracle.

Ce texte présuppose qu'Abraham est un personnage connu, car on ne le présente pas. Ce qui signifie qu'il n'a pas pu être inventé seulement à l'époque de l'exil. Pourtant Ez 33 ne semble pas présupposer un lien avec les autres Patriarches, puisque Abraham apparaît seul. Apparemment, il fonctionne comme ancêtre et figure de référence de la population non-exilée. On peut imaginer que la première version de l'histoire a été rédigée à l'époque babylonienne pour légitimer les revendications territoriales de la population non-déportée contre laquelle Ézéchiel prend position. Mais des récits oraux (voire même écrits) sur Abraham et Sara existaient certainement à l'époque de la monarchie judéenne, notamment au sanctuaire d'Hébron.

La question de l'« Abraham historique » est, quant à elle, beaucoup plus complexe. Sur une stèle de victoire du pharaon Shéshonq, relatant une campagne en Syrie-Palestine et datant d'environ 926, on trouve peut-être (la lecture du texte égyptien reste difficile) la mention d'un « champ » ou d'un « fort d'Abram », localisé dans le Néguev à proximité de Hébron. Il est possible d'établir un rapport entre cet Abram et l'Abram / Abraham de la Genèse, mais cela ne peut être prouvé.

Les traditions sur Jacob

Elles proviennent du royaume du Nord* et sont sans doute plus anciennes que celles sur Abraham. Un texte du livre d'Osée datant du VIIIe siècle (le chapitre 12) présuppose auprès de son public non pas une vague notion du patriarche Jacob, mais plutôt la connaissance des épisodes principaux constituant la geste de Jacob telle qu'on la trouve aujourd'hui dans la Genèse :

> *Dès le sein maternel, il supplanta son frère ; dans sa vigueur il fut fort contre Dieu. Il fut fort contre l'Ange et l'emporta ; il pleura et l'implora. À Béthel il le rencontra. [...] Jacob s'enfuit aux campagnes d'Aram, Israël servit pour une femme ; pour une femme il garda les troupeaux. Mais par un prophète, le Seigneur fit monter Israël d'Égypte, et par un prophète il fut gardé.* (Os 12,4-5.13–14)

Ce résumé plutôt négatif de l'histoire du patriarche fait allusion aux épisodes suivants : les tromperies de Jacob vis-à-vis de son frère (Gn 25 et 27), le combat entre Dieu et Jacob (32,25), la vision de Dieu à Béthel (Gn 28), la fuite de Jacob chez Laban et ses années de service pour pouvoir épouser Rachel (Gn 29) [*voir* p. 106]. Donc Osée et ses auditeurs connaissent l'histoire de Jacob dans ses grandes lignes. Le prophète accuse ses auditeurs d'être aussi tricheurs que leur ancêtre dont ils se réclament. Il semble presque qu'Osée entende opposer la version patriarcale des origines d'Israël à la version prophétique : celle de la sortie d'Égypte. Apparemment, à l'époque d'Osée, les deux récits d'origine (le « généalogique » via Jacob et le « prophétique » via Moïse) sont en concurrence et pas encore intégrés dans la grande histoire où ils se succèdent, la trame du Pentateuque.

L'« Israël » dont la geste de Jacob décrit l'origine n'est pas un Israël royal. Il reflète (comme d'ailleurs le cycle d'Abraham) une organisation sociale en tribus et clans, sans pouvoir central, marquée par une certaine hostilité à l'égard de la ville. Il est donc possible de postuler pour le cycle de Jacob une origine (orale) prémonarchique. Il est reconnu depuis longtemps qu'Israël est constitué de groupes d'origines ethniques différentes. Le cycle de Jacob, par contre, met apparemment en scène un clan homogène, si l'on accepte la thèse selon laquelle le récit de la naissance des douze fils formant les futures douze tribus* est à considérer comme ajout tardif à la geste primitive. Selon la Genèse, le clan de Jacob se sépare d'un groupe araméen* (celui de son beau-père Laban). Cette tradition est d'ailleurs corroborée par le texte célèbre : « Mon père était un Araméen errant » (Dt 26,5). Il est donc possible, quoique difficile à prouver, que l'histoire de Jacob ait d'abord été la légende d'origine d'un clan se dénommant « Fils de Jacob » (*beney Ya'aqob*) avant de devenir, par l'identification de Jacob à Israël (Gn 32,29), le récit d'origine de tout Israël.

Les traditions sur Joseph

Elles ont parfois été mises en rapport avec les Hyksos. Il s'agit d'une dynastie pharaonique d'origine sémite et ayant régné en Égypte vers le milieu du IIe millénaire [*voir* p. 27]. Certains voyaient même en Joseph un des pharaons de la dynastie des Hyksos. Or, selon le récit de la Genèse, Joseph ne devient jamais pharaon, mais il sert le pharaon égyptien en place et le respecte. On a alors cherché à expliquer l'histoire de Joseph par celle d'un certain Beya attesté dans les sources égyptiennes vers 1190 av.J.C. Il s'agit d'un haut fonctionnaire sémite qui, après la mort du pharaon Sethnakt (fondateur de la XXe dynastie), prend le pouvoir pour quelque temps avant d'être expulsé par le nouveau pharaon Ramsès III. Mais ce Beya porte davantage les traits de Moïse que ceux de Joseph.

Si l'on regarde tout l'Ancien Testament, on constate qu'aucun des nombreux textes qui résument l'histoire d'Israël (par ex. Dt 26,5-9 ; Jos 24,2-13 ; etc.) ne fait mention de l'histoire de Joseph. Seul le Ps 105, qui a été écrit très tardivement, parle de lui ; ce qui plaide donc plutôt en faveur d'une datation tardive de l'histoire de Joseph. Cela peut être corroboré du côté égyptien, car les noms et les allusions aux coutumes égyptiennes qui apparaissent dans le roman de Joseph reflètent presque tous la situation de la période saïte (664-525). Nous nous contenterons de deux exemples : le fait que les frères de Joseph puissent être soupçonnés d'être des espions (Gn 42,9) fait seulement sens au moment où l'Égypte peut se sentir menacée par une puissance étrangère contrôlant la Palestine ; c'est la situation à l'époque perse (et aussi hellénistique). Le terme de « surveillants » (*peqidim*) en 41,34 est omniprésent dans les textes administratifs égyptiens de l'époque perse.

Par conséquent, la meilleure date et le meilleur contexte sociologique pour situer l'histoire de Joseph semblent être la communauté juive d'Égypte à l'époque perse. À travers ce texte, cette communauté légitime la possibilité d'être vraiment juif tout en vivant parmi les païens.

Dieu dans les récits des Patriarches

En Gn 12–50, Dieu est souvent appelé El et non pas Yahvé (Seigneur). El était le nom du Dieu suprême du panthéon cananéen, mais devint par la suite un nom générique (qui a survécu dans le nom arabe « Allah »). En 16,13 par exemple, Agar appelle Dieu : « El de la vision » (*El Roï*) ; en 33,20 Jacob érige un autel pour « El, le Dieu d'Israël », et en 46,3 Dieu se présente à Jacob en disant : « Je suis El, le Dieu de ton père ». L'expression « Dieu du père » est également très fréquente dans les récits des ancêtres d'Israël. Certains y ont vu le reflet d'une religion proto-israélite d'origine nomade. Selon cette théorie, les Patriarches auraient vénéré un Dieu anonyme, auquel on aurait dans la suite donné le nom de l'ancêtre auquel il était apparu : Dieu d'Abraham, Dieu d'Isaac, etc. Suite à des contacts avec la culture cananéenne, ce dieu des pères aurait été identifié au Dieu El, qui lui, à son tour, aurait été assimilé à Yahvé, le Dieu d'Israël.

Les recherches récentes ont rendu cette théorie peu plausible. L'expression « Dieu des pères » est attestée dans des inscriptions et textes extrabibliques où elle ne renvoie pas à une religiosité nomade, mais reflète une piété familiale dans le cadre de laquelle le Dieu à qui on s'adresse est lié à la vénération des ancêtres. L'utilisation fréquente d'El indique sans doute une conception plus universaliste de Dieu que l'emploi presque exclusif de Yahvé dans les traditions de l'exode. Les noms divins « El » et « Dieu du père » indiquent sans doute que le contexte sociologique dans lequel sont nés les récits patriarcaux était marqué par la « religion populaire », à l'opposé de la tradition fondatrice, officielle, de l'exode, qui emploie Yahvé, le SEIGNEUR.

Si on lit les récits patriarcaux dans leur ordre actuel, on observe encore que Dieu se fait de plus en plus discret : en contact permanent avec Abraham, il l'est déjà beaucoup moins avec Jacob : Dieu ne lui apparaît plus directement, à l'exception du récit de la lutte en 32,23-32. Quant à l'histoire de Joseph, le nom de Yahvé y est pratiquement absent (sauf en 39,2-5.21-23) et Dieu n'apparaît que dans les paroles des acteurs. À la fin de la Genèse, tout se passe comme si désormais c'étaient les acteurs qui interprétaient l'histoire en fonction de leur foi, sans que le narrateur prenne explicitement position.

Les récits sur Abraham (Genèse 12–25)

La geste d'Abraham

Cet ensemble fait suite à l'histoire des origines du monde et de l'humanité qui se clôt par l'épisode de la Tour de Babel (Gn 11). Le projet des hommes de « se faire un grand nom » avait mené à la dispersion de l'humanité. L'histoire de la vocation d'Abraham, qui s'appelle encore Abram jusqu'en 17,5, est construite comme le contrepoint de cette finale, puisqu'en 12,1-9, le Seigneur lui-même promet à Abraham de lui « faire un grand nom » et de réunir « tous les clans de la terre » dans la bénédiction* qu'il lui accorde. Au début de son histoire, Abraham apparaît comme le croyant exemplaire.

Le Seigneur dit à Abram : « Quitte ton pays, ta parenté et la maison de ton père, pour le pays que je t'indiquerai. Je ferai de toi un grand peuple, je te bénirai, je magnifierai ton nom ; sois une bénédiction ! Je bénirai ceux qui te béniront, je réprouverai ceux qui te maudiront. Par toi se béniront tous les clans de la terre. » Abram partit, comme lui avait dit le Seigneur (12,1-4).

Confiant en la grandiose promesse divine, il se met en marche vers une terre inconnue. Mais aussitôt arrivé en Canaan, c'est un autre Patriarche qui nous est présenté (12,10-20). Suite à une famine, il se hâte de quitter le pays promis pour l'Égypte. Là-bas, il n'hésite pas à faire passer sa femme Sara pour sa sœur et à s'enrichir grâce à elle. Ce sont les interventions de Dieu et de Pharaon qui rétablissent l'ordre qu'il a perturbé. Après l'image d'un Patriarche tricheur, on retrouve en Gn 13 un Abraham conciliateur et homme de paix. Le conflit territorial qui l'oppose à Lot, son neveu, est réglé par un partage de territoires.

Le récit suivant (Gn 14) nous confronte par contre, de manière inattendue, à un Abraham guerrier qui intervient dans une guerre aux dimensions apocalyptiques. À la fin de ce récit, Abraham rencontre

Melchisédeq, le roi-prêtre de Salem. Ce nom est sans doute une forme abrégée de Jérusalem. Ainsi la future capitale du royaume de Juda a-t-elle déjà été visitée par le premier ancêtre du peuple hébreu. L'Abraham de Gn 15 exprime, lui, ses doutes quant à la promesse divine ; il est ensuite instruit par Dieu et finit par croire et entrer dans l'alliance :

La parole du SEIGNEUR fut adressée à Abram dans une vision : « Ne crains pas, Abram ! Je suis ton bouclier, ta récompense sera très grande. » Abram répondit : « Mon Seigneur, que me donneras-tu ? Je m'en vais sans enfant... » [...] Il le conduisit dehors et dit : « Lève les yeux au ciel et dénombre les étoiles si tu peux les dénombrer ; telle sera ta postérité. » Abram crut dans le SEIGNEUR, qui le lui compta comme justice. (15,1-2.5-6)

En revanche, en Gn 16, le patriarche semble dépassé par les événements : il accepte la proposition de Sara qui, à cause de sa stérilité, veut se faire remplacer par sa servante Agar. Après avoir couché avec la servante, Abraham est incapable de gérer le conflit qui surgit entre

REPÈRE

SODOME ET GOMORRHE

L'histoire de la destruction de Sodome et Gomorrhe (Gn 19) a joué un rôle important dans la condamnation de l'homosexualité par l'Église. Ce récit explique la destruction d'une ville (ou de deux) située(s) au bord de la mer Morte. Lot y figure comme le modèle de l'hospitalité puisqu'il accueille des étrangers (des messagers de Dieu) et les protège contre les habitants de la ville qui veulent les violenter, allant jusqu'à leur offrir ses deux filles en échange. Pour sanctionner le forfait des habitants de Sodome, Dieu détruit la ville par le feu après en avoir fait sortir Lot et ses deux filles. Se retrouvant seules avec leur père celles-ci « abusent » de lui (comme celui-ci l'avait proposé aux habitants de Sodome); elles le font boire et couchent avec lui successivement, donnant ensuite naissance à deux garçons : les ancêtres des Ammonites et des Moabites, les voisins d'Israël à l'est.

Traditionnellement, on a interprété ce récit comme fustigeant l'homosexualité en général. À lire le texte de près, on constate pourtant qu'une telle lecture ne se justifie pas. Selon Gn 19, tous les hommes de la ville participent à l'agression (y compris, apparemment, les gendres de Lot). Or, on ne peut guère imaginer une ville entièrement peuplée d'hommes homosexuels ! Ce qui est en jeu ici, c'est en réalité le problème du viol ; le péché majeur de Sodome est clairement une atteinte aux règles de l'hospitalité, un des piliers des sociétés de l'Ancien Orient. Cette interprétation est d'ailleurs confirmée par le Nouveau Testament où Jésus annonce aux villes qui n'accueillent pas ses disciples un jugement pire que celui de Sodome et Gomorrhe (Lc 10,10–12).

Une condamnation explicite des actes homosexuels se trouve par contre dans le Lévitique : « Tu ne coucheras pas avec un homme comme on couche avec une femme ; ce serait une abomination » (Lv 18,22 ; cf. 20,13). Cette condamnation s'explique dans le contexte de la théologie sacerdotale, pour laquelle la sexualité ne sert qu'à la procréation (cf. Gn 1,28).

les deux femmes, et c'est un messager divin qui intervient en faveur d'Agar et de son fils Ismaël. En Gn 17, le Patriarche est de nouveau au bénéfice d'une alliance divine dont le signe est la circoncision* [*voir* p. 93-94].

L'épisode de la visite des trois hommes mystérieux (Gn 18) illustre l'hospitalité exemplaire d'Abraham, récompensée par l'annonce de la naissance d'un fils de Sara. Dans la suite, il va se transformer en négociateur pour convaincre Dieu de ne pas détruire la ville de Sodome. Pourtant la ville est détruite, cependant que Lot, hospitalier comme son oncle Abraham, est sauvé avec ses filles et devient, d'une manière peu orthodoxe, l'ancêtre des deux peuples voisins de Juda : les Moabites et les Ammonites (Gn 19).

Ensuite nous retrouvons le Patriarche tricheur : devant le roi Abimélek, il fait de nouveau passer Sara pour sa sœur (Gn 20). Malgré cela, il est alors appelé « prophète », et est chargé d'intercéder pour les païens. Enfin, immédiatement après le séjour de Sara dans le harem d'Abimélek, naît Isaac, fils de la promesse (Gn 21) ; mais Dieu demande aussitôt à Abraham de lui sacrifier ce fils.

Dans le récit du sacrifice d'Abraham (ou de la « Ligature » d'Isaac, Gn 22) – certainement le plus connu et le plus troublant de tout le cycle d'Abraham –, Abraham se comporte exactement comme lors de sa vocation (12,1-9). De nouveau, il obéit sans poser de question [*voir* p. 94]. En Gn 12, Dieu lui avait demandé de renoncer à son passé, maintenant il est prêt à renoncer à son avenir. Le dénouement de cette épreuve (remplacement d'Isaac par un bélier, réitération de la promesse) marque la fin de la geste d'Abraham. Les chapitres suivants préparent la mort du Patriarche. En Gn 23, il est dit qu'il achète un tombeau près d'Hébron pour enterrer Sara ; et en Gn 24, qu'il fait chercher une épouse pour Isaac en Mésopotamie, refusant les mariages avec les « filles du pays ». Ici, Abraham apparaît comme précurseur d'Esdras et de Néhémie qui s'opposeront, après l'exil, à toute union entre les anciens exilés et le « peuple du pays » (voir Esd 9 et Ne 10). Mais curieusement, au chapitre suivant (Gn 25), Abraham devenu veuf va prendre une femme « du terroir » et devenir grâce à elle l'ancêtre des tribus madianites. Le narrateur nous informe alors de la mort du Patriarche, dont l'enterrement donne lieu à des retrouvailles entre ses deux fils Isaac et Ismaël.

Ce petit survol du cycle d'Abraham fait pleinement apparaître les multiples facettes du Patriarche. Cette diversité de discours sur Abraham, la répétition ou la réinterprétation de certains thèmes, sont des indices sûrs pour postuler que l'histoire d'Abraham et de Sara n'a pas été écrite d'un seul trait. Elle serait même plutôt le résultat d'une longue histoire de relectures et d'actualisations.

La formation de l'histoire d'Abraham

L'histoire d'Abraham et de Sara en Gn 12–25 se caractérise par deux thèmes qui ont une fonction de *leitmotiv* : la promesse de la possession du pays et la promesse de la descendance. Or, ces deux motifs se retrouvent dans les deux premières attestations d'Abraham en dehors du Pentateuque ; il s'agit des deux textes prophétiques de l'exil babylonien : Ez 33,24 évoque Abraham en lien avec la promesse du pays [*voir* p. 86], et Is 51,2 insiste sur la multiplication de la descendance d'Abraham et de Sara : « Regardez Abraham votre père et Sara qui vous ont enfantés. Il était seul quand je l'ai appelé, mais je l'ai béni et multiplié. » On peut dès lors supposer que la première mise par écrit de l'histoire d'Abraham s'est effectuée à l'époque de l'exil, à un moment où la possession du pays et l'avenir du peuple étaient fortement mis en question (voir par exemple Lm 1,11-16). Cela ne signifie pas qu'Abraham ait été « inventé » au moment de l'exil : des récits oraux existaient certainement à l'époque royale, notamment au sanctuaire d'Hébron qui est le « point d'ancrage » des traditions abrahamiques.

Dans le contexte de l'exil, l'insistance sur Hébron, qui ne fait pourtant plus partie de la province de Juda mais est occupé par les Édomites, peut être considérée comme une revendication territoriale d'autant plus efficace qu'Abraham est présenté comme non-agressif et conciliateur, comme dans l'histoire du partage de territoire entre Abraham et son neveu Lot (voir Gn 13). La première édition du cycle d'Abraham donne alors de l'espoir à la population rurale de Judée, lui enjoignant, à l'aide de l'exemple de son ancêtre, de ne pas quitter le pays et lui promettant un avenir en dépit de la situation précaire qui est la sienne.

Lorsqu'une partie des exilés revient dès 530 en Palestine, ils découvrent le rôle important que joue Abraham auprès de la population autochtone. Le cycle d'Abraham est alors révisé et adapté aux besoins des rapatriés par certains ajouts. Dans la nouvelle introduction contenant la « vocation d'Abraham » (12,1-9), celui-ci devient une figure « exodique » : Abraham est appelé à quitter sa patrie non-israélite, à l'instar des anciens exilés qui sont appelés à quitter Babylone pour le pays promis par Dieu.

Des rédacteurs issus du milieu des prêtres procèdent ensuite à diverses relectures, d'où de nouvelles adaptations. On peut en déceler les traces, notamment en Gn 17, où la référence à Abraham sert à fonder le rite de la circoncision*, symbole de l'alliance entre Dieu et la descendance d'Abraham. L'auteur de Gn 17 a souligné le fait que cette alliance signifie pour la famille d'Abraham une nouvelle alliance, et cela par l'idée d'une modification de nom. Abram devient en effet Abraham, et Saraï devient Sara. Il s'agissait sans doute à l'origine de formes dialectales du même nom. Mais l'auteur sacerdotal a utilisé le fait que certaines traditions parlaient d'Abram et de Saraï, et d'autres d'Abraham et de Sara, pour élaborer une théologie de la révélation : après que Dieu a offert son alliance au couple ancestral, celui-ci en sort transformé.

Les différentes réinterprétations d'Abraham expliquent déjà, au moins partiellement, pourquoi Abraham est l'ancêtre œcuménique par excellence. De nombreux courants du judaïsme, et plus tard les deux religions monothéistes qui en sont issues, le christianisme et l'islam, ont pu considérer Abraham (Ibrahim) comme leur « père ».

Le sacrifice d'Abraham (Genèse 22)

Le chapitre 22 de la Genèse, que la tradition juive appelle l'*Aqéda*, la « Ligature » (d'Isaac), compte parmi les récits les plus connus de la Bible. Pour beaucoup de croyants et de non-croyants c'est aussi un des textes les plus choquants de l'Ancien Testament. Le philosophe Emmanuel Kant avait décrété qu'un Dieu qui commande à un père de lui sacrifier son fils n'est pas Dieu mais plutôt un monstrueux démon. Et beaucoup de lecteurs de ce texte se sont également interrogés sur l'attitude d'Abraham qui exécute un tel ordre apparemment sans aucun état d'âme. Voici d'abord ce récit qui provoque tant de passions.

22, 1 Après ces événements, il arriva que Dieu éprouva Abraham et lui dit : « Abraham ! » Il répondit : « Me voici ! » 2 Dieu dit : « Prends ton fils, ton unique, que tu chéris, Isaac, et va-t'en au pays de Moriyya, et là tu l'offriras en holocauste sur une montagne que je t'indiquerai. »*

3 Abraham se leva tôt, sella son âne et prit avec lui deux de ses serviteurs et son fils Isaac. Il fendit le bois de l'holocauste et se mit en route pour l'endroit que Dieu lui avait dit. 4 Le troisième jour, Abraham, levant les yeux, vit l'endroit de loin. 5 Abraham dit à ses serviteurs : « Demeurez ici avec l'âne. Moi et l'enfant nous irons jusque là-bas, nous adorerons et nous reviendrons vers vous. »

6 Abraham prit le bois de l'holocauste et le chargea sur son fils Isaac, lui-même prit en mains le feu et le couteau et ils s'en allèrent tous deux ensemble. 7 Isaac s'adressa à son père Abraham et dit : « Mon père ! » Il lui répondit : « Me voici, mon fils ! » Il reprit : « Voici le feu et le bois,

*mais où est l'agneau pour l'holocauste ? » 8 Abraham répondit : « C'est
Dieu qui pourvoira à l'agneau pour l'holocauste, mon fils ! » Et ils s'en
allèrent tous deux ensemble.*

*9 Quand ils furent arrivés à l'endroit que Dieu lui avait indiqué,
Abraham y éleva l'autel et disposa le bois, puis il lia son fils Isaac et le mit
sur l'autel, par-dessus le bois. 10 Abraham étendit la main et saisit le cou-
teau pour immoler son fils. 11 Mais l'ange du SEIGNEUR l'appela du ciel et
dit : « Abraham ! Abraham ! » Il répondit : « Me voici ! » 12 L'Ange dit :
« N'étends pas la main contre l'enfant ! Ne lui fais aucun mal ! Je sais
maintenant que tu crains Dieu : tu ne m'as pas refusé ton fils, ton unique.*

BIBLE

ABRAHAM FIGURE DU CROYANT DANS LE NOUVEAU TESTAMENT

Après Moïse, Abraham est le personnage de l'Ancien Testament le plus fréquemment mentionné dans le Nouveau Testament (79 fois) où il est souvent appelé « père », à l'instar des textes juifs du Ier siècle. Pour les auteurs néotestamentaires, et notamment pour Paul et Jean, Abraham n'est plus simplement le patriarche du peuple juif, mais le père de tous les croyants. Dans sa discussion avec les chrétiens d'origine juive qui considéraient l'observation intégrale de la loi de Moïse comme condition nécessaire au salut, Paul insiste sur la foi d'Abraham qui, indépendamment de ses œuvres, lui a valu l'accomplissement des promesses divines :

Nous disons, en effet, que la foi d'Abraham lui fut comptée comme justice. Comment donc fut-elle comptée ? Quand il était circoncis ou avant qu'il le fût ? Non pas après, mais avant ; [...] ainsi devint-il à la fois le père de tous ceux qui croiraient sans avoir la circoncision, pour que la justice leur fût également comptée, et le père des circoncis, qui ne se contentent pas d'être circoncis, mais marchent sur les traces de la foi qu'avant la circoncision eut notre père Abraham. (Rm 4,9-12)

Paul fait allusion dans ce texte à Gn 15,6 (« la foi d'Abraham lui fut comptée comme justice ») pour montrer que le patriarche est le père de tous les croyants, juifs et non-juifs, et que c'est la foi et non les œuvres d'Abraham qui lui procura le salut. Cependant, cette interprétation par Paul de Gn 15 et de la figure d'Abraham était discutée dans le christianisme naissant, puisque Jacques, dans son épître, s'appuie également sur Gn 15,6 pour montrer qu'il n'y a pas de vraie foi sans les œuvres :

« Abraham, notre père, ne fut-il pas justifié par les œuvres quand il offrit Isaac, son fils, sur l'autel ? Tu le vois : la foi coopérait à ses œuvres et par les œuvres sa foi fut rendue parfaite. Ainsi fut accomplie cette parole de l'Écriture : Abraham crut à Dieu, cela lui fut compté comme justice et il fut appelé ami de Dieu. Vous le voyez : c'est par les œuvres que l'homme est justifié et non pas par la foi seule »* (Jc 2,21-24).

Le chapitre 8 de l'évangile de Jean relate une virulente polémique entre Jésus et ses interlocuteurs juifs au sujet de la paternité d'Abraham. Jésus reproche à ses adversaires de se référer à Abraham, mais de ne pas l'imiter dans sa foi et ses œuvres : *« Ils lui répondirent : Notre père, c'est Abraham. Jésus leur dit : Si vous étiez enfants d'Abraham, vous feriez les œuvres d'Abraham. Or, maintenant, vous cherchez à me tuer, moi, un homme qui vous ai dit la vérité, que j'ai entendue de Dieu. Cela, Abraham ne l'a pas fait ! »* (Jn 8,39-40).

La paternité d'Abraham ne repose plus sur des critères généalogiques : Abraham est le père de tous ceux qui imitent ses œuvres et se reconnaissent dans la grande descendance que Dieu lui avait promise.

13 Abraham leva les yeux et vit un bélier, qui s'était pris par les cornes dans un buisson, et Abraham alla prendre le bélier et l'offrit en holocauste à la place de son fils. 14 À ce lieu, Abraham donna le nom de « le SEIGNEUR pourvoit », en sorte qu'on dit aujourd'hui : « Sur la montagne, le SEIGNEUR apparaît. »

15 L'Ange du SEIGNEUR appela une seconde fois Abraham du ciel 16 et dit : « Je jure par moi-même, parole du SEIGNEUR : parce que tu as fait cela, que tu ne m'as pas refusé ton fils, ton unique, 17 je te comblerai de bénédictions, je rendrai ta postérité aussi nombreuse que les étoiles du ciel et que le sable qui est sur le bord de la mer, et ta posterité conquerra la porte de ses ennemis. 18 Par ta posterité se béniront toutes les nations de la terre, parce que tu m'as obéi. »

19 Abraham revint vers ses serviteurs et ils se mirent en route ensemble pour Bersabée. Abraham résida à Bersabée.

L'enjeu principal de Gn 12–21 est la stérilité du couple Abraham-Sara en tension avec la promesse divine annonçant au patriarche un fils et à travers lui une descendance nombreuse. De nombreux obstacles vont se succéder : Sara mise dans le harem d'un roi étranger (Gn 12 et 20) ; Abraham risquant sa vie dans une campagne militaire (Gn 14) ; le couple voulant « forcer » la promesse (Gn 16) ; Abraham et Sara incrédules devant l'annonce de la naissance d'un fils (Gn 17 et 18). Enfin la promesse sera accomplie au ch. 21 avec la naissance d'Isaac. Et c'est immédiatement après que Dieu vient remettre en question sa promesse et sa fidélité en demandant le sacrifice d'Isaac. Abraham fait l'expérience d'un Dieu qui se contredit.

Certes, le lecteur en sait plus qu'Abraham, puisque le narrateur lui révèle dès le début l'intention de Dieu : il met Abraham à l'épreuve. Pourtant, en Gn 22, l'épreuve nous paraît plus que cruelle, insupportable. Nous ne sommes pas les seuls à sentir le texte ainsi. Un bon nombre de rabbins ont interprété l'ordre de sacrifier Isaac comme n'étant pas un ordre de Dieu, mais de Satan (ce fut aussi le cas de Rashi, exégète juif de Troyes, au Moyen Âge). Ceci montre bien que les rabbins avaient clairement conscience du problème théologique que pose ici cet ordre de Dieu.

Lorsqu'on lit attentivement le texte biblique, on constate qu'il est d'une très grande sobriété. Il ne fait état d'aucune réaction de la part d'Abraham ; en effet, il ne tente pas de négocier avec Dieu (comme il l'avait fait en Gn 18), et il ne demande pas non plus d'explications à Dieu. Il obéit et exécute. Le patriarche se comporte exactement comme au début de son histoire, quand Dieu lui avait ordonné : « Quitte ton pays [...] va vers le pays que je t'indiquerai » (12,1) ; l'ordre de Dieu en Gn 22 manifeste d'ailleurs la même structure : « Va-t'en au pays de Moriyya [...] que je t'indiquerai » (22,2). En Gn 12, Abraham doit abandonner son passé, en 22 il doit sacrifier son avenir, sa descendance. Et dans les deux textes, il se met en marche. Qu'a-t-il pensé ?

DOCUMENT

ABRAHAM, LE PREMIER MUSULMAN

Avec Moïse et Jésus, Ibrahim (version arabe d'Abraham) occupe une place importante dans le Coran. Il y est appelé « prophète » et « ami de Dieu » (ce titre, *el Khalil*, lui est réservé). Dans la sourate 2, Ibrahim est présenté comme « guide » (*imam*) de tous les croyants (2,124). Dans la même sourate on insiste sur sa soumission :

*Et [rappelez-vous] quand le Seigneur dit [à Ibrahim] : Soumets-toi [au Seigneur] ! Ibrahim ne fut ni juif ni chrétien, mais fut monothéiste (*hanif*) et soumis (*muslim*) [à Allah]. [...] En vérité, les plus liés des hommes à Ibrahim sont certes ceux qui le suivent, ceux qui suivent ce Prophète (Mohammed) et ceux qui croient. En vérité Allah est le Grand Maître des croyants* (3,67-68).

Le terme de *hanif* désigne l'homme pieux et plus précisément le monothéiste d'avant l'islam. La sourate 6,74-83 raconte comment Abraham devient le fondateur du *hanifisme* en s'opposant à son père, adorateur des astres. Abraham on observant ces astres y trouve la preuve de l'existence d'un seul Dieu créateur. La sourate 53 constate qu'Abraham a accompli toutes les obligations et révèle ainsi le souci de rapporter à Abraham toutes les règles de vie que Mohammed avait fixées pour les premiers musulmans. D'ailleurs, Abraham et son fils Ismaël sont, selon le Coran, les bâtisseurs de la Kaaba, le sanctuaire où se trouve la pierre noire (qui porterait l'empreinte du pied d'Abraham).

Et [rappelez-vous] quand Nous fîmes du Temple [de La Mecque] un lieu de visitation et un asile pour les Hommes, [quand] ceux-ci tirèrent du Maqâm [= pierre de la Kaaba] d'Ibrahim, un lieu de prière ! Nous fîmes pacte avec Ibrahim et Ismaël [en leur disant] : Purifiez Mon Temple pour ceux qui font la circumambulation, [pour] ceux qui font retraite pieuse, [pour] ceux qui s'inclinent et se prosternent (2,125).

Cette sourate reflète, selon l'avis des spécialistes, le moment où Mohammed change la direction de la prière de Jérusalem vers La Mecque. Pour ce faire, il recourt à l'autorité d'Abraham. Celui-ci est ici clairement mis en relation avec deux des cinq piliers essentiels de l'islam : la prière et le pèlerinage. Et encore aujourd'hui, Abraham est mentionné dans les cinq prières quotidiennes lorsque les musulmans pieux se tournent vers La Mecque.

Le récit du sacrifice d'Abraham est également repris dans le Coran :

Quand l'enfant eut atteint [l'âge] d'aller avec son père, celui-ci dit : Mon cher fils ! en vérité, je me vois en songe, en train de t'immoler ! Considère ce que tu en penses ! – Mon cher père, répondit-il, fais ce qui t'est ordonné ! Tu me trouveras, s'il plaît à Allah, parmi les Constants. Or quand tous deux se furent soumis, et qu'il eut placé l'enfant front contre terre, Nous lui criâmes : Ibrahim ! tu as cru à la vision ! En vérité, c'est là l'épreuve évidente ! (37,102-106).

Le fils ne porte pas de nom dans ce rappel. La tradition islamique l'identifiera plus tard à Ismaël, mais le Coran semble hésiter (Isaac y est d'ailleurs souvent nommé). L'acceptation du fils d'être sacrifié est un motif également très répandu dans les commentaires juifs du récit de l'*Aqéda*. Et comme le texte biblique, le Coran insiste sur la foi d'Abraham dans cette mise à l'épreuve.

Comme le judaïsme, puis le christianisme, l'islam s'est également réclamé d'Abraham pour enraciner en lui l'origine de sa foi dans les débuts de la Révélation du Dieu unique.

REPÈRE

Isaac et Ismaël

Selon l'interprétation juive et chrétienne des récits de la Genèse, c'est Isaac qui est *le* fils d'Abraham. Du côté de l'Islam, Isaac s'efface. Et même si le Coran ne précise pas l'identité du fils qu'Allah demande à Abraham d'immoler, les commentateurs musulmans ne doutent pas qu'il s'agisse d'Ismaël. Cette alternative « Isaac ou Ismaël » constitue en fait une longue discussion qui est encore vive aujourd'hui. Dans le conflit douloureux qui oppose Israéliens et Palestiniens, Abraham, le père, est invoqué par les deux parties pour légitimer leurs revendications territoriales et religieuses.

L'étude des textes bibliques ne peut résoudre ce douloureux antagonisme. Il est cependant utile de noter que le livre de la Genèse attribue une place importante à son fils aîné Ismaël. Le chapitre 16 de la Genèse relate le récit de la naissance d'Ismaël. Sara, stérile, se fait remplacer par sa servante Agar : c'est une coutume bien attestée dans des contrats de mariage assyriens des VIII / VIIe siècles. La grossesse d'Agar provoque un conflit entre les deux femmes ; Agar s'enfuit au désert, où l'Ange du Seigneur lui assure la protection divine pour elle et son fils. C'est un récit qu'on peut facilement dater de l'époque assyrienne à cause des contrats assyriens déjà mentionnés et du fait qu'il existe à cette époque une confédération de tribus arabes appelée *Shoumou'il* (ce qui correspond à Ismaël).

Lorsque le messager divin annonce à Agar la venue au monde de son fils, l'auteur utilise la formule d'un « oracle de naissance » : « Tu es enceinte et tu enfanteras un fils, et tu lui donneras le nom d'Ismaël car le SEIGNEUR a entendu ta détresse » (Gn 16,13). Cette formule est utilisée dans la Bible pour quatre autres personnages, et non des moindres : Samson (Jg 13,5-7), Samuel (1 S 1,20-22), le messie* annoncé en Isaïe 7,14 et Jésus en Luc 1,31. Par l'annonce de sa naissance, Ismaël se trouve donc en bonne compagnie. Et c'est même à cause de cette coloration messianique que le Talmud attribue à Ismaël un rôle de médiateur : en effet, celui qui voit Ismaël dans un rêve verra ses prières exaucées, y lit-on.

Cette grande estime pour Ismaël est aussi perceptible dans l'explication de son nom : « Tu lui donneras le nom d'Ismaël (*yishma'-El*), car le SEIGNEUR a écouté (*shama'*) [les cris de] ta détresse » (Gn 16,11). Si nous faisons une équation *yishma'el = shama' Yahvé*, nous retrouvons dans le nom d'Ismaël et dans son explication la racine *shama'* (écouter). Cela signifie que l'auteur veut identifier le Dieu El (qui deviendra Allah dans l'islam) au Dieu d'Israël. Par cette identification, l'auteur de Gn 16 affirme haut et fort que le Seigneur

Qu'a-t-il dit à son fils Isaac ? Le texte biblique reste muet. Et c'est ce silence qui rend le déroulement de l'action presque insupportable. Une seule fois ce silence est rompu, lorsque Abraham répond à son fils qui s'étonne de l'absence d'un agneau : « C'est Dieu qui pourvoira à l'agneau pour l'holocauste, mon fils » (v.8). Cette réponse est ambiguë : Abraham espère-t-il ou sait-il que le sacrifice du fils n'aura pas lieu, ou faut-il comprendre les deux derniers mots « mon fils » comme apposition à l'agneau, à savoir : mon fils tiendra lieu d'agneau ?

Abraham ne cherche pas à gagner du temps ; il construit l'autel, y dépose son fils – ici encore, le texte n'indique aucune réaction d'Isaac –

n'est pas seulement le Dieu d'Abraham, d'Isaac et d'Israël, mais qu'il est également le Dieu d'Agar, d'Ismaël et des Arabes.

La réaction d'Agar lors de sa rencontre avec l'ange divin a dû être ressentie comme insupportable par les éditeurs. Le texte de 16,13b est actuellement intraduisible : « Ai-je encore vu ici après celui qui me voit ? » À l'origine, Agar avait fait le constat suivant : « J'ai vu Dieu et je suis restée en vie » (16,13a) ; 16,13b a donc été altéré délibérément pour obscurcir l'énoncé selon lequel Agar, l'ancêtre des Arabes, aurait vu Dieu, et cela bien avant Jacob et Moïse.

En 16,10 Dieu fait à Agar la même promesse d'une nombreuse descendance que celle qui est faite aux Patriarches : « Je multiplierai beaucoup ta descendance tellement qu'on ne pourra pas la compter. »

Qu'en est-il de la promesse du pays ? En Gn 13,15 Dieu dit à Abraham : « Tout le pays que tu vois je le donne à toi et à ta postérité pour toujours. » Ce verset appelle deux remarques : d'abord ce n'est pas une promesse pour « plus tard », elle commence à se réaliser avec l'installation d'Abraham en Canaan. Et le pays est donné à toute la « semence », la « postérité » d'Abraham. Nulle part il n'est dit que la descendance d'Abraham est limitée à la lignée Isaac-Jacob. La descendance d'Abraham c'est Isaac *et* Ismaël. Et Gn 16 présente le fils aîné d'Abraham comme un médiateur possible des promesses divines.

L'interprétation péjorative de la figure d'Ismaël qu'on trouve souvent chez certains commentateurs juifs (mais aussi chrétiens) ne se laisse pas justifier par le texte biblique ; elle est plutôt le reflet des tensions douloureuses entre Juifs et Musulmans, des tensions qui se sont perpétuées jusqu'à nos jours. Quelle peut être alors la fonction d'un texte comme Gn 16 ? Il ne saurait être question d'imposer une solution au conflit israélo-palestinien Bible en main. « La Bible n'est pas un document de droit foncier », disait le premier ministre israélien Yitshaq Rabin quelques jours avant son assassinat. Il avait entièrement raison.

L'exégète* a une double tâche vis-à-vis d'un tel texte. Il doit d'abord défendre le texte contre sa réception et ses interprétations qui risquent d'obscurcir, voire même de falsifier ses intentions. Il doit ensuite faire ressortir les contextes historiques dans lesquels le texte a vu le jour et combattre l'illusion de l'immédiateté qui ferait de la Bible un livre de recettes politiques, éthiques, etc. C'est en travaillant cette distance et en essayant de situer l'histoire d'Agar et d'Ismaël dans le contexte plus large de la difficile quête de l'identité du peuple de Dieu que nous pouvons y découvrir une ouverture « ethnique » et théologique.

et tend la main pour l'immoler. C'est seulement à ce moment que l'ange du Seigneur intervient pour dénouer la situation dramatique : Abraham reçoit le titre de « craignant Dieu », et l'enfant est remplacé par un bélier (un animal père et non fils) qu'Abraham voit dans un buisson. Mais malgré ce happy-end, on n'est guère tenté de pousser un soupir de soulagement. D'abord le silence d'Abraham se poursuit, et le v.19 constate : « Abraham revint vers ses serviteurs et ils se mirent en route ensemble pour Bersabée », sans mentionner le retour d'Isaac avec son père ; ce qui a beaucoup intrigué les commentateurs.

Mais que veut dire exactement ce récit ? Gn 22 est le seul texte qui montre un Abraham sacrifiant, et le sacrifice se déroule sur le mont

Moriyya. Selon le livre des Chroniques (2 Ch 3,1) ce lieu est le futur mont du Temple de Jérusalem. L'auteur de Gn 22 avait probablement déjà cette identification en tête. Il connaît donc la théologie deutéronomique selon laquelle il n'y a qu'un seul lieu licite pour le culte sacrificiel, à savoir le temple de Jérusalem (Dt 12,5-7). Si l'auteur de ce texte est familier avec cette théologie du Deutéronome, il ne peut guère l'avoir écrit avant le VIe siècle.

Il avait aussi connaissance du fait que, dans des situations extrêmes, le peuple d'Israël pratiquait comme ses voisins des sacrifices humains. Le livre des Rois reproche à plusieurs rois d'avoir fait passer un enfant par le feu (ex. 2 R 16,3 ; 21,6). Ces pratiques barbares, confirmées par l'archéologie, semblent avoir fleuri en particulier au moment où le royaume de Juda était menacé de disparaître. Alors comment s'opposer à ces coutumes sanglantes ? On peut les interdire – c'est l'option prise par la Loi. Mais l'interdiction toute seule est-elle suffisante ? N'est-il pas plus efficace d'expliquer à ceux qui pensaient intégrer des sacrifices humains dans le culte israélite que le Seigneur lui-même refusait clairement cette pratique ? Gn 22 a d'abord une telle visée : Dieu lui-même a interdit ce sacrifice en lui substituant un sacrifice animal. Gn 22 peut se lire comme une polémique contre la pratique des sacrifices humains. Contre la coutume cananéenne du sacrifice du fils premier-né, la loi d'Israël impose le « rachat du premier-né » par un animal (Ex 13,11-16).

Mais cette lecture ne rend pas compte de toute la profondeur du texte. Au moment de l'exil, le peuple de Juda se trouvait dans une situation désespérée. Dieu avait-il oublié toutes ses promesses ? L'avenir du peuple devrait-il être sacrifié sur l'autel de l'assimilation à la culture babylonienne ? Ainsi Abraham, en Gn 22, devient un modèle de foi en Dieu, et cela en dépit des apparences. L'expérience d'Abraham reflète alors la situation d'une communauté qui se sent privée de son identité et de son avenir. Gn 22 dit également l'expérience d'un Dieu qui est devenu incompréhensible : malgré l'Alliance, il a permis la destruction du Temple et l'exil. Mais en même temps le récit du sacrifice d'Abraham, l'*Aqédah*, nous renvoie la question de notre image de Dieu : nous voulons un Dieu qui corresponde à l'idéal de l'homme éclairé, un Dieu qui soit juste, tolérant, etc., donc un Dieu à l'image de l'homme, plus précisément de l'homme idéal. Gn 22 nous confronte avec l'expérience d'un mal incompréhensible et présente Abraham comme paradigme du croyant qui, contre toute apparence, s'en remet à Dieu.

T. R.

Les récits sur Jacob (Genèse 25–36)

L'ensemble formé par Gn 25,19–37,1 est souvent appelé « cycle* de Jacob » ; ce qui présuppose un ensemble cohérent, unifié. Or, la simple lecture de ces chapitres de la Genèse montre la multiplicité des thèmes narratifs qui s'y entrecroisent (rivalité entre Jacob et Ésaü, conflit entre Jacob et Laban, rencontres entre Dieu et Jacob, etc.) et met en évidence l'existence de ruptures dans le récit. Ainsi la péricope concernant le séjour d'Isaac chez Abimélek (26,1-33) semble venir interrompre la tradition concernant la rivalité entre Jacob et Ésaü (25,19-34 et 27), de même le récit de Gn 34 – le viol de Dina et la vengeance de ses frères – semble relativement indépendant de ce qui le précède, comme de ce qui le suit. La première question qui se pose au lecteur est donc celle de la cohérence narrative des chapitres sur Jacob : forment-ils un ensemble unifié, où se déploie une même intrigue narrative (c'est-à-dire où toutes les actions décrites permettent de passer d'une situation initiale à un unique dénouement final), et où s'exprime une même théologie ? Une telle question implique une lecture du texte biblique dans son état final (ou lecture synchronique), sans tenir compte de l'histoire de sa composition littéraire, qui sera étudiée plus loin.

Lecture synchronique du cycle de Jacob

L'autonomie des récits sur Jacob

Un premier constat consiste à remarquer que les récits sur Jacob ne présupposent pas ce qui les précède, dans le livre de la Genèse – le cycle d'Abraham-Isaac – pas plus qu'ils n'anticipent l'histoire de Joseph. Certes, plusieurs éléments narratifs relient actuellement ces trois sections du livre de la Genèse. Il y a d'une part la généalogie : Jacob est le fils cadet d'Isaac, Joseph est le premier fils de Rachel (30,24). D'autre part, le thème de la *promesse* relie les trois sections : après Abraham et Isaac, Jacob reçoit la bénédiction* et la promesse d'une descendance et d'une terre (28,3-4). Cette bénédiction est également accordée à ses descendants (48,15-16 et 49).

Cependant, les principaux thèmes des récits sur Jacob semblent autonomes : ainsi les récits concernant le conflit Jacob / Ésaü et le conflit Jacob / Laban peuvent-ils être lus indépendamment du cycle Abraham-Isaac, comme du cycle de Joseph. De même les deux récits ayant trait au sanctuaire de Béthel (28,10-22 ; 35,1-7) sont spécifiques du cycle de Jacob.

Les liens unissant les récits sur Jacob

Naissance d'Ésaü et de Jacob (25,19-28). Ce récit ouvre une nouvelle section du livre de la Genèse et inaugure une nouvelle intrigue : un oracle divin (v.23) annonce la prédominance de Jacob sur Ésaü, et le renversement de la hiérarchie impliquée par le droit d'aînesse. Cet oracle a donc une fonction programmatique, puisqu'il annonce un conflit dont les péricopes suivantes vont décrire le déroulement. En même temps demeure une inconnue, un « suspense » : les événements seront-ils conformes à l'annonce effectuée par Dieu ? Les récits suivants viendront confirmer – ou infirmer – la proposition contenue au v.23.

La rivalité des deux frères (25,29–28,9). Le discours-programme de 25,23 trouve un début de réalisation avec les deux premiers récits : l'acquisition par Jacob du droit d'aînesse d'Ésaü pour un vulgaire plat de lentilles (25,29-34), puis le vol de la bénédiction de l'aîné qui place Jacob, le cadet, en position de supériorité (27,1-45). Il n'appartient pas à une analyse narrative d'évaluer sur un plan moral les moyens mis en œuvre par le héros pour parvenir à ses fins ; nous reviendrons sur cette question lors de l'analyse théologique du texte [*voir* p. 111]. Constatons simplement que ces deux récits déploient l'intrigue nouée dès avant la naissance, et préparent le récit décrivant la fuite de Jacob pour échapper à la vengeance de son frère (27,46 – 28,5 et 28,10-11).

Quels liens le récit du séjour d'Isaac chez Abimélek et les Philistins (Gn 26) entretient-il avec cette séquence qu'il interrompt ? Sa thématique est très différente. Il a néanmoins pour fonction de préciser et d'illustrer le contenu même de la bénédiction et de la promesse dont bénéficie Isaac (et dont va hériter frauduleusement Jacob) : la bénédiction de Dieu protège Isaac de son puissant voisin, elle est en même temps promesse d'une descendance et d'une terre (26,3.23-24). Au début du chapitre 28, Jacob a certes hérité de la bénédiction destinée à son frère (v.3-4), mais il se trouve dans la situation d'un proscrit : aucune des promesses liées à cette bénédiction n'a encore trouvé de réalisation.

Le séjour chez Laban (28,10–33,17). Les deux rencontres de Jacob avec Dieu – le songe de Béthel (28,10-22, *voir* p. 110) et le combat au gué du Yabboq (32,23-33) – encadrent le séjour de Jacob à Harân chez son oncle Laban. Ces deux rencontres ont lieu, l'une au début du voyage, à Béthel, puis l'autre lors du retour, sur le Yabboq. Voici des extraits de cette seconde rencontre.

Jacob resta seul. Et quelqu'un lutta avec lui jusqu'au lever de l'aurore. Voyant qu'il ne le maîtrisait pas, il le frappa à l'emboîture de la hanche, et la hanche de Jacob se démit pendant qu'il luttait avec lui. Il dit :

« Lâche-moi, car l'aurore est levée », mais Jacob répondit : « Je ne te lâcherai pas, que tu ne m'aies béni. » Il lui demanda : « Quel est ton nom ? » – « Jacob », répondit-il. Il reprit : « On ne t'appellera plus Jacob, mais Israël, car tu as été fort contre Dieu et contre les hommes et tu l'as emporté. » Jacob fit cette demande : « Révèle-moi ton nom, je te prie », mais il répondit : « Et pourquoi me demandes-tu mon nom ? » et, là même, il le bénit. (32,25-30)

Ce texte représente une articulation importante des récits sur Jacob, car il prend acte d'une triple transformation :
– 1. Jacob avait usurpé la bénédiction destinée à son frère. Ici, Dieu lui-même le bénit (v.30). Jacob est ainsi reconnu comme l'héritier légitime de la bénédiction donnée jadis à son père Isaac.
– 2. La promesse exprimée en 28,3-4 a trouvé un début de réalisation. Parti pour Harân sans biens ni descendance, Jacob en revient à la tête d'une famille (v.23) et de troupeaux (v.24).
– 3. Jacob cesse de ruser. La rencontre avec Dieu sur le Yabboq s'oppose en cela à la rencontre décrite par Gn 27. Alors qu'il avait dissimulé son identité à Isaac, Jacob s'avance maintenant à visage découvert et livre son nom (v.28) à celui qui le lui demande. L'acquisition d'une nouvelle identité (le nom d'Israël : v.29) vient souligner les différentes transformations relatées par le récit. Nous verrons plus loin [*voir* p. 108] les questions posées par cette double nomination Jacob-Israël, dans une perspective diachronique et non plus synchronique comme ici.

Entre les deux récits de rencontre avec Dieu, la section 29,1–32,22 associe deux thèmes narratifs : d'une part les mariages de Jacob et l'acquisition d'une descendance, d'autre part les difficiles relations avec Laban. Ces deux thèmes s'intègrent facilement dans l'intrigue nouée en 25,19 – 28,22 : les mariages de Jacob et la naissance d'une génération d'héritiers vient réaliser la promesse d'une descendance exprimée en 28,3. Les relations Jacob / Laban sont de même nature que les relations Isaac / Abimélek : le rapport de forces, initialement défavorable à Isaac (Gn 26) et à Jacob, se renverse en leur faveur. Dans les deux cas, le faible use d'une ruse pour se protéger du fort (voir 26,7 ; 30,37-38). Le récit de la confrontation Laban / Jacob manifeste que ce dernier bénéficie de la même protection que son père Isaac : il échappe à la menace représentée par un voisin (un parent) puissant. Ainsi, avant même le récit de sa rencontre avec Dieu (32,23-33), le lecteur peut comprendre que Jacob, tout comme Isaac, bénéficie de la bénédiction divine.

La rencontre avec Ésaü (32,2–33,17) décrit la résolution du conflit avec Ésaü. Ici aussi, le discours-programme de 25,23, relayé par les bénédictions de Gn 27 et 28, trouve une confirmation dans le récit : la menace représentée par Ésaü est écartée (de nouveau grâce à une ruse : 33,12-15). La migration d'Ésaü en Édom laisse à Jacob le champ libre en Canaan.

Le retour de Jacob (33,18–37,1). Ces récits ont des thématiques bien différentes : agissements criminels de Sichem et vengeance des fils de Jacob (34), édification d'un sanctuaire à Béthel (35,1-7), mort et enterrement de Rachel (35,17-20), mort d'Isaac (35,27-29). Cependant, la géographie du texte contribue à en unifier les différentes composantes. Jacob parcourt le pays de Canaan du Nord au Sud, en en prenant ainsi symboliquement possession :

– arrivée et séjour à Sichem, dans la montagne du Nord (Gn 33, 18 –34,31) ;

– trajet vers Béthel, construction d'un sanctuaire (pour accomplir le vœu de 28,20-22), puis séjour à Béthel (35,1-15) ;

– étape à Bethléem (35,16-20) ;

– arrivée à Mamré, près d'Hébron (35,27-30) ;

– confirmation de la séparation d'avec Ésaü qui réside désormais en Édom (36) ;

– conclusion mettant en valeur le lien Jacob-Canaan (37,1).

La lecture synchronique des récits sur Jacob a permis de mettre en évidence des liens narratifs entre ces différents textes, quoi qu'il en soit de la diversité effective de leurs thèmes. Un tel constat rend donc légitime l'usage de l'expression « cycle de Jacob » : collection de récits unifiés par une même intrigue, dans l'état le plus tardif du texte biblique. Cette conclusion ne préjuge pas de l'existence d'un tel « cycle » à des étapes antérieures de la composition du texte.

Une structure littéraire du cycle de Jacob

Deux types de critères sont ici pris en compte pour proposer une structure. D'une part des critères thématiques : le jeu de correspondances entre les différentes péricopes. D'autre part des critères topographiques. Nous avons vu comment la section 33,18–37,1 pouvait être interprétée comme une prise de possession symbolique du pays de Canaan par Jacob. De la même manière, plusieurs sections du cycle contribuent à tracer symboliquement les frontières extérieures de Canaan : la confrontation avec les Philistins permet de préciser la ligne de partage entre ce peuple et le clan de Jacob (voir Gn 26). La rivalité avec Ésaü débouche sur la séparation Édom / Canaan (voir 33,16-17 ; 36), enfin la confrontation avec Laban se conclut par la mise en place d'une borne-frontière entre Aram et Canaan (voir 31,46-52). Compte tenu de ces différents critères, la structure suivante peut être proposée :

OUVERTURE : NAISSANCE ET RIVALITÉ ÉSAÜ-JACOB (Gn 25,19-28)

1. En Canaan
a) achat à bas prix du droit d'aînesse par Jacob (25,29-34)
b) bénédiction d'Isaac ; sa confrontation avec les Philistins : ***1re frontière*** (Gn 26)
a') vol de la bénédiction par Jacob (27,1-40)

2. Fuite vers Harân (27,41 – 28,22)
a) réitération de la bénédiction de Jacob (27,41– 28,9)
– une descendance : elle sera accordée en Aram (voir 29)
– une terre : elle sera possédée en 33,18-19
b) ***1re rencontre avec Dieu*** (28,10-19)
c) **vœu** de Jacob concernant **Béthel** (28,20-22)

3. En Aram
a) réalisation de la promesse d'une descendance (29,1 – 30,24 ; voir 28,3-4)
b) confrontation avec Laban (= Aram) : ***2e frontière*** (30,25 – 32,1)

4. Retour vers Canaan
a) Crainte d'Ésaü (32,2-22)
b) ***2e rencontre avec Dieu*** (32,23-33)
a') Rencontre et séparation d'Ésaü (= Édom) : ***3e frontière*** (33,1-17)

5. En Canaan
a) Sichem (33,18 – 34,31)
b) **Béthel** (35,1-15) : accomplissement du **vœu** de 28,20-22
c) Bethléem (35,16-20)
d) Mambré (35,21-29)

CONCLUSION : ÉSAÜ EN ÉDOM, JACOB EN CANAAN (36,1 – 37,1)

Aucune structure concentrique* ne rend compte de l'ensemble du cycle de Jacob. Cependant, la structure proposée fait apparaître un riche réseau de correspondances (thématiques et topographiques) qui rattachent les différentes sections du texte.

Éléments de critique littéraire

Si, par le biais de notices d'itinéraire ou par la récurrence du thème de la bénédiction, les différents récits sur Jacob sont progressivement articulés jusqu'à former un même cycle narratif, l'analyse diachronique (qui recherche les étapes de la formation du texte) ne peut qu'être sensible à l'extrême diversité thématique des traditions rassemblées autour du personnage de Jacob.

Les anciennes traditions et Osée 12

Sans qu'il soit possible de reconstituer de manière précise les couches les plus anciennes du texte, il est probable que les premières traditions concernant Jacob ont été véhiculées oralement au sein du clan qui se réclame de cet ancêtre éponyme : tradition concernant le conflit avec Ésaü / Édom, tradition concernant la relation avec Laban / Aram, etc.

Le chapitre 12 du livre d'Osée se réfère à de multiples reprises au personnage de Jacob. L'étude des correspondances entre Os 12 et Gn 25,19–37,1 permet de mettre au jour la « tradition sur Jacob » dont l'auteur du livre prophétique a connaissance, au VIIIe s. :

4 Dès le sein maternel, il supplanta son frère, dans sa vigueur il fut fort contre Dieu. 5 Il fut fort contre l'Ange et l'emporta, il pleura et l'implora. À Béthel il le rencontra. [...] 9 Éphraïm a dit : Oui, je me suis enrichi je me suis acquis une fortune. [...] 13 Jacob s'enfuit aux campagnes d'Aram, Israël servit pour une femme ; pour une femme il garda les troupeaux. 14 Mais par un prophète, le Seigneur fit monter Israël d'Égypte, et par un prophète il fut gardé. (Os 12,4-5.9.13-14)

– Le v.4a renvoie à Gn 25,21-28 (naissance et antagonisme des jumeaux Jacob et Ésaü), ainsi qu'au renversement du rapport aîné / cadet (voir Gn 25,29-34 ; 27,1-40).

– Les v.4b-5a renvoient à Gn 32,23-33 : la lutte avec Dieu.

– Le v.5b correspond à Gn 28,10-22 ; 35,1-7 : la théophanie de Béthel et le sanctuaire lié à ce lieu.

– Le v.9 pourrait faire allusion à Gn 30,37-42 (la fortune frauduleuse de Jacob).

– Enfin le v.13 fait allusion à la fuite de Jacob en Aram, à son mariage, et à son statut d'employé dans le clan de Laban (voir Gn 27,41 – 28,9 ; 29,1 – 30,36).

Il est difficile de reconstituer la séquence narrative que présuppose le texte d'Osée 12. Mais quoi qu'il en soit, en cette fin du VIIIe siècle avant notre ère, une tradition concernant Jacob relie entre eux différents récits, articule entre eux différents thèmes narratifs, ce qui représente une nouvelle étape de l'histoire de la composition littéraire du cycle de Jacob [*voir* p. 149].

Compléments et thèmes rédactionnels

Gn 31,4-16 pourrait constituer une addition apportée au récit qui précède : tandis que 30,37-38 décrit la ruse de Jacob destinée à déposséder Laban de ses troupeaux, 31,9-10 procède à une relecture de l'épisode : c'est Dieu lui-même qui dépossède Laban au profit de Jacob.

Par ailleurs, un certain nombre de thèmes récurrents contribuent à la continuité des différents récits formant le cycle de Jacob : bénédiction et protection divines, fertilité et descendance. Ces éléments ont pour fonction de fédérer les différentes traditions en en proposant des clefs d'interprétation théologique, mais aussi de relier les récits sur Jacob aux récits concernant Abraham, Isaac et Joseph, dans lesquels des thèmes identiques apparaissent. Ces éléments ont été introduits tardivement dans le récit.

*L'intégration dans une composition sacerdotale**

Divers éléments du cycle sont classiquement attribués à des auteurs sacerdotaux : les notices de 25,19-20 et 26,34-35 ; les données généalogiques de 35,22b-29 et de 36 ; la bénédiction de 27,46–28,9 ; le récit de 35,9-15 (qui reprend les données narratives de 32,28-31). Ces éléments sont de deux ordres :

– des récits appartenant à *l'histoire sacerdotale,* composée à partir de l'Exil [*voir* p. 150], qui décrivent la bénédiction dont hérite Jacob et relatent la manifestation divine dont il a bénéficié ;

– des éléments ponctuels appartenant à la *composition sacerdotale* des quatre livres : Genèse, Exode, Lévitique et Nombres [*voir* p. 150], et qui ont pour fonction de relier entre elles les différentes traditions (Abraham-Isaac, Jacob, Joseph) – en particulier par l'insistance sur le lien généalogique qui unit les différents personnages.

Critique socio-historique

De nombreux indices renvoient, dans le texte, à la réalité politique que représente le royaume du Nord* ou royaume d'Israël, après Salomon (932-722) [*voir* p. 106]. Il s'agit tout d'abord des noms de lieux : Béthel (28,19 ; 35,1-8), Galaad (31,47-48), Miçpa (31,49), le Yabboq (32,23), Penouel (32,31), Sichem (33,18). Parmi ces lieux, il faut souligner l'intérêt particulier des auteurs pour Béthel, dont le sanctuaire est légitimé à deux reprises par le texte (28,10-22 ; 35,1-8). Or, le sanctuaire de Béthel est l'un des lieux de pèlerinage fondés dans le royaume du Nord après sa séparation d'avec Juda pour contrer l'influence de Jérusalem (voir 1 R 12,29-30). Sa mise en valeur pourrait ainsi revêtir un aspect polémique, révélant un antagonisme avec Juda. Certains auteurs ont vu dans la mention de Penouel – l'une des anciennes capitales du royaume du Nord (1 R 12,25) – un argument littéraire permettant de conclure que la constitution du cycle de Jacob est contemporaine des débuts de ce royaume ; mais l'argument est fragile. En revanche, le fait que le livre prophétique d'Osée – qui a pour destinataires les autorités et la population de ce royaume – présuppose chez ses auditeurs la connaissance du cycle de Jacob (voir Os 12) est un indice supplémentaire de l'enracinement des traditions concernant Jacob dans le royaume du Nord.

Dans cette hypothèse, quelle pourrait être la fonction originelle de ces traditions ? Ont-elles pour objectif de légitimer le royaume du Nord, ou plus exactement d'y exalter un sentiment national ? La dualité des noms « Jacob-Israël » (voir Gn 32,29) pourrait témoigner de l'appropriation par tout un peuple des qualités attribuées à un héros traditionnel.

Comment alors interpréter la critique du héros Jacob effectuée par Os 12 ? Il s'agit sans doute, pour le prophète, de défendre l'identité prophétique d'Israël, se réclamant de Moïse, en rivalité avec l'identité « clanique » émanant du cycle de Jacob. Pour autant, les traditions anciennes concernant Jacob ne sont pas sans influence sur l'écriture de l'histoire de Moïse. Ainsi, plusieurs épisodes du récit d'Ex 2–4 en sont manifestement dépendantes : citons par exemple le récit de la fuite de Moïse, puis sa rencontre avec la fille de son hôte et son mariage (voir Ex 2,16-22). Dans l'Israël du Nord, la mise en présence, d'une part, de traditions sur Moïse reprises par les milieux prophétiques et, d'autre part, de traditions s'enracinant dans l'histoire des clans suppose une confrontation entre les groupes porteurs de ces traditions. Cependant, seul un profond enracinement populaire des traditions sur Jacob est à même de rendre compte de l'influence de ces traditions sur celles concernant Moïse.

Deux autres traits narratifs du cycle de Jacob pourraient renvoyer à un contexte historique précis. Tout d'abord la description des conflits qui opposent Isaac aux Philistins, puis Jacob à Laban, renvoie aux tensions qui règnent aux frontières de Juda (Isaac et les Philistins) et du royaume d'Israël confronté à son voisin araméen (Damas).

Ensuite, la rivalité Jacob-Ésaü renvoie-t-elle également à un arrière-plan historique ? Certains auteurs y ont vu une allusion à la succession de David, dont le fils Salomon l'emporte sur son aîné Adonias (voir 1 R 1,41-53). Cependant, les traditions sur Jacob ont leur origine dans les tribus du Nord, puis dans ce royaume. Une telle interprétation supposerait donc que ces récits aient été transmis en Juda à haute époque, puis réinterprétés en fonction de la situation politique locale. Une telle hypothèse demeure conjecturale.

La théologie du cycle de Jacob

Les récits sur Jacob ont sans doute été indépendants les uns des autres, à haute époque. Ils concernent un héros éponyme, les exploits rattachés à son nom, les conflits et rivalités dont il triomphe ; ce qui illustre la protection divine dont il bénéficie. À une époque plus tardive, les

REPÈRE

LA DESCENDANCE DE JACOB

La nombreuse postérité de Jacob vient accomplir la promesse qu'il a reçue et confirmer sa bénédiction. La stérilité de l'épouse Rachel est un thème qui relie le cycle de Jacob au cycle d'Abraham-Isaac (voir Sara : 16,1 ; Rébecca : 25,21). L'épouse stérile donne naissance au fils préféré, Joseph, présenté comme l'ancêtre de la tribu d'Éphraïm, la plus importante des tribus d'Israël (voir 41,50-52). Le don de Dieu, pour Sara et Rébecca, comme pour Rachel, triomphe de toute stérilité et dépasse ainsi les limites de l'entendement humain. Pour Jacob, il culmine dans le naissance de Joseph, avant-dernier né mais présenté comme premier en dignité dans la suite du livre de la Genèse.

Les récits de naissance des fils de Jacob, leurs origines diverses (descendant d'une des deux épouses ou d'une des deux servantes) constituent autant de moyens narratifs de « hiérarchiser » les tribus d'Israël. L'historien ne peut parvenir à reconstituer le système tribal (ou clanique) de l'Israël prémonarchique à l'aide du texte biblique. La liste classique des douze tribus pourrait d'ailleurs être plus tardive, reflétant l'organisation administrative du royaume de Salomon en douze districts [*voir* p. 168].

Les données de 25,19–37,1 sur la descendance de Jacob, peuvent être schématisées ainsi :

Zilpa (servante de Léa)	**LÉA** (1re épouse)	**RACHEL** (2e épouse)	**Bilha** (servante de Rachel)
	1. Ruben (29,32)		
	2. Siméon (29,33)		
	3. Lévi (29,34)		
	4. Juda (29,35)		
			5. Dan (30,6)
			6. Nephtali (30,8)
7. Gad (30,11)			
8. Asher (30,13)			
	9. Issakar (30,18)		
	10. Zabulon (30,20)		
	+Dina (*fille*) (30,21)		
		11. JOSEPH (30,24)	
		12. Benjamin (35,18)	
		Fils de Joseph :	
		– Manassé (41,51)	
		– Éphraïm (41,52)	

différents récits sont reliés pour former le cycle de Jacob dont l'unité résulte d'un travail de composition littéraire, et repose également sur la récurrence de trois thèmes théologiques : la bénédiction, la rencontre avec Dieu, la ruse et la dissimulation.

La bénédiction

Le thème de la bénédiction* est récurrent dans les récits sur Jacob : le verbe « bénir » (*barak*) se trouve 5 fois en Gn 26 ; 17 fois en Gn 27 ; 4 fois en Gn 28. La bénédiction vient du patriarche Isaac qui transmet, avant sa mort (27,1-4), cette force vitale à son fils. Mais elle est aussi bénédiction de Dieu lui-même (28,3-4 ; 32,30) ; elle est donc gage de fécondité, promesse d'une descendance et de l'héritage d'une terre. Cette bénédiction (*beraka*) reçue d'un ancêtre ou de Dieu concerne l'existence humaine dans ce qu'elle a de plus concret : la fécondité, la richesse, la force et / ou la protection face à l'ennemi. Elle donne autorité à celui qui en hérite (voir 27,29). La bénédiction par l'ancêtre Isaac (Gn 27) appartient aux strates les plus anciennes des récits sur Jacob. Le texte définitif de Gn 25,19–37,1 la réinterprète comme une bénédiction divine, qui apparaît ainsi en continuité avec celle d'Abraham et d'Isaac. Ce thème théologique contribue ainsi à relier les différentes traditions concernant les Patriarches qui, dans l'état final du texte, forment une unique suite narrative.

La rencontre avec Dieu

Les deux récits de rencontre avec Dieu, à Béthel et au Yabboq, qui encadrent la relation du séjour de Jacob en Aram, ont chacun une pointe théologique différente.

Le songe de Béthel (28,10-22), comme d'autres songes de la Genèse [*voir* p. 114], insiste sur l'initiative divine : Dieu vient lui-même se manifester à Jacob et formuler une promesse en sa faveur. Cette révélation est, pour Jacob, l'occasion d'un nouveau départ. À la promesse divine répond en effet sa promesse : « Si je reviens sain et sauf à la maison de mon père, le SEIGNEUR sera mon Dieu. Cette pierre dont j'ai fait une stèle sera la maison de Dieu » (28,21-22). Ainsi, la manifestation de Dieu transforme un récit de fuite en un récit de conversion décrivant un itinéraire de foi : la fuite et l'exil de Jacob seront pour lui l'occasion d'une transformation profonde.

Le passage du Yabboq (32,23-33) marque à la fois le terme de l'exil de Jacob, et l'achèvement de son itinéraire intérieur [*voir* p. 103]. Le changement de nom, qui intervient au terme du combat avec Dieu, prend acte des transformations intervenues chez le héros : la ruse et la dissimulation qui caractérisaient autrefois son comportement font place à la franchise. Au terme du combat, Jacob révèle librement son nom à son adversaire. Il reconnaît en outre la supériorité de celui-ci en lui demandant sa bénédiction : il s'agit ici d'un acte de foi sans condition, contrairement à la promesse conditionnelle de 28,21-22. Le nouveau nom qu'il reçoit marque un nouveau départ, un départ vers Canaan, dont l'itinéraire parcouru de Sichem à Hébron (du nord au sud) symbolise la possession pour Jacob et ses descendants : la promesse divine est réalisée.

La ruse et la dissimulation

Plusieurs récits du cycle de Jacob montrent comment le héros parvient à ses fins au mépris des règles habituelles de la droiture et de la justice : Jacob ravit à Ésaü son droit d'aînesse au prix d'un chantage, puis il le dépouille de sa bénédiction en utilisant le mensonge et la dissimulation. C'est aussi par la dissimulation qu'Isaac cherchait à se protéger d'Abimélek et à sauver sa femme (voir 26,6-11). Dans la suite du cycle de Jacob, le conflit avec Laban se règle également par la ruse du héros qui s'approprie frauduleusement une bonne part des troupeaux de son hôte (31,1-13). Ce récit révèle d'ailleurs que les derniers rédacteurs du cycle de Jacob ont perçu la difficulté et ont cherché à corriger ou tout du moins à remanier les sections narratives où Jacob est présenté sous un jour trop défavorable.

Pourtant, le fait même que, dans ces récits, les ruses de Jacob réussissent, n'est-il pas porteur d'un message théologique ? Les récits sur Jacob montrent comment les projets de Dieu s'imposent aux hommes : c'est en tant que béni de Dieu que Jacob parvient à ses fins. Les règles habituelles de la vie humaine se trouvent renversées, elles deviennent caduques : l'aîné perd ses droits, le cadet – qui est normalement le plus faible – s'impose, de par la volonté de Dieu. N'y a-t-il pas ici une affirmation de la souveraineté de Dieu sur l'histoire, quoi qu'il en soit des projets uniquement humains ?

La ruse, la dissimulation ne sont pas, en elles-mêmes, valorisées par le récit : elles n'apparaissent ici que comme des moyens conjoncturels, non normatifs, mais nécessaires pour faire triompher le plan de Dieu. En Jacob, c'est l'inattendu de Dieu qui survient dans l'histoire des hommes. Bien d'autres récits bibliques développent également ce point :

– Le récit de la naissance et de l'appel de *Moïse*, dont nous avons vu qu'il présentait de nombreux parallèles avec les récits sur Jacob : ici aussi, c'est un émigré qui va s'imposer, contre toute attente et en dépit de ses propres limites (voir Ex 4,10). De par la volonté de Dieu, il deviendra pour son peuple le médiateur du salut.

– La figure de *David* peut également être ici évoquée. Il n'existe pas d'influence littéraire du cycle de Jacob sur l'histoire de David, mais le choix du jeune David par Dieu lui-même (voir 1 S 16), qui contrarie lui aussi les projets des hommes, manifeste également la souveraineté de Dieu sur l'histoire.

O. A.

L'histoire de Joseph

L'histoire de Joseph comprend les chapitres 37 à 50 de la Genèse, à l'exclusion du ch. 38 qui est une insertion étrangère au récit. Elle raconte comment le plus jeune des fils de Jacob a été vendu comme esclave en Égypte par ses frères qui étaient jaloux de lui (Gn 37). À la suite de diverses péripéties (Gn 39), et grâce à sa capacité à interpréter correctement les rêves (Gn 40), Joseph devient le second personnage de l'État ; il épouse la fille d'un prêtre d'Héliopolis, il gère l'ensemble des biens de la couronne, organise le système du stockage du blé et fixe les redevances (Gn 41). Sept années de famine contraignent ses frères à venir acheter du blé en Égypte. Joseph les reçoit personnellement sans se faire reconnaître et les accuse d'être des espions (Gn 42) ; retenant l'un d'eux en otage, il les contraint à un second voyage en Égypte (Gn 43–44). C'est alors qu'il leur dévoile sa véritable identité, se réconcilie avec eux et fait venir en Égypte son père et le reste du clan (Gn 45–48). La fin de son histoire inclut la mort de Jacob (Gn 49–50).

Unité et originalité

La composition de l'histoire de Joseph a été longtemps considérée comme un cas d'école pour la théorie documentaire* qui explique la formation du Pentateuque à partir de quatre « documents » antérieurs [*voir* p. 146]. Les quelques « rugosités » dans le ch. 37 et les nombreux doublets de la narration semblaient permettre de dégager assez aisément deux rédactions parallèles du même récit combinées dans le texte actuel, en plus des quelques versets appartenant à l'un des quatre documents : la source sacerdotale*. Cette analyse s'est en fait toujours avérée plus difficile dans les détails, et les résultats n'ont jamais fait l'unanimité. Aujourd'hui, si l'on excepte les éléments sacerdotaux et quelques passages visiblement ajoutés après coup (38 ; 47,29 – 49,27), un consensus se dégage pour reconnaître l'unité de composition du récit.

Par sa position à la fin du livre de la Genèse, cette histoire assure la transition entre les récits patriarcaux et les récits de la sortie d'Égypte qui ouvrent le livre de l'Exode. À première vue donc, elle semble avoir pour fonction d'expliquer comment les douze fils de Jacob se sont retrouvés en Égypte, alors que leurs ancêtres s'étaient installés en Canaan. Mais cette opinion, qui a longtemps guidé l'interprétation de ces chapitres, dépend d'une théorie générale sur la formation du Pentateuque aujourd'hui abandonnée [*voir* p. 147]. On peut d'ailleurs montrer que l'histoire sacerdotale raconte la descente de Jacob et de ses fils dans le Delta sans faire référence à l'histoire de Joseph (voir 37,1-2 ; 46,6-26 ; 47,27-28 ; 49,29-33 ; 50,12-13 ; Exode 1,1-5a). C'est donc dans un autre contexte qu'il faut chercher la signification primitive de cette histoire, et une lecture attentive révèle rapidement combien elle est littérairement et théologiquement différente du reste de la Genèse.

Alors que les récits patriarcaux sont constitués d'épisodes plus ou moins autonomes organisés en « cycles* », la structure narrative de l'histoire de Joseph se distingue absolument de ce schéma. Il s'agit d'un long récit, structuré par une intrigue cohérente d'un bout à l'autre, et organisé selon des procédés de composition qui entretiennent un véritable suspens (répétition des motifs et des épisodes, prophétie initiale). La psychologie des personnages est plus finement décrite et constitue même l'un des ressorts de la narration. D'un point de vue théologique, les différences ne sont pas moins grandes : le Seigneur (Yahvé), Dieu d'Israël, n'est que rarement nommé dans cette histoire (seulement au ch. 39), et il n'intervient jamais directement dans le cours des événements comme dans les cycles d'Abraham ou de Jacob ; un seul texte explicite l'idée que c'est Dieu qui conduit indirectement le cours des choses (45,5-8). Enfin, les thèmes du don de la terre, de l'alliance et de la promesse qui traversent les récits précédents et qui reviennent dans l'Exode sont totalement absents de ces chapitres.

Les songes

Mais c'est dans la place qu'elle réserve aux rêves et à leur interprétation que l'histoire de Joseph montre le plus d'originalité : pas moins de six récits de rêves dans la première partie de l'histoire (Gn 37–41). Parmi ces récits de rêves, il faut distinguer les « songes prémonitoires » de Joseph (Gn 37) et les « songes symboliques » des deux fonctionnaires égyptiens (Gn 40) et de Pharaon (Gn 41). Les deux songes de Joseph,

Repère

Les songes dans la Bible

L'Ancien Testament ne comporte aucun témoignage d'une pratique d'oniromancie telle qu'on peut la connaître à travers les « Traités des rêves » égyptiens ou mésopotamiens [*voir* p. 116]. Cette forme de divination, fondée sur l'interprétation des rêves quotidiens par un spécialiste, semble inconnue en Israël. Peut-être était-elle comprise dans l'interdiction générale de la divination (Dt 18,10-11), mais aucune législation précise ne lui est consacrée.

En revanche, le caractère prémonitoire de certains rêves est parfaitement reconnu, et on partage avec les autres peuples de l'Antiquité la croyance que Dieu peut utiliser les songes pour s'adresser directement à certains individus. Un oracle* du prophète Joël compte les songes parmi les manifestations eschatologiques* de l'effusion de l'Esprit « sur toute chair » (Jl 3,1), et si Ben Sira met en garde contre la vanité des rêves (Si 34,1-8), il fait une exception pour ceux qui proviennent « d'une intervention du Très-Haut » (v.6). Dans le judaïsme, aux époques hellénistique et romaine, l'oniromancie inspirée était une voie autorisée de connaissance : l'histoire de Joseph en est une bonne illustration et, selon le Talmud de Babylone, Jérusalem ne comptait pas moins de vingt-quatre rabbins interprètes des songes pratiquant leur art contre rémunération (*Berakhot* 55a-b).

L'Ancien Testament rapporte donc un certain nombre de *récits de songes* dont il faut d'emblée souligner le caractère fictif. Composés selon des schémas littéraires codifiés, ils remplissent une fonction littéraire précise et servent souvent de cadre et de prétexte à un discours à caractère théologique. Comme dans les autres littératures du Proche-Orient ancien, il est possible de classer les récits de rêves en différentes catégories, définies par leurs formes littéraires, mais qui reflètent aussi la diversité des expériences oniriques.

Les récits de songes se répartissent en deux grandes catégories : les rêves « visuels » et les rêves « auditifs ». Les premiers comportent essentiellement, voire exclusivement des images. Ils se répartissent pour la plupart entre l'histoire de Joseph (Gn 37,5-11 ; 40–41) et les chapitres araméens du livre de Daniel (Dn 2 ; 4 ; 7), auxquels il faut encore ajouter le songe de Jacob à Béthel (Gn 28,12-15) et le rêve d'un soldat de Madian (Jg 7,13-15). Parmi ces rêves visuels, on peut distinguer des « songes prémonitoires » : les songes de Joseph (Gn 37) et celui du soldat madianite (Jg 7) ; des « songes symboliques » : ceux des Égyptiens (Gn 40–41) et ceux de Nabuchodonosor (Dn 2 ; 4) ; un « songe visionnaire » reçu par Jacob à Béthel (Gn 28).

Les « songes symboliques » se caractérisent par le fait qu'ils nécessitent une interprétation par un tiers, car le rêveur ne comprend pas le message contenu dans les images du rêve. Le récit d'un tel songe comprend donc toujours deux phases : l'exposé du songe lui-même, suivi par son interprétation après l'éveil du rêveur. Cette nécessité d'interpréter un songe offre chaque fois l'occasion d'opposer l'impuissance de la science des devins au charisme des sages juifs directement inspirés par Dieu. Ce motif se retrouve aussi bien dans l'histoire de Joseph que dans les récits du livre de Daniel (Dn 1–2 ; 4–5). Ces derniers accentuent encore le caractère

bien qu'usant d'images symboliques, sont d'emblée intelligibles à ses frères et ne requièrent pas l'interprétation d'un spécialiste. De plus, ils assument dans la narration la fonction de « prophétie initiale ». Tout en étant en partie responsables de la crise (en attisant la jalousie des frères), ils annoncent déjà quel en sera le dénouement : les frères de Joseph se prosterneront devant lui (37,10 et 42,6-9). Toute l'intrigue dramatique de cette opposition et l'aspect extraordinaire de la sagesse de l'interprète juif. La particularité de ces récits bibliques est précisément d'insister sur le caractère inspiré de ces interprètes juifs, Joseph et Daniel (Gn 40,8 ; 41,8.15-16 ; Dn 2,4-12.19-28 ; 4,5-6.15), contre la science des techniciens de la divination.

Une autre catégorie de rêves, un peu improprement appelés « songes à message », ont un contenu essentiellement auditif. Dans ces songes, Dieu « vient » ou « apparaît » en personne ; sans se montrer véritablement au rêveur, il « se tient en sa présence » et lui parle directement. On trouve à quatre reprises la même formule d'introduction : « Dieu vint vers N. dans un songe de la nuit » (Gn 20,3 ; 31,24 ; Nb 22,9.20). Le message prononcé par Dieu est sans ambiguïté et le rêveur n'a pas besoin des services d'un interprète à son réveil. Les Patriarches ou les rois semblent avoir été des personnes prédestinées par leurs fonctions à recevoir de tels songes, mais cette impression est due à la nature des textes qui mettent en scène principalement des personnages de ce rang.

Le songe de Salomon à Gabaon (1 R 3) en est un exemple caractéristique : composé sur le schéma traditionnel des songes royaux, il contient encore quelques traits de l'ancienne idéologie royale. Dans sa rédaction actuelle cependant, il illustre bien la manière dont un songe peut fournir le cadre littéraire à un discours théologique. C'est également le cas du songe de Jacob à Béthel (Gn 28), qui a cette particularité d'associer un message à une vision céleste : une « échelle » ou plutôt un escalier reliant le ciel à la terre et des anges qui le parcourent. Cette vision a pour première fonction de manifester la sainteté du lieu sur lequel Jacob est couché en révélant la présence de l'axe du monde qui traverse ce lieu. Elle est ensuite utilisée pour mettre en évidence le renouvellement de la promesse de Dieu faite aux Patriarches.

Comme dernier exemple, mentionnons le cas particulier du songe d'Abimélek (Gn 20,3-7), dans lequel ce roi cananéen se voit menacé de mort par Dieu s'il ne rend pas sa femme à Abraham. Il s'agit en fait d'un cauchemar duquel le rêveur sort terrifié, car le rêve a pris ici la forme d'une scène de tribunal. L'idée que Dieu puisse utiliser la voie onirique pour « visiter » un pécheur et exercer un jugement à son encontre se retrouve dans d'autres textes bibliques de composition plutôt tardive. La théorie en est exposée par Élihou dans le livre de Job (Jb 33,14-18) : Dieu admoneste le pécheur dans le rêve et lui enjoint de corriger sa conduite. La Sagesse de Salomon, à la fin du Ier s. av. J.C., reprend cette notion d'un « rêve de jugement », mais dans un contexte où le jugement onirique est sans rémission. Au moment où les premiers nés d'Égypte sont frappés de mort dans leur sommeil (le dixième fléau), ils reçoivent en rêve l'annonce de la sentence divine qui les a condamnés, « afin qu'ils ne périssent pas en ignorant pourquoi ils subissaient cette peine » (Sg 18,17-19). La particularité de ces « rêves de jugement » est qu'ils n'annoncent pas un événement futur, mais remémorent et éclairent un fait passé de la vie du rêveur. Ils inaugurent par là une conception plus psychologique du rêve.

conduit le lecteur à ce dénouement à travers diverses péripéties qui en retardent l'avènement.

En revanche, les songes des Égyptiens, comme ceux de Nabuchodonosor dans le livre de Daniel (Dn 2 et 4, *voir* p. 447), sont de véritables « songes symboliques », dont le contenu mystérieux trouble profondément les rêveurs et demeure fermé à leur intelligence. Il faut l'intervention d'un spécialiste pour calmer l'inquiétude du rêveur et lui interpréter son rêve. D'un point de vue narratif, on retrouve dans ces récits de songes interprétés par Joseph (Gn 40–41) le motif de « l'épreuve qualifiante » : c'est en ayant surmonté avec succès cette épreuve où d'autres mieux préparés ont échoué (les devins de la cour d'Égypte) que le héros parvient au but annoncé. Sur le plan théologique, ces épisodes mettent en évidence la sagesse exceptionnelle d'un jeune juif qui, du fait qu'il est assisté de Dieu, surpasse tous les sages et les experts d'Égypte.

Les textes apparentés

Sur le plan formel, l'histoire de Joseph peut être comparée à d'autres écrits juifs ou proche-orientaux, tels que les récits araméens de Daniel

DOCUMENT

LA DIVINATION PAR LES SONGES DANS L'ANCIEN ORIENT

Dans l'ensemble de l'Antiquité, et dans les cultures du Proche-Orient ancien en particulier, les rêves sont considérés comme des signes susceptibles d'indiquer quelque chose concernant les desseins des dieux, ou comme des messages envoyés par ces derniers. En tant que « signes », les rêves doivent généralement être déchiffrés, et cela donne lieu à la science interprétative des rêves, l'oniromancie, une parmi les nombreuses techniques des devins. En tant que « messages » envoyés par les dieux, les rêves sont souvent perçus en paroles claires par le rêveur, mais peuvent aussi se dissimuler sous des images symboliques. Ils nécessiteront alors également une interprétation, mais qui sera davantage affaire d'intuition que de technique et de science ; en Mésopotamie, ce sont généralement des femmes qui excellent en ce domaine.

Voici un exemple de la technique oniromantique : un extrait du plus ancien *Traité des rêves* égyptien connu, transmis sur un papyrus de la période des pharaons Ramsès, mais remontant vraisemblablement au Moyen Empire (2100-1730). Chacune des onze pages préservées du document contient entre vingt-cinq et vingt-huit présages, ainsi qu'une ligne verticale donnant l'introduction valable pour chacun :

Si un homme se voit, dans un rêve...

... assis dans un verger au soleil – bon ; cela signifie plaisir.

... démontant un mur – bon ; cela signifie délivrance de toute maladie.

... [mangeant] des excréments – bon ; manger son bien dans sa maison.

... avoir un rapport avec une vache – bon ; passer un bon jour dans sa maison.

... manger [de la viande] de crocodile – bon ; [avoir une charge] d'officier parmi son peuple.

(Papyrus Chester Beatty III, p. 5).

Lorsque les dieux adressent des messages aux hommes par le moyen des rêves, il arrive qu'ils le fassent par la médiation d'un prophète qui entend une parole prononcée dans son rêve, un véritable oracle onirique. Voici, parmi les lettres retrouvées à Mari (cité des bords de l'Euphrate, XVIIIe s. av.J.C.), la relation d'un oracle reçu dans un rêve par un certain Iddin-ili :

Dis à mon Seigneur (le roi) : ainsi (parle) Addou-dour. Iddin-ili, l'administrateur (du temple) d'Itour-Mer, a eu un rêve. Il a dit : Dans mon rêve, (la déesse) Belet-biri se tenait debout et disait ceci, voici ses paroles : La Royauté est son moule à brique et la Dynastie sa muraille. Pourquoi ne cesse-t-il de monter au créneau ? Il lui faut se protéger ! Mainte-

(Dn 1–6 : *voir* p. 447), le livre d'Esther : *voir* p. 382), le roman araméen d'*Ahikar*, l'histoire de Zorobabel rapportée dans un livre apocryphe* de la Septante* : 1 (ou 3) Esdras 3–4, etc. Ces écrits ont des caractéristiques communes : un récit imaginaire en prose pas trop long ; des personnages incarnant des fonctions traditionnelles (le roi tout-puissant, le jeune homme pauvre mais intelligent, les conseillers incapables et jaloux, les frères jaloux) ; des motifs narratifs types ; une schématisation extrême des scènes et des situations, etc. Tout cela permet de qualifier ces récits de « contes », au sens oriental du terme. Certains ont davantage recours aux éléments merveilleux (miracles, interventions divines) que l'histoire de Joseph qui se limite au motif des songes, mais ces récits ne sont pas tous exactement contemporains. Il est possible de suivre à travers eux l'évolution du genre, d'une

nant, mon Seigneur doit mettre tout son soin à protéger sa personne.

(Archives royales de Mari, XXVI, 238 ; trad. J.-M. Durand.)

Mais le dieu peut aussi, dans le rêve, parler directement à celui à qui son message est adressé. Les textes transmettent presque exclusivement des songes reçus par des rois. Ils peuvent avoir pour but de légitimer le pouvoir du roi lorsqu'il est contesté, mais ils soulignent toujours le lien étroit qui unit le roi à la divinité et mettent en valeur tel ou tel aspect de la fonction royale. Parmi les plus anciens connus, le récit des songes de Goudéa, roi sumérien de Lagash (2143-2124 av. J.C.), raconte comment il reçut les plans du temple qu'il devait bâtir à la déesse Ningirsou. Voici celui du pharaon Merneptah (1224-1210 av.J.C.), encouragé par le dieu Ptah à la veille d'une bataille : « Alors Sa Majesté vit, en rêve, comme si une statue du dieu Ptah se tenait debout devant elle. Elle était aussi haute que [...]. Il lui parla : Prends, lui dit-il en lui tendant le glaive du combat, et chasse toute crainte de ton cœur ! »

La littérature a bien entendu utilisé les songes comme motif littéraire ; celui-ci peut jouer un rôle structurel important dans la narration, soit en tant que « prophétie initiale », soit en suscitant l'organisation du récit en deux volets symétriques, l'un situé dans le rêve, l'autre dans la réalité où s'accomplit ce qui a été dit dans le rêve. Voici, par exemple, le début du songe du roi Keret, dans le premier épisode de l'Épopée qui porte son nom (Ougarit en Syrie, XIVe s. av.J.C.) ; le roi vient d'assister à l'anéantissement de toute sa famille :

Il entre dans sa chambre, il pleure / redoublant ses gémissements, il sanglote. / [...] Tout en pleurant, il s'endort / en versant des larmes, il s'assoupit / le sommeil le terrasse et il se couche / une somnolence, et il se pelotonne. / Alors, dans son rêve, El descend / dans sa vision, le Père des hommes. / Et il s'approche en interrogeant Keret : / Qu'a-t-il, Keret, à pleurer / le Favori, le page d'El, à se lamenter ? / Est-ce la royauté du Taureau, son père, qu'il désire / la souveraineté, comme le Père des hommes ?

(Légende de Kéret A I, 25-45 ; trad. A. Caquot, M. Sznycer.)

Le discours du dieu se poursuit en donnant des instructions à Keret pour obtenir une nouvelle épouse, et la seconde partie de l'épisode raconte comment le roi accomplit l'oracle reçu dans son rêve. La proximité littéraire et idéologique de ce passage de *L'épopée de Keret* avec le récit biblique du songe de Salomon à Gabaon (1 R 3) doit être soulignée.

part en direction du « conte oriental » tel qu'on le retrouve dans le cycle des *Mille et une nuits*, d'autre part vers le « roman hellénistique » dont les livres d'Esther et de Judith sont très proches [*voir* p. 380].

Si l'on considère maintenant les héros de ces contes, on constate qu'ils ont tous en commun d'être des Juifs vivant dans une cour royale étrangère : cour égyptienne pour Joseph, cour assyrienne pour Ahikar, cour perse pour Daniel et ses compagnons, Zorobabel, Esther et Mardochée. Non seulement ces personnages vivent à la cour, mais ils sont appelés à y exercer des fonctions éminentes, grâce auxquelles ils peuvent être utiles à l'ensemble du peuple d'Israël. Tout en faisant ainsi preuve d'une sagesse exceptionnelle, ils démontrent que c'est à travers eux que Dieu assiste son peuple dispersé parmi les nations. Ces héros figurent un type sociologique qui définit du même coup l'origine et les destinataires de ces récits : composés dans la diaspora*, ils voulaient légitimer l'installation des Juifs au milieu des nations et proposer en même temps des références morales à une aristocratie désireuse de réaliser ses ambitions hors de la terre d'Israël tout en demeurant fidèle à son identité juive.

REPÈRE

JOSEPH LE SAGE

Plusieurs traits typiquement sapientiels* sont aisément repérables dans l'histoire de Joseph. L'épisode de Joseph résistant à la femme de Potiphar (Gn 39,7-12) rejoint un enseignement de sagesse que l'on trouve dans la première partie des Proverbes (Pr 1–9) où plusieurs passages développent une mise en garde du jeune homme contre « la femme étrangère » qui conduit un homme à sa perte (notamment Pr 7). Plus loin, c'est la sagesse politique qui est illustrée par Joseph, élevé à la tête du royaume en raison de ses éminentes qualités d'intelligence et de sagesse : « *Trouverons-nous un homme comme celui-ci, en qui soit l'esprit de Dieu ? [...] Après que Dieu t'a fait connaître tout cela, il n'y a personne d'intelligent et de sage comme toi. C'est toi qui seras mon maître du palais et tout mon peuple se conformera à tes ordres, je ne te dépasserai que par le trône* » (Gn 41,38-40). À partir de ce point du récit, Joseph est dépeint comme le haut fonctionnaire parfait, celui qui maîtrise au plus haut degré l'art de gouverner, ce qui fait de lui un sage par excellence (notamment Gn 47,13-26).

Il serait toutefois exagéré de considérer l'histoire de Joseph comme une illustration de la sagesse des Proverbes. Bien des traits de l'histoire s'y opposent : Joseph apparaît au début comme un naïf, et s'il avait su contrôler sa langue – qualité essentielle pour un sage – il n'aurait pas suscité la jalousie de ses frères. Toute l'intrigue est d'ailleurs construite sur une faillite des relations familiales (préférence du père pour Joseph, jalousie des frères), ce qui ne correspond guère à l'idéal sapientiel. Enfin, l'importance accordée aux rêves dans cette histoire, le fait même que la sagesse de Joseph soit si étroitement associée à l'art de les interpréter, rien de tout cela ne cadre avec les collections anciennes de sagesse.

Milieu et date de rédaction

De ce point de vue, il paraît aujourd'hui acquis que l'histoire de Joseph a été composée dans la diaspora juive d'Égypte, vraisemblablement au début de la période perse (vers 500-450). La présence juive en Égypte n'a fait que croître depuis le début de cette période, mais on connaît par les papyrus d'Éléphantine l'existence d'une colonie juive en Haute-Égypte dès le début du ve s., et ces mêmes papyrus montrent qu'elle s'autorisait quelques libertés à l'égard des autorités de Jérusalem [*voir* p. 328]. C'est ce contexte sociologique et culturel qui rend le mieux compte de plusieurs caractéristiques de l'histoire de Joseph : sa parfaite connaissance des réalités égyptiennes ; sa vision positive de l'Égypte et de son souverain ; sa critique implicite des « frères » judéens (n'est-ce pas à cause d'eux que Joseph se retrouva esclave en Égypte ?) ; son peu d'intérêt pour la théologie de l'alliance et la Tora ; le fait, enfin, qu'elle montre Joseph épousant la fille d'un prêtre égyptien d'Héliopolis (41,45), alors même qu'en Judée Esdras vitupère contre les « mariages mixtes » (voir Esd 9–10). Il est sans doute caractéristique que Ben Sira, vieux judéen de tradition [*voir* p. 464], ne dise pas un mot de Joseph et de son histoire dans son « Éloge des Pères » (Si 44) où le lien entre les

En fait, Joseph, de la même façon que Daniel, est la figure d'un type particulier de sage, tel qu'il a pu en exister dans les cours royales aux époques perses et hellénistiques. En plus de la sagesse traditionnelle, faite de savoir-vivre et de science, fruit d'une longue éducation bien évoquée au début du livre de Daniel (Dn 1,3-5.17-21), ces sages juifs passaient pour jouir d'une assistance toute particulière de Dieu du fait de leur fidélité à la Tora (Dn 1,17). En vertu de quoi ils jouissaient aussi de la capacité d'interpréter les songes et les écrits mystérieux, et ils revendiquaient pour eux-mêmes une forme de sagesse inspirée (Dn 2,19 ; 4,5-6.15 ; 5,11-12). Cette prétention de certains sages à bénéficier d'une inspiration divine est dépeinte, non sans ironie, dans quelques-uns des protagonistes du livre de Job (Jb 4,12-16 ; 11,5-6 ; 15,8 ; 32,8).

Enfin, et comme d'autres récits animés du même souci d'édification morale (Judith, Tobie, Esther, les récits de Daniel), l'histoire de Joseph propose à ses lecteurs un modèle de comportement avisé et généreux, héritier de l'ancienne tradition de sagesse et éclairé par un discernement théologique particulier. Au lieu de se venger du mal qu'ils lui ont fait en le vendant comme esclave, Joseph replace ses frères dans une situtation analogue envers leur plus jeune frère Benjamin. Constatant que, cette fois-ci, ils protègent jalousement leur frère et sont devenus très attentifs à la souffrance de leur père Jacob, Joseph se fait reconnaître d'eux et leur pardonne. Cette attitude magnanime apparaît conduite par sa capacité à discerner l'action de la providence divine jusque dans les événements les plus pénibles à vivre : *« Ne craignez point ! Vais-je me substituer à Dieu ? Le mal que vous aviez dessein de me faire, le dessein de Dieu l'a tourné en bien, afin d'accomplir ce qui se réalise aujourd'hui : sauver la vie à un peuple nombreux. »* (Gn 50,18-20)

Patriarches et le cycle de l'Exode est fait par Jacob, conformément à la tradition sacerdotale.

À travers une œuvre comme celle-ci, les Juifs résidant en Égypte trouvaient une identité propre au sein du peuple élu : Dieu n'avait-il pas béni leur séjour en terre étrangère et, quoi qu'en pensent leurs frères de Judée, n'étaient-ils pas appelés eux aussi à servir les desseins de Dieu dans l'histoire ? Ce « conte de diaspora » a donc très certainement connu tout d'abord une existence autonome, et ce n'est vraisemblablement qu'à la phase finale de composition du Pentateuque, vers 400, qu'il fut inséré à sa place actuelle, combiné avec la fin de l'histoire de Jacob.

La figure de Joseph dans la tradition

En dehors de la Bible, on retrouve l'histoire de Joseph dans le livre des *Jubilés*, qui fait une paraphrase assez fidèle du récit de la Genèse, tandis qu'elle est l'objet d'un bref résumé dans le livre des *Antiquités bibliques* du Pseudo-Philon. Joseph devint aussi le héros d'écrits apocryphes* (ou pseudépigraphiques) développant tel ou tel aspect de son histoire dans un but d'édification.

Le *Testament de Joseph*, écrit juif du Ier s. av.J.C., se présente comme les dernières paroles prononcées par le patriarche devant ses enfants avant de mourir. Ce testament moral s'appuie sur l'exemple de son histoire personnelle, rapidement résumée au début (1,4-7). La suite réunit deux histoires distinctes : la première développe les circonstances de la séduction de Joseph par la femme de Potiphar (3,1 – 10,4) et met en avant la chasteté de Joseph. La seconde raconte les événements dramatiques de la vente de Joseph comme esclave en Égypte (10,5 – 18,4) et souligne son endurance.

Joseph et Aséneth est un autre écrit apocryphe juif, issu de la diaspora égyptienne, vraisemblablement composé au début du IIe s. ap.J.C. Il prend pour point de départ le mariage de Joseph avec la fille du prêtre d'Héliopolis (Gn 41,45) et en développe toutes les circonstances dans le style du « roman hellénistique » [*voir* p. 368-369]. L'argument est tiré de la question soulevée par le mariage du patriarche avec une femme païenne. La réponse, imaginée par l'auteur à cet embarrassant problème touchant un point essentiel de l'identité juive, consista à faire d'Aséneth une convertie au judaïsme ; le récit de sa conversion à la veille de ses noces occupe la part essentielle du livre (7–22). Ces écrits marquent le départ d'une longue tradition de la *haggada**, qui utilisa les différents épisodes de l'histoire de Joseph pour illustrer la prédication morale rabbinique.

La *figure* même de Joseph connut, dans l'exégèse* juive ancienne, une évolution qui préparait directement son interprétation dans la tradition chrétienne. Le livre de la Sagesse de Salomon (fin du Ier s. av. J.C.) évoque Joseph dans un résumé de l'histoire du salut depuis Adam jusqu'à l'Exode (Sg 10–19). Les personnages n'y sont pas nommés mais seulement désignés par des épithètes et, au ch. 10 en particulier, chaque patriarche est simplement appelé « le juste », ce qui permet de traiter chacun comme une figure type. Joseph est ainsi devenu l'une des figures du juste sauvé des persécutions fomentées par les impies :

C'est elle (la Sagesse) qui n'abandonna pas le juste vendu, mais elle l'arracha au péché ; elle descendit avec lui dans la fosse, elle ne le délaissa pas dans les fers, jusqu'à ce qu'elle lui eût apporté le sceptre royal et l'autorité sur ceux qui le tyrannisaient, jusqu'à ce qu'elle eût convaincu de mensonge ceux qui l'avaient diffamé, et qu'elle lui eût donné une gloire éternelle. (Sg 10,13-14)

Cette notice donne le départ des développements de la figure de Joseph dans l'exégèse chrétienne fondée sur la typologie* ou la préfiguration. Joseph l'innocent, descendu dans un puits, ou vendu par ses frères, sa tunique utilisée comme preuve de sa mort, le fait qu'il sauva ses frères de la mort en les nourrissant au temps de la famine, puis en leur pardonnant, en ont fait une figure privilégiée du Christ dans sa passion et son œuvre de salut.

Dans la perspective allégorique* qui est la sienne, Philon d'Alexandrie consacre un traité entier à Joseph (*De Iosepho*). Joseph y représente le type de celui qui s'occupe de la marche de la cité humaine, et à travers lui Philon expose sa conception du pouvoir politique. Mais Joseph apparaît comme une figure ambiguë. L'autorité du politique est un service qui se situe entre le roi (qui assume aussi la fonction sacerdotale, et dont la figure est Moïse) et le peuple, c'est-à-dire entre le domaine de l'âme (la maison de son père) et le domaine du corps (la maison de Pharaon). Pour cette raison, il est une figure divisée et exposée à tous les dangers, dont celui de succomber aux avances de la femme de son maître, la passion populaire, qui lui dit : « Couche avec moi ! » (*De Iosepho* 64–66 ; voir Gn 39,7). Cette interprétation allégorique de Joseph sera reprise par les Pères* de l'Église, principalement par Origène.

Dans le domaine des arts, l'histoire de Joseph a inspiré de très nombreuses œuvres littéraires à travers les siècles dans les trois traditions monothéistes. On en trouve des reprises, des mystères médiévaux aux romanciers modernes, en passant par les poètes persans et turcs, les écrivains musulmans et juifs d'Espagne, et principalement dans les littératures anglaise, néerlandaise et allemande depuis la Réforme. L'œuvre la plus représentative est certainement le roman de Thomas Mann (1875-1955), *Joseph und seine Brüder* (Joseph et ses frères) ; il s'agit en fait d'un cycle de quatre nouvelles publiées entre 1933 et 1942, fait d'un subtil mélange de traditions bibliques et haggadiques, et d'approfondissement psychologique des personnages. Cette œuvre romanesque n'a pas été sans influence sur les exégètes allemands du milieu du XXe siècle.

J.-M. H.

Deuxième partie :

L'Exode et les tribus d'Israël

Avec cette deuxième partie commence la « préhistoire » du peuple d'Israël, avant qu'il devienne un véritable royaume. L'événement qui marque la naissance de ce peuple est l'exode, la « sortie » d'Égypte avec Moïse, vers la fin du XIII*e siècle. Le livre biblique qui relate cet événement fondateur en a tiré son nom : c'est le livre de l'Exode, qui succède à celui de la Genèse.*

*– La première section présentera le cadre historique de l'****Ancien Orient****, de 1400 aux abords de l'an 1000 ; c'est la suite du survol historique des p. 23-32.*

– La deuxième section [voir *p. 135] développera ensuite la période de l'****exode*** *sous deux aspects : d'abord celui du fil des* événements *qui forment la tradition biblique (la Pâque, le séjour au désert, l'Alliance, etc.) puis celui des* livres bibliques *qui les rapportent : les quatre « livres de la Loi » : l'Exode, le Lévitique, les Nombres et le Deutéronome. L'unité de ces livres est assurée par la figure centrale de Moïse qui reçoit la Loi de Dieu et l'enseigne à Israël.*

– Enfin la troisième section [voir *p. 161] évoquera la période suivante, historiquement obscure : l'installation des* **tribus en Canaan** *(parfois improprement appelée « la conquête »), jusqu'à l'apparition de la royauté (vers 1030). Deux sortes d'informations seront données : d'abord les*

principales traditions sur les tribus d'Israël et les Juges, *puis une vue d'ensemble sur la* religion de Canaan. *Non seulement les Israélites l'ont côtoyée – et parfois de trop près –, mais ils se sont inspirés de ses rites pour exprimer leur propre religion envers le Dieu sauveur de l'exode.*

L'Ancien Orient de 1400 à 1030

Le réveil des Hittites puis de l'Égypte (1360-1250)

Vers 1360[1] Souppiloulouma, le nouveau roi du Hatti, entre en campagne à plusieurs reprises contre le royaume de Mitanni ; il prend Alep, Alalah, Karkémish, Qadesh et Damas. L'Égypte ne réagit pas : Aménophis IV, qui a pris le nom d'Akhénaton (1364-1347) est occupé par sa réforme religieuse monothéiste ; son règne ne sera finalement qu'un désastre politique, de même que celui de son successeur Toutankhamon. Devant cette faiblesse, le royaume d'Amourrou se rallie à la puissance hittite. L'Égypte doit au général Horemheb, devenu pharaon, de n'avoir pas perdu définitivement pied en Canaan. Puis il laisse le pouvoir à son vizir qui prend le nom de Ramsès Ier (1319-1317) et fonde la ***XIXe dynastie***. Séthi Ier (1317-1304) reprend les campagnes asiatiques, car les Hittites, sous la conduite de Moursil II, confortent leurs positions en Syrie. Une première expédition rétablit le contrôle sur Canaan, jusqu'à Tyr, et une seconde conduit Séthi Ier jusqu'à Qadesh.

Son successeur Ramsès II (1304-1238) poursuit la même politique pendant son très long règne. En 1300, le choc décisif entre Ramsès II et Mouwatalli se produit à Qadesh-sur-l'Oronte (au sud d'Homs, en Syrie). C'est la bataille la mieux documentée de toute l'Antiquité ; elle est même représentée sur les murs du temple de Karnak. Ramsès II ne réussit pas à reprendre Qadesh et Amourrou revient aux Hittites. Cet état de fait est entériné par le traité conclu en 1284 par Ramsès II et Hattousil III, frère et successeur de Mouwatalli. Les relations se norma-

1. À propos des dates de ce chapitre, rappelons que les historiens n'ont pas encore pu établir une chronologie précise pour tout l'Ancien Orient, car leurs sources sont souvent trop partielles ou contradictoires ; d'où des variations dans les dates des événements et des règnes, pouvant aller jusqu'à une vingtaine d'années, voire davantage.

DOCUMENT

La réforme monothéiste d'Akhénaton

Aménophis IV (1364-1347) a procédé dès le début de son règne à une réforme religieuse d'envergure. Le dieu Amôn, protecteur de la dynastie, avait retiré un grand prestige des victoires des pharaons précédents. Le clergé d'Amon s'en était trouvé enrichi et avait atteint une puissance politique considérable. Pour s'en affranchir, Aménophis IV choisit une autre référence théologique : le dieu Atôn, le disque solaire, dont il fait la divinité suprême, tandis que lui-même adopte un nom nouveau : *Akhén-Atôn*, « Agréable à Atôn ». Le centre cultuel *Akhét-Atôn* (aujourd'hui Tell El-Amarna, à mi-chemin entre Thèbes et le Delta) devient la nouvelle capitale de l'empire. La persécution s'abat sur Amôn, son culte et son clergé.

L'hymne célèbre composé par Akhénatôn pour son dieu regroupe les éléments du credo atonien : le dieu Atôn, source de vie, créateur et providence, n'est pas seulement le dieu de l'Égypte mais celui de tous les peuples. Par ailleurs, la religion d'Atôn se voulait relation directe avec le dieu. En conséquence, on cherchait à réduire le plus possible tout intermédiaire : culte simplifié, représentations limitées du dieu.

On n'a pas manqué de rapprocher ces caractéristiques de la religion d'Israël centrée sur un Dieu unique, et de voir dans l'entreprise d'Akhénatôn une première tentative de monothéisme, reprise par Moïse. C'était sans doute aller trop vite en besogne. L'impact de la réforme fut quasiment nul et l'ère atonienne ne sera qu'une brève parenthèse, puisque le successeur d'Akhénatôn reviendra rapidement au dieu Amôn, délaissera la capitale inachevée pour rejoindre Thèbes, et prendra le nom de Toutankhamôn.

lisent entre les deux puissances, et deviennent rapidement amicales, ponctuées par des mariages princiers. L'Égypte comprend qu'elle ne peut plus être active en Syrie, et les Hittites désirent être en paix sur leur flanc méridional, car l'Assyrie menace désormais à l'Est.

Le déclin de l'Égypte (1238-1030)

En 1238, Merneptah succède à son père Ramsès II. Chose nouvelle : le delta est maintenant menacé à l'Ouest par les Libyens. Ceux-ci ont pour alliés des groupes venus du nord de la Méditerranée : les Peuples* de la Mer, qui font ici leur première apparition dans les textes égyptiens. La *Stèle de Merneptah*, qui rappelle une campagne contre les Libyens, est aussi le plus ancien texte connu à nommer Israël, en 1233.

Avec Sethnakht commence la ***XXe dynastie***, dont le représentant le plus éminent est Ramsès III (1194-1163). Celui-ci doit encore affronter les Libyens, puis une très importante invasion des Peuples de la Mer et, de nouveau, les Libyens. La propagande active de ce pharaon rend difficile l'appréciation historique de sa documentation. On a toutefois la preuve de sa présence en Canaan par la découverte de son cartouche à

Meguiddo et Guézer, de ses scarabées à Bet-Shemesh, Tell el-Farah du Sud et Lakish, et de sa statue à Bet-Shân. Le dernier indice de la présence égyptienne en Canaan est une base de statue en bronze trouvée à Meguiddo, qui porte le nom de Ramsès VI (vers 1155).

Les successeurs, Ramsès VII et Ramsès VIII, ne parviennent pas à enrayer la décadence. Pendant ses dix-huit ans de règne, l'activité de Ramsès IX (1146-1127) lui permet de laisser des traces, notamment à Guézer où l'on trouve son nom. Sous son règne, le clergé d'Amôn

DOCUMENT

LE GRAND HYMNE À ATON, LE DIEU-SOLEIL

Cet hymne, probablement composé par Akhénatôn lui-même, semble avoir été imité par le Psaume 104. En voici des extraits.

Tu apparais, parfait, à l'horizon du ciel,
Disque vivant qui es à l'origine de la vie.
Quand tu te lèves à l'horizon oriental
tu remplis tout le pays de tes perfections.
Tu es beau, tu es grand, tu es étincelant,
tu es élevé au-dessus de tout le Pays.
Tes rayons entourent les terres
jusqu'aux limites de ta création.
Tu es Rê ; tu as soumis les peuples jusqu'à leurs frontières.
Tu les domptes pour ton fils, ton bien-aimé (le roi). [...]

La terre s'éclaire, quand tu t'es levé à l'horizon
et que, Disque solaire, tu luis durant le jour.
Alors tu chasses les ténèbres et prodigues tes rayons.
Les hommes se réveillent et se dressent sur leurs pieds.
Ils lavent leurs membres et prennent leurs vêtements.
Leurs bras adorent ton apparition,
puis la terre entière vaque à ses travaux.
Toutes les bêtes sont contentes sur leurs herbages.
Les arbres et les herbes verdissent.
Les oiseaux volent hors de leurs nids,
les ailes en adoration pour toi.
Les bateaux descendent ou remontent le fleuve.
Tous les chemins sont ouverts quand tu apparais. [...]

Comme elles sont nombreuses tes créations !
Elles sont cachées au visage des hommes,
Ô Dieu unique, à qui nul autre n'est semblable. [...]
Tu mets chacun à sa place et crées ce dont il a besoin.
Chacun a ce qu'il faut pour manger
et sa durée de vie est calculée.
Les langages des hommes sont différenciés
et également leur manière de vivre.

(Trad. A. Barucq.)

assoit définitivement son pouvoir. La fin de son règne est marquée par le pillage de la nécropole royale où il se fait enterrer. Ramsès X est le dernier roi à dominer la Nubie, seul territoire extérieur encore soumis à l'Égypte.

Le règne de Ramsès XI (1115-1085) est marqué par l'émancipation du clergé, des troubles dans la région de Thèbes, des pillages, la famine et la guerre civile. En la dix-neuvième année du règne, apparaît sur la scène le prêtre Hérihor, d'origine probablement libyenne. À la mort de Ramsès XI, l'administrateur Smendès, aux ordres du clergé d'Amôn, dirige le nord du royaume à Pi-Ramsès. Hérihor dirige l'armée et les affaires religieuses. La sécession de Néhésy réduit l'Égypte à la vallée du Nil entre Assouan et le Delta. Haute et Basse Égypte sont alors séparées. Dans le Sud, les grands prêtres d'Amôn rétablissent la théocratie.

Au Nord, Smendès fonde la ***XXIe dynastie*** en 1085 et s'installe à Tanis, après le démantèlement de Pi-Ramsès. Piankhi succède à Hérihor comme grand prêtre. Son fils Pinedjem adopte une titulature royale, tout en reconnaissant le primat du pharaon. Il épouse une princesse royale, Hénouttaouy, dont naîtra le futur pharaon Psousennès I.

DOCUMENT

LA STÈLE DE MERNEPTAH (1233)

La Stèle de Merneptah, actuellement au musée du Caire, a été découverte à Thèbes, sur la rive gauche du Nil, par Flinders Petrie en 1896. Appelée parfois « Stèle d'Israël », cette stèle célèbre surtout la victoire de Merneptah (1238-1209), le fils de Ramsès II, sur les Libyens qui ont fortement menacé l'Égypte à cette époque. C'est le premier texte non biblique connu qui mentionne Israël. Ce nom d'Israël apparaît dans un ensemble qui énumère les objectifs atteints en Canaan lors d'une expédition punitive.

Les princes sont prosternés en disant : Paix ! Parmi les Neuf Arcs (les pays étrangers), *pas un ne lève la tête. Téhénou* (la Libye) *est dévasté ; le Hatti est en paix. Canaan est dépouillé de toute sa malfaisance ; Ashqélon est déporté ; on s'est emparé de Guézer ; Yanoam est comme si elle n'était plus ; Israël est anéanti et n'a plus de semence. Le Harou* (nord de Canaan) *est en veuvage devant l'Égypte.*

(Lignes 26-27 ; trad. J. Briend.)

On a remarqué que les hiéroglyphes déterminatifs n'étaient pas les mêmes pour les trois villes et Israël. Celui des trois villes désigne des toponymes étrangers et des ethniques (un boomerang et une triple montagne). Mais celui d'Israël caractérise les populations non fixées dans une cité (un homme, une femme et les trois traits du pluriel). Il resterait à préciser le lieu de la rencontre entre Merneptah et cet « Israël ». Le texte de la Stèle montre une progression du contingent égyptien depuis la côte vers le nord-est : Ashqélon, Guézer, Yanoam. Les événements ont pu se dérouler dans le périmètre compris entre la montagne centrale, les abords du lac de Galilée, la vallée du Jourdain et même la Transjordanie. Les sources égyptiennes n'en disent pas plus. Cet « Israël » du XIIIe siècle ne peut pas représenter l'ensemble des tribus, mais seulement un groupe installé dans le pays, qui n'a donc probablement pas connu l'exode d'Égypte avec Moïse.

Le *Voyage de Wen-Amôn* date de cette époque. C'est le récit des mésaventures d'un ambassadeur chargé de ramener du bois pour construire la barque sacrée d'Amôn. Le fonctionnaire égyptien n'a plus aucune autorité devant le prince de Guébal (Byblos), ce qui en dit long sur la faiblesse internationale de l'Égypte. Le texte nous apprend que les Tjekker, un Peuple de la Mer inconnu de la Bible mais bien documenté dans les textes égyptiens, habitent la zone littorale de Dor.

La fin de l'Empire hittite (1230-1200)

Après le traité de 1284 avec l'Égypte, les Hittites doivent affronter la menace assyrienne : les incursions de Toukoulti-Ninourta Ier (1245-1208) à l'ouest de l'Euphrate. Des troubles intérieurs conduisent à l'assassinat du roi assyrien, et les Hittites se voient momentanément libérés sur leur frontière orientale. Toudhalia IV étend le royaume vers le nord-ouest et intègre le pays d'Assouwa (Asia à l'époque romaine : nom qui finira par désigner tout le continent à l'est de l'Europe).

Les causes de la disparition brutale de l'Empire hittite restent encore obscures. Toute documentation cesse complètement à la fin du XIIIe siècle, et les sites de Boghaz-Köy, Kultépé, Alaca, Alishar sont entièrement détruits. De la documentation en provenance de Boghaz-Köy, d'Égypte et d'Ougarit, on peut déduire que le Hatti a sombré pour des raisons économiques, peut-être victime d'un blocus. Plusieurs documents ougaritiques font état d'une menace maritime, de débarquements ennemis à Alashia (Chypre) et de la destruction des ports. Le Hatti disparaît alors, en même temps que son allié Ougarit. Selon une inscription de Ramsès III à Medinet-Habou, cette destruction serait imputable aux Peuples de la Mer. Il faut naturellement supposer d'autres facteurs, qui expliqueraient notamment la destruction systématique des sites à l'intérieur. L'hypothèse d'un séisme a été avancée.

L'Assyrie aux XIIe - XIe siècles

Sous le règne de Toukoulti-Ninourta Ier (1245-1208), l'Assyrie avait dominé très nettement Babylone, mais celle-ci tombe bientôt sous la domination des Cassites (1188-1157), puis des Élamites (1157-1133). L'Assyrie tire le meilleur parti des disparitions du royaume du Mitanni et de l'Empire hittite en se créant un débouché sur la Méditerranée.

Durant le dernier tiers du XIIe siècle, l'Assyrie et Babylone reprennent leurs luttes ancestrales.

Assour-resh-ishi (1133-1116) repousse les Babyloniens parvenus aux environs d'Arbèles en 1130. Il parvient à juguler deux tentatives de Nabuchodonosor Ier (1126-1105) et à contenir les troupes babyloniennes sur le moyen Euphrate. Mais il doit s'opposer aux pressions des nomades Ahlamou. De l'autre côté du territoire, à l'est, il fait campagne contre les peuplades du Zagros.

Téglat-Phalasar Ier (1115-1077) s'oppose à l'avancée des Mosques et contrôle tout le cours supérieur du Tigre. Il poursuit les campagnes dans les monts Zagros et jusqu'au lac de Van et au cours supérieur de l'Euphrate. Il doit ensuite affronter les Ahlamou répandus le long de l'Euphrate. Il prolonge sa campagne vers l'ouest jusqu'à la mer, et impose tribut à Guébal (Byblos), Sidon et Arvad. Il soumet ce qui reste du Hatti. Mais les textes indiquent le harcèlement constant dont l'Assyrie est l'objet de la part des Ahlamou pendant une quinzaine d'années. En 1090, Téglat-Phalasar Ier décide de se tourner contre Babylone. Après un échec, il réussit à l'atteindre en 1085. Mais, vers 1083-1082, les Ahlamou viennent assiéger Ninive et le roi doit se réfugier dans la montagne. Son successeur ne règne que deux années.

Assour-bêl-kala (1074-1057) reprend les campagnes dans le Nord. Mais, sous la menace des Ahlamou, il décide de mettre fin aux hostilités vis-à-vis de Babylone. Il installe sur le trône de Babylone un usurpateur, Adad-apla-iddina (1069-1048), dont la chronique néobabylonienne laisse percevoir l'origine araméenne*. Assour-bêl-kala épouse sa fille. Mais cette bonne entente retrouvée entre l'Assyrie et Babylone ne dure pas. En 1055, le fils d'Assour-bêl-kala, Eriba-Adad II (1056-1055), est détrôné et exilé en Babylonie par son oncle Adad-apla-iddina. Le flux du péril araméen est détourné vers Babylone où, sous le coup de la famine et des révoltes, le chaos s'installe progressivement. De 1025 à 940 Babylone restera pratiquement inactive dans l'histoire.

En Assyrie, six rois se succèdent, de 1050 à 935, dont certains connaissent une certaine longévité : Assournasirpal Ier (1050-1032) qui reconstruit des temples, Assour-rabi II (1013-973), Téglat-Phalasar II (967-935). Mais Assour-rabi II doit combattre les Ahlamou-Araméens sur le haut Euphrate. On constate donc que l'Assyrie n'exerce pas de pression durable à l'Ouest, mais qu'au contraire elle y subit celle des Araméens. Cette perte d'influence crée les conditions pour l'établissement de principautés araméennes entre Damas et l'Euphrate. Les envahisseurs araméens apparaissent pour la première fois dans les annales de Téglat-Phalasar Ier, assimilés aux Ahlamou connus depuis le XIVe siècle. Le mouvement de population des Ahlamou est connu par les Lettres d'El-Amarna [*voir* p. 134].

Le territoire de l'ancien empire hittite est occupé, à partir de 1200, par des populations louvites. À l'époque de Téglat-Phalasar Ier, un royaume louvite est constitué, dont la capitale est Karkémish. Le roi, Ini-Teshoub, porte un nom hourrite. Au Xe siècle, les Araméens commencent à attaquer en force ce royaume.

Canaan

De 1400 à 1300, Canaan nous est connu par les lettres d'El-Amarna et une stèle de Séthi Ier trouvée à Bet-Shân. Ces documents nous renseignent sur les rivalités qui existent entre cités phéniciennes, sur les menaces que font peser les Hapirou* sur les cités et la capacité égyptienne d'intervention en Asie.

Entre 1200 et 1000, le pays de Canaan va subir des mutations importantes. Il connaît encore une forte présence égyptienne de 1200 à 1150, bien attestée à Meguiddo, Bet-Shân, Guézer, Lakish, Tell el-Farah du Sud et Timna (mines de cuivre, près du golfe d'Aqaba). Cependant, cette présence se limite à la région côtière de la Méditerranée, en évitant d'ailleurs la zone philistine, et à l'accès à la mer Rouge par le Néguev.

Les différents Peuples de la Mer refoulés par l'Égypte s'établissent le long de la Méditerranée. On trouve les traces des Tjekker à Dor et celles des Philistins à Ashdod, Ashqelon, Tell Qasilé, et aussi à l'intérieur du pays : à Tell Miqné (Eqrôn ?), Guézer, Apheq, Tell Batash, Bet-Shemesh. D'autres peuples, qui demeurent inconnus, sont repérés à Meguiddo, Bet-Shân.

Les indices archéologiques d'une présence israélite demeurent douteux, ce qui ne signifie pas l'absence de ces populations sur le terrain. Il manque simplement le « traceur » qui serait un argument décisif ; tous ceux que l'on invoquait jusqu'à une époque récente : jarre à collier, maison à piliers ou maison à quatre pièces, culture en terrasse ont fait long feu. Les changements brutaux du type d'urbanisation, reconnus à Haçor ou à Dan, ne sont attribués à une présence israélite que par référence à la Bible. Il en va de même pour les nombreux petits sites qui ont été fondés presque simultanément dans les zones centrales qui correspondent aux territoires des tribus d'Éphraïm, Manassé et Benjamin. Des traces d'occupation comparables sont presque inexistantes au sud de Bethléem et dans la Shéphéla judéenne. On ne connaît guère,

DOCUMENT

LES LETTRES D'EL-AMARNA (1400-1350)

Tell El-Amarna se trouve à 300 km environ au sud du Caire, sur le site d'Akhétaton, ancienne capitale égyptienne fondée vers 1363 par Akhénaton / Aménophis IV. Les premières tablettes ont été découvertes en 1887, d'autres ont été trouvées lors des fouilles postérieures. La période couverte par cette correspondance est brève : trente ans au maximum, quinze ans peut-être, s'il n'y a pas eu corégence avant ou après le règne personnel d'Aménophis IV. Les archives commencent lors de la trentième année du règne d'Aménophis III, et cessent au plus tard en la troisième année du règne de Toutankhamon, avec l'abandon du site d'Akhétaton.

Le corpus d'El-Amarna comprend 382 tablettes, aujourd'hui dispersées entre différents musées. Un premier ensemble de 52 tablettes regroupe la correspondance des puissances étrangères : Babylone (1-14), Assyrie (15-16), Mitanni (17.19-30), Arzawa (31-32), Alashia (33-40), Hatti (41-44). Un second ensemble de 298 tablettes, regroupe la correspondance des vassaux de Syrie ou de Canaan. Cette correspondance nous renseigne sur la vie cananéenne : personnalités, sites, données administratives et problèmes posés aux autorités locales, en particulier la menace des Hapirou*, comme dans cet extrait d'une lettre d'Abdi-Hépa, roi de Jérusalem (*Ourousalim*), à Aménophis IV :

Au roi mon Seigneur dis : ainsi parle Abdi-Hépa, ton serviteur : je tombe sept fois et sept fois aux pieds de mon Seigneur. [...] Que le roi sache que tous les pays sont en paix, mais que contre moi c'est la guerre. Alors, que le roi s'occupe de son pays ! Vois, le pays de Gazrou (Guézer), le pays d'Ashqalouna (Ashqélon) et la ville de Lakish, ils leur ont donné de la nourriture, de l'huile et tout le nécessaire. Alors, que le roi envoie des troupes des soldats contre les hommes qui commettent une faute contre le roi mon Seigneur ! [...] Vois, ce pays d'Ourousalim, ce n'est ni mon père ni ma mère qui me l'ont donné ; c'est la main forte du roi qui me l'a donné. Vois, ce qui se passe est le fait de Milkilou et le fait des fils de Labayou, qui ont donné le pays du roi aux Hapirou. Vois, ô roi, mon Seigneur, le bon droit est pour moi ! [...] Le roi a établi son nom pour toujours dans le pays d'Ourousalim ; alors il ne peut pas l'abandonner !

(N° 287 ; trad. M.-J. Seux.)

comme sites occupés en Juda, que Hébron, Bet-Sour, Tell Bet-Mirsim (Debir) et Guilo et, plus au sud, Béer-Shéba, Tell Masos, Tell Esdar, ne montrent qu'un type d'occupation très modeste. En Transjordanie, seul le Galaad connaît une occupation comparable à celle de la montagne centrale.

L'affaiblissement des grandes puissances qui commandent l'histoire du Proche-Orient : Égypte, Hatti, Assyrie, permet à des populations plus limitées en espace et en ressources d'affirmer leurs prétentions à jouer un rôle qui ne peut être que provisoire ou limité. C'est le cas d'Israël, mais aussi de ses voisins : Araméens, Phéniciens, Philistins, Édomites, Ammonites, Moabites, petites puissances souvent rivales, épisodiquement liées par des alliances, chacune connaissant tour à tour grandeur et décadence.

D. N.

L'exode

La naissance d'Israël

Le mot grec *ex-odos* signifie « route de sortie » ; dans la Bible en grec, la Septante*, c'est le titre du deuxième livre de Moïse (après la Genèse), qui rapporte la sortie d'Égypte. Mais le mot « exode » (avec une minuscule) désigne aussi l'ensemble des événements fondateurs : non seulement la nuit du départ et le passage de la mer Rouge, mais encore toute la marche au désert, avec le don de la Loi et l'Alliance* au Sinaï, jusqu'à la mort de Moïse. Ces événements sont rapportés dans le livre de l'*Exode* (avec une majuscule), mais aussi dans ceux des *Nombres* et du *Deutéronome*. Ils contiennent, ainsi que le *Lévitique*, les diverses lois mises sous le patronage de Moïse.

La sortie d'Égypte

Dans la tradition biblique, la sortie d'Égypte constitue l'événement fondateur d'Israël ; par exemple, le texte célèbre du décalogue* – les Dix paroles – commence ainsi : « C'est moi le Seigneur ton Dieu, qui t'ai fait sortir d'Égypte, de la maison d'esclavage » (Ex 20,2). Cent quarante fois dans l'Ancien Testament revient une formule analogue ; ainsi dans les oracles du prophète* Amos, les plus anciens de tous (vers 750) : « Je vous avais fait monter du pays d'Égypte et pendant quarante ans menés dans le désert… » (Am 2,10 ; voir 3,1 ; 9,7).

Les récits du début du livre de l'Exode évoquent la servitude des Israélites en Égypte. Les hommes ont été réquisitionnés sur les grands chantiers, notamment ceux de la ville-entrepôt de Pi-Ramsès, attestée en Ex 1,11. Cet éloignement durable de leur région, « la terre de Goshèn » (au nord-est du Sinaï), expliquerait bien la chute de natalité qui compromet l'avenir des Israélites. Ceux-ci sont appelés « Hébreux* » par les Égyptiens ; or ce nom ressemble fort à celui de

Habirou ou Hapirou*, qui désigne les mercenaires et les esclaves sémites employés en Égypte, et même des pillards venus de l'Est. Pour les Égyptiens, les Israélites seraient l'un de ces groupes de Hapirou, difficiles à intégrer et à contrôler. Sur le cadre historique de l'exode, voir p. 144.

Les récits bibliques dramatisent la libération des Israélites avec le récit des dix « plaies* d'Égypte » : dix fléaux naturels envoyés par Dieu pour forcer le pharaon à laisser partir les Israélites. Le dixième est le plus terrible : c'est la mort de tous les premiers-nés égyptiens (Ex 12,29-32). Les traditions sur le départ sont complexes : elles parlent tantôt d'une *expulsion* des Israélites, tenus pour responsables de ces fléaux, tantôt d'une *fuite* nocturne, qui entraîne une poursuite par l'armée égyptienne.

Le récit central de la sortie d'Égypte est celui du passage de la mer des Roseaux, ou des Joncs – en grec la mer Rouge –, où l'intervention de Dieu est manifeste aux yeux des Israélites (Ex 14). Le texte parle à la fois de causes naturelles (un fort vent d'est qui assèche des marais) et de prodiges inouïs (la mer fendue en deux pour laisser passer les Israélites). Ce texte est avant tout une profession de foi au Dieu sauveur ; son importance explique qu'il ait reçu plusieurs relectures successives, au fur et à mesure de la formation du Pentateuque [*voir* p. 142].

Le miracle de la Mer (Exode 14)

Les fils d'Israël levèrent les yeux, et voici que les Égyptiens les poursuivaient. Les Israélites eurent grand-peur et crièrent vers le SEIGNEUR. Ils dirent à Moïse : « [...] Ne te disions-nous pas en Égypte : Laisse-nous servir les Égyptiens, car mieux vaut pour nous servir les Égyptiens que de mourir dans le désert ? » Moïse dit au peuple : « Ne craignez pas ! Tenez ferme et vous verrez ce que le SEIGNEUR va faire pour vous sauver aujourd'hui [...]. Le SEIGNEUR combattra pour vous ; vous, vous n'aurez qu'à rester tranquilles. »

Le SEIGNEUR dit à Moïse : « [...] Toi, lève ton bâton, étends ta main sur la mer et fends-la : que les Israélites puissent pénétrer à pied sec au milieu de la mer. Moi, j'endurcirai le cœur des Égyptiens, ils pénétreront à leur suite et je me glorifierai aux dépens de Pharaon, de toute son armée, de ses chars et de ses cavaliers. Les Égyptiens sauront que je suis le SEIGNEUR quand je me serai glorifié aux dépens de Pharaon, de ses chars et de ses cavaliers. »

Moïse étendit la main sur la mer et le SEIGNEUR refoula la mer toute la nuit par un fort vent d'est ; il mit la mer à sec et toutes les eaux se fendirent. Les Israélites pénétrèrent à pied sec au milieu de la mer, et les eaux leur formaient une muraille à droite et à gauche. Les Égyptiens les poursuivirent, et tous les chevaux de Pharaon, ses chars et ses cavaliers pénétrèrent à leur suite au milieu de la mer. À la veille du matin, le SEIGNEUR *regarda de la colonne de feu et de nuée vers le camp des Égyptiens, et jeta la confusion dans le camp des Égyptiens. Il enraya les roues de leurs chars qui n'avançaient plus qu'à grand-peine. Les Égyptiens dirent : « Fuyons devant Israël, car le* SEIGNEUR *combat avec eux contre les Égyptiens ! »*

Le SEIGNEUR *dit à Moïse : « Étends ta main sur la mer, que les eaux refluent sur les Égyptiens, sur leurs chars et sur leurs cavaliers. » Moïse étendit la main sur la mer et, au point du jour, la mer rentra dans son lit. Les Égyptiens en fuyant la rencontrèrent, et le Seigneur culbuta les Égyptiens au milieu de la mer. […] Ce jour-là le* SEIGNEUR *sauva Israël des mains des Égyptiens, et Israël vit les Égyptiens morts au bord de la mer. Israël vit la prouesse accomplie par le* SEIGNEUR *contre les Égyptiens. Le peuple craignit le* SEIGNEUR, *il crut dans le* SEIGNEUR *et en Moïse son serviteur.* (Ex 14,10-18.21-27.30-31)

La première Pâque

Le récit de la nuit du départ se mêle à plusieurs reprises au rituel de la fête de la Pâque (*Pessah*) qui chaque année doit commémorer cette première libération d'Israël (Ex 12–13). Ce rituel comprend en fait deux rites distincts célébrés au début du printemps : le rite de l'agneau pascal et celui des pains azymes, c'est-à-dire sans levain.

Voici le rituel de la Pâque :

« Le dix de ce mois (de Nisan), que chacun prenne une tête de petit bétail par famille […]. Ce sera un mâle sans tare, âgé d'un an. Vous la choisirez parmi les moutons ou les chèvres. Vous la garderez jusqu'au quatorzième jour de ce mois, et toute l'assemblée de la communauté d'Israël l'égorgera au crépuscule. On prendra de son sang et on en mettra sur les deux montants et le linteau des maisons où on le mangera. Cette nuit-là, on mangera la chair rôtie au feu ; on la mangera avec des (pains) azymes et des herbes amères. […] C'est ainsi que vous la mangerez : vos reins ceints, vos sandales aux pieds et votre bâton en main. Vous la mangerez en toute hâte, c'est une pâque pour le SEIGNEUR. *Cette nuit-là je parcourrai l'Égypte et je frapperai tous les premiers-nés dans le pays d'Égypte, tant hommes que bêtes. […] Le sang sera pour vous un signe sur les maisons où vous vous tenez. En voyant ce signe, je passerai outre et vous échapperez au fléau destructeur. »* (Ex 12,3-8.11-13)

À la première pleine lune de printemps, juste avant le départ en transhumance, les bergers offraient en sacrifice *un agneau ou un chevreau* d'un an ; son sang, mis sur les montants des portes, devait éloigner les esprits malfaisants et protéger le clan et son troupeau pendant ses déplacements (Ex 12,1-14).

Quant au rite des *pains azymes* (*maççot*), il appartient plutôt aux agriculteurs de Canaan. Dès que la nouvelle orge est récoltée (mars / avril), pendant une semaine on ne mange que du pain fait avec la nouvelle farine, sans y mettre de ferment (Ex 12,17-20). C'est un rite de renouveau lié au printemps. Ce pain sans saveur rappelle symboliquement le « pain de misère » que mangeaient les Hébreux esclaves en Égypte. Les deux rites, qui tombaient à peu près aux mêmes dates, ont finalement été réunis : la Pâque est devenue le premier jour de la semaine des Azymes. Depuis la destruction du Temple de Jérusalem en 70 de notre ère, plus aucun sacrifice animal n'est possible et le repas pascal juif (*sèdèr*) se déroule désormais sans agneau rôti, uniquement avec des pains azymes (*maççôt*) et des herbes amères.

Un dernier rite est rattaché au récit de la Pâque : celui du *rachat des premiers-nés* (Ex 13,11-15). Tout premier-né mâle bovin, ovin ou caprin doit être sacrifié, c'est-à-dire offert à Dieu ; ce geste exprime la conviction que toute vie appartient à Dieu, en particulier les prémices*. Quant aux garçons premiers-nés, ils doivent être rachetés* : on sacrifie un animal à leur place. C'est l'un des sens du célèbre récit du sacrifice d'Abraham (Gn 22, voir p. 94) ; parce que Dieu refuse tout sacrifice humain, Abraham a offert un bélier à la place d'Isaac.

La marche au désert

Les récits sur la traversée du désert, entre l'Égypte et Canaan, commencent en Exode 15,22 et s'achèvent pratiquement à la fin du livre des Nombres. Mais ils sont interrompus par les récits et les lois de l'Alliance au Sinaï (Ex 19–31 et 35–40 ; tout le Lévitique ; enfin Nombres 1–11). Les récits du désert sont tous construits autour de deux thèmes essentiels : Dieu fait vivre son peuple, mais celui-ci lui fait difficilement confiance. Souvent ces deux thèmes sont liés : Israël « murmure » contre Dieu ou contre Moïse ; il se plaint, critique et se révolte car il a soif, il a faim, il a peur. Moïse intercède pour lui et Dieu répond en donnant ce qu'il faut pour vivre : la manne (Ex 16), l'eau vive (Ex 15,22-27 ; 17,1-7 ; Nb 20,1-13) ou la sécurité (Ex 17, 8-16).

Mais plusieurs de ces récits rapportent aussi des jugements et des châtiments : soit contre les rebelles qui contestent l'autorité de Moïse, comme Coré, Datan et Abiram (Nb 16) ou comme Miryam, la propre sœur de Moïse (Nb 12), soit contre tout le peuple qui a osé représenter son Dieu comme un veau d'or (Ex 32). Dans ce dernier cas, Moïse doit intercéder pour obtenir le pardon du peuple (Ex 32,30-34) et le renouvellement de l'alliance (Ex 33–34).

La marche au désert amène finalement les Israélites face aux peuples de Canaan. Moïse envoie des espions pour observer le pays (Nb 13) mais, de nouveau, le peuple cède à la peur et refuse de faire confiance à Dieu (Nb 14). Les relations avec les peuples voisins deviennent difficiles (Nb 20–25). Quelques Psaumes rappellent toute cette marche au désert et méditent sur l'ingratitude d'Israël, face à la bonté inlassable du Seigneur (Ps 78 ; 106). Si bien que le désert gardera dans la tradition un double visage : soit le lieu idyllique de l'alliance et des dix miracles, soit le lieu d'épreuve et d'infidélité.

REPÈRE

LE DÉSERT : IDÉAL OU CHÂTIMENT ?

La Bible parle du désert de deux manières opposées : tantôt c'est le lieu idéal où Israël a vécu seul avec son Dieu et a conclu l'alliance ; tantôt c'est un lieu de châtiment où la vie est menacée, voire impossible, sans espérance. En fait, le désert n'est pas un lieu de vie durable ; pour les Israélites sortant d'Égypte, il s'agissait de le traverser pour gagner la Terre promise, Canaan. Le temps du désert – 40 ans, la durée symbolique d'une génération – fut pour Israël un temps d'épreuve :

Souviens-toi de tout le chemin que le SEIGNEUR ton Dieu t'a fait faire pendant quarante ans dans le désert, afin de t'humilier, de t'éprouver et de connaître le fond de ton cœur : allais-tu ou non garder ses commandements ? Il t'a humilié, il t'a fait sentir la faim, il t'a donné à manger la manne [...] pour te montrer que l'homme ne vit pas seulement de pain, mais que l'homme vit de tout ce qui sort de la bouche du SEIGNEUR. [...] Comprends donc que le SEIGNEUR te corrigeait comme un père corrige son enfant. (Dt 8,2-5)

Certes, l'Alliance fut comme les épousailles de Dieu et d'Israël : « Je me rappelle l'affection de ta jeunesse, l'amour de tes fiançailles, alors que tu marchais derrière moi au désert, dans une terre qui n'est pas ensemencée. Israël était une part sainte pour le SEIGNEUR, les prémices de sa récolte » (Jr 2,2-3). Mais les récits attestent que l'épouse s'est souvent montrée infidèle : la faim, la soif et la peur ont provoqué ses « murmures » contre son Dieu, car elle n'a pas su lui faire confiance au jour le jour. D'où les reproches : « N'endurcissez pas vos cœurs comme à Meriba (le miracle de l'eau) où vos pères m'éprouvaient, me tentaient, alors qu'ils me voyaient agir ! Quarante ans, cette génération m'a dégoûté. » (Ps 95,8-10)

Le prophète Osée criera un jour la souffrance et la colère de Dieu à cause de son épouse infidèle :

Elle n'est pas ma femme, et moi je ne suis pas son mari [...]. Je la déshabillerai toute nue, je la rendrai pareille au désert, je la réduirai en terre aride, je la ferai mourir de soif. [...] Elle courait après ses amants, et moi, elle m'oubliait ! – oracle du SEIGNEUR. [...] C'est pourquoi je vais la séduire, je la conduirai au désert et je parlerai à son coeur [...] Là, elle répondra comme aux jours de sa jeunesse, comme au jour où elle montait du pays d'Égypte.* (Os 2,4-5.15-17)

L'Alliance au Sinaï

Le lieu de l'Alliance* est appelé « montagne de Dieu », « Sinaï » ou « Horeb », ce qui atteste encore la pluralité des traditions anciennes sur l'exode. Mais Israël n'a gardé le souvenir d'aucun lieu précis en dehors de son territoire ; le temple de Jérusalem a en quelque sorte remplacé tous les autres lieux où Dieu s'était manifesté aux ancêtres. C'est seulement au IVe siècle de notre ère que les chrétiens d'Égypte ont localisé la montagne de l'Alliance au mont Moïse (*Djebel Moussa*), au-dessus du monastère Sainte-Catherine, dans le massif granitique au sud du Sinaï.

Le récit de l'Exode est centré sur la célébration de l'Alliance au Sinaï (Ex 19–24). L'importance du personnage Moïse tient à ce rôle de médiateur entre Dieu et Israël. Après une préparation de trois jours, et dans le cadre d'une grandiose théophanie*, une manifestation de Dieu à travers le feu, la nuée et l'orage, Moïse est appelé au sommet, pour s'approcher de lui :

Le troisième jour, dès le matin, il y eut des coups de tonnerre, des éclairs et une épaisse nuée sur la montagne, ainsi qu'un très puissant son de trompe et, dans le camp, tout le peuple trembla. Moïse fit sortir le peuple du camp, à la rencontre de Dieu, et ils se tinrent en bas de la montagne. Or la montagne du Sinaï était toute fumante, parce que le SEIGNEUR y était descendu dans le feu ; la fumée s'en élevait comme d'une fournaise et toute la montagne tremblait violemment. Le son de trompe allait en s'amplifiant ; Moïse parlait et Dieu lui répondait dans le tonnerre. (Ex 19,16-19)

Cette rencontre est le cadre de la révélation du décalogue, les Dix paroles de Dieu (Ex 20), que Moïse transmet au peuple avant de lui demander son engagement dans l'Alliance.

Moïse écrivit toutes les paroles du SEIGNEUR ; il se leva de bon matin et bâtit un autel au bas de la montagne, avec douze stèles pour les douze tribus d'Israël. Puis il envoya les jeunes gens d'Israël ; ceux-ci offrirent des holocaustes et sacrifièrent des taureaux au SEIGNEUR comme sacrifices de paix. Moïse prit la moitié du sang et la mit dans les coupes ; avec le reste du sang, il aspergea l'autel. Il prit le livre de l'alliance et en fit lecture au peuple. Celui-ci dit : « Tout ce que le SEIGNEUR a dit, nous le mettrons en pratique, nous l'entendrons. » Moïse prit le sang, en aspergea le peuple et dit : « Voici le sang de l'alliance que le SEIGNEUR a conclue avec vous, sur la base de toutes ces paroles. »* (Ex 24,4-8)

Ce rituel du sang exprime la volonté de se lier définitivement ; désormais la vie d'Israël dépend de son Dieu, de sa fidélité à l'Alliance.

Si cette conviction remonte bien aux origines d'Israël et s'est exprimée dans les anciens sanctuaires, les récits de l'exode ne datent probablement pas d'une si haute époque. La théologie de l'Alliance semble s'être développée surtout au temps des prophètes, au VIIIe siècle. notamment, comme on le voit chez le prophète Osée [*voir* p. 293].

Le décalogue : les Dix Paroles

2 « Je suis le SEIGNEUR, ton Dieu, qui t'ai fait sortir du pays d'Égypte, de la maison de servitude.

3 Tu n'auras pas d'autres dieux devant moi. Tu ne te feras aucune image sculptée, rien qui ressemble à ce qui est dans les cieux, là-haut, ou sur la terre, ici-bas, ou dans les eaux au-dessous de la terre. Tu ne te prosterneras pas devant ces dieux et tu ne les serviras pas, car moi le SEIGNEUR, ton Dieu, je suis un Dieu jaloux [...].

7 Tu ne prononceras pas le nom du SEIGNEUR, ton Dieu, à faux, car le SEIGNEUR ne laisse pas impuni celui qui prononce son nom à faux.

8 Tu te souviendras du jour du sabbat pour le sanctifier. Pendant six jours tu travailleras et tu feras tout ton ouvrage ; mais le septième jour est un sabbat pour le SEIGNEUR, ton Dieu. Tu ne feras aucun ouvrage, toi, ni ton fils, ni ta fille, ni ton serviteur, ni ta servante, ni tes bêtes, ni l'étranger qui est dans tes portes. Car en six jours le SEIGNEUR a fait le ciel, la terre, la mer et tout ce qu'ils contiennent, mais il s'est reposé le septième jour, c'est pourquoi le SEIGNEUR a béni le jour du sabbat et l'a consacré.

12 Honore ton père et ta mère, afin que se prolongent tes jours sur la terre que te donne le SEIGNEUR, ton Dieu.

13 Tu ne tueras pas.

14 Tu ne commettras pas d'adultère.

15 Tu ne voleras pas.

16 Tu ne porteras pas de témoignage mensonger contre ton prochain.

17 Tu ne convoiteras pas la maison de ton prochain. Tu ne convoiteras pas la femme de ton prochain, ni son serviteur, ni sa servante, ni son bœuf, ni son âne, rien de ce qui est à ton prochain. »

(Ex 20,2-17.)

Le décalogue n'est pas un règlement impersonnel, mais la charte que Dieu donne à son peuple après l'avoir libéré (v.2), pour qu'il reste libre et ne s'autodétruise pas. Deux règles sont essentielles pour assurer à la fois l'alliance avec Dieu et des relations sociales vraiment humaines : le respect du Dieu unique et le respect du prochain sous toutes ses formes. En effet, les deux parties du décalogue, souvent appelées « les deux tables », concernent à la fois la relation avec Dieu (1re table, v.2-11) et celles avec le prochain (2e table, v.12-17).

Huit de ces dix paroles sont des interdits : ils mettent une limite à la liberté de chacun, là où précisément il ferait du mal à d'autres et à lui-même. Les paroles de la première table sont propres à Israël, peuple libéré d'Égypte : son Dieu est unique, sans images possibles ; il demande le jour du sabbat*. Ceux de la seconde table, au contraire, constituent les exigences éthiques nécessaires à tout groupe social digne de ce nom. Une autre version du décalogue est donnée en Deutéronome 5, 7-21, où le sabbat est fondé sur la libération d'Égypte et non plus sur la création.

Les Dix Paroles se sont pas comptées de la même manière dans toutes les traditions croyantes. Pour les Juifs, la première parole de Dieu n'est pas un commandement, mais elle les fonde tous sur la libération d'Égypte. Pour les catholiques, seuls sont comptés les commandements, à partir de la deuxième parole, et la dernière est dédoublée.

REPÈRE

LES TRADITIONS DU PENTATEUQUE

Manifestement les cinq livres du Pentateuque rassemblent des textes disparates, d'époques et de théologies différentes. On distingue aisément cinq grands ensembles narratifs : les origines de l'humanité (Gn 1–11) ; les patriarches (Gn 12–50) ; la captivité en Égypte et la libération (Ex 1 – 15,21) ; le séjour au désert (Ex 15,22 – 18 et Nb 11 – 22,1) et l'Alliance au Sinaï (Ex 19–24). À ces cinq ensembles narratifs s'ajoutent trois codes de lois principaux : le code de l'Alliance (Ex 21,22 – 23,19) ; le code de Sainteté (Lv 17–26) ; le code deutéronomique (Dt 12–26).

Depuis plus d'un siècle, les exégètes* ont proposé des théories pour rendre compte de cette pluralité des traditions présentes dans le Pentateuque. Jusque dans les années 1970, un certain consensus s'était fait autour de la « théorie documentaire », selon laquelle le Pentateuque résulte de la fusion de quatre documents ou traditions : deux anciennes, l'une du royaume de Juda, le *Yahviste** (xe s.), l'autre du royaume d'Israël, l'*Élohiste** (viiie s.), puis la tradition formant le *Deutéronome* (vii-vie s.), enfin la tradition *Sacerdotale*, qui agence les trois précédentes et les complète (vi-ve s.).

Mais ce consensus – qui apparaît encore dans les introductions et les notes de bien des bibles – est actuellement dépassé. Les deux traditions anciennes ne semblent guère antérieures au viie s. Après l'Exil on constate surtout l'existence de deux traditions concurrentes : la tradition *sacerdotale*, œuvre des prêtres de Jérusalem et la tradition *deutéronomiste*, liée aux milieux prophétiques, qui a produit le Deutéronome, mais a aussi inspiré les livres historiques de Josué à 2 Rois. Le Pentateuque actuel semble avoir été fixé vers 400, probablement par Esdras. Voir une présentation plus développée de la question, p. 146-149.

Les lois de Moïse

Le récit de la théophanie au Sinaï a manifestement été coupé en deux pour servir d'écrin prestigieux au décalogue, les Dix Paroles (Ex 20,1-17). Puis de nouveau le récit s'interrompt pour laisser place à un premier code législatif, le *code de l'Alliance* (20,22 – 23,19), qui précède la célébration rituelle de l'Alliance (Ex 24,1-11). Ce mélange de récits et de lois se poursuit dans la suite du livre et dans celui des Nombres. La tradition biblique a rassemblé presque toutes les lois d'Israël dans ce cadre narratif du séjour au Sinaï, notamment toutes les règles des prêtres* de Jérusalem concernant le temple et le culte (Ex 25–31 et 35–40 ; Lv ; Nb 1–11). Le Lévitique contient un autre code de lois morales et cultuelles mêlées, d'origine sacerdotale, c'est la *Loi de sainteté,* appelée ainsi car nombre de ses préceptes sont ainsi motivés : « Soyez saints, car moi, le Seigneur, je suis saint. » Enfin le Deutéronome est censé rapporter les discours et lois que Moïse enseigne juste avant sa mort et l'entrée du peuple en Canaan. Ce cinquième livre contient également le *code deutéronomique* (Dt 12–27).

Ces lois sont de provenance et d'époques diverses ; le *code de l'Alliance* contient les plus anciennes lois, dont certaines antérieures à

DOCUMENT

LE CODE DE HAMMOURABI

Bien des lois d'Israël ont des ressemblances avec des codes de lois de l'Ancien Orient, notamment avec le plus célèbre : le Code de Hammourabi, roi de Babylone (1792-1750), dont voici quelques extraits. On remarquera qu'à la différence de la Bible, les sanctions varient selon les classes sociales, et que la peine de mort est assez fréquente. Pourtant, malgré sa brutalité, le Code cherche à protéger les droits des personnes. Il n'est pas révélé par une divinité, mais bien l'œuvre du roi.

« C'est moi, Hammourabi, prince zélé qui craint les dieux, qui fait apparaître la justice dans le pays, qui anéantit le méchant et le mauvais, pour que le fort n'opprime pas le faible... Je suis Hammourabi, roi de justice, à qui Shamash (dieu de la justice) a octroyé la vérité.

8 - Si quelqu'un a volé un bœuf ou un mouton ou un âne ou un porc ou un bateau, que ce soit celui d'un dieu (temple) ou du palais, il restituera trente fois ; si c'est celui d'un homme du peuple, il restituera dix fois. Si le voleur n'a pas de quoi restituer, il sera mis à mort.

16 - Si quelqu'un a caché dans sa maison un ou une esclave en fuite, ce maître de maison sera mis à mort.

127 - Si quelqu'un a fait montrer du doigt l'épouse de quelqu'un sans rien prouver, on battra cet homme devant les juges et on lui rasera la moitié de la chevelure.

138 - Si quelqu'un répudie sa première femme qui ne lui a pas mis au monde d'enfant, il lui donnera une somme d'argent équivalente à son prix.

196 - Si quelqu'un a crevé l'œil à un notable, on lui crèvera un œil. S'il a crevé un œil à un homme du peuple, il payera une mine d'argent. S'il a crevé un œil à l'esclave de quelqu'un, il payera la moitié de son prix d'achat. »

(Trad. M.-J. Seux.)

la royauté [*voir* p. 156] ; le *code deutéronomique* provient des milieux prophétiques d'avant l'Exil (587), et il a été complété pendant l'Exil [*voir* p. 157]. Quant à la *Loi de sainteté*, elle reflète des traditions anciennes, mais rédigées seulement lors de l'Exil [*voir* p. 158]. Le respect de la tradition a poussé les prêtres responsables du Temple, après l'Exil, à garder ces trois codes côte à côte, malgré de nombreuses répétitions et même certaines incohérences. Or la plupart de ces lois sont introduites par la formule : « Le Seigneur dit à Moïse : Parle aux fils d'Israël et dis-leur… » Israël a la conviction que toutes ses lois ne font que développer la révélation initiale reçue par Moïse ; toutes contribuent à faire vivre le peuple dans l'Alliance conclue par Moïse. Quelles que soient leurs origines, toutes les lois sont reçues comme des paroles de Dieu.

L'exode et l'histoire

L'événement fondateur d'Israël a-t-il laissé des traces dans l'histoire égyptienne ? Aucune. Inversement, les récits bibliques permettent-ils d'identifier le pharaon de l'exode ? Pas vraiment. « Pharaon » y est utilisé comme un nom propre, alors que c'est un titre royal qui signifie « grande maison » (*per aa*). Deux pharaons sont souvent évoqués par les biblistes : Ramsès II et Merneptah. En effet, le texte d'Ex 1,11 affirme que les Hébreux ont travaillé à la construction de la ville-entrepôt de (Pi-)Ramsès, œuvre du pharaon Ramsès II (1304-1238), sur le bras oriental du delta du Nil (= Avaris, Qantir ; aujourd'hui Tell el-Daba). Quant à son fils Merneptah (1238-1209), la stèle qui vante sa victoire sur les Libyens nomme Israël comme un groupe non sédentaire en Canaan, aux alentours de 1233 [*voir* p. 130]. Ces deux indices ne suffisent pas à dater l'exode ; du moins donnent-ils une certaine vraisemblance à un exode dans la seconde moitié du XIIIe s. Les récits bibliques gardent bien quelques traces d'un séjour des Israélites en Égypte, à commencer par le nom égyptien de Moïse, *Moshèh* (en égyptien *Msès*, comme dans Ra-msès) et l'appellation d'Hébreux, donnée par les Égyptiens aux sémites du Sinaï et de Canaan.

On peut aussi se demander s'il n'y a pas eu plusieurs exodes, plusieurs départs d'Israélites : les uns fuyant les corvées égyptiennes ; les autres, au contraire, chassés comme étrangers indésirables. La question de la géographie de l'exode irait plutôt en ce sens, car les textes bibliques proposent, semble-t-il, deux itinéraires différents : l'un par le nord du Sinaï (l'exode-expulsion ?), par la route normale contrôlée par des fortins égyptiens, et l'autre par les montagnes du Sud-Sinaï (l'exode-fuite ?). Une notice explique d'ailleurs pourquoi Dieu ne conduisit pas son peuple par la « route du pays des Philistins, bien

REPÈRE

Le Dieu sauveur

L'exode est l'événement fondateur du peuple d'Israël : toute la tradition biblique le regarde comme la première expérience collective de salut ou, plus précisément, comme la première manifestation du Dieu d'Israël comme sauveur. Le récit des dix fléaux infligés à l'Égypte interprète diverses calamités comme une action de Dieu contre l'Égypte. Et le récit du passage de la mer des Roseaux, qui en est l'aboutissement, se conclut ainsi : « Ce jour-là le SEIGNEUR sauva Israël des mains des Égyptiens. [...] Le peuple craignit le SEIGNEUR, il crut dans le SEIGNEUR et en Moïse son serviteur » (Ex 14,30-31). Israël se reconnaît sauvé par son Dieu ; c'est pourquoi il accepte de vivre dans son Alliance, en suivant sa loi.

Au fil des siècles, comme pendant la marche au désert, Israël fera souvent l'expérience du salut ; il connaîtra en effet de nombreuses situations pénibles, notamment la domination des peuples voisins, au temps des Juges*, jusqu'aux dominations des grands empires : Assyriens, Babyloniens, Perses, Grecs et Romains. L'Exil en Babylonie, au VIe siècle, sera l'expérience la plus forte : toutes les élites sont déportées, Jérusalem et son Temple sont en ruine ; on se dit : « Nos os sont desséchés, notre espérance est détruite, c'en est fait de nous », mais le prophète Ézéchiel répond, au nom de Dieu : « Je vais vous faire remonter de vos tombeaux, mon peuple, et je vous ramènerai sur le sol d'Israël. [...] Je mettrai mon esprit en vous et vous vivrez, et vous saurez que moi, le SEIGNEUR, j'ai parlé et je fais, oracle du SEIGNEUR » (Ez 37,11.14).

À la même époque, un prophète annonce que le retour des exilés de Babylonie sera un nouvel exode, encore plus extraordinaire que la libération d'Égypte autrefois : « Voici venir des jours où l'on ne dira plus : Le SEIGNEUR est vivant, qui a fait monter les Israélites du pays d'Égypte ! mais : Le SEIGNEUR est vivant, qui a fait monter les Israélites des pays du Nord et de tous les pays où il les avait dispersés ! » (Jr 16,14-15).

Nombreux sont les noms propres qui proclament que le Seigneur est le sauveur de son peuple ; parmi les personnages les plus connus, citons Josué (*Yoshua*), Élisée (*Elisha*), Osée (*Hoshéa*) et Isaïe (*Yeshayah*). Le nom de Jésus est la forme grecque de Josué ; ce nom est indiqué à Joseph : « (Marie) enfantera un fils auquel tu donneras le nom de *Jésus*, car il *sauvera* son peuple de ses péchés » (Mt 1,21). Effectivement, pour annoncer la venue du Règne de Dieu, Jésus donnera des signes concrets de salut et de libération en guérissant des malades et des infirmes.

qu'elle fût plus proche », mais par « la route du désert de la mer des Roseaux » (Ex 13,17-18). Dans les récits de la traversée du désert, un seul nom de lieu est assuré : l'oasis de Qadèsh (Cadès-Barnéa : Nb 20), qui sera plus tard la limite sud du royaume de David-Salomon.

Le récit du passage de la Mer est avant tout un récit épique à la louange du Dieu sauveur d'Israël. Il est fort possible que les Hébreux aient pu traverser à pied les marais du lac Timsah alors que les chars égyptiens s'y embourbaient. Mais l'essentiel est l'interprétation donnée à cet événement clé par ceux qui l'ont vécu : grâce à l'intervention de leur Dieu, vainqueur de Pharaon, les Israélites ont pu quitter l'Égypte et retrouver au désert leur liberté.

P. GR.

Les livres de la Loi : Exode, Lévitique, Nombres, Deutéronome

Après avoir parcouru l'ensemble des principaux événements de l'Exode : la sortie d'Égypte, le séjour au désert, l'Alliance et la Loi, il est maintenant nécessaire d'aborder les livres eux-mêmes qui contiennent tous ces récits et ces lois. Pour les différencier de la Genèse, avec laquelle ils forment le Pentateuque, on peut les appeler les Livres de la Loi ; ce sont l'Exode, le Lévitique, les Nombres et le Deutéronome.

Le mot « loi », qui traduit souvent en français le mot hébreu *tora**, est insuffisant pour rendre compte de la diversité et de la complexité du contenu des livres de l'Exode, du Lévitique, des Nombres et du Deutéronome. Déjà, les traducteurs grecs de la Septante*, en traduisant *tora* par *nomos*, loi, avaient laissé de côté la dimension narrative de certains de ces livres bibliques : en effet, si le livre du Lévitique est presque exclusivement législatif, en revanche les récits occupent une part non négligeable des livres de l'Exode et des Nombres. C'est également par un discours de Moïse retraçant l'histoire du peuple d'Israël que s'ouvre le livre du Deutéronome. Il est donc important de comprendre la relation qu'entretiennent récits et lois, avant d'envisager le contenu proprement législatif de ces quatre livres bibliques.

Mais auparavant il est nécessaire de présenter la question de la formation du Pentateuque, qui conditionne largement la compréhension des textes et qui connaît une évolution importante depuis les années 1970-1980.

La formation du Pentateuque

Les résultats de la recherche exégétique concernant le Pentateuque ont connu une assez remarquable stabilité pendant les trois premiers quarts du XXe siècle. Les études se concentraient sur l'histoire de la composition du texte, proposant une approche exclusivement diachronique du corpus biblique : sa formation au fil des siècles. Les différents auteurs étaient parvenus à un consensus connu sous le nom de *théorie documentaire.* C'est l'approche synchronique des textes – leur étude dans leur état actuel – qui a conduit à mettre en question les conclusions de la théorie documentaire et renouvelé les études concernant le Pentateuque.

La théorie documentaire

La notion de théorie documentaire est souvent rattachée au nom de Julius Wellhausen, qui en pose les bases à la fin du XIXe siècle : le Pentateuque résulterait de la « fusion » de documents littéraires écrits, composés du Xᵉ au VIᵉ siècle avant notre ère. Chaque document est une œuvre littéraire autonome qui provient d'un écrivain unique ou d'un groupe d'auteurs, document réalisé à une époque donnée à partir d'un matériel littéraire préexistant : traditions orales ou écrites. Rappelons qu'on appelle *tradition* un contenu oral ou écrit transmis d'une génération à une autre, d'un groupe à un autre.

On distingue quatre documents dont la fusion aurait conduit à la formation du texte définitif, canonique, du Pentateuque :

1. Le document *yahviste** (J, en allemand *Jahvist*) date du début de l'époque royale (Xᵉ siècle). Le Yahviste serait un écrivain du Sud (Jérusalem), développant une idéologie monarchiste.

2. Le document *élohiste** (E) provient du royaume du Nord* (IXᵉ - VIIIᵉ siècle). Il est plus réservé vis-à-vis de la monarchie et se rapproche de la théologie des prophètes* du Nord.

– Le document yahviste et le document élohiste fusionnent, peut-être à la suite de la chute du royaume de Samarie (722), et de l'arrivée de rapatriés en Juda. Ils forment le document *jéhoviste* (JE).

3. Le *Deutéronome* (D) est mis au jour pendant le règne de Josias (fin du VIIᵉ siècle).

4. Le *Document sacerdotal* (P, de l'allemand *Priestercodex*) serait originellement un récit indépendant, dont la théologie est spécifique et dont la source narrative est représentée par le document Jéhoviste. Il est rédigé par des prêtres* de Jérusalem exilés en Babylonie (VIᵉ siècle).

Après l'Exil*, le document sacerdotal reçoit des suppléments législatifs (Ps). Puis, le document sacerdotal et le document JE fusionnent pour former le Tétrateuque* : Gn, Ex, Lv, Nb (JEP). Enfin, le Tétrateuque et le Deutéronome sont réunis pour former le Pentateuque actuel (JEDP)

Limites et remise en cause de la théorie documentaire

Progressivement, un certain nombre d'observations critiques vont être formulées à l'encontre de la théorie documentaire :

– Les textes classiquement attribués au document *élohiste* apparaissent fragmentaires. Ils ne constituent pas une trame narrative cohérente. D'où la remise en question de l'existence même d'un document élohiste.

– La délimitation du document *yahviste* est loin de faire l'unanimité. De ce fait, la dénomination « yahviste » recouvre des réalités qui diffèrent selon les auteurs. En outre, la datation de ce document fait l'objet d'évaluations contradictoires (certains auteurs considèrent que J est dépendant de D, donc beaucoup plus récent).

– C'est essentiellement l'approche synchronique des textes du Pentateuque qui a conduit aux critiques les plus décisives. En effet, une lecture synchronique des récits invite à s'interroger sur leur cohérence narrative : la lecture continue du Pentateuque met en évidence des fractures, des césures. Ainsi entre le cycle* des origines (Gn 1–11) et le cycle des patriarches (Gn 12–50) : la lecture de Gn 12–50 ne présuppose pas les premiers chapitres de la Genèse. De même, il existe une césure narrative entre Gn 50 et Ex 1. Ces constats conduisent à mettre en question la validité de la notion de documents dont le contenu narratif s'étendrait théoriquement d'un bout à l'autre du Tétrateuque.

Les nouvelles hypothèses

Ces hypothèses abandonnent le modèle des *documents* pour s'appuyer sur deux autres schémas théoriques : le modèle des *fragments* et le modèle des *compléments.*

La *théorie des fragments* postule que les traditions ont été longtemps véhiculées indépendamment les unes des autres, puis regroupées en fonction de thèmes narratifs spécifiques. Ce n'est que tardivement qu'une composition littéraire (ou plusieurs compositions littéraires successives) aurai(en)t regroupé ces traditions. Rappelons qu'une composition littéraire agence librement un matériel traditionnel qui lui préexiste, selon une perspective théologique originale.

La *théorie des compléments :* dans un premier temps, à partir de traditions anciennes – écrites ou orales – aurait été composé un document initial. Puis ce document aurait reçu des compléments successifs, aboutissant au texte final du Pentateuque. Les compléments s'opposent aux documents en ce qu'ils ne possèdent aucune autonomie littéraire. Un complément présuppose un document préexistant qu'il vient compléter et / ou corriger.

Rolf Rendtorff a, le premier, proposé une nouvelle hypothèse de composition du Pentateuque qui s'appuie sur la théorie des fragments : partant du constat que les différentes unités narratives qui composent le Pentateuque sont assez indépendantes les unes des autres, l'auteur envisage l'existence de traditions écrites ayant un thème spécifique (cycle des origines, patriarches, captivité en Égypte et libération, marche au désert, etc.). Ces « grandes unités littéraires » auraient été tardivement reliées les unes aux autres dans le cadre de *compositions.*

Erhardt Blum identifie deux compositions successives qui conduisent au texte final du Tétrateuque.

– une composition dont la théologie est deutéronomiste (K^D)

– une composition sacerdotale (K^P).

Ces hypothèses de Rendtorff et de Blum ne font pas l'unanimité. Elles ont néanmoins le mérite d'attirer l'attention sur la responsabilité des milieux deutéronomistes et sacerdotaux dans l'élaboration finale du Pentateuque après l'Exil.

Existe-t-il aujourd'hui un consensus minimal ?
Un certain nombre de données sont aujourd'hui acceptées par la plupart des auteurs.

1. Même si l'on ne peut parler de *documents* yahviste* ou élohiste*, l'existence de traditions écrites pré-exiliques n'est pas remise en question. Ces traditions sont sans doute assez fragmentaires et difficilement datables. Elles ont servi de sources aux auteurs deutéronomistes et sacerdotaux.

2. C'est au cours de l'Exil à Babylone (587-538) qu'est né le mouvement sacerdotal pour répondre au défi théologique représenté par l'effondrement du royaume de Juda.

3. Après l'Exil le face-à-face des milieux sacerdotaux et deutéronomistes préside à la composition finale du Pentateuque.

4. Malgré la diversité des théologies qui s'y expriment, le Pentateuque est, dans sa forme définitive, un texte unifié : la confession de foi en un même Dieu transcende donc les clivages qui existent entre les groupes qui se réclament de lui.

5. La Tora, dans sa forme définitive, intègre de nombreux textes législatifs : des textes antérieurs à l'Exil (code* de l'Alliance en Ex 20,22-23,19, datant du début du VIIe siècle, et code* deutéronomique en Dt 12–26, datant de la fin du VIIe siècle), et de nombreuses lois sacerdotales postérieures à l'Exil (VIe siècle), ainsi que les décalogues* (Dt 5 et Ex 20). La Tora a, comme telle, force de loi. Elle représente sans doute le droit particulier de la Judée, devenue simple province de l'empire perse, à laquelle Cyrus et ses successeurs ont concédé la liberté religieuse. Ce facteur politique (la nécessité de promulguer un droit particulier) n'est sans doute pas étranger au travail d'unification qui a conduit les différents groupes juifs à surmonter leurs différences et à parvenir à l'élaboration d'un texte unique.

Récits et lois dans le Pentateuque

Dans le Deutéronome
L'articulation des récits et des lois obéit à une logique différente dans les quatre premiers livres et dans le Deutéronome. Dans celui-ci, l'introduction du *premier discours de Moïse* manifeste un lien particulier entre récit et lois : « De l'autre côté du Jourdain, au pays de Moab,

Moïse commença à exposer cette Tora » (Dt 1,5) ; or, le discours qui suit ne contient aucune prescription législative. Il retrace les grandes étapes de la montée du peuple vers la terre promise dans le désert. L'exposé de la Tora commence donc par un récit, nécessaire à la compréhension des lois qui lui font suite. Le *second discours de Moïse* manifeste bien le lien théologique qui unit récit et lois : le don de Dieu précède et fonde l'exigence de fidélité à la loi. En faisant sortir Israël d'Égypte et en promettant de lui donner un pays, Dieu a manifesté au peuple son amour (voir Dt 6,10-11) ; et cet amour appelle en réponse celui des Israélites, c'est-à-dire leur fidélité aux lois reçues de Dieu, hors desquelles il n'y a ni vie ni bonheur possibles (voir Dt 6,4-9.12-19). Le don premier de Dieu et la réponse fidèle d'Israël sont l'expression du lien d'*alliance* qui les unit.

Dans les quatre premiers livres (ou Tétrateuque)

La composition littéraire du Tétrateuque (Genèse, Exode, Lévitique et Nombres), dans l'état définitif du texte, peut être attribuée pour l'essentiel à des « auteurs sacerdotaux », des prêtres du Temple de Jérusalem. Leur réflexion théologique débute en Exil, à Babylone, au VIe s. et se poursuit lors du retour d'Exil qui permet la construction du deuxième Temple en 515. Dans le Tétrateuque, le lien entre récits et lois apparaît moins manifeste que dans le Deutéronome. Parfois, sans transition ni articulation explicite, le texte biblique passe du récit à la loi (voir Nb 14,45 et 15,1) ou de la loi au récit (voir Nb 19,22 et 20,1). Pourtant, dans l'état définitif du texte, récits et lois visent à exprimer une même pensée théologique et deviennent ainsi complémentaires : les récits illustrent les lois, les lois éclairent la logique des récits. Un excellent exemple de cette complémentarité est fourni par le récit de la révolte de Coré et de ses partisans contre les prêtres, en Nb 16–17 : ce récit trouve ensuite un prolongement dans les lois de Nb 18 exposant les responsabilités respectives des prêtres et des lévites*.

Au-delà de cet exemple particulier, on peut reconnaître aux lois et aux récits sacerdotaux une unique visée : manifester la souveraineté de Dieu sur le monde, souveraineté sur l'histoire des hommes et sur leurs institutions. L'histoire humaine n'a pas d'autonomie ; elle est l'occasion pour la communauté d'Israël de manifester le Seigneur comme l'unique Saint, créateur de l'univers. Cet acte créateur se prolonge dans l'histoire d'Israël et dans le don des lois. Ainsi, l'univers comme la communauté d'Israël sont régis et structurés selon une organisation voulue par Dieu : le centre de ce dispositif est le Temple de Jérusalem (« la Demeure ») où un culte lui est perpétuellement rendu.

Pour les auteurs sacerdotaux, tout manquement à ce projet divin constitue une faute volontaire qui conduit le coupable à être exclu de la communauté : ainsi, lorsque les Israélites se révoltent, dans les récits de Nb 11 et 14, la sanction qui vient frapper les fautifs est la mort. De même pour les lévites qui, selon le récit de Nb 16, contestent l'ordre cultuel voulu par Dieu. En Nb 15, l'énoncé des lois complémentaires concernant le culte du Temple est assorti d'une disposition concernant la sanction des manquements délibérés à la loi (voir Nb 15,30) : le coupable est exclu de la communauté sans perspective de retour.

En insistant de cette manière sur le caractère incontestable de la souveraineté de Dieu sur la vie et sur l'organisation du peuple, la théologie sacerdotale se démarque de la théologie *deutéronomiste*, formulée au retour d'Exil, selon laquelle l'histoire humaine a une réelle consistance : elle est le lieu de la rencontre de Dieu et des hommes. Dans le Deutéronome, l'identité du peuple n'est pas uniquement cultuelle, comme dans la pensée sacerdotale : elle réside avant tout dans une histoire commune avec Dieu, certes marquée par des infidélités qui ont entraîné des sanctions, mais dans laquelle Dieu se montre capable de pardon, de miséricorde (voir Ex 32,14 ; Nb 14,20 ; Dt 10,11).

Ainsi, dans les textes deutéronomistes comme dans les textes sacerdotaux – deux lignes théologiques qui cherchent à exprimer de manière différente et parfois contradictoire l'identité du peuple, au retour de l'Exil – la distinction littéraire entre récits et lois est avant tout formelle. C'est bien la totalité du texte biblique – les récits articulés avec les lois – qui sert à exprimer la spécificité théologique de chacun des groupes, des milieux en présence.

Les lois dans le contexte synchronique du Tétrateuque

Le livre de l'Exode

Une lecture synchronique du Pentateuque doit parvenir au livre de l'Exode pour découvrir les premiers corpus législatifs : lois concernant la Pâque* en Ex 12–13, décalogue d'Ex 20,1-17, puis code de l'Alliance en Ex 20,22 – 23,33, lois concernant la construction de la Demeure en Ex 25–31, et mise en œuvre de ces lois en Ex 35–40. Le livre de l'Exode peut être scindé en deux grandes sections : la première (Ex 1 – 15,21) concerne l'opposition entre Dieu et Pharaon et se conclut par la victoire de Dieu et la libération du peuple ; la seconde (Ex 15,22 – 40) traite de la marche du peuple au désert et de son arrivée au Sinaï. Or on constate que les lois de ce livre sont presque exclusivement groupées dans la deuxième section, et donc reliées au lieu symbolique du Sinaï : lieu de la rencontre de Dieu et du don de la loi. Libération d'Égypte et salut du peuple (Ex 1 – 15,21) puis don de la loi (Ex 19–24) fondent la relation d'alliance qui unit désormais le Seigneur à Israël.

Un tel constat impose une question : pourquoi l'énoncé des lois concernant la Pâque (Ex 12–13) « anticipe »-t-il l'arrivée du peuple au Sinaï, lieu où toutes les autres lois vont être données à Israël ? Le contexte narratif d'Ex 12–13 pourrait fournir une première réponse à cette question : la première célébration de la Pâque marque le signal de la déroute de l'Égypte. Mais il est un autre motif qui tient à la composition d'ensemble du Tétrateuque. Celle-ci est principalement le fait d'auteurs sacerdotaux pour lesquels le centre de la vie cultuelle du peuple est représenté par le culte du Temple de Jérusalem. Dès lors, les lois décrivant la célébration de la Pâque (rite qui ne requiert ni Temple, ni prêtre et qui a pour cadre la famille) ne peuvent être situées qu'avant l'énonciation des lois cultuelles et sacerdotales qui instituent le Temple comme cœur de la vie cultuelle d'Israël et les prêtres comme médiateurs obligatoires de toute relation au Seigneur. D'où leur situation originale en Ex 12–13, à distance des autres corpus législatifs du Tétrateuque situés au Sinaï.

Les deux grandes parties du récit du séjour auprès du mont Sinaï : Ex 19 – 24,15a d'une part et Ex 24,15b – 40 d'autre part, représentent deux approches concurrentes de l'alliance entre Dieu et son peuple. L'alliance conclue en Ex 24,3-8 présuppose le salut dont le peuple a bénéficié (voir Ex 20,2) et repose sur l'observation par Israël des lois énoncées en Ex 20,22 – 23,33 qui sont à la fois éthiques et cultuelles. Mais le texte d'Ex 24,15b – 40 est rigoureusement construit selon une structure symétrique (en chiasme*) qui a pour centre les ch. 32–34, décrivant la rupture de l'alliance (à cause du Veau d'or, Ex 32) et son renouvellement (Ex 33–34) :

A Ex 24,15b-18 : ***la nuée*** sur le Sinaï
B Ex 25 – 31,11 : règles pour *construire le sanctuaire*
  C Ex 31,12-17 : règles concernant ***le sabbat***
  D Ex 31,18 – 34 : rupture et renouvellement de l'alliance
  C' Ex 35,1-3 : règles concernant ***le sabbat***
B' Ex 35,4 – 40,33 : *construction du sanctuaire*
A' : Ex 40,34-38 : ***la nuée*** sur la Demeure.

Les éléments A et A', B et B', C et C' sont tous sacerdotaux et ont une thématique essentiellement cultuelle : à la compréhension historique et éthique de l'alliance en Ex 19 – 24,15a, la composition sacerdotale d'Ex 24,15b – 40 cherche ainsi à substituer une compréhension cultuelle. Le texte final du livre de l'Exode est donc ici le témoin de la pluralité des théologies qui se font face au retour de l'Exil : la compréhension du concept théologique d'alliance n'est pas univoque et donne lieu à débat.

Le livre du Lévitique

Le livre du Lévitique est unifié quant à son style et à sa théologie. Sur le plan littéraire, c'est un ensemble essentiellement législatif, même si cette appréciation générale mérite d'être nuancée : des prescriptions particulières peuvent en effet être énoncées sous la forme littéraire d'un bref récit exemplaire (par exemple Lv 10,1-3).

Contrairement au début du livre de l'Exode, le début du Lévitique ne marque pas une césure nette avec ce qui le précède. Ex 35–40 concerne la construction de la Demeure. Lv 1–7 traite du rituel des sacrifices qui ont précisément pour cadre la Demeure, et Lv 8–9 a pour thème l'investiture des prêtres, indispensables au fonctionnement de la Demeure. Cette continuité thématique va de pair avec la continuité du contexte géographique. En effet, aucune précision topographique ne vient contredire les données d'Ex 19,1 : les fils d'Israël se trouvent toujours au Sinaï, et les lois du Lévitique se voient ainsi conférer une autorité liée à la montagne de Dieu. Le livre du Lévitique tout entier appartient donc à la « péricope du Sinaï » qui s'étend d'Ex 19,1 à Nb 10,10.

La thématique des lois du Lévitique permet d'en reconnaître sans difficulté l'origine sacerdotale :

- Lv 1–7 : lois concernant les sacrifices
- Lv 8–10 : investiture des prêtres
- Lv 11–15 : règles concernant le pur et l'impur
- Lv 16 : le jour de l'« expiation »
- Lv 17–26 : la *loi de Sainteté*
- Lv 27 : lois complémentaires.

Le mot « expiation* » de Lv 16 traduit mal le nom hébreu *kippour* (et le verbe *kipper*). Les rites décrits dans le cadre de cette fête annuelle ont pour but la purification de la communauté et du sanctuaire et sont effectués par le grand prêtre. Plus que d'expiation – terme comportant une forte connotation morale – il s'agit ici de retrouver un état de pureté rituelle permettant le bon fonctionnement du culte.

Le titre habituel donné à la section Lv 17–26 tient au fait que Dieu y est présenté comme celui qui sanctifie et qui exhorte à la sainteté : « Vous serez saints pour moi, car moi, le SEIGNEUR, je suis saint ! » (Lv 20,26 ; voir parallèle en Lv 19,2). Les lois qui y sont rassemblées sont scandées par des refrains stéréotypés : « C'est moi le SEIGNEUR votre Dieu » (Lv 19,3.4.10.25.34 ; etc.) ou « C'est moi le SEIGNEUR » (Lv 19,14.18.37 ; etc.).

La motivation des lois réside donc dans l'affirmation de la divinité du Seigneur, voire dans le simple rappel de son nom ; il est ainsi présenté comme le fondement d'un code législatif qui recouvre tous les domaines de la vie (culte, sexualité, fêtes et liturgie, vie sociale) : toutes les activités humaines prennent une dimension théologale.

Le livre des Nombres

Même si une lecture synchronique du livre des Nombres met en évidence de nombreuses césures dans le texte (Nb 14 / 15 ; Nb 19 / 20), l'analyse littéraire du livre permet de dégager une structure qui conduit à le considérer comme une œuvre autonome porteuse d'un projet théologique, d'une *réflexion concernant la faute volontaire et le péché ainsi que leurs conséquences.* Le livre reflète, dans son ensemble, la théologie sacerdotale, même s'il intègre des récits anciens et s'il a fait l'objet de quelques relectures postdeutéronomistes. Trois sections peuvent y être délimitées :

1. *L'organisation du peuple* (Nb 1,1 – 10,36). Au Sinaï, le peuple est recensé (Nb 1) et mis en ordre de marche. Son organisation est à la fois militaire (Nb 2 ; 10,11-28) et cultuelle (rôle et consécration des lévites : Nb 3–4 ; 8 ; rôle des prêtres : Nb 5–6 ; consécration et mise en service de la Demeure : Nb 7).

2. *Les révoltes du peuple* (Nb 11,1 – 22,1a). En marche vers Canaan, la communauté se révolte contre Dieu. Tous les membres de la communauté se rendent coupables de désobéissance : le peuple (Nb 11 ; 14) ; les chefs (Nb 13) ; les lévites (Nb 16–17), et même Moïse et Aaron (Nb 20,1-13). Ces fautes volontaires font l'objet d'une unique sanction : leurs auteurs ne verront pas la terre promise et mourront dans le désert. Mais la promesse est maintenue (Nb 14,20 ; 15,1) : la génération des fils entrera en Canaan.

3. *La nouvelle génération* (Nb 22,1b – 36,13). Dans les plaines de Moab, face à Jéricho, la communauté est de nouveau recensée (Nb 26) et organisée en vue de la conquête. Les lois civiles (Nb 27,1-11 ; 34 ; 35,9 – 36,13) et cultuelles (Nb 28,1 – 29,39 ; 35,1-8) en vue de l'installation lui sont données. Les événements qui ont touché la première génération doivent rester en mémoire et garder le peuple de toute nouvelle dérive (voir Nb 26,64-65 ; 32,6-15). C'est une nouvelle génération qui, recensée et dotée de nouveaux chefs (Josué, successeur de Moïse, et Éléazar, fils d'Aaron) s'apprête à prendre possession du pays.

La deuxième partie comprend surtout des récits sur les révoltes d'Israël contre Dieu. L'épisode du serpent d'airain est célèbre à cause de sa reprise par Jésus (Jn 3,14).

En chemin le peuple perdit patience. Il parla contre Dieu et contre Moïse : « Pourquoi nous avez-vous fait monter d'Égypte pour mourir en ce désert ? Car il n'y a ni pain ni eau ; nous sommes excédés de cette nourriture de famine (la manne). » Dieu envoya alors contre le peuple les serpents brûlants, dont la morsure fit périr beaucoup de monde en Israël. Le peuple vint dire à Moïse : « Nous avons péché en parlant contre le SEIGNEUR *et contre toi. Intercède auprès du* SEIGNEUR *pour qu'il éloigne de nous ces serpents. » Moïse intercéda pour le peuple et le* SEIGNEUR *lui répondit : « Façonne-toi un Brûlant que tu placeras sur un étendard. Quiconque aura été mordu et le regardera restera en vie. » Moïse façonna donc un serpent d'airain qu'il plaça sur l'étendard, et si un homme était mordu par quelque serpent, il regardait le serpent d'airain et restait en vie.* (Nb 21,4-9)

La troisième partie s'ouvre sur le grand récit de Balaam, ce « prophète » païen qui bénit Israël, au lieu de le maudire comme on le lui demandait [*voir* p. 281].

Le livre du Deutéronome

Cet ouvrage forme un ensemble unifié qui se présente comme une succession de discours de Moïse adressés de la part du Seigneur à Israël, avant son entrée en Canaan. Le récit de l'histoire commune liant Dieu au peuple (Dt 1,1 – 4,49) et la parénèse* de Dt 5,1 – 11,32 – inaugurée par le décalogue de Dt 5,6-21 – précèdent un corpus législatif (Dt 12,1 – 26,19) qui est suivi lui-même de malédictions et de bénédictions (Dt 27–28). Le récit de la conclusion de l'alliance en Moab (Dt 29,1 – 30,2) précède celui des adieux et de la mort de Moïse qui conclut le livre. Le Deutéronome forme une œuvre littéraire autonome qui ne présuppose pas ce qui la précède, et dont la structure évoque pour certains exégètes* celle des « formulaires d'alliance » (ou traités de vassalité) : textes juridiques qui, dans le Proche-Orient ancien, précisent les clauses qui lient un vassal à son suzerain. La comparaison du livre du Deutéronome à cette littérature juridique ne permet cependant pas de conclure à une dépendance du texte biblique envers elle. Si influence littéraire il y a, elle est indirecte et relève de l'enracinement de l'ancien Israël dans la culture commune de l'Ancien Orient.

C'est le concept d'« alliance » (*berît*) et celui d'élection (verbe *bahar*, « choisir ») qui sont utilisés pour qualifier théologiquement les relations unissant le Seigneur à son peuple : il a choisi Israël et cette élection – dont le corollaire est la libération de la servitude en Égypte – appelle la réponse du peuple, c'est-à-dire son obéissance aux lois et prescriptions divines. Le personnage de Moïse, présenté selon une perspective prophétique, est le médiateur indispensable de la relation qui unit Dieu à son peuple.

Enracinement et contenu des lois d'Israël

Le code de l'Alliance

Le code de l'Alliance (Ex 20,22 – 23,19) constitue la plus ancienne collection législative du Pentateuque. La mise par écrit des prescriptions diverses qui le composent peut être datée de la fin du VIIIe ou du début du VIIe siècle avant notre ère. Deux sections principales peuvent y être délimitées.

Ex 21,12 – 22,19 rassemble des lois *casuistiques* (« Lorsqu'un homme aura fait ceci… et si… alors… »), assorties de sanctions qui viennent frapper les éventuels contrevenants. Ces lois concernent aussi bien les préjudices causés aux prochains, que le droit du mariage, ou encore la sanction de certaines déviations sexuelles. Le droit ainsi constitué est loin d'être exhaustif. Il s'agit de collections d'exemples juridiques susceptibles d'être utilisés dans l'exercice de la justice rendue à la porte des villes.

En Ex 22,20 – 23,9 sont rassemblées des lois *apodictiques* (exprimées à l'impératif), lois concernant l'éthique sociale qui sont fondées sur une intuition théologique : le Seigneur est avant tout le Dieu des pauvres (voir par exemple Ex 22,25-26). Cette affirmation théologique est présente, à la fin du VIIIe siècle, aussi bien dans la prédication du prophète Amos, dans le royaume du Nord (voir Am 2,6-16) que chez Isaïe (voir Is 1,16-17) ou chez Michée (voir Mi 3,1-4). Les lois apodictiques ne sont pas assorties de sanctions, ce qui rend plus hypothétique leur application effective. Elles dessinent peut-être un « horizon » vers lequel devrait tendre la législation du royaume de Juda.

Ces deux sections principales sont réunies dans un double encadrement littéraire formé par :

– Ex 21,1-11 et 23,10-12 : lois bâties sur le rythme 6 / 7 (ainsi la loi sur la jachère de 23,10-11 : 6 années de culture, puis une 7e année de jachère).

– Ex 20,22-26 et 23,13-19 : lois cultuelles dont l'énoncé reflète l'existence d'une pluralité de sanctuaires locaux. Le calendrier des fêtes est dépendant des cycles agraires, de la date des récoltes.

Ce qui donne à l'ensemble une structure symétrique :

20,22-26 : lois **cultuelles**

21,1-11 : *lois 6 / 7* (esclave)

21,12 – 22,19 : lois casuistiques

22,20 – 23,9 : lois apodictiques

23,10-12 : *lois 6 / 7* (jachère)

23,13-19 : lois **cultuelles**

Les lois d'Ex 23,20-33 sont plus tardives, deutéronomistes, et insistent essentiellement sur l'interdiction de l'idolâtrie.

Le code deutéronomique (Dt 12–26)

Même s'il contient des prescriptions que les auteurs s'accordent à dater du règne d'Ézékias (début du VIIe siècle), le code deutéronomique représente – dans sa version la plus ancienne – le droit promulgué par le roi Josias à la fin du VIIe siècle, lorsque la domination de l'Assyrie se relâche, et que le royaume de Juda recouvre son indépendance. Les dispositions législatives couvrent trois domaines essentiels de la vie de Juda : le cultuel, le politique et la vie sociale.

– Au plan *cultuel*, le code deutéronomique propose une réforme majeure : la centralisation du culte qui va de pair avec l'interdiction des cultes étrangers et de l'idolâtrie (voir Dt 12–13). Désormais, le seul lieu de culte autorisé est le Temple de Jérusalem. Les sanctuaires locaux sont désacralisés. Ceci a comme corollaire la réforme du calendrier cultuel : un calendrier unique est élaboré. Le culte s'affranchit en partie des rythmes agraires. La Pâque, primitivement fête familiale, devient une fête de pèlerinage célébrée au Temple de Jérusalem et couplée avec la fête des Azymes (voir Dt 16).

– Au plan *politique*, le code deutéronomique insiste sur les institutions collégiales qui existent dans chaque ville comme à Jérusalem : les citoyens nomment des juges qui disent le droit en première instance dans chacune des villes (voir Dt 16,18-20 ; 17,2-7), puis en deuxième instance à Jérusalem (voir Dt 17,8-11). Les prescriptions de Dt 17,14-20 manifestent une grande méfiance vis-à-vis de l'absolutisme royal, tandis que l'institution prophétique est mise en valeur (voir Dt 18,18-19).

– Au plan *éthique*, le Deutéronome est caractérisé par la richesse des mesures sociales qu'il préconise : souci des étrangers résidents, des veuves, des orphelins, des lévites démunis, libération périodique des esclaves, interdiction du prêt à intérêt (voir Dt 15,1-18 ; 24,10-13). Les lois cultuelles comportent des dispositions permettant d'associer les plus démunis à chacune des fêtes de pèlerinage (voir Dt 16,11) : pour être valide, le culte rendu au Seigneur implique qu'Israël ait le souci des plus pauvres. Ainsi le Deutéronome reprend une intuition déjà présente chez les prophètes du VIIIe siècle : le culte ne peut aller sans l'éthique (voir Is 1,10-20 ; Am 5,21-27).

Les lois sacerdotales

Ce sont les plus nombreuses : lois concernant la construction de la Demeure en Ex 25–31 et 35–40, lois sur les sacrifices en Lv 1–7, lois sur la pureté et l'impureté en Lv 11–15 ; loi de sainteté en Lv 17–26, lois concernant l'organisation de la communauté en Nb 1–10 ; 18–19 ; 27–36.

Voici un extrait de la loi de sainteté où se trouve le précepte que Jésus citera pour résumer toutes les lois concernant les relations humaines (Mt 22,39) :

> « *Tu n'auras pas dans ton cœur de haine pour ton frère. Tu dois réprimander ton compatriote (coupable) et ainsi tu n'auras pas la charge d'un péché. Tu ne te vengeras pas et tu ne garderas pas de rancune envers les enfants de ton peuple. Tu aimeras ton prochain comme toi-même. Je suis le* SEIGNEUR. » (Lv 19,17-18)

Ces lois, rassemblées à partir de l'Exil à Babylone, au VIe siècle, ont fait l'objet de plusieurs relectures. Elles ont pour objectif commun d'assurer la pureté de la communauté d'Israël. Cette pureté (qui doit être comprise comme une qualité physique plutôt que morale) est nécessaire pour qu'un culte puisse être rendu au Seigneur. Ce culte est la source de la sanctification d'Israël. Il requiert l'intervention d'un corps sacerdotal. La communauté d'Israël se trouve ainsi structurée selon une hiérarchie de sainteté. Seuls le grand prêtre et les prêtres, appartenant à la tribu de Lévi, ont une sainteté suffisante pour être admis à approcher de l'autel du Temple où les offrandes* et les sacrifices* sont offerts au Seigneur.

Les lois sacerdotales sont comprises par leurs auteurs comme le prolongement, la mise en œuvre de la volonté créatrice de Dieu : elles mettent en ordre le monde, le disposent selon son projet éternel.

Les deux décalogues

Les décalogues d'Ex 20,2-17 [*voir* p. 141] et de Dt 5,6-21 sont tardifs, postexiliques, même si les traditions qui les composent peuvent avoir une origine plus ancienne. Ils mettent en relation l'histoire d'Israël et ses lois : les lois éthiques et les lois cultuelles, la relation à Dieu et la relation au prochain.

– Les prescriptions des deux décalogues sont précédées d'une confession de foi en Dieu sauveur : son intervention dans l'histoire fonde la loi (voir Ex 20,2 = Dt 5,6).

– Les prescriptions cultuelles ne vont pas sans les prescriptions éthiques. Elles ont en commun une unique finalité : la libération de l'homme (libération des idoles, libération de la convoitise du prochain).

– Le culte rendu au Seigneur ne va pas sans transformation des rapports sociaux. Le commandement sur le sabbat* (voir Ex 20,8-11 et Dt 5,12-15) illustre particulièrement ce point : le repos imposé à tous au nom de Dieu vient abolir les hiérarchies sociales qui ont cours les autres jours de la semaine.

Ainsi, les décalogues constituent une excellente synthèse de la théologie de la Tora : tout à la fois récit et loi, loi éthique et loi cultuelle, ils donnent la norme de la relation à Dieu et de son corollaire : la relation au prochain.

O. A.

Israël en Canaan

Les tribus d'Israël en Canaan

La tribu apparaît, dans la Bible, comme l'élément fondamental du peuple d'Israël. Une tribu est elle-même composée de « maisons » et de « clans ». Les données relatives aux tribus d'Israël proviennent d'une longue tradition marquée par des remaniements qui rendent difficile l'accès aux données anciennes. La vision idéale d'un Israël en douze tribus procède certainement, pour une part, d'un artifice fondé sur la division réelle du royaume de Salomon en douze districts [*voir* p. 168].

Les tribus du Nord

Asher

Le cadastre de Jos 19,24-31 lui attribue un vaste territoire, mais nettement plus réduit en Jg 1,31-32 : à l'est de la plaine côtière, au nord d'Akko. La région est inoccupée à l'âge du Bronze*, mais des sites apparaissent à celui du Fer* I (XIIe-XIe siècle). Asher occupe une place libre ; cette implantation peut être ancienne. D'après Jg 5,17, Asher vit dans les ports sans prendre part à la guerre avec Débora et Baraq. Ce groupe est nettement périphérique dans la vie d'Israël.

Nephtali

Jos 19,32-39 le situe en haute Galilée. Le processus d'occupation est semblable à celui d'Asher d'après Jg 1,33. Son territoire est une région montagneuse et boisée, sans occupation cananéenne. À l'époque des Juges*, la puissance de ce groupe apparaît à travers des récits de victoires sur le roi de Haçor : celle de Débora et Baraq (Jg 4) et celle de Josué (Jos 11).

Issachar
Le nom signifie « mercenaire » et pourrait suggérer, à l'origine, une population qui loue ses services (Gn 49,14-15). Une lettre d'El-Amarna (n° 335), émanant du roi de Meguiddo, évoque les esclaves de Shounama (Shounem), ville d'Issachar (Jos 19,17-23). Situé sur le prolongement méridional de la montagne galiléenne, ce territoire est cultivable. Ce groupe est actif à l'époque des Juges (Jg 5,15 ; 10,1).

Zabulon
« Zabal » est un titre honorifique ; un certain Zeboul est chef de Sichem (Jg 9,28-41). Si le territoire est limité (Jos 19,10-16 ; Jg 1,30), le groupe est actif à l'époque des Juges (Jg 4–5). La bataille de Taanak (Jg 5,19) desserre l'étreinte cananéenne qui empêche la communication entre les groupes israélites du Nord et ceux de la montagne centrale.

Les tribus du Centre

Joseph
Ce nom de personne signifie « que Dieu ajoute ». Joseph, l'avant-dernier fils de Jacob, est le héros d'une grande histoire (Gn 37–50) [*voir* p. 112]. Le nom apparaît dans l'expression ancienne « maison de Joseph » (Jos 17,14-17 ; Jg 1,23-25 ; 2 S 19,21) qui désigne le groupe constitué des trois tribus de Manassé, Éphraïm et Benjamin. Dans les textes d'époque royale, l'expression désigne le royaume du Nord*, opposé à la « maison de Juda » qui désigne le royaume du Sud.

Manassé
Ce nom de personne signifie « celui qui fait oublier » ; il était donné à un enfant dont la naissance suivait un deuil. Le groupe Manassé est composite. Les textes les plus anciens parlent du clan de Makir (Jg 5,14 ; 2 S 9,4-5), clan important à Sichem, auquel se rattachent tous les autres, tels Galaad, Yézer, Héleq, Asriel, etc. (Nb 26,29-34). Les Makirites ont dû avoir une implantation transjordanienne d'après Nb 32,33b.39-42. Yaïr et Noba sont en Transjordanie, et selon 1 Chroniques 2,21-23, la fille de Makir épouse Heçron, situé en Transjordanie. De plus les liens des Makirites avec les Araméens sont mentionnés en 1 Ch 7,14. Cette donnée est à rapprocher de Gn 31,46 qui évoque les rapports de Jacob avec Laban l'Araméen.

Après avoir connu une réelle importance, Makir a périclité au profit du clan d'Abiézer. Gédéon est de ce clan. Des clans makirites se sont fixés en Transjordanie (Galaad) après la sédentarisation de Ruben et de

Gad. Les généalogies ont réuni tous ces clans sous le nom de Manassé. Le territoire des Manassites est la région de Sichem, ville qui n'a jamais été « conquise » par les Israélites (Jos 17,7-13 ; Jg 1,27-28).

Éphraïm

Ce toponyme est utilisé dans l'expression « montagne d'Éphraïm ». Ce groupe est l'un des plus importants de la « maison de Joseph », comme l'indique Jos 16,5-10. Il est centré sur Béthel (Jg 1,27 ; Jos 16,10) et comprend Guézer (Jg 1,29). La prise de Tapouah (Jos 17,8) assure la supériorité d'Éphraïm sur Manassé. En Gn 48,20 Éphraïm est cité avant Manassé. Mais les anciens textes donnent un ordre inverse, Manassé avant Éphraïm (Jos 14,4 ; Nb 26,28.37). Le renversement apparaît en Jg 8,1-3 ; 12,1-6, avec transfert d'influence de Sichem à Béthel (Jg 20,18 ; Gn 35,1-8). À cette époque, le groupe Éphraïm est puissant. Josué est un Éphraïmite (Nb 13,8.16 ; Jos 19,49-50) ainsi que Jéroboam, premier souverain du royaume du Nord (1 R 11,26).

Benjamin

Seul fils de Jacob né en Canaan, son nom confirme cette donnée symbolique : *Ben yamin*, « fils de la droite », c'est-à-dire du Sud, par rapport à Éphraïm. Les Banou-Yamina connus par les textes de Mari (XVIIIe siècle) n'ont rien à voir avec les Benjaminites de la Bible. Selon 1 Ch 7,15, ceux-ci sont rattachés à Makir, et selon Jg 21,12, il existe des liens très étroits entre Benjamin et la ville manassite de Yabesh de Galaad, confirmés par 1 S 11,1-4 ; 31,11-13. Le territoire benjaminite est très restreint : entre Béthel et Jérusalem selon Jos 18,11-20. À l'époque pré-royale, Benjamin est toujours dans l'ombre d'Éphraïm (Jg 5,14) et une guerre est déclenchée contre Benjamin en Jg 19. Saül, le premier roi, est benjaminite. Les sites principaux, Guibéa (Tell el-Foul) et Miçpa (Tell en-Nasbeh) connaissent leur occupation la plus ancienne autour de 1200.

Les tribus du Sud

Juda

C'est un nom de région devenu un nom de population. La « montagne de Juda » désigne le sud de Jérusalem (Jos 20,7 ; 21,11) ; on trouve également le « désert de Juda » (Jg 1,16). Le groupe Juda est lui aussi composite. En premier lieu, le clan d'*Éphrata*, centré à Bethléem (1 Ch 4,4), est d'origine éphraïmite (1 S 10,2 ; Jr 31,15 : Rama près d'Éphrata). L'expression « Bethléem Éphrata » apparaît en Gn 35,19 ; 48,2 ;

Rt 4,11 ; Mi 5,2. La première action militaire de Juda se déroule à Bézeq, dans le territoire de Manassé (Jg 1,1-7).

D'autres clans forment le groupe Juda : celui de *Caleb* d'Hébron (Nb 13,6 ; Dt 1,22-45 ; Jos 14,6-15 ; 15,13-14 ; Jg 1,10), celui d'*Othniel* de Debir (Jos 15,15-19 ; Jg 1,12-15), celui de *Yerahméel* (1 S 27,10 ; 30,29 ; 1 Ch 2,42) rattaché à Arad, et les *Qénites* d'Arad (Jg 1,16) qui jouent un rôle religieux important puisqu'ils se rattachent à Moïse (Nb 10,29-32). Une liste de Shéshonq Ier mentionne « Arad de la maison de *Yrhm* ». La tribu de Juda est de constitution tardive ; c'est David qui doit en être considéré comme le fédérateur. Bethléem et Hébron en sont les sites principaux dans l'histoire biblique.

Siméon

Ce nom de personne (Esd 10,31) dérive du verbe *shama'*, « écouter », avec le nom divin sous-entendu : « (Dieu m') a écouté. » Ce nom est employé par la femme qui a longtemps attendu un enfant (Gn 29,33). Gn 34,25-31 situe Siméon dans la région de Sichem ; situation rappelée en Gn 49,5-7, où apparaît un lien avec Lévi. Mais en Jg 1,3.17, Siméon est lié à Juda. Centré à Béer-Shéba, Siméon est absorbé par Juda (Jos 15,21-32 ; 19,1-9 ; 1 Ch 4,28-33). Siméon n'est pas nommé en Dt 33 ; cette tribu qui n'a laissé que quelques traces disparaît rapidement.

Dan

Ce nom de personne est lié au verbe *din* : « (Dieu) a jugé. » Situé à l'étroit entre les Amorites, Benjamin, Éphraïm et Juda, Dan n'a possédé que les villes de Çoréa et Eshtaol (Jg 13,2). Samson doit être un Danite de la Shéphélah. Or Jg 5,17 suppose Dan établi au Nord, près des sources du Jourdain, au pied de l'Hermon ; c'est le seul cas de migration tribale connu (Jg 1,34 ; 18,1-2.11). Le sanctuaire de Dan (sanctuaire royal du royaume d'Israël) est rattaché à Moïse par son fils Guershom (Jg 18,30).

Les tribus de Transjordanie

Gad

Ce nom de personne signifie « bonne fortune » (Gn 30,11). Effectivement, cette tribu a de la chance puisqu'elle est la première à être dotée d'un territoire, avec les régions de Yazer et Galaad (Nb 32). Ce territoire s'étendra (Jos 13,24-28 ; Jg 5,17). La présence de Gad est ancienne comme le mentionne la Stèle de Mésha : « les gens de Gad avaient depuis toujours habité le pays d'Atarot » (ligne 10) [*voir* p. 235].

D'après Jg 11,26, Gad est installé depuis 300 ans. Ce groupe appartient à la première période d'installation, mais son territoire transjordanien, rapidement annexé par Moab, a toujours fait l'objet d'une revendication israélite.

Ruben

L'origine de ce nom est inconnue. En position d'aîné dans les généalogies, ce groupe semble avoir connu une histoire malheureuse et une disparition rapide (Gn 35,22 ; 49,3-4). Jos 13,15-23 le situe en territoire gadite. La présence de Ruben en Cisjordanie est vraisem-

REPÈRE

ISRAËL A-T-IL CONQUIS CANAAN ?

Le tableau de la conquête rapide amorcé en Nb 12–13, poursuivi en Nb 20–25 et achevé en Jos 1–12 constitue, au dire de la Bible elle-même, une systématisation. L'occupation du territoire de Canaan apparaît bien plus complexe et laborieuse si l'on en croit Jos 9 qui fait état d'un traité avec les Gabaonites, et Jos 24,14-15 qui suppose un pacte entre les groupes de l'Exode-Sinaï et les groupes restés en Canaan. Plusieurs textes contredisent l'unité d'action puisque des groupes particuliers prennent des initiatives (Nb 32,39-40 ; 13,2-6 ; 15,13-19 ; 17,14-18 ; 19,47 ; Jg 1). Enfin, Jos 13,1-6 et Jg 1 admettent l'inachèvement de la conquête et Jg 2,1-6.20-23 et 3,1-6 voient cette conquête inachevée comme un échec. Puisque la Bible laisse entendre que toute présence israélite en Canaan n'est pas obligatoirement le résultat d'une conquête, le scénario modèle d'une conquête intégrale et rapide de Nb 12–13 ; 20–25 ; 31–36 + Dt 1–5 ; 34 + Jos 1–12 est sujet à caution.

L'étude des textes relatifs à la « conquête » montre que l'on est en présence d'une littérature stéréotypée, bien connue en dehors de la Bible, consacrée à la gloire des dieux et des rois, qui relève davantage de la propagande que de l'historiographie. L'organisation de l'ensemble nécessite la synchronisation des opérations et l'introduction de la figure de Josué là où elle ne s'imposait pas. Ainsi en Jos 10,28-43, Josué conduit l'invasion du Sud alors qu'en Jg 1,1-5 l'initiative revient à Juda et Siméon et qu'en Jos 14,6-14 et Jg 1,20 la conquête d'Hébron est attribuée à Caleb. La généralisation des combats et la soumission des rois étrangers relèvent de la même systématisation.

La critique littéraire suggère qu'il n'y a pas à proprement parler de conquête. Les traditions anciennes, s'il en existe, ne concernent que des épisodes locaux, indépendants les uns des autres et parfois légendaires. La mise en lien de tous ces épisodes ne remonte pas avant l'époque de Josias (VIIe siècle). C'est du moins le meilleur contexte que l'on puisse assigner à cette littérature bien caractérisée dont les lieux et les thèmes – la guerre sacrale en particulier – cadrent parfaitement avec la reconquête tentée, sinon réussie, par Josias à la fin du VIIe siècle. Si les sources écrites apparaissent historiquement peu fiables, l'archéologie aboutit un verdict encore plus net. Les fouilles pratiquées sur les sites excluent toute possibilité d'invasion en Palestine au XIIIe - XIIe siècle.

Vouloir historiquement retrouver une conquête de Canaan par Israël apparaît donc comme une démarche passablement vaine. Il faut envisager d'autres modèles pour rendre compte de l'hégémonie israélite progressive sur le territoire cananéen entre le XIIIe et le Xe siècle.

blable puisque Jos 15,6 ; 18,17 mentionnent « la pierre de Bohan, fils de Ruben » (entre Qoumrân* et le Jourdain). En Jos 7,1-18, Akân, lapidé dans la plaine d'Akor, est de la tribu de Juda, mais son père Karmi est de Ruben d'après Nb 26,6, et ce renseignement doit être ancien.

La tribu de Lévi

C'est la tribu de Moïse et d'Aaron. L'histoire de ce groupe particulier, sans territoire propre, est difficile. Les Lévites habitaient des villes particulières situées dans chaque tribu : les villes lévitiques (Jos 21 ; 1 Ch 6). La tradition expliquera plus tard qu'ils sont consacrés au service de Dieu, dans les différents sanctuaires du pays (Nb 3,11-13) [*voir* p. 269].

Les 12 fils de Jacob et les Fils d'Israël

La Bible exprime l'unité du peuple d'Israël par des ensembles à base douze. Si le nom propre d'un groupe désigne un descendant de Jacob-Israël, on est en système *généalogique.* Si le nom propre d'un groupe désigne ce groupe lui-même, on est en système *tribal.* Enfin, si le nom propre d'un groupe désigne le territoire occupé par ce groupe, on est en système géographique ou *territorial.*

Système généalogique

L'unité d'Israël est exprimée par des récits de naissance qui réfèrent, dans un certain ordre, chacun des groupes israélites à un père commun : Jacob-Israël. Les groupes se rattachent à deux mères principales : Léa et Rachel, secondées par leurs servantes Zilpa et Bilha. Les numéros indiquent l'ordre des naissances :

Léa	**Rachel**
1. Ruben	12. Joseph
2. Siméon	13. Benjamin
3. Lévi	
4. Juda	
9. Issakar	
10. Zabulon	
11. *Dina*	

Zilpa	***Bilha***
7. Gad	5. Dan
8. Asher	6. Nephtali

Le nombre 12 n'est atteint, lors du séjour de Jacob chez Laban en Mésopotamie (Gn 29,31 – 30,24), qu'avec la fille, Dina, car Benjamin ne naît qu'au retour en Canaan (Gn 35,16-20). Deux groupes se distinguent nettement : celui de Léa, qui paraît antérieur, et celui de Rachel. On peut supposer que les fils des épouses représentent des groupes importants et que les fils des servantes représentent des groupes mineurs ou marginaux. Ces données se retrouvent en Gn 35,23-26 ; 46,8-25 ; 49,2-27 (Bénédictions de Jacob) ; Ex 1,2-5 ; 1 Ch 2,1-2. En Dt 33 (Bénédictions de Moïse), l'ordre des fils de Jacob n'est plus celui de leurs naissances, ni le regroupement maternel. Ce texte ne connaît plus que 11 noms (il manque Siméon) et ne présente que 10 oracles. D'autres répartitions apparaissent encore en Dt 27,12-13 et en Ez 48,31-34.

Système tribal

Ne sont pris en compte que les groupes ayant un existence différenciée et une attache territoriale propre ; ce qui exclut Lévi. Le total de 12 est obtenu par la distinction d'Éphraïm et de Manassé, les deux fils de Joseph. Ce système n'apparaît que dans sept textes des Nb, sous deux formes différentes. La première est représentée par deux textes : Nb 1,5-16 (le recensement) et 13,4-15 (les explorateurs en Canaan). Dans cette forme, Ruben, l'aîné est toujours en première position, et la séquence comprend d'abord les fils de Léa, puis ceux de Rachel et enfin ceux des servantes. La seconde forme est représentée par cinq textes où la première place revient soit à Ruben (Nb 1,20-43 ; 26,5-51), soit à Juda, la future tribu de David (Nb 2,2-31 ; 10,13-27 ; 7,10-88).

Système territorial

Dans trois textes, ce sont les territoires qui sont pris en compte. La description géographique présente nécessairement un ordre qui exprime une certaine intelligence du collectif israélite. En Jos 13–19, le partage suit les étapes de la « conquête ». En Nb 34, l'ordre est le même, à l'exception de Dan encore situé près de Benjamin. En Ez 48, toutes les tribus sont regroupées en Cisjordanie.

Deux listes divergent notoirement de celles des systèmes examinés : 1 Ch 12,25-38 ajoute Lévi et 1 Ch 27,16-22 ajoute Lévi et Aaron, en omettant Gad et Asher. Ces listes sont tardives et d'origine sacerdotale. La liste de Jg 5, en revanche, refléterait une situation sans doute ancienne, avec Éphraïm en tête, suivi de Benjamin, Makir, Zabulon Issachar et Nephtali, prêts au combat, tandis que Ruben, Galaad, Dan et Asher ne prennent pas part au combat. Juda et Siméon, étrangers à l'action, n'apparaissent pas.

En conclusion, il apparaît que les données territoriales les plus anciennes de ces systèmes ne remontent pas au-delà de David-Salomon. Le système tribal caractéristique du livre des Nombres est une création récente. La date du système généalogique a été envisagée comme préroyale, puisque Lévi et Joseph y apparaissent encore, mais ceci semble douteux car il n'y a pas d'organisation israélite complète avant l'unification des tribus par David et Salomon.

L'unique point fixe qui apparaît dans ces sytèmes est le nombre 12, dont la seule réalité historique serait à chercher dans l'administration salomonienne : la division du pays en 12 districts, pour assurer la collecte mensuelle des dons en nature pour le palais (1 R 4,7). Pour le reste, le système généalogique pourrait suggérer l'hypothèse d'un Israël aux multiples origines, avec un groupe ancien (Léa), un groupe récent (Rachel) et des populations soumises ou ralliées (servantes). Mais la signification précise de cette généalogie nous échappe.

La période des Juges

Le livre des Juges* est considéré par la majorité des biblistes comme le point de départ proprement dit d'une histoire d'Israël. La composition du livre montre que le cycle* des libérateurs (Jg 3,7 – 16,31) est construit sur la base du chiffre douze. L'intention est sans doute de montrer comment chaque tribu a contribué, tour à tour, au salut du peuple. La chronologie hétérogène de ce livre est inexploitable pour l'historien. L'époque des Juges n'est définie que de manière négative : « En ce temps-là il n'y avait pas de roi en Israël et chacun faisait ce qui lui plaisait » (Jg 17,6 ; 18,1 ; 19,1 ; 21,25 ; Dt 12,8). Ces différents textes indiquent clairement que la périodisation du temps des Juges ne remonte pas plus haut que l'époque royale par rapport à laquelle elle se contre-distingue. Pour une présentation littéraire et théologique du livre des Juges, *voir* p. 192.

On discerne dans le livre quelques sources dont l'antiquité paraît certaine. La version qu'il donne de la « conquête » (Jg 1 – 2,5), diverge de celle du livre de Josué. Les héros nationaux occupent la majeure partie du livre (Jg 3–16). La migration des Danites (Jg 17–18) et la guerre benjaminite (Jg 19–21) appartiennent à une autre histoire et préparent la période royale. Trois figures de libérateurs méritent d'être retenues : Débora, Gédéon et Samson.

Repère

La guerre sacrale

L'expression « guerres du Seigneur » apparaît trois fois dans l'Ancien Testament : 1 S 18,17 ; 25,28 ; Nb 21,14. Ce dernier texte nous apprend au passage qu'il a existé un écrit appelé *Livre des guerres de Yahvé**. Trois autres textes associent le mot « guerre » à un verbe de la racine exprimant la sacralité (*qadash*) : Jr 6,4 ; Jl 4,9 ; Mi 3,5. Dans ces trois cas, l'expression forgée peut simplement se traduire par « déclarer la guerre ». Plutôt que de « guerre sainte », il vaut donc mieux parler de « guerre sacrale ».

Les éléments de sacralité dont la Bible conserve la trace dans le domaine de la guerre (oracles, abstinence sexuelle, armes sacrées, interdit* sur le butin et les prisonniers) relèvent d'une ritualité universelle qu'Israël partage avec ses voisins [voir la Stèle de Mésha, p. 235]. Cela dit, en lien ou non avec les guerres qu'Israël a historiquement conduites, la Bible développe une importante terminologie guerrière dans sa représentation de Dieu ; par exemple, dans le récit de la mer Rouge : « Le Seigneur combattra pour vous ; vous, vous n'aurez qu'à rester tranquilles » (Ex 14,14). On constate, paradoxalement, que cette terminologie est plus abondante dans des textes écrits ou réécrits à des époques où Israël, dominé par Babylone, les Perses ou les Grecs, n'a plus d'armée et ne conduit plus de guerres. Ce phénomène d'écriture indique que ces textes entendent traiter d'autre chose que de la guerre et de la conception qu'il faut s'en faire. C'est du Dieu libérateur et sauveur que ces textes parlent, au risque de nombreux malentendus comme le montrent l'histoire de leur lecture et le malaise qu'ils continuent de susciter chez des lecteurs non avertis.

Débora (Jg 4–5)

Débora est une prophétesse de la tribu d'Issachar qui jugeait Israël. C'est elle qui décide Baraq, de la tribu de Nephtali, à prendre les armes (4,4-7) contre les ennemis d'Israël : Yabin, roi de Haçor, et Sisera son chef d'armée. Le cantique de Débora ne mentionne que Sisera (5,26-30), mais Haçor est déjà prise et détruite par les Israélites d'après Jos 11 ; c'est de ce récit concernant Nephtali et Zabulon que Jg 4 reprend le nom du roi Yabin. Quant au nom de Sisera, il n'est pas sémitique ; un texte d'Ougarit mentionne Zizarouwa, prince de Syrie du Nord au XIVe siècle ; ce qui orienterait vers l'un des Peuples* de la Mer. Le caractère épique du récit et du cantique de Jg 4–5 ne permet guère de préciser les circonstances historiques des événements rapportés par ces chapitres. Les données se résument au mouvement de Sisera, de Haroshet hag-Goyim au torrent du Qishôn, et à celui de Baraq, du mont Tabor à Haroshet hag-Goyim (Jg 4,13.14.16).

Gédéon (Jg 6–9)

En Jg 6,32, Gédéon porte aussi le nom de Yeroubbaal. On admet aujourd'hui que deux traditions portant sur des personnalités distinctes ont été fusionnées dans un même cycle, les rédacteurs ayant

Repère

Israël et sa terre, de la Bible à nos jours

On ne peut parler de souveraineté territoriale d'Israël qu'entre la fin du XIe siècle (Saül, David) et la prise de Jérusalem par les Babyloniens en 587. Encore faut-il souligner que, durant cette période, le territoire occupé par les royaumes d'Israël et de Juda ne cesse de s'amenuiser, jusqu'à la disparition du royaume d'Israël en 722 et à celle du royaume de Juda en 587. L'insurrection maccabéenne (167-164), qui aboutit à la déroute des occupants grecs et à l'établissement de la dynastie hasmonéenne (Simon en 142), ouvre une courte période de restauration et de souveraineté territoriale jusqu'à la prise de Jérusalem par Pompée (–63). Il faut ensuite attendre 1948 pour voir la naissance de l'État d'Israël.

L'établissement d'Israël sur son territoire occupe une place importante dans la Bible. On a parfois tendance à majorer la mainmise violente sur le pays et l'extermination des habitants qui caractérisent le livre de Josué et quelques psaumes*. Ce n'est pourtant ni la principale ni la seule manière dont les textes présentent les choses. Dans le livre de Josué, par exemple, il est question d'un pacte avec les Gabaonites, au nord de Jérusalem (Jos 9).

Certes le don du pays est un élément essentiel de la promesse faite aux Pères (Gn 12,7 ; 13,15 ; 15,18 ; etc.). On constate pourtant que le texte de la Loi juive s'arrête à la mort de Moïse (Dt 34) et laisse en dehors le récit de la « conquête » dans le livre de Josué. En dernier ressort, l'accomplissement de la promesse territoriale qui jalonne toute la Loi demeure comme suspendu. Il apparaît ainsi que le véritable territoire que l'Israélite doit occuper est essentiellement celui de la Loi de son Seigneur. Quelles que soient les circonstances historiques qui ont conduit Israël à délimiter ainsi la Tora*, le résultat obtenu et sans doute souhaité était bien de minimiser la « revendication » du territoire.

Il semble que la tradition liturgique juive ait entériné cette manière de voir puisque les lectures tirées du livre de Josué n'empruntent aucun texte portant directement sur la conquête (Jos 6–10) ni sur le partage du pays (Jos 13–22). Par ailleurs, les commentateurs juifs manifestent une gêne certaine devant le livre de Josué. Quelques rabbins se sont même interrogés sur le sort réservé aux Cananéens habitant le pays. Les réponses apportées à cette question tournent toutes autour de la culpabilité des habitants et la nécessité pour Josué et le peuple de mener une conquête. Quoi qu'il en soit de ces ambiguïtés, la tradition juive semble admettre que les événements de la conquête appartiennent à un lointain passé, qu'ils ont eu lieu une fois pour toutes et n'ont pas à être répétés.

Avec la fondation moderne de l'État d'Israël, le livre de Josué a connu un regain d'actualité : la revendication territoriale pouvait y trouver un précédent, un modèle, une légitimation. En même temps que ce livre, l'archéologie est devenue un champ de bataille puisqu'elle devait fournir la preuve de la réalité historique de la « conquête ». Le risque est ici de voir ce livre de Josué inspirer et nourrir « religieusement », de manière indue, la perspective d'une reconquête territoriale.

voulu faire de Gédéon / Yeroubaal le père d'Abimélek, premier roi biblique de Sichem. En Jg 8,22-23, Gédéon, héros local du petit clan d'Abiézer, originaire d'Ophra, se voit proposer la royauté sur Israël en raison de ses victoires sur Madiân, mais il la refuse. Les ultimes rédacteurs ont voulu présenter Gédéon comme « sauveur » d'Israël et non comme roi. On reconnaît ici une théologie antimonarchique de l'Exil, qui porte un jugement négatif sur le rôle historique des rois.

Samson (Jg 13–16)

Le livre des Juges le présente comme un Danite. Avant sa migration au Nord, la tribu de Dan est un petit groupe établi dans la zone des collines à l'ouest de Jérusalem. Les ennemis des Israélites sont alors les Philistins. Le cycle de Samson regroupe différentes histoires dont certaines ont un caractère populaire très prononcé. Il est possible que Samson ne soit pas, à l'origine, un héros israélite, mais un personnage cananéen. En Jg 15,10-13, en effet, ce sont des Judéens qui cherchent à capturer Samson.

D. N.

La religion de Canaan

Les dieux

À partir de 1929, à Ras Shamra, sur la côte syrienne, des archéologues français ont mis au jour les restes de la ville ancienne d'Ougarit, capitale d'un petit royaume florissant aux XIVe et XIIIe s. av.J.C. Les textes en écriture cunéiforme* alphabétique, dont l'étude se poursuit activement, offrent l'exemple unique à ce jour d'un panthéon cananéen organisé. Il est probable que le modèle ougaritique puisse s'appliquer en grande partie à d'autres cités de la côte syro-palestinienne (Byblos, Sidon, Tyr) si l'on en juge par les quelques témoignages religieux qu'elles nous ont légués. C'est à un tel milieu religieux que furent confrontés les Israélites lorsqu'ils se sédentarisèrent dans le pays de Canaan.

Le panthéon d'Ougarit est dominé par le dieu ***El*** (même racine sémitique qu'en akkadien *ilou(m)*, en hébreu *élohim*, et en arabe *allah*), dont le nom ne signifie rien d'autre que « dieu ». Père des dieux, El était imaginé comme un vieillard barbu, débonnaire et plein de sagesse; il restait cependant lointain et peu sensible aux requêtes humaines. Ce fait explique probablement que, si El était très présent dans la mythologie, sa place se révèle discrète dans la pratique de la religion populaire et quotidienne. Son épouse *Athirat* (en hébreu *Ashéra*), vénérée aussi en tant que déesse de la mer à Tyr et à Sidon, partageait avec amour son existence, et elle lui enfanta 72 fils.

Dans le vécu religieux, la première place revient sans conteste à ***Baal***, « le seigneur, le maître » ; il s'agit, en fait, d'une épithète attribuée à Ougarit au dieu Haddou, le fils de Dagân auquel El accorda une grande liberté d'action, se reposant dans bien des circonstances sur son efficacité. Baal, en effet, représentait le dieu jeune, vigoureux et triomphant. Dieu de l'orage et vaillant guerrier, il revêtait un aspect bienfaisant en tant que divinité dispensatrice de la pluie fécondante et ainsi protectrice de l'agriculture, si importante pour l'économie ougaritaine. Ce dieu Baal à la vigne et à l'épi de blé était représenté en différents lieux du Proche-Orient au début du premier millénaire av.J.C. ou sur les monnaies de Tarse à l'époque impériale romaine. Il convient d'ajouter encore une fonction à ce grand dieu d'Ougarit (et de Canaan), souvent représenté coiffé de la haute tiare et vêtu d'un pagne : il était le protecteur des marins ; ce qui explique la présence de nombreuses ancres votives près de son temple et la parfaite visibilité de celui-ci depuis la mer. Baal était secondé par sa sœur et épouse, ***Anat***, à l'origine déesse vierge de la chasse, douce, courageuse et totalement dévouée à son époux ; elle constituait le modèle à suivre pour les femmes d'Ougarit.

Comme le laisse supposer l'emplacement de son temple à côté de celui de Baal, une autre divinité majeure d'Ougarit était ***Dagân,*** « le

DOCUMENT

LE PALAIS DE BAAL

La mythologie nous aide à nous forger une idée assez précise des personnalités divines ougaritaines, des liens existant entre elles et elle constitue aussi le reflet d'une civilisation et de son mode de vie. Une grande tablette nous raconte les étapes de *la construction d'un palais pour Baal*, nouveau venu dans la cour des dieux d'Ougarit. Il lui faut obtenir l'autorisation du dieu El et, pour ce faire, gagner les sympathies d'Athirat, des démarches dans lesquelles il sera efficacement secondé par la déesse Anat.

La Dame Athirat Yam répond (à El) : « Grande, certes, est (ta) sagesse, ô dieu. La barbe chenue fait certes ta science, tu fais sortir de ta poitrine une voix douce. Voici autre chose : Baal va fixer l'heure de sa pluie, l'heure des déferlements liquides. Il donnera de la voix dans les nuées, il (fera voir) à la terre son éclat, la foudre. Qu'on achève pour lui une maison de cèdre, ou que pour la maison on lui porte des briques. Qu'on dise au Très-Puissant Baal : Fais venir un convoi dans ta demeure, des fournitures à l'intérieur de ton palais. Les montagnes t'apporteront de l'argent en masse, les collines l'or le plus précieux, les caravanes t'apporteront des pierres précieuses. Bâtis une demeure d'argent et d'or, une demeure d'éclatantes pierreries. »

La Vierge Anat se réjouit ; elle remue les jambes et parcourt la terre. Elle se rend alors auprès de Baal sur les hauteurs du Çapon, à travers mille champs, dix mille arpents. La Vierge Anat rit, elle prend la parole et déclare : « Reçois une bonne nouvelle, Baal, c'est une bonne nouvelle que je t'apporte. On va te bâtir une maison comme (en ont) tes frères, et une cour comme (en ont) tes pairs. »

(Colonne V, 64–91 ;
trad. A. Caquot, M. Sznycer.)

Les aspects caractéristiques des dieux sont dressés en quelques traits : El est présenté comme un vieillard sage et bon, Baal est le dieu de l'orage et de la pluie bienfaisante tandis que Anat ne songe qu'au bonheur de son frère-époux.

blé », grand dieu des Amorites. Il était également vénéré dans plusieurs cités cananéennes et était désigné dans la Bible comme le grand dieu des Philistins (Dagôn : 1 S 5,2). Plusieurs toponymes cananéens portent le nom de Dagân. Il partageait avec Baal la protection de l'agriculture.

Le monde astral se trouvait dominé par le couple formé de la déesse Soleil ***Shapash*** et du dieu Lune ***Yarikh*** venu, lui, de Mésopotamie. Shapash était aussi liée aux travaux agraires, comme vraisemblablement le dieu Yarikh, mais on lui connaît également une fonction d'unification du monde des vivants au monde des morts (ce qui rappelle le parcours nocturne de la barque solaire, chez les Égyptiens).

Trois divinités encore occupent un rang non négligeable au sein du panthéon ougaritique. ***Athart*** (= Ashtarté, Ashtoret, Ishtar assimilées plus tard à Aphrodite des Grecs) représentait l'aspect séducteur de la femme et se trouvait parfois associée à Anat. ***Reshef*** (Rashap) connaissait un réel succès dans la religion populaire, bien que, par certains aspects, il fût un dieu redoutable. Enfin, il était bien normal pour une cité portuaire d'accorder une place toute spéciale à ***Yam***, « la mer » ; un mythe* célèbre raconte la lutte de Yam contre Baal et le triomphe de ce dernier.

Autour de ces divinités majeures interviennent d'autres dieux, tels que *Kothar*, le dieu artisan et architecte, bien attesté dans la mythologie, qui fabriquait les armes des dieux. Quant à ***Horôn,*** il est le dieu guérisseur mais il comporte cependant un aspect destructeur. Précisons que ***Môt*** (« la mort »), célèbre par le mythe l'opposant à Baal, ne peut être considéré comme un dieu car il ne reçoit pas de culte. Mais, comme le suggère son nom, il constitue la personnification de l'antithèse de la vie, à savoir « la sécheresse, le désert, la mort ». Quant aux fameux ***Rephaïm*** (ou *Rapiouma*), ils sont à identifier avec les esprits ou plus exactement les fantômes des ancêtres royaux.

Il est enfin utile, lorsqu'on évoque le panthéon d'Ougarit, de se rappeler le caractère pluriethnique et pluriculturel (et donc polyglotte) de la population vivant dans cette ville. Dans le cadre de ce chapitre, l'accent est mis sur la composante sémitique, certes essentielle, mais il ne faut pas perdre de vue la présence chypriote, égyptienne, hittite – n'oublions pas que le royaume d'Ougarit était vassal de l'Empire hittite –, mésopotamienne et surtout hourrite. Cette dernière était particulièrement importante et active dans les affaires économiques, politiques, culturelles et religieuses. Il existe ainsi des listes d'un panthéon hourrite à Ougarit, tout comme des rituels sacrificiels sont rédigés en hourrite ou mélangent dieux sémites et hourrites tout en étant truffés d'emprunts linguistiques à la langue hourrite. Il est à remarquer que ces mêmes listes divines adoptent et intègrent certains dieux sémitiques tels que El, Anat ou Reshef.

Dans le Proche-Orient ancien, et plus particulièrement dans le couloir syro-palestinien, les dieux étaient imaginés comme des super-rois. Dans le contexte de sociétés citadines et non tributaires d'une religion

DOCUMENT

LE COMBAT DE BAAL CONTRE YAM

L'extrait suivant est tiré d'un long poème évoquant la rivalité pour le pouvoir entre Baal, dieu nouveau venu mais favorisé par El, et Yam le dieu de la mer. Au fil du temps, les rancœurs se sont accumulées de part et d'autre. Yam estime que Baal ne paie pas le tribut requis et envoie deux émissaires à l'assemblée des dieux afin de faire connaître à celle-ci ses récriminations.

Les pages s'en vont, sans s'arrêter, et ils se rendent au milieu de la montagne Lal auprès de l'assemblée réunie. Les dieux sont assis pour manger, les divinités (sont assises) pour prendre le repas. Baal se tient à côté de El. Dès que les dieux les aperçoivent, (dès qu') ils aperçoivent les messagers de Yam, les ambassadeurs du Juge Nahar, les dieux laissent choir leurs têtes sur leurs genoux et sur leurs trônes princiers. Baal les réprimande : « Pourquoi, ô dieux, avez-vous laissé choir vos têtes sur vos genoux et sur vos trônes princiers ? L'un des dieux doit répondre aux tablettes des messagers de Yam, (aux) ambassadeurs du Juge Nahar. Relevez, ô dieux, vos têtes de vos genoux, de vos trônes princiers ! Et moi je répondrai aux messagers de Yam, (aux) ambassadeurs du Juge Nahar. » Les dieux relèvent leurs têtes de leurs genoux (et) de leurs trônes princiers.

Ensuite, arrivent les messagers de Yam, les ambassadeurs du Juge Nahar. Ils ne se jettent pas aux pieds de El, ne se prosternent pas devant l'assemblée réunie. Ils se tiennent debout... Ils répètent (le message) qu'on leur avait confié. Un feu, deux feux apparaissent, ils mettent une épée aiguisée dans leur main droite. Ils disent au Taureau El, son père : « Message de Yam, votre maître, de votre seigneur, le Juge Nahar. Livre, ô El, celui que tu protèges, celui que la foule attend ! Livre Baal et ses valets ! (Livre) le fils de Dagân pour que je m'empare de son or. Le Taureau El, son père, répond : Baal (sera) ton esclave..., le fils de Dagan est votre captif ! Qu'il t'apporte le tribut comme les (autres) dieux ; qu'il t'apporte, comme les divinités, des cadeaux... »

(Baal et la Mer, III AB, B ;
trad. A. Caquot, M. Sznycer.)

Les propos de El irritent violemment Baal qui se précipite pour frapper les ambassadeurs, mais Anat et Athtart l'en empêchent. Le récit se terminera par la victoire de Baal au cours d'un combat singulier l'opposant à Yam. Dans ce but, le dieu Kothar avait fabriqué deux massues exceptionnelles.

La massue s'élance de la main de Baal comme un épervier d'entre ses doigts. Elle frappe le Prince Yam au crâne, le Juge Nahar au front. Yam s'écroule, il tombe à terre, ses articulations faiblissent et sa figure se défait. Baal traîne Yam et le démembre, il achève le Juge Nahar.

(Id. III AB, A ;
trad. A. Caquot, M. Sznycer.)

L'ensemble de ce récit baigne dans l'atmosphère palatiale ; il s'agit bien d'une rencontre entre le roi et les ambassadeurs d'un souverain en froid, transposée au niveau divin. On remarquera les appellations données à l'adversaire de Baal : « (prince) Yam » (= mer) alterne avec « juge Nahar » (= fleuve), le fleuve étant « juge » lorsqu'on lui jette un accusé pour une ordalie : si celui-ci ne se noie pas, c'est que le fleuve le déclare innocent. On aura également remarqué la pratique constante des parallélismes-doublets, fréquente dans les psaumes* et dans toute la poésie biblique.

révélée, la conception du divin part d'une réflexion de l'homme sur le monde qui l'environne et sur ses besoins. Dès une haute époque, lorsque dans ces régions le stade de la religion chtonienne centrée sur le culte de la déesse-mère (= la Terre ; voir Gaia des Grecs) sera dépassé, les « penseurs » du Proche Orient conçurent les rapports hommes-dieux à l'image des relations existant entre le roi, lui-même grand prêtre et représentant terrestre du dieu, et ses sujets. L'homme est ainsi le serviteur intelligent de la divinité et c'est la raison pour laquelle, comme l'affirment plusieurs mythes mésopotamiens relayés dans le monde syro-cananéen, l'homme fut créé à l'image des dieux. Toute la conception du culte, et par conséquent du sacré, en découle. En d'autres termes, le culte (*cultus* = l'art de vénérer les dieux) s'inspira directement du protocole royal dont il constitue une représentation sublimée. D'autre part, les dieux restent nationaux ; ils sont liés dans un premier temps à une cité, plus tard à un État. La notion d'universalité divine est absente. Privés du don d'ubiquité, les dieux ne sont pas davantage omnipotents et omniscients ; ils sont faillibles, incapables de sonder les consciences humaines, souvent astreints à juger les hommes sur leur comportement extérieur.

Le sacré et la survie

Le sacré (désigné par la racine sémitique *qadash*) exprime la dimension non profane et sublimée des relations entre les dieux et les hommes. À cette fin, une série de conditions doit être remplie dont les textes rituels ougaritiques et bibliques se font l'écho. La condition principale, dans laquelle se résument finalement toutes les autres, est la propreté « médiatrice du sacré » : propreté corporelle des serviteurs du dieu, caractère impeccable du sanctuaire et de toutes les activités qui s'y déroulent, propreté du temple, toilette des idoles, scrupule dans l'accomplissement des rites, correction dans la récitation des prières et dans la psalmodie des chants, qualité irréprochable des offrandes. Bref, nous sommes en présence de la quintessence de la politesse à l'égard d'un être supérieur. Les rituels ougaritiques insistent sur la sacralisation du roi avant le sacrifice, et, à la fin de celui-ci, il est souvent stipulé que le souverain est désacralisé, c'est-à-dire rendu à la vie profane et délié d'une quantité d'obligations protocolaires à l'égard des dieux. Aux dignitaires de la cour, spécialistes du protocole, dont le rôle était notamment d'aider le roi mais aussi de servir d'intermédiaires entre le monarque et son peuple, correspondent les prêtres (racine sémitique *kahan ;* en hébreu, *kohen*), spécialistes du sacré, sans lesquels toute relation fructueuse avec les dieux s'avérait impossible.

Il faut reconnaître qu'au IIe millénaire av.J.C., exception faite de l'Égypte, les idées relatives à la survie de l'homme et à ses modalités restent obscures pour nous, notamment en raison de l'absence de textes explicites. L'impression première, mais non définitive, est que les populations cananéennes se préoccupaient essentiellement de la vie terrestre tout en caressant probablement l'espoir secret d'une forme de survie qualitativement inférieure à la vie terrestre. Aucune trace de jugement après la mort ni de rétribution du bien et du mal n'apparaît à Ougarit, ni en quelque lieu du monde cananéen ou anatolien. Si une telle rétribution existait, elle s'appliquait à la vie terrestre et ne concernait que l'homme vivant. De plus, l'immortalité supposée du roi était-elle aussi le lot du commun des mortels ? Il est difficile de répondre à cette question. À Ougarit, le rituel funéraire d'un monarque nous décrit l'arrivée du défunt au sein des Rapiouma (ou *Rephaïm*), c'est-à-dire dans la "famille" de ses prédécesseurs sur le trône d'Ougarit.

Les fouilles d'Ougarit ont toutefois dégagé des habitations comportant une chambre funéraire aménagée dans les fondations de la demeure ; on en déduira que les vivants recherchaient, surtout dans les classes aisées, la proximité avec les défunts sans que cela signifie pour autant la quête d'une protection toute spéciale de leur part. À en juger par les quelques détails relatifs aux rois défunts, les morts seraient, comme pour l'ensemble des Cananéens, réduits à l'état de fantômes frêles, inconsistants et sans pouvoir particulier. C'est aussi la conception mentionnée dans la Bible à propos de la mort d'un puissant roi de Babylone, au VIIIe s. av.J.C. :

Le shéol souterrain s'émeut à ton propos pour venir à ta rencontre. En ton honneur il réveille les ombres, tous les potentats de la terre. Il fait lever de leurs trônes tous les rois des nations. Tous prennent la parole pour te déclarer : Te voilà, toi aussi, anéanti comme nous, tu nous es devenu semblable. Ton faste est précipité au shéol avec la musique de tes harpes ; sous toi s'étend un matelas de vermine, te voilà couvert de larves.* (Is 14,9-11)

Par conséquent, cette pratique ne traduirait-elle pas le souci de préserver la mémoire du défunt au sein de la société et de la famille, et, pour les vivants, ne serait-ce pas là un moyen de légitimer les droits de propriété d'une famille sur un domaine ? La question est posée. Par ailleurs, il n'existe aucune preuve tangible, à ce jour, d'un culte funéraire domestique.

Les sanctuaires

L'origine d'un « lieu sacré » et du culte qui s'y déroule est souvent liée à un événement exceptionnel, voire considéré comme surnaturel : théophanie* supposée, permanence d'orages violents sur un site donné, source fécondante ou miraculeuse, guérison subite, disparition d'un personnage important. Ces faits peuvent, de plus, bénéficier d'un support mythologique. Le temple ou maison du dieu constitue l'élément essentiel du sanctuaire. Comme dans tout le Proche-Orient ancien ou méditerranéen, le sanctuaire cananéen constitue le lieu de rencontre privilégié entre les fidèles et la divinité titulaire du lieu sacré, par exemple à l'occasion des fêtes régulières stipulées au calendrier festif et à respecter méticuleusement. Il se situait de préférence au sommet d'une montagne, lieu de rencontre idéal avec une divinité céleste, en l'occurrence un dieu de l'orage tel que Baal-Haddou, ou le dieu hourrite de l'orage Teshoub ou encore Yahvé*, le Seigneur d'Israël. Plusieurs sanctuaires du pays syro-cananéen étaient célèbres : ainsi celui sis au sommet du mont Casius (Djebel el-Aqra) au nord d'Ougarit et consacré à un grand dieu de l'orage dénommé Baal par les Ougaritains sémitiques ou Teshoub par les Hourrites ou encore, plus tard, Zeus Kasios par les populations hellénisées. Le pays de Canaan possédait plusieurs sanctuaires consacrés à El, que les Israélites connurent bien : ainsi, celui de Sichem dédié à El Berith, « El de l'Alliance » ou encore ceux de Béthel, de Béer-Shéba (Bersabée) et d'Apheq.

Bétyle, temple et idole

Il est impossible d'évoquer le culte cananéen antique sans évoquer en premier lieu l'omniprésence, au moins dès le début du IIe millénaire av.J.C. jusqu'à la christianisation de l'Empire romain, des bétyles (litt. *beyt-El* : « maison de Dieu »). Dans l'Anatolie hittite, le bétyle servait de substitut du temple et se dressait souvent à la porte des villes. Au pays de Canaan, il s'agit fréquemment d'une pierre dressée, d'une stèle, d'une espèce d'obélisque (voir le « Temple aux obélisques » de Byblos, datable du début du IIe millénaire), bref un objet remarquable destiné à manifester la présence divine, à indiquer un lieu saint. Un sanctuaire ou un temple peut englober le bétyle et se développer autour de lui comme on l'observe sur une monnaie de Byblos remontant au IIIe s. de notre ère, qui montre une pierre conique dressée au milieu de la cour du temple. En certaines occasions, les bétyles investis de la puissance divine (*numen*) constituent vraiment des pierres animées comme le signalait Philon de Byblos. À côté du terme « bétyle », les Sémites utilisaient encore les mots « pierre » (en hébreu *èbèn*) ; « pierre dressée » ou « stèle » (en hébreu *maççèbèt*).

Le temple est, comme nous l'avons vu, le palais terrestre d'un dieu ouranien, céleste. Son existence n'est envisageable que dans le cadre d'une civilisation sédentaire et urbanisée ; il est inconnu du nomadisme. Afin de plaire à la divinité, le temple était édifié sur le modèle d'un palais royal et pouvait revêtir des dimensions considérables comme ceux de Baal et de Dagân sur l'acropole d'Ougarit. Ce sont de telles conceptions qui ont évidemment inspiré Salomon dans l'édification du prestigieux temple de Jérusalem pour laquelle il s'adjoint d'ailleurs les conseils et l'aide d'Hiram, roi de Tyr. Le *naos* ou « saint des saints » constitue la pièce principale du temple, c'est-à-dire l'appartement privé du dieu dans lequel ne peuvent pénétrer que des personnages de haute sacralité tels que le roi et les grands prêtres. C'est dans le *naos* que se dressait, entourée des brûle-parfums, l'idole anthropomorphique (de forme humaine) ou thériomorphique (de forme animale, par exemple le taureau pour Baal ou tout autre dieu de l'orage) pour souligner les caractéristiques de la divinité, notamment sa force.

Les idoles (du grec *eidôlon*, « image, représentation ») constituèrent le réceptacle terrestre de l'esprit divin censé résider habituellement dans les cieux (voir Baal Shamim : « Maître des cieux »). Contre ces idoles fulminèrent Moïse et les prophètes* d'Israël, progressivement acquis à une conception plus universaliste et plus épurée de Dieu. Lors des fêtes régulières (prévues au calendrier sacré) ou pour quelque autre bonne occasion, le dieu descend sur terre dans son temple afin de séjourner dans son idole et d'y recevoir les hommages et les mets attendus. Dans ces circonstances, l'idole, objet d'un soin constant et minutieux, est animée : elle est le dieu rendu visible aux hommes. On imagine la crainte respectueuse envahissant les personnes se trouvant face à la divinité, dans un *naos* pénétré d'une ambiance toute particulière et parfumée d'encens. Rappelons que le dieu n'a pas le don d'ubiquité : il ne peut se trouver que dans un seul sanctuaire à la fois. En Israël, l'unicité du temple de Jérusalem, à partir du VIIe s. av.J.C., éliminait la question de la présence de la divinité en divers lieux et contribuait à poser les premiers jalons d'une divinité unique, rayonnant à partir d'un seul lieu terrestre, étape vers une perception plus universelle de la divinité ; ce qui, toutefois, ne se réalisa pas sans difficultés.

Ougarit nous a, à ce jour, livré quatre temples : deux de dimensions modestes, à savoir le temple dit « hourrite », intégré dans la région des palais, sorte de chapelle palatiale comportant deux pièces barlongues et un escalier faisant partie d'une tour donnant accès à une terrasse, tandis que le second édifice fut appelé « Temple aux rhytons » et se résume à une pièce centrale sans étage, ce qui devait en faire un simple sanctuaire de quartier. On a suggéré avec raison qu'il pouvait s'agir du lieu de rassemblement d'une confrérie. Mais les deux grands temples se situaient sur l'acropole et étaient consacrés à Baal (le temple le mieux conservé) et à Dagân. À la différence de la situation égyptienne ou gréco-romaine, il subsiste bien peu de vestiges spectaculaires de ces temples d'Ougarit ; on remarque avant tout les structures inférieures, tout le reste s'étant effondré et ayant brûlé.

Il n'empêche que les indications fournies par les rituels, conjuguées aux vestiges archéologiques, permettent de se forger une idée assez objective de la structure de ces deux édifices. La superficie du sanctuaire de Baal était de quelque 850 m^2 délimités par un mur d'enceinte. À gauche de l'entrée se situent des dépendances ; dans son prolongement on trouve une cour avec un autel imposant et au-delà de la cour se dressait le temple proprement dit, de forme rectangulaire, avec un vestibule ouvrant sur le *naos ;* en pénétrant dans celui-ci on rencontre les bases d'un escalier devant appartenir à une tour de 18 à 20 mètres de hauteur, au sommet de laquelle était aménagée une terrasse où se déroulaient les actes rituels. L'existence de ces tours avec terrasse (bien visibles notamment de la mer) est une caractéristique des temples ougaritiques. Il est vraisemblable que les animaux étaient sacrifiés sur l'autel de la cour du temple, tandis que le roi, sur la terrasse de la tour, dédiait les offrandes. Un texte rituel est très éclairant à ce propos :

*Quand le roi offre un sacrifice pour Pargali (*divinité hourrite*) sur la terrasse sur laquelle il y a quatre et quatre habitations de branchages (*supports ou socles cultuels*) : un mouton en holocauste*, un bœuf et un mouton en sacrifices de communion ; sept fois le tout sur la terrasse ; le roi donnera un répons ; décline le soleil et le roi est désacralisé ; on le revêt d'habits somptueux, on lui essuie le visage ; on le fait revenir au temple, et, quand il s'y trouve, il élève les mains.* (KTU 1.41, 50-55 ; trad. J.-M. de Tarragon.)

C'est dans ces ruines que furent retrouvés de nombreux objets cultuels, par exemple des « cheminées à libations » répandues dans tout le couloir syro-palestinien ou encore des trépieds. À ceci s'ajoutent de beaux rhytons, des plats en or finement ciselés, des vases précieux dont une « chope » décorée de symboles cosmiques. Mentionnons enfin les nombreuses haches d'apparat portées par des dignitaires sacerdotaux ;

souvenons-nous notamment de la hache trouvée au début des fouilles et comportant l'inscription *rb khnm* : « chef des prêtres », qui fut à l'origine du déchiffrement de l'écriture cunéiforme* ougaritique. Une hache, conservée au musée d'Alep, comporte une douille remarquable en cuivre incrusté d'or avec la représentation d'un sanglier et de deux têtes de lion.

Les rites sacrificiels

Il s'agit des actions rituelles les plus importantes. Le sacrifice* par excellence est désigné en ougaritique par le terme *dbh* « banquet » (voir *zbh* en hébreu). Dans le monde méditerranéen et proche-oriental antique le sacrifice consiste essentiellement à nourrir les dieux ; c'est une charge qui revient à l'homme créé précisément pour le service des dieux. Les fidèles pouvaient être associés à ce banquet divin auquel ripailles et beuveries semblaient ne pas être étrangères. En tout cas, ce festin comporte les libations de vin ou de boisson fermentée et l'holocauste* (« brûlé », en ougaritique : *shrp*), modèle du sacrifice cananéen, adopté d'ailleurs par les Israélites. Il s'agissait de brûler complètement les viandes offertes avec accompagnement d'herbes et

DOCUMENT

UN RITUEL DE SACRIFICE

Voici un excellent exemple de rituel sacrificiel pour les cérémonies de la pleine lune, au milieu du mois :

Au quatorzième (jour), le roi se lave, purifié. Au jour de la pleine (lune), des bœufs sont abattus. Le mois (à son) dixième : pour Baal Çapon, deux brebis et une colombe de ville et deux reins ; un mouton pour rmsh *; et un foie et un mouton pour Shalim ; un foie de bœuf et un mouton pour Baal Çapon ; une brebis pour Çapon (en) holocauste et, en sacrifices de communion, de même. Et, au temple de Baal d'Ougarit, des foies et un poumon ; (au) dieu-père, une génisse ; (à) El, un mouton ; (à) Baal, un mouton ; (à) Anat Çapon, un bœuf et un mouton ; (à) Pidray, un mouton (en) holocauste. Et, (en) sacrifices-*shèlèm *: (au) dieu-père, un mouton ; (à) Baal d'Ougarit, un mouton ; (à) Baal de Halba, un mouton ; (à) Yarikh, un mouton ; (à) Anat Çapon, un bœuf et un mouton ; (à) Pidray, un mouton ; (à) Dadmish (= dieu hourrite), un mouton. Puis, auprès de(s) ouverture(s), (au) dieu-père un mouton ; (à) Baal, un bœuf et un mouton ; (à) Dagân, un mouton ; (aux) dieux alliés, un mouton ; (à) Baal, un mouton ; (à) Anat, un mouton ; (à) Reshef, un mouton, (en) sacrifices-*shèlèm.

(KTU 1.109 ;
trad. J.-M. de Tarragon.)

Ce texte sacrificiel, relativement bien conservé, nous met en présence des grands dieux d'Ougarit (El, Baal, Anat, Dagân, Yarikh, Reshef, Pidray, mais, curieusement, Shapash manque), des animaux offerts mais aussi des deux types de sacrifices principaux : les holocaustes et les sacrifices *shlm* ou sacrifices de communion (hébreu : *shèlèm*). Il est très éclairant de comparer ce rituel à ceux de l'Ancien Testament, un peu plus récents mais manifestement très proches. Cela révèle l'influence du contexte religieux cananéen sur la mentalité et les rituels des tribus israélites [*voir* p. 182].

DOCUMENT

Un rituel de réconciliation ?

Une tablette ougaritique, unique en son genre, pourrait constituer un rituel de réconciliation entre les différentes composantes ethniques de la cité. Le caractère répétitif des paragraphes assure une restitution aisée des lacunes. En voici un extrait :

(Un mouton est amené pour le sacrifice) *Vous effectuerez la purification (avec) le chef des (gens) de* qt, *le chef des (gens de)* ddm, *le chef des Hourrites, le chef des Hittites, le chef des Alasiotes (= Chypriotes), le chef des (gens de)* gbr, *le chef de ceux qui vous ont pillés, le chef de ceux qui vous ont opprimés, le chef des (gens de)* qrzbl. *Vous ferez la purification pour votre colère et pour votre impatience et pour la querelle que vous avez faite ; vous ferez la purification.*

Nous sacrifierons notre sacrifice ; ceci (est) l'offrande ṯ' que nous offrirons ; ceci (est) la victime que nous abattrons ; qu'elle s'élève pour le père des fils de El, qu'elle s'élève pour le conseil des fils de El, pour l'assemblée des fils de El, pour tkmn *et* shnm. *Voici : un mouton.*

(KTU 1.40 ;
trad. J.-M. de Tarragon.)

de produits odoriférants. La raison d'être de ce type sacrificiel réside dans le fait que les dieux célestes se nourrissaient avant tout des saveurs dégagées par la cuisson des aliments sacralisés dont l'élimination totale les mettait à l'abri de toute forme ultérieure de profanation et de dégradation. Les animaux étaient sacrifiés en plein air sur les autels aménagés dans la cour des grands temples. Il s'agissait de bovins, d'ovins, de caprins ou de colombes (comme en Israël). L'animal offert devait être en bonne santé, exempt de défauts physiques ; le bovin semble avoir été l'offrande privilégiée au dieu Baal. Il n'existe aucune trace de sacrifice du chien ni du porc, ce dernier étant, comme le bouc, l'animal impur par excellence et, par conséquent, impropre à être sacrifié et consommé.

Un rite commun à la Bible et à Ougarit est le sacrifice *shèlèm* ou sacrifice de communion, de réconciliation, destiné probablement à préserver l'harmonie d'une société pluriculturelle composée de Sémites, Hourrites, Hittites, Égyptiens, Chypriotes et Mycéniens. Par contre, un sacrifice original, inconnu dans le monde biblique, est le *t'* ou sacrifice d'expiation largement pratiqué dans le royaume d'Ougarit. Le roi, assisté parfois de la reine, préside de nombreux sacrifices : « le roi sacrifie » (*ydbh mlk*) est la formule consacrée débutant plusieurs rituels ; au préalable, il se sera lavé pour garantir sa pureté rituelle : « le roi se lave, purifié » (*yrthç mlk brr*). Revêtu d'habits cultuels somptueux, le souverain dédie l'offrande à la divinité et assure normalement le répons. Il semble que, durant certaines cérémonies, les statuettes divines étaient habillées et aussi déplacées en divers endroits du temple.

BIBLE

DES RITUELS ISRAÉLITES

Dans les sanctuaires israélites, si semblables à ceux des peuples voisins (notamment phéniciens et syriens), il faut évidemment s'attendre à ce que les rites, eux aussi, soient comparables. Sur ce point, nous n'avons pas de textes anciens, mais seulement des rituels codifiés au VIe s., par les prêtres* de Jérusalem exilés en Babylonie. Mais on peut supposer que, vu le conservatisme du milieu sacerdotal, ces rituels conservent des traditions séculaires. Ils présentent peu de différences avec les textes cananéens comme ceux d'Ougarit [*voir* p. 180], du moins quant à la description des rites, car les significations de ceux-ci ne sont pas indiquées dans les rituels. Or un même rite peut recevoir des sens différents selon les groupes qui le pratiquent. Voici trois exemples de ces rituels.

Le premier sacrifice d'Aaron

Les récits sur le culte au désert, lors de l'Exode, rapportent le premier sacrifice (Ex 29). Il est offert par Aaron, le frère de Moïse et le premier prêtre, ainsi que par ses fils, qui viennent de recevoir l'investiture sacerdotale.

Tu amèneras le jeune taureau devant la Tente du Rendez-vous. Aaron et ses fils poseront leurs mains sur la tête du taureau, puis tu abattras le taureau devant le SEIGNEUR, à l'entrée de la Tente du Rendez-vous. Tu prendras du sang du taureau et tu le mettras avec ton doigt sur les cornes de l'autel ; tout le sang, tu le répandras à la base de l'autel. Tu prendras toute la graisse qui recouvre les entrailles, la masse graisseuse partant du foie, les deux rognons avec la graisse qui y adhère, et tu les feras fumer à l'autel. Mais la chair du jeune taureau, sa peau et sa fiente, tu les brûleras au feu hors du camp, car c'est un sacrifice pour le péché.

Tu prendras ensuite l'un des béliers ; Aaron et ses fils poseront leurs mains sur la tête du bélier, puis tu abattras le bélier et tu prendras son sang que tu répandras contre l'autel, tout autour. Tu couperas le bélier en quartiers, tu en laveras les entrailles et les pattes, et tu les mettras sur ses quartiers et sur sa tête. Puis tu feras fumer le bélier tout entier à l'autel. C'est là un holocauste pour le Seigneur ; c'est un parfum d'apaisement, un mets consumé pour le SEIGNEUR (Ex 29,10-18).

Les v.31-35 évoquent le repas sacré pour Aaron et ses fils, à l'exclusion de tout laïc ; les restes du repas seront livrés au feu car « ce sont choses saintes ». Enfin viennent les règles de l'holocauste quotidien.

Voici ce que tu offriras sur l'autel : deux agneaux mâles d'un an, chaque jour, à perpétuité. Tu offriras l'un de ces agneaux le matin et l'autre au crépuscule ; avec le premier agneau (tu offriras) un dixième de mesure de fleur de farine pétri avec un quart de setier d'huile d'olives broyées et une libation d'un quart de setier de vin. Le second agneau, tu l'offriras au crépuscule ; tu l'offriras avec une oblation et une libation semblables à celles du matin : en parfum d'apaisement, en offrande consumée pour le SEIGNEUR. Ce sera un holocauste perpétuel pour toutes vos générations, à l'entrée de la Tente du Rendez-Vous, en présence du SEIGNEUR, où je vous donnerai rendez-vous pour te parler. (Ex 29,38-42)

Tout dans les passages cités, en dehors de l'absence d'une idole, est conforme aux rituels sacrificiels cananéens : on relèvera plus particulièrement l'importance de l'holocauste, des rites d'ensanglantement, l'imposition des mains sur les offrandes à consacrer, l'offrande d'un taureau comme pour le dieu El ou le dieu Baal. Le rite de l'ensanglantement est particulièrement remarquable et typiquement syrien : en

Les rites de conjuration et la divination

Quelques rituels de conjuration ont été retrouvés. Un excellent exemplaire, bien que difficile à traduire, fut retrouvé en 1978 à Ras Ibn-Hani, près d'Ougarit. Ces rites étaient destinés à délivrer un sujet du

badigeonnant de sang animal (vecteur de la vie) un objet, on le rend tabou.

Le veau d'or

Voyant que Moïse tardait à redescendre de la montagne, le peuple se rassembla autour d'Aaron et lui dit : Allons ! Fais-nous un dieu qui marche à notre tête, car ce Moïse, l'homme qui nous a fait monter d'Égypte, nous ignorons ce qui lui est advenu. Aaron leur répondit : Ôtez les anneaux d'or qui pendent aux oreilles de vos femmes, de vos fils et de vos filles, et apportez-les-moi. Tous ôtèrent donc les anneaux qu'ils avaient aux oreilles et les apportèrent à Aaron. Celui-ci, les ayant reçus de leurs mains, fit fondre le métal dans un moule et en coula une statue de veau. Alors, ils s'écrièrent : Voici ton dieu, Israël, celui qui t'a fait monter du pays d'Égypte. Ce que voyant, Aaron bâtit un autel devant la statue et proclama : Demain, fête en l'honneur du SEIGNEUR. *Le lendemain donc, de bon matin, ils offrirent des holocaustes et apportèrent des sacrifices de communion. Puis la foule s'assit pour manger et pour boire ; ils se levèrent ensuite pour se divertir.* (Ex 32,1-6)

Tout ce passage biblique, qui commence l'épisode du Veau d'or, pourrait s'appliquer aux dieux El ou Baal. Le Seigneur se présente tel un grand dieu de l'orage ; son idole bovine et toutes les actions rituelles, y compris le banquet, sont inspirées par le modèle cananéen, ce que refusait Moïse (voir par exemple la mise en garde contre les cultes cananéens de Dt 12,29-31).

Le calendrier rituel

Le calendrier de Nombres 28–29 apporte des précisions utiles concernant le calendrier sacrificiel et ses modalités. L'introduction indique clairement la conception du sacrifice, à savoir : nourrir le SEIGNEUR.

Le SEIGNEUR *parla à Moïse et dit : Ordonne ceci aux enfants d'Israël : Vous aurez soin de m'apporter au temps fixé mon offrande, ma nourriture, sous forme de mets consumés en parfum d'apaisement. Tu leur diras : Voici le mets que vous offrirez au Seigneur...* (Nb 28,1-3)

Suivent les prescriptions relatives aux sacrifices quotidiens, à ceux du sabbat, de la néoménie (la nouvelle lune, donc le début du mois), des Azymes, de la fête des Semaines, de celle des Acclamations, du jour des Expiations* (*Kippour*) et de la fête des Tentes. Citons simplement les rites relatifs à la néoménie, la fête du début du mois lunaire.

Au commencement de vos mois, vous ferez un holocauste pour le SEIGNEUR *: deux taureaux, un bélier et sept agneaux d'un an, sans défaut ; pour chaque taureau, trois dixièmes de fleur de farine, en oblation pétrie dans l'huile ; pour chaque agneau, un dixième de fleur de farine, en oblation pétrie dans l'huile. C'est un holocauste offert en parfum d'apaisement, un mets consumé pour le* SEIGNEUR. *Les libations conjointes seront d'un demi-setier de vin par taureau, d'un tiers de setier par bélier et d'un quart de setier par agneau. Tel sera, mois après mois, l'holocauste mensuel, pour tous les mois de l'année. En plus de l'holocauste perpétuel, il sera offert au* SEIGNEUR *un bouc, en sacrifice pour le péché, avec la libation conjointe.* (Nb 28,11-15)

Ces offrandes, naturellement plus importantes que pour les sacrifices quotidiens, sont, une fois encore, conformes à l'usage cananéen ou ougaritique. On notera le sacrifice « expiatoire » du bouc (le bouc* émissaire) lequel, chargé des impuretés d'Israël et ensuite physiquement éliminé, doit ainsi contribuer à la pureté du peuple de Dieu.

ou des esprits malfaisants (démons) à l'origine de la maladie. Ceux-ci étaient généralement représentés sous forme de serpents. Il est difficile d'établir actuellement si, comme en d'autres lieux du Proche Orient ancien, la maladie était conçue comme la conséquence d'une faute.

D'autres rites conjuratoires concernaient la femme enceinte et étaient destinés à protéger sa grossesse et à lui assurer un heureux accouchement.

À l'inverse de ce qui se constate à Mari et dans la Bible, la divination prophétique n'est pas attestée à Ougarit sous quelque forme que ce soit. Par contre, les pratiques mantiques les plus utilisées étaient liées à l'hépatoscopie, à savoir l'examen du foie de l'animal sacrifié, en général un mouton pour les consultations du roi ou d'une haute personnalité. L'homme antique a souvent placé le siège de la vie et de l'âme dans le foie. « La croyance voulait que le dieu, à qui était offert un animal rituellement sacrifié, s'identifiât à lui, et que son esprit fusionnât alors avec celui de l'animal ; en conséquence, la lecture des signes observés sur ces organes permettait d'accéder avec clarté à l'esprit des divinités susceptibles d'apporter une réponse, favorable ou non, à une question sur des événements futurs ou la conduite à tenir dans des circonstances précises. » (J. GACHET, *Le pays d'Ougarit autour de 1200 av.J.C.*, Paris, 1995, p. 247.)

De nombreuses maquettes de foie ont été retrouvées. Les questions posées concernaient généralement des problèmes importants : guerres, politique intérieure, constructions, maladies. Le mouton purifié était sacrifié et son foie était examiné aussitôt par le devin (*barou*). Il s'agissait d'une observation anatomique et pathologique des parties du foie et de sa surface ; une véritable géographie hépatoscopique avait été établie. Les observations et les interprétations des signes étaient notées sur des tablettes et des modèles de foie en argile, ce qui amena la constitution de véritables collections divinatoires avec classification en séries. En plus de l'hépatoscopie, les Ougaritains, et probablement l'ensemble des Cananéens, avaient recours aux présages (*omina*) tirés de l'observation des astres (lune, soleil), des rêves et des naissances monstrueuses.

R. L.

Troisième partie :

Les deux royaumes

La période de la royauté en Israel et en Juda, de Saül à l'Exil en Babylonie (XIe-VIe s.), est ici abordée de trois manières différentes.*

1 – Nous présenterons d'abord **les textes** *qui constituent nos sources principales : les quatre livres historiques de Josué, des Juges, de Samuel (1-2) et des Rois (1-2). Ces livres forment un vaste ensemble littéraire appelé* Histoire deutéronomiste, *car ils ont été rédigés selon la théologie du livre du Deutéronome, avant et pendant l'Exil.*

2 – Après cette approche littéraire, nous suivrons **l'histoire** *des deux royaumes d'Israël et de Juda sur cinq siècles (de 1030 à 539). Jalonnée par les noms des rois Saül, David et Salomon, puis par ceux des autres rois d'Israël et de Juda, cette histoire de la royauté s'achève avec l'Exil en Babylonie (587-539).*

3 – Enfin ce parcours historique sera complété par une vue d'ensemble des **institutions** *d'Israël, plus précisément de ses trois grandes fonctions :* **les sages** *(et le roi),* **les prêtres** *(et le culte), et* **les prophètes** *[*voir *p. 255**]. Cela permettra de bien distinguer les trois grands milieux ou courants qui ont produit les divers écrits et traditions bibliques de l'époque royale.*

Les textes : l'Histoire deutéronomiste

Présentation des livres

Le livre du Deutéronome conclut la première partie de l'Ancien Testament, le Pentateuque. Mais en même temps ce livre sert également d'ouverture et de point de départ aux livres dits historiques (Josué, Juges, 1 et 2 Samuel, 1 et 2 Rois) et qui dans le canon* hébraïque sont placés à la suite du Deutéronome (la tradition juive appelle ces livres les « Prophètes antérieurs »).

Le Deutéronome fait constamment allusion à l'entrée imminente des Israélites dans le pays promis et qui sera inaugurée par la traversée du Jourdain. Et c'est justement le livre de Josué qui relate ce passage ainsi que la « conquête » du pays. On rencontre d'ailleurs des renvois explicites entre les livres du Deutéronome et de Josué. Ainsi en Dt 11,29 se trouve l'ordre suivant : « Lorsque le SEIGNEUR ton Dieu t'aura conduit dans le pays où tu vas entrer pour en prendre possession, tu placeras la bénédiction sur le mont Garizim et la malédiction sur le mont Ébal. »

L'accomplissement de cet ordre est relaté en Jos 8,30-35 : « Alors Josué édifia un autel au SEIGNEUR, Dieu d'Israël, sur le mont Ébal. [...] Tout Israël avec ses anciens, ses scribes et ses juges, se tenait de part et d'autre de l'arche*, [...] moitié sur le front du mont Garizim et moitié sur le front du mont Ébal, comme Moïse, serviteur du SEIGNEUR, l'avait ordonné. »

À cause de ce lien étroit entre le Deutéronome et Josué, on considéra souvent le livre de Josué comme la véritable fin de la première partie de l'Ancien Testament. On parlait alors d'un *Hexa*teuque (« six livres ») au lieu d'un *Penta*teuque.

Pourtant le livre du Deutéronome ne prépare pas seulement l'histoire de la conquête de Josué, mais également les époques suivantes, comme le montre par exemple l'exhortation de Dt 6,12-15 : « Garde-toi d'oublier le SEIGNEUR qui t'a fait sortir du pays d'Égypte, de la maison de servitude. [...] Ne suivez pas d'autres dieux, d'entre les dieux des nations qui vous entourent, car c'est un Dieu jaloux que le SEIGNEUR ton Dieu qui est au milieu de toi. La colère du SEIGNEUR ton Dieu s'enflammerait contre toi et il te ferait disparaître de la face de la terre. »

Les attitudes dénoncées sont justement celles des Israélites à l'époque anarchique des Juges* : « Ils délaissèrent le SEIGNEUR, le Dieu de leurs pères, qui les avait fait sortir du pays d'Égypte et ils suivirent d'autres dieux parmi ceux des peuples d'alentour. [...] Alors la colère du SEIGNEUR s'enflamma contre Israël » (Jg 2,12-14). L'ouverture du livre des Juges se lit donc comme la transgression des mises en garde du Deutéronome. Dt 6,15 avait annoncé la déportation loin du pays promis comme sanction extrême pour la désobéissance du peuple. Et c'est justement ce qui arrive à la fin du deuxième livre des Rois : « Ainsi Juda fut déporté loin de sa terre » (2 R 25,21).

Ces différents liens qui font apparaître les livres du Deutéronome, de Josué, des Juges, de Samuel et des Rois comme une unité littéraire et théologique ont conduit les exégètes à regrouper ces livres sous le nom d'« Histoire deutéronomiste », puisque le style et les préoccupations du Deutéronome se poursuivent dans ces livres historiques. Comme ils se terminent par une notice sur la réhabilitation du roi judéen Joiakîn de sa prison babylonienne vers 562 (2 R 25,27-30), on en a conclu que la rédaction de l'Histoire deutéronomiste a dû prendre place peu après ces événements, durant l'Exil* babylonien. La destruction de Jérusalem et de son Temple par l'armée babylonienne, la déportation de l'intelligentsia judéenne à Babylone (en 597 et 587) ont représenté une crise sans précédent pour le peuple de Juda. Tous les piliers sur lesquels reposaient son identité et sa foi en Dieu s'étaient effondrés : le Temple détruit, la royauté démantelée, le pays occupé et une partie de sa population exilée.

Comment fallait-il se situer face à un tel bouleversement ? Selon l'idéologie courante du Proche-Orient, on pouvait interpréter ces événements comme la victoire du dieu Mardouk et des autres dieux babyloniens sur le Dieu de Juda. Et certains furent sans doute tentés d'abandonner le Seigneur pour se tourner vers les divinités babyloniennes, apparemment beaucoup plus puissantes. Face à cette crise identitaire, un groupe d'exilés se composant d'anciens fonctionnaires de la cour, d'une partie de la noblesse rurale et de quelques prêtres* se met au travail. Il édite « l'Histoire deutéronomiste », créant ainsi la première fresque historiographique du peuple israélite. Et ceci pour expliquer le cataclysme survenu, non pas comme la faiblesse du Seigneur face à Mardouk, mais comme la sanction à l'égard du peuple et de ses chefs pour le non-respect de l'alliance entre le Seigneur et Israël, telle qu'elle est consignée dans le Deutéronome.

Ceci explique le fait que les allusions à la déportation et à la perte du pays sont omniprésentes à l'intérieur de l'Histoire deutéronomiste. Celle-ci est surtout structurée à l'aide des discours. Le recours fréquent à ce genre littéraire est un emprunt au livre du Deutéronome qui, lui, est construit comme un grand discours d'adieu de Moïse dans lequel il expose la loi et les conditions d'une relation harmonieuse entre Dieu et son peuple [*voir* p. 149 et 155].

Le livre de Josué

Il s'ouvre par un discours du Seigneur à Josué (Jos 1,1-9) qui le confirme comme successeur de Moïse et lui donne l'ordre de conquérir le pays promis. La première partie du livre (Jos 2–12) relate, après la traversée du Jourdain, la guerre* des Israélites contre les habitants du pays, et notamment la prise de Jéricho, de Aï et Béthel et la soumission de Gabaon. Voici la fin du récit de la prise de Jéricho.

Le septième jour, s'étant levés dès l'aurore, ils firent le tour de la ville sept fois. La septième fois, les prêtres sonnèrent de la trompe et Josué dit au peuple : « Poussez le cri de guerre, car le SEIGNEUR vous a livré la ville ! » [...] Le peuple poussa le cri de guerre et l'on sonna de la trompe. Quand il entendit le son de la trompe, le peuple poussa un grand cri de guerre, et le rempart s'écroula sur place. Aussitôt le peuple monta vers la ville, chacun devant soi, et ils s'emparèrent de la ville. Ils dévouèrent à l'anathème tout ce qui se trouvait dans la ville, hommes et femmes, jeunes et vieux, jusqu'aux taureaux, aux moutons et aux ânes, les passant au fil de l'épée.* (Jos 6,15-16.20-21)

La deuxième partie du livre (Jos 13–21) contient de nombreuses listes, des cadastres indiquant les frontières des tribus* et les territoires que Josué leur a attribués. À la fin on trouve une première conclusion rédigée dans le style deutéronomiste :

« C'est ainsi que le SEIGNEUR donna aux Israélites tout le pays qu'il avait juré de donner à leurs pères. Ils en prirent possession et s'y établirent. Le SEIGNEUR leur procura le repos de tous côtés, tout comme il avait juré à leur pères et, de tous leurs ennemis, aucun ne réussit à tenir devant eux. Tous leurs ennemis, le SEIGNEUR les livra entre leurs mains. De toutes les promesses que le SEIGNEUR avait faites à la maison d'Israël, aucune ne manqua son effet : tout se réalisa. » (Jos 21,43-45)

Ce petit paragraphe est dominé par le mot « tout ». Le scribe deutéronomiste qui a rédigé ce texte veut montrer que tout ce que le SEIGNEUR avait promis (dans le Deutéronome) est accompli. Mais en même temps ces versets s'adressent à un public qui est privé de cet accomplissement, aux exilés. Cette ambiguïté se poursuit dans le discours d'adieu de Josué au ch. 23, qui est la conclusion de l'édition deutéronomiste du livre de Josué. Dans la première partie de son testament, Josué poursuit le thème de la réalisation des promesses divines, mais dans la deuxième partie il envisage la perte du pays au cas où Israël désobéirait aux prescriptions de l'alliance : « Lorsque vous transgresserez l'alliance que le SEIGNEUR votre Dieu vous a imposée en servant d'autres dieux et en vous prosternant devant eux, alors la colère du SEIGNEUR s'enflammera contre vous et vous disparaîtrez rapidement du bon pays qu'il vous a donné » (Jos 23,16).

À propos de cette présentation de la conquête de Canaan par Josué et les tribus d'Israël, il est indispensable de se rappeler le point de vue de l'historien, présenté dans la partie précédente [*voir* p. 165].

Le livre des Juges

Dans l'édition deutéronomiste des livres historiques, le testament de Josué en Jos 23 était immédiatement suivi de l'introduction à l'époque des Juges en Jg 2,6 – 3,5. Il s'agit d'un discours anonyme, en « voix off », où l'auteur deutéronomiste présente sa vision de cette période qui est cyclique à quatre temps. Après la mort de Josué, le peuple abandonne le Seigneur et rend un culte à d'autres dieux (1). Dieu se met en colère et livre le peuple aux mains de ses ennemis (2). Cette oppression provoque la repentance du peuple (3). Dieu intervient alors en faveur de son peuple en suscitant un « Juge », c'est-à-dire un chef de guerre, un leader charismatique qui délivre le peuple de ses ennemis (4). Tout rentre alors dans l'ordre jusqu'à la mort du Juge. À ce moment les tribus israélites s'intéressent de nouveau aux autres divinités (1) et le cycle recommence.

Cette présentation deutéronomiste confère une cohérence aux différents récits des sauveurs qui sont contenus en Jg 3–12. Il s'agissait à l'origine de traditions indépendantes les unes des autres sur des héros militaires de différentes tribus de la confédération israélite. Les histoires sur Samson en Jg 13–16 sont peut-être d'une autre provenance que la collection des récits de sauveurs en Jg 3–12, à cause de leur caractère burlesque et de leurs ressemblances frappantes avec les légendes grecques d'Hercule.

Dans l'Ancien Orient, le verbe « juger » (*shafat*) désignait souvent l'ensemble des fonctions royales, comme dans la demande des anciens* à Samuel : « Donne-nous un roi pour qu'il nous juge » (1 S 8,6). Le scribe deutéronomiste présente successivement douze Juges, issus de diverses tribus*, comme si chaque tribu avait eu son Juge. En fait aucun ne vient des tribus du Sud (Ruben, Siméon et Lévi) et la notice sur Otniel de Juda, qui a été mise en premier, est brève et obscure. Certains Juges sont célèbres, parce qu'ils sont les héros de récits plus développés : Baraq et la prophétesse Déborah (Jg 4–5), Gédéon / Abimélek (Jg 6–9), Jephté (Jg 11) et surtout Samson (Jg 13–16). Les autres n'ont droit qu'à de brèves notices.

Le livre des Juges se termine par une « chronique scandaleuse » (Jg 17–21), dans laquelle il est question de viol, de massacres entre tribus, de comportements peu recommandables des prêtres, etc. Ces récits servent à préparer l'avènement de la monarchie tel qu'il est décrit dans le premier livre de Samuel. Ces récits choquants sont en effet parcourus d'un refrain qui se trouve également en conclusion du livre : « En ce temps-là il n'y avait pas de roi en Israël et chacun faisait ce qui lui semblait bon » (Jg 21,25).

Sur toute cette période des Juges, on aura intérêt à ne pas oublier les apports de l'historien [*voir* p. 168].

Les livres de Samuel

Dans les manuscrits hébreux jusqu'au XVIe siècle, les deux livres de Samuel étaient considérés comme un seul livre ; en fait ce sont les deux tomes d'un même ouvrage. Ils traitent des origines de la monarchie israélite. Le discours de Samuel en 1 S 12 marque une charnière. Le prophète* Samuel, qui est également présenté comme le dernier Juge et dont 1 S 1–7 relate la naissance, la vocation* et les exploits, y confirme l'installation de Saül comme premier roi d'Israël (1 S 8–12). Il met en garde contre les dangers d'une royauté qui serait non-conforme à la volonté de Dieu : « Maintenant, voici donc le roi que vous avez choisi, que vous avez demandé. Si vous craignez le SEIGNEUR et le servez, si vous écoutez sa voix et ne vous révoltez pas contre les ordres du SEIGNEUR, vous ainsi que le roi qui règne sur vous, vous suivrez le SEIGNEUR, votre Dieu, c'est bien ! Mais si vous n'écoutez pas la voix du SEIGNEUR, si vous vous révoltez contre les ordres du SEIGNEUR, la main du SEIGNEUR sera sur vous et sur vos pères » (1 S 12,13-15).

Après la présentation du début du règne de Saül (1 S 13–15), deux grands ensembles sont consacrés à David qui est, selon les scribes deutéronomistes, le fondateur de la seule dynastie royale légitime. Les récits de l'ascension de David en 1 S 16 – 2 S 5 décrivent les conflits entre Saül et David, le couronnement de David à Hébron et son établissement à Jérusalem.

Le deuxième grand ensemble littéraire qui est consacré à David traite du problème de sa succession, des différentes révoltes contre lui et de l'avènement de Salomon au trône à la suite d'intrigues menées par sa femme Bethsabée et le prophète Natân (2 S 6 – 1 R 1). Alors que, dans l'histoire de l'ascension, David est présenté d'une manière idéalisée, l'histoire de sa succession fait apparaître un David non-exempt de traits sombres et ne reculant même pas devant un assassinat pour cacher son adultère avec Bethsabée (voir 2 S 11).

Les livres des Rois

Comme les livres de Samuel, ils furent longtemps édités comme un seul livre. Ils s'ouvrent sur l'histoire du règne de Salomon, avant tout présenté comme le constructeur du Temple de Jérusalem. L'inauguration du sanctuaire donne lieu à un grand discours de Salomon (1 R 8),

REPÈRE

LES NOTICES ROYALES

L'Histoire deutéronomiste des monarchies israélite et judéenne se caractérise par des schémas d'introduction et de conclusion qui sont appliqués à chaque roi. Ces schémas permettent à la fois de structurer l'histoire et de donner aux auditeurs, voire aux lecteurs, une appréciation pour chaque souverain.

Dans les *introductions* se trouvent les éléments suivants :

(1) accession au règne du roi, synchronie avec son collègue de l'autre royaume,

(2) âge de l'ascension au trône (pour les rois de Juda) ;

(3) durée du règne ;

(4) le nom de la mère (pour les rois de Juda) ;

(5) jugement sur la piété du roi.

Les *conclusions* sont construites à l'aide des éléments suivants :

(6) renvoi à des sources (annales) ;

(7) mention de la mort ;

(8) enterrement du roi avec ses pères ;

(9) nom du successeur.

Le fait que le nom de la mère ne soit mentionné que pour les rois du Sud est sans doute un indice que la reine mère, contrairement au royaume du Nord, y occupait une fonction importante.

C'est surtout dans les jugements de piété qu'apparaît l'intention de l'Histoire deutéronomiste. Les critères pour l'évaluation des rois sont purement cultuels : la fidélité envers Dieu qui se manifeste dans l'obéissance à la loi mosaïque et dans la fidélité envers le Temple de Jérusalem. Ceci explique le fait qu'aucun roi du Nord ne puisse obtenir une appréciation entièrement positive. Même le roi Jéhu, champion de la foi yahviste et pourfendeur de Baal, ne peut satisfaire aux critères deutéronomistes étant donné le fait que les sanctuaires du Nord (Béthel et Dan) sont vus comme concurrence illégitime au Temple de Jérusalem : « Ainsi Jéhu fit que Baal disparut d'Israël. Cepen-

où celui-ci insiste sur l'accomplissement de la promesse d'une dynastie faite à David (2 S 7), mais envisage en même temps déjà la fin du culte au Temple :

« *Le* Seigneur *a réalisé la parole qu'il avait dite : j'ai succédé à mon père David et je me suis assis sur le trône d'Israël comme avait dit le* Seigneur, *Dieu d'Israël, j'ai construit la maison pour le Nom du* Seigneur, *Dieu d'Israël [...]. Quand ils pécheront contre toi [...] quand tu seras irrité contre eux, que tu les livreras à l'ennemi et que leurs conquérants les emmèneront captifs dans un pays ennemi [...], s'ils reviennent à toi de tout leur cœur et de toute leur âme dans le pays des ennemis qui les auront déportés, et s'ils te prient, tournés vers le pays que tu as donné à leurs pères, vers la ville que tu as choisie et le Temple que j'ai bâti pour ton Nom, écoute au ciel où tu résides, leur prière et leurs supplications et fais-leur justice* » (1 R 8,20.46.48-59).

Ici se reflète à nouveau la situation de l'Exil, où pour les déportés le Temple détruit sert de ce que les musulmans appelleraient la *qibla*, c'est-à-dire la direction vers laquelle on se tourne pour prier.

dant Jéhu ne se détourna pas des péchés de Jéroboam fils de Nebat où il avait entraîné Israël, les veaux d'or de Bethel et de Dan » (2 R 10,29-30).

Les rois de Juda sont également mesurés à la lumière de leur ancêtre David qui apparaît dans ces notices comme le roi exemplaire. Très peu de rois obtiennent de bonnes notes sans restriction. Ils sont deux : Ézéchias et Josias. Voici l'encadrement deutéronomiste du règne d'Ézéchias durant lequel le siège assyrien de Jérusalem (en 701) avait échoué (les chiffres entre parenthèses renvoient aux éléments énumérés ci-dessus) :

« *En la troisième année d'Osée, fils d'Éla, roi d'Israël, Ézéchias, fils d'Achaz devint roi de Juda* (1). *Il avait vingt-cinq ans à son avènement* (2) *et il régna vingt-neuf ans à Jérusalem* (3) ; *sa mère s'appelait Abi, fille de Zekarya* (4). *Il fit ce qui est agréable au* Seigneur, *imitant tout ce qu'avait fait David, son ancêtre. C'est lui qui supprima les hauts lieux, brisa les stèles, coupa le pieu sacré* (= symbole de la déesse Ashéra) *et mit en pièces le serpent d'airain que Moïse avait fabriqué* (5) » (2 R 18,1-4).

« *Le reste de l'histoire d'Ézéchias, tous ses exploits, et comment il a construit la piscine et le canal pour amener l'eau dans la ville, cela n'est-il pas écrit au livre des annales des rois de Juda ?* (6). *Ézéchias se coucha avec ses pères (7 / 8) et son fils Manassé régna à sa place* (9) » (2 R 20,20-21).

Pour Ézéchias ces notices encadrent de nombreux récits qui se déroulent sous son règne. Pour d'autres rois, les scribes deutéronomistes n'ajoutent que très peu à ces notices (voir par exemple Basha d'Israël, 1 R 15,33–16,6 qui pourtant a régné durant vingt-quatre ans), soit parce qu'ils n'avaient que peu d'informations, soit parce qu'ils considéraient leur règne comme théologiquement peu important.

Après la mort de Salomon, le royaume-uni créé par David éclate (1 R 12). La dynastie davidique régnera dans le Sud, dans le royaume de Juda, alors que le royaume d'Israël, dans le Nord, connaîtra une succession violente de plusieurs dynasties. L'histoire parallèle des deux royaumes (1 R 13 – 2 R 17) est structurée par les scribes deutéronomistes à l'aide d'introductions et de conclusions encadrant le règne de chaque roi [*voir* Les notices royales, p. 194]. Chaque monarque est soumis à un jugement de valeur qui se manifeste dans l'obéissance à la loi de Moïse et dans la fidélité envers le Temple de Jérusalem. 2 R 17 relate et commente la chute du royaume du Nord et sa transformation en province assyrienne en 722 av.J.C. Ce commentaire deutéronomiste explique la raison de la catastrophe du royaume du Nord, tout en préparant celle de Juda.

2 R 18–25 relate l'histoire de Juda dominé d'abord par les Assyriens, puis par les Babyloniens. Le roi exemplaire de cette dernière époque est Josias (2 R 22–23) qui entreprend une « réforme » cultuelle, déclarant le Temple de Jérusalem seul sanctuaire légitime et supprimant ainsi les cultes assyriens en Juda. Néanmoins, deux décennies après sa mort, les Babyloniens assiègent Jérusalem, déportent le roi et sa cour, puis, en 587, incendient le Temple.

L'Histoire deutéronomiste se termine par la libération du roi Joiakîn de sa prison babylonienne et son admission à la table du roi babylonien : « Joiakîn quitta ses vêtements de captif et mangea toujours à la table du roi, sa vie durant. Son entretien fut assuré constamment par le roi, jour après jour, sa vie durant » (2 R 25,29-30). Cette fin est assez mystérieuse ; il manque en effet un commentaire conclusif. C'est comme si l'on voulait laisser ouverte l'interprétation de cet événement.

La théologie deutéronomiste

La 1re édition sous Josias

L'édition exilique de l'Histoire deutéronomiste cherchait à donner une explication théologique à la catastrophe de l'Exil babylonien. Néanmoins on trouve dans les livres historiques des textes rédigés dans un style deutéronomiste, mais qui ne semblent pas encore présupposer les événements tragiques de 597-587. Ainsi le texte relatant un oracle* divin dans lequel le Seigneur promet à David une dynastie éternelle (2 S 7, *voir* p. 214) ne fait pas allusion à l'interruption de la lignée davidique et a sans doute été rédigé avant la chute de Jérusalem. Il semble en effet plausible que les origines de l'Histoire deutéronomiste remontent à l'époque d'avant l'Exil, probablement à celle du règne de Josias (640-609).

La réforme de Josias

Selon le récit biblique (2 R 22–23) son règne est marqué par la découverte d'un rouleau de parchemin, lors de travaux effectués au Temple de Jérusalem. La lecture de ce livre va amener le roi, secondé par ses prêtres et ses scribes, à effectuer une réforme religieuse ayant pour objectif de centraliser le culte du Seigneur dans un sanctuaire unique et d'éradiquer ainsi toutes les autres formes de culte dédiés au Seigneur ou à d'autres dieux, et ceci conformément aux prescriptions du livre trouvé. Déjà les Pères de l'Église ont identifié ce rouleau mystérieux au livre du Deutéronome. Il existe donc un lien entre la première édition du Deutéronome et l'époque de Josias. C'est sans doute sous son règne qu'une première ébauche de l'Histoire deutéronomiste a vu le jour. Les auteurs de cette Histoire sont les conseillers de Josias, parmi lesquels la famille de Shaphân a joué un rôle important (voir 2 R 22,8-10).

Ces fonctionnaires voulaient présenter Josias comme le roi idéal respectant entièrement la volonté de Dieu, comme on peut le voir en comparant le commandement central du Deutéronome avec la conclusion de la réforme de Josias : « Écoute, Israël : le SEIGNEUR notre Dieu est le seul SEIGNEUR. Tu aimeras le SEIGNEUR ton Dieu de tout ton cœur, de toute ton âme et de toute ta *force* » (Dt 6,4-5). Or ce commandement d'une allégeance totale vis-à-vis du Seigneur comporte une particularité. Le terme hébreu *meôd* qu'on doit traduire ici par « pouvoir, force », est normalement utilisé comme adverbe (« très, beaucoup »). Un seul autre texte atteste cet emploi comme substantif : « Il n'y eut avant lui (= Josias) aucun roi qui se fût, comme lui, tourné vers le SEIGNEUR de tout son cœur, de toute son âme et de toute sa *force*, en toute fidélité à la Loi de Moïse, et après lui il ne s'en leva pas qui lui fût comparable » (2 R 23,25). Josias est donc présenté comme le roi exemplaire qui accomplit fidèlement la grande règle du Deutéronome. Dt 6,5 et 2 R 23,25 forment ainsi une inclusion* marquant les clôtures d'une édition de l'Histoire deutéronomiste à l'époque de Josias.

Le contexte historique

Les options théologiques de cette première édition s'expliquent à partir du contexte historique de la Syrie-Palestine du VIIe siècle av.J.C., qui est celui de la domination assyrienne. Celle-ci s'exerçait non seulement sur les plans militaire et politique, mais également au niveau culturel. Les Assyriens produisaient en effet de nombreux textes (tablettes, cylindres, stèles) et images (des bas-reliefs notamment) à l'aide desquels ils affirmaient la supériorité du roi assyrien et de ses dieux. La première édition de l'Histoire deutéronomiste est fortement marquée par l'idéologie et aussi par le style de ces documents assyriens. Le livre du Deutéronome contient en effet de nombreux parallèles avec les traités de vassalité que les Assyriens imposaient aux rois des populations soumises. Le mot hébreu *berît* qu'on traduit habituellement par « alliance » devrait plus précisément être rendu par « traité (de vassalité) ». Certains textes du Deutéronome sont pris directement de ces traités. Les malédictions de Dt 28 sont des emprunts évidents à un traité que le roi Asarhaddon imposait à ses vassaux :

Que les dieux nommés dans cette tablette du traité rendent ton sol aussi étroit qu'une brique. […] De même que la pluie ne tombe pas d'un ciel d'airain […] au lieu de rosée, que des charbons ardents pleuvent sur ton pays […]. Que Ninurta, le premier parmi les dieux, t'abatte de sa flèche féroce ; qu'il remplisse la plaine de ton sang, qu'il nourrisse de ta chair l'aigle et le vautour. (Traité d'Asarhaddon, 672 av.J.C. ; trad. J. Briend, R. Lebrun.)

Les cieux au-dessus de toi seront d'airain et la terre sous toi sera de fer. La pluie de ton pays, le Seigneur *en fera de la poussière et du sable ; il en tombera jusqu'à ta destruction. […] Ton cadavre sera la pâture de tous les oiseaux du ciel et de toutes les bêtes de la terre.* (Dt 28,23-26)

Ces parallèles montrent que les auteurs du Deutéronome veulent présenter le Seigneur à l'image du souverain assyrien qui impose à ses subordonnés une « alliance ». La description de la relation entre Israël et son Dieu à l'aide des concepts assyriens peut apparaître aujourd'hui comme le résultat d'une théologie particulièrement oppressive. Pourtant, il convient de replacer le Deutéronome dans le contexte de la domination assyrienne. Son message peut alors se résumer ainsi : oui, Israël a en effet un suzerain à qui il doit une allégeance absolue. Pourtant ce suzerain, ce n'est pas le grand roi assyrien, mais le Seigneur, le seul Dieu d'Israël. Ainsi la reprise d'un modèle assyrien peut avoir une signification anti-assyrienne et de libération. Israël ne doit obéissance qu'à son Dieu et à personne d'autre.

La conquête du pays

La première ébauche des récits de conquête (en Jos 1–12) s'inscrit dans un contexte théologique comparable. Comme le livre du Deutéronome, ces récits de conquête montrent de nombreux parallèles avec des documents assyriens qui vantent les exploits militaires de leurs rois et leurs dieux. Un texte du roi assyrien Sargon II, appelé « lettre au Dieu », relate la victoire de l'armée assyrienne grâce à une intervention du dieu de l'orage, Hadad : « Le reste du peuple s'était enfui pour sauver leur vie [...]. Hadad poussa un grand cri contre eux. À l'aide d'une pluie torrentielle et des pierres du ciel, il annihila ceux qui restaient. » Le récit de Jos 10 s'inspire de ce texte : « Or, tandis qu'ils fuyaient devant Israël, [...] le SEIGNEUR lança du ciel sur eux d'énormes grelons (litt. pierres) jusqu'à Azéqa, et ils moururent. Il en mourut plus par les pierres de grêle que n'en tuèrent par l'épée les Israélites » (Jos 10,11).

La première version de Jos 1–12 constitue donc une adaptation judéenne du langage de la propagande militaire assyrienne. Jos 1–12 mentionne comme ennemis d'Israël des peuples comme les Amorites, les Perizzites, etc., qu'on a du mal à identifier. Déjà les Rabbins avaient remarqué que ces termes devaient être un code pour désigner un autre peuple et ils avaient raison. Les peuples à expulser selon Jos 1–12 visent les Assyriens qui à l'époque occupaient le pays promis. En transposant les exploits des dieux assyriens sur le Seigneur, les auteurs de Jos 1–12 affirment sa supériorité face à l'Assyrie. On peut également noter la proximité phonétique qui existe entre le nom de Josué et celui de Josias, qui signifient tous deux : « le SEIGNEUR sauve ». À travers Josué on légitime alors la politique « anti-assyrienne » du roi Josias.

La théologie de la première édition de l'Histoire deutéronomiste est donc largement marquée par la reprise et la transformation de la culture assyrienne, ce qui est un bel exemple de la nécessité pour le discours théologique d'entrer en dialogue (même conflictuel) avec la culture ambiante.

La 2e édition en Exil

Alors que la production littéraire des textes deutéronomiques à l'époque de Josias était marquée par une vision plutôt optimiste de la relation du Seigneur avec son peuple et de la royauté davidique, la nouvelle édition de l'Histoire deutéronomiste, après la destruction de Jérusalem et l'Exil babylonien, était confrontée au problème théologique de l'explication de la catastrophe. Celle-ci fut alors comprise comme le jugement de Dieu sanctionnant la désobéissance du peuple et de ses rois face aux stipulations de l'alliance consignées dans le Deutéronome. Mais la théologie de l'Histoire deutéronomiste n'est pas seulement une théologie du jugement.

BIBLE

LA FIN DU ROYAUME D'ISRAËL (2 ROIS 17)

La destruction de Samarie (en 722) et la transformation du royaume d'Israël en province assyrienne sont longuement commentées dans l'Histoire deutéronomiste :

(I) *En la douzième année d'Achaz, roi de Juda, Osée, fils d'Éla devint roi sur Israël à Samarie ; il régna neuf ans. Il fit ce qui déplaît au SEIGNEUR, non pas pourtant comme les rois d'Israël ses prédécesseurs. Salmanasar, roi d'Assyrie, monta contre Osée, qui se soumit à lui et lui paya tribut. Mais le roi d'Assyrie découvrit qu'Osée le trahissait : celui-ci avait envoyé des messagers à Sô, roi d'Égypte, et il n'avait pas livré le tribut au roi d'Assyrie, comme chaque année. Alors le roi d'Assyrie le fit mettre en prison, chargé de chaînes. Le roi d'Assyrie envahit tout le pays et vint assiéger Samarie, pendant trois ans. En la neuvième année d'Osée, le roi d'Assyrie prit Samarie et déporta les Israélites en Assyrie. Il les établit à Halah et sur le Habor, fleuve de Gozân, et dans les villes des Mèdes.*

(II) *Cela arriva parce que les Israélites avaient péché contre le SEIGNEUR leur Dieu qui les avait fait monter du pays d'Égypte, les soustrayant à l'emprise de Pharaon, roi d'Égypte. Ils adorèrent d'autres dieux, ils suivirent les coutumes des nations que le SEIGNEUR avait chassées devant eux, et celles établies par les rois d'Israël. Les Israélites proférèrent des paroles inconvenantes contre le SEIGNEUR leur Dieu, ils se construisirent des hauts lieux partout où ils habitaient, depuis les tours de garde jusqu'aux villes fortes [...]. Ils rendirent un culte aux idoles alors que le SEIGNEUR leur avait dit : « Vous ne ferez pas cette chose-là. » Pourtant le SEIGNEUR avait fait cette injonction à Israël et à Juda, par le ministère de tous les prophètes et de tous les voyants : « Convertissez-vous de votre mauvaise conduite, avait-il dit, et observez mes commandements et mes lois, selon toute la Loi que j'ai prescrite à vos pères et que je leur ai communiquée par le ministère de mes serviteurs les prophètes. »*

Mais ils n'obéirent pas et raidirent leur nuque comme avaient fait leurs pères, qui n'avaient pas cru dans le SEIGNEUR leur Dieu. Ils méprisèrent ses lois, ainsi que l'alliance qu'il avait conclue avec leurs pères et les ordres formels qu'il leur avait intimés. À la poursuite de la Vanité, ils sont devenus eux-mêmes vanité, à l'imitation des nations d'alentour, bien que le SEIGNEUR leur ait commandé de ne pas faire comme elles. Ils rejetèrent tous les commandements du SEIGNEUR, leur Dieu, et se firent des idoles fondues, les deux veaux, ils se firent un pieu sacré, ils se prosternèrent devant toute l'armée du ciel et rendirent un culte à Baal. Ils firent passer leurs fils et leurs filles par le feu, ils pratiquèrent la divination et la sorcellerie, ils se vendirent pour faire le mal au regard du SEIGNEUR provoquant sa colère. Alors le SEIGNEUR fut

L'Exode

Les textes deutéronomistes rappellent constamment que le Seigneur est le Dieu qui a fait sortir Israël d'Égypte et qui l'a choisi parmi tous les peuples : « Car c'est toi qui les as mis à part comme ton héritage, parmi tous les peuples de la terre, ainsi que tu l'as déclaré par le ministère de ton serviteur Moïse, quand tu as fait sortir nos pères d'Égypte, Seigneur notre DIEU ! » (1 R 8,53).

Pour la pensée deutéronomiste, l'Exode d'Égypte est le vrai point de départ de l'histoire d'Israël. Le Seigneur est le Dieu qui a fait sortir son peuple du pays d'Égypte, de la maison d'esclaves, comme le dit également l'ouverture du Décalogue*. Cette insistance sur une origine exo-

profondément irrité contre Israël et l'écarta de devant sa face. Il ne resta que la seule tribu de Juda.

(III) *Juda non plus n'observa pas les commandements du* SEIGNEUR *son Dieu et suivit les coutumes qu'Israël avait établies. Et le* SEIGNEUR *repoussa toute la race d'Israël. Il l'humilia et la livra aux pillards, tant qu'enfin il la rejeta loin de sa face.*

(2 R 17,1-20.)

Ce commentaire des scribes deutéronomistes se compose de trois parties. La première donne les informations sur les événements de la prise de Samarie et de la déportation d'une partie de la population dans d'autres territoires de l'empire assyrien. Ces informations proviennent sans doute des sources écrites ou orales dont disposaient les Deutéronomistes. La deuxième partie donne les raisons de cette catastrophe : la désobéissance permanente d'Israël face aux commandements du Seigneur, malgré ses nombreuses mises en garde. La troisième partie insiste sur le fait que Juda ne s'est pas comporté mieux que son grand frère du Nord. On voit alors que ce texte s'adresse à un public judéen invité à comprendre la chute de Samarie comme un prélude à la chute de Jérusalem.

Ceci est encore souligné par le fait que de nombreuses pratiques idolâtriques, qui sont en 2 R 17 reprochées au royaume du Nord, sont ailleurs le plus souvent attribuées à Juda. Ainsi l'utilisation des hauts lieux (sanctuaires en plein air), la divination, les holocaustes* d'enfants, etc., sont reprochés à Juda tout au long de son histoire (voir 1 R 22,24 ; 2 R 16,3 ; 21,3-6 ; etc.). Tout en expliquant la disparition du royaume du Nord, c'est celle du Sud qui est ainsi préparée et justifiée.

Le commentaire théologique qui occupe la partie centrale de ce texte est également un condensé des idées maîtresses de la pensée deutéronomiste. Dès le début on insiste sur le fait que le Seigneur est le Dieu qui avait libéré Israël de l'oppression égyptienne. Israël par contre ne s'est pas comporté conformément à cet appel à la liberté mais s'est soumis à d'autres dieux, rejetant ainsi l'alliance que le Seigneur avait scellée avec son peuple et ne respectant pas les avertissements divins. Ceux-ci étaient pourtant constamment accessibles à Israël par ses commandements (consignés dans le Deutéronome) et par les prophètes. L'idée que le Seigneur a inlassablement envoyé ses serviteurs les prophètes, rejetés constamment par le peuple, a influencé la christologie de l'évangile de Luc, où Jésus apparaît comme le dernier des prophètes envoyés et rejetés.

dique du peuple s'explique aisément du fait que l'Histoire deutéronomiste s'adresse aux judéens exilés. Car ceux-ci, comme leurs ancêtres, se trouvent à l'extérieur du pays, dominés par un autre peuple. Et la confession de foi que le Seigneur a jadis mené son peuple hors d'Égypte peut alors nourrir l'espoir d'une sortie hors de Babylone.

L'élection

La sortie d'Égypte sert encore à fonder un autre thème, celui de l'élection d'Israël. Cette idée d'élection est particulièrement importante au moment de l'Exil, où les scribes deutéronomistes affirment contre toute évidence que le Seigneur est le seul vrai Dieu dans le ciel et sur la terre : « SEIGNEUR, Dieu d'Israël ! Il n'y a aucun Dieu pareil à toi là-haut dans les cieux ni ici-bas sur la terre, toi qui es fidèle à l'alliance et gardes la bienveillance à l'égard de tes serviteurs quand ils marchent de tout leur cœur devant toi » (1 R 8,23).

Si le Seigneur est le Dieu de tout l'univers et de tous les peuples, se pose alors la question de savoir pourquoi il a une relation particulière avec Israël. Le thème de l'élection est justement la réponse à ce paradoxe. C'est le Seigneur lui-même qui a choisi son peuple, sans aucune raison « logique ». Les textes deutéronomiques qui évoquent l'élection insistent en même temps sur le fait qu'Israël est un tout petit peuple sans aucun mérite (voir Dt 7,7), empêchant ainsi tout chauvinisme.

Le don du pays

Un autre thème central est celui du don du pays aux ancêtres qui parcourt comme un leitmotiv l'Histoire deutéronomiste : « Quand ton peuple Israël sera battu devant l'ennemi, parce qu'il aura péché contre toi, s'il revient à toi [...] toi, écoute au ciel, pardonne le péché de ton peuple Israël et ramène-le dans le pays que tu as donné à ses pères » (1 R 8,33–34).

On comprend que pour les Juifs déportés loin de leur patrie, le rappel du don du pays ait pris une résonance toute particulière. Là encore, il s'agit moins d'un privilège que d'une exigence, puisque une vie longue et heureuse dans le pays dépend de l'observance de la Loi donnée aux pères en même temps que le pays : « Qu'il incline nos cœurs vers lui, pour que nous suivions toutes ses voies et gardions les commandements, les lois et les ordonnances qu'il a donnés aux pères » (1 R 8,58).

C'est un programme explicite pour un nouveau commencement après la catastrophe. Chaque évocation de la vie dans le pays est liée à l'affirmation que les origines d'Israël se trouvent en dehors. Israël n'a sur sa terre aucun droit autochtone. Dans l'Histoire deutéronomiste, il est souvent dit que Dieu donne le pays à Israël comme une *nahala*, une possession. Ce terme hébreu désignait primitivement le fief qu'un suzerain lègue à son vassal. L'idée est claire : Dieu reste le maître du pays, il le confie à Israël pour que celui-ci le gère conformément à sa volonté telle qu'elle s'exprime dans la Loi. La *tora* (la loi ou plutôt l'instruction) est donc bien au centre de la théologie deutéronomiste. Si en dépit de la disparition du Temple, de la fin de la monarchie et de la déportation, le peuple juif a pu conserver son identité, c'est grâce à cette *tora* qui devient pour le judaïsme, tout au long de son histoire, une sorte de « patrie portative ».

Sources et postérité de l'Histoire deutéronomiste

Les sources

Les scribes deutéronomistes n'ont pas inventé de toutes pièces la fresque historique allant des temps de Moïse jusqu'à la fin de la monarchie. Ils étaient des rédacteurs, voire des éditeurs dans le sens qu'ils intégraient dans leur œuvre des documents plus anciens en les retouchant plus ou moins selon les cas. Pour l'histoire de la conquête pourtant, ils n'avaient guère de documents à disposition (peut-être quelques traditions orales liées à Jéricho). Il se peut même que la présentation de l'installation d'Israël dans le pays, comme le résultat d'une sorte de guerre éclair, soit une invention des scribes deutéronomistes de l'époque de Josias qui s'inspiraient des récits de conquête assyriens.

En ce qui concerne l'époque des Juges (des chefs charismatiques surgissant dans différentes tribus), les Deutéronomistes ont sans doute intégré dans leur présentation un « livre de sauveurs » qui a vu le jour dans le royaume du Nord dans des milieux hostiles à une monarchie centralisée. En effet, tous les épisodes de Jg 3–12 se situent dans l'horizon géographique du royaume du Nord.

Les traditions sur Samuel et la naissance de la monarchie constituaient peut-être également un document déjà rédigé que les scribes deutéronomistes ont pu intégrer dans leur historiographie. La première histoire de Samuel a pu être rédigée au milieu ou vers la fin du VIIIe siècle dans des milieux prophétiques, car elle présente ce dernier des Juges comme un prophète ; ce qui semble présupposer l'expérience des figures comme Amos, Osée ou Michée.

L'ascension de David est une autre source importante que les scribes deutéronomistes ont utilisée. À la base de cette épopée se trouve un premier récit qui fut sans doute écrit vers le IXe siècle pour légitimer la dynastie davidique contre ses détracteurs.

Faut-il compter l'épopée de la Succession au trône davidique également parmi les sources intégrées dans l'Histoire deutéronomiste ? Il est assez difficile de répondre à cette question. En lisant 2 S 6 – 2 R 1, on est confronté à de nombreux problèmes. Cette histoire sert-elle à légitimer ou à critiquer le règne de Salomon ? Ou s'agit-il d'une critique de la royauté en tant qu'institution ? Il est évident que l'image de David y est beaucoup moins glorieuse que dans l'histoire de son ascension. Du coup, on doit se poser la question de savoir si les Deutéronomistes, qui font de David le modèle servant à l'évaluation de tous ses successeurs, auraient pu rapporter des histoires aussi peu flatteuses pour David que celle par exemple où il apparaît adultère et meurtrier (2 S 11). Ou bien le rédacteur deutéronomiste a été tellement respectueux vis-à-vis de ses sources qu'il n'a pas osé les censurer, ou alors cette histoire aurait été insérée beaucoup plus tard, à l'époque perse, dans l'Histoire deutéronomiste déjà existante, pour s'opposer à certaines tendances messianiques nationalistes autour de la figure de David.

Pour la présentation des différents règnes dans les livres des Rois, les Deutéronomistes ont eu accès à des annales d'Israël et de Juda. L'établissement des annales royales était chose courante dans tout le Proche-Orient ancien, et il est donc hautement probable que de telles annales existaient également à la cour de Samarie et à celle de Jérusalem. Les rédacteurs des livres des Rois y renvoient d'ailleurs fréquemment : « Le reste de l'histoire d'Achaz, et tout ce qu'il a fait, cela n'est-il pas écrit au livre des Annales des rois de Juda ? » (2 R 16,19). Il est fort probable que des réfugiés quittant la Samarie, devenue province assyrienne, aient amené de tels documents de la cour et des sanctuaires en Juda.

Ceci est sans doute aussi le cas pour les histoires d'Élie et d'Élisée et d'autres récits prophétiques qui se trouvent dans les livres des Rois. Certains spécialistes pensent qu'il aurait existé dans le royaume du Nord une histoire prophétique qui aurait contenu notamment l'histoire de Samuel, les récits sur Élie et Élisée et qui se serait terminée par l'histoire de la révolte de Jéhu. Les histoires sur Élie et sur Jéhu sont en effet assez similaires du point de vue stylistique et du point de vue théologique : Élie comme Jéhu sont dépeints comme luttant pour la vénération exclusive du Seigneur, en s'opposant au culte de Baal et ne reculant pas devant la violence : comme les massacres effectués par Élie (1 R 18,40) et par Jéhu (2 R 10). Il existait donc peut-être une sorte de « livret noir de Baal », rédigé au VIIIe siècle pour légitimer la dynastie de Jéhu. Ceci étant assez proche, voire même précurseur de la théologie deutéronomiste, on comprend fort bien son intégration dans les livres des Rois.

Ce bref parcours montre la diversité des sources qui sont à l'origine de l'Histoire deutéronomiste. Comme les historiens modernes, les scribes deutéronomistes adoptent des attitudes variées face à leurs sources : ils peuvent les reproduire entièrement, les résumer, citer des extraits, voire les critiquer. Malheureusement, ils ne nous précisent pas ces attitudes ; à nous de les découvrir.

La postérité : le livre des Chroniques

Les livres des Chroniques étaient à l'origine un seul livre. En hébreu son titre est « Les événements des jours », c'est-à-dire « Les Annales ».

Mais les traducteurs grecs l'ont appelé « ce qui a été omis » (Paralipomènes, de *paraleipomena*), car ils l'ont considéré comme un complément aux livres de Samuel et des Rois. En fait, il s'agit d'une réécriture de toute l'histoire d'Israël depuis la création jusqu'à la fin de l'Exil babylonien. Mais l'accent principal est mis sur l'histoire de la royauté, les époques avant le règne de David n'étant présentées que par de longues généalogies.

REPÈRE

L'HISTOIRE BIBLIQUE ET LES HISTORIENS MODERNES

Lorsqu'en 1989 on a commémoré le bicentenaire de la Révolution française, ou en 1994 le cinquantième anniversaire du Débarquement, ces festivités se sont accompagnées d'un nombre impressionnant de publications historiographiques retraçant les événements de jadis et insistant sur leur impact pour notre situation actuelle. Dans ces textes et de nombreux discours, ces événements furent utilisés pour appeler à la cohésion nationale et aux valeurs républicaines, transformant du coup toute la population française en défenseurs de la République et en héros de la résistance. Peu importait alors que la France de 1789 ait été bien autre chose que la France d'aujourd'hui ; ce qui importait c'est que le rappel des faits du passé (et même d'un passé récent) ait permis de proposer des modèles identitaires pour une société en crise économique et idéologique. On s'approprie l'histoire même si, « historiquement » parlant, on n'a pas de rapport direct avec elle. L'historiographie moderne a donc souvent une fonction identitaire, ce qui n'exclut pas qu'elle prétende à une certaine objectivité. On n'écrit jamais l'histoire d'un groupe, d'un peuple, du monde, sans but implicite. Il y a un va-et-vient permanent entre le passé et le présent du public auquel l'historien s'adresse.

L'historiographie biblique est-elle aussi conditionnée par les époques où elle a vu le jour ? Précisons tout de suite que l'hébreu classique ne connaît pas la conception abstraite d'histoire ou d'historiographie. L'Ancien Testament ne connaît pas non plus l'idée d'une enquête historiographique à la manière grecque (*historia* = recherche, exploration), pour savoir si tel ou tel événement relaté s'est vraiment produit. Contrairement à Hérodote et aux autres historiens grecs et romains, les historiens bibliques ne critiquent ni ne commentent leurs sources et ne signent pas de leur nom. Néanmoins, la Bible hébraïque nous offre, depuis la Genèse jusqu'au deuxième livre des Rois, une présentation qui se veut chronologique et qui relate l'histoire d'Israël depuis... la création du monde jusqu'à la destruction de Jérusalem et l'Exil babylonien.

Si l'on adopte une définition selon laquelle l'historiographie est le moyen intellectuel à l'aide duquel un groupe ou un peuple rend compte de son passé, il y a bien un, ou plutôt des efforts historiographiques au sein de l'Ancien Testament. En effet, une autre version de l'histoire d'Israël se trouve dans les livres des Chroniques qui résument la grande épopée nationale de Genèse à 2 Rois et offrent en même temps une autre vision de cette histoire. Ceci montre d'ailleurs que la fixation du canon* ne signifie pas uniformisation de la pensée. Au contraire, ceux qui ont fait cohabiter les livres de Genèse à 2 Rois et les Chroniques à l'intérieur de la même Bible savaient bien que ces deux ensembles offrent deux visions fort différentes de l'histoire du peuple juif. Il est donc faux de se laisser obséder par l'opposition entre théologie ou idéologie et histoire. L'historiographie, qu'elle soit biblique ou non, est toujours idéologique, mais l'idéologie reste toujours, à son tour, ancrée dans l'histoire.

Le plan des Chroniques est très simple. L'histoire y est répartie en quatre époques : l'introduction généalogique d'Adam à Saül (1 Ch 1–10) ; l'histoire de David (1 Ch 11–29) ; le règne de Salomon (2 Ch 1–9) et l'histoire du royaume de Juda (2 Ch 10–36).

La source principale des Chroniques est l'Histoire deutéronomiste, notamment les livres de Samuel et des Rois. À partir de cette source (et peut-être encore d'autres documents), le Chroniste* réécrit l'histoire de la royauté dans le but de l'actualiser pour son époque qui est celle de la fin de la domination perse, voire le début de la période hellénistique : la fin du IVe s.

Sans entrer dans la théologie de cet ouvrage, qui sera présentée en son temps [*voir* p. 416], on peut se demander ici quelles sont les principales différences entre l'Histoire deutéronomiste et les Chroniques. D'abord, la perspective du Chroniste est décidément sudiste. Alors que dans les livres des Rois nous avons des récits synchroniques sur les rois d'Israël et de Juda, le Chroniste s'intéresse exclusivement aux rois de Juda. Les rois du Nord ne sont mentionnés que lorsqu'ils interfèrent dans l'histoire d'un roi judéen. L'histoire de cette royauté apparaît dans les Chroniques surtout comme une histoire du culte : tout est centré sur la construction du Temple et sur le culte qui y est célébré. Les rois ne sont ici ni des chefs de guerre ni des politiciens, mais avant tout des prêtres et des liturges. Le modèle de cette royauté sacerdotale est David. Dans les Chroniques, c'est lui le vrai constructeur du Temple ; il a prévu tous les plans, toute l'infrastructure, et préparé les matériaux. Salomon, contrairement aux livres des Rois, n'est qu'un simple exécutant des volontés de son père. À noter également que toute facette négative de David est supprimée dans les Chroniques, qui omet par exemple toute l'histoire de la Succession au trône de David.

Le Chroniste corrige ou interprète également certains textes difficiles de l'Histoire deutéronomiste. Ainsi 2 S 24 raconte un recensement que David entreprend et qui est sanctionné par un fléau de la part de Dieu. Or, c'est Dieu lui-même qui met l'idée du recensement dans la tête de David : « La colère du Seigneur s'enflamma encore contre les Israélites, et il excita David contre eux : Va, dit-il, fais le dénombrement d'Israël et de Juda » (2 S 24,1). Les Chroniques reprennent le même récit, mais opèrent un changement significatif au début : « Satan se dressa contre Israël et il incita David à dénombrer les Israélites » (1 Ch 21,1). Le Chroniste a sans doute trouvé insupportable que Dieu lui-même incite David à commettre une action pour laquelle il le punira dans la suite. Ainsi a-t-il remplacé « la colère du Seigneur » par « Satan », peut-être sous l'influence d'un certain dualisme perse selon lequel le Dieu bon et créateur ne peut être responsable du mal, attribué au principe du Mal [*voir* p. 452].

Autre exemple de la réinterprétation du Chroniste : le règne du roi Manassé. À en croire l'Histoire deutéronomiste, celui-ci était le pire des rois ayant régné sur Juda (2 R 21), mais c'est en même temps le roi avec le plus long règne (55 ans !). L'Histoire deutéronomiste se contente de noter ce fait. Pour le Chroniste, par contre, il y a incompatibilité entre ces deux faits : sa méchanceté et son long règne. Aussi trouve-t-on dans les Chroniques (2 Ch 33) le récit d'une captivité envoyée par Dieu suite à laquelle Manassé se serait converti. Et c'est grâce à cette conversion que Dieu lui aurait permis de gouverner plus d'un demi-siècle.

Mais la différence principale entre l'Histoire deutéronomiste et l'Histoire du Chroniste se trouve dans leurs attitudes respectives face à l'Exil babylonien. Alors que l'Histoire deutéronomiste est obsédée par l'explication de la catastrophe de l'Exil et n'a pas de perspectives très claires face à l'avenir, l'Histoire du Chroniste fait apparaître une vision beaucoup plus optimiste. L'Exil (qui remonte à plus de deux siècles) n'est presque plus qu'un « accident de l'histoire ». Les Chroniques se terminent en effet avec l'édit du roi perse Cyrus permettant le retourà Jérusalem et la reconstruction du Temple. Et ce qui compte pour le Chroniste, c'est l'affirmation d'un Dieu universel qui est à la fois le Dieu du roi des Perses et celui du peuple juif (2 Ch 36,22–23). L'avenir de paix promis par Dieu se réalise dans son culte au Temple reconstruit.

T. R.

L'histoire d'Israël, de Saül à l'Exil (1030-539)

Après la présentation littéraire et théologique de l'Histoire deutéronomiste, qui constitue la source principale de l'histoire d'Israël, il est possible maintenant de parcourir cette histoire elle-même, depuis le premier roi, Saül, jusqu'à l'Exil en Babylonie. Ces cinq siècles constituent la période la mieux documentée de l'histoire biblique, car ils correspondent au temps des rois et donc à l'indépendance nationale. Les cinq siècles suivants, vécus sous des dominations étrangères, laisseront beaucoup moins de données historiques dans la Bible.

La période royale sera présentée en six parties :

1. Saül (1030-1010 ?)
2. David (1010-970 ?)
3. Salomon (972-932)
4. Les deux royaumes (932-722)
5. Le royaume de Juda (722-605)
6. La fin du royaume de Juda et l'Exil (605-539)

Saül premier roi d'Israël (1030-1010 ?) (1 Samuel 9–31)

Les débuts de la royauté

« Samuel dit à tout le peuple : Avez-vous vu celui qu'a choisi le Seigneur ? Il n'a pas son pareil dans tout le peuple ! Tout le peuple s'écria : Vive le Roi ! » (1 S 10,24). C'est au 1er livre de Samuel qu'apparaissent en Israël la royauté et le premier roi, Saül. À cette proclamation de Samuel comme aux acclamations du peuple, on peut penser que tout commençait bien tant pour l'institution que pour son premier représentant. En réalité, le texte biblique ne cache pas les difficultés d'une histoire qui commença bien et mal, se termina de même et se nourrit tout au long de contradictions permanentes.

Il y eut tout d'abord la répugnance à l'idée de royauté de la part de Samuel qui, autour de l'an 1000 avant notre ère, jouait en Israël à la fois le rôle de prophète* et de juge*, bénéficiant de la part des tribus* d'Israël d'une autorité longtemps incontestée mais qui s'était étiolée à mesure qu'il avançait dans son grand âge. Aussi la situation de ces tribus dispersées et soumises sur leur propre territoire à des tensions avec des tribus plus ou moins considérées comme ennemies, ainsi qu'avec des tribus venant de l'extérieur, tout militait en faveur d'une unification que seule, dans ce contexte, une monarchie héréditaire pouvait assurer. La démarche des anciens* auprès de Samuel pour qu'il leur donne un roi (1 S 8,4-5) se heurta d'abord à la répugnance du prophète-juge qui ne put tout d'abord que produire la propre répugnance divine à une telle perspective (1 S 8,6-9) : la demande d'un roi, davantage que le rejet de Samuel, était le rejet du Seigneur lui-même !

DOCUMENT

LES PEUPLES VOISINS D'ISRAËL AU TEMPS DES ROIS

À suivre les données de l'histoire de Saül, l'ennemi qui paraît s'imposer jusqu'à la fin, c'est-à-dire jusqu'à la défaite finale du roi au mont Gelboé où il laissa la vie en même temps que son fils Jonathan (1 S 31), est l'ennemi philistin. En principe réduits au territoire côtier au sud-ouest d'Israël et à l'ouest de Juda, entre Gaza et Ashdod, les Philistins qui avaient occupé de larges espaces du territoire de Canaan, avaient à nouveau des visées du côté des montagnes d'Éphraïm qu'ils voulaient couper de la Galilée.

Pourtant, si l'on en croit également le récit biblique, la première action guerrière de Saül qui aboutit à une des traditions de sa proclamation comme roi se fit à l'est du Jourdain, le roi des Ammonites ayant attaqué une cité israélite située au nord, Yabesh de Galaad.

On peut donc penser que le nouveau roi, dans la tradition guerrière des Juges*, eut surtout à défendre son territoire contre les tribus limitrophes, sans doute repoussées durant la période précédente. Il s'agissait notamment des tribus d'Amaleq et d'Édom au Sud, de celles de Moab et d'Ammon au Sud-Est et à l'Est, tandis qu'au Nord les Araméens se constituaient en royaume. Seuls les Philistins représentaient une sorte d'ennemi permanent.

Ces rapports de force des différents peuples frontaliers ou repoussés du territoire de Canaan où Israël tentera sous le règne de Saül de s'assurer une hégémonie, rendent compte de la situation économique de Canaan. Les terres du Nord, en Galilée, sont les plus riches, grâce à une bonne pluviométrie, tandis que les régions et de l'Est et du Sud, aux confins des déserts, contraignaient leurs habitants à s'assurer en Canaan des moyens de subsistance, le plus souvent par la razzia et la guerre.

La suite de l'histoire allait montrer que les choses n'étaient sans doute pas aussi simples, ni dans un sens, celui du rejet du Seigneur, ni dans un autre, celui de la reconnaissance du roi. Le texte biblique, tant dans les livres de Samuel que dans les livres des Rois, montre que si la royauté, aux dires des historiens comme des prophètes, fut davantage adoptée par Dieu qu'initiée par lui, elle connut comme toutes les autres royautés une histoire mouvementée et contradictoire. Que se passa-t-il avec le premier roi, Saül, que tout semblait prédisposer à une belle carrière ?

Un premier récit (1 S 9,1 – 10,16), qui a toutes les caractéristiques d'un conte, le dit fils de Qish, « homme de condition » de la tribu de Benjamin. D'après ce récit, Saül serait devenu roi par une action divinatoire de Samuel et un sacre discret (1 S 9,15-17 ; 10,1,1). Un second récit le montre au contraire se dérobant au tirage au sort organisé par le même Samuel, ce à quoi il finit par se rendre (1 S 10, 20-24). Enfin, un troisième récit laisse entendre que Saül força le destin en appelant à la guerre* ses compatriotes peu enclins à la faire, contre un ennemi pourtant menaçant (1 S 11,1-11) ; la victoire étant acquise grâce à la détermination et aux qualités guerrières de Saül, celui-ci fut proclamé roi (1 S 11,15).

Réussite ou malédiction ?

À cette diversité de récits s'ajoutent d'autres récits qui laissent entendre que cette proclamation fut assez vite annulée. Selon un premier, cette annulation en forme de punition serait due à une transgression liturgique : au moment de livrer bataille, Saül aurait offert un sacrifice* à la place de Samuel dont le retard démoralisait les troupes (1 S 13,7b-15a). Un second récit justifie cette malédiction sur Saül par une affaire de butin dérobé en transgression d'une règle de sacrifice à offrir au Seigneur. Malgré le repentir de Saül, Samuel confirme la malédiction (1 S 15,10-35).

À ces difficultés de récits s'ajoute une sorte de contradiction générale dans l'histoire de Saül, contradiction qu'aggravera, pour ainsi dire, le choix de son successeur, David. Non seulement il paraît sans réaction lors de son premier rejet par Samuel puisqu'il conduit son peuple à la victoire sur les Philistins, mais l'ensemble du 1er livre de Samuel révèle qu'il fut à la fois un vrai chef de guerre, un roi efficace dans son gouvernement et qu'au moment de sa mort tragique lors de la bataille du mont Gelboé (ou Guilboa), il avait repoussé les ennemis d'un territoire désormais défendable et propre à constituer géographiquement le royaume d'Israël. Autrement dit, le bilan de son règne serait plutôt positif, ainsi que le dit explicitement le texte biblique (1 S 14,47-52), si ce n'était ces origines difficiles et peu cohérentes, et surtout ce jeu de malédictions qui lui arrachent une monarchie qu'il ne semble pas avoir d'abord cherchée, sinon à être reconnu comme chef de guerre capable justement d'être roi.

Au vu de ces textes apparemment incohérents ou contradictoires de l'histoire biblique, il est difficile de se faire une idée exacte de la personnalité même de Saül, sujet à des crises de démence qu'apaisaient les talents musicaux de son futur rival et successeur, David (1 S 16,14-23). De même, il est difficile de saisir son art du gouvernement, tant son histoire est dominée par les récits d'une véritable guerre qu'il mena contre ce même David. Du moins ce jeu d'incohérences et de contradictions peut-il, pour une part, s'expliquer.

Si l'on considère que Saül ne fut ni meilleur ni pire que beaucoup d'autres rois bibliques dont il nous est répété qu'« ils firent ce qui est mal aux yeux du SEIGNEUR » – ce qui n'est tout de même pas dit aussi sèchement à son sujet –, une fonction importante de la forme d'historiographie qui se trouve dans les livres de Samuel et des Rois réduit ces contradictions et incohérences à défaut de les résoudre : c'est la *fonction d'explication* ou de raison donnée.

La rivalité avec David

En effet, à la fin de tout ce qui fait l'histoire du roi Saül, une question reste d'abord sans réponse : pourquoi, à celui qui fut le premier roi avec en principe la garantie d'un avenir dynastique, a succédé quelqu'un, David, qui n'était pas son fils, même s'il fut son gendre, et qui plus est, fut son rival ?

La réponse est donnée selon l'échelle des valeurs des auteurs bibliques : si Saül n'a pas eu de successeur parmi ses fils, si donc lui a succédé un étranger à sa maison, c'est que le Seigneur s'était dédit ; et s'il s'est dédit, c'est que Saül avait commis une faute grave et irrémédiable dont il devait être châtié. Et le châtiment ne pouvait être que la destitution, même si celle-ci ne serait effective qu'avec sa mort. C'est pourquoi les historiens bibliques ont cherché, trouvé et valorisé tel ou tel épisode de la vie de Saül susceptible de justifier un tel châtiment (1 S 15,10-35), quitte à conserver par ailleurs les informations qui en faisaient un vrai roi.

Malgré cet effort, les choses furent-elles définitivement clarifiées et acquises ? Subsistent, en effet, dans le texte biblique un certain nombre d'indications qui laissent entendre que, sous le règne de David, la descendance de Saül conserva longtemps des partisans qui en faisaient la dynastie légitime et suspectaient donc David et sa famille. Ainsi, Abner, « chef d'armée de Saül », avait-il contribué à établir « roi d'Israël » Ishbaal, un des fils de Saül (2 S 2,8-11), même si l'aventure se termina deux ans plus tard par l'assassinat d'Abner et d'Ishbaal (2 S 3,22 ss et 4,1ss). Ainsi, David eut à se méfier longtemps de cette descendance rivale, quitte à prendre sous sa protection un petit-fils infirme de Saül, Meribbaal, le fils de son ami Jonathan (2 S 9,1-13).

Même si l'ensemble de l'histoire de ce premier roi paraît claire aujourd'hui, même si les justifications de sa disgrâce auprès de Samuel et de son rejet de la part de Dieu paraissent s'imposer, nombre d'informations demeurent qui permettent de penser que Saül fut d'abord un roi à la hauteur d'une situation difficile tant du point de vue de la conscience religieuse et politique d'Israël que du point de vue de la situation locale. Bon chef de guerre dans la mouvance des meilleurs juges, tel Gédéon, conscient sans doute des nécessités nouvelles de son peuple qui ne pouvait plus vivre en dispersion sur un territoire incertain et dans la division de ses tribus, il marque de son existence et de son action une étape importante de l'histoire d'Israël, même si ce furent davantage ses successeurs qui hissèrent ce peuple au niveau d'une véritable nation.

David : l'unité et l'avenir assurés (1010-970 ?) (de 1 Samuel 16 à 1 Rois 2)

En contrepoint de l'histoire de Saül, le célèbre oracle* de Natân veut condenser toute l'histoire de David et de son règne. Non seulement il consacre celle du roi lui-même, mais il garantit l'avenir de sa dynastie. Il idéalise un roi et une histoire dont les livres de Samuel ne cachent par ailleurs ni les ombres ni les fautes.

David et Saül

Au commencement, il y a donc la désignation de David comme roi d'Israël en substitution de Saül, souverain déchu ; et c'est encore Samuel qui, après avoir maudit Saül, sacre ce petit berger, dernier fils de Jessé, en obéissance à un ordre du SEIGNEUR (1 S 16,1-13). Peu après on assiste à un épisode héroïque où ce jeune berger défie le géant philistin Goliath qui démoralisait les troupes d'Israël. Pour cela, Saül, qui ne semble pas le connaître alors qu'on vient de nous dire qu'il l'avait à son service, le revêt de son armure. On connaît l'histoire : le jeune David, embarrassé par cet attirail inadapté, préfère affronter

BIBLE

L'ORACLE DE NATÂN (2 SAMUEL 7,1-17)

Quand le roi habita sa maison et que le SEIGNEUR l'eut débarrassé de tous les ennemis qui l'entouraient, le roi dit au prophète Natân : « Vois donc ! j'habite une maison de cèdre, et l'arche de Dieu habite sous la tente ! » Natân répondit au roi : « Va et fais tout ce qui te tient à cœur, car le SEIGNEUR est avec toi. »

Mais cette même nuit, la parole du SEIGNEUR fut adressée à Natân en ces termes : « Va dire à mon serviteur David : Ainsi parle le SEIGNEUR. Est-ce toi qui me construiras une maison pour que j'y habite ? Je n'ai jamais habité de maison depuis le jour où j'ai fait monter d'Égypte les Israélites jusqu'aujourd'hui, mais j'étais en camp volant sous une tente et un abri. Pendant tout le temps où j'ai voyagé avec tous les Israélites, ai-je dit à un seul des juges d'Israël, que j'avais institués comme pasteurs de mon peuple Israël : Pourquoi ne me bâtissez-vous pas une maison de cèdre ? Voici maintenant ce que tu diras à mon serviteur David : Ainsi parle le SEIGNEUR Sabaot. C'est moi qui t'ai pris au pâturage, derrière les brebis, pour être chef de mon peuple Israël. J'ai été avec toi partout où tu allais ; j'ai supprimé devant toi tous tes ennemis. Je te donnerai un grand nom comme le nom des plus grands de la terre. Je fixerai un lieu à mon peuple Israël, je l'y planterai, il demeurera en cette place, il ne sera plus ballotté et les méchants ne continueront pas à l'opprimer comme auparavant, depuis le temps où j'instituais des juges sur mon peuple Israël ; je te débarrasserai de tous tes ennemis.*

Le SEIGNEUR t'annonce qu'il te fera une maison. Et quand tes jours seront accomplis et que tu seras couché avec tes pères, je maintiendrai après toi le lignage issu de tes entrailles et j'affermirai ta royauté. C'est lui qui construira une maison pour mon Nom et j'affermirai pour toujours son trône royal. Je serai pour lui un père et il sera pour moi un fils : s'il commet le mal, je le châtierai avec une verge d'homme et par les coups que donnent les humains. Mais ma faveur ne lui sera pas retirée comme je l'ai retirée à Saül, que j'ai écarté de devant toi. Ta maison et ta royauté subsisteront à jamais devant moi, ton trône sera affermi à jamais. » Natân communiqua à David toutes ces paroles et toute cette révélation.

le géant avec sa seule fronde. Il l'abat et le décapite, permettant la victoire des hommes d'Israël et de Juda (1 S 17). Si Saül prend quelque ombrage de cette action héroïque, il n'en laisse pas moins David devenir l'ami de son fils Jonathan et lui donne sa fille Mikal en mariage.

Le lecteur s'étonnera de ces incohérences que la suite immédiate de l'histoire ne fera que renforcer : en effet, le roi Saül continue d'agir et donc de régner comme si de rien n'était, ni malédiction ni désignation de David pour le remplacer. Bien plus, lorsque la rivalité va devenir si forte entre les deux hommes qu'elle tournera en coups de mains de bandes rivales, David, une fois ou l'autre, respectera son adversaire au nom de son onction royale (2 S 24 ; 26). Ainsi, pour en finir avec la question de la désignation de David comme roi et de son accession au trône, rappelons que celles-ci ne prendront vraiment effet qu'après la mort de Saül (2 S 2,1-7).

Ces aléas de l'historiographie, qui rappellent ceux de l'historiographie de Saül, s'expliquent de deux façons. D'une part, comme pour Saül, il s'agit de fournir des explications à des situations ou des comportements qui ne sont pas conformes à un idéal ou au cours normal des choses. D'autre part, l'histoire de cette période est faite de documents de diverses provenances dont les uns sont favorables à Saül et d'autres non, et dont d'autres sont favorables à David alors que d'autres encore ne le sont pas. L'historien qui a tenté la synthèse de cette histoire pour présenter une continuité dans le temps, a voulu à la fois respecter les documents dont il disposait et donner des explications assurant une certaine cohérence, le tout sur fond de sa foi dans le Seigneur et d'une conception théologique des choses. Le récit de la prophétie de Natân est, en finale, un bon exemple de ce double projet, ce qui amène l'auteur à gommer un certain nombre de réalités qu'il invite le lecteur à oublier à son tour, pour un moment tout au moins.

Car l'histoire est là dans son réalisme et parfois sa brutalité. David n'y échappe pas. Pour le percevoir, on peut considérer trois phases principales : 1) celle qui précède la mort de Saül lors de la bataille du mont Gelboé, où David n'est qu'un chef de bande ; 2) celle du règne proprement dit de David et 3) celle des querelles autour de sa succession jusqu'à sa mort.

David chef de bande en Juda

Quoi qu'il en soit des origines de sa désignation comme roi, David a vécu une part importante de son histoire sous le règne de Saül. Dans sa synthèse actuelle, elle révèle des comportements, une politique et une géographie.

Les comportements sont ceux d'un chef de bande dans un contexte où tout homme quelque peu déterminé rassemblait quelques compagnons avec lesquels il faisait des coups de main et agissait tantôt pour soi-même tantôt pour un autre chef qui pouvait être le roi d'une cité ou d'un petit territoire. Ainsi David agira-t-il, menant sa lutte contre Saül, allant jusqu'à s'allier aux ennemis du roi, les Philistins, en un acte de véritable traîtrise, dont il ne sortira, sans gloire, que par le rejet de ses nouveaux maîtres qui avaient quelques raisons de se méfier de lui. L'historiographe, tout en mêlant à cette histoire quelques actes positifs de son héros, ne cache rien de ses compromissions sinon de ses lâchetés.

Ce comportement dessine pourtant une politique et fixe une géographie. Sans doute conscient de la puissance de Saül qui évolue plus au nord du pays, David s'en tient à la conquête de villes au Sud et se donne Hébron comme capitale. Il se dessine ainsi un territoire nécessaire pour lui assurer une autorité. Mais on peut déduire de ces récits que pendant un certain temps il s'en tint là par prudence autant que par réalisme.

David roi de Juda et d'Israël

La nouvelle de la mort de Saül marque, dans cette histoire, une deuxième phase. Passée la douleur du deuil qui lui fait évoquer aussi la mort de son ami Jonathan, David rencontre les représentants des territoires du Nord pour s'assurer le pouvoir. Mais le récit parle ici d'une tentative de succession d'un fils de Saül, Ishbaal, qui n'alla pas sans succès puisqu'on nous précise qu'« Ishbaal, fils de Saül, avait quarante ans lorsqu'il devint roi d'Israël, et il régna deux ans. Seule la maison de Juda se rallia à David » (2 S 2,10) : précieuse indication qui montre que la succession ne fut pas immédiatement assurée à David malgré les garanties d'une ancienne désignation. Ainsi, continue le texte, « la guerre se prolongea entre la maison de Saül et celle de David », tout en reconnaissant que « David allait se fortifiant tandis que s'affaiblissait la maison de Saül » (2 S 3,1). Il ne fallut pas moins de deux meurtres,

REPÈRE

JÉRUSALEM, LA CITÉ DE DAVID

Au début du 2e livre de Samuel, alors que David est encore en train d'assurer son pouvoir, on apprend qu'« avec ses gens, il marcha sur Jérusalem contre les Jébuséens qui habitaient le pays » (2 S 5,6). La ville une fois conquise, David en fit sa capitale.

Politiquement et géographiquement, la décision paraît logique et donc sage : occupant une place quasi centrale entre Juda et Israël, entre Sud et Nord, la ville était propre à assurer le pouvoir d'un souverain qui entendait tenir deux parties de territoire dont sa propre expérience lui avait appris qu'elles n'étaient pas naturellement unies. Et sous son règne, avec notamment la tentative de coup d'État de son fils Absalom, il devait encore éprouver la fragilité de cette unité qui imposait une capitale forte et bien située.

Mais le petit récit, assez énigmatique, de sa conquête (2 S 5,6-9) laisse entendre qu'à l'origine David ne fut pas accueilli très favorablement dans la cité ; elle ne devint donc « sa » cité que par la force. Et l'étiologie*, c'est-à-dire l'explication d'un dicton qui interdit aux aveugles et aux boiteux d'entrer dans le Temple, est sans doute l'écho lointain d'une acquisition difficile, trouble et peut-être fragile. Pourtant, la suite de l'histoire, avec notamment l'introduction de l'Arche dans la ville (2 S 6) et la construction du palais royal, ferait de la capitale « la cité de David » avec ce que cette expression véhicule de signification personnelle et mystique.

Car Jérusalem n'est pas seulement la capitale d'un royaume à la fragile unité ; elle devient aussi la demeure du Seigneur, et ce, de par la volonté religieuse de David. Au cours de la cérémonie d'introduction de l'arche du Seigneur, David danse d'enthousiasme devant elle, quitte à s'attirer le mépris de son épouse Mikal qui fut, pour cela, condamnée à la stérilité. À partir de là, toute l'histoire de David se déroulera dans cette cité dont il ne peut être séparé, jusque dans les traditions tardives du Judaïsme ainsi que dans la tradition chrétienne.

celui d'Abner qui avait soutenu Ishbaal, et celui d'Ishbaal lui-même pour dégager définitivement la voie à David.

« Alors toutes les tribus d'Israël vinrent auprès de David et dirent : Vois ! Nous sommes de tes os et de ta chair. [...] Tous les anciens d'Israël vinrent donc auprès du roi à Hébron ; le roi David conclut un pacte avec eux à Hébron, en présence du SEIGNEUR, et ils oignirent David comme roi d'Israël » (2 S 5,1.3).

Ainsi pouvait s'ouvrir la phase d'un règne sans partage, dans la mesure où la maison de Saül était définitivement éliminée et où le territoire sur lequel Saül avait régné avait fait allégeance à David. C'est pourquoi le nouveau roi quitta Hébron et vint s'installer à Jérusalem, entre sa tribu de Juda et celles d'Israël. Mais tant pour l'histoire antérieure que pour celle qui allait s'ouvrir, cette division originelle entre Nord et Sud, longtemps concrétisée par la rivalité de Saül et de David, porterait bientôt ses fruits empoisonnés en permettant, à la mort de Salomon, le fils de David, le schisme des deux royaumes, du Nord et du Sud justement : Israël et Juda. Cette histoire nous laisse donc entendre qu'une telle division était plus ancienne et plus fondamentale que le seul coup d'État de Jéroboam pourrait un jour le laisser croire.

Il faut lire cette histoire de David telle qu'elle est rapportée entre les deux livres de Samuel et qui, malgré ses incohérences et contradictions, constitue, selon plus d'un critique, un des chefs-d'œuvre de l'historiographie antique. Alors que dans la tradition biblique, la figure de David va devenir, jusque dans le Nouveau Testament, une figure édifiante, les récits des livres de Samuel ne cèleront rien des faiblesses personnelles du roi, tel son adultère avec Bethsabée, femme d'un de ses officiers, qui sera pourtant la mère de Salomon. Ils ne cèleront pas non plus les difficultés d'un règne marqué jusque dans la politique nationale par les intrigues de palais et notamment par les rivalités des propres enfants de David. Ces rivalités iront jusqu'à l'inceste et au meurtre et jusqu'au coup d'État, tel celui d'Absalom, qui faillit réussir, contre son propre père, en exploitant le mécontentement des gens du Nord.

La succession de David

Ainsi s'ouvrirait une troisième phase de ce long règne – quarante ans, nous assure le texte biblique –, celle des enjeux de sa succession. Celle-ci inclut encore la succession de Saül avec les relations complexes qu'entretient David avec Meribbaal, le fils de son ami Jonathan. Meribbaal fut épargné au moment où furent liquidés tous les descendants du premier roi, preuve, s'il en était besoin, que l'interruption brutale et théoriquement sur ordre divin de la dynastie de Saül resta longtemps objet d'incertitude.

Si la longue histoire de la révolte d'Absalom (2 S 13–20), particulièrement détaillée, fait partie d'une superbe écriture de récit, non sans un réel sens psychologique, le fait que cette révolte se termina au bénéfice de David permet de passer à ce qui marqua les dernières années de sa vie où, là encore, les détails ne manquent pas.

En fait, la multiplicité des mariages de David, avant ou après son accès à la royauté, devait fatalement aboutir à un jeu de rivalités entre les fils aînés de ses différentes épouses. Au seuil du 1er livre des Rois, à la veille de la mort du roi, tout se concentre sur la tentative d'un de ses fils, Adonias, pour s'assurer la succession de David. Alors que le roi laisse le spectacle d'un vieillard sans force ni initiative, sa femme, Bethsabée, avec la complicité de Natân, intervient auprès de lui de façon pressante : c'est son fils Salomon qui doit monter sur le trône. Ainsi en sera-t-il du vivant même du roi, tandis qu'Adonias n'aura plus qu'à fuir avant d'être bientôt assassiné par le nouveau roi.

REPÈRE

DAVID ET LES PSAUMES

Le recueil des Psaumes désigne, dans sa version hébraïque, 73 psaumes « de David », tandis que la version grecque lui en reconnaît 82, sur un total de 150. Une telle désignation ne signifie pas nécessairement qu'ils aient eu David pour auteur, comme on l'a longtemps dit. Elle tient certes à une ancienne tradition juive mais qu'il est prudent et raisonnable de dater de l'organisation finale du psautier après l'Exil, à une époque où les exigences de références historiques donnaient un accent particulier à la religion comme à la piété d'Israël. Cette intentionnalité liturgico-historique apparaît bien dans les précisions données pour tel ou tel psaume l'associant à tel événement de l'histoire de David ; par ex. Ps 51 : « Quand Natân le prophète vint à lui parce qu'il était allé vers Bethsabée » ; Ps 52 : « Quand Doëg l'Édomite vint avertir Saül en lui disant : David est entré dans la maison d'Ahimélek ». En fait, de telles indications prolongent une tradition qui s'enracine à la fois dans l'histoire de David telle que la rapportent les livres de Samuel, et dans la relecture de cette histoire dans les livres des Chroniques.

La tradition de cette histoire garde effectivement le souvenir d'un roi dont la piété était jointe à un talent de musicien, voire de fabricant d'instruments de musique. Alors que le roi Saül était saisi de folie, « un mauvais esprit venant du SEIGNEUR » qui « lui causait des terreurs » (1 S 16,14), « David prenait la cithare et il en jouait ; alors Saül se calmait, il allait mieux et le mauvais esprit s'écartait de lui » (1 S 16,23). Plus trivialement, le prophète Amos, stigmatisant les mœurs de certains de ses compatriotes, dénonce : « Ils braillent au son de la harpe ; comme David, ils inventent des instruments de musique » (Am 6,5).

Les cérémonies de l'entrée de l'Arche à Jérusalem, en confirmant la piété du roi, sa « crainte* de Dieu », disent qu'avec toute la maison d'Israël il dansait de toutes ses forces devant le Seigneur, chantant « au son des cithares, des harpes, des tambourins, des sistres et des cymbales » (2 S 6,5). Et son souci de construire une « maison » pour

Qui était David en définitive ? Quelle fut la réalité de son règne ? Nous avons souligné à plusieurs reprises la qualité et donc l'intérêt narratif de cette histoire, et ce malgré doublets, contradictions ou incohérences qui la marquent. La fonction explicative de tel récit, de telle réflexion, voire de tel montage narratif comme la prophétie de Natân, permet de comprendre la complexité de cette histoire. Par ailleurs, on a émis l'hypothèse qu'elle s'appuyait sur des sources anciennes, et que tel ou tel ensemble avait pu être rédigé par un témoin direct de la vie de David. Sans exclure définitivement cette possibilité, on ne peut en oublier le véritable objet et donc le véritable héros.

En fin de compte, il s'agissait non tant d'intéresser des lecteurs aux aventures d'un personnage particulier, fût-ce le roi, que de rendre compte d'une réalité beaucoup plus large, le peuple d'Israël qui avait été effectivement gouverné par des rois. C'est pourquoi, on ne peut totalement exclure du primat de cette histoire l'explication des caractéristiques positives et négatives de ce peuple dans sa géographie, sa politique, ses faiblesses, ses gloires, ses déchirures et ses incertitudes.

le Seigneur couronne cette piété, même si le prophète Natân le rappellera à un autre ordre : c'est Dieu qui fera une « maison » au roi en assurant sa descendance sur le trône, quitte à ce que son fils Salomon construise le Temple. Enfin, son repentir après sa faute avec Bethsabée dit un peu plus cette piété qui savait aussi, devant Dieu, reconnaître son péché et en faire pénitence (2 S 12). Un tel comportement, dans la richesse de sa variété, a dessiné l'image d'un roi dont la sainteté s'est concrétisée dans des psaumes ; ceux-ci permettent à Israël de prier avec les mots placés dans la bouche du roi en certains moments précis de sa vie, comme créés par lui pour les générations futures.

L'histoire rapportée dans les livres de Samuel a été relue dans les livres des Chroniques, bien après l'Exil [*voir* p. 204]. Cette relecture associe plus que jamais David aux manifestations de piété en renforçant la qualité et la précision de ses gestes liturgiques. Il n'est que de comparer les deux récits de l'entrée de l'Arche à Jérusalem pour se rendre compte de cette accentuation : dans le 1er livre des Chroniques, « il prépara un lieu pour l'arche de Dieu », il organisa soigneusement le rituel de la cérémonie, se souciant de la place des chantres et des joueurs d'instruments, se joignant aux acclamations et finalement « confia cette louange à Asaph et à ses frères », « louant le premier le SEIGNEUR » en chantant le Psaume 105 (1 Ch 15–16).

Il est évident que tant de précisions, comme l'attribution des Psaumes à David, relève d'une représentation tardive de la figure de David. C'est par exemple celle que donne le Siracide, vers 180 av.J.C. (Si 47,8-10). On ne peut croire que cette figure ait été exemplaire au point de faire oublier par les livres des Chroniques toutes les fautes, erreurs et faiblesses que rapportent les livres de Samuel. Mais il est intéressant de voir comment Israël a tenu à développer cette représentation qui lui permettait de joindre l'histoire d'un roi, David, à ce qui le fondait, sa fidélité au Seigneur dans le culte, réconciliant du même coup une royauté d'abord et longtemps suspecte avec la plus haute expression de sa foi.

La distinction relevée tout au long de cette histoire entre Israël et Juda, le Nord et le Sud – distinction qui marqua d'une profonde division ce peuple qui a toujours rêvé d'être un –, dit un des ressorts de cette histoire : pourquoi ce peuple du Dieu unique est-il divisé ? pourquoi s'est-il divisé ? pourquoi a-t-il par deux fois échoué, dans la chute de Samarie en 722, puis dans celle de Jérusalem en 587 ? Il faut aller jusqu'à ces dates tardives pour bien comprendre la façon dont cette histoire fut rédigée. D'une façon ou d'une autre, elle devait porter à l'origine, dans les premiers rois, l'explication d'une situation tardive et dramatique. Si Saül et David avaient été rivaux, si Saül ne connut pas de descendance, si les fils de David se déchirèrent, si en fin de compte la fin de Salomon marqua la fin d'une unité originelle, c'est que tous ces personnages et les événements qu'ils vécurent ou provoquèrent, portent une large part de ce que les rédacteurs ultimes cherchaient :

REPÈRE

LA SAGESSE BIBLIQUE

Si, dans le cours de l'ensemble historique que constituent les livres de Samuel et des Rois, Salomon apparaît comme un maître de sagesse, celle-ci n'est pas d'abord ni exclusivement l'apanage de ce roi ni même d'Israël.

Au sens premier, même dans le cadre de la Bible, il faut entendre la sagesse dans le sens le plus commun et le plus universel, comme caractéristique de l'humanité à toutes les époques et dans toutes les couches des sociétés humaines. À ce stade, elle s'exprime dans des sentences et proverbes qui reflètent d'abord l'observation et disent quelque enseignement de l'expérience. La forme est brève, rythmée, rimée ou assonancée, du genre « pierre qui roule n'amasse pas mousse » ou « qui vole un œuf vole un bœuf », usant donc de métaphores. Le Livre des Proverbes, à partir du chapitre 10, constitue un recueil des expressions les plus traditionnelles en Israël, des plus triviales aux plus élevées, tel le premier proverbe : « Le fils sage réjouit son père, le fils sot chagrine sa mère » (Pr 10,1).

C'est pourquoi, dans les discours qui lui sont consacrés, la sagesse apparaît en Israël comme la chose la plus répandue et la mieux partagée entre les humains, puisqu'elle « crie au-dehors, et sur les places elle élève la voix » (Pr 1,20), à condition que ceux qui l'entendent – et tous peuvent l'entendre – veuillent bien se montrer fidèles ; ce qui revient à dire qu'il est à la portée de tout le monde de manifester de l'intelligence et de fuir la bêtise. En ce sens, on peut dire que la « morale sapientielle* » connaît une vertu : l'intelligence, et un péché : la bêtise.

Fondamentalement, en Israël comme ailleurs, la sagesse implique l'observation, puisqu'elle est un regard sur le monde dans tout ce qui le compose, pour le connaître certes et éventuellement en percevoir les merveilles, mais surtout pour en voir les obstacles et les difficultés de façon à les surmonter ou les contourner. La sagesse est en effet l'art de réussir. C'est pourquoi, à la base d'un certain ordre hiérarchique que la sagesse présente dans la Bible, se place l'artisan. Celui-ci, en effet, par son habileté qui joint intelligence et savoir-faire, fabrique le moyen qui permet de bien vivre dans cet univers. Le cordonnier fabriquant une bonne paire de sandales pour affronter les graviers du chemin, le menuisier façonnant un siège

l'explication de certains échecs sinon de l'échec d'Israël dans ses divisions et ses chutes, en un mot dans ses infidélités au Seigneur. Israël et ses rois, tous étaient pécheurs.

Salomon le sage (972-932) (1 Rois 1–11)

Le troisième roi d'Israël, Salomon, autant célébré que son père David – et jusque dans l'Évangile – est une figure aussi ambiguë que lui. Les onze chapitres consacrés à son histoire dans le 1er livre des Rois étalent pour ainsi dire cette ambiguïté dans leur organisation même. Qu'on en juge : huit chapitres (1 R 3–10) dressent sans la moindre réserve un portrait idéal de Salomon sous le signe d'une sagesse royale assurant un bon gouvernement et une bonne administration de son royaume –

confortable, le tailleur coupant un bon vêtement, etc., tous ceux qui œuvrent pour leur bien-être et celui des autres témoignent de la sagesse en ce qu'elle a de plus utile et de plus fondamental.

Cette hiérarchie de sagesse, qui correspond à une hiérarchie de métiers telle que le Siracide notamment en dresse la liste (Si 38,24-32), s'intègre à une vision plus générale qui place au sommet le bon souverain. Celui-ci permet, en effet, à tous ses sujets de bien vivre dans son royaume, efficacement défendu des ennemis, profitant d'une organisation et d'une administration qui permettent à chacun de bien mener sa vie, de travailler, de nourrir sa famille, bref de vivre heureusement en paix. C'est en ce sens que Salomon est célébré en 1 R 3–10 comme il est proposé en exemple de toute sagesse dans laquelle sont inclus savoir et intelligence.

Cependant, même s'il a acquis sa sagesse auprès de Dieu (1 R 3,9), celle-ci relève de la sagesse de tout souverain, israélite ou non, digne de ce nom. C'est pourquoi la hiérarchie biblique de la sagesse place un autre idéal à son sommet : la crainte* de Dieu. Celle-ci n'est évidemment pas à confondre avec la peur ni avec l'angoisse qu'inspirerait un juge impitoyable. Il s'agit plutôt de la piété qui se fonde sur le respect et dont le scribe est, selon le Siracide, un modèle dans « sa méditation de la Loi du Très-Haut » (Si 39,1b). Mais par-delà la louange de Salomon et de sa sagesse royale, ce n'est pas par hasard si l'évocation de la crainte de Dieu trouve sa plus haute expression dans un livre qui célèbre un personnage aux antipodes de Salomon : Job au cœur de ses épreuves. Si d'abord la véritable sagesse « se dérobe d'abord aux yeux de tout vivant » (Jb 28,21), c'est qu'elle est un don même de Dieu : « La crainte du Seigneur, voilà la sagesse ; fuir le mal, voilà l'intelligence » (Jb 28,28).

Dès lors, on comprendra qu'à ce niveau la sagesse soit perçue par les rédacteurs des premiers chapitres des Proverbes comme cette compagne de Dieu qui a présidé à l'apparition de l'univers, pour « trouver ses délices parmi les enfants des hommes » (Pr 8,31). Au fil des siècles, cette sagesse de Dieu sera même personnifiée [*voir* p. 471].

sagesse liée à une profonde dévotion envers le Seigneur. Et ces huit chapitres se trouvent encadrés de trois autres (1 R 1–2 et 11) qui disent sans complaisance les troubles conditions de son avènement, une sorte de catastrophe finale avec tentative de coup d'État, et finalement l'échec de l'unité du royaume. Ainsi, trouve-t-on ici à nouveau cette caractéristique de l'historiographie biblique des livres de Samuel et des Rois : la contradiction des traditions et des jugements disant à la fois l'espérance et la déception qu'ont pu provoquer l'institution monarchique et chacun des rois.

Nous pouvons passer assez vite sur les conditions de l'avènement de Salomon que rapportent les récits de 1 R 1–2 : la rivalité de plusieurs candidats à la succession, les intrigues d'une mère, Bethsabée, qui veut assurer l'avenir de son fils Salomon, et qui pour cela prend les moyens de circonvenir un époux réduit à l'impuissance d'une vieillesse avancée, la consécration royale du fils arrachée au roi encore vivant, et pour finir, l'exécution des rivaux ! En tout cela, on ne trouve qu'une banale et triste histoire d'accession au trône dans une dynastie encore mal assurée de sa reconnaissance.

L'essentiel du récit actuel se trouve dans la façon dont est rapporté le gouvernement de Salomon. Mais ici se pose une autre question, celle de la nature même de ce qui est raconté. Certes, ces textes de 1 R 3–11 présentent une succession d'événements extrêmement concrets : outre des listes d'administrateurs ou de connaissances royales, on nous rapporte avec force détails la construction du Temple de Jérusalem, celle du palais royal, le tout aboutissant à une reconnaissance internationale de la puissance et de la richesse du roi officialisée et symbolisée par la visite de la reine de Saba. Là aussi, les choses pourraient être banalement appréciées si elles n'étaient rapportées au Dieu unique, beaucoup de règnes étant justement marqués par des constructions prestigieuses et une renommée internationale.

La sagesse de Salomon

Mais l'ensemble de ces chapitres est en fait dominé par un mot qui donne à ce récit une teinte particulière et l'établit dans le contraste par rapport aux chapitres immédiatement antérieurs et postérieurs. La « sagesse » est présentée ici comme l'apanage de Salomon, comme sa méthode de gouvernement et comme la raison ultime de son succès et de sa reconnaissance. Art de gouvernement, la sagesse apparaît d'abord comme don de Dieu. Du coup elle fait oublier, momentanément tout au moins, les conditions de l'avènement et ce qu'on peut considérer comme les ombres du règne. Elle entre chez le roi par le songe puisque c'est au cours d'une nuit, à Gabaon, que Salomon disant sa reconnaissance au Seigneur de l'avoir fait accéder à la monarchie de son père David, demande du même coup « un cœur plein de jugement pour gouverner, pour discerner entre le bien et la mal » (1 R 3,9). Et Dieu, ne pouvant pas ne pas accéder à une telle demande, le gratifiera en récompense d'une richesse et d'une gloire « comme à personne parmi les rois ». Et le récit fameux du jugement de Salomon qui suit immédiatement, et où le roi discerne entre deux femmes la véritable mère de l'enfant vivant, dit d'entrée l'efficacité de cette sagesse (1 R 3,16-28).

Mais la sagesse n'est ici pas plus qu'ailleurs la particularité d'une personne, fût-ce celle d'un roi : elle est pour le gouvernement, pour que le peuple en bénéficie directement. Du coup l'ensemble de ces chapitres va établir l'étroite liaison entre la sagesse personnelle du roi et ses effets dans l'art du gouvernement. Autrement dit, Israël et son gouvernement vont être placés sous le signe de la sagesse, c'est-à-dire de ce qu'il y a de meilleur pour la vie de tous. Elle se manifeste d'abord dans la mise en place d'un corps de fonctionnaires qui, certes, sont d'abord au service du roi et lui assurent les rentrées de denrées ; mais finalement c'est le peuple tout entier qui en bénéficie puisque « Juda et Israël habitèrent en sécurité chacun sous sa vigne et sous son figuier… ; ils mangeaient et buvaient et vivaient heureux » (1 R 5,5 ; voir 4,20).

Le Temple de Jérusalem

Mais par-delà ce quotidien ainsi assuré, le roi va marquer son règne de grandes constructions au premier rang desquelles se trouve le Temple de Jérusalem. Et ici sa sagesse va, pour ainsi dire, recevoir son couronnement, car il ne s'agira pas seulement d'une affaire de belle construction, mais surtout d'accorder une demeure au Seigneur lui-même et donc d'assurer sa présence au milieu du peuple, avec ce que tout cela représente dans la religion d'Israël.

En fait le détail de la construction comme de son organisation aboutissant à la dédicace n'est pas que de l'ordre du récit ou du compte rendu : tout dit ici la sagesse à l'œuvre. Fondée, comme on l'a vu, sur la prière de Salomon et son sens de la justice, cette sagesse est aussi, dans ses fondements, caractéristique d'artisans, de tous ceux qui, par leur intelligence et leur habileté manuelle conjointes, réalisent certes des objets nécessaires à la vie quotidienne, mais aussi les grandes œuvres d'architecture. Et c'est œuvre de sagesse de la part de souverains que d'utiliser les qualités de sagesse de ces artisans et architectes, ainsi qu'en témoigne l'échange de messages entre Salomon et le roi Hiram de Tyr, capable de fournir bois de construction et ouvriers. Et l'exécution des travaux, comme l'ornementation intérieure, comme la fabrication des objets du culte, relèveront de ce sens précis du détail en quoi il y a justement conjointes sagesse d'artisans et sagesse royale [*voir* p. 259].

Au terme des constructions, le transfert dans le nouveau Temple de l'arche* d'Alliance, symbole depuis l'Exode de la présence du Seigneur au milieu du peuple, marque une sorte d'achèvement de la tâche sapientielle du roi. Et le Seigneur, investissant les lieux par le signe de la nuée*, confirme cette double sagesse des bâtisseurs et de Salomon. Après quoi un discours du roi au peuple et un ensemble de prières assurant l'avenir de la dynastie et la bénédiction* sur Israël consacre suprêmement cette sagesse dans la piété et donc dans la crainte* de Dieu.

Cet ensemble de textes relève naturellement de liturgies royales et dédicatoires harmonisées pour l'occasion avec un ensemble de type historique. Mais c'est avant tout une littérature exemplaire, édifiante, qui s'exprime ici, destinée autant à inspirer le respect et la crainte de Dieu qui dispense la sagesse qu'à rapporter une suite d'événements. Elle confirme en outre ce que d'autres textes de l'Ancien Testament diront à leur façon : l'identification de Salomon à la sagesse royale et religieuse, qui lui fera attribuer, dans la tradition biblique puis juive, différents écrits : les Proverbes, le Cantique des Cantiques, Qohélet et la Sagesse (dite de Salomon).

Et dans les dernières pages de cet exposé de la sagesse de Salomon, d'autres actions, comme la création d'une flotte commerciale et d'une importante charrerie, confirmeront ce qui fera la reconnaissance de la reine de Saba : « Tu surpasses en sagesse et en prospérité la renommée dont j'ai eu l'écho ! » (1 R 10,7).

Salomon et la reine de Saba

C'est dans un bref récit du cycle* de Salomon qu'est rapporté au 1er livre des Rois le récit de la visite que rendit la reine de Saba au roi d'Israël (1 R 10,1-13).

La reine de Saba apprit la renommée de Salomon de par le Nom du Seigneur *et vint éprouver celui-ci par des énigmes. Elle arriva à Jérusalem avec une très grande suite, des chameaux chargés d'aromates, d'or en énorme quantité et de pierres précieuses. Quand elle fut arrivée auprès de Salomon, elle lui proposa tout ce qu'elle avait médité, mais Salomon l'éclaira sur toutes ses questions et aucune ne fut pour le roi un secret qu'il ne pût élucider. Lorsque la reine de Saba vit toute la sagesse de Salomon, le palais qu'il s'était construit, le menu de sa table, le placement de ses* *officiers, le service de ses gens et leur livrée, son service à boire, les holocaustes* qu'il offrait au Temple du SEIGNEUR, le cœur lui manqua et elle dit au roi : « Ce que j'ai entendu dire sur toi et ta sagesse dans mon pays était donc vrai ! [...] Béni soit le SEIGNEUR ton Dieu qui t'a montré sa faveur en te plaçant sur le trône d'Israël ; c'est parce que le SEIGNEUR aime Israël pour toujours qu'il t'a établi roi, pour exercer le droit et la justice. »* (1 R 10,1-6.9)

Tout commence par une joute d'énigmes que la reine soumet à Salomon et que celui-ci résout. Après quoi, ayant mesuré l'étendue de la sagesse du roi et toute sa splendeur, ils échangèrent des cadeaux et « elle s'en retourna dans son pays ». Cet unique récit n'apporte guère d'informations sur la reine ni sur son royaume, quelque part en Arabie. Aussi, malgré de nombreux efforts d'imagination, notamment à propos des prétendues amours de Salomon et de cette reine – dont les souverains d'Éthiopie, les Négus, se croyaient issus –, il faut reconnaître que nous ne saurons jamais rien d'autre de cette reine ni de son royaume.

L'intérêt de cet épisode est d'un tout autre registre que celui d'une information historique. Il se trouve dans la logique de la célébration de Salomon et de sa sagesse dont la réputation a débordé les frontières de son propre royaume. C'est peut-être Jésus qui, en fin de compte, situera au mieux cette relation entre Salomon et la reine de Saba. Évoquant cette visite, il en fait un signe prophétique inscrit dans ces Écritures qu'il était venu accomplir* : « La reine du Midi se lèvera lors du jugement avec les hommes de cette génération et elle les condamnera, car elle vint des extrémités de la terre pour écouter la sagesse de Salomon, et il y a ici plus que Salomon ! » (Lc 11,31).

Les ombres du règne

Face à cet ensemble important de huit chapitres, les trois autres chapitres de l'histoire de Salomon peuvent sembler rapides ; et il est tentant de les minimiser, ce que fera d'ailleurs la tradition biblique de l'Ancien Testament comme du Nouveau Testament ne retenant que le prestige et la sagesse du roi. Pourtant ces chapitres, au début de l'histoire comme à la fin, pèsent de tout leur poids dans une historiographie qui, du 1er livre de Samuel au 2e livre des Rois, ne flatte pas les différents rois et ne fait l'éloge que de quelques-uns : Ézéchias et Josias ; ce qui est peu par rapport à l'ensemble. Autrement dit, avec ces trois chapitres, Salomon s'insère dans la tradition de sévérité à l'égard des rois depuis Saül et David lui-même jusqu'aux derniers à la veille de l'Exil*. Aussi est-il intéressant de voir les sujets de cette sévérité.

Même si l'expression est plus claire dans le dernier chapitre (1 R 11), les deux premiers mettent Salomon dans une situation d'infériorité : jeune prince enjeu d'ambitions et jouet d'intrigues, celles du prophète Nathan et de sa propre mère, Bethsabée. De lui-même aucune parole n'est rapportée du temps de ces intrigues, et ses réactions ensuite aux demandes de Bethsabée seront pour faire exécuter son demi-frère, Adonias, rival ancien et toujours potentiel. Après quoi, sa royauté sera affermie, comme le dit le texte, mais après une véritable série de meurtres.

Ces chapitres-là appartiennent-ils vraiment à l'histoire de Salomon ou encore à celle de David ? La question peut certes se poser, puisque celui-ci est toujours en vie. Cependant, malgré les informations qu'ils donnent sur les circonstances de l'accession de Salomon au trône de son père, ils s'en tiennent à une suite de péripéties qui ne font pas vraiment l'histoire d'un règne, mais n'en disent qu'un moment, aussi important soit-il. De ce fait, on ne peut pas dire que l'histoire proprement dite de ce règne soit comparable, du point de vue de l'information et donc de son importance, à celle de David ni même de Saül.

Quant au dernier chapitre, si là encore nous sont rapportés les détails de la tentative de coup d'État d'un des officiers du roi, sa brièveté et surtout les généralités qui jugent son règne nous placent déjà sur le versant de l'historiographie des livres des Rois qui, pour plus de détail justement, renvoient aux Annales, ce qui est effectivement fait pour Salomon : « Le reste de l'histoire de Salomon, tout ce qu'il a fait, et sa sagesse, n'est-ce pas écrit dans le livre de l'Histoire de Salomon ? » (11,41). Autrement dit, le bilan une fois tiré (« il fit ce qui déplaît au Seigneur et il ne lui obéit pas parfaitement comme son père David » 11,6), nous n'en saurons pas davantage sur ce règne. Deux questions surgissent ici : quelle est la véritable nature de cette « histoire » qui nous est racontée ? qui fut vraiment Salomon ?

De l'histoire à la tradition

Sans comparer l'historiographie biblique à l'historiographie moderne, il faut bien reconnaître que ces chapitres du 1er livre des Rois ne nous disent pas grand-chose de ce règne. Certes, nous apprenons que Salomon a construit le premier Temple de Jérusalem, qu'il a eu souci de l'organisation de son royaume et donc du bien-être de ses sujets, qu'il était de grande culture et qu'il fut épris de justice et de sagesse. Mais, outre qu'en dehors des constructions il s'agit là de généralités, on n'est guère satisfait en matière d'informations. D'autre part, nous l'avons déjà fait remarquer, ces généralités sont en contradiction avec l'autre partie de l'historiographie. Aussi doit-on s'interroger sur l'intention des rédacteurs de ces huit chapitres. Sans doute serait-il vain de dire qu'ils ne cherchaient pas d'abord à informer le lecteur ; mais ils l'ont fait selon une perspective bien particulière, et pour la comprendre il faut se reporter à l'« image » globale de la figure de Salomon telle qu'elle ressort de l'attribution de livres de sagesse et de la relecture de son histoire dans les livres des Chroniques et telle qu'elle ressort notamment des évangiles.

En effet, cette attribution d'écrits de sagesse, analogue à l'attribution des Psaumes à David, comme la relecture de l'histoire de David et Salomon dans les livres des Chroniques, au IVe siècle sans doute, manifestent une idéalisation de la figure de Salomon comme de celle de David. Autrement dit, à partir d'un certain moment ou dans certains cercles du judaïsme, ces deux figures ont été reçues ou conçues comme des modèles. Cette idéalisation, cette mise en modèle risquent de nous apparaître comme contradictoires avec les éléments plus négatifs de ces personnalités et de leurs règnes. En fait, l'histoire ainsi relue et qui, pour Salomon, aboutit à la rédaction de 1 R 3–10, avait une fonction et donc une légitimité : dans le cadre d'une nation foncièrement religieuse, voire théocratique, tout personnage qui avait joué un rôle dans la religion ne pouvait qu'être important et par quelque façon parfait. Le souvenir de Salomon constructeur du Temple et donc organisateur du culte du Seigneur ne pouvait que faire relire son histoire en excluant toute autre donnée qui n'irait pas dans le sens de cette perfection. Il est donc probable que ces chapitres ont été élaborés à une époque où il s'agissait avant tout de dire les fondations de la religion d'Israël, au retour de l'Exil. Et toute construction, comme toute attitude de respect à l'égard du Seigneur, relevaient de la sagesse. À ce modèle de Salomon on pouvait attribuer des livres ultérieurs, dont le dernier de l'Ancien Testament, écrit à la veille de l'avènement du Christ et en grec, une langue dont Salomon ignorait même l'existence ! C'est dans cette ligne que le Christ pouvait se référer à la splendeur de ce souverain qui confirmait son œuvre de bâtisseur au service du Seigneur et de son culte.

Deux traditions opposées

Mais il y a l'autre partie de son histoire dans ce même 1er livre des Rois. Qui fut réellement Salomon ? À s'en tenir à ces trois chapitres plutôt négatifs, même dans leur brièveté et le petit nombre de leurs informations, et donc en oubliant momentanément les autres chapitres, force est de constater que sa figure ne sort nullement grandie des épisodes rapportés. Comme nous l'avons dit, il apparaît d'abord sans grande initiative ni grande personnalité pour son avènement sur le trône : il se laisse faire, à moins que cela ne fasse partie d'une suprême habileté, laissant d'autres se charger d'intrigues à son profit ; pourquoi, en effet, agir par soi-même quand d'autres s'en chargent pour votre plus grand bénéfice ? Très vite, cependant, nous l'avons vu, Salomon prendra les choses en main, n'excluant pas le meurtre pour s'assurer le pouvoir.

Ici, dans ce rappel des circonstances de son accession au trône comme de la fin de son règne, plusieurs éléments ont pu jouer. On peut tout d'abord invoquer des cercles d'écrivains qui avaient quelque raison de détester Salomon, au souvenir peut-être de ses mœurs et de ses complaisances envers diverses divinités. On peut également invoquer une fonction explicative de la suite des événements : car, après tout, c'est durant son règne que se font jour des causes qui aboutiront à la division des deux royaumes. Jéroboam était un de ses officiers et sa tentative de coup d'État fut d'abord dirigée contre Salomon, ce qui prouvait, quels que soient les reproches qu'on puisse faire à Jéroboam, que le roi avait pu susciter des mécontentements. D'autre part, il était le père de Roboam, son successeur normal. Or celui-ci, aux dires des récits suivants, se montra particulièrement maladroit et donc indigne de régner. Enfin, dans la recherche des causes d'une catastrophe, en l'occurrence la fin de l'unité présumée du royaume de David, un responsable est toujours le bienvenu : Salomon pouvait l'être et ne pouvait l'être que s'il avait failli aux lois du Seigneur.

Ainsi deux traditions, deux visions principales du règne de Salomon durent s'élaborer, sans doute d'abord en ignorance l'une de l'autre, puis ensuite, à une époque tardive de synthèse de l'histoire, dans le respect des documents reçus, aussi contradictoires soient-ils. Dans l'une, celle qui idéalise le roi, les choses se font en fonction d'un résultat, la construction du Temple et l'organisation du culte ; dans l'autre, celle qui dénonce ses actes et attitudes, en fonction vraisemblablement d'une historiographie peu favorable à la monarchie et conservatrice d'informations sans doute réalistes.

De ce fait, il est difficile aujourd'hui de se faire une idée exacte de ce souverain et de son règne, plus difficile à notre sens que pour David et même pour Saül, *a fortiori* d'en dresser un portrait psychologique. La Bible nous lègue ici des images, les unes largement positives, les autres franchement négatives, même si, en fin de compte, ce sont celles d'un roi sage et juste dans sa magnificence qui devait l'emporter ou en tout cas prédominer.

P. Gi.

Les deux royaumes de 932 à 722 (1 Rois 12 – 2 Rois 17)

Aussi glorieux soit-il, le règne de **Salomon** (972-932) laisse apparaître les signes évidents de sa fragilité à travers nombre de révoltes : l'indépendance retrouvée de l'édomite Hadad (1 R 11,14-22.25b) ; la révolte de Raçôn de Damas (11,23-25a) ; mais surtout, la rébellion de l'éphraïmite Jéroboam, alors chef de la corvée (11,26-28). Plus que tout autre, ce dernier événement révèle les tensions entre tribus qui ont agité l'unité fragile de l'empire davidique. À cela s'ajoutait une crise sociale grave, puisque la politique fastueuse de Salomon entraîna l'imposition de la corvée à tout Israël (5,27-28), même si la notice de 9,15.20-22 tend à en minimiser les effets. Dans une situation aussi dégradée, Jéroboam prit le parti de la « maison de Joseph », le futur noyau du royaume israélite (Éphraïm et Manassé, les deux fils de Joseph). Il se dressa contre son maître et trouva refuge auprès de Sheshonq, nouveau pharaon d'Égypte (11,40).

La division ; les débuts des deux royaumes (932-911)

À la mort de Salomon son père, ***Roboam***[1] (932-916), déjà intronisé roi à Jérusalem, se rendit à Sichem pour se faire reconnaître aussi par les tribus d'Israël (12,1). Mais les anciens* du peuple imposèrent leurs conditions : il fallait alléger le joug qui pesait sur eux (v.3b-4). Plus inexpérimenté que véritablement jeune (il avait alors quarante et un ans), Roboam négligea le conseil de prudence des fonctionnaires expérimentés, en poste sous son Salomon, pour se ranger à celui des « jeunes gens », nouvellement promus.

Le roi fit au peuple une dure réponse, il rejeta le conseil que les anciens lui avaient donné et, suivant le conseil des jeunes, il leur parla ainsi : « Mon père a rendu pesant votre joug, moi j'ajouterai encore à votre joug ; mon père vous a châtiés avec des lanières, moi je vous châtierai avec des fouets à pointes de fer. » [...] Quand les Israélites virent que le roi ne les écoutait pas, ils lui répliquèrent : « Quelle part avons-nous sur David ? Nous n'avons pas d'héritage sur le fils de Jessé. À tes tentes, Israël ! Et maintenant, pourvois à ta maison, David ! » Et Israël s'en fut à ses tentes. (1 R 12,13-14.16)

Commença alors le « schisme » ou plutôt la sécession qui divisa en deux le royaume de David et Salomon. Le rejet de Roboam par l'Israël

1. Pour éviter les confusions dans ce chapitre, les noms des rois de Juda (Jérusalem) sont en italiques, mais non ceux des rois d'Israël (Samarie), comme Jéroboam I, ci-après.

du Nord fut définitivement consacré lorsque les tribus en révolte firent appel à **Jéroboam I** (932-911) (1 R 12,20), dont l'autorité s'étendit à tout l'ancien royaume de Saül, hormis une partie du territoire de Benjamin ralliée à Jérusalem. Dans le climat de tension qui s'ensuivit, Jéroboam chercha à détourner son peuple de Jérusalem en organisant le culte autour des sanctuaires israélites de Béthel et de Dan (12,26-33). Cet événement constitue, au regard du rédacteur judéen de ce texte, le « péché de Jéroboam » ; il est rapproché de l'apostasie du « Veau d'or » racontée en Ex 32. Jéroboam devient alors la figure type du souverain impie, responsable du destin tragique du royaume israélite (13,34) et de son rejet par Dieu (2 R 17,22-23). En fait, l'action cultuelle du roi Jéroboam n'avait rien d'étrange en ce contexte ; elle était moins idolâtre que destinée à attacher le peuple au destin du nouveau royaume. Mais tel n'est pas le propos du récit biblique, plus théologique que vraiment historique.

La rupture consommée entre les deux royaumes entraîna un état de guerre quasi permanent durant une cinquantaine d'années ; d'où le refrain qui revient sans cesse : « il y eut guerre entre Roboam et Jéroboam » (1 R 14,30) ; « il y eut guerre entre Abiyyam et Jéroboam » (15,7) ; « il y eut guerre entre Asa et Basha » (15,16). Seul l'avènement d'une nouvelle dynastie israélite avec Omri en 886 permit un climat de détente entre les deux royaumes du Nord (Israël) et du Sud (Juda).

Pour l'heure, la situation de l'un et l'autre royaume n'était guère brillante. Profitant de leur faiblesse, le pharaon Sheshonq les envahit en 926 (14,25), renouant ainsi avec l'habituelle politique d'intervention de l'Égypte dans la région. Juda ne dut son salut qu'au lourd tribut payé par son roi Roboam (14,26-28). Mais son rival du Nord fut plus durement éprouvé, comme semble l'indiquer la fuite incessante du roi Jéroboam, en quête d'une capitale : après Sichem, Pénouel, au-delà du Jourdain (12,25), puis Tirça, au nord de l'actuelle Naplouse (14,17).

Tels furent les débuts difficiles des deux royaumes d'Israël et de Juda. Au demeurant, leurs atouts étaient bien différents. Le territoire du royaume de Juda était réduit au domaine des tribus de Juda et Siméon, avec une partie de Benjamin. Il n'en disposait pas moins de richesses : l'unité géographique et une population assez homogène, mais surtout la stabilité dynastique de la « maison de David » qui régnait à Jérusalem. De telles richesses faisaient défaut au royaume d'Israël. Bien qu'étendu sur un plus vaste territoire et doté d'une force militaire plus importante que son rival, le royaume d'Israël avait de grandes fragilités : une population mêlée où l'élément israélite se distinguait peu de la population cananéenne dont il était issu ; des rivalités tribales propres à entretenir une certaine instabilité en l'absence d'une dynastie reconnue de tous ; enfin, une position géographique qui favorisait le commerce avec les Phéniciens, mais aussi les invasions du Nord : araméennes d'abord, puis assyriennes.

Israël (911-875). Omri fonde Samarie

Ce bref aperçu fournit les clés essentielles de l'histoire des deux royaumes jusqu'à la chute de Samarie en 722. Le fragile équilibre établi par Jéroboam ne lui survivra guère. Après un règne d'à peine deux années, son fils **Nadab** (911-910) fut assassiné par Basha, fils d'Ahiyya, « de la maison d'Issachar » (1 R 15,25-27). En la circonstance, Basha s'était appuyé sur le mécontentement de l'armée et le nationalisme de la tribu d'Issachar. Un tel coup d'État illustre à lui seul l'histoire future du royaume israélite et ses déchirements.

Du règne de **Basha** (ou Baésha, 910-887) nous savons peu de choses, hormis le jugement théologique que le récit porte contre lui (15,34) et le conflit qui l'opposa à Asa de Juda (15,16). Pour barrer tout accès à Jérusalem, Basha fit fortifier Rama. En riposte, Asa fit appel à l'araméen Ben-Hadad, roi de Damas : il lui versa un lourd tribut sur les trésors du Temple et du palais royal pour qu'il rompe son alliance avec Basha et l'attaque par la haute vallée du Jourdain. La manœuvre réussit pleinement et permit à Juda d'arracher quelques territoires supplémentaires du pays de Benjamin pour renforcer sa frontière au Nord (15,16-22). Désormais, Jérusalem était soustraite au danger d'une attaque israélite immédiate. Plus encore, la victoire judéenne aviva le mécontentement intérieur en Israël, comme le laisse pressentir l'intervention nationaliste du prophète Jéhu en 16,1-4.

Aussi, peu de temps après la mort de Basha, son fils **Éla** (887-886) fut-il assassiné par **Zimri**, un officier qui commandait la moitié des chars. Cette nouvelle conspiration surprit le roi en pleine beuverie selon 16,9-10. S'ensuivit une autre période de grande instabilité marquée par l'élimination de toute la parenté de Basha (v.11-12a). Même si le récit biblique cherche à donner une interprétation théologique à ce massacre (v.12b-13), une telle brutalité devait faire de Zimri le modèle achevé du traître, « assassin de son maître » (voir 2 R 9,31). Mais le règne de Zimri ne dura que sept jours (1 R 16,15) ! Une fois encore, l'armée s'empara du pouvoir en acclamant Omri, son chef. Pour échapper à son adversaire, Zimri mit lui-même le feu au palais royal de Tirça et périt dans l'incendie.

L'élimination de Zimri ne ramena pas pour autant le calme. Quatre années durant, l'anarchie régna en Israël qui fut déchiré par deux factions rivales, l'une ralliée à Tibni, fils de Guinat, et l'autre à Omri, qui finit par l'emporter (16,21-22). Si l'on excepte le récit des incidents dramatiques qui le portèrent au pouvoir, le récit biblique ne retient qu'un événement du règne d'**Omri** (886-875). Selon 16,24, « il acquit de Shèmer le mont Samarie pour deux talents d'argent ; il y construisit une ville que, d'après le nom de Shèmer, possesseur de la montagne, il nomma Samarie ». Un tel laconisme masque la portée de l'événement : désormais le royaume d'Israël était doté d'une capitale puissante, rivale de Jérusalem. À n'en pas douter non plus, le règne d'Omri fut brillant, laissant sa marque dans l'histoire au point que, bien après l'extinction de sa dynastie, la documentation assyrienne continue encore de nommer « Maison d'Omri » les rois d'Israël. La documentation épigraphique vient ici combler les silences du texte biblique.

En faisant choix de Samarie, Omri fit une grande œuvre politique. Comme David jadis, il rompait avec le particularisme des tribus en bâtissant une cité sans passé. Par la position ouverte vers l'extérieur de la nouvelle capitale, il manifestait aussi un désir d'alliance commerciale avec la Phénicie, alliance bientôt scellée par le mariage du prince héritier Achab avec Jézabel, la fille d'Ittobaal, roi de Tyr et Sidon (16,31). Les circonstances rendaient cette alliance plus nécessaire : une expédition assyrienne n'avait-elle pas atteint les rivages de la Méditerranée, obligeant les cités de Tyr, Sidon, Byblos et Arvad à verser un tribut au roi Assurnasirpal II ?

La stèle de Mésha, roi de Moab, atteste encore cette politique active ; on y lit qu'Omri « avait pris possession de tout le pays de Madeba et il y avait habité durant ses jours et la moitié des jours de ses fils, quarante ans » [*voir* p. 235]. À sa manière, la notice biblique de 2 R 3,5 confirme les faits en rappelant qu'« à la mort d'Achab, le roi de Moab se révolta contre le roi d'Israël ». De l'absence de toute mention d'une guerre avec Asa de Juda, on peut déduire enfin qu'Omri inaugura une politique de détente dans ses rapports avec Jérusalem, qui ne constituait plus une menace sérieuse.

Achab d'Israël et ses fils (875-841)

Succédant à son père en 875, **Achab** mena la même politique d'alliance, renforçant les liens avec la Phénicie, grâce à son épouse Jézabel (1 R 16,31b), et avec Juda (22,45), dont le signe le plus évident fut le mariage du prince héritier Joram de Juda avec Athalie d'Israël vers 865 (2 R 8,26b). Malgré les silences du texte biblique, on peut en déduire que le royaume de Juda fut proprement vassalisé durant le règne d'Achab. Le puissant souverain de Samarie maintint aussi sa domination sur le territoire de Moab, qui ne retrouva son indépendance qu'après sa mort (2 R 1,1 ; 3,5). Une inscription assyrienne permet de retenir un autre événement marquant de ce règne : pour s'opposer à l'ambitieuse politique du roi Salmanasar III (858-824), Achab s'allia à Hadadézer de Damas et au roi de Hamath en 853. Les coalisés réunirent une force armée assez puissante pour stopper l'avance assyrienne à la bataille de Qarqar sur l'Oronte (en Syrie du Nord). Le ton emphatique de l'inscription assyrienne (ci-dessous) cache mal le dépit de Salmanasar III qui ne put s'imposer dans la région. Sans parler de victoire des coalisés, il faut retenir ce coup d'arrêt à l'expansion assyrienne. Mais le répit sera bref, et le danger toujours renaissant comme l'attestent les diverses campagnes assyriennes contre les États araméens de la région.

Cette politique extérieure brillante ne doit pas masquer les zones d'ombre du règne d'Achab que retient essentiellement le récit biblique, à travers le cycle* d'Élie [*voir* p. 282]. La politique de construction à Samarie, Haçor et Meguiddo, entraîna de grands bouleversements sociaux, enrichissant les uns et appauvrissant les autres. Sur ce point, l'archéologie est d'un précieux secours en montrant l'apparition de riches demeures à côté d'habitations beaucoup plus modestes (comme à Tell el-Farah du Nord, l'antique Tirça). La constitution d'un domaine

DOCUMENT

SALMANASAR III ET ACHAB D'ISRAËL

Une inscription assyrienne (Monolithe de Kurkh) rapporte une campagne victorieuse de Salmanasar III contre le roi de Damas et sa coalition de douze rois. Parmi les coalisés se trouve le roi Achab d'Israël, qui est ainsi le plus ancien personnage biblique à apparaître dans un texte non biblique. De plus cette victoire de Qarqar, datable de 853 grâce à l'histoire assyrienne, permet de rattacher la chronologie des rois d'Israël (et de Juda) à la chronologie générale.

Je partis de l'Euphrate et j'arrivai à Alep [...]. Je détruisis, je démolis et je livrai aux flammes Qarqar sa ville royale. 1 200 chars, 1 200 chevaux de selle et 20 000 hommes de troupe de Hadad-Ezer du pays ânier (= Damas)*, [...] 2 000 chars et 10 000 hommes de troupe d'Achab du pays de Sir'ila* (= Israël) *[...] Hadad-Ezer reçut l'aide de ces douze rois. Ils se dressèrent contre moi pour livrer bataille et combat. Avec les forces supérieures qu'Assur mon Seigneur m'a données et avec les fortes armes dont m'a fait présent le dieu Nergal qui va devant moi, je combattis contre eux et je leur infligeai une défaite* (à Qarqar)*. J'abattis par les armes 14 000 de leurs combattants ; je dispersai leurs cadavres ; par les armes je fis couler leur sang ; la vaste campagne manqua pour les enterrer. Je barrai de leurs corps le fleuve Oronte comme avec une digue. Au cours de cette bataille, je leur pris leurs chars, leurs chevaux de selle et leurs chevaux de trait.*

(Trad. M.-J. Seux.)

royal s'accompagna de spoliations dont l'épisode de la Vigne de Naboth, en 1 R 21, reste l'exemple le plus célèbre. À quoi s'ajouta l'insuffisance de tributs versés régulièrement pour alimenter le trésor royal, d'où une fiscalité de plus en plus écrasante (voir 2 R 4,1-7). À ces facteurs humains s'ajoutèrent des facteurs plus extérieurs, comme une sévère famine dont parle, de manière très théologique, le cycle d'Élie en 1 R 17–18.

Plus que ces injustices criantes, le récit biblique retient surtout l'apostasie religieuse qui sembla gagner alors Israël. L'alliance avec Tyr et Sidon accrut dans le royaume d'Israël l'influence de la religion de Baal, rival du Seigneur, le Dieu national. Bien qu'il soit difficile de distinguer dans le cycle d'Élie (1 R 17 – 2 R 2) ce qui relève de l'histoire de ce qui tient à des réécritures prophétiques tardives, on peut deviner l'ampleur du conflit. Achab y est dépeint comme un dévot de Baal qu'il introduisit dans sa capitale Samarie (1 R 16,32), « irritant le SEIGNEUR, Dieu d'Israël, plus que tous les rois d'Israël avant lui » (v.33). À ses côtés, Jézabel apparaît comme l'adepte de Baal Melqart, dont elle protège les prophètes (18,19), tandis qu'elle fait périr les prophètes yahvistes (18,4).

Pareil tableau appelle des nuances. Si Jézabel dut favoriser le culte de Baal, il n'est pas moins vrai qu'Achab donna des noms proprement yahvistes à ses fils (Ochozias, Joram), signe évident qu'il ne renonça pas au « dieu national » d'Israël. La politique religieuse d'Achab s'explique plutôt par les usages diplomatiques du temps et le réel syncrétisme qui marqua la religion israélite avant l'Exil*. L'influence cananéenne ne cessa jamais d'être forte dans le royaume, sans que le Seigneur perde son privilège de « dieu national ». Il convient donc de ne pas projeter un regard trop strictement monothéiste, issu de la théologie ultérieure durant l'Exil, sur la religion de l'Israël pré-exilique.

L'historien ne doit pas oublier cet aspect polémique quand il analyse deux récits problématiques, inscrits dans le cadre des guerres araméennes. 1 R 20 rapporte une victoire israélite sur les Araméens, et 1 R 22, la mort ignominieuse d'Achab au combat. À y regarder de près cependant, on est en droit de s'interroger sur l'identité réelle des souverains concernés. Si le nom de « Ben-Hadad, roi d'Aram » s'impose sans trop de difficulté en 20, « le roi d'Aram » reste anonyme en 22,3. Les choses sont plus complexes encore pour Achab : mis à part le v.2 où Achab est présenté comme vassal de Ben-Hadad – ce qui ne correspond à aucune réalité historique –, et l'ajout des v.13-14, le récit de 1 R 20 évoque « le roi d'Israël » de manière totalement anonyme ; de même en 1 R 22, sinon au v.20 qui appartient clairement à une relecture prophétique ultérieure. La tradition biblique a donc reporté sur « l'impie » Achab (22,1-38) la mort violente d'un de ses successeurs, sans doute Joram qui décéda à Ramot de Galaad.

Les textes de l'Ancien Orient témoignent d'une tout autre réalité : en 853, Achab était le fidèle allié d'Hadadézer de Damas, et il dut mourir cette même année, probablement de mort naturelle, à Samarie, peu après la bataille de Qarqar (21,29 ; 22,40). En plaquant sur Achab le destin tragique d'un autre roi d'Israël, le récit biblique renforce ainsi la « légende noire » de celui qui, ayant mené une méchante vie, ne put qu'endurer une méchante mort. À l'inverse de ce point de vue théologique, l'historien se doit de reconnaître la grandeur d'un des règnes les plus longs et les plus paisibles de l'histoire d'Israël, et de restaurer une figure déformée pour la postérité. Assez curieusement d'ailleurs, l'effet de censure du texte ne fut pas total : la notice qui lui est consacrée s'achève sur une expression que le livre des Rois applique ordinairement aux rois morts en toute quiétude : « Achab se coucha avec ses pères » (22,40) ; de même l'expression de 22,38 ne s'accorde pas totalement à la prophétie de 21,19 qu'elle prétend pourtant accomplir.

Que devint le royaume d'Israël après la mort d'Achab ? Il semble qu'il traversa une crise profonde à cause de la faiblesse de ses rois. Son fils **Ochozias** (ou Akhazias) (853-852) dut affronter la révolte de Moab

DOCUMENT

LA STÈLE DE MÉSHA DE MOAB

Cette stèle de basalte, trouvée en 1868, est conservée au musée du Louvre. Peu après 850, Mésha règne sur Moab, à l'est de la mer Morte, et se libère de la domination des rois Omri et Akhab d'Israël. Il attribue sa victoire au dieu de Moab, Kamosh. Cette inscription contient aussi, à la fin, la plus ancienne attestation du nom du Dieu d'Israël : *Yhvh* (parfois vocalisé en Yahvéh). Les événements évoqués sont rapportés dans la Bible en 2 Rois 3,6-27.

*Je suis Mésha, fils de Kemoshyat, roi de Moab, de Dibôn. Mon père régna sur Moab pendant 30 ans et moi je régnai après mon père. Je fis ce haut-lieu pour Kamosh dans Qeriho [...] car il me sauva de tous les assauts et il me fit triompher sur tous mes adversaires. Omri était roi d'Israël et il opprima Moab durant de nombreux jours, car Kamosh était en colère contre son pays. Son fils (*Akhab*) lui succéda et il dit : « J'opprimerai Moab. » Dans mes jours, il avait parlé ainsi, mais je triomphai de lui et de sa maison. Et Israël fut ruiné à jamais. Omri avait pris possession de tout le pays de Madeba et il y avait habité 40 ans. Mais Kamosh l'a rendu durant mes jours. [...] Kamosh me dit : « Va, prends Nébo sur Israël. » J'allai de nuit et je combattis contre elle depuis la pointe de l'aurore jusqu'à midi. Je la pris et je tuai tout, 7 000 hommes avec étrangers, femmes, étrangères et concubines, car je l'avais vouée à l'anathème* pour Ashtar-Kamosh. De là, je pris les vases de Yhvh et je les traînai devant Kamosh.*

(Trad. J. Briend.)

avant de mourir prématurément des suites d'un accident (2 R 1) ; **Joram** (ou Yoram), autre fils d'Achab (1,17b), régna dix années (852-841) et fut battu par Mésha de Moab (3,4-27).

Le conflit opposant Israël à Moab ne fut pas l'unique événement marquant du règne de Joram. Les deux récits (fortement légendaires) de 2 R 8,11-12 et 28-29 laissent entendre que le roi israélite dut affronter aussi Hazaël, roi d'Aram qui menaçait sa frontière nord à Ramot de Galaad. Joram y fut grièvement blessé et, fuyant le combat, se réfugia à Yizréel où le rejoignit son allié, Ochozias de Juda. Plus haut, nous avons émis l'hypothèse que le récit de 1 R 22 donnait une autre version de cette fin tragique.

Juda vassal d'Israël (912-841)

Après Roboam, le bref règne d'***Abiyyam*** (915-913) et le long règne d'***Asa*** (912-871) ne sont connus qu'à travers leurs guerres fratricides contre Israël. Malgré l'appréciation positive de 1 R 15,11-15 sur le règne d'Asa, son fils ***Josaphat*** (870-848) hérita d'un royaume très affaibli. Bien que vassal d'Israël, Josaphat fut un grand réformateur (22,43-44.47) qui laissa une image positive jusque dans la tradition biblique tardive (voir 2 Ch 17). On le voit entreprendre aussi une expédition maritime au succès relatif (1 R 22,49).

À sa mort, son fils ***Joram*** de Juda (848-841), âgé de trente-deux ans, lui succéda, auquel le récit biblique ne consacre qu'une notice assez courte (2 R 8,16-24), au jugement théologique fort négatif (v.18) à cause de ses liens avec la dynastie israélite des Omrides. L'historien retiendra surtout la révolte d'Édom et celle de Libna qui montrent la faiblesse de l'autorité de Joram.

Joram eut pour successeur son fils ***Ochozias*** (ou Akhazias, 841) qui, par sa mère Athalie, était aussi un descendant des Omrides d'Israël. De manière significative, le récit ne retient que ce lien (2 R 8,26-27) qui lui sera fatal puisqu'il trouvera la mort aux côtés du roi d'Israël lors du coup d'État sanglant de Jéhu (8,28-29 ; 9,27-28).

Jéhu (841-814) ; Athalie (841-835)

L'événement marquant de ce temps fut, de fait, le coup d'État de **Jéhu** en 841, dont les effets se firent sentir dans l'un et l'autre royaumes. Aussi, le récit biblique lui consacre deux longs chapitres (2 R 9–10). Qu'en retenir d'un point de vue historique ? Profitant de sa position au sein d'une armée humiliée dans une guerre sans honneur contre les Araméens, Jéhu réussit à imposer sans peine son autorité, d'autant qu'il avait reçu le double appui des milieux prophétiques (Élisée) et des milieux traditionnels (Yonadab, fils de Rékab). Avec un certain cynisme, Jéhu élimine tour à tour Joram d'Israël, Ochozias de Juda, Jézabel, et leurs familles royales. Le récit culmine dans le massacre des fidèles de Baal et la destruction de son temple. La coïncidence des événements et les acteurs montrent l'enjeu véritable de cette « révolution » : au-delà des ambitions personnelles, il s'agissait d'un retour au nationalisme politique et religieux d'Israël, incarné en la personne de Jéhu. D'où cette conclusion en 10,28 : « Ainsi Jéhu fit que Baal disparut d'Israël », une loyauté que la suite invite à nuancer (10,29 et 31). Mais pareille brutalité entraînera le jugement sévère de la postérité (Os 1,4).

Seule la reine de Juda ***Athalie***, fille d'Achab et femme d'Ochozias, survécut au massacre. Le récit de 2 R 11 rapporte comment elle élimina à son tour la descendance davidique – à l'exception du petit Joas qui fut caché dans le Temple par sa tante Yehoshéba. S'ensuivit un règne sans partage de 841 à 835, jusqu'à ce que le prêtre* Yehoyada révèle Joas, le rejeton royal légitime. Dans un style très sobre, on rapporte alors l'intronisation de Joas par un peuple en armes et la mise à mort d'Athalie hors du Temple ; le récit n'en est pas moins fortement polémique et d'écriture tardive quand il dépeint Yehoyada sous les traits d'un prêtre du Second Temple, après l'Exil.

Du règne de **Jéhu** (841-814) nous savons peu de choses par le texte biblique qui ne s'attache qu'à sa prise de pouvoir ; le seul événement retenu est l'invasion du nord du royaume par Hazaël de Damas

REPÈRE

ATHALIE DE JEAN RACINE

Sur la fin de sa vie, à la demande de Mme de Maintenon, Jean Racine écrivit pour les jeunes filles pensionnaires de Saint-Cyr « quelque espèce de poème moral et historique dont l'amour fût entièrement banni ». Ce fut d'abord *Esther* (1689) puis *Athalie* (1691). Dans ces tragédies, dites « sacrées » parce que directement inspirées de la Bible, il inséra dans l'action même des chœurs lyriques. Dans *Athalie* notamment, il renouvela vraiment l'art dramatique : les événements importants n'y sont plus seulement racontés, comme dans les tragédies précédentes, mais ils sont représentés sur scène : par exemple l'arrivée des lévites en armes, le couronnement du jeune Joas et les scènes finales à l'intérieur du temple.

Racine a très bien servi le texte du livre des Rois ; il s'est permis d'ajouter des scènes et des personnages qu'il a imaginés, mais uniquement pour mieux représenter ce que suggère le texte biblique. Ce faisant, il a réalisé une véritable interprétation du texte biblique ; à sa manière d'homme de théâtre, il a produit un commentaire visuel bien adapté à ses contemporains, des Français du XVIIe siècle. Son Dieu est celui de l'Ancien Testament et non celui de l'Évangile ; le pessimisme des Jansénistes, pour qui l'homme livré à lui-même est incapable de faire le bien, est illustré par le destin tragique de la reine païenne Athalie. Pour beaucoup, *Athalie* demeure le chef-d'œuvre de Racine.

(2 R 10,32-33). De fait, Israël était sorti affaibli de la crise et isolé au milieu de royaumes hostiles. Ainsi son roi fut-il contraint à des alliances coûteuses comme en témoigne la documentation assyrienne. Dans la dix-huitième année de son règne, Salmanasar III franchit l'Euphrate vers « le Pays ânier », c'est-à-dire le royaume de Damas ; il reçut « en ce temps-là le tribut des Tyriens, des Sidoniens et de Jéhu, fils d'Omri ». Bien que la chronologie soit assez lâche, il est permis d'établir un lien entre les deux événements : l'incursion assyrienne dans les royaumes araméens portait la menace aux portes du royaume d'Israël ; Jéhu n'eut qu'à se plier devant le péril, sans céder pour autant à une politique d'alliance peu compatible avec le nationalisme régnant. Le versement d'un tel tribut est attesté par le très bel obélisque noir de Salmanasar III (au British Museum), où l'on voit le roi Jéhu prosterné devant son suzerain. C'est la seule image antique connue d'un personnage biblique.

Juda affranchi (841-781)

En mettant fin à la dynastie des Omrides, Jéhu libéra du même coup Juda de sa vassalité envers elle. Après six ans de règne, ***Athalie*** (841-835) fut éliminée par l'avènement de ***Joas*** (835-796), qui lança une restauration religieuse en Juda (2 R 12,5-17). Face au péril araméen, Joas acheta la paix avec Hazaël au prix des trésors du Temple (v.18-19) ; ce qui provoqua un grave mécontentement. Une conspiration fut ourdie contre lui par deux de ses officiers, Yozakar et Shomer, qui le tuèrent (v.21-22). Son fils ***Amasias*** (796-782) lui succéda. Affermi dans sa royauté, il vengea la mort de son père (2 R 14,5). Plus que ce dernier, il se montra combatif, menant une guerre contre Édom vers 786 (v.7) et provoquant le royaume d'Israël pour venger la mémoire d'Ochozias, son ancêtre (v.8-14). Ce fut un désastre politique et militaire, qui entraîna sa propre chute : un complot le rattrapa dans sa fuite à Lakish et, comme son père, il connut un destin funeste (v.19).

La dynastie de Jéhu (814-747)

Les règnes de ses successeurs, **Joachaz** (814-803) et **Joas** (803-787), seront dominés par les guerres araméennes conduites par Hazaël de Damas, puis son fils Ben-Hadad. Plus qu'ailleurs, la documentation est complexe : en dehors des brèves notices royales de 2 R 13,1-9 et 10-13, elle provient de récits très légendaires du cycle prophétique d'Élisée (6,8 – 7,20 et 13,14-21). Du fil complexe des événements, on peut déduire qu'Hazaël imposa au roi Joachaz un dur traité de vassalité qui le privait de toute puissance militaire (13,7) ; s'ensuivit un long temps de soumission qui prit fin, vers 806, avec l'avènement de Ben-Hadad III. Le royaume d'Israël tenta alors de rejeter cette vassalité, et le nouveau roi de Damas mit le siège de longs mois durant devant Samarie (1 R 20,1-21 ; 2 R 6,24–7,17). La menace assyrienne incarnée par Adad-Nérari III obligea Ben-Hadad à regagner Damas (vers 803), dégageant ainsi Joas d'Israël qui put mener une politique de reconquête (2 R 13,22), jusqu'à sa triple victoire (v.24). Peut-être faut-il relier cette politique israélite au tribut que Joas versa à Adad-Nérari III (d'après la stèle de Tell al-Rimah, près de Mossoul). On peut douter en revanche du rôle de stratège prêté à Élisée en 2 R 6,8-23, puisque le récit s'inspire fortement du passage de la mer Rouge en Ex 14. Ainsi, la figure salvatrice d'Élisée se trouve-t-elle référée à celle de Moïse.

Alors que Juda s'enfonçait à nouveau dans la violence, Israël connut une heure de gloire avec l'avènement de **Jéroboam II** (787-747). Il faut combler ici le laconisme du livre des Rois (2 R 14,23-29) par les oracles du prophète Amos qui laissent percevoir une société brillante, mais déchirée par de grandes inégalités sociales et de graves injustices (Am 2,6-13 ; 3,9-11 ; 4,1-3 ; 5,10-12 ; 8,4-6) [*voir* p. 285]. À cela s'ajoute la documentation issue des ostraca découverts à Samarie : tessons écrits servant de bons de livraison d'huile et de vin, qui attestent des richesses du domaine royal. À n'en pas douter, cette période de quarante années fut l'une des plus prospères de l'histoire israélite, dernier éclat avant la catastrophe finale. Profitant du recul général de l'Assyrie dû à des crises internes et des épidémies de peste (en 765 et 759), Jéroboam II mit à profit ses dons de stratège militaire : il reconquit le territoire transjordanien (2 R 14,25 ; voir aussi Am 6,13-14) et imposa sa puissance aux royaumes de Damas et de Hamath – même s'il faut faire droit à une certaine emphase en 2 R 14,28.

Cet éclat ne doit pas faire oublier que le royaume d'Israël n'en garde pas moins ses fragilités : l'examen des noms propres inscrits sur les ostraca de Samarie laisse entrevoir une société très mêlée, où prédomine l'élément cananéen, sauf parmi les fonctionnaires royaux qui portent des noms plus yahvistes. La « révolution de Jéhu » n'a pas éradiqué non plus l'influence de Baal et des divinités étrangères, d'où les prédications prophétiques d'Amos, puis d'Osée. À quoi il faut ajouter la situation sociale très dégradée des populations rurales, déjà indiquée.

De manière irrémédiable, la mort de Jéroboam II sonna le déclin du royaume d'Israël. Son fils **Zacharie** (747) fut renversé par une conspiration menée par le galaadite Shalloum (2 R 15,10). Ainsi prit fin la dynastie de Jéhu après presque un siècle d'existence.

Les derniers rois d'Israël (747-732)

Shalloum devint roi à sa place (747), avant de succomber à son tour dans une révolution de palais, après seulement un mois de règne (2 R 15,14) ! **Menahem**, son assassin, prit la couronne à son tour et régna de 746 à 737. Il se montra brutal dans le châtiment d'une cité en révolte (2 R 15,16) et dut affronter le réveil assyrien en la personne de Téglat-Phalasar III (nommé Poul dans les textes bibliques). Il dut lui verser un lourd tribut (v.18-20), confirmé par un document assyrien. Désormais, le destin du royaume israélite était suspendu au versement d'un tel tribut ; ce que comprit **Peqahya**, fils et successeur de Menahem, qui resta soumis à l'Assyrie (736-735). Mais il fut assassiné par **Péqah**, un officier rebelle, qui régna à sa place (735-732, 2 R 15,25), et qui devait connaître plus tard le même sort en étant éliminé par **Osée** (le roi et non le prophète).

Tout bascula alors. Péqah rejoignit la coalition anti-assyrienne menée par Damas, avec peut-être l'appui de l'Égypte (voir les allusions à ces atermoiements politiques en Os 5,13 ; 7,8-12 ; 8,8-10 ; 12,2). Comme l'atteste Isaïe 7,8-9, Raçôn (ou Reçîn) de Damas et Péqah de Samarie (« le fils de Remalyahu ») prirent la tête du mouvement de révolte, avec des motivations commerciales autant que politiques : face aux ambitions assyriennes, il s'agissait de sauvegarder les bénéfices lucratifs du commerce venu d'Arabie.

Juda menacé par Israël (781-732)

Ozias, appelé aussi ***Azarias*** (781-740), avait renforcé le royaume de Juda par une politique active de construction (2 Chroniques 26,9-15) et de reconquêtes (2 R 14,22 ; 2 Ch 26,6-7). Cependant, en 751 la maladie, sans doute la lèpre, l'écarta du pouvoir et il dut associer au trône son fils Yotam comme « maître du palais » (2 R 15,5). Devenu roi à son tour, ***Yotam*** (740-736) poursuivit la politique de son père (2 Ch 27,5-6) et eut la sagesse de refuser l'alliance hasardeuse avec Péqah et Raçôn, qui se tournèrent alors contre Juda (2 R 15,37). Telle est la situation dont hérita ***Achaz*** à son avènement en 736. Son règne est surtout marqué par ce qu'on appelle la « guerre syro-éphraïmite » : l'incursion en Juda des troupes de Damas (Syrie) et de Samarie (Éphraïm), en 735.

À en croire le récit biblique (2 R 16,5 ; Is 7,1-9), le siège de Jérusalem par les coalisés (Raçôn et Péqah) marqua la phase la plus aiguë du conflit. Le but de ces « deux bouts de tisons fumants », comme les appelle avec mépris Isaïe, était de déposer Achaz de Juda et de le remplacer par un « fils de Tabéel » (Is 7,6), peut-être un certain Hiram, fils du roi de Tyr, nommé Touba'il sur une stèle de 732. Pris de panique, Achaz fit alors appel à Téglat-Phalasar III en se déclarant son vassal : « Je suis ton serviteur et ton fils » (2 R 16,7-8). L'Assyrien, saisissant le prétexte, se tourna contre le royaume de Damas qu'il détruisit en 732 (2 R 16,9), avant de frapper durement Israël en l'amputant des districts de Dor, Meguiddo et Galaad (2 R 15,29). Ces événements forment l'arrière-plan des oracles de l'Emmanuel* en Isaïe (7–8 ; *voir* p. 295). L'assassinat de Péqah et son remplacement par le roi Osée prennent place en ce contexte, aux dires du récit biblique (2 R 15,30) et de la documentation assyrienne.

Une telle présentation des faits est cependant tendancieuse, qui laisse toute la responsabilité au royaume d'Israël. Si le texte du livre des Rois, les oracles d'Isaïe sur Damas (Is 17,1-11) et le déferlement des ennemis (Is 17,12-14) représentent des voix judéennes, l'oracle israélite d'Osée 5,8 – 6,6 montre que Juda ne fut pas totalement innocent, prenant à revers Benjamin et violant les frontières. Il est douteux aussi que le puissant souverain assyrien ait attendu l'appel à l'aide du faible roi de Juda pour intervenir !

La fin du royaume d'Israël (732-722)

Si l'on excepte les commentaires théologiques (plus tardifs) sur les causes de la ruine du royaume d'Israël (2 R 17,7-23) et l'origine de la population samaritaine (17,24-41), le récit de la chute de Samarie en 17,1-6 est très concis. Mais il pose de redoutables questions à l'historien : l'emprisonnement du roi Osée (v.3-4) a-t-il précédé la prise de la ville (v.5-6), ou sommes-nous en présence de deux versions concurrentes d'un même événement ? Qui de Salmanasar V ou de Sargon II fut le conquérant de Samarie ?

Selon toute probabilité, **Osée** (732-724) tenta de secouer le joug assyrien à la mort de Téglat-Phalasar III en 727. En 725, la venue de Salmanasar V (726-722) en Syrie-Palestine l'obligea à payer à nouveau le tribut (2 R 17,3). Pourtant, l'année suivante, il chercha à se dégager de ce joug en se tournant vers l'Égypte. L'alliance s'avéra trompeuse, et Osée se trouva bien isolé quand Salmanasar V se porta contre lui. Très vite, le souverain assyrien le fit jeter en prison.

Les avis des historiens divergent pour la suite. Pour les uns (tributaires du récit biblique), le siège de Samarie fut extrêmement long et la ville ne tomba qu'en 722, après une dure résistance (2 R 18,10). Mais Salmanasar V ne survécut guère à sa conquête et son successeur, Sargon II (722-705) s'en attribua le mérite quand il déporta en 720 la population de Samarie et réduisit les restes du royaume en province assyrienne. Pour les autres (s'appuyant sur les sources assyriennes), Salmanasar V repartit en emportant Osée comme otage, sans assiéger la ville. L'avènement de Sargon II en 722 s'accompagna d'un vent de révoltes contre l'Assyrie, sous le leadership du roi de Hamath et avec le soutien de l'Égypte. Samarie y prit part et connut le sort des cités révoltées, avec déportation de sa population. Trois années s'écoulèrent donc entre l'emprisonnement d'Osée (724) par Salmanasar V et la prise de Samarie par Sargon II (722), que le récit biblique regarda fautivement comme la durée du siège (2 R 17,5b-6a).

Qu'on retienne l'un ou l'autre des scénarios, la chute de Samarie marque un tournant essentiel de l'histoire d'Israël ; désormais, le royaume de Juda portera seul les destinées bibliques.

P. A.

Le royaume de Juda de 722 à 605 (2 Rois 18–23)

En 722, Samarie, dont le roi s'était rebellé, tombait aux mains des Assyriens après trois années de siège. La population du royaume d'Israël était déportée à l'autre extrémité de l'empire assyrien et remplacée par des populations étrangères. Fondé un peu plus de deux siècles auparavant par Jéroboam, à la mort de Salomon, le royaume du Nord cessa d'exister et devint une simple province assyrienne.

Le règne d'Ézéchias (716-687)

Quelques années plus tard, les mêmes causes produisant les mêmes effets, le royaume de Juda faillit connaître un sort identique. ***Ézéchias***, probablement associé au trône d'Achaz depuis 728, s'était tenu dans une prudente expectative pendant tout le règne de Sargon (722-705). Il rejetait à son tour le joug assyrien, établissait des relations diplomatiques avec les adversaires babyloniens de l'Assyrie et, surtout, participait à la rébellion anti-assyrienne qui s'était propagée tout le long du littoral méditerranéen. La réaction du roi d'Assyrie Sennachérib (704-681) intervint en 701. Dès qu'il eut les mains libres à l'Est, Sennachérib se mit en campagne, conquérant les villes des rois rebelles qu'il remplaça par des rois à sa dévotion, recevant la soumission d'autres, imposant de lourds tributs à chacun, tandis que l'armée égyptienne, appelée à l'aide, était défaite à Éltéqeh. Se tournant ensuite contre Juda, il en ravagea le territoire et le dépeça, le partageant entre les princes philistins qui lui étaient restés fidèles. Quant à Ézéchias, il dut vider les trésors du temple et du palais pour payer le tribut exigé (2 R 18,13-16). Mais, contrairement à ce qui s'était passé pour Israël, Jérusalem, la capitale, ne fut pas détruite et le royaume du Sud, bien que considérablement diminué, conserva une existence autonome.

Le contraste entre le sort de ces deux royaumes a été expressément souligné par les auteurs du livre des Rois qui, pour ce faire, ont repris en 2 R 18,9-12 la notice de 2 R 17,1-6 sur la fin d'Israël. Si Samarie a été prise par les Assyriens et si les Israélites ont été déportés c'est, expliquent-ils, parce que les Israélites « n'avaient pas obéi à la parole du Seigneur leur Dieu, et qu'ils avaient transgressé son alliance » (2 R 18,12). Mais si Jérusalem est restée inviolée, c'est à cause de la piété d'Ézéchias, le premier depuis David dont il est dit, de manière inconditionnelle : « il fit ce qui est agréable au Seigneur » (2 R 18,3). « Il resta attaché au Seigneur, sans jamais se détourner de lui et il observa les commandements que le Seigneur avait prescrits à Moïse » (2 R 18,6). Concrètement, il supprima tous les sanctuaires locaux au profit du seul temple de Jérusalem, et purifia ce dernier de tous les éléments « idolâtres » et en détruisant les symboles religieux canannéens.

DOCUMENT

SENNACHÉRIB ASSIÈGE JÉRUSALEM

Voici un extrait du récit de la campagne de Sennachérib, roi d'Assyrie, en l'année 701.

Quant à Hazaqiyaou (Ézéchias) du pays de Yaoudou (Juda), qui ne s'était pas soumis à mon joug, j'assiégeai (et) je conquis 46 villes fortes à remparts lui (appartenant) et les innombrables petites villes de leurs environs, au moyen d'entassement de rampes et d'approche de béliers, d'attaque de fantassins, de forages, de brèches et d'instruments de siège. J'en fis sortir et comptai pour butin 200 150 personnes, petits (et) grands, hommes et femmes, des cheveaux, des mulets, des ânes, des chameaux, des bœufs et du petit bétail sans nombre. (Quant à) lui, je l'enfermai dans Oursalimmou (Jérusalem) sa ville royale comme un oiseau en cage ; j'érigeai contre lui des fortifications et je lui interdis de sortir par la grande-porte de sa ville. Je retranchai de son pays les villes que j'avais razziées et je (les) donnai à Mitinti, roi d'Asdoudou (Ashdod), à Padî, roi d'Amqarrouna (Eqrôn) et à Çilbêl, roi de Hazatou (Gaza) et je réduisis (ainsi) son pays. […] (Quant à) lui, Hazaqiyaou, mon éclat terrible de souverain le renversa et il envoya derrière moi à Ninâ (Ninive), ma ville seigneuriale, les irréguliers et les soldats d'élite qu'il avait introduits à Oursalimmou, sa ville royale, pour (la) renforcer et qu'il avait eus comme troupe auxiliaire, avec 30 talents d'or, 800 talents d'argent, de l'antimoine de choix, des grands blocs de cornaline (?), des lits d'ivoire, des fauteuils d'ivoire, de la peau d'éléphant, de l'ivoire, de l'ébène, du buis (?), toutes sortes de choses, un lourd trésor, et ses filles, des femmes de son palais, des chanteurs, des chanteuses ; et il dépêcha un sien messager à cheval pour livrer le tribut et faire (acte d') allégeance.

(Trad. M.-J. Seux.)

Deux relectures du siège de Sennachérib

Par-delà cette thèse générale, l'inviolabilité de Jérusalem a principalement servi aux auteurs du livre des Rois à démontrer un certain nombre d'affirmations théologiques bien précises. Pour ce faire, ils ont imaginé une délégation assyrienne se rendant à Jérusalem afin de demander la reddition de la ville. Et ils ont mis dans la bouche du chef de cette délégation un discours qui, à travers l'argumentation utilisée, permettait de faire ressortir quels étaient les enjeux. Le récit de ces événements, où Isaïe jouera un rôle majeur (2 R 18–20), sera repris par les rédacteurs du livre d'Isaïe et inséré entre le « premier » et le « deuxième » Isaïe, en Is 36–37.

Dans un premier discours (2 R 18,17 – 19,9a), le messager assyrien constate la faiblesse militaire d'Ézéchias, avertit le roi de la vanité des espoirs qu'il place en une intervention égyptienne et, parallèlement, avance deux autres arguments, d'ordre théologique : la campagne militaire assyrienne résulte d'une initiative de Dieu en représailles à la suppression par Ézéchias de tous ses lieux de culte en dehors du seul temple de Jérusalem (2 R 18,22). Au demeurant, pas plus que les divinités des autres peuples, y compris le Dieu du royaume du Nord, n'ont pu les délivrer, le Seigneur ne pourra délivrer Jérusalem des troupes assyriennes qui l'assiègent. Derrière ces arguments mis dans la bouche du chef de la délégation assyrienne on voit en réalité poindre deux tentatives d'explication de la destruction, en 587, du royaume de Juda invoquées par les contemporains de l'auteur, à savoir que la prise de Jérusalem en 587 résulte de l'infériorité du Seigneur par rapport aux dieux babyloniens, ou bien qu'elle sanctionne la politique de centralisation du culte menée par Josias. L'abandon du siège de Jérusalem, auquel Sennachérib se verra contraint, apportera la preuve de la fausseté de ce type d'explication.

Un rédacteur se situant dans la mouvance du prophète de l'Exil appelé le Deuxième Isaïe [*voir* p. 330] va pousser plus avant cette démonstration (2 R 19,9b-35). L'enjeu, cette fois-ci, ne se place plus seulement au niveau de la puissance respective des différentes divinités nationales, mais de leur divinité même : si les dieux des autres nations ont été incapables de délivrer leur peuple c'est qu'en réalité ce ne sont pas des dieux, mais de simples créations humaines, des idoles de bois et de pierre. L'inviolabilité de Jérusalem démontrera pour le coup que le Seigneur est le Dieu vivant, et qu'il est seul Dieu. Le récit de la levée du siège – conséquence de l'envoi par Dieu de son ange, lequel décime les assiégeants – s'inspire d'une légende rapportée par Hérodote dans son *Histoire* (II, 141) : alors que Sennachérib, « roi d'Arabie et d'Assyrie », marchait contre l'Égypte et que ses guerriers, dépouillés par le roi de leurs privilèges, refusaient de venir à son secours, le dieu Héphaïstos, fils de Zeus, envoya son animal sacré et « quand les ennemis arrivèrent devant (la ville de) Péluse, des rats des champs envahirent leur camp pendant la nuit et rongèrent leurs carquois, leurs arcs, et même les courroies de leurs boucliers, si bien que le lendemain, dépouillés de leurs armes, ils durent prendre la fuite et périrent en grand nombre ».

Cette démonstration théologique occupe l'essentiel de la notice consacrée à Ézéchias et a occulté les autres aspects de son règne. Ce n'est que dans la notice de conclusion que sont évoqués des travaux à Jérusalem, illustrés par la découverte, en 1880, d'une inscription célébrant la construction d'un tunnel de 513 m de long amenant l'eau de la source de Guihôn au bassin de Siloé. Avant la désastreuse aventure anti-assyrienne, ce règne a dû être assez prospère, comme en témoigne le livre des Chroniques. Jérusalem s'était agrandie. La cour royale était devenue, ainsi que le laisse entendre Proverbes 25,1, le centre d'une vie intellectuelle. Juda avait étendu son influence sur la Philistie et était devenue une puissance régionale suffisamment importante pour intéresser les lointains Babyloniens.

Le règne de Manassé (687-642)

À Ézéchias, modèle du roi pieux, succède ***Manassé***, que les auteurs du livre des Rois considèrent comme l'antithèse d'Ézéchias et le type même du roi impie. La longueur exceptionnelle de son règne – cinquante-cinq ans ! ce qui en fait le plus long règne de tous les rois de Juda et d'Israël confondus – conduira d'ailleurs le Chroniste* à imaginer une conversion du roi (2 Ch 33,12-17). La notice consacrée à Manassé en 2 R 21 se réduit à une longue litanie d'idolâtries, sorte de catalogue de toutes les pratiques idolâtres connues, suivie de l'annonce du châtiment divin. Car si l'auteur du livre des Rois s'intéresse autant à ce roi, c'est qu'il voit en lui le responsable ultime de la catastrophe de 587, celui dont la politique religieuse a conduit au point de non-retour en incitant le Seigneur à prendre la décision irrévocable de détruire Juda.

En fait, la politique religieuse de Manassé semble résulter principalement de considérations de politique étrangère et intérieure, en adéquation réaliste avec les données géopolitiques. Car, même si Jérusalem était restée inviolée, et que, contrairement au royaume du Nord, le royaume de Juda n'avait pas été anéanti ni perdu son roi, il n'en avait pas moins été au bord de la disparition. En dépit du fait que les Assyriens n'avaient pu parachever leur conquête, leur démonstration de force était impressionnante. À l'époque de Manassé, l'autorité de l'Assyrie s'étend depuis l'Égypte jusqu'à la Babylonie. Juda est un État vassal qui, ainsi que l'indiquent les documents assyriens, se verra réquisitionné pour la campagne contre l'Égypte et pour les travaux de construction de Ninive.

Par l'introduction de cultes assyriens – sans doute aussi bien spontanée que sous la pression assyrienne –, Manassé renouait avec la politique pro-assyrienne d'Achaz et s'efforçait par là de se concilier les faveurs de celle qui s'affirmait comme la seule grande puissance, et sans doute aussi la faveur de ses dieux qui avaient fait la preuve de leurs pouvoirs. Le culte de la « Reine du ciel », en particulier, connaîtra une très grande popularité que dénoncera encore Jérémie (Jr 7,44). Par ailleurs, le rétablissement des « hauts lieux » sera un geste en direction des populations judéennes privées de leurs sanctuaires traditionnels auxquels elles étaient fortement attachées et qui, au vu de l'inviolabilité de Jérusalem où se trouvait le Temple, pouvaient penser qu'un sanctuaire local du Seigneur les protégerait de même. Sous le règne de Manassé, où le syncrétisme était à l'ordre du jour, renaîtront aussi les formes cananéisées du culte au Seigneur, et même la religion cananéenne. Son fils ***Amon*** (642-640), qui suivit la politique religieuse de son père, ne devait régner que peu de temps. Tué au cours d'une révolte de palais, qui sera matée par l'aristocratie rurale, il sera remplacé par son fils Josias.

Le règne de Josias (640-609)

Entre-temps, les données géopolitiques avaient changé. Après la mort d'Assurbanipal, vers 630, les menées indépendantistes de Babylone s'accélérèrent et l'Assyrie s'épuisa dans des conflits à l'Est ; ce qui laissait une certaine marge de manœuvre aux royaumes de l'Ouest. ***Josias*** parviendra ainsi non seulement à se libérer de la sujétion assyrienne mais il réussira à contrôler la partie méridionale de ce qui avait été autrefois le royaume du Nord. Et il s'estimera suffisamment fort pour intervenir dans la politique internationale. Mais les auteurs du livre des Rois insisteront surtout sur sa politique religieuse. Pour eux, Josias, plus encore qu'Ézéchias, est le modèle du roi pieux, entièrement conforme à la volonté du Seigneur.

La quasi-totalité de la notice sur Josias, 2 R 22–23, porte sur sa grande réforme religieuse initiée en 622. On nous raconte comment, à l'occasion de travaux de réparation, fut découvert au Temple le « livre de la Loi », également qualifié de « livre de l'alliance ». La lecture de ce livre provoque la consternation de Josias qui envoie sur-le-champ consulter à son sujet la prophétesse Houlda. Puis il en fait une lecture publique au Temple et s'engage à en respecter scrupuleusement toutes les prescriptions, un engagement auquel se rallie aussitôt tout le peuple. À la suite de quoi il entreprend une réforme du culte entièrement conforme à ce livre et qui va dans le même sens que la réforme d'Ézéchias : purification du culte du Seigneur de tous ses éléments paganisés, destruction de tous les sanctuaires voués au culte des divinités étrangères et même de tous les sanctuaires yahvistes locaux, pour ne laisser subsister comme unique lieu de culte que le temple de Jérusalem. Le point d'orgue de cette réforme va être la célébration de la Pâque*, non plus comme jusque-là à domicile, mais à Jérusalem. Cette réforme traduit une forte conscience identitaire et renforce la cohésion nationale : l'accent mis sur la célébration de la Pâque, fête de la libération du joug égyptien, est tout à fait significatif à cet égard des enjeux politiques de la réforme. Cette réforme s'accompagne aussi d'un souci aigu de justice sociale.

En dépit de sa piété, Josias meurt jeune, âgé d'une quarantaine d'années à peine. Voulant intervenir en faveur de Babylone dans le conflit opposant celle-ci à l'Assyrie, il tente d'arrêter à Meguiddo l'armée égyptienne venue à la rescousse de l'Assyrie mais il est tué. Pour les auteurs du livre des Rois, ce destin tragique évite à Josias d'être le témoin de la fin cruelle de son royaume. La réforme de Josias ne pouvait plus empêcher la catastrophe. Le châtiment de Juda, du fait

BIBLE

LA RÉFORME DEUTÉRONOMIQUE DE JOSIAS

Depuis deux siècles déjà, on s'accorde à mettre la réforme de Josias en relation avec le Deutéronome où se retrouve la même exigence de centralisation du culte (voir Dt 12) et le même souci de lutte drastique contre toute forme de pratiques hétérodoxes et d'idolâtrie (voir Dt 13). On pense généralement que le « livre de la Loi » trouvé au Temple comprenait, sous une forme ou une autre, le noyau législatif du Dt, et en tout cas les ch. 12–18, une liste de bénédictions et de malédictions (voir Dt 27 et 28), ainsi qu'une référence à un engagement de se conformer aux prescriptions de ce livre (voir Dt 27,31). On est, par contre, plus hésitant sur l'origine de ce livre : il fut peut-être rédigé à la suite de la chute du royaume du Nord* par des réfugiés israélites appartenant aux milieux prophétiques, ou bien sous le règne de Manassé par des Judéens fidèles à l'esprit de la réforme d'Ézéchias. Quoi qu'il en soit, ce milieu deutéronomiste aura une influence considérable sur la rédaction de l'Ancien Testament et en particulier de l'histoire d'Israël, le principe de centralisation du culte à Jérusalem et son corrolaire, la suppression de tous les sanctuaires yahvistes locaux. Cette suppression a servi notamment de critère quasi exclusif aux auteurs du livre des Rois pour évaluer les différents rois qui se sont succédé sur le trône d'Israël et de Juda depuis David. Il est à noter également que c'est ici la première fois où s'impose l'autorité d'un livre.

de son idolâtrie à l'époque de Manassé, avait été définitivement décidé par le Seigneur. Seul était consenti un sursis, à cause de la piété de Josias. Curieusement, pour les auteurs du livre des Rois le destin de Josias s'apparente à celui d'Achab d'Israël auquel son acte de repentance avait également permis d'éviter de voir les catastrophes annoncées (1 R 21,27-29).

Pour succéder à Josias, l'aristocratie rurale choisit son fils ***Joachaz*** (609). Lui aussi tenta de s'opposer à l'Égypte mais fut promptement châtié : son règne ne devait guère durer plus de trois mois. Il fut fait prisonnier par le pharaon Néko, déporté en Égypte et remplacé par un autre fils de Josias, tandis que Juda était assujetti à un lourd tribut.

La fin de Juda et l'Exil (605-539) (2 R 23–25)

L'an 605 constitue le point d'aboutissement d'un processus qui avait démarré à la mort d'Assurbanipal. Les coups de béliers répétés des Babyloniens et des Mèdes alternativement avaient eu raison de la puissance assyrienne. En 612, les deux armées associées réussirent à prendre Ninive, la capitale, après un siège de seulement trois mois. En 605, l'autre puissance concurrente, à savoir l'Égypte, fut défaite par l'armée babylonienne sous la conduite de Nabuchodonosor et anéantie. Celui-ci, rentré promptement à Babylone pour prendre la succession de son père qui venait de décéder, reprit aussitôt sa campagne à l'Ouest et imposa son autorité à toute la Syrie-Palestine. Désormais, et pour près d'un demi-siècle, la Babylonie, sous la direction de son roi Nabuchodonosor (605-562), allait dominer la scène internationale.

Le jugement des auteurs du livre des Rois sur les successeurs de Josias est entièrement négatif : tous firent « ce qui déplaît au Seigneur ». L'historien, sans doute, partagera le jugement porté sur les derniers rois de Juda, tous caractérisés par leur manque de clairvoyance et leur versatilité.

Les règnes de Joiaqim et de Joiakîn (609-597)

Joiaqim (609-598), le successeur de Joachaz, est connu par le livre de Jérémie pour sa politique antisociale (Jr 22,13-19) et sa totale imperméabilité au message prophétique : en Jr 36 on le voit détruire le rouleau contenant les prophéties de Jérémie au fur et à mesure qu'on le lui lisait. En Jr 26,20-24 il fait même mettre à mort un prophète du Seigneur réfugié en Égypte et dont il avait demandé l'extradition. Les pratiques idolâtres éradiquées par Josias renaissaient. Joiaqim, que Néko avait placé sur le trône de Juda, devint vassal de Babylone après la défaite de l'Égypte, pour finalement rejeter le joug babylonien après la bataille à l'issue incertaine qui, en 601, avait opposé Babylone à l'Égypte. Dans un premier temps, Nabuchodonosor se contenta de faire ravager le pays par ses États alliés de la région. Mais, en 598, il se mit personnellement en campagne et, au printemps 597, à l'issue d'un court siège, obtint la reddition de Jérusalem. ***Joiakîn*** (ou Jéchonias), qui venait de succéder à son père trois mois auparavant, fut fait prisonnier. Le roi, sa famille, les membres de la cour, les dirigeants de l'armée, les artisans, mais aussi les prêtres, parmi lesquels Ézéchiel, en tout plusieurs milliers de personnes furent déportés à Babylone (3023, selon Jr 52,28). Le Temple et le palais furent pillés. L'administration du pays se trouva décapitée et son économie désorganisée. Mais le royaume conserva son statut.

Le règne de Sédécias (597-587)

Pour succéder à Joiakîn, Nabuchodonosor choisit Mattanya, un oncle de Joiakîn, auquel il imposa, pour marquer sa suzeraineté, le nom de ***Sédécias***. Le livre de Jérémie donne de Sédécias l'image d'un personnage faible et indécis. Sensible aux voix qui annonçaient la chute imminente de Babylone et le retour des exilés de 597, accueillant à Jérusalem dès les premières années de son règne les États de la région tentés de se soulever et fondant de grands espoirs dans l'Égypte, Sédécias apparaît parfaitement incapable de prendre la véritable mesure de la puissance babylonienne. Ces agissements finiront par provoquer, en 588, l'intervention de Nabuchodonosor. Juda sera envahi, ses places fortes détruites. Jérusalem subira un siège de dix-huit mois, provisoirement interrompu grâce à l'intervention de l'Égypte (Jr 37). Tiraillé entre ceux qui, comme Jérémie, appelaient à la reddition (voir par exemple Jr 38,17) et les va-t-en-guerre pro-égyptiens animés par les militaires de son entourage, Sédécias laisse la situation pourrir. En juillet 587 une brèche est faite dans les fortifications de la ville. Le roi, sa famille et les dignitaires de l'armée quittent la ville de nuit mais sont rattrapés. Sédécias est fait prisonnier ; ses fils sont tués devant lui avant qu'on lui crève les yeux et qu'on l'emmène en captivité à Babylone (2 R 25,1-7).

La chute de Jérusalem

Le mois suivant, Jérusalem est prise. Le Temple est pillé, la ville est ravagée et incendiée, ses fortifications sont rasées. Des dirigeants du pays et soixante otages pris parmi l'aristocratie rurale sont exécutés.

Un certain nombre de Judéens (832, selon Jr 52,29) sont déportés. D'autres chercheront refuge dans les pays avoisinants. Le livre des Lamentations s'est fait l'écho de l'ampleur de la catastrophe :

Vois, SEIGNEUR, et regarde : qui as-tu jamais traité de la sorte ? Fallait-il que des femmes mangent leurs petits, les enfants qu'elles berçaient ? Fallait-il qu'au sanctuaire du Seigneur soient égorgés prêtres et prophètes ? Sur le sol gisent dans les rues enfants et vieillards, mes vierges et mes jeunes gens sont tombés sous l'épée ; tu as égorgé, au jour de ta colère, tu as immolé sans pitié. Tu as convoqué comme pour un jour de fête les terreurs de tous côtés ; au jour de la colère du SEIGNEUR, il n'y eut rescapé ni survivant. Ceux que j'avais bercés et élevés, mon ennemi les a exterminés. (Lm 2,20-22)

L'installation par les Babyloniens d'un gouverneur judéen, Godolias, un proche de Jérémie, crée un climat de confiance et entraîne le retour de nombre de réfugiés. Mais la même année, Godolias est assassiné par les milieux nationalistes ; ce qui provoque un nouvel exode, cette fois-ci en Égypte, de la part de tous ceux qui craignaient, à juste raison, les représailles babyloniennes. Parmi ces nouveaux réfugiés on trouve Jérémie, entraîné malgré lui (voir Jr 42–44). En 582, une nouvelle déportation, qui touchera 745 personnes (Jr 52,30), sanctionnera ce crime.

REPÈRE

L'ÉCROULEMENT DES INSTITUTIONS

La disparition du royaume de Juda entraîne avec elle celle de toutes les institutions sur lesquelles reposait Juda. La destruction du Temple ne représente pas simplement la perte d'un monument prestigieux et vénérable, édifié quatre siècles auparavant sous Salomon, et auquel les Judéens étaient fortement attachés. Le Temple était d'abord le lieu où le Seigneur avait établi sa résidence. Sa destruction, avec la dispersion de son clergé, ne rend pas tout sacrifice* impossible : en Jr 46, on voit des délégations de villes de l'ancien royaume du Nord venir à Jérusalem pour y sacrifier parmi ses ruines. Mais cette destruction signifie, ainsi que l'indique la longue vision d'Ez 8–11, que le Seigneur a abandonné Jérusalem et livré Juda aux forces de la mort, et elle démontre que Jérusalem n'était pas, comme on l'avait cru depuis l'époque d'Ézéchias, inviolable. La catastrophe de 587 marque aussi le naufrage de la dynastie davidique. Depuis David, celle-ci avait régné de manière quasi ininterrompue et pratiquement sans contestation pendant plus de quatre siècles, ce qui ne pouvait être perçu que comme le signe d'un assentiment divin et du soutien qu'il apportait, par-delà cette dynastie, au royaume de Juda. Avec la disparition de ces deux piliers, le temple et la royauté, toutes les conditions étaient réunies pour que ce double traumatisme aboutisse aussi à la disparition du peuple de Juda.

Un siècle et demi après le royaume du Nord, Juda disparaissait ainsi à son tour. Mais, contrairement à ce qui s'était passé alors, la population judéenne en grande partie avait pu rester sur place et poursuivre normalement ses activités, essentiellement agricoles, dans les villages de Judée. Quant aux exilés, loin de se fondre dans les populations de Babylonie, ils seront à l'origine du renouveau d'Israël.

Les Judéens exilés à Babylone

La lettre que Jérémie adresse aux exilés de 597 (Jr 29) ainsi que le livre d'Ézéchiel permettent de se faire une idée des conditions de vie de ces déportés. Celles-ci n'ont guère dû être très différentes de celles des premiers déportés. On y découvre une communauté organisée, avec ses anciens*, ses prêtres*, ses prophètes, qui vit dans les villes babyloniennes, y construit des maisons, y plante des jardins et y mène une vie somme toute normale. Sans doute, comme toutes les communautés d'exilés, celle-ci avait la nostalgie de sa patrie, ainsi qu'en témoigne le Psaume 137 : « Au bord des fleuves de Babylone nous étions assis et nous pleurions, nous souvenant de Sion*. » Mais dans cette communauté, il y avait aussi des prêtres, des prophètes, des intellectuels qui réfléchissaient au sens des événements et qui étaient soucieux de préparer l'avenir.

La question des causes de la catastrophe n'agitait pas que les milieux intellectuels. Le dialogue entre Jérémie et ceux de ses compatriotes qui l'entraînèrent de force en Égypte, révèle non seulement que l'on s'interrogeait sur les raisons du désastre, mais que plusieurs explications s'affrontaient. À Jérémie qui affirmait, de la part de Dieu, que « c'est à cause des méfaits qu'ils ont commis pour m'irriter, en allant encenser et servir des dieux étrangers que n'avaient connus ni eux, ni vous, ni vos pères » que la catastrophe s'était abattue sur le pays (Jr 44,3), ses interlocuteurs opposaient une autre logique qui mettait la catastrophe en rapport avec la réforme de Josias :

> *Nous continuerons à faire tout ce que nous avons promis : offrir de l'encens à la Reine du Ciel et lui verser des libations, comme nous le faisions ; alors nous avions du pain à satiété, nous étions heureux et nous ne voyions point de malheur. Mais depuis que nous avons cessé d'offrir de l'encens à la Reine du Ciel et de lui verser des libations, nous avons manqué de tout et avons péri par l'épée et la famine.* (Jr 44,17-18)

D'autres expliquaient le désastre par la destruction de tous les sanctuaires locaux voués au culte du Seigneur, autre facette de cette réforme. D'autres en concluaient que Dieu avait été incapable de protéger son peuple et qu'il avait été vaincu par des dieux plus puissants que lui, et d'autres encore, que le Seigneur, excédé par le péché de son peuple, avait décidé de l'abandonner une fois pour toutes.

Cette question des causes de la catastrophe n'avait pas qu'un intérêt théorique. Elle était, au contraire, d'une importance existentielle majeure car il en allait de l'avenir même d'Israël et de sa religion. Cela, les dirigeants religieux l'ont fort bien compris. En conséquence ils ont collecté ces paroles des prophètes qui annonçaient la catastrophe. Non pas dans un simple souci de préserver pieusement les paroles des serviteurs de Dieu, mais afin de montrer que la catastrophe de 587 avait été prévue depuis longtemps, que la menace en avait été depuis longtemps agitée, qu'Israël et Juda avaient été clairement avertis qu'elle viendrait sanctionner leurs méfaits. La survenue de la catastrophe n'était donc pas un accident. Elle démontrait tout au contraire que le Seigneur tenait fermement les rênes de l'histoire. Elle prouvait même sa supériorité sur les autres dieux puisqu'il était capable de se servir d'eux contre son propre peuple.

Parallèlement à ce travail de rédaction des livres prophétiques, un énorme travail d'historien a été entrepris, qui complétait ce qui existait déjà. Cela, afin de rappeler leurs racines à tous ceux qui étaient désemparés, et ainsi de fortifier leur conscience identitaire. Mais aussi afin de dégager le sens de l'histoire, de montrer quels agissements avaient provoqué la colère du Seigneur. Cette explication de la catastrophe était indispensable pour que 587 ne débouche pas sur un abandon pur et simple du Seigneur au profit des divinités babyloniennes ou sur une résignation suicidaire. Elle était également destinée à faire en sorte qu'Israël ne retombe pas dans les errements du passé.

L'histoire continue

Car, pour ces auteurs, Israël continuait à avoir un avenir. Aux paroles prophétiques de menace étaient mêlées des paroles d'espérance. 587 n'avait été qu'une étape et non une fin. Les promesses faites par le Seigneur aux patriarches et à David restaient valables, par-delà les aléas du présent : « ta descendance deviendra nombreuse comme la poussière du sol » (Gn 13,16) ; « à ta postérité je donnerai ce pays » (Gn 12,7) ; « ta maison et ta royauté subsisteront à jamais devant toi ; ton trône sera affermi à jamais » (2 S 7,16).

C'est à cet énorme effort de réflexion destiné à permettre de maîtriser les événements dramatiques de 587 en leur donnant un sens, en les inscrivant dans une logique, et à cette volonté obstinée d'ouvrir des perspectives d'avenir que nous devons sans doute la rédaction d'une très grande partie de ce que l'on appellera « l'Ancien Testament ». C'est certainement à cet effort que Juda doit d'avoir survécu et de ne pas s'être dilué parmi les nations, comme l'avait été le royaume frère du Nord, Israël.

L'Exil, une catastrophe sur le plan humain, a été en fin de compte une chance pour Israël. L'existence même de ces colonies de déportés et de réfugiés a placé Israël devant le défi de la confrontation avec des civilisations prestigieuses et de grands systèmes religieux ; il a ainsi été contraint à engager une réflexion sur sa propre religion. C'est en Exil que s'est faite la reconnaissance du Seigneur comme le Dieu créateur de l'univers. Et c'est en Exil qu'est né le monothéisme qui faisait du Dieu d'Israël l'unique Dieu et réduisait toutes les autres divinités à des idoles. L'Exil, en définitive, a donné à une religion étroitement liée à un territoire sa dimension universelle. De capitale d'un minuscule État régional, Jérusalem deviendra le centre de la diaspora* juive, le point de convergence vers lequel, dans les derniers temps, afflueront toutes les nations (Is 2,2-4).

En 562, Nabuchodonosor meurt. Lui succède son fils Évil-Mérodak qui, dès la première année de son règne, libère l'ancien roi Joiakîn, alors âgé d'environ cinquante-cinq ans, et l'accueille à sa table. À cette réhabilitation, les auteurs du livre des Rois allaient rattacher l'espoir d'une restauration de la dynastie davidique (2 R 25,27-30), mais cet espoir sera déçu. Deux ans à peine après son accession au trône, Évil-Mérodak cède la place à son beau-frère Neriglissar, qui lui-même ne règne que trois années, tandis que son fils, qui lui succède, est assassiné après seulement trois mois de règne. Nabonide, qui lui succède, délaisse Babylone pendant dix ans, pour l'oasis de Téma, au nord-ouest de l'Arabie, et laisse le pouvoir à son fils Belshassar (Balthazar). Tandis que la Babylonie est sur son déclin, une nouvelle puissance se profile à l'horizon. En 559, l'année où Neriglissar accède au trône de Babylone, Cyrus devient roi des Perses. Dix ans après, il devient en plus roi des Mèdes, dont le territoire longeait la frontière septentrionale de la Babylonie. En 545, il bat les Lydiens puis annexe toute l'Asie Mineure. En 539 il défait l'armée babylonienne et, le 29 octobre de la même année, entre triomphalement à Babylone dont les portes lui sont spontanément ouvertes. Pour Juda, une nouvelle étape commence [*voir* p. 324].

A. Marx

Les institutions d'Israël

Après avoir parcouru l'histoire des rois d'Israël et de Juda, puis évoqué l'Exil à Babylone (1030-539), il est possible d'aborder maintenant cette même période de manière thématique, à partir des trois grandes institutions caractéristiques de la religion d'Israël : les sages (et le roi) ; les prêtres (et le culte), et les prophètes. La distinction de ces trois fonctions permet en effet de mieux saisir les divers courants et les traditions qui ont façonné l'histoire religieuse d'Israël et produit les Écritures.

Divers textes bibliques se réfèrent à ce trinôme qui correspond aux trois médiations par lesquelles le peuple d'Israël reçoit la révélation de Dieu. Ainsi Jérémie : « [...] la Loi ne périra pas faute de *prêtre,* ni le conseil faute de *sage*, ni la parole faute de *prophète* » (Jr 18,18). On trouve l'équivalent en Mi 3,11 ou en Ez 7,26 ; de même dans le code du Deutéronome, un ensemble concerne les différents pouvoirs : les juges, le roi, les prêtres et les prophètes (Dt 16,18 – 18,22). C'est également ce trinôme qui fonde la répartition traditionnelle des Écritures juives en trois parties (depuis au moins 200 avant notre ère) :

– la *Loi* (le Pentateuque ou la *Tora*), qui est enseignée par les prêtres ;

– les livres des *prophètes*, avec les livres historiques où ils interviennent souvent ;

– les autres « *écrits* », constitués avant tout des livres de sagesse (Job, Proverbes, Qohélet, etc.).

Ces trois institutions d'Israël seront présentées dans l'ordre suivant :

1. Les sages et le roi.
2. Les prêtres et le culte.
3. Les prophètes (du IXe au VIe siècle).

Les sages et le roi

Les sages

La parole de Jérémie (18,18) citée plus haut : « la Loi ne périra pas faute de prêtre*, ni le conseil faute de sage, ni la parole faute de prophète » énumère les trois institutions importantes d'Israël, mais elle omet le roi (avec ses officiers et son armée), et les juges. En fait, l'institution royale et la justice sont très bien évoquées par les sages. Dans le premier récit du règne de Salomon, le songe de Gabaon (1 R 3,4-15), le jeune roi reçoit de Dieu la sagesse, indispensable pour gouverner. Il devient ainsi le prototype et modèle du souverain, comme c'est le cas dans toutes les monarchies de l'Ancien Orient. Car si la sagesse est multiforme, elle s'exerce principalement dans la justice et dans la sagesse du pouvoir politique.

Les juges

Selon la conception de la monarchie dans le Proche Orient ancien le roi est le juge par excellence. Ce n'est pas un hasard si le règne de Salomon s'ouvre en affirmant fortement ce principe par deux récits très liés entre eux. Le nouveau souverain demande à Dieu « un cœur qui écoute pour gouverner et discerner le bien et le mal » (1 R 3,9). Mais ce qui est traduit par « gouverner » signifie, en fait, juger. La conséquence première et normale de la sagesse reçue par le roi de la part de sa divinité tutélaire c'est bien la capacité de juger. 1 R 3 représente la charte programmatique du règne de Salomon. Et si en 1 R 3,1-15 on raconte le don de la sagesse, dans la suite du texte on a affaire à la mise en œuvre exemplaire de cette fonction majeure du roi. La finale du récit du jugement des deux prostituées le dit sans ambages : « Tout Israël entendit parler du jugement qu'avait rendu le roi et l'on craignit le roi, car on avait vu qu'il y avait en lui une sagesse divine pour rendre la justice » (1 R 3,28). Cette manière de concevoir un des rôles essentiels du roi se reflète, parmi bien d'autres textes, dans ce psaume : « Dieu ! donne au roi ton jugement, au fils de roi ta justice. Qu'il rende à ton peuple sentence juste et jugement à tes petits » (Ps 72,1-2).

Ce qui apparaît clair au niveau des principes est plus difficile à saisir sur le terrain de l'histoire. On constate déjà que David joue ce rôle de juge car le prophète Natân et la femme de Teqoa font appel à lui, en tant que roi, pour régler leurs affaires (2 S 12,1-4 ; 14,1-11), même si celles-ci sont fictives. 2 R 8,1-6 met en scène le roi d'Israël et divers personnages en lien avec le prophète Élisée. Encore une fois, le roi apparaît en charge de rendre justice et de la faire appliquer. De même le comportement d'Absalom indique clairement que l'office de juge exercé par le roi est fondamental. C'est en promettant de rendre justice qu'il tente d'attirer à lui les gens des tribus d'Israël et augmenter ainsi ses partisans, en vue de se révolter contre son père (2 S 15,1-6).

On n'a pas une histoire précise des institutions de l'ancien Israël. Ainsi on n'a pas une description explicite de ses institutions judiciaires. Il est clair qu'avant la monarchie l'action juridique était exercée par trois instances : le père de famille (Ex 18,24-26), les anciens (chefs des clans ou des familles selon les époques, Rt 4,1-12) et les prêtres (Ez 44,24). La porte des villes et des villages était le lieu du tribunal (voir Rt 4,1 ; Am 5,10). Chacun d'eux dans le domaine de sa compétence.

On ne connaît pas bien ni le fonctionnement ni le rôle de chaque membre de ces tribunaux. Il y a des accusateurs, des témoins, des juges et des accusés ; pas d'avocats. Les termes pour désigner les juges peuvent être, d'ailleurs, génériques. Ainsi en Mi 3,1 on parle des « notables et anciens » en charge du droit. En revanche, en Is 1,23 on trouve les « princes » (désignant ailleurs les chefs de guerre) qui sont identifiés ensuite en 1,26 comme « juges » (*shophetim*). Ce qui montre clairement que les juges, en tant que tels, existaient bel et bien avant la réforme de Josias (voir Mi 7,3 et So 3,3) comme une des fonctions classiques de la société, même si leur légitimité, une fois la monarchie établie, venait certainement du roi. Les autres instances (pères de famille, anciens) avaient dû perdre de leur importance. On retrouve cependant les anciens dans le déroulement d'un procès en 1 R 21,8-16, quoiqu'ils jouent un rôle de comparse.

Le symbolique et le réel se conjuguant, le roi accumule bon nombre de compétences en ajoutant celles qui lui viennent comme chef des armées et centre de la vie du royaume. Il est probable que la tendance au centralisme fut constante, dans la mesure où les circonstances le permirent. Elle apparaît au grand jour à la veille de l'effondrement du royaume de Juda avec la réforme de Josias (622), centralisatrice à tous les niveaux. Elle cristallise dans quelques textes du Deutéronome qui disposent, cette fois, le statut et les compétences des « juges », établis dans les différentes villes et surtout à Jérusalem (Dt 16,18 ; 19,16-21 ; 21,1 ; 25,1-3). Il est remarquable cependant que ces textes associent les juges, les prêtres et les anciens dans le rôle judiciaire.

Une preuve archéologique importante éclaire la situation à l'époque de Josias, au VIIe siècle. Un ostracon trouvé au sud de l'actuelle Tel-Aviv rapporte une plainte en justice d'un paysan auprès de l'officier militaire responsable de la région. Le « chef » (militaire) exerce donc aussi des responsabilités judiciaires.

Les anciens

On traduit généralement l'hébreu *zaqèn* par « ancien ». Le terme apparaît dans l'Ancien Testament avec le sens de « personne âgée », mais, dans bon nombre de cas, il a une portée particulière. En effet le pluriel désigne un groupe aux contours difficiles à établir, mais qui semble néanmoins avoir joué un rôle social important. Ceci n'a rien d'étonnant car l'on trouve des équivalents sémantiques avec des fonctions similaires dans l'ensemble des civilisations de l'Ancien Orient, l'Égypte exceptée. « Les Anciens » désignent les responsables ou les têtes visibles d'une communauté constituée en tant que telle, citadine, villageoise, clanique ou tribale. Leurs existence et fonction sont bien antérieures à la monarchie, évidemment. Quoi qu'il en soit de la date de rédaction de certains textes il est clair qu'ils représentent souvent les responsables politiques des villes (1 S 11,3 ; voir 16,4). Il ne serait pas étonnant que ce soient aussi les « anciens de Yabesh de Galaad » qui aient joué un rôle majeur dans la désignation de Saül comme roi, accompagnant ainsi la joie du peuple libéré par le benjaminite. De même que ce sont les « anciens » qui sont à l'origine de la demande d'aide à Jephté et de son installation comme chef pour résister aux Ammonites (Jg 11,5-11).

Quoi qu'il en soit de la piété et de l'honnêteté de David, il est certain que les calculs politiques n'étaient pas absents des cadeaux successifs qu'il envoie aux anciens* de Juda quand il travaille comme mercenaire pour les Philistins, bien qu'en fait il prépare son propre avenir (1 S 30,26). La stratégie portera ses fruits car quelque temps plus tard il s'installe à Hébron et aux environs, le cœur de Juda. Certes, en 2 S 2,4 on parle des « hommes de Juda qui vinrent oindre David comme roi sur la maison de Juda ». Mais l'expression « hommes de… » est souvent synonyme de « anciens de… » (Jg 8,4-7.13-16). C'est ainsi que, quelque temps plus tard, on retrouve les anciens d'Israël offrant à David la couronne sur les tribus du Nord, instaurant ainsi un régime d'union personnelle qui perdurera jusqu'à la mort de Salomon. 2 S 5,1 affirme : « toutes les tribus d'Israël vinrent trouver David à Hébron… » et au v.3 : « Tous les anciens d'Israël vinrent trouver David à Hébron et ils oignirent David comme roi d'Israël. » Les anciens représentent le pouvoir politique du peuple.

Les textes concernant l'histoire de la monarchie mentionnent une fois ou l'autre les anciens. Ainsi à la mort de Salomon, son fils Roboam consulte les anciens à propos des réclamations du peuple (1 R 12,6-8). Jéhu leur envoie des lettres ainsi qu'à d'autres officiels (2 R 10,1.5). Jézabel les compromet dans le procès inique contre Nabot (1 R 21,8.11) ce qui montre qu'ils avaient gardé un certain pouvoir judiciaire.

On peut tirer la même conclusion du célèbre procès de Jérémie (Jr 26,10-19) ; même s'il est difficile de se prononcer sur l'historicité de l'intervention des anciens, il est clair, pour le rédacteur, qu'ils avaient un rôle judiciaire. On les voit enfin, dans l'enceinte du temple de Jérusalem, pratiquant l'idolâtrie (Ez 8,7-13).

Leur autorité et leur pouvoir furent sans aucun doute réduits par la monarchie. Mais leur influence et leur puissance continuèrent pendant la période monarchique. Une institution ancrée si profondément dans la société ne disparaît pas du jour au lendemain. Il suffit de regarder les difficultés que rencontrent certains États modernes pour balayer des institutions coutumières dans de telles sociétés. Nous en avons la preuve dans la résurgence des anciens au moment de l'Exil. Ils apparaissent en Babylonie consultant Ézéchiel (8,1 ; 14,1 ; 20,1) ou dans l'affaire des mariages mixtes au temps d'Esdras (Esd 10,8).

Les sages et les conseillers

On a parfois l'impression que « sages et conseillers » sont des termes équivalents (Is 19,11-12) mais il est clair que si tout conseiller doit être obligatoirement « sage », tous les sages ne sont pas nécessairement des conseillers attitrés du roi. Dans les anciens recueils du livre des Proverbes, on trouve des affirmations classiques sur le lien entre sagesse et politique : « Faute de direction un peuple succombe ; le succès tient au grand nombre de conseillers » (Pr 11,14) ou son équivalent : « C'est par des calculs que tu feras la guerre, et le succès tient au grand nombre de conseillers » (Pr 24,6 ; voir 15,22). Ce qui montre que les sages conçoivent l'existence parmi eux d'un groupe spécialisé, les conseillers politiques.

Il n'est donc pas étonnant de rencontrer au fil des pages de l'Ancien Testament des personnages qualifiés de « conseillers ». Dans l'histoire de la révolte d'Absalom l'épisode est très célèbre. Ahitophel, conseiller officiel du roi David, change de camp et se met au service de son fils révolté Absalom. Le roi et son entourage craignent l'efficacité redoutable du conseil d'Ahitophel et montent un stratagème pour le contrer (2 S 15,12-37 ; 16,15–17,23). La présence des conseillers est abondante dans les livres des Chroniques où un oncle de David occupe cette fonction, à côté d'Ahitophel et de ses successeurs (1 Ch 27,32). Athalie joue ce rôle auprès de son fils ainsi que d'autres, sans plus de précision (2 Ch 22,3-4). 2 Ch 25,16-17 suppose la dimension officielle de la charge auprès du roi.

Cette situation apparaît aussi clairement dans d'autres cours. Esd 7,28 et 8,25 mentionnent explicitement les conseillers de la cour perse en tant que fonctionnaires, à côté des ministres et autres fonctionnaires. Isaïe constitue un point de passage obligé et un témoignage unique concernant le sujet. D'une part, il parle des conseillers du Pharaon (Is 19,11). Ensuite, en 8,23–9,6, texte fortement imprégné d'idéologie royale, l'un des titres du roi est justement « conseiller merveilleux ». Is 3,2-3 donne une liste de professionnels de la cour que, selon le prophète, Dieu va faire disparaître. Mais en Is 1,21-26 il promet la restauration de Jérusalem prostituée* et corrompue : « je ferai redevenir tes juges comme antan, tes conseillers comme jadis ». Ces deux professionnels, cités ensemble, ne laissent aucun doute sur l'existence, pendant la monarchie, des conseillers politiques du roi en tant que fonction spécifique.

Le livre des Proverbes

Comme d'autres œuvres de sagesse de l'Ancien Testament, le livre des Proverbes est attribué par son titre au roi Salomon. Le procédé est classique. Ayant passé à la postérité comme le sage par excellence, il devient le patron de la sagesse attirant sous son nom des œuvres postérieures en quête de notoriété. L'hébreu du livre de Qohélet (IIIe s.) ou le grec de la Sagesse de Salomon (Ier s. av.J.C.) sont impossibles à lui attribuer avec un minimum de rationalité. Néanmoins, il n'est pas exclu que, dans le cas de Proverbes, le rapprochement avec Salomon soit possible. Le livre comporte plusieurs parties assez différentes. Il inclut des sentences attribuées explicitement à des sages étrangers (Pr 30,1 – 31,9) et des emprunts plus que probables à la vieille sagesse égyptienne d'Amenemopé (22,27 – 23,14).

La rédaction et l'état final de Pr 1–9, dont certains éléments pourraient être anciens, sont franchement postexiliques. En 10,1 on lit : « Proverbes de Salomon. » Et en 25,1 : « Voici encore des proverbes de Salomon que transcrivirent les gens d'Ézéchias, roi de Juda. » Dans les deux blocs on a affaire à des collections de proverbes « sans âge », pouvant se situer à des époques très variées. Il est souvent admis, bien que les preuves ne soient pas dirimantes, que le règne d'Ézéchias connut une forte activité politique et intellectuelle. Pr 25,1 en serait un témoin et il n'y a pas de raison d'en douter. Il n'est pas du tout à exclure que ce travail de collecte contienne des proverbes de l'époque de Salomon, voire antérieurs. Certes dans ces deux collections on trouve certains proverbes où Dieu occupe une place non négligeable. Ce n'est pas la majorité. La plupart d'entre eux traitent de la vie quotidienne dans ses différences facettes, apportant constatations et conseils pour réussir dans la vie. Il y en a d'ordre agricole, familial, plus largement social et politique. Et même si le but est constamment de proposer le chemin du bonheur personnel, l'altérité en est un ingrédient essentiel.

Ôte le méchant de devant le roi, et son trône sera affermi dans la justice. Ne fais pas l'arrogant devant le roi et ne te tiens pas dans l'entourage des grands. Car mieux vaut qu'on te dise : Monte ici ! que de te voir humilié devant un notable. (Pr 25,5-7)

Par l'exercice du droit un roi rend stable le pays, mais celui qui est avide d'impôts le ruine. Un roi qui rend justice aux faibles en toute vérité voit son trône affermi pour toujours. (Pr 29,4.14)

Le roi

Le couronnement du roi

La Bible n'a pas conservé un rituel précis du couronnement du roi. En fait, les rituels conservés surtout dans le Lévitique sont de rédaction postexilique, époque où la monarchie n'avait plus de place institution-

DOCUMENT

LES SCRIBES ET LE ROI

Voici le début d'un célèbre texte sumérien sur les écoles de scribes, les « maisons des tablettes ». L'existence de telles écoles auprès du palais royal à Samarie ou à Jérusalem est difficilement contestable, même sans preuves archéologiques.

– Apprenti scribe chevronné, où es-tu allé ?
– Je suis allé à la maison des tablettes.
– Qu'as-tu fait à la maison des tablettes ?
– J'ai lu tout haut ma tablette, j'ai mangé mon repas, j'ai préparé ma nouvelle tablette, je l'ai écrite, je l'ai achevée et l'on m'a donné mes tablettes modèles ; le soir on m'a apporté mes tablettes d'exercice. Dès la fermeture de la maison des tablettes, je suis allé chez moi. Je suis entré dans la maison. Mon père était assis. À mon père j'ai montré mes exercices, je lui ai récité ma tablette ; mon père s'est réjoui au point que j'ai pu m'approcher de lui.

(Trad. J. Lévêque.)

Pour ce texte égyptien de la XVe dynastie (1552-1317), intitulé « Enseignement d'un père à son fils », la sagesse se trouve dans la fidélité au roi ; c'est la garantie du bonheur.

Le roi est une digue de retenue. Il a contenu grands et vassaux.
À ceux qu'il aime il prête attention, et il prend soin de leur détresse…
Il éduque l'ignorant à la sagesse,
Et ceux que l'on hait deviennent comme ceux que l'on aime…
Il fait arriver celui qui était sans moyens d'arriver.
Le miséreux devient possesseur de villages.
Il apprend au muet à parler, il ouvre les oreilles du sourd…
Vénère donc le roi de Haute-Égypte, honore le roi de Basse-Égypte.
Celui qui n'avait pas de nom deviendra un homme honoré.

(Trad. J. Lévêque.)

nelle à Jérusalem, malgré quelques tentatives autour de Zorobabel que les prophètes Aggée et Zacharie alimentèrent avec leurs pressantes interventions au retour de l'Exil. Ainsi, il est compréhensible que le rituel du couronnement du roi n'ait pas été conservé dans les textes, son usage n'ayant plus de raison d'être.

En revanche, on possède deux récits ayant comme trame narrative l'intronisation à Jérusalem de deux souverains. Le but de ces textes n'est pas de raconter la cérémonie, mais ils donnent des renseignements sur celle-ci à propos de deux événements précis : l'arrivée plus que mouvementée de Salomon sur le trône de David (1 R 1) et la fin de l'usurpation du même trône par Athalie, avec le couronnement de Joas (2 R 11). À partir de ces récits, on peut reconstruire à grands traits le rituel du couronnement, avec des conclusions plus ou moins sûres. Les différentes cérémonies du rituel se passent en deux lieux. Le sanctuaire tout d'abord, où se déroule le rite essentiel : l'onction avec l'huile.

Dans le cas de Salomon, la situation est particulière car le temple « national » de Jérusalem n'était pas encore construit et, en conséquence, la cérémonie a lieu tout près de la source de Guihôn, sur le flanc est de la colline sur laquelle est construite la ville, là où se trouvait la Tente qui gardait l'Arche*. Suivant les ordres explicites de David, qui précipite les événements pour couper court à la tentative de prise de pouvoir par un autre de ses fils, le prêtre Sadoq prit la « corne d'huile » dans la Tente et « fit sur Salomon l'onction qui le sacrait roi » (1 R 1 32-40). Ce rite capital est aussi réalisé par le prêtre Yehoyada sur le jeune Joas, mais cette fois dans l'enceinte du temple de Jérusalem (2 R 11,12).

Un autre rite important a lieu aussi dans le sanctuaire : l'imposition des insignes. L'expression désigne deux éléments différents. Le premier, l'imposition du diadème (*nézèr*), est clair : Saül portait un diadème (2 S 1,10) et il était prêt aussi pour Zorobabel (Za 6,9-15). Mais le second est mystérieux : la remise du *édout* (2 R 11,12). Comme ce terme est apparenté à la racine « témoigner », il est très probable qu'on ait affaire à un document écrit : la charte du roi, sa titulature, ses fonctions. Il faut dire que ce « *édout*-témoignage », cette charte, difficile à saisir dans les textes bibliques, a d'excellents parallèles dans les rituels de couronnement égyptiens et assyriens. Cet élément du rituel est absent du sacre de Salomon, mais cette absence s'explique aisément. L'essentiel du rituel (l'onction et l'acclamation) étant indiqué et accompli, les autres éléments sont supposés. Comment imaginer Salomon sans diadème alors que Saül en avait un ?

L'acclamation populaire est mentionnée dans les deux récits. Elle vient après l'onction montrant par là que le choix est d'abord celui de la divinité, car l'onction apparaît comme le signe de cette élection. Dans les cas de Saül et David, fondateurs de dynastie tous les deux, les choses sont plus complexes. Cette acclamation a aussi son parallèle strict dans les rituels égyptien et assyrien.

Les rites au sanctuaire étant terminés, on passe au palais, où auront lieu deux autres rites : le nouveau roi va s'asseoir sur le trône royal et les officiels et fonctionnaires du royaume viennent lui rendre hommage (1 R 1,35.47 ; 2 R 11,17-20) ce qui équivaut à reconnaissance et soumission. Le rôle du prêtre apparaît majeur et indiscutable, comme dans les rituels égyptien et assyrien, bien que l'office ne soit pas identique dans tous les cas. L'onction étant le rite essentiel dans le couronnement du roi en Juda, c'est le prêtre qui le réalise : Sadoq pour Salomon, Yehoyada pour Joas. Le rôle du peuple et des hauts dignitaires est aussi clair et facile à comprendre.

Des doutes existent, en revanche, concernant la remise du *édout*, la charte du roi. Qui donne au roi le texte concernant sa titulature et ses fonctions ? Le prophète Natân est cité par David comme devant participer au couronnement de Salomon. Mais on ne sait pas ce qu'il y fait. Dans le cas de Joas on ne mentionne pas de prophète. D'autres indices cependant laissent croire qu'un prophète désigné officiellement par le roi pouvait jouer le rôle de proclamateur du *édout*. Car ce document devait certainement être proclamé dans cette circonstance solennelle comme c'est le cas, encore une fois, dans les rituels égyptien et assyrien, ainsi que, plus généralement, dans toute nouvelle prise de pouvoir.

L'idéologie royale

La monarchie apparaît dans la documentation disponible comme l'une des institutions-clés de l'ensemble du Proche Orient Ancien. Certes, entre les premières dynasties sumériennes ou égyptiennes et les royautés hellénistiques il y a plus d'une différence. Mais les éléments constitutifs de l'institution sont reconnaissables jusqu'à nos jours dans les différents types de monarchies absolues. Les deux sociétés monarchiques qui ont joué un rôle référentiel important pour Israël sont sans doute l'Égypte et la Mésopotamie. Le monde hittite semble plus lointain et ce que l'on sait des petites monarchies plus proches d'Israël, comme Moab, Ougarit et bien d'autres, montre qu'elles fonctionnaient selon les mêmes schémas que les grandes puissances.

On a l'habitude de résumer en cinq caractéristiques essentielles l'idéologie royale. Ces cinq éléments ne font pas l'objet de traités systématiques et complets mais émergent à travers des textes de toutes sortes trouvés jusqu'à nos jours. Le décalage entre l'idéologie royale et les figures historiques des rois n'étonnera personne.

1. Le roi est ***fils de Dieu ;*** c'est une filiation par adoption. Le vocabulaire de filiation sert dans ces civilisations anciennes à dire une relation particulière. Le roi devient « fils » par son entrée en fonction : « (Le SEIGNEUR) m'a dit : Tu es mon fils, moi, aujourd'hui, je t'ai engendré » (Ps 2,7). Il est l'élu de Dieu – ou des dieux – pour exercer la royauté. De par sa fonction le roi est le lieu-tenant de la divinité sur terre et c'est à ce titre qu'il va exercer les fonctions de sa charge. Ceci veut dire que la piété du roi, sa relation avec les dieux est exemplaire par nature. Elle se manifeste, entre autres, par le soin qu'il prend des sanctuaires et par le souci actif du culte qui est rendu aux divinités. David, tout naturellement, se préoccupe de bâtir un temple au Dieu national, tâche que son fils Salomon mènera à terme (2 S 7 et 1 R 6–8).

En Égypte les choses sont différentes. Entre le pharaon et les dieux il y a plus qu'une filiation par adoption. Il s'agit d'une filiation vraiment physique. Ramsès III reprend une stèle de son prédécesseur où l'on peut lire : « Moi (le dieu Ptah), je suis ton père ; je t'ai engendré, si bien que ton corps entier est des dieux ; car j'ai pris la forme de Bélier, seigneur de Mendès, et je me suis uni à ton auguste Mère afin de mettre au monde ta forme comme monarque, parce que je savais que tu étais mon champion pour accomplir les bienfaits pour mon *ka* (énergie vitale). » Cette conception de la royauté prenait corps dans ce que les égyptologues appellent la liturgie du mystère de la naissance divine, célébrée probablement chaque année.

Personne ne s'étonnera dans ces conditions que le roi ait été considéré comme le véritable prêtre et que les serviteurs des sanctuaires ne soient que ses représentants dans la liturgie. En Israël, le roi était aussi le maître du culte : son fondateur et son réformateur. Salomon construit le temple sur un terrain acheté par son père (2 Ch 3,1) et Achaz change les dispositifs de l'autel et autres éléments imitant les modèles assyriens vus à Damas (2 R 16,10-18).

2. Le roi est ***sage et juste.*** Comme il a été dit à propos de la sagesse et de l'exercice de la justice, la divinité comble le roi, son fils, de sagesse et de l'art de diriger, pour qu'il soit capable de gouverner son peuple. Il est vrai que, dans les textes bibliques en dehors de Salomon et d'une autre mention pour David (2 S 14,20), on ne revient pas sur la sagesse de chacun des souverains mentionnés. Mais c'est une revendication

identitaire permanente dans les stèles, les annales royales, les codes législatifs et autres documents émanant des cours de l'Ancien Orient. Rares sont les inscriptions royales qui ne mentionnent pas explicitement la sagesse du roi. La richesse du vocabulaire utilisé pour décrire les qualités royales dans ce domaine est vraiment éblouissante.

3. Le roi est ***chef des armées***. Au moment de l'instauration de la royauté, les anciens d'Israël réitèrent leur demande à Samuel qui rechigne à leur donner un roi : « Non ! Nous aurons un roi [...] notre roi nous jugera, il sortira à notre tête et combattra nos combats » (1 S 8,19-20). La relation spéciale qui unit le roi à la divinité lui donne la force nécessaire pour mener le combat, ce qui est explicitement affirmé une fois de plus dans le Ps 2,8-9 : « Je te donne les nations pour héritage... tu les briseras avec un sceptre de fer, comme un vase de potier tu les casseras. » Il suffit de lire les textes commémoratifs de telle ou telle bataille des pharaons ou des rois assyriens ou babyloniens pour réaliser le rôle guerrier du roi et sa force invincible, car divine. Par exemple dans une inscription de Toutmosis III (1490-1436), à Karnak : « Sortie de sa Majesté sur son char d'or fin, parée de ses armes de combat comme Horus, fort de bras... tandis que son père Amon fortifie son bras [...] sa Majesté se trouvait au centre tandis qu'Amon était le gardien de sa vie dans la mêlée et que la force de Seth était dans ses jambes. »

4. Chef de guerre, le roi est autant « ***prince de la paix*** ». C'est le titre donné par Isaïe au roi attendu et espéré, reflétant ainsi, tout simplement, l'idéologie royale. Car la guerre n'est qu'une façon de défendre son peuple, en vue de la paix, bien entendu. Et cette paix (*shalom*) est un concept bien plus large que la simple absence de guerre. C'est en quelque sorte un synonyme de bonheur. Le bien-être du peuple est, en effet, le but ultime de l'action du roi. Cette harmonie du bien-être est autant le résultat de l'absence de guerre que de l'exercice de la justice, le tout rendant possible la régularité des saisons et des récoltes, l'abondance de la nourriture. Le Ps 72 déploie tranquillement ce panorama idyllique d'un peuple heureux jouissant du *shalom*, paix et prospérité, grâce à l'action d'un roi sage et juste. Cette mission du roi de faire la paix et le bonheur de son peuple se traduit souvent par les titres de « père » ou de « pasteur » que les souverains s'attribuent volontiers. C'est aussi ce que fait Isaïe en parlant du futur premier ministre de Jérusalem, Élyaqim : « Il sera un père pour les habitants de Jérusalem » (Is 22,21).

5. Le roi prétend à la ***souveraineté universelle :*** c'est ce que montrent avec insistance ses titres, en Mésopotamie comme en Égypte. Ce

dernier élément de l'idéologie royale peut se comprendre, historiquement, dans le cas de certains souverains conquérants. Pour Israël, ce titre relève du « langage de cour ». C'est le cas, une fois de plus, des Ps 2 et 72. Mais ce qui ne tient pas de l'hyperbole, c'est que le roi incarne son peuple vis-à-vis des autres nations et que c'est à lui de le représenter dans les multiples relations avec les autres. Ce que l'on voit dans l'épisode programmatique de la visite de la reine de Saba à Salomon, rencontre dont l'historicité est plus qu'improbable.

La reine mère, l'épouse et le harem

Chacune de ces trois figures a son rôle et son importance au palais. Sauf dans les rares monarchies électives, qui tendent à devenir héréditaires, la mère et l'épouse du roi occupent une place de choix. Cela se comprend aisément si l'on tient compte de l'importance de la dynastie comme élément constitutif de la monarchie. Qui dit dynastie pense héritier, donc épouse et mère. Dans les notices des livres des Rois concernant les souverains de Juda, on cite presque toujours non pas le nom de la reine, l'épouse, mais celui de la reine mère ; ce qui dit son importance. Ce n'est pas le cas pour les rois d'Israël. Il doit s'agir d'un choix politique des rédacteurs judéens des livres des Rois. La mère du roi a même un titre officiel : la *guebira*. Le roi Asa prive sa mère de ce titre, pour cause d'idolâtrie (1 R 15,13). Lorsque le roi Joiaqîn doit partir en exil à Babylone, sa mère l'accompagne (Jr 29,2). Il est certain que la reine mère pouvait jouer un rôle important, surtout si, comme dans le cas de Salomon, elle a joué un rôle décisif dans la prise de pouvoir de son fils (1 R 1–2).

Le harem royal faisait partie intégrante de la cour. On ne connaît pas d'intrigues de harem avec des répercussions sur la vie des deux royaumes. Certes, quelques reines à forte personnalité apparaissent dans l'histoire des royaumes : surtout Jézabel, originaire de Sidon, devenue épouse d'Achab, roi de Samarie, ainsi que sa fille Athalie, mariée à Joram, roi de Juda, au IXe siècle. Ce cas illustre le fait que le mariage du roi avec une princesse étrangère servait, comme toujours, à établir des liens politiques. David et Salomon employèrent cette stratégie politique (2 S 3,3 ; 1 R 3,1 ; 11,1).

Toucher à l'une des concubines du roi peut être une manière détournée mais claire d'afficher ses prétentions au trône. Abner a des relations avec une concubine de Saül, et Ishboshet, fils du roi, le lui reproche. Mais Ishboshet ne peut rien faire sans Abner, sans lequel il n'existe pas : « il avait peur de lui », dit le narrateur (2 S 3,6-11). En revanche, Adonias, demi-frère de Salomon, dont la tentative de prise de pouvoir a échoué, prétend avoir pour lui la dernière concubine de David, Abishag. C'est l'occasion que Salomon attendait pour éliminer son rival (1 R 2,12-25). Absalom, révolté contre son père et voulant le trône, « s'approche » des concubines du harem de son père en fuite, indiquant ainsi qu'il est, dorénavant, le roi (2 S 16,21-22). En effet, certains textes du début de la monarchie laissent entendre que le harem devient la « propriété » du nouveau roi (2 S 12,8).

J. As.

Les prêtres et le culte au temps des rois

Après la première grande institution qui a régulé la vie d'Israël, celle des sages et du roi, la deuxième est celle des prêtres. Quotidiennement, mais surtout lors des fêtes, ils assurent le culte du Dieu national dans les divers sanctuaires des royaumes d'Israël et de Juda. Nous présenterons d'abord ce groupe des prêtres et des lévites, dont l'histoire complexe reste assez mal connue, avant de voir quelles étaient leurs fonctions précises dans les sanctuaires.

Prêtres et lévites avant l'Exil

Le prêtre est une personne consacrée au service de Dieu pour accomplir des actions sacrées, dans des temps déterminés, au lieu consacré à la divinité qu'est le sanctuaire. Au terme d'une évolution dont les contours ne sont pas faciles à déterminer, le prêtre devait être choisi obligatoirement dans la tribu* de Lévi. De l'avis général, prêtres et lévites sont identiques dans le Deutéronome. On y lit la première affirmation claire que tous les prêtres doivent être lévites et que tous les lévites ont le droit d'exercer les fonctions sacerdotales. Moins préoccupée de hiérarchie sacerdotale, la loi défend l'égalité des droits de tous les lévites (Dt 18,1-8). Or le Deutéronome est mis depuis longtemps en relation avec la réforme religieuse entreprise par le roi Josias en 622. Le retour au Seigneur impliquait l'abolition des sanctuaires locaux entachés de paganisme et la concentration du culte en un lieu unique. Si le lieu choisi par le Seigneur n'est pas expressément nommé par le Deutéronome (Dt 12,5), la réforme a laissé le Temple de Jérusalem comme seul sanctuaire légitime. Préciser l'impact réel de la réforme de Josias sur l'évolution du sacerdoce suppose une mise en perspective des diverses étapes de la rédaction du Deutéronome et de l'Histoire* deutéronomiste qu'il a inspirée, du livre de Josué à celui des Rois.

Les prêtres

Les récits relatifs aux sanctuaires en exercice avant la monarchie, comme ceux de Dan (Jg 17–18) et de Silo (1 S 1–3), fournissent quelques informations sur les premiers sacerdoces. Des notices rédactionnelles font remonter le sacerdoce de Dan à Moïse (Jg 18,30) et celui de Béthel à Aaron (Jg 20,27-28). Installé dans sa fonction par un rite précis, qui consiste à « remplir la main » pour le rite d'offrande, le prêtre reçoit un salaire de celui qui l'emploie (Jg 17,10-12). Le « droit des prêtres » leur permettait de vivre des parts prélevées sur les sacrifices* (1 S 2,13). Cependant, le rôle du prêtre dans le sacrifice n'est pas encore bien précisé : par exemple, c'est le père de Samuel qui offre le sacrifice et en distribue à sa famille les parts qui lui reviennent pour le repas rituel (1 S 1,4-9). La fonction la mieux attestée du prêtre consiste alors à répondre aux consultations des fidèles par des oracles. Pour cela il utilise un objet cultuel : l'*éphod*, sorte de poche qu'il porte sur la poitrine et dans lequel il tire au sort l'un de deux objets de forme identique, mais de couleur différente : l'*ourim* et le *toummim ;* ce procédé, on le voit, est analogue à notre « pile ou face » (voir 1 S 14,38-42, avec l'addition du texte grec au v.41 ; 30,7-8).

David prend deux prêtres à son service : Ébyatar et Sadoq. Descendant du prêtre Éli (le maître de Samuel), Ébyatar est l'héritier des traditions de Silo qui abritait l'Arche* du Seigneur. Mais l'origine de Sadoq reste mystérieuse. On a souvent vu en lui un jébuséen, un indigène de Jérusalem avant sa conquête par David, mais il n'est pas impossible qu'il ait été lié au sanctuaire d'Hébron et son origine lévitique n'est pas totalement exclue. Au début du règne de Salomon, l'éviction d'Ébyatar au profit de Sadoq accomplit l'oracle* prophétique qui condamnait le sacerdoce de Silo (1 R 2,26-27 ; voir 1 S 2,27-36). Le rédacteur deutéronomiste a probablement en vue Sadoq quand il annonce la venue d'un « prêtre fidèle » et l'édification pour lui d'une « maison stable » (1 S 2,35). Le sacerdoce de Jérusalem sera désormais réservé à la famille de Sadoq ; les sources sont très claires, au moins à partir d'Ézéchias (autour de 700).

Le sacerdoce de Jérusalem est le plus connu. Dans les listes administratives, les prêtres prennent rang parmi les fonctionnaires du royaume (2 S 8,15-18). Seul le roi est marqué par l'onction et c'est lui qui est le médiateur entre Dieu et le peuple. Premier responsable du Temple, il peut officier à l'occasion. Ainsi, lors de la Dédicace, la consécration du Temple, Salomon bénit le peuple (1 R 8,54-61) et offre les sacrifices (1 R 8,62-66). Le prêtre apparaît toujours étroitement lié au roi, dont il est comme le délégué permanent pour le culte. Le prêtre Yehoyada, en particulier, joue un rôle décisif dans la chute d'Athalie et l'avènement du jeune Joas resté caché plusieurs années dans le Temple (2 R 11). Au temps de Josias, les prêtres ont participé activement à la découverte du livre de la Loi et à la réforme (2 R 22–23). La présence d'un prêtre en second et de gardiens du seuil à côté du « grand prêtre » atteste l'existence d'une certaine hiérarchie sacerdotale (2 R 23,4).

La suprématie du Temple de Jérusalem, sanctuaire de la dynastie davidique, s'est progressivement affirmée. Les sanctuaires locaux étaient facilement contaminés par des pratiques païennes et leurs sacerdoces ont été vivement critiqués par les prophètes (Os 4,4-10). Ils ont eu aussi à souffrir des invasions. Ainsi le sanctuaire de Dan disparaît en 734. La chute du royaume du Nord en 722 a renforcé la position de Juda et de Jérusalem. La réforme de Josias en 622 accélérera ce mouvement. L'Exil modifiera profondément les données et le sacerdoce qui se reconstituera au retour aura un autre visage.

Les lévites

Si les livres de Samuel et des Rois contiennent les meilleures informations sur le sacerdoce ancien, ils ne parlent qu'à trois reprises des lévites, toujours en relation avec l'Arche* et les objets cultuels (1 S 6,15 ; 2 S 15,24 ; 1 R 8,4). Ils ne semblent pas porter d'intérêt à l'ascendance lévitique des prêtres. C'est dans les traditions relatives à la fondation du sanctuaire de Dan qu'une préférence est donnée à un lévite pour l'exercice des fonctions sacerdotales (Jg 17–18).

Pour la tradition biblique, la tribu de Lévi est une tribu sacerdotale mise à part pour le service du Seigneur. N'ayant pas reçu de territoire en Israël, les lévites sont disséminés sur l'ensemble du pays. La bénédiction de Jacob retient le caractère violent de l'ancêtre Lévi et la dispersion de la tribu (Gn 49,5-7 ; voir Gn 34). On ne peut préciser le lien entre la tribu sacerdotale, mise à part des autres, et la tribu séculière de Lévi, une parmi les autres, si celle-ci a bien existé.

Une brève notice, insérée dans l'épisode du veau d'or, montre les fils de Lévi rangés du côté de Moïse face à Aaron et au peuple dévoyé (Ex 32,25-29). Dans leur fidélité inflexible au Seigneur, ils n'hésitent pas à sacrifier même les relations familiales. Aussi reçoivent-ils l'investiture pour le Seigneur, exprimée par le geste rituel de « remplir la main » (v.29). Le texte laisse entendre une certaine discrimination parmi les fils de Lévi. Cette notice, qui n'est pas nécessairement très ancienne, sert de justification et de fondement au choix des lévites pour les fonctions sacerdotales.

La bénédiction de Moïse sur Lévi est nettement plus positive que celle de Jacob (Dt 33,8-11). Rappelant le zèle de Lévi connu par l'épisode du veau d'or (v.9 ; voir Ex 32,29), la sentence énumère les fonctions principales de la tribu. Sa partie la plus ancienne, qui parle de Lévi au singulier, retient sa fonction oraculaire (Dt 33,8-9a). Ensuite le passage au pluriel exalte la fidélité des lévites à l'alliance et nomme les deux fonctions essentielles : l'enseignement et les sacrifices : « Oui, ils ont gardé ta parole et ils retiennent ton alliance. Ils enseignent tes coutumes à Jacob et ta Loi à Israël. Ils font monter l'encens à tes narines et mettent l'holocauste* sur ton autel » (Dt 33,9b-10). On sait que l'enseignement de la Loi* revient aux prêtres (Jr 18,18). La formule employée pour le sacrifice est originale ; elle n'a pas la précision du vocabulaire sacerdotal. Le texte ne fournit aucune indication de date, et il n'est pas facile de préciser ; il n'est pas sûr qu'il faille remonter jusqu'au VIIIe siècle.

Prêtres et lévites dans le Deutéronome

Le Deutéronome aborde la question du sacerdoce dans le contexte des institutions du peuple de Dieu (Dt 18,1-8) et dans le cadre de la loi de centralisation du culte (Dt 12). Il mentionne aussi les prêtres et les lévites dans d'autres passages du code deutéronomique (Dt 12–26) et dans les dernières parties du livre. La tâche est d'autant plus ardue que le livre a connu plusieurs éditions successives et que son langage relatif au sacerdoce n'est pas unifié.

Dans la partie probablement la plus ancienne, le Deutéronome nomme séparément les lévites et les prêtres. Une série de textes recommande à la bienveillance de ses frères israélites le lévite, souvent associé à d'autres catégories défavorisées : l'immigré, l'orphelin, la veuve. On ne dit rien alors de ses fonctions cultuelles. N'ayant ni part ni héritage en Israël, le lévite se trouve dans une situation précaire, aggravée par les malheurs du temps et la centralisation du culte (Dt 12,12 ; 14,29 ; etc.). D'autres passages ne parlent que du prêtre, sans faire le lien avec le lévite. Gardien de sanctuaire (Dt 26,3.4), le prêtre intervient aussi dans l'administration de la justice (Dt 17,12) et dans la guerre* sacrale (Dt 20,2). La loi du prêtre (Dt 18,3-4 ; voir 1 S 2,13) se préoccupe uniquement de fixer ce qui lui revient des sacrifices et de l'offrande des prémices*.

Le verset qui suit va plus loin en affirmant « son » élection parmi toutes les tribus d'Israël (Dt 18,5). Dans le contexte immédiat, il s'agit du prêtre. Mais dans la perspective d'une rédaction complexe, il pourrait s'agir aussi de Lévi. Ce verset souligne les fonctions principales du prêtre : « se tenir devant le SEIGNEUR ton Dieu, faire le service divin et bénir au nom du SEIGNEUR ». Il rejoint un passage plus tardif qui, lui, applique cette définition expressément à toute la tribu de Lévi (Dt 10,8).

La formule « les prêtres lévitiques » (littéralement : « les prêtres les lévites », Dt 18,1), ne semble pas appartenir à la rédaction la plus ancienne du Deutéronome. Cette « formule d'identification » impliquerait purement et simplement l'identification des prêtres et des lévites. La réalité devait être plus complexe et il n'est pas aisé de dire comment se répartissaient entre les lévites la fonction d'enseignement et la fonction sacrificielle, et dans quelle mesure ils participaient les uns et les autres aux deux fonctions. Les documents qui assignent certaines villes avec leurs pâturages aux prêtres et aux lévites ne disent rien sur leurs fonctions (Jos 21). Ébyatar, après son éviction du sacerdoce au profit de Sadoq, a résidé dans une ville lévitique (1 R 2,26-27). Plusieurs passages mélangent cette expression avec d'autres dénominations (Dt 17,9-13 ; 27,9-14). Les expressions plus tardives « fils de Lévi » ou « tribu de Lévi » vont dans le même sens d'une revendication pour les prêtres d'un statut lévitique. La question était capitale à partir de la fin de l'Exil. La justification théologique de la situation particulière de la tribu est enfin donnée en 18,2 : « Cette tribu n'aura pas d'héritage au milieu de ses frères ; c'est le SEIGNEUR qui sera son héritage. »

La dernière disposition de la loi reconnaît au lévite qui vient officier au sanctuaire le droit de percevoir la même part que ses frères lévites (Dt 18,6-8). On s'est appuyé sur 2 R 23,9 pour affirmer que les prêtres de Jérusalem refusèrent l'application de la loi. Toutefois le texte parle des prêtres des hauts lieux (les sanctuaires paganisés) et non pas des lévites, et la relation entre les deux textes n'est pas évidente.

La réforme de Josias, en 622, a consacré un mouvement amorcé depuis longtemps qui tendait à réserver à la tribu de Lévi les fonctions sacerdotales. Le Deutéronome, dans ses diverses éditions, montre comment le projet a pris corps. Au moment de l'Exil, l'origine lévitique du sacerdoce sera un acquis irréversible.

J. AU.

Le culte

Dans notre XXe siècle occidental finissant, la religion est devenue une affaire de plus en plus individuelle, pour ne pas dire exclusivement individualiste. Tout au contraire la religion dans le Proche Orient d'il y a deux ou trois mille ans était une affaire essentiellement communautaire, comme en témoignent de nombreux textes. C'est donc en faisant abstraction de nos idées toutes faites sur ce qu'est la religion aujourd'hui que nous devons ouvrir les yeux sur le phénomène religieux de l'Israël biblique.

Le culte n'était donc pas prioritairement une question de communion personnelle entre un être humain et son Dieu, mais de relation collective entre un peuple et son Dieu : le Dieu qui affirmait avoir établi une alliance* particulière avec ce peuple. Bien sûr, cette alliance impliquait une attitude morale et religieuse personnelle de chaque membre du peuple, mais toujours dans le cadre global de la communauté. Un des éléments caractéristiques de cette religion est la présence d'un clergé bien structuré fonctionnant comme intermédiaire indispensable entre le peuple et Dieu [*voir* p. 267]. Les trois grandes dimensions de la vie religieuse du peuple d'Israël concernent les lieux (les sanctuaires), les temps (les fêtes) et les gestes (les sacrifices).

Les sanctuaires

Le Dieu d'Israël, qui ne doit pas être représenté physiquement (Ex 20,4-6), n'en est pas moins présent au milieu de son peuple, et cette présence se manifeste en certains lieux. La tradition deutéronomiste (à partir de la fin du VIIe siècle) insiste sur l'unicité du sanctuaire, édifié à Jérusalem, capitale d'Israël avant la division en deux royaumes. C'est le temple de Salomon, décrit en détail dans 1 R 6–7 (et 2 Ch 3–4 ; voir le plan p. 571). Il comprenait deux parties principales, le *hékal*, généralement appelé « le Saint » ou « le lieu saint », où se trouvait entre autres l'autel du parfum, et dans lequel seuls les prêtres avaient le droit de pénétrer, et le *debir*, « le Saint des Saints » ou « le lieu très saint », où était conservée l'arche* de l'alliance et dans lequel le grand prêtre seul pénétrait une fois par an. Devant le bâtiment se dressait l'autel des sacrifices. Le sanctuaire lui-même n'était donc pas un lieu dans lequel se rassemblaient les fidèles, mais un signe de la présence de Dieu au milieu de son peuple. Les fidèles pouvaient s'en approcher pour offrir des sacrifices sur l'autel extérieur, mais en aucun cas y pénétrer.

Cette unicité du temple est un principe théorique, car les livres de Samuel et des Rois mentionnent, aux époques antérieures, d'autres lieux sacrés, comme Guilgal (1 S 11,15), Silo (1 S 1), Miçpa de Benjamin (1 S 7,5-12), Gabaon (1 R 3,4), Béthel et Dan (1 R 12,26-33). Ils parlent aussi, à de nombreuses reprises, des « hauts lieux » (1 R 14,23 ; 15,14 ; etc.), qui étaient probablement des anciens lieux de culte cananéens yahvisés par les Israélites. Des rois comme Ézéchias, vers 700 (2 R 18,4), et Josias, après 622 (2 R 23,8), tentèrent avec peine de les supprimer.

Le récit de la consécration du temple raconte que Salomon a fait venir l'arche de l'alliance et la Tente du Rendez-vous (1 R 8,4). Mais il est historiquement peu probable que la tente qui abritait l'arche de l'alliance pendant l'exode, vers 1200, ait pu subsister jusqu'au temps de Salomon. En tout cas, d'après le récit de 2 S 6,17, la tente que David avait fait dresser pour abriter l'arche de l'alliance ne semble pas avoir été la Tente du Rendez-vous du désert. Quant au temple dont le prophète Ézéchiel reçoit le plan dans une vision (Ez 40–48), il n'a jamais vu le jour.

À la suite de la destruction du temple de Salomon par les troupes babyloniennes en 587 (2 R 25,9), le second temple fut édifié par les Juifs revenus d'exil, entre 520 et 515 [*voir* p. 340], puis profondément transformé par Hérode le Grand (troisième temple), entre 20 et 10 av.J.C. [*voir* p. 426]. Ce dernier édifice fut détruit par l'armée romaine de Titus en l'an 70 de notre ère.

Les fêtes

La communauté d'Israël se rassemble en certains moments précis autour du sanctuaire, pour exprimer à Dieu sa reconnaissance à l'occasion de certaines fêtes. Trois fêtes principales étaient marquées par un pèlerinage important à Jérusalem.

– *La fête de la Pâque* (Pèsah) et des Azymes* (ou Pains sans levain, *Maççoth*) (Ex 12 ; Lv 23,5-8 ; Dt 16,1-8) commémore au début du printemps la délivrance du peuple d'Israël réduit en esclavage en Égypte.
– *La fête de la Moisson* (Ex 23,16), appelée aussi fête des Semaines (*Shavouoth*) (Ex 34,22 ; Lv 23,15-21 ; Dt 16,9-12) puis de la Pentecôte (Ac 2,1), rappelle, cinquante jours après la Pâque, l'alliance de Dieu avec Israël conclue au Sinaï et marquée par le don de la loi.
– *La fête de la Récolte* (Ex 23,16), appelée également fête des Tentes (*Soukkoth*) (Lv 23,34-36.39-43 ; Dt 16,13-15) permet à Israël, en automne, de revivre à sa manière la traversée du désert, entre la sortie d'Égypte et l'entrée dans le pays promis.

Ces trois fêtes étaient d'abord des fêtes agraires : d'éleveurs pour la Pâque, et de cultivateurs pour les Azymes, la Moisson et les Récoltes. Elles ont été « historicisées » en étant rattachées étroitement à des événements marquants de l'exode.

La plus récente des quatre listes mentionnées ci-dessus, celle de Lv 23, signale deux autres fêtes importantes du calendrier israélite, bien qu'elles n'exigent pas un déplacement au sanctuaire central.

– Un « jour de souvenir et d'acclamation » (Lv 23,24-25) était célébré le premier jour du septième mois. Il correspond en fait à la célébration du *Nouvel An* (*Rosh Hashanah*) selon l'ancien calendrier israélite, où l'année commençait en automne (comme c'est de nouveau le cas dans le calendrier liturgique juif). C'est sous l'influence des Babyloniens qu'Israël adopta, au VIe siècle, un calendrier où l'année commençait au printemps. À l'époque ancienne, le début de chaque mois de l'année était marqué par une célébration particulière, la « néoménie » ou « nouvelle lune » (voir 1 S 20,24-34), mais celle du septième mois de l'année de printemps semble être restée plus importante, puisqu'elle correspondait à l'ancien premier mois, donc au début de l'année d'automne.
– Le *Jour des expiations** ou Jour du grand Pardon (*Yom hakkippourim* ou *Yom Kippour*) (Lv 23,27-32 ; Lv 16) est l'occasion, peu après le début de l'année d'automne, d'implorer le pardon de Dieu sur les fautes commises par inadvertance et sur les impuretés contractées par les nécessités de la vie quotidienne.

Plus tard apparaîtront encore trois fêtes plus récentes, à savoir la « fête des Sorts » (*Pourim*, *voir* p. 384), la commémoration du « 9 du mois d'Av » (*Tisha beav*) et la fête de la « Dédicace » (*Hanoukka*) [*voir* p. 381]. Il est intéressant de noter enfin que la liste des fêtes de Lv 23 commence par la mention du sabbat*, qui est ainsi plus ou moins assimilé aux grandes fêtes d'Israël [*voir* p. 436].

Les sacrifices

Les chapitres 28–29 des Nombres décrivent sommairement le rituel sacrificiel lié à chaque jour de l'année, qu'il s'agisse des jours ordinaires, des sabbats, des néoménies ou des jours de fêtes. En effet, le sacrifice est le geste fondamental qui permet au peuple de manifester sa communion avec son Dieu. Depuis l'institution du sacerdoce, les prêtres et lévites sont les intermédiaires indispensables de cette relation. Ce sont essentiellement les prêtres qui présentent les sacrifices et les offrandes* végétales sur l'autel.

Le rituel prévoyait pour chaque jour un certain nombre de sacrifices offerts soit le matin, soit en fin d'après-midi. À ces sacrifices, officiels et communautaires, s'ajoutaient les sacrifices privés, offerts par des particuliers, pour diverses raisons ; ces sacrifices-là étaient également présentés par les prêtres.

Les sacrifices israélites appartiennent fondamentalement à l'un des trois groupes suivants :

1. Le groupe du *don* (holocauste*, Lv 1 ; oblation, ou offrande végétale, Lv 2) : il s'agit d'un cadeau total et gratuit fait à Dieu, en signe de reconnaissance.
2. Le groupe de la *communion* (sacrifice de communion, Lv 3) : la chair de l'animal offert est partagée entre Dieu, les prêtres et les offrants. La part de ces derniers est consommée dans un repas rituel.
3. Le groupe de l'*expiation* (sacrifice pour le péché, Lv 4,1 – 5,13 ; sacrifice de réparation, Lv 5,14-26) : l'offrant, ayant pris conscience de son « péché », c'est-à-dire de son état de séparation d'avec Dieu, cherche par le sacrifice à restaurer sa relation avec lui.

Le sacrifice de l'agneau pascal (Ex 12) reflète probablement l'une des plus anciennes formes de sacrifice en Israël, datant d'une époque où l'on ne distinguait pas encore clairement les trois groupes mentionnées ci-dessus. Il présente en effet des caractéristiques de chacun des trois groupes.

L'offrande du premier-né d'un animal pur (Ex 13,2 ; 34,19 ; Lv 27,26), selon un rituel proche de celui du sacrifice de communion, rappelle que, lors de la dixième plaie d'Égypte, Dieu s'est acquis tout premier-né en Israël, tant des humains que des animaux. Mais comme les premiers-nés des humains et des animaux impurs ne peuvent pas être offerts en sacrifices, ils doivent être rachetés ou remplacés par un animal pur (Ex 34,20 ; Nb 18,15-17).

Le sacrifice humain, quelquefois mentionné dans l'Ancien Testament (Gn 22 ; Jg 11,29-40 ; 1 R 16,34 ; etc.) est souvent dénoncé comme étant contraire à la volonté de Dieu (Jr 7,30-31) ; il serait théoriquement à inclure dans le groupe du don.

Le rituel de Lv 16 (le bouc pour Azazel, ou « bouc* émissaire ») a parfois été classé parmi les sacrifices du groupe de l'expiation* ; c'est certainement faux puisque, dans ce cas-là, il n'y a justement pas de sacrifice, pas de mise à mort rituelle de l'animal.

Dans tout système sacrificiel, le danger est grand que l'être humain cherche par ses offrandes à faire pression sur la divinité pour en obtenir les faveurs, par un procédé du « donnant donnant ». Israël n'a pas toujours résisté à cette tentation, comme le montrent certaines interventions des prophètes (Os 6,6 par exemple). Le sacrifice est, doit être et ne peut être que la forme extérieure, visible, de la communion intérieure avec le Dieu personnel de l'alliance. Il est le support de l'attitude spirituelle, tant pour la communauté que pour l'individu. C'est l'enseignement de tout le Ps 50.

R. P.-C.

Les premiers prophètes

À côté des sages et des prêtres, les prophètes sont les personnages les plus caractéristiques de la religion d'Israël. Des personnalités comme Amos, Osée, Isaïe, Jérémie, ainsi que le milieu prophétique qui s'est développé autour d'eux, sont à la source de la révélation du Dieu d'Israël. Pourtant les religions contemporaines d'Israël connaissent aussi des devins et voyants qui affirment transmettre des oracles*, des paroles inspirées par la divinité. Il est donc nécessaire de préciser quelle est la spécificité des prophètes bibliques. Les prophètes seront ici présentés siècle par siècle, pour mieux manifester l'évolution du prophétisme biblique, en lien avec les événements historiques auxquels ils ont été souvent mêlés.

– Xᵉ-IXᵉ s. : Élie et Élisée : dans le royaume d'Israël
– VIIIᵉ s. : Amos et Osée en Israël ; Isaïe et Michée en Juda
– VIIᵉ s. : Nahum, Habaquq, Sophonie et Abdias en Juda
– VIᵉ s. : Jérémie (fin VIIᵉ et début VIᵉ s.) et Ézéchiel en Juda (et en Exil).

Les prophètes des Xᵉ- IXᵉ siècles

À cause de l'importance, dans la Bible, des prophètes dits « classiques », l'approche historique du prophétisme tend à réserver leur influence aux deux siècles qui vont d'Amos vers 750, au Deuxième Isaïe, à la fin de l'Exil, vers 550-540. Mais le phénomène du prophétisme biblique est bien plus large et plus global. Les premiers prophètes « écrivains » (en fait, ceux dont on a mis par écrit les oracles) font mention de leurs prédécesseurs ; ainsi Amos : « J'avais suscité parmi vos fils des prophètes [...], mais aux prophètes, vous avez donné cet ordre : Ne prophétisez pas ! » (Am 2,11-12). Cette référence ne remonte pas au-delà des débuts de la monarchie ; les livres de Josué et des Juges ne mentionnent aucun prophète. Avant de rapporter l'appel de Samuel, le narrateur explique que « la parole du SEIGNEUR était rare en ces jours-là » (1 S 3,1).

Le prophétisme aux origines d'Israël

Les premiers récits bibliques sur les prophètes se trouvent dans les livres de Samuel. Ces livres, pour l'essentiel, retracent deux grands thèmes : d'une part l'achèvement de la « conquête » du pays par David et d'autre part l'avènement de la royauté. Dans ce contexte de guerre et de dynastie naissante surgissent des prophètes : Samuel (1 S 9), Gad (1 S 22,5), Natân (2 S 7), puis Ahiyya de Silo (1 R 11,29), Shemaya (1 R

12,22), Jéhu fils de Hanani (1 R 16,7), Michée fils de Yimla (1 R 22), enfin Élie et Élisée, héros de nombreux récits. Il est encore fait mention de deux prophètes anonymes en 1 R 13,11.

En ces premiers temps de la royauté, le prophétisme est multiforme. Le prophète peut être appelé « homme de Dieu » ou « voyant ». Il peut appartenir à un groupe de « fils de prophètes » ou bien être « conseiller » auprès du roi. Il s'exprime tantôt à partir de présages, tel le bruit du vent dans les arbres (2 S 5,24), tantôt par tirage au sort de l'*éphod**, avec ses mystérieux *ourim* et *toummim*, sorte de pile ou face (1 S 14,41-42). Il peut encore utiliser la transe ou l'extase (1 S 10,5 ; 19,20).

L'homme de Dieu : Ce titre ne se rencontre pratiquement que dans les livres de Samuel et des Rois pour désigner les anciens prophètes. Mais il est associé à « prophète » pour Samuel (1 S 9,6-10), Shemaya (1 R 12,22), Élie (1 R 17,18.24), Élisée (2 R 4,7.9) et des prophètes anonymes (1 R 13,1-8 ; 20,28). Il correspond à une forme ancienne de la religion d'Israël, lorsque la prophétie était encore très proche de la voyance ou de la divination. D'ailleurs on ne dit jamais « homme de Yahvé ». L'homme de Dieu est ainsi nommé parce qu'il peut annoncer avec certitude les choses cachées et l'avenir, grâce à sa relation particulière avec Dieu. On s'adresse à lui avec déférence : « Le cinquantenier arriva, plia les genoux devant Élie et le supplia ainsi : Homme de Dieu ! que ma vie et celle de tes cinquante serviteurs que voici aient quelque prix à tes yeux ! » (2 R 1,13).

Le voyant : Samuel est aussi désigné comme « voyant » (1 S 9,9.11) ainsi que Gad, « le voyant de David » (2 S 24,11). Ils sont connus et respectés comme tels et peuvent faire partie du personnel d'un temple. Proche du devin, le voyant est capable de donner une réponse précise à une question portant sur l'avenir. Son nom vient de ce qu'il reçoit l'inspiration divine sous forme d'images, de scènes qu'il décrit ; son oracle* commence souvent par « J'ai vu… » (ex. 1 R 22,17.19). On finit par assimiler son rôle à celui du prophète : « Autrefois, en Israël, voici ce qu'on disait en allant consulter Dieu : Allons donc chez le voyant, car au lieu de « prophète » comme aujourd'hui on disait autrefois « voyant » » (1 S 9,9). Mais à partir du VIIIe siècle, le terme « voyant » tend à prendre un sens péjoratif, comme on le voit dans le récit de l'expulsion d'Amos par le prêtre* de Béthel : « Voyant, va-t-en ; fuis au pays de Juda ; mange ton pain là-bas ! » (Am 7,12). Michée les assimile aux devins qui vendent des oracles pour gagner leur vie (Mi 3,5-7).

Les fils de prophètes : Au temps de Samuel il existe des groupes de prophètes. Lorsque Saül quitte Samuel qui vient de le consacrer comme roi en secret, « ils arrivèrent à Guibéa et voici qu'une troupe de prophètes venait à sa rencontre » (1 S 10,10). Un texte place même Samuel parmi eux : « Saül envoya des émissaires pour s'emparer de David et ceux-ci virent la communauté des prophètes en train de prophétiser, Samuel se tenant à leur tête » (1 S 19,20). Mais c'est surtout au temps d'Élie et d'Élisée, au IXe siècle, qu'apparaissent les « frères prophètes » (littéralement : *les fils de prophètes*, 1 R 20,35). Ils forment une communauté autour d'Élisée (2 R 2,3.7 ; 4,38-41 ; 6,1-7) et ne sont plus mentionnés après sa mort, vers 790, excepté la protestation d'Amos, vers 750 (Am 7,14).

Ce terme « fils de prophètes » exprime une certaine dépendance religieuse envers un maître spirituel, considéré comme le père du groupe (2 R 2,12). Ils semblent mener une certaine vie commune, tout en étant mariés et ayant aussi une vie de famille (2 R 4,1). Leur mode de vie était simple sinon pauvre, peut-être par idéal religieux ou plutôt par indigence. Ils exprimaient leur prophétie dans un état de transe qu'ils recherchaient par la danse et la musique, éventuellement par la boisson. Au détour d'un récit ils sont ainsi décrits : « tu te heurteras à une troupe de prophètes descendant du haut lieu, précédés de la harpe, du tambourin, de la flûte et de la cithare, et ils seront en délire » (1 S 10,5). Mais ce comportement ressemble trop à celui des prophètes

REPÈRE

PROPHÈTE (NABI)

Le mot « prophète », aujourd'hui, évoque surtout celui qui peut prédire l'avenir. Il vient du grec *prophètès*, attesté dès le ve s. av.J.C., pour désigner celui « qui parle à la place de » quelqu'un, notamment d'une divinité. C'est donc un porte-parole, qui communique publiquement ce que la divinité lui a inspiré ; or ce message porte généralement sur l'avenir. Ce « prophète » grec est donc proche du devin.

Mais le mot hébreu *nabi* a une signification différente. Forme passive d'un verbe sémitique qui signifie « appeler, nommer », le nabi est donc « celui qui est appelé », sous-entendu par Dieu. Dans la pratique, cet appel consistera surtout en un envoi pour porter un message. Les prophètes bibliques ont toujours exprimé leur conviction d'avoir été appelés et envoyés par le Seigneur. En traduisant *nabi* par *prophètès*, les traducteurs grecs de la Septante* ont surtout voulu éviter les termes désignant les devins et magiciens. Ils mettaient ainsi en pratique la règle du Deutéronome : « On ne trouvera chez toi personne qui pratique divination, incantation, mantique ou magie, personne qui use de charmes, qui interroge les spectres et devins, qui invoque les morts » (Dt 18,10-11). En fait c'est surtout le contexte historique et religieux d'Israël qui permet de préciser le sens de ce terme de prophète.

païens et finit par susciter moqueries et sarcasmes (1 S 10,11-12 ; 19,20-24 ; 1 R 18,26-28).

Les prophètes et les rois

Dans l'Ancien Orient, les prophètes se rencontrent dans les palais des rois autant que dans les temples. Les plus anciennes traditions montrent que le roi a besoin du prophète, car pour mener la guerre ou pour gouverner, il doit connaître la volonté des dieux, de son Dieu. Il n'est donc pas étonnant qu'en Israël, comme en Mésopotamie (par exemple à Mari), la fonction prophétique apparaisse en même temps que la monarchie.

En Israël, en fonction de la théologie de l'Alliance* qui engage le Seigneur envers son peuple, le prophète désigne celui que Dieu a choisi pour régner : « C'est un roi choisi par le SEIGNEUR ton Dieu que tu devras établir sur toi » (Dt 17,15 ; voir Os 8,4). Ainsi Samuel reçoit-il l'ordre de désigner Saül comme premier roi : « Demain à pareillle heure, je t'enverrai un homme du pays de Benjamin, tu lui donneras l'onction comme chef de mon peuple Israël » (1 S 9,16). De même pour désigner David, le successeur de Saül : « Je t'envoie chez Jessé le Bethléémite, car j'ai vu parmi ses fils le roi que je veux » (1 S 16,1).

Le prophète joue un rôle décisif lorsque le royaume est fragilisé par la mort du roi. Natân nomme l'héritier de David avant sa mort (1 R 1,11-40). C'est à la mort d'Ozias de Juda qu'Isaïe reçoit sa mission de prophète (Is 6,1). Le prophète peut aussi provoquer la chute du roi lorsque celui-ci manque trop gravement aux exigences de la Loi divine, comme c'est le cas pour Saül (1 S 13,8-15 ; 15,1-35 ; 28,4-6). Ahiyya de Silo prévient Salomon de la prochaine division de son royaume (1 R 11,29-39). Élie annonce l'onction royale de Jéhu, après son coup d'État contre Joram (1 R 19,16 ; 2 R 9–10).

Comme les prophètes de Mari, les prophètes d'Israël tiennent un rôle de conseiller auprès des rois. Saül consulte les songes, les sorts et les prophètes avant d'engager la bataille contre les Philistins (1 S 28,6). David prend le conseil de Natân (2 S 7,1-17 ; 12,1-25 ; 1 R 1,8-40) et de Gad (1 S 22,5 ; 2 S 24,11-14). Les rois Achab et Josaphat consultent Shemaya et quelque 400 prophètes avant de partir en guerre (1 R 22,3). Joram demande conseil à Élisée (2 R 3,9-20), Ézéchias à Isaïe (2 R 19, 2-7) et Sédécias à Jérémie (Jr 21,1 ; 37,3 ; 38,14 ; 42,1).

Ce rôle pouvait n'être qu'un service de courtisan ; le roi ayant été choisi par Dieu, ses désirs ne doivent pas être contredits et bien des prophètes se contentent de les approuver. Ainsi Natân répond à David :

« Va et fais tout ce qui te tient à cœur, car le SEIGNEUR est avec toi » (2 S 7,3). De même les 400 prophètes, devant le roi Achab qui leur demande : « Dois-je aller attaquer Ramot de Galaad, ou dois-je y renoncer ? Ils répondirent : Monte ! Le SEIGNEUR la livrera aux mains du roi » (1 R 22,6). Mais face à eux tous, Michée fils de Yimla ose donner un avis contraire et s'opposer au souhait du roi, au nom du Seigneur (1 R 22,17-23). Il n'y a cependant pas d'opposition absolue ;

DOCUMENT

LE PROPHÉTISME DANS L'ANCIEN ORIENT

Le prophétisme n'est pas propre à la religion d'Israël : « n'est-il pas vrai qu'un peuple consulte ses dieux, et les morts pour les vivants ? » (Is 8,19). Jérémie met en garde les rois des peuples voisins contre les oracles de leurs prophètes : « N'écoutez pas vos prophètes, vos devins, songe-creux, enchanteurs et magiciens... C'est le mensonge qu'ils vous prophétisent ! » (Jr 27,9-10).

Les archives royales du royaume de Mari, en Haute-Mésopotamie, donnent sur le prophétisme les parallèles les plus intéressants avec la Bible. Il y a des similitudes qui laissent supposer un milieu culturel et religieux très proche. Une quarantaine de lettres rapportent les communications entre le dernier roi de la cité, Zimri-lim (1775-1761) et ses divinités : Dagan, Hadad, Diritoum, etc. La prophétie est formulée par deux types de personnages. L'un est extatique, avec toutes les apparences du délire : c'est le *mouhhoum*. Il est possédé par la divinité qui l'envoie transmettre un message. L'autre, le *apiloum*, exerce son rôle prophétique de manière volontaire : il donne la réponse de la divinité consultée à l'aide de techniques divinatoires, dans les temples. Le message était donc communiqué dans le cadre de sacrifices.

Dis à mon Seigneur : Ainsi (parle) Kibri-Dagan, ton serviteur. Dagan et Ikroub-El vont bien ; la ville de Terqa et le district ça va. [...] Autre chose : le jour où j'ai fait porter cette tablette de moi chez mon Seigneur, l'extatique (mouhhoum) *de Dagan m'est arrivé et tels furent ses propos : "Le dieu m'a envoyé ; dépêche-toi d'envoyer un message au roi afin que l'on voue le rite funéraire aux mânes de Yahdoun-Lim." Voilà ce que cet extatique m'a dit et je viens de l'écrire à mon Seigneur. Mon Seigneur doit faire ce qui lui plaît.*

(Archives royales de Mari, XXVI, 221, trad. J.-M. Durand.)

Lors des oracles, Addou, le Seigneur de la ville de Kallassou, apparaît en disant :

« Ne suis-je pas Addou, le Seigneur de Kallassou, qui l'ai élevé dans mon giron et qui l'ai fait revenir sur le trône de la maison de son père ? Depuis que je l'ai ramené sur le trône de la maison de son père, je lui ai donné à nouveau une résidence. Maintenant, puisque je l'ai fait revenir sur le trône de la maison de son père, maintenant, je m'approprierai un bien dans son patrimoine. S'il ne (me le) donne pas [...] ce que j'ai donné, je (le) reprendrai. Si au contraire il cède à mon désir, je lui donnerai trône sur trône, maison sur maison, territoire sur territoire, ville sur ville, et je lui livrerai le pays, du levant à son couchant." Voilà ce qu'ont déclaré les prophètes.

(Archives royales de Mari, XXVI / 3 ; trad. J.-M. Durand.)

Cette relation paternelle du dieu Addou avec le roi, ainsi que ses conséquences dans le comportement du roi, ressemblent fortement à l'oracle de Natân à David (2 S 7,11-16). De cette documentation, il ressort que la prophétie à Mari est toute relative à la fonction royale et fortement nationaliste. Il n'y a aucune critique du roi puisque, selon l'idéologie courante, il est l'objet de toutes les faveurs divines. Aussi très souvent le prophète ne fait qu'exprimer sa vénération pour le roi.

Isaïe fut peut-être même conseiller à la cour de Jérusalem. Mais la parole des vrais prophètes d'Israël est celle même du Seigneur ; elle en a la liberté souveraine et imprévisible.

Les prophètes d'Israël se distinguent surtout des prophètes de l'Ancien Orient par leur rôle de censeurs des rois. Leur jugement se réfère à la loi du Seigneur et non aux volontés du roi. Natân blâme le meurtre d'Urie par David (2 S 12,1-15) et, dans un récit curieusement semblable, Élie reproche à Achab le meurtre de Nabot (1 R 21,18-19). Bien plus, les prophètes osent dénoncer l'institution monarchique elle-même. Cette position sera explicite à partir d'Osée : « Un roi, je te le donne dans ma colère et je le reprends dans ma fureur » (Os 13,11). On comprend que certains rois aient détesté les prophètes qui les critiquaient, comme Achab à propos de Michée fils

DOCUMENT

BALAAM LE VOYANT

En dehors de la confrontation d'Élie avec les prophètes de Baal sur le mont Carmel (1 R 18), un seul autre récit biblique décrit le comportement d'un prophète étranger : celui de Balaam (Nombres 22–24). Cet épisode fait partie de la marche des Israélites vers la terre promise. Comme leur avancée effraie Balaq, le roi de Moab, celui-ci convoque un voyant-extatique, Balaam, originaire de Haute-Mésopotamie, réputé pour l'efficacité de ses prédictions.

Balaq, fils de Cippor, était roi de Moab en ce temps-là. Il envoya des messagers mander Balaam, fils de Béor, à Pétor, sur le fleuve, au pays des fils d'Ammav. Il lui disait : Voici que le peuple qui est sorti d'Égypte a couvert tout le pays ; il s'est établi en face de moi. Viens donc, je te prie, et maudis-moi ce peuple, car il est plus puissant que moi. […] Car je le sais, celui que tu bénis est béni, et celui que tu maudis est maudit. (Nb 22, 4-6)

Mais, contrairement au désir de Balaq, Balaam est soumis à la parole du Dieu d'Israël et ne peut donc maudire ce peuple. Dieu lui inspire, au contraire, des paroles de bénédiction*, qui deviennent des malédictions pour Balaq et Moab. Balaam assume ainsi le rôle des prophètes d'Israël.

Dieu vint à la rencontre de Balaam, il lui mit une parole dans la bouche et lui dit : Retourne auprès de Balaq, et c'est ainsi que tu parleras. Il retourna donc auprès de Balaq ; il le trouva toujours debout près de ses holocaustes, avec tous les princes de Moab. Qu'a dit le SEIGNEUR ? lui demanda Balaq. Et Balaam prononça son poème :*

Lève-toi, Balaq, et écoute, prête-moi l'oreille, fils de Cippor. Dieu n'est pas homme, pour qu'il mente, ni fils d'Adam, pour qu'il se rétracte. Est-ce lui qui dit et ne fait pas, qui parle et n'accomplit pas ? J'ai reçu la charge d'une bénédiction, je bénirai et je ne me reprendrai pas. Je n'ai pas aperçu de mal en Jacob ni vu de souffrance en Israël. Le SEIGNEUR son Dieu est avec lui ; chez lui retentit l'acclamation royale. Dieu le fait sortir d'Égypte, il est pour lui comme des cornes de buffle. Car il n'y a pas de présage contre Jacob, ni d'augure contre Israël. Alors même que l'on dit à Jacob et à Israël : Que fait donc Dieu ? voici qu'un peuple se dresse comme une lionne, qu'il surgit comme un lion : il ne se couche pas, qu'il n'ait dévoré sa proie et bu le sang de ceux qu'il a tués.

Balaq dit à Balaam : Ne le maudis pas, soit ! Du moins, ne le bénis pas ! Balaam répondit à Balaq : Ne t'avais-je pas dit : Tout ce que le SEIGNEUR dira, je le ferai ? (Nb 23,16-26)

de Yimla : « Je le déteste car il ne prophétise pas sur moi du bien mais du mal » (1 R 22,8).

Le prophète Élie

La présentation des règnes d'Achab, d'Ochozias et de Joram d'Israël intègre les cycles* d'Élie (1 R 17 – 2 R 2) et d'Élisée (2 R 2 – 13). Cet ensemble, le plus long des annales royales, est très disparate. Il provient sans doute des cercles prophétiques du royaume du Nord, peut-être dans le sillage d'Élisée, qui ont conservé des traditions populaires sur les deux célèbres hommes de Dieu. Ces récits furent insérés ensuite dans l'Histoire* deutéronomiste, peu avant l'Exil.

Dans le cycle d'Élie, des récits légendaires se sont mêlés aux traditions historiques. Ainsi la multiplication de la nourriture par l'hôte reçu chez un pauvre est-il un motif de conte bien connu (1 R 17,7-24). Ce conte a été adapté à Israël par des noms propres hébreux, puis transformé en récit édifiant grâce à l'intervention du Seigneur qui devient le meneur de jeu. Ce genre de récit, qui provient probablement du cycle d'Élisée (2 R 4,1-7) ne nous apprend presque rien sur Élie lui-même. En 1 R 17,1, il apparaît soudainement devant le roi Achab et se présente comme le serviteur du Seigneur, comme si tout le monde le connaissait. Élie était originaire d'un bourg de Galaad : Tishbé. Cette région à l'est du Jourdain, colonisée par les Israélites, avait peut-être été moins contaminée que toute la région à l'Ouest, où Israël avait largement adopté le culte cananéen de Baal. C'est au moment où le culte du Seigneur est ainsi gravement menacé qu'Élie surgit. La question qu'il pose est : qui doit être Dieu en Israël : Baal ou le Seigneur ?

Cette question est mise en scène dans le récit de l'assemblée au mont Carmel (1 R 18,19-40). Élie met le peuple en demeure de répondre à cette question, mais celui-ci est incapable de faire le choix (v.21). Pourtant ce choix est déjà fait, en pratique : l'ancien autel du Seigneur a été démoli, puisque Élie doit le reconstruire (v.30). Israël a abandonné sa foi au Seigneur au point d'être complètement muet et aveugle devant sa situation. Le récit va donner la réponse : Baal n'est rien du tout, puisqu'il est incapable de répondre aux appels de ses fidèles et d'envoyer la foudre pour consumer le sacrifice qui lui a été préparé. Au contraire, le Dieu d'Élie consume son sacrifice* d'une manière éclatante ; il se révèle ainsi comme le vrai Dieu d'Israël, capable de faire tomber le feu du ciel, et donc maître de la pluie indispensable aux cultures, aux troupeaux et aux gens (v.41-46).

Ce thème de la sécheresse et de la famine traverse tout un ensemble littéraire (1 R 17,7 – 18,18). L'initiative du Seigneur se manifeste dans tous les domaines : dans la vie d'une pauvre veuve comme dans la politique royale. Et cette initiative a pour interprète le prophète Élie, qui donne au roi le sens de la sécheresse : « Ce n'est pas moi qui suis le fléau d'Israël, mais c'est toi et ta famille, parce que vous avez abandonné les commandements du SEIGNEUR et que tu as suivi les Baals » (1 R 18,18).

Ces récits nous présentent une conception encore assez universelle du prophétisme. Baal comme le Dieu d'Israël ont leurs prophètes. Toutefois la figure d'Élie se détache des bandes de prophètes (1 R 18,13) ; il est seul à s'opposer au roi Achab, seul à faire face au peuple. Cette solitude sera fréquente chez les grands prophètes.

Le récit de la théophanie* au mont Horeb (identifié au mont Sinaï, 1 R 19) fait curieusement suite à celui du mont Carmel. Après sa victoire sur les prophètes de Baal, Élie constate qu'il n'y a plus de fidèles du Seigneur et cela explique son désespoir, au point de ne plus vouloir vivre (v.4 et 14). Mais l'intervention du Seigneur par la théophanie vient briser la logique de mort.

Élie entra dans la grotte et il y resta pour la nuit. [...] Et voici que le SEIGNEUR *passa. Il y eut un grand ouragan, si fort qu'il fendait les montagnes et brisait les rochers, en avant du* SEIGNEUR, *mais le* SEIGNEUR *n'était pas dans l'ouragan ; et après l'ouragan, un tremblement de terre, mais le* SEIGNEUR *n'était pas dans le tremblement de terre ; et après le tremblement de terre, un feu, mais le* SEIGNEUR *n'était pas dans le feu ; et après le feu, le bruit d'une brise légère. Dès qu'Élie l'entendit, il se voila le visage avec son manteau, il sortit et se tint à l'entrée de la grotte.* (1 R 19,9.11-13)

Dieu alors lui ouvre un avenir en lui confiant une nouvelle mission et en lui annonçant qu'il épargnera 7 000 fidèles en Israël (v.15-18). Toute cette révélation se fait sur un fond de rappels symboliques de l'Exode (marche de quarante jours et nuits dans le désert vers la montagne de Dieu) et du personnage de Moïse (manifestation de Dieu sur la montagne). Élie refait l'itinéraire d'Israël : à lui seul, il reste la seule référence à l'alliance du Seigneur (v.10).

En fait, les récits sur Élie sont plutôt des récits sur le Dieu d'Israël. C'est lui qui a provoqué tous ces événements. Élie n'apparaît qu'épisodiquement dans le cours des événements, pour dire la parole de Dieu au roi et au peuple de l'alliance. Le plus bel exemple d'intervention face au roi est l'histoire de Nabot, que la reine Jézabel et le roi Achab avaient fait tuer pour lui prendre sa vigne.

Alors la parole du SEIGNEUR fut adressée à Élie le Tishbite en ces termes : « Lève-toi et descends à la rencontre d'Achab, roi d'Israël à Samarie. Le voici qui est dans la vigne de Nabot, où il est descendu pour se l'approprier. Tu lui diras ceci : Ainsi parle le SEIGNEUR : Tu as assassiné, et de plus tu usurpes ! [...] À l'endroit même où les chiens ont lapé le sang de Nabot, les chiens laperont ton sang à toi aussi. » Achab dit à Élie : « Tu m'as donc rattrapé, ô mon ennemi ! » Elie répondit : « Oui, je t'ai rattrapé. Parce que tu as agi en fourbe, faisant ce qui déplaît au SEIGNEUR, voici que je vais faire venir sur toi le malheur. » (1 R 21,17-21)

Le prophète Élisée

Les récits concernant Élisée ont dû former un cycle suivi. Mais au cours de la rédaction de l'Histoire deutéronomiste (de Josué à l'Exil), ils ont été dispersés et répartis au fil du livre des Rois. Après l'appel d'Élisée par Élie (1 R 19,19-21), cet ensemble s'ouvre sur l'enlèvement d'Élie et la transmission de son charisme à Élisée (2 R 2). Il s'achève sur sa mort et sur la réanimation d'un mort enseveli dans sa tombe (2 R 13,14-21).

REPÈRE

LES MIRACLES D'ÉLIE ET D'ÉLISÉE

L'activité prophétique d'Élie et Élisée a une grande particularité, ce sont les miracles. Dans tout l'Ancien Testament, c'est ici – ainsi que dans les textes de l'Exode – que sont réunis presque tous les récits de miracles. Cela tient à ce que ces prophètes – Élisée surtout – annoncent un Dieu vivant et source de vie pour Israël. La plupart des récits sur Élisée concernent en effet la vie menacée par la mort : la sécheresse et la famine (2 R 3,17-19 ; 4,1-7. 42-44), la maladie, la lèpre et la mort (2 R 5 ; 2 R 4,18-37), la guerre et la capitale assiégée (2 R 7), les empoisonnements (2 R 2,19-22 ; 4,38-41) et d'autres malheurs.

Deux miracles d'Élisée semblent bien avoir été attribués également à Élie : la farine et l'huile en abondance pour une pauvre veuve et son fils, puis la « résurrection » de ce fils (1 R 17,8-16 et 17-24). Mais ce transfert a mis en valeur des dimensions différentes du miracle lui-même. Élisée est présenté comme un thaumaturge qui agit de lui-même, tandis qu'Élie ne fait rien sans d'abord invoquer Dieu, ni sans dire sa parole. Les miracles d'Élisée l'authentifient comme « homme de Dieu », alors que les miracles d'Élie manifestent l'action et la parole de Dieu.

Le beau récit de la guérison d'un lépreux, Naaman (2 R 5), illustre bien le sens des miracles d'Élisée. Ce Naaman est le chef de l'armée ennemie, les Araméens de Damas, mais il est devenu lépreux. Le narrateur fait ressortir le contraste entre les grands moyens des puissants et des rois, les rites spectaculaires de guérison attendus, et la simplicité des chemins de Dieu : une petite esclave qui parle du prophète, des paroles des serviteurs, des gestes simples et surtout la confiance au Dieu d'Israël. Car c'est bien lui qui guérit, et non le prophète, ni les eaux du Jourdain. Ce païen guéri a fait une expérience du Dieu d'Israël qui marque désormais toute sa vie : premières lueurs d'une réflexion sur la conversion des païens et leur conscience. Moralité : il existe de « bons païens » – même chez les ennemis ! – et de « vilains Israélites », comme le propre serviteur d'Élisée, cupide et menteur (2 R 5,20-27).

Ces récits donnent d'Élisée des portraits très disparates. Désigné comme « l'homme de Dieu » (2 R 4,7), il est possible qu'Élisée ait été conseiller du palais, un peu comme Natân auprès de David. On le voit intervenir directement dans des coups d'État : à Damas, il fait préparer l'accession au trône de l'usurpateur Hazaël (2 R 8,7-15) et à Samarie, il soutient l'initiative violente de Jéhu contre la dynastie d'Omri ; c'est lui qui fait consacrer comme roi cet ardent zélateur de la pure foi israélite (2 R 9–10). Historiquement, la royauté du Nord a été très instable (9 dynasties en deux siècles, dont une pendant un siècle) ; des prophètes comme Élisée, lorsqu'ils désignaient un roi ou cautionnaient un coup d'État, se concevaient comme agissant au nom de Dieu qui dirige l'histoire de son peuple. Et c'est ainsi également que son entourage l'a considéré. Mais un autre rôle d'Élisée apparaît aussi dans divers récits : il est le « père » des groupes de prophètes : les « fils de prophètes » (2 R 2,12 ; 6,2.12.21 ; *voir* p. 278).

G. V.

Les prophètes du VIIIe siècle

Le prophète Amos

Amos est le plus ancien des prophètes dont un livre porte le nom. Le titre du livre situe ainsi ses paroles : « Paroles d'Amos, qui fut l'un des éleveurs de Teqoa. Ce qu'il vit sur Israël, au temps d'Ozias, roi de Juda, et au temps de Jéroboam, fils de Joas, roi d'Israël, deux ans avant le tremblement de terre » (1,1). Ces rois ont régné entre 787 et 740 av.J.C.

Aux IXe et VIIIe s. av.J.C., Israël et Juda sont deux petits États dans une région convoitée par les grandes puissances qui l'entourent. Vers le milieu du VIIIe siècle, l'Assyrie reprend sa politique de conquêtes. Elle met fin au royaume d'Israël en 722 av.J.C. et soumet celui de Juda. Le VIIIe siècle est celui des interventions des prophètes Amos, Osée, Isaïe et Michée. Leurs paroles et leurs actes ont donné lieu à des écrits, d'où le nom de "prophètes écrivains" qui leur est attribué, bien qu'ils n'aient sans doute pas écrit eux-mêmes. Le plus souvent les disciples qui entouraient les prophètes ont transmis et développé leur message. La rédaction finale des livres y a éventuellement ajouté d'autres éléments. Ce phénomène d'écriture prophétique dure jusque vers 300 av.J.C. et correspond à une période de crise dans l'histoire du peuple de Dieu.

Amos, un éleveur de bétail, appartenant sans doute à la classe moyenne voire aisée de Teqoa (près de Bethléem), a vécu avant les grands drames de la fin du siècle. En effet, sous les règnes d'Ozias et de Jéroboam II, l'Assyrie diminue sa pression vers l'Ouest. Le royaume d'Israël est particulièrement prospère. Amos vient alors de Juda y faire entendre de dures paroles de condamnation. Il parle peut-être à Samarie, la capitale politique d'Israël, certainement à Béthel, le centre religieux, et peut-être encore dans d'autres lieux du royaume. Nous n'avons pas d'autres informations sur lui que celles contenues dans le titre du livre (1,1) et celles que fournit le récit de sa confrontation avec le prêtre* de Béthel (7,10-17), récit à la troisième personne provenant d'un proche ou d'un disciple.

Le prophète face aux pouvoirs

Alors Amasias, le prêtre de Béthel, envoya dire à Jéroboam, roi d'Israël : « Amos conspire contre toi, au sein de la maison d'Israël ; le pays ne peut tolérer ses discours. Car ainsi parle Amos :
Jéroboam périra par l'épée
et Israël sera déporté loin de sa terre. »
Et Amasias dit à Amos : « Voyant, va-t'en, fuis au pays de Juda; mange ton pain là-bas, et là-bas, prophétise. Mais à Béthel, cesse désormais de prophétiser, car c'est un sanctuaire royal, un temple du royaume. » Amos répondit et dit à Amasias : « Je ne suis pas prophète, je ne suis pas frère prophète ; je suis bouvier et pinceur de sycomores. Mais le SEIGNEUR m'a pris de derrière le troupeau et le SEIGNEUR m'a dit : Va ! prophétise à mon peuple Israël. Et maintenant, écoute la parole du SEIGNEUR. Tu dis :
"Tu ne prophétiseras pas contre Israël,
tu ne vaticineras pas contre la maison d'Isaac."
C'est pourquoi, ainsi parle le SEIGNEUR :
Ta femme se prostituera dans la ville,
tes fils et tes filles tomberont sous l'épée,
ta terre sera partagée au cordeau,
et toi, tu mourras sur une terre impure,
et Israël sera entièrement déporté loin de sa terre". »
(Am 7,10-17)

À Béthel, le prêtre accuse le prophète de conspiration contre le pouvoir royal et l'expulse de ce lieu et du territoire d'Israël. Il refuse l'intrusion de Juda en Israël et l'intrusion de la parole prophétique dans un lieu marqué par le pouvoir royal. Béthel, dont le nom signifie « maison de Dieu », devient dans sa bouche un temple du royaume, littéralement une « maison du roi ». Au moment de la séparation du Nord et du Sud, vers 932, Jéroboam 1er avait établi à Béthel le centre cultuel principal de son royaume, avec un corps de prêtres institués par lui (voir 1 R 12,26-33, p. 230). Amasias confirme ce rôle de sanctuaire royal. La religion du peuple de Dieu est ainsi réduite à une religion d'État.

Dans sa réponse au prêtre, Amos brise cette soumission du religieux au politique. Il revendique d'être l'envoyé du Seigneur à Israël, son peuple, part intégrante du peuple de Dieu et non peuple du roi. Le récit du ch. 7 est parfois interprété comme opposant de façon générale l'intervention prophétique à l'institution religieuse. Mais Amos ne parle ni contre une institution ni au nom d'une institution. C'est le prêtre en tant que fonctionnaire royal qu'il met en cause. Amos lui-même n'est prophète ni de profession ni par tradition familiale. Il est homme de la rupture, que l'appel de Dieu déracine et envoie dans le royaume frère. Devenu prophète, il s'inscrit dans la suite des grandes figures, tels Natân, Élie ou Élisée, qui, prophètes de métier ou non, se confrontent aux pouvoirs établis.

Paroles et visions

Un prophète est aussi un visionnaire. Le livre qui rapporte les paroles et les actes d'Amos est composé de paroles et de visions (voir 1,1).

1,1-2	:	titre et prologue
1,3 – 2, 16	:	paroles contre les peuples voisins et contre Israël
3,1 – 6,14	:	paroles contre Israël
7,1 – 9, 10	:	cinq visions annonçant la fin d'Israël
9,11-15	:	épilogue

Le prophète voit au-delà de la réalité. Les visions d'Amos mettent en relation des phénomènes de la vie quotidienne : des sauterelles dévoreuses, le feu qui dessèche tout, un mur d'étain, une corbeille de fruits mûrs... avec la situation en Israël. Celle-ci mène au désastre. Dans les trois premières visions (7,1-9) le prophète assume sa fonction de médiation et plaide en faveur du peuple. Mais dans les deux dernières (8,1-3 ; 9,1-4) il n'y a plus de plaidoyer. Les visions, rapportées à la première personne, constituent peut-être la révélation qui a été au point de départ de la vocation prophétique d'Amos.

Les paroles contenues dans son livre sont essentiellement des oracles de jugement. Un oracle est une déclaration solennelle faite au nom de Dieu. Le plus souvent il est introduit par « Ainsi parle le

SEIGNEUR », expression appelée « formule de messager », car elle ouvre généralement les paroles des rois ou des notables transmises par des messagers ou des ambassadeurs (par exemple en 2 R 18,19.28-29.31). Le prophète est donc un messager, un porte-parole de Dieu ; ce qu'affirme l'expression « oracle (*ne'oum*) du SEIGNEUR » qui vient rythmer et parfois conclure les oracles. L'oracle de jugement est composé d'un réquisitoire et d'un verdict annonçant la sentence.

Dans Amos 1–2 les oracles concernent les nations voisines d'Israël, au nord, au sud, à l'ouest et à l'est : Syrie, Philistie, Phénicie, Édom, Ammon et Moab (1,3 – 2,3), puis Juda (2,4-5) et enfin Israël (2,6-16). Les nations voisines d'Israël et de Juda sont jugées pour ce que l'on appellerait maintenant des crimes contre l'humanité (crimes de guerre, atrocités, déportations, esclavage), tandis que Juda est jugé pour sa désobéissance à l'égard de Dieu. Enfin la condamnation d'Israël concerne les injustices sociales qui règnent dans ce pays. Les ch. 3–6 développent ensuite longuement ce thème. Pour cela, les rédacteurs du livre utilisent tous les types de langage : le langage juridique dans les oracles de jugement, celui de la sagesse, en particulier dans les nombreuses questions rhétoriques (ex. : « Le lion a rugi : qui ne craindrait ? Le Seigneur DIEU a parlé : qui ne prophétiserait ? » 3,8), et même le langage cultuel : en effet, les éléments d'un hymne au Dieu créateur et juge ponctuent le livre (voir 1,2; 4,13; 5,8 et 9,5-6).

Amos, prophète du jugement

Au temps de Jéroboam II, une partie de la population d'Israël s'est enrichie à l'excès. On pourrait parler d'une société « à deux vitesses ». Les abus sont partout : à la cour royale et dans les milieux nantis de la capitale, au tribunal, dans le commerce. Israël, le peuple choisi par Dieu (voir 2,10-11; 3,1-2), écrase les plus faibles de ses membres : « Ils vendent le juste à prix d'argent et le pauvre pour une paire de sandales » (2,6) ; « Ils changent le droit en absinthe et jettent à terre la justice » (5,7). La vie religieuse n'est alors qu'une parodie, et le prophète dénonce sa perversion (voir 5,21-27). Israël, relégué au rang des autres peuples, tombe comme eux sous le jugement de Dieu. L'injustice sociale est aussi un crime contre l'humanité.

Le propos général du livre est la fin annoncée du royaume d'Israël. Les thèmes de la mort, des ténèbres et du silence l'expriment. C'est le moment des lamentations funèbres (voir 5,1-3 et 16-17), car les ténèbres arrivent. Le jour où le Seigneur se manifestera n'apportera pas la lumière attendue (5,18-20 et 8,9-14). Même sa parole ne se fera plus

Les six jours de la création. Mosaïque de Saint - Marc de Venise (v. 1220)
Après l'Esprit de Dieu qui plane sur les eaux, à droite, l'œuvre divine est décrite jour par jour (sens contraire du cadran), chaque jour étant figuré par un ange supplémentaire. Le Christ représente le Créateur, car « tout a été créé par lui et pour lui »

Ci-dessus :
Arrivée de sémites en Égypte.
Peinture de Beni Hassan,
Égypte (XIXe siècle av.J.C.),
Bibliothèque des Arts décoratifs.
Un clan de sémites vient à la cour vendre de l'antimoine, très utilisé pour le maquillage des Égyptiennes. C'est l'une des plus anciennes images des sémites de Canaan.

Ci-contre :
Un scribe égyptien.
Tombes des Nobles, Thèbes,
Égypte (XIIIe siècle av.J.C.)
Vers 3300 avant notre ère, Égyptiens et Mésopotamiens ont inventé chacun l'écriture pour les comptes et la gestion. Ce scribe compte les sacs de grain de la récolte.

© Chuzeville–RMN

Ci-dessus :
Scribes et dignitaires assyriens.
Fresque de Till Barsip, Haut-Euphrate (VIIIe siècle av.J.C.), Musée du Louvre.
Les deux écritures de Mésopotamie : le scribe de gauche écrit avec de l'encre (écriture araméenne), tandis que l'autre appuie un calame sur une tablette d'argile fraîche (écriture cunéiforme).

© Dagli Orti

Ci-contre :
Code de Hammourabi.
(XVIIIe siècle av.J.C.), Musée du Louvre.
La stèle haute de 2,25 m, entièrement gravée en caractères cunéiformes, porte les 282 articles du code établi par ce roi de Babylone. L'image représente le dieu-soleil Shamash, symbole de la justice qui doit tout éclairer, remettant au roi les insignes du pouvoir royal.

Ci-dessus :
L'Arche de Noé.
Mosaïque de Saint-Marc de Venise (XIIIe siècle).
Noé fait entrer dans l'arche les animaux par couples, puis sa femme, ses fils Sem, Cham et Japhet, avec leurs épouses, qui seront à l'origine des peuples de la terre.

Ci-contre :
Le sacrifice d'Abraham.
Pentateuque d'Aelfric (XIe siècle), British Library.
En bas, Abraham précède l'âne avec Isaac, suivi des serviteurs. Puis il laisse ceux-ci, et Isaac porte le bois. Sur la montagne, un ange lui apparaît quand il brandit son épée pour immoler Isaac.

Gérard Blot / RMN © ADAGP, Paris, 2000

Moïse recevant les tables de la Loi.
Marc Chagall (1887-1985), Musée Message biblique, Nice.
Moïse est illuminé par la présence de Dieu qui le fait rayonner.
En bas du Sinaï, le peuple attend la Loi, la Tora, pour en vivre.

© Erich Lessing / Magnum Photos

© Bridgeman Art Library

En haut : *Jéhu devant Salmanasar III.*
Obélisque de Nimrud (v. 825 av.J.C.), British Museum.
Jéhu d'Israël (841-814) se prosterne devant le roi assyrien.
Cette image est la seule connue d'un personnage biblique, dans l'Antiquité.

En bas : *Prise de Lakish par Sennachérib.*
Bas-relief de Ninive (v. 695 av.J.C.), British Museum.
En 701, le roi assyrien a pris la ville de Lakish, à l'ouest de Jérusalem ;
ses soldats emmènent le butin et des prisonniers judéens.

© Bridgeman Art Library

Ci-dessus :
Porte d'Ishtar à Babylone.
(v. 580 av.J.C.).
Reconstitution , Musée de Bagdad.
Les images de dragons et de taureaux évoquent le dieu Mardouk (ou Bel) et la déesse Ishtar, protecteurs de Babylone, là où les Judéens furent exilés.

© Dagli Orti

Ci-contre :
Stèle du roi Mésha.
(v. 840 av.J.C.),
Musée du Louvre.
Le roi de Moab rapporte sa victoire sur Joram d'Israël (cf. 2 R 3).
C'est la plus ancienne attestation du nom YHVH, le Dieu d'Israël.

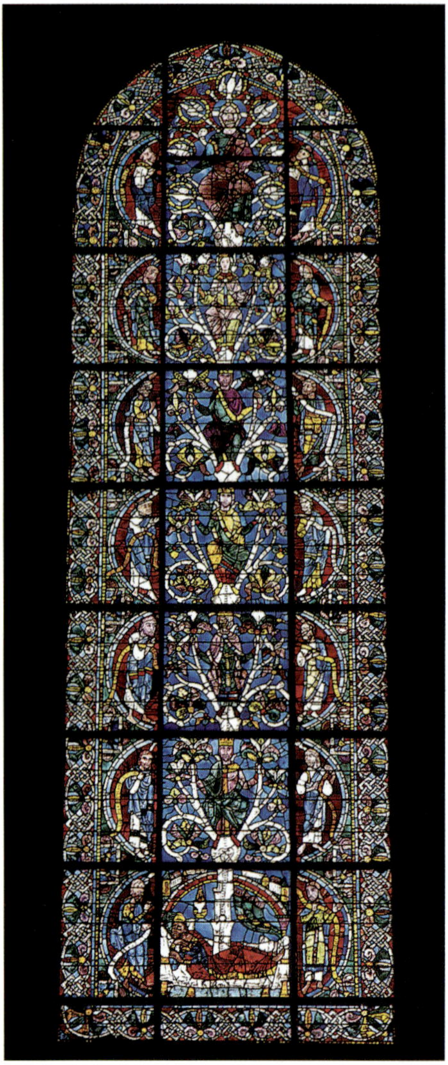

© Dagli Orti

Ci-contre :
Arbre de Jessé. Vitrail de Chartres (v. 1145).
Au XIe siècle, les artistes chrétiens ont commencé à illustrer la parole d'Isaïe : « Un rejeton sortira de la souche de Jessé ; sur lui reposera l'Esprit du Seigneur » (11,1-2). Ils voulaient montrer que Jésus est bien le Messie, Fils de David (lui-même fils de Jessé de Bethléem). Cet arbre généalogique abrégé est entouré de quatorze prophètes, annonciateurs du Messie.

Ci-dessous :
Isaïe. Puits de Moïse de Claus Sluter (v. 1400),
Chartreuse de Champmol, Dijon.
Chacun des six prophètes de ce monument tient un phylactère portant une de ses prophéties. Isaïe annonce : « La vierge concevra et enfantera un fils : Emmanuel » (7,14).

© Bridgeman Art Library

Le jeune David. Bible de Souvigny (fin XIIe siècle),
Bibliothèque de Moulins.
La vie de David est racontée dans le livre de Samuel. En haut, le jeune David est oint par Samuel ; au milieu, le jeune berger se bat contre un lion, puis il est présenté au roi Saül ; en bas, David tue Goliath de sa fronde, lui tranche la tête et l'apporte à Saül.

En haut : *Daniel dans la fosse aux lions.*
Mosaïque de Borj-el-Youdi (Ve siècle), Musée du Bardo, Tunis.

En bas : *Daniel dans la fosse aux lions.*
Chapiteau de Sainte Geneviève de Paris (fin XIe siècle), Musée du Louvre.

L'épisode célèbre de Daniel, condamné à mort par le roi Darius mais épargné par les fauves, a souvent été lu comme une figure du Christ, mort et descendu aux enfers, mais ressuscité par Dieu. Si bien que cette image de Daniel affirme surtout la puissance du Christ sur la mort et la foi en la résurrection.

Retable de Nicolas de Verdun. (1181 et 1331),
Klosterneuburg, Vienne (Autriche).
Chacun des dix-sept épisodes de la vie du Christ
(au milieu : la descente de croix et la mise au tombeau) est comparé à deux autres
de l'Ancien Testament : au-dessus, un épisode de la Genèse
(Ève cueille le fruit de l'arbre, puis Joseph est jeté dans une citerne) et au-dessous,
un épisode ultérieur (le roi de Aï est dépendu – Jos 8,29 –, puis Jonas est avalé par le poisson).

© Dagli Orti

Mur occidental. Jérusalem.
Cette partie du mur de soutènement du parvis du Temple
fut construite par Hérode le Grand, vers 20 av. J.C.
C'est pratiquement la seule partie visible et accessible de ce qui reste du Temple.
C'est pourquoi les Juifs continuent d'y venir prier,
comme dans une synagogue à ciel ouvert.
Il était jadis appelé « mur des Lamentations ».

entendre (8,12). Est-ce à dire qu'Amos est uniquement un « prophète de malheur » ? Le livre propose très peu d'ouvertures vers un salut possible. Il contient bien, incluses dans les annonces de jugement et de mort, quelques exhortations, comme la proposition de chercher le Seigneur et le bien pour vivre (voir 5,4-6 et 14-15). Mais la miséricorde de Dieu y garde la forme d'un « peut-être » (5,15).

On peut lire la prédication d'Amos, dans sa dureté même, comme un appel à la conversion. Elle montre ce qui arrive quand il est trop tard parce que le mal a dépassé les bornes. Dans les crises qui ont suivi le temps d'Amos (Samarie tombe en 722), on a jugé important de recueillir sa prédication comme un avertissement radical. Les livres prophétiques mettent en scène jugement et salut de Dieu. Dans le concert des textes la voix d'Amos est celle du jugement. Cependant, l'épilogue de 9,11-15, ajouté tardivement au livre, annonce une restauration pour Israël. Après le jugement et le châtiment, de nouvelles perspectives peuvent s'ouvrir.

Le prophète Osée

Le prophète Osée est intervenu dans le royaume d'Israël, peu de temps après Amos. Le titre du livre qui rapporte ses paroles et ses actions mentionne le roi d'Israël Jéroboam II ainsi que plusieurs rois de Juda. Après Jéroboam II (787-747), la situation se dégrade vite en Israël. Le pouvoir est affaibli par une succession de coups d'État. De son côté, l'Assyrie reprend ses conquêtes. Samarie, la capitale d'Israël, tombe en 722 av.J.C. et sa chute marque la fin du royaume. Comme le livre d'Osée ne fait pas directement allusion à cet événement, Osée a donc vraisemblablement parlé entre 750 et 725 av.J.C. Sa prédication est marquée par son enracinement au Nord, tant par les lieux que par les traditions historiques auxquelles elle se réfère. Mais un certain nombre de mentions du royaume de Juda montrent que les paroles du prophète ont été relues, adaptées et en partie rédigées en Juda. Elles ont pu y être apportées par des réfugiés d'Israël après la fin de ce royaume (722). Là, elles auraient connu une ou plusieurs éditions. Ce qui était arrivé à Israël pouvait servir d'avertissement à Juda. À la fin du livre, une notice rédactionnelle ajoutée encore plus tard ouvre sa lecture à tous (Os 14,10).

Le livre d'Osée est composé d'une succession d'oracles prononcés essentiellement contre Israël. Comme chez Amos, la condamnation porte sur les dysfonctionnements dans les domaines politique, social et religieux. Mais, alors qu'Amos dénonce d'abord l'injustice sociale, la condamnation d'Osée porte davantage sur l'infidélité religieuse.

Osée et son épouse

Les ch. 1–3 du livre sont construits autour d'un parallèle entre l'histoire conjugale du prophète et celle des relations de Dieu avec son peuple. Les ch. 4–14, des collections d'oracles, sont surtout un commentaire des trois premiers chapitres.

Deux récits parlent du mariage d'Osée. Dans le premier (1,2-9), peut-être rédigé par un disciple d'Osée, le Seigneur demande à son prophète d'épouser une prostituée et lui indique les noms à donner aux enfants issus de ce mariage. Le premier, Yizréel, rappelle les crimes commis à cet endroit, lors du coup d'État de Jéhu en 741, et annonce le jugement de Dieu sur Israël. Les deux autres : *Lo-Rouhama* (celle dont je n'ai) « pas pitié », et *Lo-Ammi* (celui qui n'est) « pas mon peuple » indiquent les conséquences de ce jugement. Le second récit (3,1-5) est celui du prophète, à qui Dieu demande d'épouser une femme adultère. Il doit imposer à celle-ci un temps d'épreuve sous forme de continence sexuelle, tout comme Dieu va mettre à l'épreuve son peuple en le privant de roi et de sanctuaires. Ces deux récits parlent probablement du même mariage qui incarne la prédication du prophète dans la chair même de sa vie. Il s'agit d'une de ces « actions symboliques » ou « gestes prophétiques » par lesquels les prophètes expriment concrètement leur message.

Osée 2,4-15 se présente comme un procès en divorce (v.4). Celui qui parle est à la fois l'accusateur, la victime et le juge. Il s'adresse aux enfants de l'accusée, les membres du peuple, pour qu'ils intentent en son nom un procès à leur mère. Ce thème du procès se retrouve en Isaïe et Michée et chez les prophètes de la période de l'Exil ; on désigne ces textes comme « oracles de procès* ». Ici cet oracle de jugement a été transformé par des additions, au début et à la fin, qui annoncent le salut : 2,1-3 anticipe l'issue favorable et celle-ci est développée en 2,16-25. Le verdict favorable, tout à fait inattendu, indique une des différences majeures entre la prédication d'Amos et celle d'Osée. Chez celui-ci, le jugement appelle le pardon et le salut. On retrouve exactement la même démarche dans un autre oracle : le jugement en 11,1-7 et le pardon en 11,8-11. La succession des annonces de malheur et de bonheur est, en effet, un élément de la cohérence du livre d'Osée. L'ensemble qui va de 4,1 à 11,7 est formé d'accusations et d'annonces de châtiment. Il est suivi en 11,8-11 d'une promesse de bonheur. La même construction est reproduite dans les trois derniers chapitres : 12,1 – 14,1 : menaces ; 14,2-9 : promesses.

Intentez procès à votre mère, intentez-lui procès !
car elle n'est pas ma femme,
et moi je ne suis pas son mari.
Qu'elle écarte de sa face ses prostitutions,
et d'entre ses seins ses marques adultères.
Sinon, je la déshabillerai toute nue
et la mettrai comme au jour de sa naissance ;
je la rendrai pareille au désert,
je la réduirai en terre aride,
je la ferai mourir de soif,
et de ses fils je n'aurai pas pitié,
car ce sont des fils de prostitution.
Oui, leur mère s'est prostituée,
celle qui les conçut s'est déshonorée ;
car elle a dit : « Je veux courir après mes amants,
qui me donnent mon pain et mon eau,
ma laine et mon lin, mon huile et ma boisson. »
C'est pourquoi je vais obstruer son chemin avec des ronces,
je l'entourerai d'une barrière
pour qu'elle ne trouve plus ses sentiers ;
Elle poursuivra ses amants et ne les atteindra pas,
elle les cherchera et ne les trouvera pas.
Alors elle dira : « Je veux retourner vers mon premier mari,
car j'étais plus heureuse alors que maintenant. »
Elle n'a pas reconnu que c'est moi
qui lui donnais le froment, le vin nouveau et l'huile fraîche,
qui lui prodiguais cet argent et cet or
qu'ils ont employés pour Baal !
C'est pourquoi je reprendrai mon froment en son temps
et mon vin nouveau en sa saison ;
je retirerai ma laine et mon lin
qui devaient couvrir sa nudité.
Puis je dévoilerai son infamie aux yeux de ses amants
et personne ne la délivrera de ma main.
Je ferai cesser toute ses réjouissances,
ses fêtes, ses néoménies, ses sabbats,
et toutes ses solennités.
Je dévasterai sa vigne et son figuier, dont elle disait :
« Ils sont le salaire que m'ont donné mes amants » ;
J'en ferai un hallier et la bête sauvage les dévorera.
Je la châtierai pour les jours des Baals

auxquels elle brûlait de l'encens,
quand elle se parait de son anneau et de son collier
et qu'elle courait après ses amants ;
et moi, elle m'oubliait ! – oracle du SEIGNEUR.
(Osée 2,4-15 ; voir la suite p. 492)

Le ch. 2 établit une analogie étroite entre les deux récits (ch. 1 et 3) et le peuple d'Israël qui s'est conduit comme une femme adultère et une prostituée*. Dieu lui fait un procès au nom de son amour. Ce procès ne vise pas la condamnation du coupable, mais l'établissement de relations renouvelées où l'amour de Dieu entraînera le consentement du peuple : « J'aurai pitié de *Lo-Rouhama*, je dirai à *Lo-Ammi* : Tu es mon peuple, et lui dira : Mon Dieu ! » (2,25).

Qui donne la vie : le Seigneur ou Baal ?

En Osée 2, Israël est présenté comme une femme qui court après ses amants, les Baals, « les (dieux) maîtres » (voir les v.10 et 15). Baal, divinité qui meurt et renaît avec la nature, a le pouvoir de rendre les champs fertiles et les troupeaux féconds. Dans les récits des livres des Rois, Baal et le Seigneur apparaissent comme des concurrents. La question est : qui est Dieu en Israël ? (voir en particulier le sacrifice d'Élie sur le mont Carmel en 1 R 18,20-24, p. 282). Mais chez Osée la question est plutôt : qui donne la vie ? (voir Os 2,7.10.11). Or, pour assurer la vie d'un peuple d'agriculteurs, les dieux de la fertilité semblent plus compétents que le Dieu d'Israël.

Les tribus* du Nord, qui forment le royaume d'Israël, s'appuient sur les grandes traditions de l'Exode, du don de la loi au Sinaï, de la marche dans le désert. À l'époque d'Osée, le Seigneur est sans doute reconnu pour ces grandes actions et pour le don du pays. Mais ces hauts faits sont relégués dans le passé. L'influence du culte des Baals imprègne la vie religieuse du peuple. Il s'accompagne de rites agraires, comme celui de la prostitution* sacrée, pratiqués dans les sanctuaires des Baals (voir 4,11-14). L'union sexuelle avec une femme consacrée à la divinité est censée assurer fécondité et fertilité. Le culte de la vie, comme les anciennes populations du pays le pratiquent, se mélange avec le culte du Seigneur. Pour les textes bibliques ce syncrétisme est une infidélité religieuse, décrite par les images de la prostitution et de l'adultère.

Nature et histoire

Osée polémique contre cette forme du culte en employant un vocabulaire emprunté à la religion des Baals. Mais Dieu est présenté comme un mari et non comme un amant ou un maître (en hébreu : *baal*). La relation avec lui est une relation d'alliance*. L'alliance avec le peuple, au désert, avant l'entrée en Canaan, a donné à Israël son identité première. C'est pour cela que le peuple est aussi appelé fils : « Quand Israël était jeune, je l'aimai, et d'Égypte j'appelai mon fils » (11,1). Cette alliance, maintenant rompue, peut être renouvelée (voir 2,20-25). Restaurée, elle intègre le monde de la nature. Le Dieu du désert est aussi celui qui permet de vivre en Canaan. Dans la corbeille de fiançailles, le Seigneur apporte en dot la justice, le droit, la tendresse, la miséricorde, la fidélité (2,21-22), mais aussi le don du froment, du vin nouveau et de l'huile fraîche (2,24) que le peuple attribue à Baal. Osée parle du Seigneur comme de Baal, mais en opérant un renversement. Le Seigneur a bien une épouse, mais c'est son peuple et non pas une déesse comme Astarté, associée à Baal. Des images venant de la religion de Baal servent à exprimer l'amour de Dieu pour Israël, son fils par l'histoire et son épouse par alliance.

La symbolique de l'amour

La symbolique conjugale, qui apparaît pour la première fois chez Osée, est reprise ensuite par d'autres prophètes, Jérémie et Ézéchiel en particulier [*voir* p. 308 et 312], puis dans d'autres textes bibliques, jusqu'au Nouveau Testament (exemple Ep 5). À travers crises et ruptures, fiançailles et réconciliations, ils disent que Dieu aime son peuple comme aucun homme ne pourrait aimer. Le thème de l'amour traverse tout le livre d'Osée : amour donné mais aussi amour demandé. Celui-ci est lié à la miséricorde et à la solidarité, il appelle à la recherche et à la connaissance de Dieu, et au retour : retour vers Dieu et restauration de la relation. Chez Osée, Dieu se fait séducteur pour demander ce « retour » qui se nomme aussi conversion.

Le prophète Isaïe

Le livre d'Isaïe montre comment la prédication d'un prophète est restée vivante au cours des temps. La confrontation d'Isaïe avec les pouvoirs et les événements de son époque a donné lieu à un livre qui s'est enrichi et développé pendant plusieurs siècles. Tel qu'il se présente actuellement le livre a 66 chapitres où il faut distinguer trois parties. Le noyau des ch. 1–39 fait référence à des événements qui datent de l'expansion assyrienne dans la deuxième moitié du VIIIe siècle. Ils proposent surtout des annonces de jugement. Au début du VIe siècle, Jérusalem a été détruite et une partie du peuple est partie en exil.

Pendant cette période et après, de lointains disciples d'Isaïe ont ajouté les ch. 40–55 (le Deuxième Isaïe) et 56–66 (le Troisième Isaïe).

Ils ont considéré que le peuple de Dieu avait subi le châtiment annoncé. Ils transmettent alors des promesses de salut. Ils affrontent la réorganisation du culte sous les premiers empereurs perses, puis la crise d'identité après le retour d'exil à la fin du VIe siècle.

« Vision d'Isaïe, fils d'Amoç, qu'il reçut au sujet de Juda et de Jérusalem, au temps d'Ozias, de Yotam, d'Achaz et d'Ézéchias, rois de Juda » (Is 1,1). Ces indications données en tête du premier chapitre mettent l'ensemble du livre sous l'autorité d'Isaïe et rappellent le cadre historique et géographique dans lequel celui-ci a parlé et agi. La prédication du prophète dans le royaume de Juda a duré une quarantaine d'années, entre 740 et 700 av.J.C. Le contenu de la première partie laisse supposer qu'Isaïe a été une personnalité importante de Jérusalem.

Seuls les ch. 1–39 comportent des oracles d'Isaïe lui-même. Des réinterprétations et des actualisations se font jour à l'intérieur des discours du prophète et des développements tardifs comme les ch. 24–27 et 34–35 y ont été ajoutés après l'Exil.

L'essentiel de la prédication d'Isaïe est formé d'un réquisitoire contre Juda et Jérusalem (ch. 1–12 et 28–33) sur le double plan social et politique. En outre, certaines des menaces adressées à des nations étrangères aux ch. 13–23 (« oracles contre les nations ») peuvent avoir été prononcées en tout ou partie par lui.

Le prophète et la politique

L'époque de l'activité prophétique d'Isaïe est marquée par la pression de l'Assyrie sur les petits peuples du Proche-Orient. En 735, la Syrie et le royaume d'Israël organisent une coalition pour résister à la nouvelle domination. Les coalisés font pression sur le royaume de Juda et menacent de l'occuper pour qu'Achaz, le roi de Juda, se joigne à eux. C'est la guerre dite « syro-éphraïmite » : guerre de la Syrie (Damas) et d'Éphraïm (la principale tribu du Nord, qui désigne Israël) contre Juda. Achaz hésite sur la politique à suivre. Isaïe intervient alors pour lui proposer de résister à la fois aux coalisés et aux Assyriens en plaçant sa confiance en Dieu. Cependant, le roi préfère faire appel au souverain assyrien. Après qu'Israël a été rayé de la carte (722), Juda devient vassal de l'Assyrie. Plus tard, Ézéchias, le fils d'Achaz, se révolte contre son suzerain, ce qui entraîne en 701 le siège de Jérusalem. La ville est miraculeusement épargnée mais Juda perd toute indépendance. Un disciple ou des disciples d'Isaïe font le récit de cet épisode et des interventions d'Isaïe auprès du roi dans les ch. 36–39, en grande partie parallèles à 2 Rois 18–20 [*voir* p. 244]. On le voit, le prophète participe activement aux affaires politiques ; ses paroles comme ses actions sont inséparables de l'histoire de son temps.

Isaïe était apparemment lié à la cour royale de Juda, comme une sorte de conseiller religieux du roi. Dans le monde de l'Ancien Orient le gouvernement des peuples est une des plus hautes formes de sagesse. Cependant Isaïe entre en conflit avec les sages de la cour : il oppose la sagesse de Dieu à celle des dirigeants. Pour lui, Dieu est le maître de l'histoire, il a un projet pour son peuple et pour les autres nations. Dans les récits bibliques, depuis l'instauration de la royauté, des prophètes s'affrontent au pouvoir politique. Mais l'insistance sur l'œuvre de Dieu dans l'histoire, qui déjoue et contredit les plans des sages et des diplomates, est particulièrement marquée chez Isaïe.

L'oracle de l'Emmanuel (Isaïe 7,10-16)

Pour Isaïe, l'œuvre de Dieu est attachée à la promesse selon laquelle un descendant de David occuperait toujours le trône de Jérusalem (l'oracle de Natân en 2 S 7,12-16, p. 214). Cela explique les interventions du prophète auprès d'Achaz lorsque les rois de Syrie et d'Israël veulent imposer à Juda un roi étranger (7,1-9). Isaïe affirme au roi désemparé : « Si vous ne croyez pas, vous ne vous maintiendrez pas » (7,9). Croire, dans ce contexte, c'est s'adresser à Dieu pour qu'il se manifeste et réalise sa promesse. L'« oracle de l'Emmanuel » est l'annonce d'un signe donné par Dieu, malgré le refus du roi.

Le SEIGNEUR parla encore à Achaz en disant :
« Demande un signe pour toi au SEIGNEUR ton Dieu,
au fond, dans le shéol, ou vers les hauteurs, au-dessus. »
Et Achaz dit : « Je n'en demanderai rien, je ne tenterai pas le SEIGNEUR. »
Il dit alors : « Écoutez donc, maison de David !
Est-ce trop peu pour vous de lasser les hommes,
que vous lassiez aussi mon Dieu ?
C'est pourquoi le Seigneur lui-même vous donnera un signe :
Voici, la jeune femme est enceinte,
Elle va enfanter un fils
et elle lui donnera le nom d'Emmanuel.
Il mangera du lait caillé et du miel
jusqu'à ce qu'il sache rejeter le mal et choisir le bien.
Car avant que l'enfant sache rejeter le mal et choisir le bien,
elle sera abandonnée, la terre dont les deux rois te jettent dans l'épouvante. »
(Is 7,10-16)

Le signe* est un événement ou un fait, désigné par le prophète comme porteur d'un sens négatif ou positif. C'est l'annonce ou la manifestation d'une réalité nouvelle ou d'un temps nouveau. En Is 7 le signe est la naissance d'un héritier (v.14) qui assure l'avenir de la dynastie et supprime donc la menace d'un successeur étranger imposé par la Syrie et Israël (v.16). La jeune femme enceinte, ou qui a déjà donné naissance, est sans doute l'épouse du roi Achaz. Son fils reçoit le nom symbolique d'*Emmanuel*, c'est-à-dire « Dieu-avec-nous » : il atteste la présence de Dieu auprès de son peuple dans la dynastie royale. Il concrétise une affirmation fréquente dans l'Ancien Testament : « Dieu est / sera avec toi » ou « Je (Dieu) suis avec toi » (par ex. à Moïse : Ex 3,12), pour l'incarner dans une personne. Cet *Emmanuel* désigne probablement Ézéchias, le fils d'Achaz. Ézéchias en effet a été assez vite associé au trône du vivant de son père (728 ?), avant de prendre sa succession en 716. Dans ses débuts, il s'est montré un roi juste et fidèle à Dieu. Par la suite cependant il a déçu les espoirs du prophète à son égard.

L'oracle de l'Emmanuel appartient à un ensemble souvent appelé « le livret de l'Emmanuel » (6,1–9,6). Deux autres oracles sont liés à celui-ci. Celui de 9,1-6 semble rappeller la naissance du jeune roi ; en fait il évoque le jour de son avènement, lorsqu'il devient le fils adoptif de Dieu. Il possède les qualités royales pour assurer la paix et la justice pour son peuple. Quant à l'oracle de 11,1-9, il se réfère sans doute à l'accession personnelle d'Ézéchias au trône ; non seulement le nouveau roi aura toutes les qualités requises, mais il ouvrira une ère nouvelle où la création tout entière sera réconciliée.

Un texte et ses relectures

Tous ces passages sont lus par les chrétiens comme des annonces de la naissance et de la venue de Jésus Christ. Entre eux et le Nouveau Testament, il y a eu plusieurs étapes de relectures. Le Deuxième Isaïe (ch. 40–55), après les déceptions apportées par l'histoire, les réinterprète par la figure d'un mystérieux Serviteur de Dieu (Is 42,1). Au IIIe siècle av. J.C, la traduction grecque des Septante* rend le terme hébreu *almah*, « jeune femme », d'Is 7,14 par *parthénos,* « vierge ». L'évangile de Matthieu reprend ce dernier terme pour annoncer la naissance de Jésus, fils de Dieu et né de Marie (Mt 1,23). En effet, la présence de Dieu parmi les hommes en Jésus Christ est particulièrement mise en valeur dans cet évangile. En Is 7,14, le nom d'Emmanuel est donné par la mère ; dans la traduction grecque, par le père (« il l'appellera »), et dans Matthieu, par quiconque reconnaît en Jésus la présence de Dieu parmi les humains (« on l'appellera »). C'est ainsi que la prophétie vit et s'actualise.

Isaïe, chantre du Dieu saint

Comme les autres prophètes du VIIIe siècle, Isaïe condamne l'injustice sociale qui règne dans le peuple, tout particulièrement à Jérusalem. Il le fait au nom de Dieu qu'il nomme « le Saint d'Israël ». Dire que Dieu est saint, c'est affirmer à la fois qu'il est Dieu, c'est-à-dire le tout-Autre, et qu'il est le seul Dieu. Le récit que le prophète fait de sa vocation* au ch. 6 met en évidence la conception qu'il a de Dieu et de la mission que celui-ci lui confie. Pour Isaïe, Dieu, le Saint d'Israël, se manifeste tout particulièrement par sa promesse à la dynastie de David et par sa présence dans les lieux qu'il a choisis : le temple et la ville de Jérusalem. La présence du Dieu saint porte en elle à la fois l'annonce de la condamnation et celle du salut. Le peuple de Dieu et Jérusalem subiront un châtiment, mais c'est à Jérusalem que le salut offert par Dieu se manifestera de façon universelle.

Le prophète Michée

Le titre du livre situe la prédication de Michée dans le royaume de Juda entre 740 et 700, comme Isaïe. C'est l'époque de l'expansion assyrienne. Samarie, la capitale du royaume d'Israël, tombe en 722 et le royaume disparaît. L'Assyrie poursuit son expansion au Sud, vers l'Égypte. Un certain nombre de villes de Juda sont investies, le roi assyrien Sennachérib met même le siège devant Jérusalem en 701. La ville est sauve, mais Juda est considérablement amoindri.

La prédication de Michée présente beaucoup de liens avec celle d'Isaïe. Mais tandis qu'Isaïe est un homme de Jérusalem, la capitale, Michée est un homme de la province : il est de la bourgade de Moréshèt, au sud-ouest de Jérusalem, région particulièrement menacée par l'avance assyrienne. Isaïe dénonçait surtout les causes politiques du désastre national en vue ; Michée en stigmatise davantage les causes sociales.

La relation entre jugement et salut, qui est la marque des livres prophétiques, est particulièrement forte dans le livre de Michée. Cette relation structure sa composition, qui alterne oracles de jugement et oracles de salut de la façon suivante :

1–3 : jugement ; 4–5 : *salut* ; 6,1 – 7,7 : jugement ; 7,8-20 : *salut*.

Cette structuration du livre est l'œuvre de ses derniers rédacteurs, après l'Exil babylonien. Malgré des divergences sur les éléments qui remontent au prophète lui-même, il existe toutefois un accord assez général pour penser que les trois premiers chapitres transmettent son propre message.

Le procès entre Dieu et son peuple*

Le livre de Michée s'ouvre par un appel à tous les peuples et à la terre entière à écouter le témoignage de Dieu contre eux et contre son peuple (Mi 1,2). Il est suivi d'une théophanie*, ou manifestation de Dieu (1,3-4), d'un réquisitoire (1,5) et de la sentence (1,6-7). La déclaration de culpabilité concerne les deux capitales, celle d'Israël (Samarie) et celle de Juda (Jérusalem). La sentence concerne Samarie. Le propos de cette ouverture est d'annoncer au royaume de Juda que Jérusalem aura le même sort que Samarie, détruite par les Assyriens en 722. Les v.8-16 du ch.1 montrent la progression de l'ennemi qui atteint les villes qui ont été fortifiées pour protéger Jérusalem.

Le thème du procès est repris et explicité au début du ch. 6 : « Écoutez donc ce que dit le SEIGNEUR... Écoutez, montagnes, le procès du SEIGNEUR, et vous, inébranlables fondements de la terre, car le SEIGNEUR entre en procès avec son peuple. Il plaide contre Israël. » Israël est ici le peuple de Dieu en tant que tel et non pas seulement le royaume du Nord. Un réquisitoire contre le royaume de Juda est développé en 2,1-5 ; 3,1-12 et 6,9-16. Cette forme du procès, que l'on trouve dans plusieurs textes prophétiques, vient sans doute des formules de procès que les suzerains intentaient à leurs vassaux dans l'Ancien Orient. Ces oracles contiennent trois parties : l'accusation dénonçant les infidélités d'Israël ; le rappel des bienfaits du Seigneur et enfin la sentence annonçant le châtiment.

Comme les autres prophètes du VIIIe siècle, Michée dénonce les injustices sociales de son temps. Il insiste pour sa part sur l'accaparement des terres par les gros propriétaires, la malhonnêteté dans le commerce et l'attitude criminelle des responsables du peuple y compris ses responsables religieux, prêtres et prophètes. Le peuple en tant que tel est pris à partie : « Mon peuple, que t'ai-je fait ? » (6,3) demande Dieu, qui rappelle ensuite ses bienfaits passés (6,4-5) et prévient que les compensations par les sacrifices ne servent à rien (6,6-7). Michée 6,8 résume ainsi le cœur de la prédication prophétique : « On t'a fait savoir, ô homme, ce qui est bien, ce que le SEIGNEUR réclame de toi : rien d'autre que d'accomplir la justice*, d'aimer la bonté et de t'appliquer à marcher avec ton Dieu. »

Le prophète et ses adversaires

Le livre de Michée met en scène une confrontation entre opinions divergentes. Le prophète se dresse non seulement contre les gros propriétaires et les hauts fonctionnaires, mais aussi contre certains responsables religieux, en particulier certains prophètes qui égarent le peuple (voir 3,5-11). Ceux-ci parlent et agissent pour recevoir de l'argent, Michée le fait au contraire poussé par l'esprit de Dieu (littéralement « le souffle du SEIGNEUR », voir 3,8). La controverse entre les prophètes mercenaires et le prophète animé de l'Esprit se résume en une question : quelle révélation, c'est-à-dire quelle parole de Dieu, peut servir de référence pour comprendre le présent ? Les adversaires de Michée disent : « Le SEIGNEUR n'est-il pas au milieu de nous ? le malheur ne tombera pas sur nous ». Michée répond : « ... par votre faute, Sion* deviendra une terre de labour, Jérusalem un monceau de décombres, et la montagne du temple une hauteur boisée » (3,11-12). La discussion continue au-delà du ch. 3, mais il est quelquefois difficile de savoir qui sont les interlocuteurs, en particulier dans les ch. 4 et 5.

Un oracle de salut autour de Jérusalem et du temple (repris en partie en Isaïe 2,2-5) apparaît en Mi 4,1-5, juste à la suite de l'oracle de malheur de 3,12. Il contredit ce qui précède, mais aussi la présentation que Michée fait de Jérusalem ainsi que l'oracle de 5,1-3 pour lequel Bethléem est le lieu du salut futur. Certains biblistes pensent que 4,1-5 et une partie du discours qui suit sont à mettre dans la bouche des prophètes qui égarent le peuple. Ceux-ci feraient appel, mais à contretemps, à une parole prophétique déjà connue. D'autres pensent qu'ils ont été ajoutés plus tard. Quoi qu'il en soit, la rédaction finale a conservé la controverse, en y ajoutant éventuellement son propre point de vue. Le texte dit ainsi au lecteur qu'une parole prononcée au nom de Dieu n'est pas vraie en soi. Elle concerne des situations et des temps particuliers et ne peut pas être détournée au profit d'une idéologie quelconque, fût-elle religieuse.

L'accomplissement de la prophétie*

« Et toi, Bethléem-Éphrata, le moindre des clans de Juda, c'est de toi que sortira pour moi celui qui doit gouverner Israël. Ses origines remontent au temps jadis, aux jours antiques » (Mi 5,1). Cet oracle est cité dans le récit de l'enfance de Jésus, en Mt 2,6, sous la forme : « Et toi, Bethléem, terre de Juda, *tu n'es nullement* le moindre des clans de Juda ; car de toi sortira *un chef qui sera pasteur de mon peuple* Israël. » Matthieu retourne le jugement porté sur Bethléem et combine Mi 5,1 avec 2 S 5,2. Mais le dialogue entre Matthieu et Michée va bien au-delà d'un verset cité. Le livre de Michée dévoile et condamne le pouvoir de Jérusalem où la royauté n'est pas à l'image de celle du roi David, mais à celle d'Omri, un roi du Nord de bien mauvaise réputation (6,16). Jérusalem, devenue une ville criminelle, sera déportée à Babylone (4,10).

Au milieu du livre de Michée, Bethléem apparaît comme l'anti-Jérusalem, bourgade sans importance, celle du jeune berger David choisi par Dieu et non pas ville de son règne et de sa gloire. Ce David-là est le modèle du mystérieux personnage que le prophète annonce en l'opposant aux nombreux chefs que le peuple croit pouvoir se donner pour être délivré des menaces ennemies. L'opposition entre Bethléem et Jérusalem joue de façon analogue dans Mt 1,18 – 2,23. Bethléem est le lieu du roi caché et fragile qui vient de naître, Jésus, en opposition à Jérusalem, où règne un roi despotique et cruel, Hérode le Grand.

Dans son état final, le livre de Michée annonce le rétablissement d'Israël réuni autour d'une capitale convertie et d'un chef selon le choix de Dieu. L'évangile de l'enfance de Matthieu rencontre l'attente du livre de Michée d'une façon inattendue. L'accomplissement est plus et autre chose qu'une prédiction réalisée.

Les prophètes du VIIe siècle

Le prophète Nahum

« Oracle sur Ninive. Livre de la vision de Nahum, d'Elqosh » : tel est le titre du livre de Nahum (Na 1,1). Il en annonce le contenu qui rapporte une vision concernant Ninive, la capitale de l'empire assyrien au VIIe siècle. La vision prophétique interprète la réalité par des voies qui ne dépendent ni de la raison ni de la logique ; elle en dévoile la vérité profonde. Cette vision est un oracle* de jugement. L'emploi d'un terme qui signifie « écrit, document », traduit en général par « livre », veut peut-être dire que l'oracle de Nahum avait déjà été mis en partie par écrit au moment de la rédaction finale du livre. Le titre ne nous apprend rien sur Nahum lui-même et Elqosh n'est pas identifié.

Le thème général du livre est l'annonce de la chute de la capitale assyrienne. Il donne lieu à trois développements :
– un psaume introductif affirme que Dieu domine la création entière et juge le monde (1,2-8) ;
– des oracles, adressés successivement à Juda et à Ninive, annoncent la destruction de Ninive et la paix pour les habitants de Juda (1,9 – 2,3) ;
– un long poème célèbre la ruine de Ninive (2,4-19).

Ninive, ville symbole

Souvent dans les textes bibliques la capitale d'un royaume est nommée pour l'ensemble d'un pays, de ses dirigeants ou même du peuple qui l'habite. L'Assyrie ancienne, située dans la Haute-Mésopotamie, au nord de l'Irak actuel, impose sa domination sur le Proche Orient au cours du VIIIe siècle. Ninive en deviendra la capitale. En 722, les Assyriens prennent Samarie et mettent ainsi fin au royaume d'Israël, dont une grande partie des habitants sont déportés. Le royaume de Juda paie un lourd tribut aux conquérants.

Les invasions assyriennes ont laissé le souvenir d'une cruauté particulièrement horrible, avec leur cortège de destructions et de déportations. Le thème de l'oppression assyrienne se rencontre dans plusieurs textes bibliques, où Ninive est le symbole du pouvoir totalitaire bâti sur l'orgueil et l'injustice (voir par exemple Is 10,5-13 ; 30,27-33 ; 31,4-9 ; So 2,12-15). Avec d'autres, comme Babylone par exemple, elle représente les forces hostiles à Dieu et plus généralement les forces du mal. N'importe quel groupe humain, n'importe quelle ville peuvent être à un moment ou un autre cette Ninive-là. Il arrive même que Jérusalem prenne son visage (voir par exemple So 3,1). Le livre de Nahum donne à la description de Ninive une dimension quasi mythique. La force poétique du texte est étonnante. Images, rythme et sonorités soutiennent son propos.

Nahum, un prophète nationaliste ?

L'oracle de Nahum n'est pas daté, mais le texte donne quelques indications à cet égard. La prise de la ville égyptienne de Thèbes par les Assyriens est mentionnée en Na 3,8-10. Elle a eu lieu en 667 ou 663. La chute de Ninive est célébrée à l'avance comme un événement du futur proche. Ninive est tombée sous les coups des Babyloniens en 612 av. J.C. On peut supposer qu'un prophète nommé Nahum a parlé entre ces deux dates, peut-être pendant le règne du roi de Juda, Manassé (687-642), de fort mauvaise réputation (voir 2 R 21,1-18). Ce prophète annonce la libération du peuple de Dieu de l'étranger qui le domine. On pourrait penser qu'il glorifie la chute de l'oppresseur uniquement dans une perspective nationaliste. Mais il pourrait bien adresser aussi un avertissement à ceux qui s'accommodent de la situation, acceptent les influences religieuses étrangères et oublient qui est leur Dieu.

Le psaume qui introduit le livre (1,2-8) donne une clé pour sa lecture. Dieu est à la fois redoutable et bon. Il est le maître de la création. Les forces du mal ne peuvent pas lui résister et elles subissent sa colère. Mais Dieu est aussi lent à la colère (1,3) et bon pour ceux qui lui font confiance (1,7). Le psaume appartient sans doute à la rédaction finale du livre. Celle-ci pourrait être assez tardive et dater d'après l'Exil ou de l'époque de l'Exil, c'est-à-dire la période ou le peuple de Dieu a tout perdu : son pays, son roi et le temple où se manifestait la présence de son Dieu.

Quel que soit le cas, le livre de Nahum affirme avec force que tout pouvoir oppresseur a une fin et que le mal ne triomphera pas, quelle que soit la forme de l'oppression et le temps où elle se manifeste.

Le prophète Habaquq

Le premier verset du livre « L'oracle que reçut en vision Habaquq le prophète » (Ha 1,1) ne donne aucune indication sur la personne du prophète ni sur l'époque où il a parlé. Cependant 1,6 proclame l'arrivée de nouveaux conquérants. Il s'agit des Chaldéens, autre nom des Babyloniens, qui mettent en péril la puissance assyrienne autour de 630. Ils entreprennent dès lors d'imposer leur domination au Proche Orient. À partir de 610 ils soumettent les petits peuples de Syrie-Palestine. Le royaume de Juda subit un certain nombre de campagnes militaires et devient vassal de Babylone. Les paroles d'Habaquq se situent donc vraisemblablement à la fin du VIIe siècle dans une période dramatique. Le Proche Orient est déjà à feu et à sang. Tout annonce la catastrophe pour Juda. Celle-ci surviendra en 587 avec la destruction du temple et de la ville de Jérusalem, et la déportation d'une partie de la population.

Tout comme les autres livres prophétiques, celui d'Habaquq a connu un travail de rédaction qui a repris les paroles du prophète en leur donnant la forme et la composition que nous leur connaissons maintenant. Le livre se présente avec deux titres. Le premier (1,1) peut être considéré soit comme un en-tête à tout le livre soit comme l'introduction des ch. 1–2 qui rapportent un dialogue du prophète avec Dieu. Le second : « Prière. De Habaquq le prophète ; sur le ton des lamentations » (3,1) introduit une prière présentée sous la forme d'un psaume.

Le dialogue du prophète avec Dieu

Le dialogue surgit du questionnement du prophète : « Jusques à quand, SEIGNEUR, appellerai-je au secours sans que tu écoutes ; crierai-je vers toi : À la violence ! sans que tu sauves ? Pourquoi me fais-tu voir l'iniquité et regardes-tu l'oppression ? » (1,2-3a). Jusques à quand ? (1,2 ; 2,6) et Pourquoi ? (1,3.13) sont les deux grandes questions de la littérature de la plainte. Elles portent devant Dieu lui-même le problème que pose son silence à des moments où le mal et l'injustice déferlent. La littérature de la plainte a une place importante dans la Bible, en particulier dans les Psaumes, Job et certains textes des Prophètes. Sans le cri de protestation qui surgit à l'intérieur de la foi, l'être humain risque de sombrer dans la négation de Dieu et le fatalisme.

Le cri du prophète Habaquq aux prises avec la réalité et avec Dieu lui permet de voir plus loin que le présent. Une première réponse de Dieu affirme que l'oppression et la violence existantes seront suivies par un mal encore plus terrible, l'arrivée des Chaldéens (1,6-11). Cette réponse fait rebondir la question du prophète : « Pourquoi regardes-tu les gens perfides, gardes-tu le silence quand l'impie engloutit un plus juste que lui ? » (1,13). Une deuxième réponse affirme alors que le juste pourra vivre (2,2-4). Une série de déclarations de malheur prolonge cette réponse : malheur à l'oppresseur qui subira en son temps les conséquences de son comportement (2,7.10-11.16-17.19b) !

Après le dialogue, la plainte du prophète se transforme en une supplication : « Dans ta colère, souviens-toi d'avoir pitié » (3,1). Celle-ci introduit une théophanie, c'est-à-dire une description symbolique du Dieu qui se manifeste. La prière-complainte du ch. 1 affronte le silence de Dieu, le psaume du ch. 3 exalte au contraire sa manifestation. Il le fait en employant les images traditionnelles des théophanies* dans l'Ancien Orient : venue de la divinité depuis la montagne, bouleversement cosmique, char de la victoire… Tous ces éléments que l'on trouve ailleurs dans les textes bibliques soulignent que c'est le Seigneur, le Dieu d'Israël, qui est Dieu. Mis en relation avec les interventions libératrices de Dieu dans l'histoire de son peuple (3,7 et 15), ils affirment sa victoire sur les forces du chaos et de la mort.

Le juste et le méchant

La question de fond du livre d'Habaquq : pourquoi Dieu laisse-t-il régner le mal ? entraîne la mise en opposition du juste et du méchant. « Oui, l'impie traque le juste, aussi ne paraît plus qu'un droit fléchi ! » (1,4 ; voir 1,13 cité plus haut). Le juste peut être tout membre du peuple écrasé injustement par l'oppression, ou le peuple lui-même souffrant de la tyrannie du conquérant. Il est cela tour à tour. Le début du livre (1,2-4) concerne ce qui se passe à l'intérieur du peuple de Juda où le droit n'est pas respecté. Dieu suscite alors un conquérant comme instrument de sa justice (1,5-6). Mais celui-ci fait régner son droit à lui, selon des règles criminelles qui sont celles de sa force et de son orgueil (1,9-11; 2,6b-20). Cela entraîne sa propre destruction.

Cependant le constat que l'agir du méchant se retourne finalement contre lui ne résout pas le problème posé par le sort du juste. La réponse de Dieu donnée au prophète à ce sujet (2,2-4) ne dit pas que le juste sera rétabli dans ses droits. Elle dit : « Le voici gonflé d'orgueil, celui dont l'âme n'est pas droite, mais le juste vivra par sa fidélité » (2,4). Il s'agit d'ailleurs d'une vision, c'est-à-dire d'un dévoilement de ce qui va au-delà des réalités visibles, présentée ici comme une anticipation de ce qui ne manquera pas d'arriver. Le prophète reçoit l'ordre d'écrire cette vision pour en attester la vérité. La vie du juste, ce qui lui donne son assise et sa valeur au milieu de l'oppression et de la violence, c'est sa fidélité. Le terme hébreu ainsi traduit (*émouna*) peut signifier à la fois, ou suivant les contextes, la persévérance dans l'obéissance à Dieu, la fidélité dans la relation avec lui, la confiance.

Un prophète en temps de crise

Un des intérêts du livre d'Habaquq est de dresser un portrait du prophète, médiateur entre Dieu et les hommes, dans une période particulière de crise. Le prophète est alors témoin de ce qui se passe sur la terre des hommes et il interroge Dieu à ce sujet. Ses questions constituent une prière qui ne lâche pas prise : « Je vais me tenir à mon poste de garde, je vais rester debout sur mon rempart ; je guetterai pour voir ce qu'il (le Seigneur) me dira, ce qu'il va répondre à ma doléance » (2,1). Au milieu du chaos, le prophète continue à se tenir devant Dieu et attend de lui le salut et la vie. C'est en ce sens qu'il est un juste. Il appelle les humains à vivre de cette justice*-là à un moment catastrophique de l'histoire de son peuple.

Le prophète Sophonie

Selon le titre du livre, la prédication de Sophonie a pris place au temps de Josias qui a régné en Juda de 640 à 609. La seconde moitié du VIIe siècle est une période de troubles et d'incertitude dans le Proche Orient ancien, entre l'apogée de la domination assyrienne et la montée du pouvoir babylonien. L'Assyrie a provoqué la ruine des petits États de Syrie-Palestine. Le royaume d'Israël a disparu en 722 et le royaume de Juda, amputé d'une partie de son territoire, subit alors la domination assyrienne. Le règne de Manassé (697-642) est marqué par toutes sortes d'abus et par un désordre religieux lié à l'occupation étrangère. Josias, âgé de huit ans, succède à son père Amon, assassiné après un règne très bref. La minorité du roi est sans doute dominée par des intrigues et des conflits autour du pouvoir. En 622 le roi Josias entreprend une réforme religieuse. Mais il meurt en 609 à Meguiddo, alors qu'il essaie de barrer la route au pharaon Néko, montant au secours de l'Assyrie pour faire échec aux ambitions babyloniennes [*voir* p. 246].

Il est probable que le livre de Sophonie renvoie à la période de minorité du roi Josias, avant la réforme religieuse. Sur le prophète lui-même le texte ne donne pas d'autres renseignements que ceux du titre. Celui-ci fournit une généalogie qui remonte à la quatrième génération, sans doute pour prouver que Sophonie est bien un homme de Juda. Le texte laisse deviner un familier de Jérusalem, qui connaît bien les divers quartiers de la ville et leurs habitants, ainsi que les mœurs des responsables civils et religieux.

On pourrait présenter la composition du livre selon un des schémas classiques de la prédication prophétique :
– menaces contre Juda et Jérusalem : 1,2 – 2,3
– menaces contre Jérusalem et les peuples étrangers : 2,4 – 3,8
– promesses de salut : 3,9-20.

Cependant, ces différentes parties ne sont pas homogènes. Ce qui structure le livre est plus profondément le thème du « jour du Seigneur », et un jeu entre l'universel (la terre entière et les nations qui la peuplent) et le particulier (Jérusalem et le peuple de Dieu).

Le jour du Seigneur

L'expression « le jour du SEIGNEUR » est propre aux livres prophétiques (voir les livres d'Amos, d'Isaïe, de Michée, ainsi que Joël, Abdias, Ézéchiel et Malachie). Il s'agit d'une manifestation attendue de Dieu qui peut prendre des aspects grandioses. Ce jour-là, Dieu doit intervenir pour un jugement qui dévoilera la vérité et le sens des actions humaines.

Il est possible qu'aux débuts de la royauté (fin XIe et Xe s.), le jour du Seigneur ait été espéré comme un jour de salut pour Israël et de condamnation pour ses ennemis. Mais les prophètes des VIIIe-VIIe siècles brisent ce départage. Le peuple de Dieu est, tout comme les autres, soumis au jugement. Pour entendre les paroles de salut, il lui faut d'abord prendre au sérieux celles de la condamnation. Le livre de Sophonie fait apparaître ce double aspect de condamnation et de salut.

En effet, il annonce la proximité du jour du Seigneur en le caractérisant comme le jour du sacrifice* (1,7-8). Un sacrifice comporte deux aspects : l'immolation et la purification. Le premier aspect est développé en 1,8 – 3,8 : Jérusalem et les nations sont détruites tout comme la viande du sacrifice est consumée. Le deuxième aspect est développé à partir de 3,9 : les peuples et Jérusalem sont purifiés, ce qui entraîne la restauration de la ville de Dieu.

Le péché de Jérusalem

Le péché de Juda est concentré dans Jérusalem, sa capitale, qui refuse de chercher Dieu (voir 1,6). Les manifestations en sont la compromission religieuse, la suffisance, l'injustice et la violence. Les responsables du peuple, dirigeants, juges, prêtres et prophètes sont particulièrement pris à partie sous l'accusation d'imposture (1,4-5 et 3,14). Dans son rejet de Dieu, Jérusalem a perdu son statut de ville sainte. Les reproches qui lui sont adressés (1,2 – 2,3 et 3,1-8) encadrent les paroles de menaces contre les peuples qui l'entourent à l'ouest, à l'est, au sud et au nord. En 3,1-8, Jérusalem est une ville anonyme qui prend, sans transition dans le texte, la suite de Ninive, capitale de l'empire assyrien. Jérusalem est pourtant la ville au milieu de laquelle le Seigneur se trouve (3,5), mais elle n'en tient pas compte.

Le « reste » du peuple de Dieu*

En annonçant la condamnation divine, la prédication de Sophonie, comme celle des autres prophètes, propose en même temps une issue (voir 2,3). Mais il adresse aussi une proposition de changement à d'autres que ceux qui sont atteints par la condamnation. Les « humbles de la terre » (2,3 et 3,11-13) constituent « le reste » du peuple, objets des promesses (3,9-20). Ils s'opposent aux responsables religieux et politiques et à tous ceux qui s'enrichissent par l'injustice. Leur seul refuge est « dans le nom du SEIGNEUR » (3,12b-13), contrairement à la majorité de la population de Jérusalem.

Le thème du « reste » est souvent développé dans les livres prophétiques. Le mot reste indique à la fois l'ampleur du désastre (il n'y a plus qu'un reste du peuple) et la possibilité d'un avenir. Dans le livre de Sophonie, le reste du peuple permet la restauration de Jérusalem qui retrouve son identité et son nom (3,14-16). La présence du Seigneur au milieu de la ville se manifeste par le soin qu'il en prend. Cette Jérusalem, qui va naître en « ce jour-là » (3,11.16.19.20), s'oppose à la Jérusalem historique décrite auparavant.

Le particulier et l'universel

Une note d'universalisme apparaît dans les promesses du livre de Sophonie (voir 2,11 et 3,9-10). Jérusalem restaurée cesse de prendre les couleurs des autres peuples et d'y perdre son identité. La confusion religieuse cède la place à une unanimité dans le culte rendu à Dieu. L'universalisme du salut, ainsi suggéré, remplace l'universalisme du jugement. Alors chaque nation peut être à sa place et Jérusalem peut manifester la joie de Dieu au milieu des peuples (voir 3,17).

Le prophète Abdias

Abdias est le plus court des écrits prophétiques et même de tous les livres de l'Ancien Testament. Le livre ne comporte que 21 versets (en un unique chapitre), présentés comme une vision, qui forment un oracle de jugement contre Édom, un petit royaume voisin, au sud-est de la mer Morte. Aucune indication n'est donnée par le texte sur la personne du prophète qui a transmis cette vision.

D'après son contenu, le livre d'Abdias renvoie à la période où le royaume de Juda est brisé par les Babyloniens. Au moment de la chute de Jérusalem en 587, les Édomites ont participé à la destruction et au pillage de la ville (v.10-14). D'après Ézéchiel 35,10 ils en ont profité également pour occuper des territoires de la Judée du Sud. L'oracle a sans doute été transmis peu après 587.

Abdias et le récit biblique

Dans le livre d'Abdias, comme dans d'autres textes de l'Ancien Testament, le peuple d'Édom est désigné par le nom de son ancêtre Ésaü (Gn 36,9.43). Gn 25–35 raconte les conflits entre Ésaü et son frère jumeau Jacob : il s'agit de savoir lequel des deux est béni par Dieu et de se répartir des territoires. L'hostilité entre les descendants des deux frères apparaît au moment de la marche vers le pays de Canaan (Nb 20,20) et lorsque David soumet les Édomites (2 S 8,13-14), provoquant ainsi leur désir de revanche (1 R 11,14-22 ; 2 R 8,20-22). Dans plusieurs textes, Edom est présenté comme le frère-ennemi, un des ennemis types d'Israël ; en particulier Jr 49,7-22, très proche d'Abd v.1-5 (voir aussi Ez 25,12-14 et 35,1-15; Am 1,11-12).

La fraternité ou la revanche ?

L'oracle de jugement contre les nations étrangères est un élément important des textes prophétiques. Ces oracles dénoncent surtout des désordres politiques et / ou sociaux et économiques. Ils suivent la disposition traditionnelle accusation / châtiment. L'oracle d'Abdias brise cet ordre ; cette particularité vient du fait que ce peuple étranger, Édom, est à l'origine un peuple frère. L'oracle commence par l'annonce du châtiment d'Édom-Ésaü (v.1-9) ; il indique les causes de ce châtiment (v.10-15), puis annonce à Israël-Jacob la fin d'Édom (v.16-18). Un commentaire conclusif, ajouté sans doute tardivement, décrit la reconquête territoriale opérée par Israël (19-21).

Cette disposition met en valeur les motifs de l'accusation placés au centre. Ceux-ci sont développés dans un morceau poétique (v.11-14) construit sur la répétition de l'expression « au jour de » (10 fois). L'accusation porte sur la violence exercée par Édom contre Juda, le peuple frère (v.10). « Le jour du frère », celui où Juda était dans le malheur, n'aurait pas dû être pour Édom sujet de joie et de pillage, mais de compassion et de solidarité. À ce jour-là répond le « jour du SEIGNEUR » qui viendra rétablir la justice (v.15a). Là où la fraternité n'est pas vécue, s'applique le principe « comme tu as fait, il te sera fait » (v.15b). La mention du jour* du Seigneur place le jugement d'Édom dans le cadre de celui de tous les peuples, y compris celui d'Israël (voir v.16).

La revanche sous la forme d'une expansion nationaliste de Juda, le frère meurtri, qui semble le propos du commentaire final (v.19-21), est recadrée par la dernière phrase : « Au SEIGNEUR sera l'empire. » Si la violence appelle la violence et l'agression la revanche, le dernier mot n'est cependant pas aux pouvoirs humains mais à Dieu seul.

L'intertextualité biblique

Le problème des conflits entre frères, au sens large, apparaît souvent dans la Bible. Pour toute lecture qui cherche une actualisation, le livre d'Abdias est à mettre en dialogue avec d'autres textes. Abdias montre le cercle vicieux de la violence. D'autres textes disent comment les conflits peuvent être gérés ou proposent un processus de pardon (par exemple Joseph et ses frères, Gn 37–45). L'intertextualité biblique, c'est-à-dire le fait que les textes ont des points de vue différents qui peuvent s'opposer, s'ignorer ou se compléter, ouvre un débat entre les textes eux-mêmes et entre les textes et les lecteurs.

C. D.

LES PROPHÈTES DU VIe SIÈCLE

Le prophète Jérémie

Jérémie exerça le ministère prophétique à Jérusalem entre 626 et 586, soit les quarante dernières années du royaume de Juda. Période particulièrement mouvementée et dramatique : le royaume connaît, à la fin du VIIe siècle, le déclin puis l'effondrement sous les coups de Nabuchodonosor, roi de Babylone. Par deux fois, en 597 et 587, la ville est prise et l'élite de la population exilée à Babylone. En 587, le Temple et les remparts de Jérusalem sont détruits ; Sédécias, le dernier roi de Juda meurt, la monarchie est abolie. Y a-t-il encore un avenir pour le peuple de Dieu ?

Appel à la conversion

Dans un premier temps de sa prédication, avant la prise de Jérusalem, le prophète invite sans cesse les Israélites à la conversion : « Reviens, rebelle Israël, oracle du SEIGNEUR. [...] Revenez, fils rebelles, je veux guérir vos rébellions » (Jr 3,12.22). Dans ses oracles, Jérémie dresse un tableau sévère du comportement du peuple.

Ainsi parle le SEIGNEUR.
Pourquoi ce peuple-là est-il rebelle,
pourquoi Jérusalem est-elle continuellement rebelle ?
Ils tiennent fermement à la tromperie,
ils refusent de se convertir.
J'ai écouté attentivement :
ils ne parlent pas dans ce sens-là.
Nul ne déplore sa méchanceté
en disant : Qu'ai-je fait ?
Tous retournent à leur course,
tel un cheval qui fonce au combat. (8,5-6)

Un peuple pécheur

La dénonciation du péché d'Israël est un thème constant dans les oracles, souvent illustré par des images évocatrices. Dans son comportement concret, le peuple montre qu'il ne connaît pas Dieu. Aucun groupe n'échappe à cette dénonciation : les rois, les grands, les prêtres*, les prophètes, et tous les gens de Juda et de Jérusalem. La parole de Jérémie se fait particulièrement tranchante lorsqu'il dénonce les fausses sécurités que recherche le peuple dans le Temple, la Loi et les idoles, au lieu de mettre sa confiance dans le Seigneur, le seul Dieu d'Israël.

Que font les Israélites en allant au Temple ? Ils crient : « Temple du SEIGNEUR, Temple du SEIGNEUR, Temple du SEIGNEUR ! [...] Nous voilà en sûreté ! » (7, 4.10). Or ces paroles ne sont que des « paroles de mensonge » (7,4.8) car à côté de ces prières, les Judéens commettent des injustices graves : « Quoi ! Voler, tuer, commettre l'adultère, se parjurer, encenser Baal, suivre des dieux étrangers que vous ne connaissez pas, puis venir se présenter devant moi en ce Temple qui porte mon nom ! » (7,9-10). Le culte ne peut être dissocié de la pratique de la justice*, sinon il n'est que mensonge.

L'institution de la Loi, pas plus que celle du Temple, n'apporte la garantie automatique du salut. Dire « nous sommes sages car la Loi du SEIGNEUR est avec nous » (8,8) peut être un mensonge, car la sagesse véritable est mise en pratique de la parole divine. Or Jérémie constate que beaucoup de sages méprisent en fait cette parole.

Les idoles sont une grande tentation pour les Israélites. À côté du Seigneur, le Dieu d'Israël connu au désert, au temps de l'exode, ne conviendrait-il pas de rendre un culte aux dieux de Canaan, les Baals ?

Les dieux babyloniens, Mardouk en tête, ne sont-ils pas des dieux puissants puisqu'ils donnent la victoire à Nabuchodonosor ? Face à l'idolâtrie, la parole du prophète est ferme et sans concession : « marcher derrière la Vanité », c'est devenir soi-même « vanité », c'est « échanger sa gloire contre l'Impuissance » (2,5.11). Le péché est non seulement méconnaissance du Dieu qui a fait « monter du pays d'Égypte » et « marcher dans le désert », mais bêtise : le peuple fait son propre malheur en s'abreuvant aux « citernes lézardées » plutôt qu'à la « source d'eau vive » (voir 2,13).

Dans cette période politique troublée, toutes sortes de prophètes prétendent énoncer la vérité et dire la parole du Seigneur ; d'où de nombreux conflits entre les prophètes. Qui dit la vérité ? Jérémie qui, au risque de passer pour un collaborateur, dit qu'il faut se soumettre à l'ennemi babylonien, ou les prophètes qui annoncent la paix et le bonheur ? Dans le récit du conflit avec Hananya (Jr 28), le texte biblique énonce le critère du vrai prophète : le prophète du Seigneur est celui qui est envoyé par Dieu. Il ne parle que si Dieu lui fait connaître une parole, sinon, il préfère s'en aller plutôt que de proférer une parole de mensonge (28,11).

Qui peut sauver ?

D'où peut alors venir l'espérance, si les institutions fondamentales (le Temple, la Loi, la monarchie) n'apportent plus le salut et que même les prophètes ne sont plus les porte-parole du Seigneur ? La conversion à laquelle Jérémie a tant appelé le peuple dans la première partie de son ministère semble impossible : « Le péché de Juda est écrit avec un stylet de fer, avec une pointe de diamant il est gravé sur la tablette de leur cœur et aux cornes de leurs autels » (17,1).

Seul Dieu peut agir et sauver son peuple. C'est ce qu'annonce le prophète alors que le royaume de Juda est en perdition : « le SEIGNEUR créé du nouveau » (30,22). Cette nouveauté prend une double forme : dans une situation de désolation où l'ordre naturel est perturbé, où le chaos revient, Dieu fera que la femme enfantera à nouveau et surtout il donnera à son peuple une « Alliance nouvelle » (31,31-34) : ce n'est plus le péché qui sera gravé sur le cœur de l'homme, mais la loi donnée par Dieu.

Un homme en dialogue avec son Dieu

Le livre de Jérémie présente la figure d'un prophète en dialogue permanent avec son Dieu. Le mot « parole » et le verbe « parler » sont les plus fréquents dans le livre. Sans cesse, il est écrit que « la parole du

SEIGNEUR fut adressée à Jérémie pour dire » ou que « Jérémie dit au SEIGNEUR ». Le récit de vocation* (Jr 1), préface du livre, est un dialogue entre le Seigneur qui connaît, consacre, établit celui qu'il choisit pour porter sa parole et Jérémie qui fait des objections : sa jeunesse, sa crainte. Le prophète est ainsi défini comme un homme à l'écoute d'un autre, orienté, tendu vers la parole de Dieu, un homme vivant sous la parole. Certains passages du livre de Jérémie nous disent quelle fut la prière du prophète et de ses disciples : « La parole du SEIGNEUR a été pour moi source d'opprobre et de moquerie tout le jour… C'était en mon cœur comme un feu dévorant, enfermé dans mes os. Je m'épuisais à le contenir, mais je n'ai pas pu » (20,8-9). Le prophète exprime ainsi avec diverses images l'expérience de la parole qui l'a secoué, bousculé, vivifié et rendu heureux. Pour lui la parole est un feu, un mal de ventre, un marteau, un vin enivrant, un rempart. Ne dit-il pas au Seigneur :

« Quand tes paroles se présentaient, je les dévorais : ta parole était mon ravissement et l'allégresse de mon cœur » (15,16).

Tout au long du livre, Jérémie est présenté comme l'homme de la parole, celui dont la destinée est en quelque sorte identifiée à la parole de Dieu. On comprend pourquoi le messager de Dieu que fut Jérémie est devenu pour les générations de croyants qui ont édité ses oracles un véritable message.

L'oracle de la nouvelle Alliance (31,31-34)*

Voici venir des jours – oracle du SEIGNEUR – où je conclurai avec la maison d'Israël et la maison de Juda une Alliance nouvelle. Non pas comme l'Alliance que j'ai conclue avec leurs pères, le jour où je les pris par la main pour les faire sortir du pays d'Égypte – mon Alliance qu'eux-mêmes ont rompue bien que je fusse leur Maître, oracle du SEIGNEUR ! Mais voici l'Alliance que je conclurai avec la maison d'Israël après ces jours-là, oracle du SEIGNEUR. Je mettrai ma Loi au fond de leur être et je l'écrirai sur leur cœur. Alors je serai leur Dieu et ils seront mon peuple. Ils n'auront plus à instruire chacun son prochain, chacun son frère en disant : Ayez la connaissance du SEIGNEUR ! Car tous me connaîtront, des plus petits jusqu'aux plus grands – oracle du SEIGNEUR – parce que je vais pardonner leur crime et ne plus me souvenir de leur péché.

Texte fondamental de l'Écriture, l'oracle de l'Alliance nouvelle ouvre un avenir à Israël, de deux manières. L'Alliance, relation conclue par Dieu avec son peuple, qui engage celui-ci à obéir à la Loi, est dorénavant intériorisée et personnalisée : la Loi est inscrite sur le cœur de chacun et non plus sur les pierres des tables de la Loi. Ensuite, la parole de Jérémie annonce le pardon de Dieu sans condition. Dans bien des textes bibliques, le pardon est lié au comportement de l'homme : « Si vous découvrez un homme qui pratique le droit [...], alors je pardonnerai à cette ville (Jérusalem) » (5,1-7). Dans l'oracle de Jérémie, l'Alliance est un nouvel acte gratuit du Seigneur à l'égard d'Israël. La nouveauté de cette Alliance consiste dans le pardon des péchés proposé sans condition préalable, la connaissance de Dieu offerte à tous sans médiation institutionnelle, le don d'une loi inscrite sur le cœur. L'audace spirituelle de Jérémie est d'avoir perçu, au cœur d'une situation politique tragique et de son expérience de croyant, que le pardon précède la conversion. C'est parce qu'il se sait pardonné que l'homme peut revenir à Dieu.

Le Nouveau Testament, dans l'épitre aux Hébreux (8,8-12 et 10, 16-17) reprendra cet oracle du prophète Jérémie pour dire que l'Alliance nouvelle a été effectivement établie par le sacrifice que le Christ a offert librement dans sa mort. Les paroles de l'Eucharistie le redisent : « cette coupe est la *nouvelle Alliance* en mon sang, versé pour vous » (Lc 22,20).

Le prophète Ézéchiel

Ézéchiel exerça son ministère en Babylonie entre 593 et 571, c'est-à-dire à une période particulièrement tragique de l'histoire d'Israël. La ville de Jérusalem est en effet assiégée et prise par l'ennemi babylonien en 597 et 587, une partie de la population est exilée à Babylone ; la ville et le Temple sont détruits en 587, le dernier roi de Juda, Sédécias, est déporté et ses fils sont exécutés. L'avenir est compromis.

Ézéchiel est issu d'une grande famille sacerdotale de Jérusalem. Lorsque Nabuchodonosor, roi de Babylone, prend la ville en 597, Ézéchiel fait partie de ceux qui sont exilés en Babylonie. C'est là, « parmi les déportés du fleuve Kébar » (Ez 1,1) qu'il est appelé au ministère prophétique, « la cinquième année d'exil du roi Joiakîn » (1,2). Ézéchiel est donc un prophète tout à fait particulier : il prononce les oracles du Seigneur en terre étrangère. Ce simple fait aura une importance capitale dans le développement de la théologie d'Israël.

L'activité prophétique d'Ézéchiel s'est donc déroulée en deux temps : avant et après la destruction du Temple et des remparts de Jérusalem en 587. Entre 593 et 587, Ézéchiel annonce le châtiment que le peuple a mérité par ses fautes. Il dénonce le péché d'Israël avec une vigueur inégalée : violence, crimes, orgueil, immoralisme et surtout idolâtrie sont sans cesse dénoncés dans les oracles de cette première période. Entre 587 et 571, après la chute de Jérusalem, Ézéchiel devient le prophète de l'espérance du salut : alors que le peuple est dans le désespoir, il annonce qu'un avenir est encore possible pour Israël.

Le plan du livre d'Ézéchiel est proche de celui de bien d'autres livres prophétiques : oracles de jugement contre Juda (1–24), oracles contre les nations (25–32) puis oracles de salut pour Israël (33–48). L'originalité du livre tient notamment à des innovations dans les formes littéraires : des grandes visions (1–3 ; 8–11 ; 37 ; 40–48) et des rétrospectives historiques (16 ; 20 ; 23) complètent les oracles et les actions symboliques.

La vocation prophétique*

Le livre d'Ézéchiel s'ouvre sur une vision grandiose, celle de la gloire divine qui quitte le Temple de Jérusalem pour la Babylonie. L'audace du prophète est grande. Renouant avec la théologie de l'Exode, Ézéchiel affirme que le Dieu d'Israël, celui qui habite dans le Temple de Jérusalem, n'est pas attaché à ce lieu ; le Seigneur est là où demeure son peuple. Et en ce temps d'exil, le Seigneur est avec son peuple à Babylone, en terre étrangère. Il lui parle, même en exil. Le texte actuel de la vision a été surchargé de nombreuses additions ; en voici l'essentiel.

4 Je regardai : c'était un vent de tempête soufflant du nord, un gros nuage, un feu jaillissant… Au centre je discernai quelque chose qui ressemblait à quatre êtres vivants dont voici l'aspect : ils avaient forme humaine. Ils avaient chacun quatre faces et chacun quatre ailes…, deux ailes se joignant et deux ailes couvrant le corps… Leur aspect était celui de charbons ardents… Le feu jetait une lueur, et du feu sortaient des éclairs…

22 Et il y avait sur les têtes du vivant quelque chose qui ressemblait à un firmament éclatant comme le cristal… Au-dessus du firmament… il y avait quelque chose qui avait l'aspect d'une pierre de saphir en forme de trône, et sur cette forme de trône, dessus, tout en haut, une forme ayant apparence humaine.

27 Et je vis comme l'éclat du vermeil… depuis ce qui paraissait être ses reins et au-dessus ; et depuis ce qui paraissait être ses reins et au-dessous, je vis quelque chose comme du feu et une lueur tout autour ; l'aspect de cette lueur, tout autour, était comme l'aspect de l'arc qui apparaît dans les nuages les jours de pluie. C'était quelque chose qui ressemblait à la gloire du SEIGNEUR. Je regardai et tombai la face contre terre ; et j'entendis la voix de quelqu'un qui me parlait. (Ez 1,4… 29)

Le langage utilisé dans ce récit de vision, avec ses nombreuses images et répétitions, peut nous sembler aujourd'hui un peu étrange, mais l'essentiel est clair. Le prophète ne cherche pas à donner des détails précis sur ce qu'il a vu, mais à transmettre une expérience : il a perçu « quelque chose qui ressemblait à la gloire du SEIGNEUR » ; les termes sont volontairement approximatifs, mais cette vision initiale débouche sur une mission prophétique : « Fils d'homme, je t'envoie vers les Israélites, vers les rebelles qui se sont rebellés contre moi [...]. Tu leur porteras mes paroles, qu'ils écoutent ou qu'ils n'écoutent pas, car c'est une engeance de rebelles » (2,3.7). Le prophète est le porte-parole du Seigneur, son envoyé à un peuple pécheur. La vision se poursuit en une métaphore suggestive. Le prophète n'est pas seulement invité à écouter les paroles que le Seigneur va lui dire, mais aussi à ouvrir la bouche et à manger un livre où il est écrit : « Lamentations, gémisssement et plaintes ». « Ouvre la bouche et mange ce que je vais te donner », dit Dieu. « Je le mangeai, écrit Ézéchiel, et dans ma bouche, il fut doux comme le miel » (2,8 et 3,3).

Des actions symboliques*

Le prophète est l'homme de la parole, mais cette parole ne s'exprime pas seulement avec des mots, elle prend souvent la forme d'actes symboliques. Ainsi, le prophète reçoit un ordre du Seigneur : « Toi, fils d'homme, fais-toi un bagage d'exilé et pars en exil sous leurs yeux [...]. Fais un trou dans le mur par où tu sortiras [...]. Tu chargeras ton ballot sur l'épaule et tu sortiras dans l'obscurité. » Le prophète exécute l'ordre en disant aux Israélites : « Je suis votre présage ; comme j'ai fait, il leur sera fait ; ils iront en déportation, en exil » (12,3-6.11). C'est en acte qu'Ézéchiel annonce aux habitants de Jérusalem qu'ils vont, eux aussi, partir en exil. L'action symbolique la plus forte est sans doute celle où Ézéchiel, qui vient de perdre sa femme, reçoit l'ordre de ne pas la pleurer, en signe du malheur qui va s'abattre sur Jérusalem (24,15-24). La mission du prophète est d'annoncer que la fin est proche ; le jugement de Dieu sur son peuple n'est pas encore allé jusqu'au bout. Dans cette situation complexe et dramatique, le prophète est celui qui voit, qui comprend le sens de ce qui se passe. Car il a été établi « guetteur » pour la maison d'Israël (33,1-9).

Dénonciation du péché

Comme ses prédécesseurs, Ézéchiel ne cesse de dévoiler les fautes du peuple et d'annoncer le châtiment. À travers une grande allégorie*, il relit toute l'histoire de Jérusalem, c'est-à-dire d'Israël, en soulignant que le peuple est pécheur depuis le début.

« *Ainsi parle le* SEIGNEUR *à Jérusalem. Par ton origine et par ta naissance, tu es du pays de Canaan. Ton père était amorite et ta mère hittite. À ta naissance, on ne te coupa pas le cordon, on ne te lava pas dans l'eau pour te nettoyer, on ne te frotta pas de sel, on ne t'enveloppa pas de langes. Tu fus jetée en pleine campagne, par dégoût de toi, au jour de ta naissance. Je passai près de toi et je te vis, te débattant dans ton sang. Je te dis : "Vis !" Tu te développas, tu grandis et tu parvins à l'âge nubile. Tes seins s'affermirent, ta chevelure devint abondante ; mais tu étais toute nue. Alors je passais près de toi et je te vis. C'était ton temps, le temps des amours. J'étendis sur toi le pan de mon manteau et je couvris ta nudité ; je m'engageai par serment, je fis un pacte avec toi – oracle du* SEIGNEUR *– et tu fus à moi.* » (Ez 16,3-8)

En Égypte comme au désert, les pères comme les fils « se sont révoltés contre moi », dit le Seigneur : « Ils ne voulurent pas m'écouter… Ils n'abandonnèrent pas les ordures de l'Égypte… dans le désert, ils ne se conduisirent pas selon mes lois, ils rejetèrent mes coutumes » (20,8.13). C'est pourquoi Dieu ne les a pas encore introduits dans le pays promis, mais dispersés en terre étrangère. Ézéchiel n'hésite pas à réécrire l'histoire connue de tous : la conquête, la prise de possession du pays de Canaan, l'histoire de la monarchie davidique sont passées sous silence. En omettant ces événements, Ézéchiel dit qu'en raison du péché l'histoire d'Israël n'a pas vraiment commencé : l'entrée en terre promise est encore à venir.

À cette relecture de l'histoire succède un oracle de salut : l'Exil aura une fin, le peuple sera rassemblé un jour : « Comme un parfum d'apaisement, je vous accueillerai, quand je vous ferai sortir du milieu des peuples ; je vous rassemblerai des pays où vous vous êtes dispersés… et vous saurez que je suis le SEIGNEUR, lorsque je vous mènerai sur le sol d'Israël, au pays que j'ai juré solennellement de donner à vos pères » (20,41-42).

Annonce du salut

Après la chute de Jérusalem et l'incendie du Temple, en 587, le message d'Ézéchiel change. De pourfendeur du péché du peuple, le prophète devient témoin d'espérance. Le salut prend la forme d'un retour sur la terre et de la proclamation des dons de Dieu. L'Alliance nouvelle annoncée par le prophète Jérémie est actualisée. Par Ézéchiel, le Seigneur dit à son peuple : « Moi, je me souviendrai de mon Alliance avec toi au temps de ta jeunesse et j'établirai en ta faveur une Alliance éternelle [...]. C'est moi qui rétablirai mon Alliance avec toi, et tu sauras que je suis le SEIGNEUR » (16,60.62). Israël sera purifié : « Je répandrai sur vous une eau pure et vous serez purifiés ; de toutes vos souillures et de toutes vos ordures je vous purifierai. Et je vous donnerai un cœur nouveau, je mettrai en vous un esprit nouveau, j'ôterai de votre chair le cœur de pierre et je vous donnerai un cœur de chair. Je mettrai mon esprit en vous » (36,25-27). Ces paroles d'espérance et de réconciliation se développent dans la grande vision des osssements desséchés (37,1-14).

Ce texte célèbre raconte comment Ézéchiel, après en avoir reçu l'ordre, prophétise sur des ossements qui sont l'image de la maison d'Israël. Le peuple, dans son désespoir, est affronté à une question de vie et de mort. En exil, il a tout perdu. Mais il va recevoir le don de la vie par la parole prophétique. Un esprit venu de Dieu redonne vie à ces

REPÈRE

L'EXIL VU PAR LES PROPHÈTES

La période de l'Exil (597-538) fut relativement brève mais décisive, au même titre que l'exode. Ces 50 ans virent une crise des institutions et de la foi dans le SEIGNEUR qui fut l'occasion d'une vaste relecture de l'histoire d'Israël : comment en est-on arrivé là ? Qui est responsable ? Le Dieu d'Israël est-il vraiment le seul Dieu ? Les prophètes lurent cet événement de l'Exil comme un jugement de Dieu sur son peuple, un appel à la conversion, une épreuve purificatrice du même type que celle du désert.

Depuis Amos, au VIIIe siècle, tous les prophètes ont annoncé que Dieu jugerait un jour son peuple infidèle. La chute de Samarie, en 722, est une conséquence du péché de la maison d'Israël qui vit dans une injustice criante. Amos l'avait annoncé : « la fin est venue pour Israël » (Am 8,2). Osée se fait tout aussi menaçant devant le culte des Baals : « Puisqu'ils sèment le vent, ils moissonneront la tempête » (Os 8,7). Dans la perspective de la théologie de la rétribution, la prédication des prophètes autour de l'Exil souligne que la victoire de Babylone est une conséquence de l'infidélité. C'est le peuple qui est responsable de la situation et c'est le Seigneur qui a envoyé Nabuchodonosor. Ce lien entre malheur et péché est explicite dans les livres de Jérémie et d'Ézéchiel : « Et si tu dis dans ton cœur : Pourquoi de tels malheurs m'arrivent-ils ? C'est pour l'immensité de ta faute qu'on t'a relevé les robes, qu'on t'a violentée [...]. Tel est ton lot, la part qui t'est allouée. Cela vient de moi – oracle du SEIGNEUR – puisque c'est moi que tu as oublié en te confiant au Mensonge. » (Jr 13,22.25)

Mais les prophètes annoncent aussi que le cours de l'histoire peut changer. Le châtiment n'est pas le dernier mot de Dieu. Si le peuple revient et marche selon ses lois, il le conduira sur la terre qu'il a promise à ses pères. Après 587, Ézéchiel et le Deuxième Isaïe vont annoncer aux exilés qu'un jour le Seigneur les libérera du joug de Babylone, comme de l'Égypte autrefois. Leur retour au pays sera un nouvel Exode : les dispersés d'Israël reviendront dans la joie pour proclamer les louanges du Seigneur (voir Is 43,21), découvrir que la terre est un don, non un dû.

Quel sens donner au creuset de l'Exil ? Les théologies des écoles sacerdotale et deutéronomiste ont donné des réponses plurielles. À chacun d'interpréter le sens des événements pour y reconnaître, à l'aide des prophètes, les signes d'un Dieu qui appelle l'humanité à vivre en Alliance avec lui et à recevoir cette promesse : « Je serai leur Dieu et ils seront mon peuple » (Jr 31,33).

ossements : la parole est efficace, elle recrée. Le peuple, à nouveau vivant, pourra être appelé « peuple de Dieu ». Il ne faut pas encore voir dans cette vision une affirmation de la résurrection individuelle, qui n'apparaîtra qu'à l'époque des Maccabées (IIe siècle av. J.C.), mais une parole de recréation du peuple d'Israël.

1 La main du SEIGNEUR fut sur moi, et il m'emmena par l'esprit du SEIGNEUR, et il me déposa au milieu de la vallée, une vallée pleine d'ossements. Il me la fit parcourir parmi eux en tous sens. Or les ossements étaient très nombreux sur le sol de la vallée, et ils étaient complètement desséchés. Il me dit : « Fils d'homme, ces ossements vivront-ils ? » Je dis : « Seigneur DIEU, tu le sais. » Il me dit : « Prophétise sur ces ossements. Tu leur diras : Ossements desséchés, écoutez la parole du SEIGNEUR. Ainsi parle le Seigneur DIEU à ces ossements. Voici que je vais faire entrer en vous l'esprit, et vous vivrez. Je mettrai sur vous des nerfs, je ferai pousser sur vous de la chair, je tendrai sur vous de la peau et je vous donnerai un esprit, et vous vivrez, et vous saurez que je suis le SEIGNEUR. »

7 Je prophétisai, comme j'en avais reçu l'ordre. Or il se fit un bruit au moment où je prophétisais ; il y eut un frémissement et les os se rapprochèrent l'un de l'autre. Je regardai : ils étaient recouverts de nerf, la chair poussait et la peau se tendait par-dessus, mais il n'y avait pas d'esprit en eux. Et il me dit : « Prophétise à l'esprit, prophétise, fils d'homme. Tu diras à l'esprit : Ainsi parle le Seigneur DIEU. Viens des quatre vents, esprit, souffle sur ces morts, et qu'ils vivent. » Je prophétisai comme il m'en avait donné l'ordre, et l'esprit vint en eux, et ils reprirent vie et se mirent debout sur leurs pieds : grande, immense armée.

11 Alors il me dit : « Fils d'homme, ces ossements, c'est toute la maison d'Israël. Les voilà qui disent : "Nos os sont desséchés, notre espérance est détruite, c'en est fait de nous." C'est pourquoi, prophétise. Tu leur diras : Ainsi parle le Seigneur DIEU. Voici que j'ouvre vos tombeaux, et je vais vous faire remonter de vos tombeaux, mon peuple, et je vous reconduirai sur le sol d'Israël. Et vous saurez que je suis le SEIGNEUR, lorsque j'ouvrirai vos tombeaux, mon peuple. Et je mettrai mon esprit en vous, et vous vivrez, et je vous installerai sur votre sol, et vous saurez que moi, le SEIGNEUR, j'ai dit et je fais, oracle du SEIGNEUR. » (Ez 37,1-14)

Théologien de l'école sacerdotale

Prophète, Ézéchiel est resté prêtre* : sa prédication reprend bien des thèmes de la théologie sacerdotale élaborée pendant l'Exil. Le Temple est l'une de ses préoccupations majeures, qu'il s'agisse du Temple d'avant 587 qui est souillé par « les abominations affreuses que la maison d'Israël pratique » (8,6) et que quitte la gloire du Seigneur (Ez 10), ou du Temple futur que le prophète décrit minutieusement dans la grande vision finale (40–48). L'eau qui sort du Temple dit la présence du Seigneur au milieu de son peuple, source de vie et de renouveau (Ez 47). Ézéchiel a le culte de la Loi : le reproche d'avoir « profané les sabbats » revient comme un refrain. Il a un grand souci de séparer le sacré du profane, le pur de l'impur ; on trouve dans son livre de nombreuses formules juridiques. Sa pensée se rapproche souvent de celle des textes sacerdotaux du Pentateuque, notamment du livre du Lévitique.

Lié au culte, le thème de la gloire de Dieu apparaît à des moments importants, dans les grandes visions du prophète : la gloire du Seigneur quitte le Temple de Jérusalem (8–11) ; elle arrive en Babylonie, et c'est dans cette vision qu'Ézéchiel situe sa vocation (1–3). Écrasé par cette révélation de la transcendance de Dieu, Ézéchiel perçoit sa petitesse. En face de la gloire, il n'est qu'un « fils d'homme », un simple humain. La gloire du Seigneur retournera finalement dans un Temple renouvelé (Ez 43), qui sera dorénavant le centre de la vie du peuple et où pourra se dérouler le culte du Dieu vivant.

J. F.

Quatrième partie :

Sous les Perses les Grecs et les Romains

Sous les Perses, les Grecs et les Romains

La dernière grande partie de l'histoire d'Israël avant notre ère commence avec la fin de l'Exil, déclenchée par l'entrée victorieuse de Cyrus à Babylone en 539. Non pas que tous les Judéens – ou Juifs – se soient précipités pour rentrer à Jérusalem, loin de là ! En fait les communautés d'exilés, désormais bien implantées en Babylonie, vont continuer leur existence paisible et prospère sous le règne de Cyrus et de ses successeurs. À Jérusalem comme en Babylonie, les communautés juives s'organisent autour de leur Loi, que reconnaît le pouvoir perse.

Deux siècles plus tard, en 332, le jeune Alexandre réussit à s'emparer de cet empire démesuré qui va de l'Égypte à l'Inde. Dès lors les communautés juives, comme tous les peuples du Proche Orient, sont confrontés à la culture grecque, ou plutôt hellénistique, aussi brillante qu'étrangère aux traditions orientales. Dominé tour à tour par le royaume grec d'Égypte, puis par celui de Syrie et Mésopotamie, le peuple juif connaît l'humiliation, et même la persécution au temps de Judas Maccabée (vers 165). Mais un sursaut national redonne une certaine indépendance à la Judée, avec la dynastie juive des Asmonéens (de 142 à 63).

Enfin, en 63 avant notre ère, les troupes de Rome prennent pied sur la côte du Proche Orient pour y contrôler peu à peu le commerce et la politique de leurs alliés. Le général Pompée pénètre même dans le temple de Jérusalem, marquant ainsi le début d'une occupation qui aboutira aux deux terribles guerres juives de 66-70 (Titus) et de 132-135 (Hadrien).

*

*Comme dans la partie précédente, nous suivrons d'abord l'***histoire** *de ces cinq siècles, dont nous venons d'indiquer rapidement les grands repères avec les dominations successives des* Perses, *des* Grecs *et des* Romains. *Exceptionnellement, nous joindrons à l'histoire de l'Empire perse la présentation de quelques prophètes (comme le « Deuxième Isaïe »), tellement leur activité est liée à l'arrivée de Cyrus et au retour à Jérusalem des groupes d'exilés.*

Puis nous étudierons cette même période de manière synthétique en y observant la **formation du judaïsme**. *Pour cela nous suivrons le même modèle que précédemment, en abordant successivement les trois grandes traditions religieuses du judaïsme : d'abord celle des* prêtres *(avec le Temple de Jérusalem et la Tora), puis celles des* prophètes *dont nous verrons la fin (avec la naissance de l'apocalyptique) et enfin celle des* sages, *dont la réflexion théologique a été particulièrement riche.*

L'histoire : de l'exil à Jésus

Les Perses

L'Empire perse

Au VIe siècle avant notre ère, l'histoire biblique est centrée sur les notables de Juda exilés en Babylonie. Leur situation va brusquement changer avec l'arrivée de Cyrus, roi des Perses, à Babylone, en 539. Très vite il va autoriser le retour des Judéens – désormais appelés généralement Juifs – dans leur patrie, à Jérusalem. Avant d'esquisser les grandes lignes de l'Empire perse, qui conditionne l'histoire biblique pendant deux siècles (539-332), il est utile de rappeler d'abord la fin de l'Empire babylonien [*voir* p. 253].

Cyrus et la fin de l'Exil en Babylonie

Le dernier roi de Babylone

La mort de Nabuchodonosor en 562 ouvrit des temps difficiles : en mois de dix ans, trois souverains se succédèrent à Babylone et la situation internationale devint menaçante : les Mèdes, anciens alliés contre l'Assyrie, attaquèrent le nord du pays (en 556). Cette année-là, un groupe d'officiers rebelles, qui rejetaient la puissance économique du clergé du dieu Mardouk, donna le pouvoir à Nabonide. Il n'était pas de sang royal, mais fils d'une grande dame de la cour. Sa dévotion au dieu lunaire Sin déplaisait au clergé. Se considérant comme héritier légitime de la dynastie, Nabonide renoua avec la politique impérialiste d'antan et entreprit des expéditions en Cilicie, contre Hamath et contre la Syrie (554-553).

Il prit alors une décision lourde de conséquences : laissant le gouvernement de la Babylonie à son fils Bel-shar-ouçço ur (le « Balthazar » de la Bible), il se retira dix années en Arabie, dans l'oasis de Téma. Une telle absence mettait en péril l'équilibre de l'empire, puisque la fête de l'*Akitou* (le Nouvel An, le renouvellement du temps) ne pouvait être célébrée en l'absence du roi-prêtre ; ce qui blessait le nationalisme du clergé de Babylone. On peut expliquer cette absence par des raisons politiques et économiques : face à la montée du pouvoir perse, Nabonide cherchait à se déprendre du puissant clergé de Mardouk, tout en essayant de contrôler les routes caravanières d'Arabie. Mais il s'aliéna son peuple, au point d'acquérir une réputation durable de folie (attribuée à Nabuchodonosor en Daniel 4), et surtout il resta trop éloigné du théâtre d'un nouveau péril : la montée du pouvoir perse, à l'Est.

Cyrus le conquérant

De son vrai nom élamite Kurash, Cyrus devint roi d'Anshan en 557, avant de se révolter contre Astyage le Mède et de s'emparer de sa capitale, Ecbatane (avant 550). Commença alors une irrésistible ascension qui, en vingt ans, mit Cyrus à la tête d'un vaste empire, de l'Iran à la Turquie, en passant par la Syrie-Palestine. Inquiété par cette victoire sur Astyage, Crésus, roi de Lydie, avec l'appui de Sparte, de l'Égypte et de Nabonide voulut porter un coup fatal à ce trop bruyant voisin. Mais il fut surpris par Cyrus qui traversa le fleuve Halys en plein hiver pour venir l'attaquer. Peu après, la chute de Sardes et de Crésus devant Cyrus causa dans tout l'Orient une grande stupeur dont témoigne le Deuxième Isaïe : « Qui a suscité de l'Orient celui que la justice appelle à sa suite, auquel Il (Dieu) livre les nations, et assujettit les rois ? Son épée les réduit en poussière, et son arc en fait une paille qui s'envole. Il les chasse et passe en sécurité par un chemin que ses pieds ne font qu'effleurer » (Is 41,2-3). Puis Cyrus se tourna vers l'Est (jusque vers 540), mais envoya ses généraux mater une rébellion des cités grecques en Ionie.

En Babylonie, le retour de Nabonide ne put stopper la menace, d'autant que le pays était intérieurement miné par l'opposition larvée du clergé de Mardouk et le mécontentement populaire. En 539, l'attaque perse se fit plus précise. Durant l'été, Cyrus envahit le nord de la région et défit l'armée de Nabonide, qui dut se replier sur Babylone. Celui-ci avait regroupé les statues divines des grands temples, pour qu'elles échappent à l'ennemi, et entassé des réserves de vivres pour soutenir un long siège. Mais l'habileté tactique de Cyrus, qui détourna le cours de l'Euphrate, ainsi que la trahison d'Ougbarou permirent que la prestigieuse cité tombe sans réel combat, comme le rapporte la

Chronique babylonienne : « Le 14e jour de tishri (octobre), Sippar fut prise sans combat. Nabonide s'enfuit. Le 16e jour, Ougbarou, gouverneur du Goutium, et les troupes de Cyrus entrèrent sans combat à Babylone. Dans la suite, Nabonide, alors qu'il était revenu, fut pris à Babylone. »

DOCUMENT

CYRUS, L'ENVOYÉ DE MARDOUK

Ce bulletin de victoire de Cyrus, gravé sur un cylindre d'argile, fut trouvé à Babylone par l'archéologue anglais Rassam. Pour les prêtres de Mardouk qui ont écrit cet éloge, Cyrus a été appelé par le dieu pour délivrer Babylone et restaurer ses temples. Le roi victorieux permet aux populations déplacées de retrouver leurs patries, d'y ramener leurs divinités et d'y rebâtir leurs temples. Le Deuxième Isaïe annonce également la victoire de Cyrus, mais il l'interprète comme l'intiative du Dieu d'Israël envers les Judéens exilés.

Mardouk, le grand Seigneur, le gardien de ses gens, regarda avec joie les bonnes actions de Cyrus et son cœur droit, et lui ordonna d'aller vers sa ville Babylone. Il lui fit prendre la route de Babylone, alla sans cesse à son côté comme un ami et un compagnon, tandis que s'avançaient à son côté, ceintes de leurs armes, ses vastes troupes dont la quantité est aussi indéterminée que celle des eaux du fleuve. Il le fit entrer à Babylone sans bataille ni combat ; il délivra sa ville Babylone de l'oppression, il livra à sa main Nabonide, roi qui ne le craignait pas. Les gens de Babylone, eux tous, l'ensemble du pays de Sumer et d'Akkad, les princes et gouverneurs s'agenouillèrent devant lui et lui baisèrent les pieds; ils se réjouirent de l'avoir pour roi et leurs visages brillèrent. Ils ne cessèrent pas de bénir avec faveur Mardouk qui, par son appui, avait fait revivre les dieux quasi morts et avait sauvé tous les dieux de la nécessité et de la tribulation, et ils célébrèrent son nom.

« Moi, Cyrus, roi de l'univers, grand roi, roi de Babylone, roi du pays de Sumer et d'Akkad, roi des quatre contrées [...], lorsque j'entrai pacifiquement dans Babylone, j'établis dans l'allégresse et la jubilation le siège de la souveraineté dans le palais du prince. Mardouk, le grand Seigneur, s'est acquis en moi un large cœur qui aime Babylone [...] et chaque jour je cherche qu'il soit craint. Mes vastes troupes se sont avancées en paix dans Babylone ; à l'ensemble du pays de Sumer et d'Akkad je n'ai laissé personne qui fasse peur; j'ai veillé sans cesse au bien-être de la ville de Babylone et de tous ses lieux saints. [...] Mardouk, le grand Seigneur, se réjouit de mes bonnes actions, avec bonté il me bénit, moi Cyrus, roi qui le craint, ainsi que Cambyse, le fils issu de ma chair, et l'ensemble de mes troupes ; et nous allâmes heureusement notre chemin, devant lui dans le bien-être. À son ordre auguste l'ensemble des rois qui siègent sur des podiums, ceux de toutes les contrées depuis la mer d'en haut jusqu'à la mer d'en bas qui habitent dans des tentes, eux tous m'apportèrent leur lourde redevance et baisèrent mes pieds à Babylone.

« Depuis les villes de Ninive, d'Assur et de Suse, d'Akkadé [...] je ramenai à leur place les dieux qui y avaient habité et je les fis résider en une demeure perpétuelle ; je rassemblai tous leurs gens et je les ramenai à leurs localités. Quant aux dieux du pays de Sumer et d'Akkad que Nabonide avait introduits à Babylone à la colère du Seigneur des dieux, sur l'ordre de Mardouk, le grand Seigneur, je leur fis habiter dans leurs logis une demeure agréable dans le bien-être. Que tous les dieux que j'ai fait rentrer dans leurs lieux saints parlent chaque jour devant Bêl et Nabou du prolongement de mes jours, qu'ils prononcent des paroles en ma faveur. »

(Trad. M.-J. Seux.)

Hérodote précise que cette conquête s'effectua alors que la ville était en fête ; ce que confirme (à sa manière fort légendaire) le récit biblique de Daniel : alors que Balthazar offrait « un grand festin pour mille de ses grands », buvant et ripaillant grandement, l'adversaire s'empara de la ville et « cette nuit-là, le roi chaldéen Balthazar fut assassiné » (Dn 5,30). Le Deuxième Isaïe fait écho, lui aussi, à l'événement (Is 47,1-4).

Cyrus fit preuve d'une grande clémence : Nabonide eut la vie sauve ; la ville et ses temples ne subirent aucun pillage. Cyrus donne sa version des événements dans un texte célèbre, le Cylindre de Rassam [*voir* p. 325]. Même s'il faut faire la part de la propagande dans ce texte, pareille clémence tranchait avec la politique de massacres et déportations conduite par les souverains assyriens et babyloniens. D'où l'image positive de ce roi dans la tradition biblique ; il reçoit même le titre de « messie* » [*voir* p. 334]. À l'instar des souverains davidiques, Dieu le tient « par la main droite, pour faire plier devant lui les nations et désarmer les rois, pour ouvrir devant lui les vantaux, pour que les portes ne soient plus fermées » (Is 45,1).

De Cyrus à Darius Ier

Cyrus (551-529)

En accord avec le Cylindre de Rassam, la *Chronique babylonienne* rapporte la clémence dont fit preuve Cyrus lors de la prise de Babylone, au point que le culte se poursuivit sans interruption. Pareille politique de respect religieux fut également appliquée dans le temple de Sin à Our. D'emblée, les souverains perses Achéménides axèrent leur propagande sur cette politique attentive aux coutumes et traditions religieuses locales ; ce dont témoignent aussi les livres de Néhémie et d'Esdras, et maintes victoires durent plus à la diplomatie qu'à la force des armes. Cyrus le conquérant fut aussi un bâtisseur qui dota son empire d'une nouvelle capitale, Pasargadès. Il mourut en 529, sans doute dans une campagne contre les nomades d'Asie.

Cambyse (529-522)

Le nom de Cambyse, fils de Cyrus, reste lié à la conquête de l'Égypte, entreprise en 525, à la mort du pharaon Amasis. Sa victoire à Péluse dut beaucoup à la trahison d'un haut fonctionnaire de Saïs. Bien qu'il s'acquittât honnêtement de ses fonctions pharaoniques, la postérité retint de Cambyse une réputation de cruauté et de despotisme. Hérodote prétend même qu'il blessa à mort le bœuf sacré Apis. Pareille image est démentie par un texte contemporain et des inscriptions du Sérapéum de Memphis ; la légende provient sans doute de l'animosité de certains prêtres. Cambyse poursuivit une politique respectueuse de la religion égyptienne. Il mourut sur la route du retour vers la Perse.

Darius Ier (522-486)
À l'annonce de cette mort, des troubles violents éclatèrent dans tout l'empire. Darius Ier en sortit vainqueur et nous en a laissé le récit gravé sur la célèbre falaise de Béhistoun, en Iran. À l'en croire, un faux mage, Gaumata, s'était emparé du pouvoir ; mais il devait s'agir en fait de Bardiya, frère de Cambyse, que la propagande royale transforma plus tard en usurpateur. Par sa politique religieuse et sociale, Bardiya s'était aliéné l'aristocratie perse, qui choisit Darius comme roi, bien que n'appartenant pas à la famille royale. Au terme d'une guerre civile de deux années, Darius imposa son pouvoir. Dans ce contexte troublé s'éleva en Judée la prédication du prophète Aggée [*voir* p. 341] : les bouleversements de l'empire faisaient renaître des espoirs de restauration monarchique, et Zorobabel, prince davidique, fut salué comme l'élu du Seigneur (Ag 2,23). Mais le retour à l'ordre perse rendit vains ces espoirs ; en parcourant l'empire, les cavaliers trouvent que « toute la terre est tranquille et en repos » (Za 1,11). Le grand ébranlement qui devait rétablir Jérusalem dans sa gloire d'antan n'avait pas eu lieu.

À l'image de ses prédécesseurs, Darius Ier fut un grand conquérant qui étendit vers l'Europe ses conquêtes (la Thrace) et soumit les Grecs d'Asie, mais sans pouvoir s'imposer de l'autre côté de la mer Égée (défaite de Marathon en 490). Il fut aussi un administrateur qui organisa son immense empire en diverses provinces ou satrapies. Il lança un vaste programme de construction à Persépolis et à Suse, où se mêlent les influences égyptienne, grecque et surtout mésopotamienne. Aussi laissa-t-il dans l'histoire l'image d'un grand souverain, tolérant envers les traditions et les cultes locaux, tant en Égypte qu'en Asie et en Judée (Esdras 5 – 6).

Des successeurs de Darius à Alexandre

Xerxès Ier (486-464)
Le fils de Darius succéda à son père en pleine crise : rébellion de l'Égypte en 486, suivie de deux révoltes à Babylone. La réputation de brutalité de Xerxès est confortée par le récit d'Hérodote qui s'étend longuement sur les guerres médiques ; sa défaite à Salamine (en 480) mit fin à son rêve de conquérir la Grèce. Xerxès n'est pas épargné non plus par le récit biblique : Esdras 4 rapporte l'interdiction opposée par le roi à toute reconstruction du rempart de Jérusalem et le roman d'Esther le dépeint (sous le nom d'Assuérus) comme un despote oriental.

Le récit reflète sans doute les nombreuses intrigues de cour et de harem qui marquèrent son règne, mais il ne faudrait pas réduire Xerxès à cette légende noire. Selon Ctésias, médecin grec à la cour perse soixante ans plus tard, le roi fut assassiné par trois courtisans, qui accusèrent du meurtre son fils aîné Darius. S'ensuivit une lutte à mort qui porta au trône un autre fils du roi, Artaxerxès.

D'Artaxerxès Ier à Artaxerxès II (464-359)

D'Artaxerxès Ier (464-424), ce roi issu des intrigues, ne retenons qu'un événement : l'envoi de Néhémie à Jérusalem, en 445, avec mission de relever le rempart écroulé de Jérusalem. Quand il mourut en 425, trois de ses fils lui succédèrent en peu de temps : les deux premiers, Xerxès II et Sogdianos (424), assassinés après quelques mois de règne, puis Darius II (423-404). C'est sous son règne que la colonie juive d'Éléphantine, près d'Assouan, sur le Nil, nous est connue par la découverte

DOCUMENT

LES JUIFS D'ÉLÉPHANTINE

À l'époque perse, l'île d'Éléphantine en Haute-Égypte, face au port fluvial d'Assouan (Syène), abritait une importante communauté juive, rattachée à la garnison militaire de cette capitale provinciale. La vie et les problèmes concrets de cette communauté nous sont connus grâce aux nombreux documents sur papyrus, cuir et poterie parvenus jusqu'à nous. En 410 avant notre ère, une émeute locale aboutit au sac du « temple de Yahô (YHVH) » ; les responsables de la communauté se plaignent alors aux autorités perses de Judée dans une lettre en araméen datée de 407, dont voici des extraits.

À notre maître Bagôhî, gouverneur de Judée, tes serviteurs Yédonyah et ses collègues, les prêtres d'Éléphantine-la-forteresse. […] Maintenant, ton serviteur Yédonyah et ses collègues parlent ainsi : Au mois de Tammouz (juillet), l'an 14 du roi Darius, lorsqu'Arshâma partit et alla auprès du roi, les prêtres de Khnoub, le dieu (égyptien) qui est à Éléphantine-la-forteresse, donnèrent de l'argent et des biens à Vidranga, le gouverneur qui était ici : « Le sanctuaire de Yahô le dieu qui est à Éléphantine-la-forteresse, qu'on le fasse disparaître de là ! » […]

Au temps où ce mal nous fut fait, nous avons envoyé une lettre à ce sujet à notre maître et aussi à Yahohanan le grand prêtre et à ses collègues, les prêtres de Jérusalem, et à Oustâna frère de Anani et aux notables de Judée : on ne nous a pas envoyé une seule lettre. Bien plus, depuis le mois de Tammouz de l'an 14 du roi Darius et jusqu'à ce jour, nous sommes revêtus de sac et nous jeûnons ; nos femmes ont une tenue de veuve ; nous ne faisons pas d'onction d'huile et nous ne buvons pas de vin. En outre, depuis ce temps-là jusqu'à ce jour, en l'an 17 du roi Darius, on n'a fait dans ce sanctuaire ni offrande, ni encensement, ni holocauste. Maintenant, ton serviteur Yédonyah et ses collègues […] et tous les Juifs citoyens d'Éléphantine parlent ainsi : « S'il paraît bon à notre maître, soucie-toi de ce sanctuaire à reconstruire, puisqu'on ne nous permet pas de le reconstruire. […] »*

Au sujet de toute l'affaire, nous avons envoyé une lettre en notre propre nom à Dalayah et Shèlèmyah, les fils de Sanballat, le gouverneur de Samarie. […] »

(Trad. J. Briend.)

de ses archives. C'est lui notamment qui intervint dans les communautés juives pour fixer la célébration de la Pâque, comme on le voit dans le « Papyrus pascal » provenant de la communauté juive d'Éléphantine,

Dès son avènement, Artaxerxès II (404-359) eut à affronter de nouvelles révoltes, notamment en Égypte qui se proclama indépendante. En 401, son frère Cyrus le jeune prit la tête d'une armée comprenant 10 000 mercenaires grecs, avant de perdre la vie à la bataille de Caunaxa (nord de la Babylonie) ; il s'ensuivit une longue déroute racontée par l'historien grec Xénophon dans l'*Anabase*. Ne retenons qu'un autre fait, important pour notre propos : sans doute est-ce ce roi qui confia au prêtre-scribe Esdras, en 398, la mission de promulguer « la Loi de ton Dieu – qui est la Loi du roi » (Esd 7,26) ; mais certains auteurs optent plutôt pour Artaxerxès Ier (en 458) ; le débat reste ouvert [*voir* p. 360].

La fin de l'Empire perse

Son fils et successeur Artaxerxès III (359-338) élimina d'emblée tous ses rivaux et, malgré de sérieuses révoltes à l'Ouest, put reconquérir l'Égypte en 343. Cela n'empêcha pas son assassinat cinq ans plus tard par Bagoès, le chef de ses eunuques, qui impose le faible Arsès (337-336). Période de rivalités et de troubles entre Arsès et Bagoès qui, une fois encore, se solda par l'empoisonnement du roi. Darius III

DOCUMENT

LE PAPYRUS PASCAL

Les archives sur papyrus de la communauté juive d'Éléphantine témoignent, jusque vers 410, des rapports entre elle et Jérusalem, la mère patrie. Outre des lettres et des textes de sagesse (Ahiqar), certains documents ont une grande valeur pour l'histoire biblique. C'est le cas du « Papyrus pascal », daté de 419, où le roi Darius II appuie de son autorité la législation sacerdotale juive concernant le calendrier de la Pâque*, non encore observé à Eléphantine.

À mes frères Yédonyah et ses collègues, la garnison juive, votre frère Hananyah. Que les dieux (sic) *accordent la prospérité de mes frères ! Et maintenant, cette année-ci, l'an 5 du roi Darius, il a été mandé par le roi à Arsama [...]. Maintenant, vous, comptez ainsi quatorze jours depuis le premier jour (du mois) de Nisan et faites la Pâque. Et depuis le quinzième jour jusqu'au vingt et unième jour, ce sera pour vous la fête des Azymes. Maintenant, vous, soyez purs et prenez garde : ne faites pas de travail le quinzième ni le vingt et unième jour. En outre, ne buvez pas de bière et ne mangez rien de fermenté. Mangez des azymes depuis le quatorzième jour de Nisan au coucher du soleil, jusqu'au vingt et unième jour de Nisan au coucher du soleil. Pendant sept jours, n'introduisez pas de levain dans vos chambres, et tenez-vous à l'écart pendant ces jours-là. Qu'il soit fait ainsi chez vous, selon que l'a dit le roi Darius.*

(Trad. P. Grelot.)

Codoman (335-330) s'imposa à son tour et rétablit l'ordre dans l'empire en éliminant Bagoès. Il dut faire face aussi à une nouvelle révolte de l'Égypte. Le plus grave vint d'ailleurs pourtant et il ne put résister longtemps à un jeune conquérant surgi d'Occident, Alexandre de Macédoine, qui dès 334 mena ses armées en Asie. En seulement trois grandes batailles (au Granique en 334, à Issos en 333, puis à Gaugamèles en 331), il se rendit maître du plus puissant empire qu'ait connu le Proche Orient ancien. Entre-temps, il avait conquis l'Égypte et s'était fait proclamer pharaon. Des cendres fumantes du palais de Persépolis naquit ainsi l'Empire grec qui, à travers Alexandre et ses successeurs Lagides (en Égypte) et Séleucides (en Syrie), s'imposa à toute l'Asie, jusqu'à l'arrivée de Rome en Orient.

P. A.

Le Deuxième Isaïe (Isaïe 40–55)

Par leur tonalité particulière et leurs références historiques, les chapitres 40 à 55 du livre d'Isaïe forment un ensemble facilement repérable, qu'on attribue à un prophète anonyme de la fin de l'Exil (après 550), donc différent du prophète Isaïe du VIIIe siècle. À cause de ses premiers mots : « Consolez, consolez mon peuple… » (Is 40,1), cet ensemble est parfois appelé « Livre de la consolation d'Israël ». Exceptionnellement, il a paru préférable de présenter dès maintenant cette œuvre importante qui a fortement marqué la fin de l'Exil. Avant d'en présenter la structure littéraire et d'en découvrir les grandes lignes théologiques, il est nécessaire de situer le prophète dans l'histoire.

L'activité du prophète

On admet généralement que le Deuxième Isaïe (ou Deutéro-Isaïe) exerça son ministère prophétique vers la fin de l'Exil, entre 550 et 539, dans les années cruciales qui virent l'écroulement de Babylone et la montée de l'Empire perse [*voir* p. 323]. Typique de ce climat est l'opposition entre l'ouverture du livre, qui redonne espoir aux éxilés et la condamnation de Babylone, la « dominatrice des royaumes ». Dans sa folie, elle s'était crue « souveraine éternelle », mais voici venu le temps où Dieu la renversera : elle se trouvera à son tour « veuve et privée d'enfants » (47,1-9).

Mais deux questions restent en débat. En premier, le lieu du ministère prophétique du Deuxième Isaïe. La plupart des commentateurs optent pour la Babylonie, au milieu des exilés que le prophète convie au retour (48,20). Dans ce contexte, la satire contre les dieux Bel et

Nebo (46,1-3) prend un certain relief, le prophète affirmant la vanité des idoles face au Dieu unique, créateur et maître de l'histoire (41,4 ; 43,11-13). D'autres commentateurs optent plutôt pour la Judée, à cause de divers indices comme les nombreux discours adressés à Jérusalem / Sion (40,2.9 ; 41,27 ; etc.) et le thème central de la consolation (40,1 ; 49,13 ; 51,3.12 ; etc.) qui concerne avant tout cette ville. Dans cette optique, le « nouvel exode » serait alors moins une traversée du désert depuis la Babylonie qu'une transformation de la terre aride en terre fertile (1,17-20 ; 42,14-17 ; etc.), car le Seigneur revient à Jérusalem (40,3-5.9-11). Il est difficile de trancher.

La seconde question commande en partie l'interprétation du livre : le prophète prêche-t-il avant ou après l'entrée de Cyrus à Babylone ? Dans le premier cas, sa prédication serait une ouverture à l'espérance : l'annonce par avance d'une victoire imminente de Cyrus, interprétée comme salut offert par Dieu à son peuple exilé. Dans le second cas, le prophète convierait les Judéens à se rallier au nouveau régime perse, instrument de Dieu.

Structure littéraire d'Isaïe 40–55

Études synchroniques

Le livre comprend deux parties : la première, centrée sur les rapports Dieu-Israël, annonce le renversement de l'histoire par Dieu, créateur et maître du temps, agissant par Cyrus (40,1–49,7) ; l'autre annonce plutôt la restauration de Sion / Jérusalem (49,8–55,13). D'autres distinguent une première partie centrée sur Jacob / Israël (Is 40–48) et une seconde sur Sion / Jérusalem (Is 49–55). Enfin on observe que des hymnes de louange concluent toutes les grandes unités ; ce qui donne cette composition (Cl. Westermann) :

40,1-11	: Prologue
40,12 – 42,13	: Dieu restaure son peuple et défie les idoles (hymne : 42,10-13)
42,14 – 44,23	: Dieu rachète son peuple et défie les faux dieux (hymne : 44,23)
44,24 – 45,8	: Dieu présente *Cyrus*, son Messie (hymne : 45,8)
45,9 – 48,22	: Dieu abaisse l'orgueil de *Babylone* et sauve son peuple pécheur (hymne : 48,20-22)
49,1-13	: Israël et les nations invités à se regrouper autour de Jérusalem (hymne : 49,13)
49,14 – 51,3	: Dieu s'élève contre les sceptiques et presse les fils d'Abraham d'avoir confiance (hymne : 51,3)

51,4 – 52,12	:	Le règne de Dieu sera rétabli sur l'univers (hymne : 52,9-12)
52,13 – 54,3	:	Dieu présente son *Serviteur* souffrant (hymne : 54,1-3)
54,4 – 55,7	:	Dieu exaltera *Jérusalem*, son épouse
55,8-13	:	Épilogue (thématique des hymnes : 55,12-13)

Ainsi le chant du « Serviteur de Dieu » Israël, institué « lumière des païens » par Dieu (49,1-12), sert-il de pont entre les deux parties. On notera aussi l'opposition entre les deux dernières unités de chaque section : à Cyrus victorieux succède l'abaissement de Babylone ; au Serviteur humilié succède l'exaltation de Jérusalem.

Il est posssible que ces deux sections correspondent à deux phases du ministère du prophète (P.E. Bonnard) :
– *1re section :* dans un message adressé à l'ensemble des déportés (40–48), le prophète instruit le double procès du Seigneur : envers les idoles d'une part (41,1-20 ; 41,21-42 ; 43,9-21 ; 44,6-23), et envers son peuple Israël d'autre part (40,12-32 ; 42,18 – 43,8 ; 43,22–44,5), avant de présenter le Messie Cyrus (44,24–45,25) et d'encourager Israël à résister aux idoles (46,1-13). En contrepoint, il adresse un ultime avertissement à Babylone (47,1-15) et reproche aux siens leur endurcissement (48,1-22).
– *2e section :* devant l'échec de ce message, le prophète réserve alors sa prédication à un cercle de disciples (49–55) s'identifiant au « Serviteur » souffrant et humilié (52,13–53,12). Mais Dieu instruira le procès de ses contradicteurs (50,1-11) et exaltera Sion, son épouse (54,1-17).

Études diachroniques

Selon des travaux récents, le livre du Deuxième Isaïe résulte d'une formation en trois étapes.

1) Peu après la chute de Babylone (539), le prophète prêche à Jérusalem ; sa prédication en sept chants articule le double motif de *la création* et du choix par Dieu de Cyrus comme instrument de son salut.

1. *40,12.21-23.26*	41,2-4
2. *42,5*	42,6-7
3. *44,24-26*	44,28
4.	45,1-2.4
5. *45,11-12*	45,13
6. *46,9-10*	46,11
7. *48,13*	48,14-15

Le prophète cherche à convaincre les opposants de faire confiance au nouveau pouvoir de Cyrus, par lequel le Dieu créateur continue d'agir aujourd'hui pour son peuple.

2) Au temps de Néhémie (après 445) furent ajoutés au livre d'Isaïe les oracles des Deuxième et Troisième Isaïe. La « parole de jugement » (Is 1–39) est suivie de la « parole de grâce » (Is 40–66). À l'« ancien », le temps de l'Exil, succède le « neuf » : le temps de la grâce accordé à Jérusalem (40,1-2, repris dans les ch. 60–62). Une double thématique est mise en valeur : d'une part le thème de la création souligne la création d'Israël comme communauté fidèle (40,21b.27-28a ; 44,1-2.21-22 ; etc.) ; d'autre part l'heureuse nouvelle de la venue de Dieu se concrétise dans Jérusalem reconstruite et de nouveau habitée (44,26 ; 45,13). Cela renvoie à l'œuvre de Néhémie qui a relevé les remparts de la ville et l'a repeuplée (Ne 7 ; 11,1-2 ; *voir* p. 351).

3) Enfin à l'époque hellénistique on ajoute le grand procès contre les idoles, incapables de sauver (40,16-20 ; 41,6-7 ; etc.) ou d'annoncer l'avenir (41,21-24.26-29 ; etc.). De cette époque également date l'accent mis sur la conversion des peuples païens (45,14 ; 49,22-23).

Malgré sa part d'hypothèse, cette analyse pertinente souligne certaines accentuations du texte. Reste à présent à synthétiser les grands thèmes théologiques du Deuxième Isaïe, tel qu'il se présente à nous.

Une théologie du salut

Cyrus

Le conquérant Cyrus mène une politique pacifique envers les peuples qu'il soumet. Tolérant en matière religieuse, il se concilie tout le monde en protégeant officiellement la religion de chaque pays conquis. Politiquement, il se pose en restaurateur du droit violé par les Babyloniens, en libérateur des peuples opprimés. Le Deuxième Isaïe fit la lecture de ces événements selon la tradition d'Israël formulée par les Judéens déportés. Il y perçut l'annonce d'une bonne nouvelle du salut, de la justice et de la paix qui devaient s'accomplir dans le retour à Jérusalem : « Monte sur une haute montagne, messagère de Sion ; élève et force la voix, messagère de Jérusalem ; élève la voix, ne crains pas, dis aux villes de Juda : Voici, votre Dieu ! Voici le SEIGNEUR Dieu qui vient avec puissance » (Is 40,9-10 ; voir 52,7).

Selon l'idéologie royale de Juda, le roi est le garant de la sécurité et de la prospérité de son peuple. Cyrus, pour une part, assume ce rôle envers les Judéens. Il est reçu comme le « serviteur de Dieu » qui apporte le salut à son peuple. Il reçoit du Seigneur le titre de « Messie »

(45,1), qui appartient en propre à David et à sa dynastie. Cette attribution peut paraître abusive, d'autant plus que Cyrus ne connaît pas le Seigneur (45,4). De fait, pour le Deuxième Isaïe, il n'est que le serviteur royal pour l'œuvre du Seigneur envers son peuple. Désormais l'espérance messianique ne repose plus sur la royauté en Israël, car le Seigneur est le seul Roi et Sauveur de son peuple : « Je suis le SEIGNEUR, votre Saint, le créateur d'Israël, votre Roi » (43,15).

L'alliance

L'alliance* n'est mentionnée que quatre fois par le Deuxième Isaïe, mais elle est la structure fondamentale de son message : « Car les montagnes peuvent s'écarter et les collines chanceler, mon amour ne s'écartera pas de toi, mon alliance de paix ne chancellera pas, dit le SEIGNEUR

BIBLE

CYRUS LE MESSIE (ISAÏE 44 – 45)

Les proclamations de salut du Deuxième Isaïe se vérifient bientôt dans les victoires de Cyrus. Celles-ci sont perçues comme un événement favorable aux exilés, et donc comme le signe du pardon de Dieu. Dans les ch. 40 – 49 Cyrus n'est nommé que deux fois (44,28 ; 45,1). Il est proclamé « Messie », c'est-à-dire consacré par l'onction royale, comme David et les rois de Jérusalem. Bien qu'il ne succède pas à David et ignore le Dieu de Jérusalem, le prophète lui reconnaît une mission pour le salut des Judéens. Il permet de prévoir le retour vers Juda et la reconstruction de Jérusalem et du Temple.

Ainsi parle le Seigneur, ton rédempteur, celui qui t'a modelé dès le sein maternel. [...] C'est moi [...] qui confirme la parole de mon serviteur et fais réussir les desseins de mes envoyés ; qui dis à Jérusalem : Tu seras habitée, et aux villes de Juda : Vous serez rebaties ; qui dis à l'abîme : Dessèche-toi, je vais tarir tes fleuves, qui dis à Cyrus : Mon berger. Il accomplira toute ma volonté, en disant à Jérusalem : Tu seras reconstruite, et au Temple : Tu seras rétabli. (Is 44, 24-28)

Ainsi parle le SEIGNEUR à son oint (Messie), à Cyrus dont j'ai saisi la main droite, pour faire plier devant lui les nations et désarmer les rois, pour ouvrir devant lui les vantaux, pour que les portes ne soient plus fermées. C'est moi qui vais marcher devant toi, j'aplanirai les hauteurs, je briserai les vantaux de bronze, je ferai céder les verrous de fer et je te donnerai des trésors secrets, des richesses cachées, afin que tu saches que je suis le SEIGNEUR, celui qui t'appelle par ton nom, le Dieu d'Israël. C'est à cause de mon serviteur Jacob et d'Israël mon élu que je t'ai appelé par ton nom, je te donne un titre, sans que tu me connaisses. Je suis le SEIGNEUR, il n'y en a pas d'autre, moi excepté, il n'y a pas de Dieu ! Je te ceins, sans que tu me connaisses, afin que l'on sache du levant au couchant, qu'il n'y a personne sauf moi : je suis le SEIGNEUR, il n'y en a pas d'autre. Je façonne la lumière et je crée les ténèbres, je fais le bonheur et je crée le malheur, c'est moi, le SEIGNEUR, qui fais tout cela. (Is 45,1-7)

C'est moi qui ai fait la terre et créé l'homme qui l'habite, c'est moi qui, de mes mains, ai déployé les cieux et qui ai donné des ordres à toute leur armée. C'est moi qui ai suscité (Cyrus) dans la justice, et qui vais aplanir toutes ses voies. C'est lui qui reconstruira ma ville, qui rapatriera mes déportés sans rançon ni indemnité, dit le SEIGNEUR Sabaot.* (Is 45,12-13)

qui te console » (Is 54,10). La communauté des exilés n'a pas oublié l'annonce par Jérémie du renouvellement de l'alliance (Jr 31,31-34) par le Seigneur. Cette théologie de l'alliance s'exprime le plus clairement dans le Deutéronome, rédigé à cette époque : « Tu vas passer dans l'alliance du SEIGNEUR ton Dieu [...] alliance qu'il a conclue aujourd'hui avec toi, pour faire aujourd'hui de toi un peuple, tandis que lui-même sera pour toi un Dieu, comme il te l'a dit et comme il l'a juré à tes pères Abraham, Isaac et Jacob » (Dt 29,11-12 ; voir 30,2-5).

Les marques de cette alliance sont la constante loyauté du Seigneur envers son peuple, souvent personnifié comme une épouse, et sa tendresse pour elle. « Un court instant, je t'avais délaissée ; ému d'une immense pitié, je vais t'unir à moi. Débordant de fureur, un instant je t'avais caché ma face. Dans un amour éternel, j'ai eu pitié de toi, dit le Seigneur, ton rédempteur » (Is 54,7-8). Cette alliance offerte par le Seigneur est un don définitif pour Juda : « Je conclurai avec vous une alliance éternelle, réalisant les faveurs promises à David » (55,3). Le salut promis appartient au fondement de l'alliance ; Dieu veille à l'aboutissement de son projet de salut pour son peuple. « Ainsi parle le SEIGNEUR : Au temps de la faveur je t'ai exaucé, au jour du salut je t'ai secouru. Je t'ai façonné et j'ai fait de toi l'alliance d'un peuple » (49,8).

Dieu créateur

Cette assurance en l'alliance s'appuie sur la connaissance du Seigneur comme créateur du monde et de son peuple. Le Deuxième Isaïe dépasse la conception babylonienne de la création par les dieux : le Seigneur est bien le créateur de l'univers (45,18), mais il est surtout le créateur de l'humanité : « C'est moi qui ai fait la terre et qui ai, sur elle, créé l'humanité » (45,12), et plus particulièrement le créateur de son peuple : « Ainsi parle le SEIGNEUR, celui qui t'a créé, Jacob, qui t'a modelé, Israël. Ne crains pas, car je t'ai racheté, je t'ai appelé par ton nom : tu es à moi. [...] Je suis le Seigneur, votre Saint, le créateur d'Israël, votre roi » (43,1.15).

La création n'est plus seulement à l'origine de l'univers ; elle fait naître le peuple de Dieu et l'établit dans une relation de filiation permanente : « Ainsi parle le SEIGNEUR, ton rédempteur, celui qui t'a modelé dès le sein maternel, c'est moi, le SEIGNEUR, qui ai fait toutes choses, qui seul ai déployé les cieux, affermi la terre, sans personne avec moi [...], qui confirme la parole de mon serviteur et fais réussir les desseins de mes envoyés ; qui dis à Jérusalem : Tu seras habitée, et aux villes de Juda : Vous serez rebâties » (44,24.26).

La parole de Dieu

À la différence des dieux babyloniens, le Seigneur a créé par sa seule parole. En face des idoles muettes (40, 18-20 ; 44, 9-20 ; 46,6-7), le Seigneur est un Dieu qui parle. Tout le recueil des oracles du Deuxième Isaïe est encadré par une double affirmation sur la parole de Dieu. Au début : « Toute chair est de l'herbe et toute sa grâce est comme la fleur

Repère

Le serviteur de Dieu

Le recueil du Deuxième Isaïe donne un rôle particulier à un personnage nommé « le Serviteur de Dieu ». Des ch. 40 à 48, ce titre désigne la communauté juive en exil.

« *Et toi, Israël, mon serviteur,*
Jacob, que j'ai choisi, race d'Abraham, mon ami,
toi que j'ai saisi aux extrémités de la terre,
que j'ai appelé des contrées lointaines,
je t'ai dit : "Tu es mon serviteur,
je t'ai choisi, je ne t'ai pas rejeté". »
(Is 41,8-9 ; voir 43,10 ; 44,1-2.21 ; etc.).

« *Voici mon serviteur que je soutiens,*
mon élu en qui mon âme se complaît.
J'ai mis sur lui mon esprit,
il présentera aux nations le droit.
Il ne crie pas, il n'élève pas le ton,
il ne fait pas entendre sa voix dans la rue ;
il ne brise pas le roseau froissé,
il n'éteint pas la mèche qui faiblit,
fidèlement, il présente le droit. »
(Is 42,1-3)

Mais aux ch. 49–55, ce titre désigne un personnage précis :

« *Iles, écoutez-moi, soyez attentifs, peuples lointains !*
le Seigneur m'a appelé dès le sein maternel,
dès les entrailles de ma mère il a prononcé mon nom [...]
Et maintenant le Seigneur a parlé,
lui qui m'a modelé dès le sein de ma mère
pour être son serviteur, pour ramener vers lui Jacob,
et qu'Israël lui soit réuni ;
– je serai glorifié aux yeux du Seigneur,
et mon Dieu a été ma force ; –
il a dit : C'est trop peu que tu sois pour moi un serviteur
pour relever les tribus de Jacob et ramener les survivants d'Israël.
Je fais de toi la lumière des nations
pour que mon salut atteigne aux extrémités de la terre. »
(Is 49,1.5-6).

Cette figure collective ou individuelle du serviteur est au centre des quatre « poèmes du Serviteur » (42,1-7 ; 49,1-6 ; 50,4-9 ; 52, 13 – 53,12).

Ce titre de « serviteur de Dieu » n'est pas inconnu de la tradition biblique. Comme dans tout l'Orient Ancien, les rois d'Israël sont ainsi nommés ; par exemple David (2 S 7,20.21.25). Le même titre est aussi donné, plus tard, à d'autres personnages : Abraham (Ps 105,6), Moïse (Ex 4,10 ; Dt 34,5), les prophètes (2 R 21,10 ; Am 3,7 ; Is 20,3), Job (Jb 1,8). Avec Ézéchiel, comme souvent chez le Deuxième Isaïe, le titre est attribué à Jacob, l'ancêtre d'Israël : « Ils habiteront le pays que j'ai donné à mon serviteur Jacob » (Ez 37,25).

Ce serviteur est présenté comme un personnage qui a la faveur du Seigneur. Dieu a répandu sur lui son souffle de vie (42,1) pour qu'il joue un rôle de sauveur pour son peuple comme pour les nations. Il doit ramener Jacob (49,5) et établir définitivement l'alliance. Car, mieux que les rois d'Israël et de Juda et comme les prophètes, il est le témoin de l'alliance. En cela, il sera la lumière des nations (49,6). À l'écoute du Seigneur, il est témoin de sa parole. Tout ce qu'il vit de bonheur et de souffrance est vécu en communion avec Dieu.

des champs [...]. L'herbe se dessèche, la fleur se fane, mais la parole de notre Dieu subsiste à jamais » (40,6.8). Et à la fin : « De même que la pluie et la neige descendent des cieux et n'y retournent pas sans avoir arrosé la terre, sans l'avoir fécondée et l'avoir fait germer pour fournir la semence au semeur et le pain à manger, ainsi en est-il de la parole qui sort de ma bouche : elle ne revient pas vers moi sans effet, sans avoir accompli ce que j'ai voulu et réalisé l'objet de sa mission » (55,10-11).

Depuis l'Exil, le rôle du prophète a donc changé. Il n'est plus le guetteur qui voit venir le danger, le jugement, et appelle à retrouver le chemin de Dieu par la conversion. Il est devenu un « messager de bonne nouvelle » (52,7 ; en grec : un « évangéliste »). La parole de Dieu est désormais une bonne nouvelle, parce qu'elle apporte la vie. Celui qui écoute cette parole et la garde, celui-là a la vie : « Prêtez l'oreille et venez vers moi, écoutez et vous vivrez » (55,3).

Dieu juste et sauveur

Le Deuxième Isaïe parle volontiers de la « justice » de Dieu. Il ne s'agit pas ici pour lui de rendre à chacun ce qui lui est dû, mais de maintenir l'alliance, la relation offerte à son peuple. Cette alliance avec Israël est un pacte fondé sur l'amour, une dynamique du don, un partage de la vie. Elle est appartenance réciproque. La « justice » de Dieu signifie donc ses actes pour sauver son peuple, pour le faire vivre. Ce lien entre justice et salut, souvent mis en parallèle, apparaît surtout dans l'annonce de la fin de l'Exil. « Cieux, épanchez-vous là-haut, et que les nuages déversent la justice, que la terre s'ouvre et produise le salut, qu'elle fasse germer en même temps la justice. C'est moi, le Seigneur, qui ai créé cela » (45,8). « Qui avait annoncé cela jadis ? n'est-ce pas moi, le SEIGNEUR ? Il n'y a pas d'autre dieu que moi. Un dieu juste et sauveur, il n'y en a pas excepté moi » (45,21-22). Au plus dramatique de l'Exil, entre la pesanteur de son infidélité et la fidélité inlassable du Seigneur, Israël a découvert Dieu juste et sauveur.

Le Deuxième Isaïe exprime cette réalité à partir de deux mots assez proches, souvent traduits par « racheter ». Le premier terme appartient au droit commercial : « racheter-acquérir » (*padah*). À propos d'une personne, il s'agit de la libérer en payant une caution. Ainsi Dieu rachète-t-il Israël pour le rendre libre et partenaire d'une alliance. Le second terme vient du droit tribal et familial : « racheter-affranchir » (*gaal*). L'action du racheteur ou rédempteur (*goel*) consiste à sauver un proche parent d'une situation de dépendance, tel l'endettement, la captivité ou l'esclavage. Le devoir du *goel* se fonde sur les liens du sang.

Or ce rôle, le Seigneur le tient vis-à-vis de son peuple : « Notre rédempteur, le SEIGNEUR Sabaot est son nom, le Saint d'Israël » (47,4). Il se comporte en proche parent, chargé de maintenir la vie.

Si le Seigneur sauve son peuple de toute aliénation en le rachetant, c'est pour lui redonner sa liberté, renouer avec lui les liens de l'alliance. Le pardon du Seigneur est le préalable du salut. Israël n'a pas à revenir vers Dieu par peur ou par intérêt. Librement, il peut reconnaître son infidélité et retrouver la communion avec son Dieu. « Cherchez le Seigneur pendant qu'il se laisse trouver, invoquez-le pendant qu'il est proche. Que le méchant abandonne sa voie et l'homme criminel ses pensées, qu'il vienne au Seigneur qui aura pitié de lui, à notre Dieu qui est riche en pardon » (55,6-7).

Le nouvel Exode

La tradition de l'Exode est au premier plan de la prédication du Deuxième Isaïe car la sortie d'Égypte est l'événement type du salut : Dieu a créé Israël en le rachetant, en le libérant. C'est pourquoi l'avènement de Cyrus et son arrivée à Babylone sont interprétés par le prophète comme une nouvelle libération par Dieu. Le roi perse brisera les

BIBLE

LE SERVITEUR SOUFFRANT (ISAÏE 52,13 – 53,12)

Le dernier poème résume toute la révélation du Seigneur selon le Deuxième Isaïe. Ce texte est complexe à double titre. Son texte n'est pas parfaitement assuré et des variantes apparaissent déjà dans la Septante et les manuscrits de Qoumrân, avant notre ère. Surtout, la profondeur et la nouveauté de sa théologie provoquent une approche nouvelle de la place d'Israël dans le projet de Dieu auprès de l'humanité. Le prophète fait parler les Judéens qui, après une quarantaine d'années d'exil, discernent le sens de leur expérience. Mais il parle aussi du mystérieux « serviteur du Seigneur », qui assume l'histoire de son peuple de deux manières. Il fut le serviteur souffrant jusque dans la mort, lors de l'anéantissement de Jérusalem par Nabuchodonosor. Mais il est désormais le serviteur exalté par Dieu depuis que l'alliance peut à nouveau s'établir sur une fidélité réciproque.

***52**,13 Voici que mon serviteur prospérera, il grandira, s'élèvera, sera placé très haut.*

14 De même que des multitudes avaient été saisies d'épouvante à sa vue, – car il n'avait plus figure humaine, et son apparence n'était plus celle d'un homme –

15 de même des multitudes de nations seront dans la stupéfaction ; devant lui des rois resteront bouche close, pour avoir vu ce qui ne leur avait pas été raconté, pour avoir appris ce qu'ils n'avaient pas entendu dire.

***53**,1 Qui a cru ce que nous entendions dire, et le bras du SEIGNEUR, à qui s'est-il révélé ?*

2 Comme un surgeon il a grandi devant lui, comme une racine en terre aride, sans beauté ni éclat pour attirer nos regards, et sans apparence qui nous eût séduits ;

3 objet de mépris, abandonné des hommes, homme de douleur, familier de la souffrance, comme quelqu'un devant qui on

verrous et fera rentrer les prisonniers dans leur patrie sans rançon ni indemnité. Pour le prophète, le véritable but du triomphe de Cyrus est précisément le nouvel exode d'Israël et sa libération. Là, l'intervention du prophète atteint son sommet. Le Seigneur lui-même conduira le cortège à travers le désert (48,20 ; 52,11-12), il préparera la route (40,3-5) et fournira à son peuple l'eau et la nourriture (48,21 ; 49,10).

Le premier Exode et son aboutissement dans la monarchie davidique seront dépassés. Le retour de Babylonie en Judée sera encore plus glorieux : « Ne vous souvenez plus des événements anciens, ne pensez plus aux choses passées, voici que je vais faire une chose nouvelle [...] Oui, je vais mettre dans le désert un chemin et dans la steppe des fleuves » (43,18-19). La connaissance de Dieu et l'alliance en sont renouvelées.

La Jérusalem nouvelle

La pensée du Deuxième Isaïe tourne inlassablement autour de Jérusalem, souvent appelée Sion, qui représente tout le peuple. Le Seigneur s'est engagé à faire reconstruire la ville : « Je mettrai en Sion le salut, je donnerai à Israël ma gloire » (46,13). Là le peuple dispersé se rassem-

se voile la face, méprisé, nous n'en faisions aucun cas.

4 Or ce sont nos souffrances qu'il portait et nos douleurs dont il était chargé. Et nous, nous le considérions comme puni, frappé par Dieu et humilié.

5 Mais lui, il a été transpercé à cause de nos crimes, écrasé à cause de nos fautes. Le châtiment qui nous rend la paix est sur lui, et dans ses blessures nous trouvons la guérison.

6 Tous, comme des moutons, nous étions errants, chacun suivant son propre chemin, et le SEIGNEUR a fait retomber sur lui nos fautes à nous.

7 Maltraité, il s'humiliait, il n'ouvrait pas la bouche, comme l'agneau qui se laisse mener à l'abattoir ; comme devant les tondeurs une brebis muette, il n'ouvrait pas la bouche.

8 Par contrainte et jugement il a été saisi. Parmi ses contemporains, qui s'est inquiété qu'il ait été retranché de la terre des vivants, qu'il ait été frappé pour le crime de son peuple ?

9 On lui a donné un sépulcre avec les impies et sa tombe est avec le riche, bien qu'il n'ait pas commis de violence et qu'il n'y ait pas eu de tromperie dans sa bouche.

10 Le SEIGNEUR a voulu l'écraser par la souffrance ; s'il offre sa vie en sacrifice expiatoire, il verra une postérité, il prolongera ses jours, et par lui la volonté du SEIGNEUR s'accomplira.

11 À la suite de l'épreuve endurée par son âme, il verra la lumière et sera comblé. Par sa connaissance, le juste, mon serviteur, justifiera les multitudes en s'accablant lui-même de leurs fautes.

12 C'est pourquoi il aura sa part parmi les multitudes, et avec les puissants il partagera le butin, parce qu'il s'est livré lui-même à la mort et qu'il a été compté parmi les criminels, alors qu'il portait le péché des multitudes et qu'il intercédait pour les criminels.

blera (49,22). L'idéalisation de Jérusalem, au ch. 54, est à la mesure du manque ou de l'absence. Grâce aux images des anciens prophètes, Jérusalem est personnalisée selon divers traits féminins. La femme stérile (v.1-3) rappelle Sara qui reçut la promesse d'une descendance innombrable par Abraham. La femme abandonnée (v.4-8) : son adolescence rappelle le temps de l'Égypte et son veuvage celui de l'Exil. Mais cela ne durera pas, car l'amour des fiançailles ne peut s'altérer, l'amour de Dieu, l'époux de Jérusalem, est éternel. Cette alliance de paix, qu'il renouvelle avec elle, dépasse celle avec Abraham (v.9-10), et même celle avec Noé et toute l'humanité. La garantie que le Seigneur accorde le salut à son peuple, c'est la reconstruction de Jérusalem (v.11-17). Paix, justice et bonheur seront l'apanage de ses habitants et non plus seulement les privilèges de Dieu.

P. A. ET G.V.

Les retours d'exil et la reconstruction du Temple

C'est par un édit de Cyrus, dès 539, que les Judéens – ou les Juifs – furent autorisés à quitter la Babylonie pour rentrer dans leur patrie et y reconstruire le Temple de Jérusalem. Le livre d'Esdras donne deux versions de cet édit, l'une en hébreu (Esd 1,2-4) et l'autre en araméen (Esd 6,3-5). Si l'on peut douter de l'authenticité de la première, à cause de sa tonalité théologique très marquée, ce que nous savons de la politique religieuse des souverains perses donne un crédit certain à la seconde : il s'agit d'un « mémorandum » remis à un chef de travaux qui précise les dimensions du temple à reconstruire (v.3) et les matériaux à utiliser (v.4). Sa langue même (l'araméen, langue officielle de l'Empire) et l'occasion de sa redécouverte (une enquête menée par Darius Ier à la suite d'une requête) favorisent cette authenticité.

Un retour d'exil précaire

Les débuts du retour restent pourtant fort obscurs. Nombre de Judéens avaient fait souche en Babylonie, certains même y avaient fait fortune, comme l'attestent quelques décennies plus tard les archives de la banque Mourashou. Ils furent peu nombreux à tenter dès 538 l'aventure du retour en Judée, sous l'égide de Sheshbaççar, prince de Juda à qui Mithridate, trésorier de Cyrus, avait remis les ustensiles sacrés du Temple emportés jadis par Nabuchodonosor (Esd 1,7-11). La figure de

REPÈRE

LE STATUT DE LA JUDÉE AU DÉBUT DE L'ÉPOQUE PERSE

Selon certains auteurs, la création d'une province perse de Judée reste liée à l'arrivée de Néhémie en 445. Avant cette date, la Judée serait restée annexée à la province de Samarie, selon un statut inchangé depuis Godolias (2 R 25,22-25 ; Jr 40 – 41). Ils font ressortir que les actions de Sheshbaççar, puis de Zorobabel, restent limitées à la reconstruction du Temple. A l'inverse, le champ d'activités de Néhémie est plus large : reconstruction du rempart, repeuplement de Jérusalem, mesures fiscales et religieuses, etc. [*voir* p. 351]

On peut rétorquer que cette distribution des rôles provient surtout de notre documentation, très parcellaire pour les premières années du retour, et que la thèse se heurte à certaines données du récit biblique lui-même qui évoquent les gouverneurs qui ont précédé Néhémie (voir Ne 5,15). A quoi s'ajoutent certaines données archéologiques, notamment deux sceaux, 65 bulles et 350 estampilles de jarre à inscriptions araméennes, qui permettent, avec l'aide des Papyrus d'Eléphantine, de proposer une liste des gouverneurs de Judée durant (presque) toute l'époque perse :

– Sheshbaççar	(Esd 1,8 ; 5,14)
– Zorobabel	(Ag 1,1.14 ; etc.)
– Elnatan	(bulles et sceau)
– Yeho'ézer	(estampille de jarre)
– Ahzaï	(estampille de jarre)
– Néhémie	(Ne 5,14 ; 12,26)
– Bagohi	(Papyrus d'Éléphantine)
– Yéhezqiyah	(monnaies)

On peut donc véritablement parler d'une province perse de Judée antérieure à l'époque de Néhémie. Le territoire de cette province était fort réduit. La liste d'Esd 2,20-35 fournit le nom de vingt-deux localités, d'où Jérusalem est curieusement absente. L'espace décrit est délimité au nord par Aï et Béthel (v.28), à l'est par Jéricho (v.34), au sud par Bethléem et Netopha (v.21-22), et à l'ouest par Lod et Ono (v.33). Un recoupement avec « la liste des volontaires à la reconstruction » (Ne 3) permet une plus grande précision. La province de Judée semble alors divisée en six districts : Jéricho, Beth-Çour, Miçpa, Jérusalem, Beth-Hakkerem et Qeïla.

Sheshbaççar nous échappe en grande partie, mais il fut sans doute le premier « gouverneur de Judée » (Esd 5,14) qui posa les fondations de la reconstruction du Temple. On doit par conséquent distinguer Sheshbaççar de son successeur Zorobabel, même si le texte biblique (pour des raisons plus théologiques qu'historiques) tend à confondre les deux personnages.

L'hostilité des autochtones (Esd 3), jointe à une conjoncture économique difficile et au manque de zèle des rapatriés (Ag 1), entraîna une interruption des travaux qui ne reprirent qu'à « la deuxième année de Darius », soit 520. Ces années furent marquées par de grands bouleversements qui déchirèrent l'Empire [*voir* p. 327]. La prédication d'Aggée, puis celle de Zacharie, se comprennent dans ce contexte.

Le prophète Aggée

Du personnage d'Aggée, on sait peu de chose, si ce n'est qu'il ne devait pas appartenir à un cercle sacerdotal puisqu'il lui faut consulter les prêtres (Ag 2,10-11). Son attention au rythme des saisons et des récoltes (1,9-11 ; 2,16) n'en fait pas pour autant un homme de la campagne, puisqu'il s'agit de thèmes fréquents dans la prédication prophétique. Le cadre rédactionnel tardif du livret permet de distinguer de manière chronologique (moyennant cependant un déplacement) cinq oracles, groupés deux par deux autour d'un élément central :

(a) 1,1-14 dénonciation des délais de reconstruction du Temple
(a') 1,15a. + 2,15-19 promesse de prospérité liée à la reconstruction du Temple
(b) 1,15b + 2,1-9 *la Gloire du Temple reconstruit*
(c) 2,10-14 dénonciation du culte impur
(c') 2,20-23 promesse messianique liée à Zorobabel, reconstructeur du Temple.

Du découragement présent, le prophète opère un déplacement vers deux visions d'avenir. La première (2,1-9) oppose la modestie du deuxième Temple reconstruit entre 520 et 515 et sa gloire à venir, qui dépassera la gloire première du Temple de Salomon. Sans doute faut-il y voir un écho des déceptions du retour (v.3), en même temps qu'une reprise de la vision du Temple en Ez 40–48 qui appartient au même milieu prophétique. L'ébranlement du ciel et de la terre, de la mer et du continent (v.5) lui confère une dimension pré-apocalyptique qui se retrouve dans la seconde vision (2,20-23, surtout le v.21), plus centrée sur la restauration davidique. Dans ce contexte, la désignation de Zorobabel comme « serviteur » du Seigneur confère à la figure une dimension royale qu'elle n'a pas dans le récit parallèle d'Esd 5–6); nous verrons plus loin [p. 344] d'autres traits qui renforcent cette thématique quasi messianique.

La dimension cultuelle, enfin, est très présente dans le livret, notamment dans le regard porté sur le service des prêtres (2,10-14) et la liaison entre fidélité au Temple et promesse de prospérité (voir dans la structure les éléments a et a' ; c et c').

La prédication d'Aggée reste ainsi étroitement liée au temps des premiers retours, des déceptions premières aux espoirs surgis de la crise d'où pourrait renaître la restauration judéenne. D'où ce ton résolument optimiste qui demeure plus proche des prophètes nationalistes (comme Hanania en Jr 28) que des prophètes de jugement (tels Amos ou Jérémie). Cela constitue sa limite, d'autant que la restauration annoncée n'a pas eu lieu. Le livret prophétique d'Aggée possède un caractère d'inachèvement [*voir* p. 444], qui l'ouvre pourtant à un réinvestissement ultérieur de la figure messianique.

Le prophète Zacharie

Chronologiquement, le prophète Zacharie semble l'héritier d'Aggée, témoin privilégié du retour à l'ordre perse après 520. Il faut distinguer cependant entre les ch. 1–8 (visions et oracles) qui se rattachent à cette époque et les ch. 9–14, plus nettement apocalyptiques, qui ne sont pas antérieurs à l'arrivée d'Alexandre, en 332 (voir les allusions au conquérant macédonien en Za 9). Si le premier ensemble appartient au courant de la prophétie cultuelle, il n'en est rien pour le second qui vise davantage la royauté universelle de Dieu (Za 14) et s'apparente à Is 56–66.

Fils de Bérékya, fils de Iddo (Za 1,1 ; Esd 5,1), Zacharie pourrait appartenir à une lignée sacerdotale (Ne 12,4.12.16), mais ce point reste discuté. Plus sûrement, il était membre du groupe des rapatriés d'Exil, d'où son insistance sur le retour du Seigneur à Jérusalem (Za 1,16 ; 2,14 ; etc.). Sa vision n'en demeure pas moins universaliste (Za 6,1-8 ; 8,20-23).

On peut distinguer deux grandes sections dans le livret : une série de sept visions (celle du ch. 3 est une addition), accompagnées d'oracles assez brefs (1,7 – 6,15) et une prédication sur le jeûne (7,1 – 8,23). L'ordre en est plus rédactionnel que chronologique.

1re section : *visions*	*oracles*
(1) 1,7-15 : la vision des cavaliers qui parcourent la terre	1,16-17
(2) 2,1-4la vision des cornes et des forgerons	
(3) 2,5-9la vision de l'arpenteur	2,10-17
(4) 4,1-6a. : *la vision du chandelier* 10b-14 *et des deux oliviers*	4,6b-10a
(5) 5,1-4 : la vision du rouleau qui vole	
(6) 5,5-11 : la vision de la femme et de la mesure	
(7) 6,1-8 : la vision des quatre chars	

TRANSITION 6,9-15 le couronnement symbolique

2e section : la prédication du jeûne

(1) 7,1-3 : la question du jeûne

(2) 7,4-14 les leçons du passé

(3) 8,1-17 *ouverture sur l'avenir* : le retour et la restauration ; la communauté nouvelle

(4) 8,18-19 la réponse : du jeûne à la fête

(5) 8,20-23 *ouverture sur l'avenir :* le mouvement des nations vers Jérusalem.

Comme le montre la structure proposée, le mouvement de la 1re section opère un déplacement de l'action imminente de Dieu – quoique imperceptible encore au début de sa réalisation (vision 1) – : l'élan venu du Nord pour reconstruire le Temple (vision 7). Le livre se clôt ainsi sur l'histoire présente à construire, tout en intégrant des perspectives d'avenir dans les oracles : retour du Seigneur à Sion (1,16) et élection de Jérusalem (1,17) ; délivrance des exilés (2,10-13) et joyeuse entrée du Seigneur à Sion (2,14-17) ; le « germe » Zorobabel et la fondation du Temple (4,6.7.8-10a).

Appuyant ce mouvement d'ensemble, les visions 2 et 3 décrivent la défaite prochaine des nations et la réhabilitation de Jérusalem, tandis que les visions 5 et 6 annoncent l'éradication de toute méchanceté dans le pays. Au centre de l'ensemble des visions, le chandelier symbolise le Temple et les deux oliviers, la dyarchie sacerdotale (le prêtre Josué) et laïque (le gouverneur Zorobabel) qui conduiront la restauration de Jérusalem (vision 4).

La 2e section est tout aussi construite, jouant sur l'articulation subtile entre le passé, le présent (le jeûne) et l'avenir : l'ouverture messianique et le mouvement des peuples vers Jérusalem d'où sort la Loi. On peut en conclure que toute la prédication de Zacharie est une hymne au Temple et à Sion, en même temps qu'elle confesse l'universalisme d'Israël restauré.

L'adjonction de la vision supplémentaire de la vêture du grand prêtre Josué (3,1-7) a conduit à réinterpréter la parole sur le « germe » (3,8-10), image messianique, par une addition (6,9–15) ; ceci afin de relire le couronnement symbolique, prévu pour Zorobabel (6,12–13 a) et désormais dévolu au grand prêtre Josué (6,11). Cette relecture du livret traduit une réinterprétation profonde. Désormais, l'orientation de fond ne concerne plus la restauration royale davidique appuyée sur le Temple, mais l'instauration d'un véritable pouvoir sacerdotal, hiérocratique – ce qui correspond aux débuts de l'époque grecque, quand le grand prêtre tendit de plus en plus à incarner la nation juive et reçut l'onction d'huile réservée jusque-là au roi.

Ainsi, le livre de Zacharie est-il un précieux témoin des évolutions institutionnelles que connut Israël au retour d'Exil, tout en portant les marques de la théologie des premiers retours. Bien qu'il s'ancre dans la prophétie nationaliste et cultuelle du second Temple, il la dépasse par sa forme qui privilégie la vision et ouvre aux relectures apocalyptiques, plus en rupture avec les milieux sacerdotaux au pouvoir.

Les relectures de l'exil : l'apocalyptique

Nous présenterons plus loin les racines et le développement de l'apocalyptique [*voir* p. 445]. Qu'il nous suffise d'indiquer ici ses liens avec la relecture des cinquante années d'Exil. La mort tragique du « saint » roi Josias en 609 avait ouvert en Israël une crise que l'Exil ne fit qu'accroître : désormais, et pour longtemps, le peuple choisi par Dieu était privé de sa terre, de son Temple et de son roi [*voir* p. 250]. La fin de toute institution rendait de plus en plus chaotique une histoire qui échappait à tout contrôle, y compris celui de la conduite divine. À tout prendre, la fin d'Israël n'impliquait-elle pas la fin de l'histoire tout court ? Un tel défi appelait des réponses neuves ; ainsi naquit l'apocalyptique.

Qu'est-ce qu'une apocalypse ?

Une apocalypse est d'abord et avant tout un phénomène d'écriture qui s'inscrit dans la vaste mutation culturelle commencée avec l'Exil. Comme telle, elle témoigne d'une transformation radicale du rapport à la parole prophétique qui devient de plus en plus « livre à manger » (selon l'image d'Ez 3,1-3). Mais il ne s'agit pas, comme en Is 30,8, d'une mise en échec de la parole, il s'agit plutôt de la condition même des révélations « scellées dans le livre » qu'il convient désormais d'ouvrir.

Car il s'agit bien de révélations, selon le sens étymologique du verbe grec *apokalyptein*, « découvrir, révéler ». Seule cette « mise à nu » peut donner à l'histoire en crise quelque intelligibilité, car si l'apocalypse est bien une écriture, c'est une écriture de temps d'épreuve. Une épreuve qui s'inscrit non seulement dans l'histoire vécue par Israël en situation d'oppression, mais dans la totalité du cosmos ébranlé. À la figure passagère et tragique de « ce monde-ci » s'oppose celle du « monde qui vient », qui seul est porteur des temps messianiques et de l'avènement du Règne de Dieu.

Cette conceptualisation nouvelle du temps opère une rupture par rapport au temps prophétique ; l'expression ancienne « dans la suite des jours », qui articule encore le passé, le présent et l'avenir est remplacée par « à la fin des jours ». De fait, « on n'attendait plus la suite des temps de l'Histoire mais sa cessation [qui] devait coïncider avec la fin du persécuteur et la fin du temps » (M. Delcor). L'écriture apocalyptique en vient alors à penser, puis à conceptualiser l'idée d'un arrêt brutal de l'Histoire, d'une « fin des temps ». Pareille modélisation allait de pair avec sa conception d'un Dieu Maître absolu du temps.

À n'en pas douter cependant, celle-ci devait plus à la croyance archaïque des Sumériens et Babyloniens en des « tablettes des destins » que détenaient les divinités, qu'à la conception très linéaire du temps développée par les prophètes israélites. Témoins : Dn 12,6-13 et ce passage des *Paraboles d'Hénoch :* « Il m'a dit encore : "Regarde, Hénoch, ces tablettes célestes, lis ce qui y est écrit et apprends-en tout le détail." J'ai regardé les tablettes célestes, j'ai lu tout ce qui était écrit et j'ai tout appris. J'ai lu le livre de tous les actes des hommes, de tous les enfants de la chair (vivant) sur la terre, jusqu'à la génération finale. » (1 Hén 81,1-2 ; trad. A. Caquot).

Ainsi le phénomène apocalyptique, comme son écriture, est-il éminemment syncrétiste – notamment dans sa prétention à comprendre la totalité d'une histoire dépourvue de tout sens humain immédiatement perceptible.

Avant d'atteindre sa pleine maturité, entre le IIe et le Ier siècle avant Jésus Christ, dans le livre de Daniel et la littérature hénochienne (1 Hén), le phénomène apocalyptique s'est inscrit en divers écrits, héritiers du Deuxième Isaïe: le Troisième Isaïe (Is 56–66) ; le Deuxième Zacharie (Za 9–14) ; Ez 3–39 ; l'apocalypse d'Isaïe (Is 24–27) ; enfin le livre de Joël. À leur endroit, on peut parler d'écriture pré- (ou proto-) apocalyptique. À défaut d'être complet, nous nous attacherons aux deux premiers cités, à cause de leur ampleur.

Le Troisième Isaïe (ou Trito-Isaïe)

Il est convenu d'appeler ainsi l'ensemble des ch. 56–66 qui clôturent le livre d'Isaïe, mais cela ne signifie pas qu'ils soient l'œuvre d'un auteur unique. D'un avis presque unanime, ce recueil est plutôt une collection d'oracles, de poèmes et de prières, dont le cœur est constitué par les ch. 60–62, où retentit l'annonce du salut à une Jérusalem glorifiée par le Seigneur, et devenue centre d'attraction pour les nations païennes ; ce qui donne la structure suivante :

A 56 – 58 : ***le renouvellement*** de la communauté
B 59,1-14 : accusation et <u>prière d'humiliation</u>
C 59,15-21 : *la venue du Seigneur pour juger*
D 60 à 62 : LE SALUT ARRIVE POUR JÉRUSALEM
C' 63,1-6 : *la venue du jour de la vengeance*
B' 63,7 à 64,11 : <u>prière de supplication</u>
A' 65 à 66 : ***le renouvellement*** de la création

Autour du centre (D), le mouvement du texte met en avant l'intervention divine : alors que nul n'agit pour secourir Israël dans sa détresse,

Dieu « viendra en rédempteur pour Sion » (59,20) pour faire alliance avec lui (C et C'). Deux prières servent de cadre à cette action salvatrice (B et B') en lesquelles les croyants confessent l'étendue de leurs révoltes (59,12-13) avant d'en appeler à la clémence de Dieu, rédempteur et père (63,16).

En dépit des apparences, le propos n'est pas étroitement nationaliste. Bien que centré sur Jérusalem, il se déploie en véritable universalisme : ainsi, les fils de l'étranger se mettront en route vers la cité qu'illumine la présence divine (60,1-22). Le prophète devient alors messager de salut :

L'esprit du SEIGNEUR Adonaï est sur moi,
car le SEIGNEUR m'a donné l'onction ;
il m'a envoyé porter la nouvelle aux pauvres,
panser les cœurs meurtris,
annoncer aux captifs la libération
et aux prisonniers la délivrance,
proclamer une année de grâce de la part du SEIGNEUR
et un jour de vengeance pour notre Dieu,
pour consoler tous les affligés. (Is 61,1-2)

Revêtu de la puissance divine par l'onction, le prophète (ou le grand prêtre ?) proclame à tous une année de grâce jubilaire, au terme de laquelle les « affligés de Sion » reçoivent un nom nouveau : « Térébinthes de la justice, plantation du SEIGNEUR » (v.3b).

Plus encore, le Temple deviendra « maison de prière » pour tous, y compris les païens et les eunuques tournés vers le Seigneur (56,1-8). Et le dernier mot appartient à une création renouvelée, où les rapports s'inversent car tout homme vit sous le regard de Dieu (Is 66).

La largeur d'un tel propos tire sa force de la dénonciation qui l'accompagne. De fait, à lire Is 56–59, la dégradation semble générale parmi les Judéens et la désillusion, le lot de beaucoup. Ne dit-on pas que le bras du Seigneur est trop court pour sauver (59,1) ? Voici que le jeûne est pratiqué sans charité ni justice ; le sabbat, devenu tout extérieur (Is 58). Comment faire rendre gorge aussi à ces responsables de communauté, indignes et cupides (56,9–57,2), à ces « faux justes » qui se révèlent idolâtres en leur pratique (57,3-13) ? Non, la main du Seigneur n'est pas trop courte (59,1-21) ; au contraire, dans un violent réquisitoire, Dieu dépose plainte contre son peuple (65,1-12), avant d'annoncer quel sera son jugement (65,13-16).

On l'a compris : ce recueil est d'une tonalité particulière, juxtaposant « oracles de salut » et « oracles de jugement ». Certains auteurs y voient moins la séparation entre le salut d'Israël et la condamnation des Nations (ainsi en 40–55) qu'une rupture interne traversant la communauté judéenne du retour d'Exil entre « visionnaires » apocalyptiques et « parti théocratique* » au pouvoir. D'où l'interprétation proposée de 63,15-17 : ce conflit entre deux paternités oppose ceux qui se réclament en toute exclusive d'Abraham (le parti théocratique) et les « utopistes » pour qui « seul le Seigneur est notre père ». De même, la diatribe de 66,1-6 contre un « temple fait de mains d'hommes » (v.1) dénonce le formalisme du culte, alors que seul vaut auprès de Dieu l'attitude de « l'humilié » dont « l'esprit est abattu » (v.2).

Il s'agit là bien sûr d'une thèse selon laquelle la tradition hiérocratique* commence avec le prophète Ézéchiel (notamment les ch. 40–48), tandis que la tradition visionnaire postexilique débute avec le Deuxième Isaïe. Cela demanderait bien des nuances, mais le point de vue fait ressortir avec netteté la complexité de la société judéenne au retour d'Exil, et cela n'est pas sans influer sur l'éclosion de l'apocalyptique [*voir* p. 445].

Le Deuxième Zacharie (ou Deutéro-Zacharie)

Bien que placées sous un même patronyme, les deux parties du livre de Zacharie offrent des tonalités fort différentes. Ainsi, les médiateurs « historiques » des temps nouveaux que sont Zorobabel et Josué en Za 1–8, font place à des figures ouvertes et anonymes en Za 9–14 : « le roi humble et pacifique » (9,9-10), « le transpercé » (12,9-14) – en opposition au « berger insensé » (11,15-17). Les formes littéraires elles-mêmes divergent : au lieu de visions et d'oracles brefs, on trouve ici de grandes évocations de l'intervention imminente de Dieu en lesquelles disparaît totalement la personne du prophète elle-même (excepté en 11,4-17 où il se met en scène).

L'ensemble n'est pas homogène pour autant, et il convient de distinguer deux grandes sections, munies chacune d'une brève suscription : « proclamation » 9,1 et 12,1, d'où les ensembles 9–11 et 12–14. Cette même suscription se lit en tête du livret de Malachie : « proclamation » – ce qui laisse entendre qu'existait un recueil de trois « proclamations » avant que la dernière soit détachée pour constituer le douzième des « douze* (petits) Prophètes ».

À l'intérieur de ces sections, la diversité littéraire et la mise en œuvre des thèmes théologiques multiples invitent encore à reconnaître une pluralité d'auteurs, et aucun plan ne semble s'imposer vraiment. Il convient plutôt de parler d'une collection d'oracles, de provenance et d'âge fort différents, qu'une rédaction finale (de type apocalyptique) a unifiés, sans doute vers la fin du IVe siècle ou au début du IIIe. Mais certains auteurs remontent beaucoup plus haut, au Ve siècle, et rapprochent ce recueil de la collection du Troisième Isaïe. Faute de critères très assurés, la question doit rester ouverte.

En dépit d'un caractère anthologique marqué, l'ensemble manifeste une certaine unité de vue : « c'est l'attente impatiente de l'intervention souveraine du Seigneur dans un monde devenu hostile » (S. Amsler). Le climat général est celui d'une crise grave qui traverse une fois encore la communauté : les autorités en place sont dénoncées comme « des bergers sans pitié » (11,5), persécutant le groupe des fidèles que symbolise le prophète-berger (11,4-14) ou l'énigmatique figure du « transpercé » (12,10).

Sans parler de structure, six péricopes forment les pièces d'une mosaïque dans la *première section*. À l'orgueil des nations (les conquêtes d'Alexandre en 9,1-8) répond le messie humble et pacifique (9,9-10) et la venue victorieuse de Dieu (9,11-17). Sur un autre mode, 10,1-2 déploie la thématique de la vanité des idoles qui se brise face à la victoire de Dieu, ouvrant son peuple à un nouvel Exode (10,3 – 11,3). La section s'achève sur l'allégorie des deux bergers (11,4-17) opposant les autorités du moment au prophète lui-même.

En contraste avec les menaces et dénonciations qui précèdent, la *seconde section* annonce, en deux larges tableaux, la venue du salut de Dieu pour le petit reste fidèle et l'instauration définitive de son règne : 12,1 – 13,6 et 14,1-21. Une petite transition (13,7-9) reprend l'allégorie du berger en lui donnant un sens positif : certes, le berger sera frappé et le troupeau dispersé, mais il s'agit de l'ultime épreuve par laquelle Dieu purifie son peuple resté fidèle.

P. A.

Néhémie le réformateur (445-433)

Pendant la période perse l'absence de sources historiques continues, comme au temps des Rois, est en partie compensée par diverses données sur l'activité réformatrice de deux juifs de Mésopotamie devenus hauts fonctionnaires de l'Empire perse : Néhémie et le prêtre Esdras. Les informations fournies par les livres qui portent leurs noms sont pratiquement limitées à la période de leurs missions (milieu et fin du Ve siècle), mais elles sont d'autant plus précieuses qu'elles peuvent être confrontées avec des archives de l'Empire perse. Ces deux ouvrages fourniront également le cadre historique de trois autres petits livres bibliques qui leur sont liés : Malachie, Jonas et Ruth.

Le livre de Néhémie

Le livre s'intitule : « Paroles (actes) de Néhémie fils de Hakalyah. » On note tout de suite qu'il commence et se termine par un récit exprimé à la première personne du singulier qui occupe une bonne partie du livre. C'est dire que ce récit semble se rattacher au genre littéraire des « Mémoires ». Cependant, si le verbe « se souvenir » (*zakar*) y revient assez fréquemment (1,8 ; 5,19 ; etc.), il est surtout utilisé dans le cadre des relations avec Dieu. En fait, le ton général de ces Mémoires est bien indiqué par l'invocation : « Souviens-toi mon Dieu, en bien, de tout ce que j'ai fait pour ce peuple » (5,19 ; voir 13,31).

Il ne s'agit donc pas d'une autobiographie au sens moderne du terme. Le récit commence immédiatement avec les circonstances ayant conduit à la nomination de Néhémie comme gouverneur et ne précise pas la manière dont ce gouvernorat s'est terminé. De plus, bien qu'il soit possible que le texte actuel ait utilisé un rapport officiel au « roi des rois » sur la première année d'activité de Néhémie en tant que gouverneur de Juda, il est clair que ces Mémoires n'étaient pas destinés à l'administration perse. Ils sont d'ailleurs rédigés en hébreu et non en araméen et, si Néhémie y présente une apologie de son action politique en tant que gouverneur, celle-ci s'adresse explicitement non pas au roi perse mais à Dieu, son juge suprême, et implicitement à son peuple.

On s'accorde généralement à rattacher à ces Mémoires de Néhémie tous les passages à la première personne du singulier, même s'il est possible qu'ils ne soient plus dans l'ordre primitif. On rattache donc généralement à cette source la plus grande partie des ch. 1–7, une partie de 12,27-43 et de la finale 13,4-31, tandis qu'on hésite à y inclure les listes des ch. 3 et 7, ainsi que le ch. 10 et la liste de 11,3-19 qui peuvent avoir été insérés par Néhémie lui-même ou par un rédacteur ultérieur, comme cela semble être le cas pour les listes de 11,25-36 ; 12,1-9 ; 12,10-11 ; 12,12-21. 24-26.

Par ailleurs, certaines parties du livre semblent étrangères aux Mémoires de Néhémie. C'est le cas, en particulier, du ch. 8 (+ 7,73b) rédigé à la troisième personne du singulier, dont le personnage principal est Esdras mentionné aussi comme référence temporelle de la liste de 12,24-26, après l'évocation du règne de Darius (II ou III ?) le Perse (12,22). C'est aussi le cas du ch. 9, dont le début se rattache au ch. 8 et la suite est une grande prière liturgique d'humiliation. C'est dire que les Mémoires de Néhémie ont été révisés et complétés à une époque postérieure, apparemment en liaison avec l'activité d'Esdras le scribe et la rédaction du livre qui porte son nom [*voir* p. 356], alors que dans leur forme originale, le rapport d'Esdras ne connaissait pas Néhémie et les Mémoires de Néhémie ne nommaient pas Esdras. Cette révision a unifié la présentation de ces deux grands réformateurs de l'époque perse en accordant la première place à Esdras, le prêtre-scribe spécialiste de la Loi.

Certains commentateurs ont proposé de rattacher cette rédaction synthétique des livres d'Esdras et de Néhémie à l'auteur des livres des Chroniques. Cependant, même si la rédaction finale de ces livres pourrait se situer à peu près vers la même époque, vers 300 av.J.C., des études récentes semblent avoir montré que cette unité de rédaction ne s'impose pas et créerait plus de problèmes qu'elle n'en résout.

Ces grandes lignes de l'histoire de la rédaction du livre de Néhémie permettent d'en mieux apprécier l'intérêt historique et littéraire. En fait, les Mémoires de Néhémie constituent, aujourd'hui encore, notre source principale pour l'histoire de la Judée dans le deuxième quart du ve siècle av.J.C., une source pratiquement contemporaine des événements si on arrive à bien la distinguer de la rédaction finale du livre. À cet égard, ces Mémoires jouent, pour la Judée, un rôle analogue, bien que différent, à celui des documents d'Éléphantine pour l'histoire de la communauté juive de Haute-Égypte [*voir* p. 328]. Même s'il cherche tout naturellement à justifier son action politique, l'auteur des Mémoires a assumé une responsabilité de premier plan dans l'histoire de la Judée à son époque et dans le renouveau de cette province de l'Empire perse. Pour ce faire, il a imposé certaines réformes qui n'ont pas toujours fait l'unanimité et se sont heurtées à l'opposition de certains groupes influents, soit à l'intérieur, soit à l'extérieur de la province. Ce contexte explique le ton apologétique de ce récit.

Les réformes de Néhémie

Le début des Mémoires se situe à Suse auprès d'un Artaxerxès que l'on s'accorde à identifier avec Artaxerxès Ier (464-424). Néhémie, qui est échanson à la cour du roi des rois, y reçoit des nouvelles de la situation déplorable de Jérusalem et de la Judée par l'intermédiaire d'un de ses frères, Hanani, ce qui décide Néhémie à user de son influence pour œuvrer à la restauration de la ville de ses pères. Il demande et obtient d'être envoyé officiellement en Judée pour reconstruire Jérusalem dans un délai qui n'est pas précisé (2,6). Cependant le texte des Mémoires précise que cet envoi en mission a eu lieu « au mois de Nisan de la vingtième année d'Artaxerxès » (2,1) et ailleurs (5,14 ; voir 13,6) qu'il est retourné auprès du roi des rois au bout de douze ans. Cette première mission peut donc être datée de 445-433 ; elle fut apparemment suivie d'une deuxième mission (13,6-7) dont la durée n'est pas précisée et dont l'existence même reste incertaine. Même si les Mémoires sont assez discrets sur le titre exact de Néhémie, 5,14 précise qu'il fut envoyé en tant que « gouverneur » (*peha*, d'où vient « pacha ») et cette fonction semble confirmée par le fait qu'il n'hésite pas à critiquer l'attitude des gouverneurs qui l'ont précédé (5,15) ainsi qu'à dénoncer la jalousie de ses collègues, responsables politiques des régions voisines (2,19 ; 3,33-35 ; 4).

La première action de Néhémie, celle qui nous est racontée avec le plus de détails, fut de restaurer les murailles de Jérusalem. Après un examen personnel de la situation sur le terrain (2,12-15), et avec la participation des autorités locales, il restaura la muraille, c'est-à-dire essentiellement remit en état les portes en assurant leur bon fonctionnement. Il y réussit en cinquante-deux jours (6,15) en répartissant les travaux entre les groupes venant des différents bourgs de la province (3), et ce malgré les accusations de révolte (6,6) et les menaces transmises par certains prophètes (6,10). Une telle entreprise de restauration des murailles dans un environnement hostile peut être rapprochée de la restauration des murailles d'Athènes par Thémistocle au début du Ve siècle, ou celle des « Longs-Murs » par Conon au tout début du IVe siècle.

Pour mieux atteindre ce premier objectif, Néhémie s'était assuré la paix sociale en décrétant, avec l'accord des notables, une remise générale des dettes car les prêts d'argent et de blé aboutissaient souvent à l'asservissement des endettés. Par ce souci de l'harmonie sociale, Néhémie se situait dans la tradition de justice sociale des rois du Proche Orient et son action pouvait être comparée à celle de Solon réformant Athènes au début du VIe siècle.

Néhémie allégea aussi les impôts en renonçant à prélever le « pain du gouverneur » qui lui était dû sous forme de don de pain, de vin et d'argent (6,14-18). C'est probablement aussi pour mieux organiser le prélèvement des impôts (voir 7,69-71 ; 10,35-40) que Néhémie organisa un recensement (7,5). De fait, 7,6-68 donne une liste du nombre des recensés par ville ou village. Ce recensement enregistra près de 50 000 personnes, et même « 435 chameaux et 6 720 ânes » (7,66-68). Bien que ce recensement ait été présenté dans la rédaction finale actuelle comme celui des exilés de retour au pays (7,6), il concernait probablement, dans la rédaction primitive, toute la population de la province. Ce recensement était d'ailleurs nécessaire pour la mise en œuvre de la repopulation de Jérusalem par « synoecisme » : un dixième de la population des bourgs et villages de la province dut venir habiter dans Jérusalem, apparemment sur la base du volontariat (11,1-2).

Cette restauration matérielle et cette réforme administrative de la province s'accompagnèrent d'un renouveau culturel avec la défense et la mise en valeur de la culture hébraïque. Néhémie et les notables s'engagèrent à respecter la Loi de Dieu (10). Même si les passages concernant cette Loi ont été révisés lors de la rédaction finale, il semble que la Loi que Néhémie a mise en vigueur correspondait essentiellement au Deutéronome avec quelques traditions particulières comme l'offrande du bois pour le sanctuaire (10,35 ; 13,31). Outre le prélèvement de la dîme en faveur des Lévites (Ne 10,38-40 ; voir Dt 26,12ss) et sa gestion par une commission de quatre membres (13,13), il faut souligner le rejet de l'Ammonite et du Moabite de l'assemblée religieuse (Ne 13,1 ; voir Dt 23,3-6), ce qui conduisit Néhémie à s'opposer à Tobyah le ministre (« serviteur ») ammonite (13,4-5) et à critiquer l'attitude du grand prêtre dont la famille s'était liée par mariage aussi bien à Tobyah qu'à Sanballat, le gouverneur de Samarie. Il essaya aussi d'imposer le respect du sabbat en ordonnant la fermeture des portes de Jérusalem ce jour-là. Enfin, il s'opposa aux mariages de Judéens avec des femmes étrangères « ashdodites, ammonites et moabites » (13,23 ; voir Dt 24,3-4), en particulier pour défendre la pureté de la langue judéenne, c'est-à-dire de l'hébreu, avec une sanction conforme aux coutumes de cette époque.

En plaçant Esdras avant Néhémie et en les présentant comme contemporains (8,9 ; 12,26.36), le rédacteur final a probablement voulu affirmer la primauté du sacerdoce sur le gouverneur laïc, faire de Néhémie un défenseur de la Loi proclamée par Esdras et souligner l'importance des mesures prises concernant le bon fonctionnement du Temple. Cependant, même si le rôle de Néhémie était ainsi relativisé, il resta une des grandes figures de la restauration juive, en particulier pour les habitants de Jérusalem comme le montre cet éloge du Siracide : « De Néhémie aussi le souvenir est grand, lui qui releva nos remparts écroulés, rétablit portes et verrous et releva nos habitations » (Si 49,13).

Le livre de Malachie

Bien que les indications permettant une datation précise nous fassent défaut, le livre prophétique de Malachie est probablement légèrement antérieur aux réformes de Néhémie et à dater du milieu du Ve siècle. Il se présente dans la Bible comme le dernier des « douze* (petits) prophètes ». En fait, il s'agit d'un recueil d'oracles anonymes puisque le nom de « Malachie » n'est probablement pas le nom propre du prophète mais la reprise de Ml 3,1 où Dieu annonce : « Voici j'envoie *mon messager* (en hébreu : *malaki*) » [*voir* p. 348].

Les oracles qui sont rassemblés dans les trois chapitres de ce petit livre concernent Édom dont les ruines ne seront pas relevées (1,2-5), les sacrifices dont la qualité laisse à désirer (1,6-14), le sacerdoce qui délaisse l'instruction (2,1-9), le (grand)prêtre qui, apparemment, s'est remarié avec une étrangère (2,10-16), l'annonce de la purification du sacerdoce (3,1-4), la pratique de la dîme (3,6-12) et l'annonce du jour du jugement (3,13-21). Cette simple énumération révèle que la plupart de ces oracles dénoncent des abus auxquels les réformes de Néhémie essaieront de remédier [*voir* p. 352]. De façon plus précise, un oracle fait allusion aux dons offerts à la table du « gouverneur » (1,8), ce qui n'est pas sans évoquer l'attitude des gouverneurs antérieurs à Néhémie en Ne 5,15.

Au point de vue de leur forme, ces oracles citent souvent des remarques placées dans la bouche de ceux auxquels ils s'adressent. L'expression « et vous avez dit… » (1,2.6.7.13 ; 2,14.17 ; 3,7.8.13 ; voir 1,7.12 ; 2,17 ; 3,14) est caractéristique de ce petit livre où les oracles se présentent comme une sorte de dialogue, de débat ou de « diatribe », entre le peuple et Dieu, s'appuyant surtout sur la tradition deutéronomique comme les réformes de Néhémie.

L'épilogue (3,22-24) est probablement plus tardif que le livre lui-même. En évoquant les deux grandes figures de Moïse, le législateur, et d'Élie, le prophète, ces trois versets semblent former une conclusion non seulement aux livres des « petits prophètes » mais aussi au corpus rassemblant la Loi et les livres prophétiques en cours de « canonisation », c'est-à-dire devenant la référence officielle de tout Israël. De façon plus ponctuelle, l'annonce de l'envoi du prophète Élie avant la venue du jour du Seigneur (3,23) a été soulignée par la tradition juive postérieure et on la retrouve à l'époque de Jésus (Mt 17,9-13).

Le livre de Jonas

Le petit livre de Jonas, le cinquième dans la collection des « douze* prophètes », est à la fois un des plus connus et un des plus énigmatiques de la Bible. Il se présente comme l'histoire d'un prophète du VIIIe siècle : Jonas fils d'Amittaï, mentionné en 2 R 14,25, mais dont nous ne savons rien. En fait, ce petit livre rapporte une histoire merveilleuse, une sorte de *midrash** ou de conte prophétique, riche d'une réflexion et d'un enseignement sur l'expérience du prophète, l'efficacité de sa prédication et la bienveillance de Dieu pour tous les hommes, y compris les païens. Une telle œuvre littéraire est très difficile à dater. La langue est clairement postexilique tandis que les idées religieuses exprimées, comme la conversion possible des rois païens et de leurs sujets, pourraient refléter un milieu de la diaspora proche de celui de Tobie, Esther ou de la rédaction ancienne de Daniel. C'est dire que ce petit livre se situe probablement à l'époque perse, peut-être même au début de l'époque hellénistique.

Le récit lui-même est bien connu et plein de suspense. Jonas reçoit l'ordre d'aller à Ninive pour y dénoncer la méchanceté de ses habitants mais il s'enfuit sur un bateau qui est pris dans une violente tempête : un tirage au sort le désigne comme responsable. Jonas se reconnaît coupable et est jeté à la mer qui se calme, tandis que les marins offrent un sacrifice au Dieu de Jonas. Celui-ci est alors avalé par un gros poisson pendant trois jours et trois nuits durant lesquels il proclame un psaume (2,3-10), avant d'être rejeté sur la terre ferme. Après le faux départ des ch. 1–2, Jonas exécute finalement l'ordre réitéré de partir à Ninive. Contrairement à ce qu'il croyait, les Ninivites et leur roi réagissent à son annonce du châtiment par un jeûne accompagné d'une conversion (3,8-10) ; finalement Dieu revient sur sa décision de châtier Ninive. La scène finale évoque Élie dans le désert (1 R 19,4-8) mais pour mieux remettre le prophète à sa place et souligner la liberté et la bienveillance de Dieu envers les païens (4,11).

Dieu vit ce que faisaient (les Ninivites) pour se détourner de leur conduite mauvaise. Aussi Dieu se repentit du mal dont il les avait menacés, il ne le réalisa pas. Jonas en eut un grand dépit, et il se fâcha. Il fit une prière au SEIGNEUR *: « Ah !* SEIGNEUR, *dit-il, n'est-ce point là ce que je disais lorsque j'étais encore dans mon pays ? C'est pourquoi je m'étais d'abord enfui à Tarsis ; je savais en effet que tu es un Dieu de pitié et de tendresse, lent à la colère, riche en grâce et te repentant du mal. Maintenant,* SEIGNEUR, *prends donc ma vie, car mieux vaut pour moi mourir que vivre. » Le* SEIGNEUR *répondit : « As-tu raison de te fâcher ? » Jonas sortit de la ville et s'assit à l'orient de la ville ; il se fit là une hutte et s'assit dessous, à l'ombre, pour voir ce qui arriverait dans la ville.*

Alors le SEIGNEUR *Dieu fit qu'il y eut un ricin qui grandit au-dessus de Jonas, afin de donner de l'ombre à sa tête et de le délivrer ainsi de son mal. Jonas éprouva une grande joie à cause du ricin. Mais à la pointe de l'aube le lendemain, Dieu fit qu'il y eut un ver qui piqua le ricin ; celui-ci sécha. Puis, quand le soleil se leva, Dieu fit qu'il y eut un vent d'est cinglant ; le soleil darda ses rayons sur la tête de Jonas qui fut accablé. Il demanda la mort et dit : « Mieux vaut pour moi mourir que vivre. » Dieu dit à Jonas : « As-tu raison de te fâcher pour ce ricin ? » Il répondit : « Oui, j'ai bien raison d'être fâché à mort. » Le SEIGNEUR repartit : « Toi, tu as de la peine pour ce ricin, qui ne t'a coûté aucun travail et que tu n'as pas fait grandir, qui a poussé en une nuit et en une nuit a péri. Et moi, je ne serais pas en peine pour Ninive, la grande ville, où il y a plus de cent vingt mille êtres humains qui ne distinguent pas leur droite de leur gauche, ainsi qu'une foule d'animaux ! »* (Jon 3,10 – 4,11)

Ce petit livre proclamant l'universalité de la bienveillance divine ne manque pas d'ironie en renversant les rôles habituels : le prophète se rebelle tandis que les païens (marins et Ninivites) écoutent la parole de Dieu. Il a eu un impact considérable dans le judaïsme, où il est toujours lu le jour de Kippour, et dans le christianisme avec l'évocation évangélique du « signe de Jonas » (Mt 12,39-42 ; 16,4 ; Lc 11,29-32).

Esdras : le Pentateuque (vers 398)

Le titre du livre d'Esdras prête quelque peu à confusion : Esdras n'y apparaît qu'à partir du ch. 7, les ch. 1–6 concernant visiblement une période antérieure ; de plus, Esdras est aussi le personnage principal de Ne 8 (il est encore mentionné en Ne 12,26.36, dans une addition rédactionnelle). Pour bien comprendre les aspects littéraires et historiques de ce livre, il faut donc clairement distinguer Esdras 1–6 d'Esdras 7–10.

La mission d'Esdras : la Loi (Esd 7–10 ; Ne 8–9 ?)

Le ch. 7 commence par une présentation détaillée de la personne d'Esdras (7,1-10). Suit le texte araméen d'une lettre d'Artaxerxès précisant sa mission et ses moyens (7,12-26).

« *Artaxerxès, le roi des rois, au prêtre Esdras, scribe de la Loi du Dieu du ciel, paix parfaite. Maintenant donc, j'ai donné l'ordre que quiconque en mon royaume fait partie du peuple d'Israël, de ses prêtres ou de ses lévites et est volontaire pour aller à Jérusalem, peut partir avec toi, puisque tu es envoyé par le roi et ses sept conseillers pour inspecter Juda et Jérusalem d'après la Loi de ton Dieu, que tu as en main. […] Quant à toi, Esdras, en vertu de la sagesse de ton Dieu, que tu as en main, établis des magistrats et des juges qui exercent la justice pour tout le peuple de Transeuphratène, c'est-à-dire tous ceux qui connaissent la Loi de ton*

Dieu. Qui ne la connaît pas, vous devrez l'en instruire. Quiconque n'observerait pas la Loi de ton Dieu – qui est la Loi du roi – qu'une rigoureuse justice lui soit appliquée. » (Esd 7,12-14.25-26)

À cette lettre répond, en quelque sorte, une bénédiction mise dans la bouche d'Esdras et un récit à la première personne du singulier. Ce récit inclut une liste d'exilés revenant avec Esdras (8,1-14) et rapporte le voyage de Babylone à Jérusalem puis l'arrivée dans cette ville avec le dépôt des dons et la célébration de sacrifices au Temple. Les ch. 9–10 sont ensuite consacrés au problème des mariages avec des femmes étrangères et se terminent par une liste de 111 coupables à la fin du ch. 10, tout entier rédigé à la troisième personne du singulier. Il en est d'ailleurs de même pour le ch. 8 de Néhémie qui rapporte la cérémonie de la lecture officielle de la Loi, le premier jour du septième mois, avant un jeûne accompagné d'une longue prière au ch. 9, le vingt-quatrième jour du mois.

Tout le peuple se rassembla comme un seul homme sur la place située devant la porte des Eaux. Ils dirent au scribe Esdras d'apporter le livre de la Loi de Moïse, que le SEIGNEUR avait prescrite à Israël. Alors le prêtre Esdras apporta la Loi devant l'assemblée. […] C'était le premier jour du septième mois. Sur la place située devant la porte des Eaux, il lut dans le livre, depuis l'aube jusqu'à midi, en présence des hommes, des femmes et de ceux qui avaient l'âge de raison : tout le peuple tendait l'oreille au livre de la Loi.

Le scribe Esdras se tenait sur une estrade de bois, construite pour la circonstance ; près de lui se tenaient : à sa droite, Mattitiya, Shéma, Anaya, Ouriyya, Hilqiyya et Maaséya, et, à sa gauche, Pedaya, Mishaël, Malkiyya, Hashoum, Hashbaddana, Zakarya et Meshullam. Esdras ouvrit le livre au regard de tout le peuple – car il dominait tout le peuple – et, quand il l'ouvrit, tout le peuple se mit debout. Alors Esdras bénit le SEIGNEUR, le grand Dieu ; tout le peuple, mains levées, répondit : « Amen ! Amen ! », puis ils s'inclinèrent et se prosternèrent devant le SEIGNEUR, le visage contre terre. […] Et Esdras lut dans le livre de la Loi de Dieu, traduisant et donnant le sens : ainsi l'on comprenait la lecture. Alors […] Esdras, le prêtre-scribe dit à tout le peuple : « Ce jour est saint pour le SEIGNEUR, votre Dieu ! Ne soyez pas tristes, ne pleurez pas ! » Car tout le peuple pleurait en entendant les paroles de la Loi. […]

Esdras lut dans le livre de la Loi de Dieu chaque jour, du premier au dernier. Sept jours durant, on célébra la fête ; le huitième, il y eut, comme prescrit, une réunion solennelle. (Ne 8)

Si l'on tient compte du fait que l'arrivée d'Esdras à Jérusalem est datée du cinquième mois (7,8) et que la séparation d'avec les femmes étrangères a lieu le neuvième mois (10,9), on peut penser que la lecture de la Loi par Esdras, rapportée en Ne 8, et peut-être le jeûne et la prière de Ne 9, se situaient primitivement entre la fin d'Esd 8 et le début d'Esd 9. Cet ordre primitif a probablement été bouleversé par le rédacteur final des livres d'Esdras et de Néhémie qui a voulu que la proclamation officielle de la Loi puisse aussi se réclamer de l'autorité de Néhémie (Ne 8,9). Dans ces conditions, le récit de la mission d'Esdras rapporté en Esd 7–10 et Ne 8 (et 9 ?) ne porte probablement que sur une année : « la septième année d'Artaxerxès ». Il pourrait s'agir de l'adaptation d'un rapport d'Esdras au roi des rois, rendant compte des résultats de la première année de sa mission.

L'interprétation historique de cette mission d'Esdras a divisé et divise encore les commentateurs. Les problèmes portent principalement sur trois points : le contenu exact de la mission d'Esdras, celui de la Loi qu'il avait avec lui et la date de sa mission.

Le contenu de la mission

Le contenu exact de la mission d'Esdras est directement lié à l'appréciation de la lettre d'Artaxerxès citée en Esd 7,12-24. Bien que certains détails en aient été discutés, la plupart des commentateurs reconnaissent aujourd'hui que le texte araméen de cette lettre est, pour le moins, vraisemblable étant donné ce que nous savons de l'épistolographie araméenne officielle de cette époque et de la politique religieuse des autorités achéménides. On rapproche d'ailleurs souvent la mission d'Esdras de l'autobiographie d'Oudjahoressnet, un notable égyptien, et du rassemblement des lois égyptiennes sous Darius Ier. Il est bien possible que cette lettre officielle de mission réponde à une sollicitation d'Esdras lui-même et / ou d'un groupe influent de Juifs de Babylonie. Le décret royal comporte apparemment cinq points principaux :

1 – autorisation de retourner à Jérusalem pour tout Juif qui le désire ;
2 – autorisation de transporter des fonds pour le Temple de Jérusalem ;
3 – enquête confiée à Esdras sur l'application de « la Loi de Dieu qui est dans sa main », à Jérusalem en Judée ;
4 – établissement par Esdras de magistrats et de juges dans toute la Transeuphratène pour faire appliquer la Loi de Dieu qui est aussi la Loi du roi ;
5 – ordre aux trésoriers royaux de Transeuphratène de soutenir cette mission d'Esdras dans des limites précises (Esd 7,21-24).

Les deux premiers points ne posent aucun problème et leur mise en œuvre est rapportée immédiatement après. Le troisième point concerne la mise en œuvre de la Loi dans Jérusalem et en Judée et semble correspondre au récit de Ne 8 et d'Esd 9–10. Le dernier point paraît lié au caractère officiel de la mission d'Esdras ; on peut simplement se demander si l'ordre donné aux trésoriers royaux faisait partie intégrante de la lettre ou s'il était écrit primitivement sur un document séparé. En fait, seul le quatrième point fait apparemment problème car on voit difficilement les autorités perses vouloir imposer cette loi d'Esdras à toute la Transeuphratène. Cependant le texte lui-même limite cette application « à tous ceux qui connaissent les lois / décrets de ton Dieu », c'est dire qu'il vise seulement les communautés se réclamant elles-mêmes de la tradition et des lois israélites, en pensant probablement ici d'abord à la province de Samarie. La suite du livre d'Esdras ne fait aucune allusion à l'application de ce quatrième point mais le livre se limite peut-être volontairement à la première année de l'activité d'Esdras à Jérusalem. De plus, le rédacteur final pourrait avoir été moins intéressé au reste de la Transeuphratène, spécialement en Samarie, où Esdras ne devait intervenir que pour nommer des magistrats et des juges responsables de l'application de la Loi. Cependant ce quatrième point a probablement été mis en œuvre par Esdras, au moins pour la province de Samarie, si l'on tient compte de l'importance du Pentateuque chez les Samaritains.

Le contenu de la Loi

Quel était le contenu de la Loi qu'Esdras apportait ? Depuis Wellhausen, la plupart des exégètes ont pensé qu'il s'agissait du Pentateuque, même s'ils s'expriment parfois très prudemment. Ainsi, M. Noth : « Nous ne savons pas ce qu'a été cette “Loi dans la main d'Esdras” et pouvons seulement conjecturer que ce fut une compilation de lois venues de la période antérieure à l'Exil avec peut-être encore quelques morceaux nouvellement composés. » En fait, à la suite d'études détaillées, il apparaît que cette loi avait déjà intégré la dernière étape rédactionnelle du Code sacerdotal et représentait probablement le Pentateuque, pratiquement tel que nous le connaissons aujourd'hui. Dans l'état actuel de nos connaissances, cette interprétation est certainement la meilleure hypothèse de travail que l'on puisse adopter car elle explique pourquoi les autorités perses ont soutenu Esdras « prêtre et scribe de la Loi du Dieu du ciel » (Esd 7,12), qui avait intégré les diverses traditions législatives israélites antérieures dans une nouvelle synthèse, un texte pouvant servir de référence officielle [*voir* p. 149].

La date de la mission

Cette date reste discutée. Si l'on met à part la date de 428, qui suppose une correction inutile du texte, les commentateurs se réfèrent généralement à la date indiquée en Esd 7,7-8 : « l'an sept d'Artaxerxès ». Mais de quel Artaxerxès s'agit-il ?

Bon nombre d'exégètes pensent qu'il s'agit d'Artaxerxès Ier (464-424), ce qui daterait la mission d'Esdras de 458. Cette interprétation se base essentiellement sur l'ordre actuel de présentation des deux réformateurs juifs, dans les livres qui portent leur nom ; en effet, Esdras y est présenté avant Néhémie. Comme ce dernier est daté de la vingtième année d'Artaxerxès Ier (Ne 1,1 ; 2,1), le début de la mission d'Esdras qui lui est antérieur ne peut être daté que de la septième année d'Artaxerxès Ier. Cependant la critique littéraire montre assez clairement que la contemporanéité d'Esdras et de Néhémie en Ne 8,9 ; 12,26.36 n'est pas primitive [*voir* p. 350-351]. Bien plus, un certain nombre d'indices du récit de la mission d'Esdras, en particulier l'allusion à Jérusalem comme une ville fortifiée (Esd 9,9) et peuplée (Esd 10,1) impliquent plutôt que la mission d'Esdras a été postérieure à l'action politique de Néhémie.

Dès lors, il semble qu'il faille plutôt dater la mission d'Esdras de la septième année d'Artaxerxès II (404-359), c'est-à-dire de 398. De fait, outre la critique littéraire en faveur de l'antériorité de Néhémie par rapport à Esdras, les documents d'Éléphantine (en particulier, le « Papyrus pascal » [*voir* p. 329]), s'accordent beaucoup mieux avec une mission d'Esdras en 398 puisque la législation cultuelle juive y apparaît encore très flottante en 419 et 407.

La construction du second Temple (Esdras 1–6)

Les ch. 1–6 du livre d'Esdras évoquent la restauration juive en Judée au début de l'époque perse et sont essentiellement consacrés à la construction du second Temple : l'édit de la première année de Cyrus autorisant le retour des exilés et ordonnant de rebâtir le Temple de Jérusalem (Esd 1,2-4) est suivi d'une première caravane dirigée par Sheshbaççar, le prince de Juda, rapportant les objets précieux du premier Temple (Esd 1,5-11). Vient ensuite une liste de rapatriés sous la direction de Zorobabel (Esd 2). À leur arrivée à Jérusalem, Josué et Zorobabel restaurent l'autel, rétablissent la célébration des sacrifices et des fêtes puis commencent les travaux de restauration du Temple (Esd 3). Le ch. 4 explique l'arrêt des travaux, depuis le règne de Cyrus jusqu'à celui de Darius, en l'attribuant aux « ennemis de Juda et de Benjamin ». Il cite ensuite un échange de lettres entre de hauts fonctionnaires de Samarie et le roi Artaxerxès (Esd 4,6-22). Puis le ch. 5 revient à la construction du Temple sous Zorobabel et Josué, c'est-à-dire au début du règne de Darius (vers 520), et cite de nouveaux documents liés à une enquête du gouverneur de Transeuphratène, Tattenaï, pour vérifier si la reconstruction du Temple avait bien l'accord des autorités perses ; enquête qui aboutit à la confirmation de l'autorisation officielle de Cyrus (5 – 6,14). La reconstruction du Temple s'achève le 3 Adar de l'an 6 de Darius (= le 12 mars 515 : Esd 6,15) avec la fête de sa dédicace, bientôt suivie d'une grande fête de la Pâque, le 14 Nisan (= le 21 avril 515).

Esdras 1–6 a probablement été rédigé après Esdras 7–10 et le livre de Néhémie, auquel il a « emprunté » la liste de Ne 7,6-72. Sa connaissance de l'histoire semble laisser à désirer : l'échange de lettres d'Esd 4,6-22 n'est pas à sa place puisqu'Artaxerxès Ier (464-424) est bien postérieur à Darius Ier (522-486), lui-même appelé « roi d'Assyrie » (Esd 6,22). Ce rédacteur qui connaissait apparemment les livres d'Aggée et de Zacharie (Esd 5,1) écrivait probablement après la chute de l'empire achéménide, peut-être vers 300 av.J.C. Son récit est centré sur la construction du Temple de Jérusalem avec l'appui officiel de Cyrus et de Darius et malgré l'opposition des Samaritains. Pour ce faire, il a détourné de son contexte (début du règne d'Artaxerxès Ier) et de son sens (arrêt de la reconstruction de la muraille) la documentation d'Esd 4,8-22 qui aurait été mieux située au début livre de Néhémie avec peut-être un écho en Ne 2,10 et 6,6-7. Cette mise en valeur du Temple de Jérusalem et cette pointe antisamaritaine pourraient s'expliquer comme une réaction à la construction par les Samaritains du temple du mont Garizim, au-dessus de Sichem, à la fin de l'époque perse et au début de l'époque hellénistique, avec l'accord de Darius III puis d'Alexandre.

Dans ce contexte, on comprend que le rédacteur final d'Esd 1–6 ait voulu rassembler tous les documents officiels à sa disposition et souligner l'appui des autorités perses à la reconstruction du Temple de Jérusalem, appui officiel que souligne l'emploi de l'araméen de 4,8 à 6,8. L'authenticité de la documentation araméenne rassemblée est généralement reconnue, quitte à remarquer que le rédacteur l'exploite et éventuellement l'adapte en fonction de son intérêt. Cela semble être le cas, en particulier, pour l'édit de Cyrus en hébreu d'Esd 1,2-4, vraisemblablement une adaptation d'un original araméen dont on a le résumé officiel en 6,3-5. Le rédacteur a pu aussi consulter les archives du Temple de Jérusalem pour ce qui concerne la liste des objets sacrés (Esd 1,8-10), la restauration de l'autel et la pose des fondations (3), ainsi que la dédicace du nouveau Temple et la Pâque suivante (Esd 6,15-22).

Ainsi centré sur la reconstruction du Temple, et la mission d'Esdras faisant appliquer la Loi (le Pentateuque), le livre d'Esdras n'a pas la prétention de nous décrire l'histoire de la Judée à l'époque perse mais il nous montre comment se sont mis en place les deux piliers du judaïsme postexilique : le Temple lui-même, avec ses sacrifices et ses fêtes, et la Loi.

Le livre de Ruth et les mariages mixtes

Le petit livre de Ruth est le deuxième des « (Cinq) Rouleaux » (en hébreu : les *Meguillôt*) liés aux grandes fêtes juives. On le lit à la fête de la Pentecôte, probablement à cause de l'évocation de la moisson. L'histoire qu'il raconte est difficile à classer : elle commence par une famine et se termine par un mariage et, surtout, l'évocation de la naissance de David. Sauf pour la généalogie de ce dernier, probablement rajoutée d'après 1 Ch 2,5-15, tous les commentateurs s'accordent à souligner l'unité littéraire de cette belle histoire, de cette nouvelle pittoresque et champêtre, même s'ils se divisent sur le rôle juridique précis du « racheteur » (*goèl :* 2,20 ; 3,9.12 ; 4,1.3.6.8.14 ; voir 3,13 ; 4,4.6.7), à la fois proche et différent de celui du beau-frère d'un défunt (en latin : *levir*, d'où la loi du lévirat, en Dt 25,5-10).

Comme le souligne le titre, le héros de ce récit est une femme et une étrangère qui quitte son pays, Moab, pour s'intégrer totalement à celui de sa belle-famille judéenne. Sa propre déclaration : « ton peuple sera mon peuple et ton Dieu sera mon Dieu » (1,16) l'indique clairement et on comprend que la tradition juive postérieure ait vu dans Ruth le modèle de la « prosélyte », la païenne qui se convertit au judaïsme.

Ce récit est très difficile à dater et les commentateurs hésitent entre le Xᵉ et le IVᵉ siècle, le situant le plus souvent soit au VIIᵉ siècle (l'évocation de la période des Juges en 1,1 pouvant être rapprochée de 2 R 23,22), soit à l'époque de Néhémie et surtout d'Esdras, lorsque ceux-ci interdirent les mariages entre Juifs et païens. Ce dernier contexte pourrait être le plus vraisemblable. S'appuyant sur une tradition ancienne, un des « gens du pays », plus ou moins contemporain d'Esdras, a pu être choqué par le rejet systématique des femmes étrangères (Esd 9,2.12.14 ; voir Ne 10,31 ; 13,1.23-27) ; il aura donc voulu rappeler que David lui-même descendait d'une « femme étrangère », modèle de fidélité et de bonté (3,10).

A. L.

Les Grecs

Depuis deux siècles de domination perse, les Juifs, comme les Phéniciens, les Syriens et les Arabes, constituaient l'Extrême Occident d'un empire continental et asiatique, centré sur l'Iran. Au moment de l'arrivée d'Alexandre, en 332, l'horizon des Juifs se limitait à l'Égypte et à la Mésopotamie (l'Irak actuel), aux dimensions d'une diaspora* exclusivement orientale. L'effet majeur et définitif de la conquête d'Alexandre est d'avoir fait basculer dans le monde méditerranéen tous les pays du Proche et du Moyen-Orient, jusqu'à l'Euphrate.

L'histoire du peuple de la Bible en fut durablement marquée. Pendant cette période, Jérusalem et la Judée dépendent d'abord du royaume lagide d'Égypte, puis, à partir de 200, du royaume séleucide de Syrie. Mais, à la suite d'une persécution, Judas Maccabée et ses frères se libèrent de la tutelle des Grecs et donnent naissance à la dynastie juive des Hasmonéens, qui règne de 142 à 63, date de l'arrivée des Romains. Cette période de domination des Grecs impose aux Juifs une confrontation avec la culture hellénistique : confrontation parfois brutale mais féconde, qui va à la fois durcir la tradition religieuse d'Israël et l'ouvrir vers l'Occident.

La conquête d'Alexandre

Alexandre, qui poursuivait d'ailleurs un projet de son père, attaqua l'Empire perse et débarqua en Asie mineure (l'actuelle Turquie) en 334, avec une armée importante. Ses objectifs demeurent incertains et ont d'ailleurs évolué : soit il songeait à une entreprise restreinte de colonisation, pour réguler la pression démographique et les problèmes sociaux en Grèce ; soit il se limitait à une guerre de poursuite pour faire du butin et renflouer le trésor royal ; soit il pratiquait des représailles – tardives – à l'invasion perse de la Grèce en 480 ; soit, enfin, il voulait fédérer les Grecs autour d'un projet commun. En 333, après la conquête de l'Asie mineure, la victoire d'Issos, au nord-ouest de la Syrie, lui ouvrit l'espace syro-palestinien. Cependant il ne pénétra guère l'arrière-pays et n'alla pas à Jérusalem. Il se rendit maître du littoral pour gagner l'Égypte, assurer ses arrières et ses communications avec la Grèce. La plupart des peuples se rallièrent ; certaines cités résistèrent comme Tyr (7 mois), Gaza (3 mois) ou encore Samarie.

En 331 les Samaritains firent brûler vif le gouverneur grec. La répression d'Alexandre, à son retour d'Égypte, fut très dure. Samarie fut prise et les révoltés se réfugièrent dans les grottes du wadi Dahliyè, près de Jéricho, où ils furent massacrés. Les généraux d'Alexandre installèrent une colonie de vétérans à Samarie et une autre à Gérasa, en Transjordanie. Selon le témoignage de Flavius Josèphe, le temple du mont Garizim fut construit à ce moment-là et il servit de base à une fédération religieuse de type grec. La rupture entre les Samaritains et le Temple de Jérusalem date donc de la conquête grecque, mais elle s'aggrava encore ultérieurement, après que Jean Hyrcan eut détruit le temple du Garizim en 128.

Alexandre n'eut ni le temps, ni les moyens de procéder à une réforme administrative ou politique. À en juger par l'évolution des cités phéniciennes, les obligations militaires et fiscales sont restées les mêmes et se sont même encore alourdies ; l'autonomie semble avoir été plus limitée sous Alexandre que sous les rois perses. On ne connaît plus de district de Judée qui ait son gouverneur propre, comme c'était le cas à l'époque perse. Les Juifs étaient rattachés à la satrapie de Syrie, si bien que les contemporains d'Alexandre et d'Aristote, qui les découvraient, ne les identifièrent pas vraiment mais les considérèrent comme des « Syriens » adeptes d'une religion et d'une sagesse particulières. Cependant le Temple y gagna, puisqu'il subsistait comme la seule autorité locale. Pour les Grecs, il devint alors le centre d'une communauté ethnico-religieuse et le système théocratique s'en trouva renforcé.

La conquête grecque eut davantage de conséquences sur le plan économique et culturel, car elle intensifia la vie de relations en élargissant son espace. Il faut quand même relever que la culture grecque avait déjà pénétré auparavant en Palestine, avec la présence de Grecs dans les ports (à Akko / Acre, Dor, Ascalon), et le trafic de petits objets importés vers l'intérieur : Jérusalem a frappé des monnaies de type athénien, à la chouette, et la cache du wadi Dahliyè a révélé des images de dieux grecs.

Mais en sens inverse, c'est la conquête d'Alexandre qui fit découvrir les Juifs aux Grecs. Les premiers témoignages grecs sur le judaïsme datent, en effet, du dernier quart du IVe siècle (Alexandre est mort en 323 à Babylone). Ils émanent de l'école d'Aristote dont plusieurs disciples avaient suivi l'expédition. Ils révèlent une curiosité bienveillante pour le rituel et les coutumes, sans intérêt particulier pour le monothéisme. Quelques éléments de récits bibliques circulaient déjà en Grèce, ce qui ne veut pas dire, bien sûr, que les Grecs lisaient la Bible, mais cela atteste de relations personnelles qui ont pu s'étendre de proche en proche. Vers 300, le grand prêtre aurait conclu alliance avec un roi de Sparte. La diaspora méditerranéenne, qui commence alors, a dû utiliser ces réseaux.

L'hellénisme est donc apparu en Palestine dans une situation coloniale, comme une culture étrangère importée par un pouvoir dominateur. Mais dans le court terme on ne relève qu'indifférence, faute de pouvoir rapporter avec certitude à cette période certains oracles du livre de Zacharie (9–14). Dans le long terme, le monde issu de la conquête d'Alexandre, où coexistaient Grecs et Orientaux, fut un lieu de rencontre et de rapprochement aussi bien que d'antagonismes et de divisions.

Les Lagides (323-200)

Bien qu'ils ne soient jamais nommés dans la Bible, les Ptolémées, les rois grecs d'Égypte, ont considérablement orienté l'évolution du judaïsme hellénistique. Pour peupler Alexandrie, leur capitale, ils ont donné une forte impulsion à la diaspora d'Égypte, offrant ainsi au judaïsme un lieu de confrontation particulièrement stimulant avec l'hellénisme. D'autre part, comme les Ptolémées ont contrôlé la Judée durant tout le IIIe siècle, ils sont les premiers responsables de l'hellénisation de Jérusalem et d'une partie de la population en Palestine. C'est sous leur domination que s'élaborèrent des stratégies d'adaptation et qu'apparurent de nouveaux repères identitaires.

La Judée et les Ptolémées

Le premier Ptolémée chercha à prendre le contrôle de la Palestine dès 320 pour protéger sa part de l'empire d'Alexandre, c'est-à-dire l'Égypte. C'était reprendre une politique traditionnelle des pharaons, si bien que les relations privilégiées avec l'Égypte ont marqué autant le judaïsme hellénistique que l'époque des patriarches. Ptolémée Ier dut batailler de 321 à 301 pour établir la domination lagide dans cette zone contestée. Pour le nouveau pouvoir, les Juifs formaient une unité ethnique et religieuse (*ethnos*), organisée autour d'un temple, avec son grand prêtre et sa loi. Le peuple des Juifs occupait un territoire ethnique, la Judée, dont les limites n'avaient pas changé depuis l'époque perse ; il était intégré à la province lagide de Syrie, qui s'étendait désormais depuis la côte phénicienne jusqu'à Damas au Nord-Est, Gaza au Sud, la région d'Amman à l'Est. Sur la côte, les Lagides fondèrent une ville grecque, Ptolémaïs, sur le site d'Akko (Acre), comme un relais de leur puissance. La Judée était gouvernée comme un Etat-temple, sous l'autorité d'un grand prêtre assisté d'une administration civile pour les questions fiscales et économiques. Cette province limitrophe du royaume séleucide, au Nord, présentait un intérêt stratégique et fiscal particulier, qui justifiait un régime d'administration directe.

Les Juifs de Palestine ont donc connu des Grecs de la Cour lagide : des administrateurs des impôts et des gestionnaires de l'économie, comme Zénon qui voyagea dans le pays vers 260, mais surtout des soldats. Les guerres de Syrie opposèrent Lagides et Séleucides de façon intermittente mais récurrente entre 280 et 241. La circulation des armées favorisait les contacts directs avec la population locale ; des colons militaires, les « clérouques », furent implantés en Transjordanie. Ainsi l'hellénisme restait lié à une domination étrangère. Mais des dynamismes nouveaux firent entrer certains Juifs dans les circuits de l'argent, du trafic et de la banque. En effet, la domination du vainqueur se matérialisait par le versement d'un tribut, payable en argent monnayé. Le grand prêtre paraît en avoir été le garant, mais les Lagides l'affermèrent et en confièrent la perception à des notables locaux : Joseph, du clan des Tobiades, qui contrôlait la forteresse d'Amman et commandait la garnison lagide, devint ainsi « fermier général » de l'impôt pendant vingt-deux ans. De multiples liens unirent ce type de Juifs à l'administration d'Alexandrie : voyages, cadeaux, lettres de recommandations, etc. Ainsi apparurent des Juifs du roi, familiers des Grands, qui ont inspiré l'auteur du roman de *Tobie* et le *Siracide.* Tous deux appartenaient à un monde en mouvement, mais ils considéraient avec suspicion tout ce qui venait de l'extérieur – la femme, l'étranger, le trafiquant – tout ce que les Esséniens condamnèrent plus tard radicalement.

Au IIIe siècle, dans la Palestine sous domination lagide, les clivages n'étaient ni religieux ni politiques, mais économiques, culturels et sociaux. Ceux qu'on commençait à appeler les « Hellénistes », c'est-à-dire ceux qui parlaient grec, étaient riches et même très riches ; c'était l'aristocratie des grands propriétaires, capables de commercialiser leurs surplus. Ils voulaient ouvrir le pays, conclure des accords avec les peuples voisins, développer le commerce des bêtes de boucherie, ce qui présentait un risque pour les règles alimentaires juives et les pratiques séparatistes. Le développement économique mena à l'assimilation culturelle et même parfois à l'adoption, extérieurement, de certaines formules polythéistes. Ainsi, durant la période lagide, le fossé se creusa entre une élite restreinte et la masse des paysans, fossé qui était apparu au retour de l'Exil.

Les Juifs en Égypte

Dans la diaspora d'Égypte, ces oppositions n'existaient pas car tous étaient hellénisés et parlaient exclusivement le grec. Certains Juifs portaient toujours des noms hébreux, mais d'autres avaient préféré des noms grecs, en général sans connotation polythéiste, comme Dosithéos (= Nathanaël, « Dieudonné ») ou Aristoboulos (« De très bon conseil »). Tous appartenaient au système lagide et étaient engagés au service du roi : prisonniers de guerre emmenés en esclavage puis libérés, déportés, mercenaires volontaires, la plupart étaient des soldats du roi. Établis comme colons militaires (clérouques), ils étaient immergés dans le milieu local égyptien, mais ils se reproduisaient héréditairement selon un système de caste et ils participaient de solidarités hiérarchiques au sein d'une armée cosmopolite. D'autres étaient percepteurs, artisans, agriculteurs. Il est difficile de chiffrer la présence juive en Égypte, mais elle a pu représenter 3 % de la population. Les Juifs d'Égypte appartenaient au groupe dominant des immigrés hellénophones, ceux qu'on appelait les Hellènes. Ils avaient complètement assimilé l'idéal de la cité grecque et réclamaient de plus en plus des droits civiques, à parité avec les Grecs, sans renoncer pour autant à leur particularisme religieux. Ainsi ils revendiquaient une identité citoyenne, à la grecque, en plus de leur appartenance ethnique et religieuse à la descendance d'Abraham.

La traduction de la Bible en grec

Le contact qui s'établit en Égypte entre le judaïsme, la culture et le pouvoir grecs, fut un choc aux conséquences incalculables. Dans la première partie du IIIe siècle, on traduisit la Bible en grec à Alexandrie, ce qu'on appelle communément la Bible des Septante d'après le nombre symbolique des traducteurs, donné par la tradition juive locale. Du point de vue de l'histoire culturelle, l'entreprise n'était pas sans précédent puisque d'autres sagesses orientales ont été traduites au même moment, toujours en grec : en effet, le bilinguisme n'a jamais fonctionné qu'en sens unique. Mais du point de vue de l'histoire religieuse, l'opération posait le problème des rapports entre langue sacrée et langue usuelle, ainsi que les multiples questions liées à l'interprétation qu'implique toute traduction : le traducteur de la Sagesse de Ben Sira (ou Ben Sirach), son petit-fils, s'en fera l'écho plus tard, dans son prologue.

La traduction de la Bible en grec fut présentée par les Juifs d'Alexandrie comme une entreprise commune, à l'initiative du roi et du bibliothécaire royal, un disciple d'Aristote. Selon les Juifs, il s'agissait de présenter le judaïsme aux non-Juifs et de le légitimer par son ancienneté au moment où les Grecs en découvraient certains aspects. Mais ni les Grecs, ni les Romains n'ont jamais lu la Bible d'Alexandrie. D'autres objectifs apparaissent donc plus vraisemblables. Comme la Bible des Septante fut la seule utilisée par les auteurs du Nouveau Testament, qui écrivirent dans la diaspora, et qu'elle est à peu près contemporaine de la première synagogue d'Égypte, on pourrait penser que cette traduction répondait aux besoins éducatifs et liturgiques de communautés d'émigrés qui ne lisaient plus l'hébreu. Pourtant celui-ci n'était pas devenu une langue morte, comme l'attestent les inscriptions funéraires.

Reste alors la possibilité d'une opération politique : Ptolémée II aurait fait traduire la Bible en tant que Loi des Juifs, comme il avait fait traduire le coutumier indigène, pour procéder à une collection des codes en usage et pouvoir administrer chaque peuple de son royaume selon son droit propre. La Bibliothèque d'Alexandrie contenait une « Section des lois » et *tora*, qui signifie « enseignement » en hébreu, a été traduit par « loi » (*nomos*), ce qui paraît significatif de l'usage qu'on entendait faire de la traduction. Les règles particulières du judaïsme se trouvaient ainsi garanties par l'autorité royale, mais, d'un autre point de vue, la religion juive accentua aux yeux des Grecs son caractère légaliste.

Il se créa alors toute une littérature juive de langue grecque, qui témoigne de l'intégration culturelle des Juifs d'Alexandrie. Des romans pieux voulaient instruire en distrayant : celui de *Joseph et Aséneth* adapte l'histoire du patriarche en Égypte ; celui de *Tobie* mêle à un Orient rêvé des réalités grecques. Une histoire juive, de type Chroniques, apparut, ainsi que l'apologétique, dont le plus bel exemple – la *Lettre d'Aristée à Philoclès* – présente une forme idéale et romancée de l'histoire des Septante afin d'attester de leur orthodoxie.

Le judaïsme en Égypte

La question de l'unité du judaïsme se posait d'autant plus qu'à partir de 160, les Juifs d'Égypte eurent leur propre temple à Léontopolis, non loin de Memphis. Il fut fondé par Onias IV, un descendant sadocide légitime ; émigré au moment de la révolte des Maccabées et devenu général de l'armée lagide, il décida de restaurer en Égypte le culte sacrificiel interrompu à Jérusalem et de rassembler les Juifs d'Égypte autour d'un lieu de culte qui leur donne une certaine visibilité, comme le faisaient les autres communautés d'immigrés. Il reproduisit plus ou moins le temple de Jérusalem et son rituel.

Le judaïsme d'Égypte ne reposait donc pas sur l'équation : un seul Dieu – un seul Livre – un seul Temple. Cependant il ne rompit pas avec Jérusalem et on procédait encore, au Ier siècle, à la collecte pour le Temple. L'échange de correspondances officielles est bien attesté. Les autorités de Jérusalem ne considérèrent jamais le sanctuaire de Léontopolis comme schismatique puisqu'il avait été fondé par un Sadocide. Enfin, la Bible d'Alexandrie fut lue en Palestine et elle apparaît dans la bibliothèque de Qoumrân. On ne saurait opposer un judaïsme palestinien, orthodoxe, d'expression sémitique, et un judaïsme hellénophone déviant. Le judaïsme hellénistique n'avait rien de monolithique.

En général, l'adhésion à la culture grecque ne compromit pas la fidélité aux principes du judaïsme, même au terme d'une ascension sociale remarquable. Rares sont les Juifs de Cour qui se sont déjudaïsés. Néanmoins, les Juifs de la diaspora égyptienne vivaient une tension réelle, résultant de leur double insertion dans le milieu local et dans le judaïsme. En Égypte, cette tension s'exprima surtout lors des mariages mixtes, entre Juifs et Grecques ; ils sont bien attestés dans les papyrus et posaient un certain nombre de problèmes juridiques, puisque les conditions de répudiation étaient bien moins bonnes pour la femme en droit mosaïque qu'en droit grec. Surtout ils amenèrent les Juifs pieux à une réflexion dont les romans se font l'écho : alors que *Tobie* conseille l'endogamie la plus stricte car l'identité juive repose sur la mère de famille, celui de *Joseph et Aséneth* admet les mariages mixtes sous condition de conversion préalable et de respect des règles de séparation et de pureté. Cependant ces unions mixtes devaient se limiter à l'intérieur d'une même classe sociale et elles se justifiaient par la reconnaissance d'une noblesse de fonction, valeur commune à tous les peuples du Proche Orient.

Les rapports du religieux et du politique n'ont pas toujours été simples et les Juifs ont découvert, en Égypte comme en Palestine, la difficulté de garder leur foi monothéiste dans un système théocratique autre que celui du Temple. Généralement, les Lagides eurent une politique religieuse libérale et protégèrent le temple de Léontopolis. En échange les synagogues d'Égypte affichaient leur loyalisme, se plaçaient sous la protection des souverains et priaient pour la famille royale. Mais quelques crises, encore sporadiques, éclatèrent, qui tenaient à une conception de plus en plus charismatique et sacralisée du pouvoir royal, au fur et à mesure que les Lagides perdaient du terrain au profit des Séleucides, puis au profit de Rome.

La première persécution collective est imputée à Ptolémée IV, à la fin du IIIe siècle. Les Juifs sont accusés de subversion et concentrés dans

REPÈRE

LES LIVRES DEUTÉROCANONIQUES

Les livres deutérocanoniques doivent leur nom au fait qu'ils ont été intégrés très tardivement dans la bible catholique, lors du concile de Trente au XVIe siècle, après que leur valeur normative eut été longuement discutée. La bible protestante les considère comme apocryphes et ne les inclut qu'en annexe. Ils n'ont pas été retenus dans la bible hébraïque, dont le contenu fut fixé par les rabbins à la fin du Ier siècle de notre ère, peu après la destruction du Temple et en réaction contre les chrétiens. Cependant ils font partie de la production littéraire du judaïsme hellénistique, qui s'étale du IIe siècle avant notre ère au IIe siècle après.

Leur exclusion du canon hébraïque s'explique en partie par des raisons culturelles autant que religieuses. Ils ont été transmis par des scribes chrétiens, en grec, quelle qu'ait été leur langue d'origine, et ils ont acquis une importance théologique pour les chrétiens parce que les auteurs du Nouveau Testament les lisaient dans la bible grecque et les ont pris en considération. Au contraire, après la chute de Jérusalem, l'enseignement rabbinique s'est replié sur ses racines sémitiques et les traditions hébraïques ou araméennes. Mais les découvertes de la bibliothèque de Qoumrân ont prouvé que certains de ces livres étaient lus par des Juifs pieux de Palestine jusqu'en 70 : les livres de *Tobie*, de *Judith*, de *Ben Sira* et de *Baruch* figurent parmi les manuscrits de la mer Morte, dans des versions hébraïques ou araméennes. Pour l'époque de Jésus, il serait donc anachronique de distinguer un canon palestinien orthodoxe et une collection d'écrits grecs plus ou moins déviants : les limites et contraintes de canons n'existaient pas à l'époque hellénistique, quand les manuscrits de Qoumrân révèlent une bible « plurielle », si bien que la comparaison est toujours fructueuse pour l'historien entre les livres deutérocanoniques et l'ensemble des Écrits juifs apocryphes, dits « Intertestamentaires ».

Les livres deutérocanoniques constituent une collection historiquement homogène, bien que certaines bibles les dispersent et les classent en fonction de leur genre littéraire. Ce sont des œuvres d'actualité, qui expriment la confrontation du judaïsme au modèle grec imposé par la conquête d'Alexandre, c'est-à-dire à une culture et à un pouvoir étrangers. Certains ont indubitablement été composés dans la diaspora très hellénisée d'Alexandrie : le *IIe livre des Maccabées*, dont l'auteur est un Juif de Cyrène, ou la *Sagesse* mise sous le nom de Salomon, qui évoque les dernières années de la dynastie ptolémaïque, à l'époque d'Antoine et de Cléopâtre. C'est là aussi que fut traduite la *Sagesse de Ben Sira*. Livres d'actualité, ils n'ont pas toujours de relation explicite avec l'Écriture.

l'hippodrome pour y être livrés aux éléphants. Or ce souverain est connu pour avoir mis la religion dionysiaque au service du pouvoir, pour avoir récupéré le charisme d'Alexandre « nouveau Dionysos » et utilisé les associations cultuelles à des fins de propagande. Les Juifs furent donc confondus avec une secte dionysiaque déviante, ce qui signale une difficulté évidente à marquer la différence juive, parmi tous les courants mystiques de l'époque.

La *Sagesse* dite de Salomon, qui fait une critique sévère des religions d'Alexandrie tout en adoptant les formes littéraires grecques, se focalise sur les sectes dionysiaques et sur le culte des images.

Les situations et les thèmes traités sont fondamentalement les mêmes. Les protagonistes sont des Juifs entre deux mondes, souvent des Juifs de Cour. Pris dans un processus d'intégration sociale, qui implique une certaine hellénisation, au moins extérieure, ils réfléchissent sur leurs référents identitaires, religieux et ethniques : le monothéisme (opposé au culte royal et à toute « idolâtrie »), la circoncision et les règles alimentaires qui obligent à un certain séparatisme. Les mêmes problèmes sont débattus en des périodes de coexistence sereine (*Sagesse de Ben Sira* et *Sagesse* de Salomon, livres de *Tobie* et de *Baruch*) ou dans des moments de crise aiguë et d'affrontement. Les livres des *Maccabées*, les romans de *Judith* et d'*Esther* représentent une littérature de persécution, une littérature nationaliste : ils préconisent le recours à l'action directe, la résistance armée, le tyrannicide, la circoncision forcée. La théologie du martyre a retenu l'attention des chrétiens, qui vivaient les mêmes tensions sous l'Empire romain.

Longtemps dépréciés et considérés comme des écrits hybrides, les livres deutérocanoniques témoignent d'une période d'intense création littéraire, souvent en réaction contre l'hellénisme mais qui lui emprunte aussi certains de ses modes d'expression. Les livres des *Maccabées* reprennent le genre traditionnel de la chronique historique, mais le second introduit les schémas de la littérature miraculeuse grecque. Les *Sagesses* se rattachent aussi à une expression biblique ancienne (les Proverbes), qu'elles renouvellent avec les thèmes des moralistes grecs. Surtout le choix de la forme romanesque (*Tobie*, *Esther*, *Judith*) est significatif d'un nouveau lectorat, cultivé plutôt que savant.

Tous ces livres manifestent plus ou moins une sensibilité apocalyptique*, intégrant miracles, visions et conversions. Issue de tensions, voire de persécutions, l'apocalyptique soutient l'espérance des Juifs et la conscience de leur destin propre par la révélation de la fin du monde et de l'histoire, qui donne un sens aux souffrances du présent. Ainsi les livres deutérocanoniques ont tous une visée eschatologique * (concernant les derniers temps) soit dans la conversion des non-Juifs, soit dans le châtiment des persécuteurs. Ils mettent les événements en perspective et développent un sens linéaire de l'histoire, à l'opposé de celui des Grecs qui la concevaient comme un recommencement. L'apocalyptique apparaît comme une résistance culturelle et spirituelle à l'hellénisme, qui s'est développée sous des formes variées chez d'autres peuples soumis aux Grecs, en Égypte et en Iran.

L'auteur attaque la zoolâtrie, l'adoration des animaux – une particularité de l'Égypte –, le culte des défunts héroïsés et celui des rois. Il met en cause l'anthropomorphisme caractéristique de la religion grecque, qui est un obstacle à la conception transcendantale du divin. Mais, pour les rois, l'image cultuelle qui les représentait était un élément nécessaire de la visibilité du pouvoir et un remède à l'éloignement.

Enfin, le développement d'une littérature juive de propagande, qui exploitait les persécutions comme sources de miracles, et surtout la revendication par les Juifs d'une citoyenneté grecque, générèrent un antijudaïsme alexandrin qui réactualisa les thèmes xénophobes de l'Égypte pharaonique. Les intellectuels procédèrent à une lecture inversée de l'Exode, où les Juifs devenaient des « Impurs », chassés par Pharaon, et Moïse un prêtre égyptien renégat.

Telles sont les premières tensions que laisse entrevoir l'intégration sociale et culturelle des Juifs durant l'époque lagide. Mais, somme toute, ce fut plutôt une période sereine dans son ensemble et bénéfique aux Juifs de Palestine et d'Égypte, avec une réelle expérience de symbiose qui enrichit la littérature biblique.

Les Séleucides (200-142)

Au terme de leur cinquième guerre, en 200, les rois de Syrie, les Séleucides, furent vainqueurs des Lagides et la région littorale passa pour la première fois sous leur domination, y compris la Judée. Le roi régnant, Antiochos III, entama alors une vaste entreprise de restauration. À l'Est, il reconquit sur les Parthes les régions du Moyen Orient qui avaient fait partie du royaume de son ancêtre, Séleucos Ier, au terme d'une « Anabase », d'une longue expédition qui rappelait celle d'Alexandre. À l'Ouest, il pacifia l'Asie mineure et prit toutes sortes de mesures, militaires et administratives, pour rétablir son équilibre démographique et sa prospérité. Il favorisa les cités et les principautés sacerdotales, qu'il voulait utiliser comme des relais de l'administration provinciale à l'échelle locale.

La Judée sous les Séleucides

Il est certain que les Juifs bénéficièrent directement et indirectement de cette politique. Le roi reconnut à Jérusalem le statut de Ville Sainte (*hiérapolis*), compte tenu de sa situation stratégique sur la route de l'Égypte. La mesure devait aussi désarmer toute opposition déclarée ou larvée au sein de la population, car l'opinion était divisée : les Tobiades, qui commandaient la garnison d'Amman et percevaient le tribut lagide, hésitèrent entre la fidélité aux Ptolémées et le ralliement aux Séleucides. Le statut de *hiérapolis* garantissait une complète indépendance, une formule d'autonomie typiquement grecque, qui permettait au peuple de vivre selon sa loi ancestrale, et des exemptions avantageuses.

Les Juifs apparaissent comme des sujets particulièrement loyaux et comme de bons soldats. Aussi, quand Antiochos III déporta une partie des populations rurales d'Asie mineure pour y rétablir la paix, il fit venir à leur place des Juifs de langue araméenne issus de la diaspora mésopotamienne. Ceux-ci furent installés comme des colons militaires, avec leurs familles, dotés de terres cultivables et autorisés à observer leur Loi. L'importance numérique et qualitative de la diaspora d'Asie mineure, futur terrain privilégié de la prédication des Apôtres, remonte à cette époque.

Dans les années 200, Ben Sira(ch), un scribe appartenant au milieu du Temple, se fait l'écho de la prospérité et de l'éclat de Jérusalem sous Antiochos III. La politique royale profitait au grand prêtre, Simon le Juste (220-195), qu'il présente dans tout son apparat, comme le référent identitaire par excellence du peuple juif. L'indépendance octroyée par le roi n'était pas un vain mot, puisque Simon put fortifier le Temple et la ville. Cependant Ben Sira souligne aussi la précarité de la faveur royale et les excès des « grands ».

Les Juifs divisés

Des tensions apparurent assez rapidement, dès le règne suivant, qui allaient aboutir à la révolte ouverte. Il s'agit à la fois d'une crise interne à Jérusalem, résultant du long processus d'hellénisation qu'illustraient les grands prêtres Oniades, et d'une crise de la monarchie séleucide, qui avait localement des conséquences fiscales. À la fin de son règne, les ambitions d'Antiochos III en mer Égée et en Grèce balkanique lui firent affronter le royaume de Pergame et, derrière lui, son puissant allié romain. Vaincu, il dut accepter les clauses très dures de la paix d'Apamée (188) : il cédait au roi de Pergame l'Asie mineure, qui était la partie la plus riche de son royaume, et il devait payer à Rome une lourde indemnité de guerre. La pression fiscale s'en trouva accrue sur tous les peuples du Proche Orient. L'épisode d'Héliodore, venu vers 178 confisquer la caisse sacrée du Temple au nom du roi Séleucos IV, témoigne de la gravité des problèmes financiers et fiscaux tels que les a perçus l'auteur du IIe livre des Maccabées (2 M 3). Ils s'étalèrent dans la longue durée puisque l'amende de guerre ne commença à être remboursée par Antiochos IV qu'à partir de 175. Le tribut imposé aux Juifs devint un objet de surenchère entre les candidats au grand pontificat pour se concilier la faveur royale.

L'instabilité marqua dès lors la vie politique. À Jérusalem, deux factions s'opposaient : celle des Hellénistes, des Juifs parlant grec et vivant plus ou moins à la grecque, et celle qui résistait à l'acculturation. Les grands prêtres Oniades faisaient partie de la première et ils avaient hellénisé leur nom : Yohanân en Onias et Yehoshoua en Jason. Selon l'auteur du IIe livre des Maccabées, c'est le grand prêtre Jason II qui engagea Jérusalem dans un processus d'assimilation complète, en la refondant comme une cité grecque portant le nom du roi : une Antioche de Judée, avec un gymnase où était dispensée la culture athlétique classique. Les Juifs hellénistes acquirent ainsi une citoyenneté grecque, certains au prix d'une déjudaïsation complète puisqu'ils firent réparer leur circoncision. Mais d'autres distinguaient nettement le culturel du religieux : ils fréquentaient les grands concours sportifs du monde grec mais refusaient de sacrifier aux dieux païens. Enfin, l'institution d'une cité grecque à Jérusalem peut avoir contribué à résoudre le problème financier de la monarchie puisqu'on demandait en général aux nouveaux citoyens de payer leur inscription. Une partie de l'élite sacerdotale voulut donc engager le judaïsme dans la voie de la modernité, définie selon les critères grecs, c'est-à-dire par l'ouverture à la vie de relations, en dénonçant le séparatisme juif et l'entité ethno-religieuse instituée depuis le retour d'Exil.

En retraçant la préhistoire de la crise, le IIe livre des Maccabées insiste sur l'affrontement des coteries au sein de la faction hellléniste, ce qui entraîna l'instabilité du grand pontificat. Le grand prêtre Onias III s'opposa d'abord à Simon, l'administrateur des affaires sacrées, avant d'être déposé en 175 par son propre frère, Jason, qui « mena à son comble l'hellénisation ». Jason fut à son tour déposé par Ménélas, le frère de Simon, en 172. Mais ne jouissant pas de la légitimité dynastique des Oniades, Ménélas apparut comme une créature des Séleucides : homme nouveau et sans préjugés, il fit exécuter Onias III et puisa dans le trésor du Temple. Devant ces excès, un soulèvement antihelléniste et antiséleucide éclata à Jérusalem, alors qu'Antiochos IV était occupé par deux campagnes en Égypte (169-168). À son retour d'Alexandrie, il entreprit de réprimer les troubles.

Apparemment, il s'agissait de rétablir Ménélas dans ses fonctions et de protéger les Juifs hellénistes en installant une garnison séleucide dans la Ville Haute, l'Acra. Les chartes d'autonomie et d'indépendance, octroyées par Antiochos III, étaient devenues caduques à partir du moment où l'État-temple avait été absorbé dans une cité grecque et que cette cité s'était révoltée. Cependant les chroniqueurs juifs donnent une vision plus complexe des choses, surtout l'auteur du Ier livre des Maccabées, qui étale la répression sur trois ans, de 169 à 167, en faisant intervenir tout à la fois le contexte international et la personnalité d'Antiochos IV, présenté comme un conquérant autocrate et fanatique, qui rêvait de rétablir la puissance séleucide. Il aurait prévu d'utiliser dès sa première campagne les richesses du Temple pour financer son armée. Surtout il subit un grave revers diplomatique à

Alexandrie, l'été 168 : vainqueur de Ptolémée VI sur le terrain, il dut céder à la pression romaine et perdit tous les fruits de sa victoire. Il lui importait donc, dans l'immédiat, de rétablir son prestige à l'intérieur de son royaume, en mettant fin aux mouvements centrifuges.

L'insurrection et la persécution

Le conflit atteignit son point culminant durant l'hiver 167. Selon les chroniqueurs juifs, un édit général promulgua l'assimilation forcée de tous les peuples du royaume et interdit tous les particularismes. C'était supprimer le culte juif, l'holocauste, le sabbat, la nourriture *kasher* et la circoncision ; les fêtes juives étaient remplacées par la célébration du culte royal et le Temple fut consacré à Zeus Olympien. Quand le roi entra dans Jérusalem, le 15 Kislev (= 8 décembre 167), il profana le Temple et fit édifier « l'abomination de la désolation » sur l'autel des holocaustes ; il entama une persécution. Les chroniqueurs juifs ont fait d'Antiochos IV le prototype de l'antisémite, alors que l'idée d'une politique religieuse globale et celle de conversions forcées au polythéisme grec sont tout à fait anachroniques pour l'époque hellénistique.

Même si « l'abomination de la désolation » a frappé les esprits, comme le rappelle le livre de Daniel (11,31), il n'était pas question de supprimer le culte du Dieu des Juifs, mais plutôt, selon les pratiques de l'époque, de l'« habiller » à la grecque. C'était l'aboutissement autoritaire de la réforme religieuse décidée de l'intérieur par les Oniades. Après la création d'une cité grecque à Jérusalem et l'installation d'une garnison séleucide, composée de Syro-Phéniciens, le Temple devait être accessible à tous et le nom de Dieu intelligible à tous : l'anonyme Dieu des Juifs devint ainsi Zeus Olympien pour les Grecs et *Baal Shamim* (« Maître des cieux ») pour les Syriens, ce qui permit le jeu de mots, en hébreu, avec *shiqqouç shomèm*, « l'abomination dévastatrice ». Les Samaritains firent la même chose d'eux-mêmes en plaçant le temple du mont Garizim sous le patronage de Zeus Hospitalier et en justifiant le sabbat par un rituel de sécheresse. Quant à ce que fut matériellement « l'abomination » qui vida le Temple de ses fidèles, les textes en parlent comme d'une superstructure édifiée par le roi : on peut penser qu'il monumentalisa la simple plate-forme qu'était l'autel des holocaustes, en construisant un podium intérieur ; ce développement monumental des autels est caractéristique de l'époque hellénistique et de l'action bienfaitrice des rois. D'ailleurs l'utilisation de l'autel des holocaustes pour des sacrifices sanglants, à la grecque, impliquait des réaménagements.

Le roi envoya aussi, par messagers, à Jérusalem et aux villes de Juda, des édits leur enjoignant de suivre des coutumes étrangères à leur pays, de bannir du sanctuaire holocaustes, sacrifice et libation, de profaner sabbats et fêtes, de souiller le sanctuaire et tout ce qui est saint, d'élever autels, lieux de culte et temples d'idoles*, d'immoler des porcs et des animaux impurs, de laisser leurs fils incirconcis, de se rendre abominables par toute sorte d'impuretés et de profanations, oubliant ainsi la Loi et altérant toutes les observances. Quiconque n'agirait pas selon l'ordre du roi serait puni de mort.* (1 M 1,44-50)

Mais pourquoi la répression aboutit-elle à l'interdiction des pratiques traditionnelles du judaïsme et qui doit en supporter la responsabilité ? Ni les tabous alimentaires, ni même la circoncision n'étaient intolérables aux Grecs (les prêtres égyptiens étaient circoncis et il y avait des eunuques dans certains sanctuaires grecs) ; le sabbat était plus difficile à admettre parce qu'il nuisait aux activités collectives de la cité et n'était justifié par aucun mythe. La persécution est bien sans précédent et incompréhensible dans un contexte grec. Formellement Antiochos IV en porte la responsabilité. Personnalité contestée, il fut un de ces souverains absolutistes qui essaya de sacraliser la royauté et d'affirmer sa nature divine : il prit les noms d'*Épiphane* (« Apparition ») et de *Theos* (« Dieu »). Cependant rien ne vient attester, par ailleurs, sa volonté d'imposer un culte unique à tous ses sujets et le rôle du persécuteur convient mal à cet épicurien éclairé.

Reste alors l'hypothèse que la persécution ait été voulue et déclenchée par les Juifs hellénistes de Jérusalem, puisqu'elle n'a pas atteint la diaspora et qu'elle est restée limitée à la seule Judée, dans la sphère d'autorité du grand prêtre Ménélas, mis nommément en cause par le IIe livre des Maccabées ; il aurait voulu éliminer les pratiques traditionnelles du judaïsme, qu'il jugeait archaïsantes. Présentée dans la Bible comme le conflit du religieux et du politique, entre Dieu et un roi provocateur « adversaire de Dieu », la crise maccabéenne aurait été surtout une crise d'identité pour les Juifs de Jérusalem. Difficile à comprendre dans le contexte hellénistique, la persécution devient beaucoup plus claire dans le contexte juif.

L'insurrection des Maccabées fut donc la résistance d'une faction contre une autre, au nom d'une certaine conception du judaïsme. D'ailleurs le premier geste symbolique qu'ont retenu les chroniqueurs est l'exécution publique non pas d'un administrateur ou d'un soldat séleucide, mais d'un Juif apostat sacrifiant à la grecque (1 M 2,15-28). La scène eut lieu dans le village de Modîn, au nord-ouest de Jérusalem, où s'étaient réfugiés sur leurs propriétés le prêtre Mattathias et ses cinq fils, parmi lesquels Judas Maccabée (de *Maqqab-Yahou*, « Désigné de Yahvé »). D'emblée, les éléments de la crise identitaire sont clairement posés et une série de tests s'enchaînent : test alimentaire avec, mentionné pour la première fois, le tabou du porc ; test de la circoncision et, surtout, tests du sacrifice et du sabbat. Une forme de résistance passive consista d'abord à fuir Jérusalem et à utiliser les habitats troglodytes du désert pour y pratiquer l'intégralité des rites. Ces observants se laissèrent massacrer un jour de sabbat par légalisme religieux. Partout où il passait, Mattathias procédait à des circoncisions forcées.

Mattathias et les siens étaient des gens de la campagne qui s'opposaient aux citadins hellénisés de Jérusalem. La ville leur apparaissait comme le réduit du mal, selon un préjugé déjà présent dans la Genèse. Le désert était donc l'alternative offerte aux Juifs pieux, espace de liberté, de privation et de pureté, temps d'épreuve et de rencontre avec Dieu. Mattathias et Judas Maccabée renouèrent avec l'idéal de vie nomade, qui avait été celui des Patriarches : durant tout le temps de la guerre, entre 166 et 160, Judas vécut en homme du désert, célibataire et végétarien, se contentant de peu. Mattathias prit le maquis et fédéra peu à peu autour de lui tous ceux qui fuyaient la répression. Le Ier livre des Maccabées, dont il est le héros, insiste sur son zèle pour Dieu qui lui fait prôner l'action directe.

Le livre de Daniel

L'« abomination de la désolation » et la profanation du Temple par Antiochos IV enflammèrent l'imagination populaire et la réflexion des cercles mystiques. Le livre de Daniel en témoigna sur-le-champ, puisqu'il fut composé vers 164, peu avant la mort du persécuteur, qu'il anticipe plus qu'il ne la connaît précisément. La bible hébraïque place ce livre dans le groupe des Écrits, parmi les textes récents, tandis que les bibles chrétiennes (à la suite de la Septante) le rangent parmi les livres prophétiques, à la suite d'Ézéchiel, comme le dernier des quatre grands prophètes.

C'est un livre d'expression sémitique et non pas grecque. Il juxtapose des récits écrits en deux langues sémitiques différentes : le début et la fin du livre, qui s'ouvre sur l'engagement de Daniel à la Cour (Dn 1) et se clôture sur une succession de visions eschatologiques* (Dn 8–12), sont rédigés en hébreu ; ils encadrent une histoire complète en araméen, qui combine les aventures de Daniel et de ses deux compagnons, des songes et des présages que Daniel interprète pour le roi, ainsi qu'une vision eschatologique (Dn 2–7).

La symbolique est orientale, puisque les animaux qui incarnent les différents royaumes – le lion pour Babylone, l'ours pour les Mèdes, le chat-panthère pour les Perses – sont empruntés aux figurations astrologiques babyloniennes. L'épreuve, si souvent figurée, de Daniel dans la fosse aux lions, est une forme d'ordalie bien attestée dans le Proche Orient. Le nom même de *Dani-El*, outre qu'il est fonctionnel et emblématique (« Dieu mon juge »), renvoie à un sage oriental légendaire connu au IIe millénaire dans les tablettes d'Ougarit et passé dans la tradition juive à l'époque d'Ézéchiel (voir Ez 14,14). Contestant l'hellénisation ambiante, le livre choisit ses modèles en Orient, mais il s'agit d'un Orient romanesque, sans aucune précision historique : l'action est située à Babylone, sous deux rois historiquement attestés, Nabuchodonosor et Cyrus, et deux autres qui sont fictifs, Belshassar (Balthazar) et Darius le Mède.

Dans cet Orient de fantaisie, les situations décrites correspondent néanmoins à certaines réalités sociales du monde hellénistique. Daniel représente le Juif de Cour qui, en plus de son nom hébreu, a reçu un nom dynastique païen : Belshassar, « (le dieu) Bel protège le roi ». Comme tous les courtisans, son rang à la Cour est déterminé par sa place dans les banquets officiels, ce qui pose la question de l'observance des règles alimentaires juives. Le livre de Daniel, comme ceux des Maccabées, établit les interdits alimentaires et la séparation à table entre Juifs et non-Juifs comme le principal critère d'identification et d'observance religieuse. Mais il ne dit rien de la circoncision et du sabbat.

L'autre question d'actualité est celle du culte des images, et au-delà du culte du souverain : ce n'était pas une pratique des monarchies babylonienne et perse, mais cela le devint dans les royautés hellénistiques et sous l'Empire romain. Sur le culte royal se greffe le problème de la prosternation, un hommage ordinaire dans les Cours orientales, mais que les Grecs interprétaient comme un acte religieux et que la Tora réservait à Dieu. Cette question, traitée dans le récit araméen à travers le rêve de la statue aux pieds d'argile (Dn 2) et l'épreuve des trois jeunes gens dans la fournaise (Dn 3), a été développée dans les deux adaptations ultérieures du livre en langue grecque : deux courts récits furent ajoutés pour dénoncer le rituel d'offrande aux statues et la gloutonnerie des prêtres (Dn 14) ; l'épisode des trois jeunes gens dans la fournaise fut complété par une prière et un cantique qui exaltent le jugement de Dieu et fondent une théologie du martyre (Dn 3,24-90). Le thème du jugement de Dieu, que personnifie Daniel, est traité aussi, dans la version grecque, à travers le petit roman de Suzanne (Dn 13).

L'histoire de Daniel n'a donc pas cessé d'être réinterprétée dans l'actualité par les Juifs et les chrétiens, au fur et à mesure que les Hasmonéens, les derniers Ptolémées et certains empereurs romains accentuèrent le caractère charismatique de leur pouvoir.

C'est une littérature de consolation dans une période de crise, puisque l'épreuve appelle l'intervention miraculeuse de Dieu, qui suscite un mouvement de conversion. On retrouve dans le livre de Daniel, comme dans le IIe livre des Maccabées, le schéma de la littérature religieuse grecque, les « arétalogies » : au plus profond de l'épreuve, individuelle ou collective, la prière est exaucée par une intervention divine miraculeuse qui assure le salut des dévôts, le châtiment des persécuteurs et la conversion du public. Conçu dans un temps de persécution, le livre de Daniel est anonyme et utilise un langage crypté. Bien que visions et révélations soient rapportées à la première personne, Daniel n'est qu'un prête-nom qui permet au scribe de se cacher et de se protéger, mais aussi de s'inscrire dans une tradition ésotérique, comme l'auteur, à peu près contemporain, du 1er livre d'Hénoch, ou encore le « Maître de Justice » dans les écrits de Qoumrân. Certaines formules cryptées sont alors établies une fois pour toutes : Babylone pour désigner le lieu du cosmopolitisme et de l'impiété (par référence à la tour de Babel) ; les Kittim pour les peuples venus de la mer : les Grecs puis les Romains. Nabuchodonosor, le destructeur du premier Temple, masque certainement Antiochos IV, le profanateur du second.

Le livre de Daniel esquisse une modélisation du pouvoir, qui sera, elle aussi, durable. Le mauvais souverain est identifié par ses provocations ; il crée des situations de crise qui mènent à l'apostasie. Caractérisé par sa démesure et son arrogance contre Dieu, il est révélé par sa mort infamante. Tous ces stéréotypes se retrouvent dans le IIe livre des Maccabées.

Produit de la révolte contre les rois séleucides, le livre de Daniel manifeste un sens nouveau de l'histoire. L'histoire universelle, c'est-à-dire la succession des Empires, est perçue comme une décadence continue, qu'illustrent aussi bien la symbolique des métaux (dans le rêve de la statue aux pieds d'argile) que l'affrontement d'animaux cornus emblématiques. Les perspectives universalistes, héritées de la cosmologie babylonienne, se rétrécissent au fil des visions pour se focaliser sur les Grecs, le pire des peuples, et sur Antiochos IV, le pire des Grecs, le pire des rois. Les visions de Daniel inaugurent une conception nouvelle de l'histoire : embrassant le passé, le présent et l'avenir dans une perspective continue dont elles révèlent la fin ultime, c'est une histoire linéaire, différente de celle des Grecs qui la concevaient comme un perpétuel recommencement. Pour les Juifs, l'histoire a désormais un sens. Elle s'inscrit dans le plan de Dieu, qui est pensé comme un combat entre le bien et le mal, selon des schémas dualistes, d'origine iranienne.

Le livre de Daniel utilise des formulations littéraires et des expressions mystiques qui en font la première œuvre achevée de l'apocalyptique juive. Le prophète est devenu un visionnaire ; le temps est totalement maîtrisé et, pour la première fois, une fin est posée à l'histoire ; l'espace est dilaté du monde connu des Grecs aux mondes célestes ; les anges deviennent les médiateurs de la révélation et de la parole divine. Ce nouveau type d'écriture, utilisé dans le livre de Daniel, est un lieu de rencontre entre l'héritage hébraïque le plus authentique, l'héritage prophétique, et la sagesse divinatoire de Babylone, qui imprègne la diaspora orientale. Comme telle, elle manifeste une résistance culturelle et spirituelle à l'hellénisme ; elle n'emprunte pas à la littérature grecque, sinon, peut-être, le schéma « épreuve – miracle – conversion » des arétalogies.

Le livre de Daniel est d'abord une œuvre de circonstance et, pour l'historien, un précieux témoignage sur des réactions à la profanation du Temple par des Grecs ou des hellénisés, ce qui conduisit les résistants à réaffirmer les caractères identitaires du judaïsme et à privilégier la sphère culturelle sémitique. Pour les Juifs proches du pouvoir, on pose des principes de comportement qui aboutissent à la séparation d'avec les non-Juifs. Mais le livre de Daniel est aussi un monument littéraire, qui inaugure le genre, spécifiquement juif, de l'apocalyptique. Dans cette perspective, d'autres compléments sur ce livre seront donnés plus loin [p. 447].

Les livres de Judith et d'Esther

Ce thème de l'action directe, exalté par les Maccabées, est illustré sous une forme romanesque dans les livres de Judith et d'Esther qui affirment fortement l'identité juive. Le recours à la violence qu'ils justifient est une alternative à l'espérance eschatologique*, soutenue au contraire par le livre de Daniel et toute la littérature apocalyptique. Ces deux livres traitent de la persécution et du pouvoir persécuteur sous une forme romancée. Tous deux utilisent les mêmes ingrédients : l'amour, l'histoire, l'Orient, en réaction à l'hellénisme ambiant. Leur dernier point commun est que l'héroïne est une femme.

Bien qu'ils ne puissent être précisément datés, les deux livres sont certainement contemporains de la crise maccabéenne, ou de peu postérieurs. L'histoire d'Esther est inconnue du Siracide qui écrit vers 190, alors que, vers 125, le IIe livre des Maccabées mentionne un Jour de Mardochée, consacré à l'un des héros du livre. La date de composition du livre de Judith est encore plus indécise, mais on l'attribue à la période maccabéenne en raison de relations littéraires avec le livre de Daniel et du thème central du roi persécuteur. Comme dans le livre de Daniel, Nabuchodonosor masque Antiochos IV. Surtout, les événements se répartissent sur un an, entre deux fêtes de *Hanoukka** qui commémorent la purification du Temple en 164 ; on peut donc penser à un récit conçu pour donner un fondement historique et théologique à la fête, comme l'est le livre d'Esther pour la fête de *Pourim*.

Le livre de Judith

Dans ce livre qui illustre le recours à la violence et l'appel au soulèvement populaire contre l'oppresseur, le nom même de Judith, « la Juive », en fait la personnification de la nation. Le cadre est un Orient composite et les anachronismes pullulent. Le roi étranger Nabuchodonosor, roi de Babylone, apparaît ici comme un souverain assyrien, d'une dynastie plus ancienne ; c'est la preuve qu'il s'agit bien d'un type, celui du roi impie. Parmi les persécuteurs, les noms des protagonistes, Holopherne et Bagoas, sont empruntés à l'histoire perse du IVe siècle. Les termes techniques sont perses ou grecs, mais les usages et institutions perses ont perduré à l'époque séleucide. Le fil rouge est celui de l'invasion étrangère, puisque les Assyriens avaient imposé un tribut au VIIIe siècle et conquis le royaume de Samarie en 722, que Nabuchodonosor avait pris Jérusalem et détruit le Temple en 587 et qu'Antiochos IV profana le Temple et occupa la ville. L'appellation d'Assyriens est elle-même ambivalente puisqu'on l'utilisait à l'époque grecque pour les Syriens du royaume séleucide.

L'action est située en Samarie. L'armée d'Holopherne, qui a conquis le Nord de la Palestine, campe près de Scythopolis (Bet-Shân : encore un anachronisme), puis vient dans la plaine d'Esdrelon (Yizréel) assiéger Béthulie (nom symbolique dérivé de *Beth-El* : « la Maison de Dieu »). La géographie est donc tout à fait fantaisiste mais la situation est la même que celle de Mattathias guerroyant contre les armées séleucides aux confins de la Judée. Judith, une veuve de Béthulie, rejoint Holopherne dans son camp, assiste au banquet officiel (encore une scène convenue) et exécute le chef ennemi en profitant de son ivresse. S'ensuivent la déroute de l'ennemi et une campagne de tous les Juifs coalisés. Les opérations évoquent la guérilla des Maccabées : repli dans les régions montagneuses, raids sur les villages de plaine et les grandes propriétés pour faire du butin.

Judith dans le roman, comme Mattathias dans l'histoire, représente le personnage providentiel, l'instrument de Dieu. Qu'on ait placé une femme juive dans le combat politique ressort plus de la représentation symbolique que de la réalité historique : dans la tradition d'Israël, la communauté est toujours personnifiée au féminin. Son exploit place Judith dans la lignée des héroïnes bibliques comme Débora et Yaël (Jg 4). Mais la symbolique est poussée jusqu'au paradoxe : en assumant le rôle de chef du peuple, Judith renverse l'échelle des valeurs d'une société d'hommes ; on retrouve cette interprétation dans le IIe livre des Maccabées et dans celui de Daniel, où les instruments de Dieu, fidèles jusqu'au martyre, sont des jeunes gens, des vieillards, des femmes, exclus de la société politique. Judith propose à des hommes faibles une figure exemplaire de patriote et de croyant : elle est pieuse, elle observe le jeûne et les rites pénitentiels, elle prie avant tous les grands moments. Ce sont des pratiques simples, accessibles à tous, même dans la diaspora, que prône aussi le livre de Tobie. Ainsi, au-delà même de sa visée nationaliste, le livre de Judith peut apparaître comme un manuel de piété à l'usage des pratiquants.

Un héros secondaire du livre se révèle lui aussi significatif de la période maccabéenne et des problèmes d'actualité : c'est Achior, le chef des Ammonites de Transjordanie. Ce personnage littéraire, qui porte le même titre que Timothée, l'adversaire ammonite de Judas Maccabée, est placé au début entre les deux camps (Jdt 5). Déjà respectueux du Dieu d'Israël, il est victime de sa piété et persécuté ; il doit se réfugier chez les Juifs en immigré. À la fin de l'histoire, l'intervention miraculeuse de Judith provoque sa conversion et il se fait circoncire. L'histoire d'Achior présente une théologie du salut des non-Juifs par leur participation aux persécutions et aux épreuves du peuple élu. Cependant, la conversion est clairement perçue comme individuelle et exceptionnelle, ce qui est une position caractéristique du milieu du IIe siècle. Elle passe obligatoirement par la circoncision, c'est-à-dire par l'assimilation ethnique.

Centré sur l'idée de nation, le livre de Judith exprime une volonté de conquête et d'annexion, surtout en Transjordanie, sans que les limites de l'espace juif soient vraiment précisées. Il témoigne d'un ethnocentrisme affirmé autour de la Judée, de Jérusalem et du Temple. Cet état d'esprit peut correspondre à l'apogée des Hasmonéens, dans les années 140-130, avant que ne soit composé à leur gloire le Ier livre des Maccabées.

Le livre d'Esther

Comme celui de Judith, le livre d'Esther exalte le droit à la résistance et à l'action violente des Juifs sous domination étrangère, mais il s'agit là de la diaspora. Il met en scène beaucoup plus précisément l'affrontement ethnique et culturel. À l'épuration ethnique programmée par Aman, le ministre du roi perse Assuérus (Xerxès), pour supprimer les particularismes juifs et réprimer le séparatisme, répondent la violence des Juifs et une entreprise de conversion par intimidation des peuples indigènes. L'auteur utilise le concept nouveau de « judaïser » (pris dans le sens d'être circoncis), au moment où l'auteur du IIe livre des Maccabées invente ceux de « judaïsme » et d'« hellénisme ». Le problème est donc celui de l'identité culturelle.

L'action se situe dans un Orient de convention, celui de la Cour perse à Suse, sur lequel l'auteur est bien documenté, aussi bien que les historiens grecs. La présentation du harem comme un lieu de pouvoir où tout se joue en termes de rapports de force et de luttes d'influence, rappelle Hérodote, Ctésias et Xénophon. L'auteur insiste sur le protocole de la Porte et l'importance des banquets royaux, qui donnent accès au souverain. Il connaît l'usage de déporter des jeunes étrangers de la haute société, pour alimenter le vivier des pages et le harem. Il sait que les rois sont entourés d'eunuques. Ces réalités étaient familières, aussi, à l'auteur du livre de Daniel, peut-être parce qu'elles avaient perduré dans la monarchie séleucide. Le roman d'Esther traite donc, comme le livre de Daniel, des Juifs de Cour. À travers Mardochée, devenu le « second du royaume », et Esther, la Juive choisie comme reine, est affirmée la nécessité pour les Juifs de s'intégrer à la société étrangère et de participer au pouvoir pour obtenir le statut d'exemption qui leur est nécessaire. Tout en maintenant leur identité ethnique. Comme les livres de Tobie et de Daniel, celui d'Esther est un art de vivre à l'usage des Juifs de la diaspora.

Comme dans le livre de Daniel, encore, l'affrontement au pouvoir se focalise sur le problème de la prosternation (*proscynèse*), celui d'un hommage au souverain perçu comme une reconnaissance de sa divinité. C'est encore un anachronisme, car la proscynèse n'impliquait rien de tel à l'époque perse, alors que les souverains n'étaient jamais divinisés ; ce furent les Grecs qui la chargèrent d'un sens religieux et elle devint un rite du culte royal à l'époque hellénistique, quand Alexandre et ses successeurs affirmèrent leur nature divine. Les Juifs proches du pouvoir grec partageaient cette interprétation, par fidélité à la Tora qui réservait cet hommage à Dieu. Mardochée refuse donc de se prosterner devant le roi, ce que les autres courtisans considèrent comme un crime de lèse-majesté et une proclamation de judaïsme.

Face à cette crise identitaire, le livre d'Esther, comme tous les écrits contemporains, propose des repères : la pratique des jeûnes pénitentiels et la prière, comme dans les livres de Tobie et de Judith ; la séparation à table (au moins dans l'adaptation grecque du livre), comme dans le livre de Daniel. On insiste surtout sur la circoncision et sur les fêtes périodiques.

À la fin du livre, la circoncision est imposée par intimidation à tous ceux qui vivent avec les Juifs. Ce principe fut appliqué par les Hasmonéens à la fin du IIe siècle, au fil de leurs conquêtes, par volonté d'unifier et d'homogénéiser les populations à l'intérieur de la Terre promise. Il est repris encore pour des transfuges durant la Guerre juive (66-70). Mais il fut toujours contesté car il n'avait pas de fondement scripturaire. Le livre d'Esther représente donc une position extrême : ce qui était conversion personnelle et volontaire dans le livre de Judith, devient judaïsation massive et forcée dans celui d'Esther.

Le livre a pour objectif particulier de proposer comme repère identitaire une nouvelle fête : celle des *Pourim*, mot qui signifie « sorts, destins ». C'est une fête de la libération, analogue aux autres fêtes de la victoire fondées à l'époque maccabéenne. Mais son origine est peut-être étrangère : *pourou* est un mot assyrien et la version hébraïque décrit un procédé de tirage au sort, attesté en Assyrie et à Babylone pour fixer le calendrier et déterminer les jours favorables. On la pratiquait dans la période de l'année où les dieux fixaient les « destins » pour les douze mois à venir. La version hébraïque du livre décrit une fête profane et mondaine. Mais son adaptation grecque propose une explication théologique, dont Mardochée a la révélation dans un songe : Dieu créateur a la maîtrise des destins historiques, de celui des Juifs comme de celui des non-Juifs ; c'est une conception du temps et de l'histoire proche de celle de l'apocalyptique.

L'auteur du livre et surtout l'adaptateur grec font œuvre d'historiographes. Ils récupèrent un conte oriental et réutilisent peut-être un mythe étranger, qui expliquait à l'origine une fête non juive, pour boucler la boucle de l'histoire juive : Mardochée est déclaré de la tribu de Saül et Aman, son adversaire, descendant du roi d'Amaleq qui avait été la cause de la chute de Saül (1 S 15) ; ici l'histoire s'inverse. En ces temps de crise et d'incertitude, pour renforcer l'identité juive il faut gérer la mémoire collective. Les fêtes apparaissent, à l'époque maccabéene, comme les meilleurs agents de cette mémoire.

Judas Maccabée (166-160)

Durant l'hiver 167-166, Mattathias entreprit une guérilla dans les campagnes de Judée et dans le désert de Samarie limitrophe, sans jamais chercher à regagner Jérusalem. Il mourut en 166, après une année de guerre, et son fils Judas Maccabée lui succéda à la tête de la résistance.

Celui-ci, au contraire, eut pour objectif immédiat de libérer et de purifier le Temple. De 164 à 162 (et bien que le détail des événements soit confus dans les chroniques juives), il tenta de s'ouvrir une route vers Jérusalem en livrant des batailles successives aux frontières de la Judée, à Bethorôn, Emmaüs et Bethsour. Ces combats n'affectaient guère la royauté séleucide car on n'y engagea jamais que des troupes locales, sous le commandement du gouverneur de Samarie ou de son supérieur direct, le gouverneur de Syrie. Mais en 164, en profitant du départ d'Antiochos IV dans le Moyen Orient, puis de sa mort inopinée, Judas remporta à Bethsour une victoire facile qui lui donna accès à Jérusalem et ouvrit les négociations avec le régent Lysias. En décembre 164, il put donc procéder à une restauration religieuse, qui laissait d'ailleurs intacte la ville helléniste de Jérusalem autour de l'Acra et de la garnison séleucide. Il installa de nouveaux prêtres ; il purifia le sanctuaire et reconstruisit l'autel des holocaustes, ce qui fut commémoré par une fête annuelle, la *Hanoukka* (« Dédicace ») (1 M 4). Le IIe livre des Maccabées insiste davantage sur le règlement politique qui intervint entre Judas et le régent Lysias lors du changement de règne. Le grand prêtre Ménélas, chef de la faction helléniste, y prit part lui-aussi. Une rescrit royal accorda donc aux Juifs l'abrogation de l'édit d'assimilation, l'amnistie aux combattants, la liberté d'observer les règles alimentaires juives et l'autonomie (2 M 10). C'était le rétablissement du statut obtenu d'Antiochos III.

Pourtant, Judas reprit la guerre en 163 et 162, bien que tout motif proprement religieux ait disparu avec la reconnaissance officielle du particularisme juif. Ou il voulait faire évacuer l'Acra, pour mettre fin à l'occupation séleucide et redonner son indépendance à Jérusalem, ou il cherchait à protéger les minorités juives dans les régions voisines de la Judée. En effet, une série de coups de main eut lieu en Idumée et en Galaaditide. En 162 la situation militaire se retourna : Judas ne put arrêter l'armée séleucide en Idumée ; elle parvint à Jérusalem, dégagea l'Acra et fit démanteler la forteresse du mont Sion que Judas avait installée pour protéger le Temple.

L'année 162-161, qui vit l'avènement d'un nouveau roi, Démétrios Ier, fut celle des tentatives de compromis. Le grand prêtre Ménélas avait été dénoncé par ses compatriotes, jugé et condamné par le roi en 163. Son successeur Alkime (sans doute une hellénisation de Joaqim) bénéficiait à la fois de la légitimité sadocide et du patronage royal qui lui procura des troupes. Ce grand prêtre légitime rallia les *hassidim*, des cercles piétistes distincts de la faction nationaliste mais qui avaient rejoint Mattathias au début de l'insurrection, ainsi que les scribes. Ces derniers participèrent à une conférence de paix avec le grand prêtre et le représentant du roi. Leur influence n'avait cessé de grandir parmi les personnels du Temple depuis l'époque de Ben Sira ; et Antiochos III leur avait déjà reconnu un statut privilégié. Dans les chroniques, les relations qui se développèrent entre les Maccabées, les *hassidim*, les scribes et le grand prêtre apparaissent peu claires et instables. Alkime est le mal-aimé du Ier livre des Maccabées, qui en fait le liquidateur des *hassidim* et un impie ouvrant aux non-Juifs le parvis du Temple. Mais sans doute trouve-t-on un reflet plus authentique de sa pensée et de son action dans le livre de Baruch, recueil composite et pseudonymique, qui traite de tensions avec le pouvoir politique et du culte des images, dans une « Lettre de Jérémie » (= Baruch 6), en mentionnant un grand prêtre Joaqîm qu'il faut sans doute identifier avec Joaqim-Alkime (Ba 1,7).

L'échec d'Alkime et du parti de la paix s'explique en partie par les intrigues des officiers séleucides qui jouèrent les factions juives les unes contre les autres. En 161, le gouverneur de Syrie, Bacchidès, soutint Alkime ; en 160, le commandant des éléphants, Nicanor, se rapprocha au contraire de Judas, mais l'accord entrevu fut dénoncé par Alkime. Nicanor marcha alors sur Jérusalem et exigea qu'on lui livre le rebelle. La bataille d'Adasa (au nord-ouest de Jérusalem) ne régla rien ; bien que les Juifs aient institué une fête commémorative portant le nom de Nicanor, celui-ci y fut tué et Judas trouva lui aussi la mort peu après. Bacchidès reprit alors une politique de pacification, en installant des garnisons dans tout le pays, tandis que Jonathan, le frère de Judas, prenait à son tour le maquis et commençait la guérilla dans le désert de Thékoé (Teqoa), près de la mer Morte. Enfin Alkime lui-même mourut de maladie en 159.

La crise du grand pontificat. Jonathan

La dernière période de l'histoire maccabéenne est marquée par la crise du grand pontificat qui apparaît désormais comme l'enjeu le plus important. À en croire les livres des Maccabées et l'historien Josèphe, qui ne donnent pratiquement aucun détail pour les années 159-152, le grand pontificat serait resté vacant pendant sept ans. Mais, dans la bibliothèque de Qoumrân, le prologue de l'*Écrit de Damas* suggère une tout autre situation et évoque de façon cryptée une compétition pour le grand pontificat qui se serait achevée par la mise en minorité de la tradition sadocide au profit de Jonathan. L'*Écrit de Damas* est le seul des manuscrits de la mer Morte à donner des repères événementiels, encore que symboliques : 390 ans après la chute du premier Temple, un groupe de prêtres et de laïcs se constitue et entame une démarche de conversion qui dure vingt ans ; on est alors en 175, c'est-à-dire au début de la crise helléniste. Une vingtaine d'années plus tard, soit vers 155-150, apparaît le Maître de Justice, au moment où le grand prêtre en exercice est renversé ; or la date correspond à l'accession de Jonathan au grand pontificat, avec le soutien du pouvoir séleucide.

On est donc en droit de supposer qu'un dernier grand prêtre sadocide a régné de 159 à 152 et que son nom fut ensuite occulté par des chroniqueurs dévoués aux Hasmonéens. D'ailleurs l'*Écrit de Damas* insiste sur le principe de légitimité sadocide et le titre de « Maître de Justice » apparaît comme un titre biblique. Par besoin de légitimité dans les tensions politiques et culturelles qui accompagnèrent la résistance des Maccabées, le mouvement de Qoumrân se serait rassemblé autour de maîtres de justice sadocides, en rompant avec le Temple. Ils refusaient d'y entrer parce qu'ils l'estimaient souillé par des grands prêtres usurpateurs, mais ils n'en demeuraient pas moins attachés au rituel traditionnel et n'espéraient rien d'autre que l'instauration d'un nouveau Temple. Malheureusement l'archéologie du site de Qoumrân ne permet ni de confirmer ni d'infirmer cette hypothèse, puisque les plus anciens des manuscrits datent de l'époque prémaccabéenne alors que la véritable fondation d'un établissement à Qoumrân ne semble pas antérieure à 135 ; mais il est vrai aussi que la relation n'est pas absolument claire entre le dépôt de manuscrits dans des grottes et l'établissement voisin.

L'accession de Jonathan au grand pontificat, en 152, marque la fin de la crise de l'institution. Elle se fait à la faveur d'une nouvelle lutte successorale qui affecte la dynastie séleucide et c'est un nouveau prétendant, Alexandre Balas, qui décerne à Jonathan la dignité de grand prêtre. Après Mattathias, partisan de l'action directe et prototype du zélote, après son fils Judas, modèle de pureté et d'observance stricte, qui anticipe plutôt la figure du pharisien, Jonathan est présenté dans le Ier livre des Maccabées comme un politique, fondateur de l'État hasmonéen et du système théocratique.

Le livre de Baruch

La structure même de ce recueil suggère une période de persécutions et d'épreuves : le cadre retenu est celui de l'Exil à Babylone ; l'accent est mis sur la prière pénitentielle et sur le psaume de consolation. Quelques détails évoquent plus précisément la crise maccabéenne : des parallèles avec les livres de Daniel et de Judith qui datent de cette période ; l'utilisation récurrente des noms de Babylone et de Nabuchodonosor, qui sont habituellement les noms de code du royaume séleucide et d'Antiochos IV. Dans le livre de Baruch, le grand prêtre Joaqim apparaît comme l'artisan d'une voie médiane, entre hellénistes et résistants. Tout en observant scrupuleusement la Loi, les Juifs doivent faire allégeance au pouvoir étranger et prier pour le souverain, ce qui était une pratique bien attestée dans la diaspora. L'auteur du livre de Baruch est un partisan de la paix, qui utilise en ce sens les écrits et la figure de Jérémie, de façon diamétralement opposée à celle de l'auteur du IIe livre des Maccabées. Il faut cependant préserver l'identité juive et cela doit se faire par la lecture de la Bible. Tout le livre de Baruch vise à restaurer la lecture de la Bible, peut-être pour remédier aux conséquences de l'autodafé attribué à Antiochos IV (1 M 1,56). En réaction à l'hellénisme et à la philosophie grecque, la sagesse est ici identifiée avec la Loi.

Les Hasmonéens (142-63)

Le judaïsme hellénistique peut se définir comme une religion en pleine évolution, du fait d'une nouvelle modélisation du pouvoir, politique et religieux. Les frères survivants de Judas, puis leurs descendants, qui avaient déjà conquis le pouvoir militaire, exercèrent aussi héréditairement le grand pontificat. Alors qu'ils n'étaient que prêtres, ils s'attribuèrent le pouvoir des grands prêtres sadocides. Ils créèrent ainsi la dynastie des Hasmonéens (ou Asmonéens) d'après le nom d'un ancêtre de Judas Maccabée : Hasmonaï (peut-être le « Siméon » de 1 Maccabées 2,1 ?). Voici la succession des grands prêtres hasmonéens : Jonathan (152-143), Simon (143-134), Jean Hyrcan (134-103), Aristobule I (103), Alexandre Jannée (ou Jonathan) (103-76) ; Salomé Alexandra (76-67), Aristobule II (67-63) et Hyrcan II (63-40), le dernier grand prêtre de cette dynastie, qui disparut complètement en 36. Hérode le Grand épousera Mariamne, une petite-fille des deux derniers rois [*voir* le schéma généalogique p. 390].

Issu de la résistance maccabéenne, l'État des Hasmonéens fut bien sûr confronté au problème de l'hellénisation, non plus seulement en tant que mode de vie, mais en tant que modèle politique : la révolte avait créé une rupture suffisante pour qu'il soit nécessaire de repenser le gouvernement. À cela s'ajouta la question de l'ouverture au monde tant sur le plan diplomatique que dans la visée théologique du judaïsme. Ainsi la période hasmonéenne fut un temps d'adaptations successives, qui générèrent autant de mouvements séparatistes et suggérèrent l'image d'un judaïsme sectaire.

Un État hellénisé

La construction d'un État hellénisé, qui n'est pas le moindre paradoxe, se fit en plusieurs étapes. Très vite, les successeurs de Judas Maccabée se réconcilièrent avec les souverains séleucides, qui seuls pouvaient donner un fondement légal à leur prise de pouvoir, à défaut de légitimité familiale. Mais tenir la fonction de grand prêtre juif d'un roi païen n'en était pas moins une révolution. Les Hasmonéens apportaient au roi séleucide un potentiel militaire non négligeable ; ils entrèrent donc dans le système séleucide et jusque dans la garde royale. De même que les autres dynastes sacerdotaux du royaume, Jonathan et Simon furent intégrés à la hiérarchie du palais, comme « amis du Roi ». Ils exercèrent des charges civiles et militaires au nom du roi : Jonathan fut général et « gouverneur de district » (*méridarque*), Simon gouverneur militaire du littoral puis commandant en chef et « chef du peuple » (*ethnarque*) ; ce titre correspond bien à ce que représentaient les Juifs dans le royaume séleucide : un peuple particulier, avec un territoire ethnique et une dynastie locale.

Le poids militaire des Hasmonéens leur permit d'acquérir de plus en plus d'indépendance en jouant des luttes dynastiques et de la pression qu'exerçaient les Parthes à l'Est. Dès 160, Jonathan eut le droit de lever une armée. En 142, sous Simon, Jérusalem recouvra une totale indépendance, quand la garnison séleucide de l'Acra fut évacuée et que le tribut de vassalité fut suspendu. La tentative impérialiste d'Antiochos VII, qui assiégea Jérusalem en 133, fut sans lendemain. Les grands prêtres, en même temps qu'ils jouaient leur rôle de relais du pouvoir royal, utilisèrent ces exemptions pour constituer un État sacerdotal privilégié autour du Temple. Au fil des chartes concédées par les rois, Jérusalem devint une Ville Sainte (une *hiérapolis*, comme il y en avait tant dans le royaume) ; les habitants et les pèlerins y bénéficiaient de l'immunité personnelle (*asylie*, littéralement : « pas de prise de corps ») et d'exemptions fiscales qui ne cessèrent de s'étendre. Le pouvoir séleucide subventionnait directement et indirectement le culte.

L'évolution vers la royauté (142-63)

À partir de 142, le grand prêtre Simon accumula les pouvoirs régaliens. On ne data plus les documents de l'ère séleucide, mais du pontificat de Simon. Il put frapper monnaie, en fait imposer sa contre-marque, le lys sacerdotal, sur les pièces royales. Simon fut un grand bâtisseur de palais, forteresses et nécropoles, à la manière des rois hellénistiques, pour exalter la dynastie. Quand il mourut, en 134, son fils Jean Hyrcan hérita immédiatement le grand pontificat, sans nomination royale. La succession dynastique était donc désormais bien assurée.

Pour l'historien juif Flavius Josèphe, le gouvernement de Jean Hyrcan représente l'apogée de la dynastie et un règne idéal. Mais d'un point de vue politique et culturel, le tournant décisif fut le court règne de son fils Aristobule (en 103), qui prit à la fois un nom grec (*Aristoboulos :* « De très bon conseil ») et le titre royal (*basileus*). Désormais les Hasmonéens se posaient comme une dynastie hellénisée indépendante. Son frère et successeur, Alexandre Jannée, confirma la tendance et il gouverna même en tyran, en noyant toute opposition dans le sang. Le rôle joué par son épouse, Salomé Alexandra, est aussi révélateur d'influences hellénistiques : veuve successivement des deux frères Aristobule et Alexandre Jannée, elle gouverna personnellement de 76 à 67, alors que le seul précédent biblique au règne d'une femme était celui d'Athalie (841-835).

Une telle évolution ne se fit pas sans résistance. Le IIe livre des Maccabées, écrit par un Juif du royaume lagide, est nettement royaliste,

REPÈRE

LA DYNASTIE DES HASMONÉENS

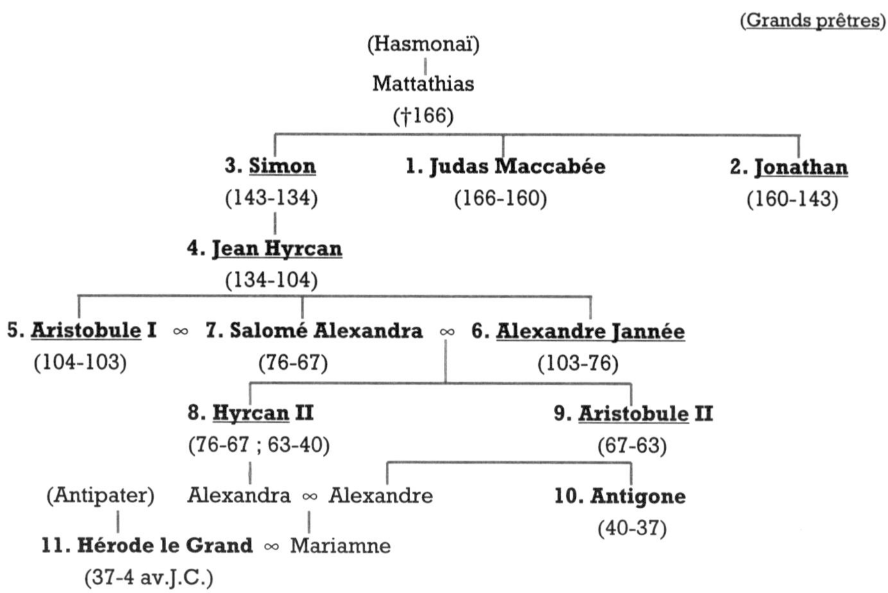

mais le premier livre, composé pourtant à la gloire des Hasmonéens par un scribe de Jérusalem, est plus nuancé sur la question du régime. Il insiste, en particulier, sur le fait que Simon aurait reçu du peuple sa véritable légitimité. Les manuscrits de la mer Morte exaltent le modèle biblique traditionnel du roi, instrument de Dieu, qui doit se garder de toute démesure et gouverner avec un conseil. Plus tard, le Talmud de Babylone fera d'Alexandre Jannée (*Yannaï*) l'exemple du tyran.

Pourtant ce dernier fut un pragmatique. Après avoir réprimé toute opposition, il atténua les symboles les plus autocratiques de son pouvoir : ses premières monnaies portaient « Le roi Alexandre », les plus récentes « Jonathan grand prêtre » (de son nom hébreu), associé selon les cas au « Conseil » ou à la « Communauté des Juifs ». Il reprenait l'idéal de la participation populaire défendu dans le Ier livre des Maccabées. L'essentiel, pour ces souverains hellénisés, était de ne pas paraître renégats, infidèles à la Loi. C'est pourquoi ils soulignèrent leurs fonctions cultuelles : le service de l'autel, les pèlerinages comme la Fête des Tabernacles. Jean Hyrcan était à la fois grand prêtre, chef du peuple et prophète, en récupérant tous les charismes traditionnels. Enfin prières et purifications accompagnèrent les conquêtes ; ce qui incite à s'interroger sur la visée de la politique étrangère des Hasmonéens, impulsée ou non par la religion, traditionnelle ou novatrice.

L'ouverture sur l'étranger

Dans l'histoire des rapports du judaïsme avec les non-Juifs, la période des Hasmonéens fut celle de choix décisifs. L'ouverture sur l'extérieur était facilitée et même imposée par le contexte diplomatique général. Étant donné que Rome faisait la guerre aux Séleucides depuis le début du IIe siècle, elle avait des intérêts communs avec les Juifs : un traité d'alliance fut donc conclu avec Judas Maccabée (1 M 8), avant 160, et renouvelé à chaque pontificat. Les Juifs considérèrent l'oligarchie sénatoriale romaine comme une heureuse alternative à la royauté et Rome bénéficia unanimement d'une image positive jusqu'à l'arrivée des légions à Jérusalem en 63. Dès la fin du IIe siècle, des Juifs ont gagné l'Italie, ce qui représente une nouvelle extension de la diaspora, et certains ont même reçu la citoyenneté romaine de la part de légats romains en Orient. Des liens diplomatiques se créèrent encore entre Jérusalem et des cités grecques comme Sparte ou Pergame ; ils s'inscrivent dans un cadre de pensée spécifiquement hellénistique, celui des parentés mythiques, puisque les deux partenaires se retrouvent descendants d'Abraham. Mais l'ethnocentrisme juif est net alors que les peuples sémitiques cherchaient plutôt à s'intégrer au passé grec.

Au Proche Orient, vis-à-vis de leurs voisins immédiats, les Hasmonéens ont mené une politique impérialiste. Cette dynastie d'origine militaire est passée de la défensive et de la résistance à la conquête. Progressivement, elle annexa des districts samaritains et galiléens, puis la Samarie tout entière, en 107, après en avoir détruit la capitale et le temple du mont Garizim, et enfin la Galilée en 103. Les villes sémitiques hellénisées de la côte furent aussi occupées, si bien qu'Alexandre Jannée finit par contrôler tout le littoral, depuis la Phénicie jusqu'à Gaza et Raphia, aux portes de l'Égypte. La pénétration dans les territoires arabes de Transjordanie et d'Idumée, au Sud, fut le fait de Jean Hyrcan et d'Alexandre Jannée. Au Ier siècle, l'État juif avait atteint une extension qu'il n'avait plus jamais eue depuis l'époque de David. Peut-être s'est-il agi, justement, de renouer avec la tradition davidique pour compenser l'hellénisation du régime. Les Iduméens furent circoncis et convertis.

Mais on peut aussi trouver des mobiles politiques à ces guerres de conquête, suivies de colonisation. Les Hasmonéens avaient besoin de se constituer de grands domaines pour asseoir leur pouvoir et ravitailler leurs gens. Il fallait trouver des terres pour résorber l'excédent démographique et caser les petits paysans dépossédés par le processus de concentration foncière. Ainsi, pour comprendre l'éclatement du judaïsme en différents courants, ce qui représente le fait majeur de la période, il faut faire intervenir la conjoncture sociale et politique autant que l'évolution des sensibilités religieuses.

L'éclatement du judaïsme

Ce qu'on appelle le « sectarisme » juif résulte, dans une certaine mesure, d'événements qui prirent valeur d'alternative. Les *Hassidim* (ou « Piétistes ») apparurent à l'époque des Maccabées, dont ils soutinrent la résistance pour se séparer des Hellénistes. Le groupe révélé par les manuscrits de Qoumrân se rassembla autour d'un Maître de Justice pour se séparer d'un « prêtre impie » et de la majorité alors au pouvoir : on hésite à dater l'événement soit du règne d'Hyrcan II, vers 67, quand celui-ci cumula à nouveau illégalement les fonctions royales et sacerdotales, soit du renversement du dernier grand prêtre sadocide, en 152, auquel cas le Maître de Justice représenterait la légitimité et la tradition face aux Hasmonéens. Il faut certainement identifier la secte des manuscrits avec ceux que les auteurs anciens appellent les Esséniens (les « Pieux ») et qu'ils font apparaître dans l'histoire à l'époque de Jonathan (152-143). L'accession contestée de ce dernier au grand pontificat explique encore la sécession des Oniades, Sadocides légitimes, qui partirent fonder en Égypte le temple de Léontopolis. Les Sadducéens, dont le nom semble bien dériver de Sadoq, le prêtre institué par David, doivent avoir appartenu au même mouvement avant de se rallier à Jean Hyrcan ; ils se recrutèrent alors dans l'aristocratie sacerdotale et laïque, parmi les grands propriétaires.

Le nom Pharisiens signifie certainement les « Séparés ». D'après Flavius Josèphe, leur sécession ne daterait que du règne de Jean Hyrcan ou même de celui d'Alexandra, c'est-à-dire qu'ils auraient refusé l'évolution autocratique du régime. Néanmoins on considère en général qu'ils sont issus des *Hassidim* et de la période maccabéenne, comme les autres groupes. Plus que tous les autres, les Pharisiens apparaissent comme une faction politique, qui finit par s'imposer : dans l'opposition sous Jean Hyrcan, ils négocièrent leur soutien à Alexandre Jannée et à Alexandra. Dans une société essentiellement rurale et profondément divisée entre petits paysans et grands propriétaires, ils se recrutaient au sein des synagogues de villages et de la diaspora et représentaient un courant plus ouvert et plus moderne que celui des Sadducéens, attachés à Jérusalem et au Temple.

On s'accorde donc pour rattacher à la crise maccabéenne les grands courants juifs dont parlent Josèphe, les évangiles ainsi que les sources rabbiniques. Cependant la tendance au séparatisme était plus ancienne et plus diffuse, surtout à travers le refus de la ville (incarnation du modernisme hellénistique) et le goût de la retraite au désert pour mieux pratiquer une stricte observance. Les Rékabites avaient transposé les coutumes patriarcales du nomadisme en idéal religieux (Jr 35). Les Esséniens vivaient à la campagne et refusaient voyages et commerce. Les Baptistes et d'autres inspirés demeuraient au désert où ils rassemblaient leurs disciples. L'établissement de Qoumrân, près de la mer Morte, a sans doute été une retraite entre ville et désert. Cependant ces solitaires s'impliquaient dans la vie active : des Esséniens furent prophètes de Cour auprès des Hasmonéens ; d'autres exercèrent des commandements militaires. Il ne s'agissait donc pas de fuir le monde mais de pratiquer l'observance et l'ascétisme. D'ailleurs le modèle biblique du *nazir*, engagé par un vœu temporaire ou perpétuel, resta très vivant dans la période hasmonéenne et à l'époque du Nouveau Testament.

Pour présenter ces courants du judaïsme aux Grecs, Josèphe les assimila aux écoles philosophiques classiques : les Pharisiens aux Stoïciens, les Sadducéens aux Épicuriens et les Esséniens aux Pythagoriciens parce qu'ils mettaient, comme eux, leurs biens en commun. Ces courants juifs avaient en effet un caractère doctrinal, soutenu parfois par une littérature particulière comme les écrits d'Hénoch dans les milieux piétistes. Les Pharisiens paraissent liés à la fondation d'écoles religieuses (*habourôt*), peut-être dans un souci de résistance culturelle et religieuse au gymnase grec. L'éducation rabbinique effaçait le clivage entre notables et gens du peuple.

La distinction entre Pharisiens et Sadducéens était tout à la fois sociale et doctrinale. Ils divergeaient par leur position vis-à-vis de la Tora, que les Sadducéens suivaient à la lettre tandis que les Pharisiens pratiquaient l'exégèse et le commentaire, en réactualisant sans cesse le texte. Ils s'opposaient également sur l'existence des anges, sur la question de la résurrection et celle du libre arbitre. Les Esséniens tiennent des Pharisiens : ils sont déterministes et pratiquent, eux aussi, le commentaire, l'interprétation des Écritures ; leurs règles de vie commune sont encore plus strictes ; quant à leur croyance en la résurrection, peu attestée dans leurs écrits, elle reste discutée.

Seuls méritent le nom de secte, au sens strict, les Esséniens décrits dans la littérature et ceux qui ont produit et utilisé les manuscrits de la mer Morte : sans doute un seul et même courant. Le port de l'uniforme, la règle de vie commune, le noviciat, le contrôle des responsables sur tous les aspects de la vie privée, la mise en commun des biens et surtout l'impossibilité de quitter le groupe, tout cela est caractéristique. Sinon la présentation de Josèphe est anachronique et réductrice, car il prend « secte » au sens philosophique grec d'*haïrésis*, c'est-à-dire d'un engagement doctrinal déterminant un genre de vie. Cependant, à l'époque hasmonéenne, nul ne se déclarait dépositaire de l'orthodoxie et la bibliothèque de Qoumrân atteste la lecture de versions variées de la Bible.

Les conséquences de cette évolution religieuse sont largements positives. Dans la monarchie centralisée qu'était devenu l'État hasmonéen, les groupes religieux tendirent de plus en plus à affirmer leur différence et leur indépendance du pouvoir. L'appartenance religieuse fut dissociée de toute autre, familiale ou politique.

M.-F. B.

Les Romains

L'autonomie de la dynastie des Hasmonéens, depuis 142, a entraîné la Judée dans le tourbillon des rivalités entre les royaumes hellénistiques du Proche Orient. Mais pendant que les descendants des Maccabées se disputent le double pouvoir politique et sacerdotal, Rome poursuit sa montée en puissance. Au nom d'une alliance conclue avec Judas Maccabée vers 160 – et qui vaut dans la Bible un bel éloge du peuple romain (1 M 8) –, les armées romaines de Pompée prennent pied en Judée en 63 avant notre ère. Elles y resteront des siècles, y menant deux longues guerres victorieuses sous la conduite de Titus (66-70) et d'Hadrien (132-135), avant que l'Empire romain ne devienne en Orient l'Empire byzantin (330). Cette occupation romaine n'apparaît pas dans l'Ancien Testament lui-même, mais on sait qu'elle constitue le cadre historique et politique des événements rapportés dans le Nouveau Testament : c'est « sous Ponce Pilate » que Jésus de Nazareth sera crucifié, en l'an 30.

L'occupation romaine, de 63 à 40

Au Ier siècle av.J.C., l'Orient passe sous le pouvoir romain. Une intervention était devenue nécessaire, à cause de Mithridate, le roi du Pont, qui en 88-86 avait lancé de grandes attaques sur l'Asie, l'Égée et la Grèce. Sylla avait pu le repousser, mais pas l'éliminer, et l'événement montrait que pour la sécurité même des provinces égéennes il y avait intérêt à mieux contrôler leur arrière-pays oriental, autrement dit, toute l'Asie Mineure. De plus, pour lutter contre les pirates de Cilicie et de Crête sur lesquels Mithridate avait pris appui, et qui ne demandaient qu'à continuer leurs méfaits pour leur propre compte sur toute la Méditerranée, il fallait les priver de leurs bases : ainsi étaient nées les provinces de Cilicie (sans cesse modifiée et agrandie de 84 à 57) et de Cyrénaïque (74-67). En même temps, l'effondrement du pouvoir royal séleucide, miné par les guerres de succession, avait permis au roi arménien Tigrane, gendre de Mithridate, de devenir pendant quatorze ans maître de la Syrie et d'Antioche, et pour priver Mithridate de cet allié puissant, il avait fallu envoyer Lucullus dont l'armée avait repoussé Tigrane jusqu'aux pieds du Caucase (74-67). Jamais une armée romaine n'avait opéré si loin de Rome.

Lucullus était un conservateur, grand ami de Sylla, grand champion du Sénat syllanien ou de ce qui en restait. Il n'était pas partisan d'un accroissement de l'empire, qui libérerait des forces politiques difficiles à contrôler, et désirait seulement rétablir le *statu quo* dans un Orient d'où Rome se serait ensuite retirée : il avait même réinstallé, après l'expulsion de Tigrane, un Séleucide à Antioche. Mais à Rome, tous ne l'entendaient pas de cette oreille, et un fort parti impérialiste s'était créé, où se combinaient de façon explosive la passion de la grandeur romaine, la soif de l'or des butins, et les revendications sociales, la conquête apparaissant comme une solution des problèmes intérieurs de Rome. On y trouvait des financiers avides de nouvelles zones d'opération, des prolétaires résignés à se transformer en militaires pour améliorer leur existence, des Italiens déçus de la récente unification politique de la péninsule, des ambitieux pour qui la guerre était une occasion de prendre du galon, et enfin, des chefs militaires prêts à tout pour atteindre au premier rang à Rome.

Pompée était l'un d'eux. Bousculant le Sénat, il obtint en 67 un grand commandement contre les pirates sur toute la Méditerrannée, où il fit merveille, et en 66 il fit en sorte que le peuple écarte Lucullus pour lui attribuer cette fois un supercommandement terrestre sur tout l'Orient. Partisan d'une reprise vigoureuse des conquêtes, il était décidé à annexer tout l'Orient : entre l'Euphrate, frontière de l'Empire parthe, et la Méditerranée, il ne devait plus y avoir que des provinces romaines ou des royaumes vassaux. Défaisant l'œuvre de son prédécesseur, il chassa Antiochus XIII et réduisit la Syrie à l'état de province romaine.

Pour lui, la Palestine et la Judée étaient d'abord le glacis méridional de la province de Syrie, et tout naturellement la conquête de la Syrie obligeait à contrôler ce qui s'y passait. Mais elles formaient aussi un couloir menant vers l'Égypte. Depuis le IIe siècle au moins, les Ptolémées avaient cultivé l'amitié de Rome, mais maintenant, aux prises avec des problèmes intérieurs et extérieurs dépassant leurs forces, ils en étaient venus à prendre appui sur elle à tout prix. On disait qu'en 80, avant de mourir, Ptolémée Alexandre, coiffé du diadème par Sylla, avait fait un testament léguant son royaume aux Romains. Sur ce testament, le Sénat gardait le mystère, mais le nouveau roi, Ptolémée XIII, vivait dans la peur continuelle de perdre le titre qu'une condescendance toute provisoire lui laissait encore porter, et pour allonger son délai de grâce, cet indigne personnage multipliait les cadeaux aux sénateurs, et les dettes auprès des financiers romains. De temps à autre, la question de l'exécution du testament revenait à la surface, et en 65

Jules César à Rome aurait manifesté son intérêt pour une mission qui l'en aurait chargé. Pompée, qui tenait à se réserver l'Eldorado égyptien, savait qu'une conquête militaire de l'Égypte était impossible par mer (il aurait fallu trop de navires) et aussi par voie de terre en partant d'Afrique du Nord, à cause du désert libyen. La seule route passait par la Syrie, puis par la Palestine, et c'était une raison supplémentaire cachée, mais très forte, d'en prendre le contrôle en installant en Syrie des gouverneurs qui seraient ses amis, et en Judée, sous couleur de protectorat, des hommes qui lui seraient dévoués.

Au sud de la Syrie, il y avait le royaume de Judée, les deux royaumes arabes d'Iturée et de Nabatène, et d'autres principautés, qui avaient tous profité de la décadence des Séleucides pour s'émanciper de leur pouvoir et devenir indépendants, et tous s'étaient agrandis au détriment des cités grecques de la côte ou de l'intérieur. Pompée régla leur sort en redéfinissant leurs frontières, et en les soumettant au protectorat romain. En Judée, il avait trouvé un pouvoir royal mi-politique mi-religieux (un roi en même temps grand prêtre du Temple, ce qui révoltait les vrais Pieux, les *Hassidim*), mais qui était disputé entre les

DOCUMENT

POMPÉE À JÉRUSALEM

Les *Psaumes de Salomon* sont des prières d'origine pharisienne composées pour la liturgie de Jérusalem. Certains font écho à l'actualité, comme le Psaume 2 qui évoque l'arrivée de Pompée à Jérusalem en 63, et son assassinat en Égypte en 48 av.J.C.

Dans son orgueil le Pécheur (Pompée)
a renversé les remparts fortifiés pendant
la fête,
et toi, tu ne l'as pas empêché !
À ton autel sont montées des nations
étrangères,
qui, par orgueil, l'ont foulé de
leurs chaussures. […]
La glorieuse splendeur de Jérusalem
fut devant Dieu regardée comme rien.
Ses fils et ses filles connaissent une funeste
captivité,
leur cou porte la marque et le collier
des esclaves parmi les nations.
Cesse, Seigneur, d'appesantir ta main
sur Israël en y amenant des païens,
car dans une colère et une fureur impitoyable
ils l'ont maltraité et ne l'ont pas épargné.
C'en sera fait de lui si toi, Seigneur,
tu ne les arrêtes pas dans ta colère. […]

Je n'ai pas attendu pour que Dieu
me montrât son cadavre (de Pompée),
transpercé sur les collines de l'Égypte […]
Son corps était balloté sur les flots
en grande ignominie,
et il n'y avait personne pour l'ensevelir,
car (Dieu) l'avait anéanti dans la honte.
Il n'avait pas pensé qu'il était un homme,
Il avait dit : « Je serai maître de la terre
et de la mer. »
Il n'avait pas reconnu que c'est Dieu
qui est grand,
puissant par sa force immense,
lui qui est roi sur les cieux et qui juge
rois et princes.
(Ps Sal 2, 1-2. 5-6. 22-23. 26-30).

fils du dernier roi, Hyrcan II et Aristobule. Il choisit Hyrcan II, dont la cause avait été bien présentée par son conseiller Antipater, et devant la résistance des partisans d'Aristobule, prit même le temps d'aller assiéger et prendre Jérusalem pour mettre en place son protégé. Hyrcan II ne serait plus roi, seulement ethnarque, autrement dit une espèce de gouverneur indigène responsable de l'impôt à payer aux Romains, et resterait grand prêtre, disposant de l'autorité sur le Temple.

Puis Pompée redécoupa le pays. La Judée, à l'origine petit État-temple, s'était agrandie par des conquêtes assez récentes, des années 110-70 (Samarie, Idumée, Galilée, Pérée, avec une quinzaine de cités grecques côtières ou intérieures). Sans toucher aux autres territoires, dont la judaïsation ou rejudaïsation était fort avancée, il se contenta de détacher les ex-cités grecques, dans l'intention de les refonder et de les relier directement à la Syrie, ce qui sera fait en partie par lui, et en partie par son ami Gabinius, gouverneur de Syrie en 57-54. Pour la Judée, ce fut une perte sensible : il faut se représenter beaucoup de Juifs installés sur des terres prises aux Grecs obligés de se replier en Judée, et un domaine royal (il faudrait dire : ethnarchique) diminué par l'obligation de rendre ce qui avait été confisqué par les rois hasmonéens.

Antipater et l'avènement d'Hérode le Grand

De 63 à 43, le grand homme en Judée ne fut pas Hyrcan II, mais son principal collaborateur, l'Iduméen Antipater. Pendant ces vingt ans, il fut l'homme de confiance des Romains, aidant tous les gouverneurs de Syrie successifs, en particulier Gabinius, qui lança de sa propre initiative en 55 une expédition en Égypte pour rétablir le roi Ptolémée XIII réfugié à Antioche, et Crassus qui devait faire la guerre contre les Parthes et y perdre la vie et son armée en 53. Pendant la guerre civile, il aida Pompée, puis ensuite César, dont il nourrit l'armée en marche vers l'Égypte en 48 puis sortant d'Égypte en 47, et dans l'intervalle, nourrissant une armée de secours venue assister César empêtré dans le siège d'Alexandrie ; après la mort de César en 44, il gagna immédiatement la confiance de son meurtrier Cassius, venu prendre possession de la Syrie. Antipater était indispensable, car il savait s'y prendre avec une efficacité inégalable pour prélever sur les Juifs non seulement les impôts réguliers, mais aussi d'énormes contributions de guerre qu'il rassemblait en un temps record et remettait fidèlement au chef romain du moment. Aussi Jules César l'avait-il nommé intendant de Judée pour le compte de Rome, et non plus d'Hyrcan, et fait citoyen romain.

À sa mort en 43, son fils Hérode, âgé de trente ans, nommé par lui intendant de la Galilée, était prêt à prendre sa suite. On était en plein dans les dernières guerres civiles nées après la mort de Jules César entre Antoine, Octavien et les républicains, qui se termineraient seulement en 31 par la victoire d'Octavien (futur Auguste) à Actium sur son rival Antoine aidé de Cléopâtre. Les impôts et les contributions pesaient plus que jamais sur la population, et Hérode se montrait aussi efficace que son père. Une révolte eut lieu, menée par le neveu d'Hyrcan II, Antigone, qui profita d'une occasion pour écarter son oncle, et recréer une illusion de royauté hasmonéenne avec l'aide des Parthes, entre 40 et 37. Paradoxalement, ce fut la chance d'Hérode, car Antoine et Octavien, encore unis, décidèrent qu'il ne faudrait pas rétablir Hyrcan II dont l'incapacité n'avait été que trop prouvée, mais qu'il fallait créer Hérode roi, et le charger, avec l'aide d'une armée romaine, de récupérer Jérusalem. Hérode vint à Rome et se présenta devant le Sénat romain pour recevoir son diadème, puis monta au Capitole offrir à Jupiter un sacrifice en compagnie d'Antoine, d'Octavien et des deux consuls de l'année. Puis, très vite, il repartit pour la Judée. Il y eut donc un second siège de Jérusalem, qui tomba en 37. Et Hérode dès lors régna jusqu'à sa mort en 4 av.J.C. sur la Judée et sur d'autres territoires qu'Auguste lui confia un peu plus tard, en plusieurs fois, aux dépens du royaume ituréen de Syrie du Sud (le Golan, le Djebel Druze, etc.).

Le règne d'Hérode le Grand (37-4 av. J.C.)

Hérode était le roi allié idéal. Infatigable, créatif, passionné d'autorité et de vie somptueuse, mais capable de tous les efforts militaires pour éliminer des adversaires, c'était un grand fauve, un homme de pouvoir. Assuré de l'appui d'Auguste, qu'il avait mérité, il n'avait pas à se garder des Romains, mais seulement de ses sujets et surtout de tout rival qui convoiterait sa place. Obsédé à l'idée qu'on pourrait comploter contre lui, il n'hésitait pas à tuer y compris femmes (il était résolument polygame) et enfants, justifiant le jeu de mots sinistre d'Auguste, reposant sur l'assonance en grec entre *huos* (porc) et *huios* (fils) : « Il vaut mieux être le porc d'Hérode que son fils. » Mais s'il aimait le pouvoir, il serait injuste de dire que c'était seulement pour ses avantages. En observant bien son action, on peut discerner qu'elle était aussi inspirée par une politique de rapprochement entre Juifs et Romains.

Pour s'imposer aux Juifs, Hérode prit avec eux ses distances. Son armée n'était pas composée de Juifs, mais de mercenaires gaulois, germains, thraces, syriens, samaritains, beaucoup plus sûrs et dévoués. Cette armée résidait dans un certain nombre de forteresses et de bases qui quadrillaient le pays, la plupart bien connues maintenant par l'archéologie. Les principaux amis et collaborateurs d'Hérode étaient des Grecs, comme son historiographe et conseiller Nicolas de Damas, un Syrien, ou son ministre des finances Ptolémée, qui gérait des impôts et des revenus importants dont Rome ne prenait rien, laissant au roi l'usufruit de son pays. Avec ses soldats et ses conseillers, il ne demeurait d'ailleurs qu'épisodiquement à Jérusalem, préférant séjourner ailleurs dans son royaume, et, quand il était à Jérusalem, il s'isolait derrière les murs épais et les tours de son puissant palais adossé au rempart. À diverses reprises, il fit de grands voyages pour faire sa cour aux dirigeants romains : en 23 pendant le séjour de l'ami d'Auguste Agrippa à Mitylène il lui rendit visite, puis en 20 il se rendit auprès d'Auguste qui passait l'hiver à Samos, en 18, en Italie cette fois, pour revoir Auguste, en 14 il navigua jusqu'en mer Noire avec une flotte de guerre toute neuve qu'il venait mettre à la disposition d'Agrippa pour une expédition contre le Bosphore cimmérien (Crimée), en 12 et en 10 ce furent encore deux voyages à Rome près d'Auguste, auprès de qui il avait laissé deux de ses garçons.

C'est au retour d'un de ces déplacements, causant sur le pont du navire avec Nicolas de Damas, qu'il lui confia qu'il aurait préféré, s'il avait eu le choix, gouverner des Grecs plutôt que des Juifs. Auguste l'avait en quelque sorte exaucé, en soumettant aussi à son autorité des Arabes ituréens (des régions du Nord) et justement des Grecs (certaines cités grecques de la côte et de la Décapole, en Cisjordanie actuelle), et Hérode lui-même avait fondé deux cités grecques, Césarée (sur la côte, ex-Tour de Straton) et Sébaste (ex-Samarie). Hérode disposait donc de tout le recul psychologique et politique nécessaire pour situer la Judée au sein du monde romain, et pour consolider l'insertion de ce petit royaume « allié » dans l'Empire, comme c'était certes son intérêt personnel et même sa mission, confiée par Rome, mais comme c'était aussi, pouvait-il penser, l'intérêt des Juifs eux-mêmes, ceux de Judée comme ceux de la diaspora.

Issu d'une famille arabe convertie de force au moment de l'annexion de l'Idumée à la Judée par le roi hasmonéen Jean Hyrcan, vers la fin du IIe siècle, Hérode partageait la religion des Juifs, mais pas leur sensibilité. Il n'ignorait pas que ceux-ci l'appelaient dédaigneusement un « demi-juif », et qu'il n'avait rien à gagner à affecter un zèle qu'il ne partageait pas. Mieux que les Hasmonéens, il savait surtout que son pouvoir ne se rattachait en rien à la tradition davidique du roi oint du Seigneur, mais que c'était une pure délégation des Romains. Il eut donc la sagesse de rester en marge du pouvoir religieux, de ne pas se mêler du culte ni avant ni après la construction de son énorme Temple, et même de ne pas intervenir dans les séances du Sanhédrin*. Heureux d'avoir éliminé les Hasmonéens, que la foule peu éclairée croyait doués de légitimité sacerdotale, mais dont la disparition ne chagrina pas les puristes adeptes d'un sacerdoce purement sadocide, il choisit les grands prêtres à sa guise, en les prenant bien insignifiants, et sans respecter le caractère viager traditionnel de la charge sacerdotale suprême (il y en eut sept sous son règne).

Par ailleurs, ayant pratiqué d'emblée et une fois pour toutes une épuration fort sévère du Sanhédrin, le roi pouvait avec sécurité laisser fonctionner dans une apparente autonomie cet organe théocratique, ce qui présentait pour lui l'avantage de ne pas le mêler à tous les problèmes juridico-religieux que soulevait sans cesse l'application de la Loi, et le dispensait du fardeau de juger ses sujets. Sa police et ses sbires s'occuperaient seulement du maintien de l'ordre. Ce partage très net entre la sécurité de l'État et la Loi, confiées à deux personnels très distincts dont un seul dépendait directement de lui, permit à Hérode d'établir avec les Pharisiens un *modus vivendi* qui fonctionna assez bien, somme toute, pendant tout son règne, et servit d'ailleurs de modèle aux gouverneurs romains qui lui succédèrent.

Vis-à-vis de la diaspora, Hérode joua le rôle de tuteur, étendant son patronage sur les communautés juives dispersées, et se montrant toujours pour elles un défenseur du droit à la différence que les Romains leur reconnaissaient, mais que leurs voisins grecs contestaient régulièrement. Flavius Josèphe, dans le livre XVI de ses *Antiquités juives*, consacre des pages pittoresques aux interventions qu'Hérode, à leur demande, fit pour elles auprès d'Agrippa lors de son voyage en Asie Mineure en 14 av.J.C. Le même auteur énumère longuement aussi les étonnants cadeaux édilitaires qu'Hérode semait dans de nombreuses cités du monde grec : paver en marbre à ses frais la rue principale d'Antioche de Syrie, financer les Concours à Olympie, offrir des théâtres à Sidon et Damas, un aqueduc à Laodicée sur Mer, etc. (Josèphe, *Guerre* I, 422-427) ; cet « évergétisme », ce mécénat, devait être profitable non seulement à la réputation d'Hérode, mais aussi aux Juifs de la diaspora, qui bénéficieraient de la reconnaissance des Grecs peu habitués à tant de générosité de leur part. Ce souci de la diaspora, un des côtés les plus intéressants de l'action d'Hérode, on peut le retrouver même dans des réalisations où l'on n'a pas l'habitude de le chercher, dans la construction simultanée du Temple de Jérusalem et du port de Césarée, ses deux œuvres majeures. L'un et l'autre étaient conçus à une échelle qui dépassait la simple Judée, et concernait les millions de Juifs de toute la diaspora : à la masse des pèlerins qui monterait désormais du monde entier au Temple de Jérusalem, il fallait un port « plus grand que le Pirée » (*Guerre* I, 410), et ce fut Césarée.

Césarée était bâtie en territoire samaritain, ville toute grecque où les Juifs n'étaient pas citoyens, et tout impériale avec son « port d'Auguste » qu'un grand temple d'Auguste et de Rome dominait du haut d'une colline artificielle dressée sur la rive au fond du bassin, juste en face de l'entrée, comme si Auguste présidait lui-même à l'arrivée des voyageurs. Ainsi, par un remarquable dispositif, Hérode permettait aux pèlerins de se pénétrer de la majesté de l'empereur avant d'aller remplir leurs devoirs envers Dieu. Les pèlerinages avaient encore l'avantage, plusieurs fois par an, surtout à Pâque, d'opérer un brassage entre les habitants de la ville sainte et les Juifs de la diaspora, plus hellénisés, pour qui la soumission aux Romains était depuis des générations chose naturelle, ce qui ne pouvait que contribuer à réduire l'« exception judéenne », une de ses grandes intentions.

Restait le plus difficile : faire admettre aux Juifs la soumission aux Romains, dont Hérode n'était que le fondé de pouvoir. Il y avait quelque chose d'amer à perdre cette indépendance si chèrement gagnée depuis les Maccabées, après des siècles de soumission aux Perses et aux Macédoniens, Lagides puis Séleucides, mais Hérode pouvait arguer que finalement, dans un empire soumis à Rome, il avait fait une Judée la moins romaine possible, où l'on respectait la Loi dans la vie quotidienne et où l'on rendait un culte à Dieu dans un Temple plus beau que jamais. Simplement, ce culte était aussi rendu pour le pouvoir romain. Deux fois par jour, selon une fondation financée disait-on par l'empereur lui-même, on offrait en holocauste dans le Temple un taureau et deux agneaux « pour l'empereur et le peuple romain ». C'était dans les rites du culte juif qu'Hérode réussissait à faire honorer l'empereur, et tous les prêtres du Temple n'y trouvaient rien à redire, ni aucun docteur de la Loi, autant qu'on le sache. Ce fut certainement pour Hérode un grand succès, et il put alors se dire qu'il avait trouvé la meilleure solution au problème immense de l'insertion du peuple juif tout entier, Judée et diaspora, dans l'Empire romain. Pourtant quand, vers la fin de sa vie, Hérode voulut obtenir de tout son peuple un serment de fidélité à l'empereur et à son gouvernement royal, comme cela se faisait dans les autres royaumes alliés, plus de six mille Pharisiens le lui refusèrent, sans qu'il osât les punir autrement que par une amende, que la propre belle-sœur du roi s'empressa de payer à leur place (*Anti-*

quités XVII, 42). En fait, pour ses sujets juifs, la soumission aux Romains n'était qu'un pis-aller, et non la formule de l'avenir, et Hérode ne le comprenait pas, ou en tout cas faisait semblant de ne pas le comprendre.

Les diasporas juives avant 70 de notre ère

Si Hérode s'est tant soucié de la diaspora, c'est qu'elle comprenait la plus grande partie des Juifs, soit quelques millions ; ce qui formait un assez fort pourcentage de la population de l'Empire, qu'on estime à une cinquantaine de millions d'habitants. Ne serait-ce qu'à l'élémentaire point de vue démographique et quantitatif, il était impossible de ne pas en tenir compte. On ne sait pas bien les raisons de cette émigration, forcément douloureuse pour une population si attachée à son unique sanctuaire : « Si je t'oublie, Jérusalem… » (Ps 137,5). À côté de la déportation de prisonniers de guerre asservis, qui a joué à différentes époques, mais jamais comme raison principale depuis la grande déportation à Babylone (VIe siècle), il faut invoquer la pression démographique, facilement forte chez un peuple dont les familles, seules ou presque dans ce cas sous l'Empire romain, étonnaient (et inquiétaient plus ou moins) en gardant tous leurs enfants. Les fondations de cités

Document

La dispersion des Juifs en l'an 40 ap. J.C.

Cette ville (Jérusalem), comme je l'ai dit, est ma patrie, mais elle est aussi la capitale, je ne dis pas du seul territoire de Judée, mais encore de la plupart des autres territoires, à cause des colonies qu'elle a envoyées, suivant les époques, dans les pays limitrophes : Égypte, Phénicie, Syrie, et spécialement celle qu'on appelle Coelé-Syrie, d'autres dans des régions plus lointaines, Pamphylie, Cilicie, la plus grande partie de l'Asie jusqu'en Bithynie et au fin fond du Pont ; de même en Europe, en Thessalie, Béotie, Macédoine, Étolie, en Attique, à Argos, à Corinthe, dans la plupart des meilleures régions du Péloponnèse. Et ce ne sont pas seulement les continents qui sont remplis de colonies juives, mais les îles les plus renommées, l'Eubée, Chypre, la Crète. Et je ne dis rien des colonies au-delà de l'Euphrate. Car, à l'exception d'une mince partie, Babylone et, parmi les autres satrapies, toutes les cités qui possèdent un territoire fertile autour d'elles ont des habitants juifs. De sorte que si ma patrie a quelque part à ta bienveillance, ce n'est pas une seule ville qui en ressentira les bienfaits, mais des myriades d'autres qui sont situées dans toutes les régions de l'univers, en Europe, en Asie, en Libye, sur les continents et les îles, sur les côtes ou dans l'intérieur des terres.

(Lettre d'Hérode Agrippa Ier
à Caligula, citée par Philon,
Ambassade auprès de Caius, 281-283 ;
trad. A. Pelletier.)

des souverains séleucides et lagides, ou même le service direct de ces souverains, en particulier dans leurs armées, ont pu fournir l'occasion principale de ces départs. Une fois un groupe installé et protégé, il pouvait ensuite faire venir de Judée ou d'ailleurs des coreligionnaires qui le renforçaient. Resteraient enfin, et peut-être surtout, les conversions sur lesquelles nous reviendrons.

Cette diaspora (« dispersion ») commençait aux portes mêmes de la Judée, chez ses voisins immédiats de Phénicie ou même déjà dans le port de Césarée, ou dans les villes de la Décapole, et elle allait de plus en plus loin, pour se terminer en Orient au-delà de l'Euphrate et de la Babylonie, jusque sur le plateau iranien chez les « Parthes, Mèdes, et Élamites » énumérés au récit de la Pentecôte (Ac 2,9), et en Occident, en Italie : à Rome, Ostie et Pouzzoles. Le texte des Actes des Apôtres est d'ailleurs à comparer à un autre de Philon, qui cite une lettre du roi Hérode Agrippa 1er à Caligula [*voir* p. 403], pour le dissuader de faire dresser une statue de Zeus dans le Temple de Jérusalem.

Si Agrippa ne dit rien des Juifs d'Italie, il n'a garde d'oublier ceux de l'Empire parthe, survivants de la déportation de Babylone, qui avaient gardé de nombreux contacts avec la Judée et parlaient aussi l'araméen ; parmi eux, son grand-père Hérode le Grand avait recruté un grand prêtre pour le Temple, Hananel (*Antiquités* XV, 22), et 600 colons pour garder le Djebel Druze appelé à l'époque Trachonitide (*Antiquités* XVII, 23-26). Mais pour lui, sans aucun doute, l'essentiel de la diaspora juive se trouve dans le monde grec hellénistique, Grèce d'Europe, Asie Mineure, Syrie, Égypte, et Cyrénaïque.

Ces Juifs vivant dans le monde grec, les plus connus, forment dans les cités des communautés reconnues officiellement, s'administrant elles-mêmes dans une large mesure, avec leur propre conseil d'anciens, leurs dirigeants, leurs caisses alimentées par les dons et les impôts prélevés sur leurs membres, leur propre juridiction pour l'application de la loi juive (héritages, droit familial, fautes religieuses, etc.), et leurs bâtiments de culte et encore leurs cimetières. Ces communautés sont désignées par des noms divers : « peuple, corps politique, rassemblement, colonie », qui correspondent à des statuts d'autonomie probablement un peu différents d'une cité à l'autre.

En Cyrénaïque, deux précieuses inscriptions de la première moitié du Ier siècle ap.J.C. provenant de la cité de Bérénikè (actuellement Benghazi en Libye) montrent que ces institutions transposent celles de la cité grecque : il s'agit de deux décrets pris par « les archontes et la communauté des Juifs de Bérénikè », l'un en l'honneur d'un gouverneur romain bienveillant, l'autre d'un riche Juif bienfaiteur qui sera désormais dispensé de charges financières ou administratives envers les siens et couronné d'olivier devant toute la communauté à certaines fêtes. Le « corps politique » juif décerne ses décrets comme s'il formait une petite cité dans la cité, et désigne ses membres du nom de « citoyens ».

À Alexandrie, ce fut bien plus important : la communauté juive formait, selon Strabon cité par Josèphe (*Antiquités* XIV, 117) un « corps politique » (*politeuma*) dirigé par un « ethnarque », qui gouvernait la nation, tranchait les contestations, et s'occupait des contrats et des ordonnances comme s'il était le chef d'un gouvernement autonome. Cet ethnarque portait le même titre qu'Hyrcan avait reçu de Pompée pour diriger l'ensemble de la Judée, ce qui laisserait penser qu'il avait peut-être aussi autorité sur les Juifs de toute l'Égypte, soit un million d'hommes sur un total de huit millions d'habitants, si l'on en croit Philon d'Alexandrie.

Au sein de ces communautés bien organisées, l'exercice de la religion juive est garanti, mais pour éviter des atteintes à leurs coutumes et satisfaire à leurs exigences de pureté rituelle, les responsables avaient demandé et obtenu souvent davantage : l'autorisation de lever sur les membres de la communauté une taxe (la double drachme du Temple) et d'envoyer à Jérusalem le total des cotisations locales sous forme de lingots d'or, des dispenses variées, par exemple, ne pas être convoqué en justice ou devant une administration le jour du sabbat, dispense du service militaire, dispense de participation aux « liturgies », ces services publics qui étaient à tour de rôle confiés aux riches habitants et dont l'accomplissement était indispensable à la bonne marche de la cité. Ces privilèges venaient des rois hellénistiques ou des gouverneurs romains qui les avaient accordés en passant par-dessus les cités, et celles-ci étaient bien obligées de les reconnaître, mais elles le faisaient de mauvaise grâce, car les Juifs paraissaient en jouir à leurs dépens.

Ce fut entre Juifs et Grecs une grande cause d'affrontement, et les Juifs devaient régulièrement faire réaffirmer leurs privilèges : Flavius Josèphe donne un exemple très complet de tels affrontements avec le développement détaillé de la plaidoirie pour les Juifs d'Ionie que Nicolas de Damas prononça à la demande d'Hérode devant Agrippa en 14 av.J.C. (*Antiquités* XVI, 12-60). Déjà, dans la vie quotidienne, les Juifs passaient pour asociaux parce qu'ils refusaient les cultes des autres, parce que leurs règles de pureté leur interdisaient de fréquenter les païens ou de manger à leur table sous peine de contracter diverses souillures, et enfin parce qu'ils ne donnaient pas leurs filles en mariage aux païens, comme si elles leur étaient réservées : si on ajoute à ces reproches l'exaspération de les voir vivre dans les cités en se dispensant de leur consacrer autant d'argent ou d'efforts que les autres, on comprend les origines de ce qu'il faut bien appeler déjà un antisémitisme, dont les auteurs anciens ont laissé de nombreux témoignages, mais qui est particulièrement dépeint dans le *Contre Apion* de Flavius Josèphe, et le *Contre Flaccus* de Philon d'Alexandrie, deux ouvrages entièrement consacrés à le dénoncer.

Mais ces communautés avaient aussi un pouvoir d'attraction certain, qui se manifestait dans les conversions qu'elles faisaient. Flavius Josèphe raconte longuement, non sans fierté, comment dans les années 20 ap. J.-C. un commerçant juif avait converti Izatès, le prince héritier d'Adiabène (sur la rive gauche du Haut-Tigre), pendant que d'autres Juifs de leur côté convertissaient sa mère Hélène, ce qui fit basculer dans le judaïsme la famille royale et sans doute, par mimétisme, une partie de son entourage (*Antiquités* XX, 34-53). C'est là un cas particulier, mais le même auteur affirme nettement les conversions nombreuses obtenues par les Juifs d'Antioche : « Le nombre des Grecs qu'ils attiraient à leur culte ne cessait d'augmenter, et ils avaient fait d'eux, en quelque manière, une partie de leur communauté » (*Guerre* VII, 45). Ailleurs il donne la raison de cet attrait du judaïsme :

De là, le désir qui s'empara de grandes multitudes d'adopter notre culte, si bien qu'il n'y a pas une ville grecque ou barbare, pas une nation où ne se pratique l'usage du sabbat, des jeûnes, des lampes, des distinctions de nourriture que nous observons. Ils cherchent aussi à imiter notre concorde, nos aumônes, notre goût pour le travail dans nos métiers, notre courage à tout souffrir pour la Loi. Car ce qu'il y a de plus surprenant c'est que, sans aucun attrait de volupté, la Loi par elle-même a fait ces miracles, et de même que Dieu pénètre l'univers, ainsi la Loi s'est infiltrée parmi tous les hommes. Si quelqu'un doute de ma parole, je l'engage à jeter les yeux sur sa patrie, sur sa famille. (*Contre Apion* II, 9 ; trad.)

À la différence du judaïsme d'après les grandes révoltes de 66, de 116 et de 132, très replié sur lui-même, celui du premier siècle de notre ère ouvre largement les portes et nombreux semblent ceux qui les franchissent.

F. R.

La formation du judaïsme

Les cinq siècles qui séparent la fin de l'Exil en Babylonie de l'ère chrétienne ont vu se former le judaïsme, comme la religion d'un peuple particulier, dispersé dans l'Empire perse, puis parmi les royaumes grecs et dans l'Empire romain, mais toujours tourné vers Jérusalem. Après le parcours historique de ces cinq siècles [p. 323-406], il est maintenant possible de présenter de manière plus synthétique les grandes lignes de l'expérience religieuse du peuple juif, en suivant de nouveau les trois grandes figures des médiations propres à Israël : le prêtre*, le prophète* et le sage.

Le rôle des ***prêtres***, à partir du retour d'Exil, devient capital, puisqu'ils restent la seule institution du peuple juif. La reconstruction du Temple et la reprise du culte, puis la promulgation de la Loi*, la *Tora*, par Esdras, sont surtout l'œuvre des prêtres et lévites*. Les quatre chapitres essaient de suivre au mieux la chronologie du peuple juif.

1 – Le culte sacrificiel du second Temple et la théologie sacerdotale* ; c'est cette théologie qui structure tout le Pentateuque (Ve siècle).
2 – Une autre synthèse théologique : le livre des Chroniques (IVe siècle) ; l'histoire du clergé du Temple et l'essor de ses deux mouvements : les Sadducéens* et les Esséniens*.
3 – Une description du Temple agrandi par Hérode le Grand, au tournant de l'ère chrétienne.
4 – Le développement de la tradition orale autour de la Tora, d'abord par les prêtres scribes et le Sanhédrin*, puis par les Pharisiens*. Le judaïsme s'est en effet structuré autour de trois pratiques : la circoncision*, le sabbat* et les règles alimentaires*.

La fonction des ***prophètes***, après l'Exil, est assez brève : après les grandes innovations du Deuxième Isaïe à la fin de l'Exil [p. 330], quelques prophètes ont accompagné le retour d'Exil [p. 341], puis le mouvement s'éteint vers le milieu du ve siècle. En fait il disparaît tout en donnant naissance à une nouvelle expression religieuse, assez originale : les visions des apocalypses*. À travers elles se poursuit quelque chose de l'inspiration et de la parole prophétiques, mais désormais sous une forme purement littéraire.

Depuis le retour d'Exil, les *sages* juifs ne sont pratiquement plus des scribes au service du pouvoir politique, comme autrefois. Ils sont devenus de véritables théologiens, nourris des Écritures (la Loi et les prophètes) mais confrontés aux nouvelles cultures prestigieuses venues de Perse, puis de Grèce. L'expérience de l'Exil et des diasporas d'Égypte, de Syrie ou de Mésopotamie leur a appris comment vivre leur foi au Dieu unique au milieu de peuples païens, mais enracinés dans leurs traditions religieuses. Leurs interrogations sur la condition humaine ont produit les réflexions géniales de sages anonymes comme les auteurs du livre de Job et du Cantique des cantiques, comme le Qohéleth, Ben Sira, ou l'auteur de la Sagesse. Nous verrons également la croissance de deux nouvelles convictions : la croyance en la résurrection* des morts et celle aux anges* et aux démons*.

Pour conclure, nous présenterons enfin deux réalités qui se sont développées dans ces derniers siècles avant notre ère et qui ont donné son âme au judaïsme : la *synagogue** et le livre des *Psaumes**. Toutes les deux ont fortement marqué Jésus et les origines chrétiennes ; elles tiendront lieu de transition avec le second volume.

Les prêtres et le Temple

Après l'Exil, les prêtres de Jérusalem demeurent la seule institution d'Israël. Le Temple est le véritable centre de toutes les communautés juives dispersées de la Perse à l'Égypte. Le grand prêtre du Temple devient le représentant de toute la communauté, non seulement devant le pouvoir perse, mais aussi devant Dieu. Comme jadis les rois descendants de David, il reçoit sa charge par une consécration qui rappelle fortement l'onction royale ; on lui donne même parfois le nom de messie, oint. C'est d'ailleurs une famille de prêtres (mais non de grands prêtres), la famille de Judas Maccabée, qui prendra le pouvoir politique, créant ainsi la dynastie des Hasmonéens (de 142 à 63).

Mais il faut remonter aux temps de l'Exil et du retour pour saisir les fondements de cette théologie sacerdotale qui a construit le Pentateuque, la *Tora*. On oublie trop souvent que les fonctions des prêtres ne se limitaient pas à la liturgie et aux sacrifices, mais comprenaient aussi l'enseignement de la Tora : à la fois les récits des origines d'Israël et la transmission des lois données par Dieu à Moïse et à son frère Aaron, le premier grand prêtre.

La théologie sacerdotale du Pentateuque

Le Code sacerdotal

La théologie sacerdotale s'exprime dans la dernière des grandes couches du Pentateuque*, le Code sacerdotal, désigné par le sigle P, initiale de l'allemand *Priestercodex* [*voir* p. 147]. À cette couche appartiennent, entre autres, les prescriptions relatives à l'édification et à l'aménagement de la Demeure pendant le temps du désert (Ex 25–40), à l'organisation du culte et aux règles sur la pureté et l'impureté (Lévitique, voir p. 413).

Mais le Code sacerdotal n'est pas que cela. D'abord parce qu'à côté des lois cultuelles et rituelles se trouvent aussi des lois sociales. Pensons notamment aux prescriptions sur l'année sabbatique et l'année jubilaire (Lv 25). Rappelons-nous aussi qu'avant d'être une parole de Jésus, « tu aimeras ton prochain comme toi-même » est une phrase du Lévitique (19,18), elle-même placée au centre d'un chapitre dont on a pu dire qu'il était « l'un des sommets, si ce n'est le sommet de l'enseignement moral du premier Testament ». Et par ailleurs, parce qu'en dépit du nom qui lui a été donné, le Code sacerdotal ne se réduit pas à un ensemble de lois. Car en plus des textes prescriptifs il y a aussi des textes narratifs, et en particulier cette extraordinaire fresque sur la création de l'univers qui sert de prologue à l'ensemble de la Bible.

Ce n'est qu'à la lumière de ces premières pages et des autres narrations sacerdotales (P) de la Genèse et de l'Exode que l'on peut véritablement comprendre le sens des multiples règles qui rebutent tant le lecteur du Lévitique. Disons-le d'emblée, P est l'un des théologiens les plus remarquables, sans doute le plus important, de l'époque perse. Il a participé de manière décisive à cette formidable révolution qui s'est engagée à la suite de la tourmente de l'Exil, grâce à laquelle ce qui n'était que la religion d'un tout-petit État du Proche Orient a pris, de manière irréversible, une dimension universelle. Car il a inscrit le destin d'Israël dans celui de l'humanité tout entière.

La théologie de P s'articule autour d'une triple affirmation :

– Dieu (*Élohim*) est le créateur de l'univers, le Dieu de tous les peuples ;
– Dieu est avant tout celui qui bénit, la source de la vie ;
– Dieu s'est lié au peuple d'Israël : il lui a donné la loi du sabbat et sa présence : le Temple.

Dieu, l'homme et les vivants d'après Genèse 1

*Élohim** est le créateur de l'univers. Avant d'être *Yahvé**, le Dieu d'Israël, Dieu est *Élohim*, le Dieu de l'univers. Ce n'est qu'au moment où il s'apprête à libérer Israël d'Égypte et à le conduire dans le territoire qu'il lui a attribué, qu'Élohim se révèle comme Yahvé, le Dieu d'un peuple en particulier, auquel il fait connaître son nom. Mais s'il est Yahvé, le Dieu d'Israël, il ne se réduit pas pour autant à une simple divinité nationale. Il est aussi, en même temps, le Dieu de l'humanité tout entière, ce que P a souligné en utilisant, pour désigner Dieu, le nom générique d'*Élohim*, Dieux : un pluriel inclusif qui englobe la totalité des dieux adorés sous des noms divers par les nations. C'est d'abord en tant qu'Élohim, le Dieu unique de toutes les nations, que Dieu se manifeste.

Le récit de la création* de l'univers [*voir* p. 41] va permettre à P de souligner plusieurs points. D'abord il affirme qu'*Élohim est le seul Dieu.* Comme déjà pour le Deuxième Isaïe*, l'affirmation qu'Élohim est le Dieu créateur sert à démontrer son unicité [*voir* p. 335]. Sa capacité à créer l'univers et tout ce qu'il contient prouve à la fois sa puissance – il crée par sa seule parole – et son incomparabilité – dans cet univers il n'existe pas d'autre divinité qui lui soit semblable. Et le récit de la création permet aussi à P de faire œuvre de démythologisation : ni les astres, destinés uniquement à éclairer la terre et à établir le calendrier, ni les végétaux et animaux, soumis aux humains, ni d'ailleurs un quelconque être humain, ne sauraient être divinisés et donc faire l'objet d'un culte.

Le deuxième point sur lequel P veut mettre l'accent concerne l'anthropologie. Tandis que le récit de création de Gn 2 soulignait la fragilité de l'homme, P, quant à lui, insiste sur *la dignité des humains.* Pour P, l'être humain, comme les autres êtres vivants, est une œuvre entièrement originale de Dieu. Mais, à la différence des autres êtres vivants il est, en plus, « image de Dieu », autrement dit, représentant de Dieu. Et en tant que tel, il a la responsabilité toute particulière de gérer la création au nom de Dieu. Gérer, et non pas détruire, sachant qu'il est redevable de sa gestion devant Dieu ; mais pas non plus adorer, ce que souligne l'emploi, pour qualifier sa mission, de verbes aussi rudes que « soumettre » et « dominer » (Gn 1,28). Cette responsabilité est confiée à tout être humain, sans distinction de sexe ou de condition, sans distinction de race – notion totalement étrangère à P qui, s'il connaît des espèces végétales et animales, ne connaît pour les humains que la seule distinction entre hommes et femmes –, sans distinction non plus de nationalité ni même de religion. Ni la « chute », ni le déluge n'abrogeront cette mission (voir Gn 5,1.3 ; 9,6). Au Dieu unique correspond une humanité qui, tout entière, s'origine dans ce Dieu unique et est tournée vers lui.

Le troisième point porte sur les valeurs qui doivent régir *les relations entre êtres vivants.* Le récit de la création de l'univers s'achève par un discours que Dieu adresse aux êtres humains : « Je vous donne toutes les herbes portant semence, qui sont sur toute la surface de la terre, et tous les arbres qui ont des fruits portant semence : ce sera votre nourriture. À toutes les bêtes sauvages, à tous les oiseaux du ciel, à tout ce qui rampe sur la terre et qui est animé de vie, je donne pour nourriture toute la verdure des plantes » (Gn 1,29-30).

Ces injonctions paraissent bien prosaïques. Mais le seul fait que ce sont là les ultimes instructions données par Dieu aux humains mérite de retenir toute l'attention. C'est qu'il ne s'agit pas simplement d'une question de régime alimentaire. En attribuant aux êtres humains les seuls végétaux pour nourriture, Dieu exclut implicitement qu'ils puissent utiliser les autres êtres vivants à cet effet : ceux-ci ont droit à leur vie propre et ne sauraient être réduits à n'être qu'au service de l'alimentation, directe ou indirecte, des humains. Et en attribuant ce même type de nourriture aux animaux, Dieu indique de même qu'aucun animal ne saurait servir de nourriture à un autre animal. Il exclut ainsi toute forme de violence entre êtres vivants. Et il affirme en plus la communion de l'ensemble des vivants, tous unis par le partage d'un même type de nourriture. Ces valeurs de la solidarité et de la non-violence, même si elles ne correspondent plus à la réalité de la création dans le monde après le déluge (voir Gn 9,1-4), restent les valeurs de référence. Elles tracent un horizon qui ne trouvera sa pleine réalisation que dans les derniers temps, les temps eschatologiques* (Is 11,6-9).

La bénédiction et les alliances**

Ce Dieu, que l'humanité entière reconnaît comme son créateur, qui a choisi tous les humains sans distinction pour en faire ses intendants, est fondamentalement le Dieu qui bénit. Le souci de la vie qui s'affirmait dans les instructions relatives à la nourriture n'est que la conséquence de cette volonté de vie manifestée par la bénédiction que Dieu prononce sur les êtres vivants aussitôt après les avoir créés : « Soyez féconds, multipliez, emplissez la terre » (Gn 1,28). Dieu, qui est à l'origine de toute vie, y instille la force vitale d'une parole chargée de puissance qui permet à cette vie de s'épanouir dans toute sa plénitude. La « méchanceté » des humains et leur violence ne changent rien à ce projet. Après le déluge, Dieu réitère sa bénédiction au profit, il est vrai, des seuls êtres humains représentés par Noé et sa famille (Gn 9). Il prend en compte la violence inhérente à la nature humaine et autorise, comme dérivatif à cette violence, la mise à mort des animaux pour servir de nourriture aux humains. Et il s'engage par ailleurs, publiquement, en se liant par le signe de l'arc-en-ciel, à ne plus jamais détruire la terre par un déluge (Gn 9,12-17, voir p. 69).

Le Dieu d'Israël et le sabbat

Yahvé, le Seigneur, est le Dieu d'Israël. *Élohim*, le Dieu de l'humanité tout entière, s'est toutefois lié à un peuple précis. P a tout naturellement suivi sur ce point la présentation donnée par la tradition des différentes étapes de cette mise à part d'Israël, se contentant d'en souligner les trois principales : l'alliance avec Abraham, dont la marque de la circoncision est portée par chacun de ses descendants (Gn 17,9-14) ; la libération d'Égypte immédiatement précédée de la révélation du nom Yahvé à Moïse (Ex 6,2-8) ; la révélation du Seigneur à tout Israël au Sinaï, associée à des prescriptions qu'il communique à Israël par l'intermédiaire de Moïse (Ex 19–24). Mais au signe de la circoncision donné à Abraham il en a ajouté un autre, destiné à la fois à singulariser Israël par rapport aux autres descendants d'Abraham et à souligner sa fonction propre vis-à-vis du reste de l'humanité : ce signe, c'est le sabbat*.

Le sabbat est prescrit à Israël d'abord en Ex 20,8-11 dans le cadre du décalogue*, au début du discours divin adressé à Israël, repris et développé tout à la fin de ce discours, en Ex 31,12-17. À cette loi – dont la transgression est punie de mort et qui, de toutes les lois, est celle qui est le plus souvent rappelée dans le Pentateuque* – P attribue une importance capitale. Et ceci, parce que cette loi est le signe distinctif de la relation singulière qui unit Israël au Seigneur. Et si elle en est le signe distinctif, c'est parce que cette loi définit le rôle spécifique qu'il assigne à Israël : être le témoin d'Élohim, le Dieu créateur, confesser publiquement, en apportant la « dîme » du temps, la souveraineté d'Élohim sur le temps, et donc sur l'histoire et sur la création achevée le « septième jour ». L'humanité dans son ensemble est chargée par Dieu de gérer en son nom sa création dans le cadre qu'il a tracé. Mais seul Israël a en plus la mission de rappeler, à travers l'observance du sabbat, que la création appartient à Dieu et que l'humanité est responsable devant lui de sa gestion.

La présence de Dieu

Au peuple auquel il s'est ainsi lié, le Seigneur a aussi donné un territoire. Cette affirmation classique reçoit ici une tout autre signification que dans les autres couches du Pentateuque. Car chez P, le don du territoire est exclusivement motivé par des raisons religieuses, comme le précise ce verset clé d'Ex 29,46 : « et ils sauront que je suis le SEIGNEUR, leur Dieu, qui les ai fait sortir du pays d'Égypte pour demeurer parmi eux ». La raison même pour laquelle Dieu a fait sortir Israël d'Égypte est que lui-même, et non pas Israël, a besoin d'un territoire afin d'y établir sa demeure. Et cette résidence suppose, à son tour, la présence d'un peuple pour le servir. Dans la perspective de P la présence de Dieu au sein d'Israël n'est pas une réponse à une aspiration humaine. Elle résulte de la seule initiative divine.

Le Seigneur est présent parmi son peuple. La théologie du Code sacerdotal est fondamentalement une théologie de la Présence. La conviction qu'il réside au milieu d'Israël, dans un territoire qui est d'abord le sien avant d'être celui d'Israël, sous-tend toute la législation de P, tant rituelle que morale et sociale. De cette conviction découlent plusieurs corollaires.

Puisque Dieu a choisi d'habiter sur terre, il lui faut en tout premier lieu *une demeure* digne de lui. De là, en ouverture, les instructions relatives à l'édification et à l'aménagement de la Tente du Rendez-vous conçue sur le modèle de la tente royale perse. Cette demeure doit être l'équivalent de sa demeure céleste. De là les chérubins entourant son trône et représentés sur les tentures, qui figurent sa cour céleste. Il faut aussi pour le servir un personnel, constitué par les prêtres*, aidés par

REPÈRE

SAINTETÉ ET PURETÉ

Sainteté et pureté sont deux notions clairement distinctes mais qui tendent à se recouvrir en partie. La *sainteté* constitue la caractéristique distinctive de Dieu. C'est elle que proclament les séraphins en Is 6,3 : « Saint, saint, saint est le SEIGNEUR Sabaot. » Cette sainteté s'étend à tout ce qui appartient à Dieu, à son sanctuaire et à tout ce qui s'y trouve. Mais au sens large, la sainteté s'imposera comme un idéal pour Israël, signifiant à la fois son appartenance à Dieu et sa mise à part, et le respect scrupuleux des commandements divins ainsi qu'un état de pureté parfaite.

La *pureté*, elle, se définit négativement. Elle résulte de l'absence de contact avec tout ce qui est facteur d'impureté, soit, principalement la mort (mais aussi la « lèpre » – terme qui désigne sans doute le psoriasis –, l'état de la peau préfigurant celui du cadavre) et tout ce qui a trait à la sexualité, aux relations sexuelles, aux règles, à l'accouchement, et aux maladies vénériennes. Non pas que ces réalités soient considérées comme un péché. Elles sont tout simplement le signe distinctif de la nature humaine et manifestent l'antinomie radicale entre Dieu et les humains depuis la « chute » originelle. Cette notion de pureté a été secondairement étendue au plan religieux et moral ; d'où la parole de Jésus : « Heureux les cœurs purs, car ils verront Dieu » (Mt 5,8).

les lévites*. Il faut veiller à son agrément en parfumant son habitation. Et il faut pourvoir à l'entretien de sa table.

La présence du Seigneur a pour autre corollaire l'exigence de *la pureté d'Israël*, de son territoire et donc de ses habitants qui, par leur péché et impureté, pourraient le souiller. Car il est le Dieu saint, et cette sainteté est totalement incompatible avec le péché et l'impureté. Le Seigneur ne peut résider en Israël que si le territoire est préservé de tout péché et de toute souillure, ce qui implique de la part de chaque Israélite un souci méticuleux d'éviter tout ce qui est facteur d'impureté et un respect scrupuleux des commandements. Mais Dieu demande aussi des Israélites qu'ils soient saints : « Soyez-moi consacrés puisque moi, le SEIGNEUR, je suis saint, et je vous mettrai à part de tous ces peuples pour que vous soyez à moi » (Lv 20,26) ; ce qui se traduit par un certain nombre d'exigences formulées en Lv 18–20. Israël, mis à part par Dieu, doit manifester cette mise à part par des comportements spécifiques. De toute évidence, P a parfaitement intégré la leçon des prophètes.

Enfin, il y a un troisième corollaire qui se situe au plan social et économique et fonde *l'année jubilaire*. Parce que les Israélites appartiennent au Seigneur, ils ne sauraient avoir d'autres maîtres que lui (Lv 25,55) ; ce qui signifie non seulement qu'ils ne sauraient servir d'autres divinités mais aussi qu'ils ne sauraient réduire en esclavage d'autres Israélites. Si, du fait de leur pauvreté, il arrivait que des Israélites soient contraints de se vendre comme esclaves, ils devraient être traités non en esclaves mais en salariés et recouvreraient leur entière liberté lors de l'année jubilaire. Et parce que le territoire d'Israël appartient à Dieu (Lv 25, 23) – ce que reconnaît expressément Israël en renonçant tous les sept ans, au moment de l'année sabbatique, à exploiter la terre –, et que seul son usufruit lui est concédé, aucun terrain n'est aliénable à titre définitif : tout terrain que quelqu'un aurait été contraint de vendre doit lui être rendu à l'année jubilaire.

Cette présence de Dieu est pour Israël une source de bénédiction. Elle irrigue d'énergie vitale tout le pays, assurant la fertilité du sol et la fécondité des humains et des bêtes. Lorsqu'au contraire Dieu est absent, le pays est livré à la mort. C'est sur cet arrière-plan que s'inscrit le culte sacrificiel.

Le culte sacrificiel

Le culte est la réponse d'Israël à la présence du Seigneur. Celle-ci exige de la part d'Israël la présentation quotidienne d'holocaustes*, d'offrandes végétales* et de libations, dont les quantités sont augmentées les jours de sabbat, au début de chaque mois et à l'occasion des fêtes. Elle permet aussi à chaque Israélite d'honorer Dieu par un repas préparé à son intention exclusive (ceci en lui offrant un *holocauste*) ou d'inviter son Dieu à sa table et de s'unir à lui par des liens de commensalité (ceci par un *sacrifice de communion*). Ces sacrifices sont toujours accompagnés d'une offrande végétale en signe de déférente soumission.

Mais le culte permet aussi de pallier les manquements aux exigences sévères de pureté et de respect scrupuleux des interdits divins qu'impose la présence divine. La conscience aiguë de sa sainteté jointe à la conscience de la faiblesse de la nature humaine ont amené P à inventer des rites spécifiques auxquels il a donné une forme sacrificielle.

À ceux qui ont transgressé, par inadvertance ou inconsciemment, l'un des interdits ou qui se sont rendus impurs, et qui donc se sont exclus de fait de la communauté, P offre la possibilité de réintégrer celle-ci, et ce en offrant un *sacrifice d'absolution* – improprement qualifié de sacrifice pour le péché – ou, dans certains cas d'impureté, grâce à des ablutions. Et par ailleurs, à l'intention cette fois-ci de l'ensemble de la communauté, il a donné le moyen chaque année, au *Jour de Kippour* (ou de l'expiation*), de purifier l'ensemble du territoire de tous les péchés, manquements et impuretés qui l'ont souillé. Avec le sang d'un taureau, le grand prêtre* commence par nettoyer le sanctuaire de tous les péchés et de toutes les impuretés qui s'y sont agglutinés au cours de l'année ; puis il les dépose sur un bouc, lequel est chargé de les porter en dehors de la terre habitée, dans le désert, où ils sont inoffensifs pour Israël ; enfin, par l'offrande d'un holocauste, il restaure la relation à Dieu (voir Lv 16). Il ne s'agit donc pas d'obtenir de Dieu le pardon pour ceux qui auraient délibérément transgressé des commandements ou qui auraient négligé de se soumettre aux rites de purification. Ceux-là doivent être impitoyablement exclus de la communauté. Le rituel du Jour de Kippour ne s'intéresse pas à l'individu coupable, mais aux conséquences que fait subir le coupable à l'ensemble du peuple en souillant, par son péché ou son impureté, le territoire. Ce rituel, effectué en automne, lorsque s'achève une année agricole et que s'ouvre une nouvelle année, permet ainsi de débarrasser le territoire de tout ce qui est facteur de mort, de le régénérer en sorte que le Seigneur peut de nouveau y être présent en plénitude.

L'autre sacrifice est le *sacrifice de réparation*, que doit offrir à titre de réparation celui qui a porté atteinte à la propriété, physique ou morale, de Dieu ou d'autrui et qui a ainsi lésé directement ou indirectement Dieu, propriétaire ultime de tout bien.

De tels dispositifs sont indispensables pour permettre d'affirmer les principes tout en évitant les conséquences désastreuses auxquelles aurait conduit leur application rigoureuse.

Mais pourquoi Dieu tient-il à être présent parmi les Israélites ? C'est que, parallèlement à sa mission de proclamer la suzeraineté d'Élohim, Israël a en plus cette autre mission d'être pour les nations un signe de la présence de Dieu sur terre. Dieu n'est pas seulement celui qui, aux lointaines origines, a créé l'univers et tout ce qu'il contient. Il n'est pas seulement le Dieu transcendant et inaccessible. Il est aussi présent au milieu des humains. Et cette présence, malgré le péché, est gage de l'intérêt qu'il continue de porter à l'humanité qu'il a créée, et en même temps anticipation du moment où sa présence sera parfaite et où il instaurera son royaume de paix pleinement conforme à l'ordre de la création. En définitive, c'est pour manifester quel est le sens de l'histoire et donner à l'humanité des raisons d'espérer que Dieu a besoin de ce territoire et de ce peuple.

Car si le Seigneur est, certes, le Dieu d'Israël, il ne se réduit pas pour autant à une divinité nationale soucieuse du seul intérêt de ses protégés. *Yahvé*, c'est aussi Élohim : il est d'abord le Dieu de l'ensemble de l'humanité – et c'est là pour P une affirmation fondamentale. Il a choisi Israël pour manifester à l'humanité entière, au travers de ce peuple, le dessein qu'il a conçu pour elle.

A. Marx

La théologie lévitique du Chroniste

*La réaction du Chroniste**

Parler de la théologie lévitique de l'auteur du livre des Chroniques, à la suite de la théologie sacerdotale du Pentateuque, c'est au moins suggérer un mouvement de contestation. Si le Deutéronome a réservé à la tribu de Lévi l'exclusivité du sacerdoce, il ne se préoccupe pas d'établir une hiérarchie entre les différents clans de la tribu. Son idéal de fraternité s'étend également aux lévites* [*voir* p. 267]. Mais dans la ligne d'Ézéchiel, le Code sacerdotal du Pentateuque établit une distinction nette entre les prêtres et les lévites : seuls parmi les lévites les descendants d'Aaron ont le privilège du sacerdoce. Ce déclassement des lévites pendant l'Exil explique leur peu d'empressement à rentrer au pays. Pour plus de 4 000 prêtres on ne trouve que 74 lévites dans la liste des premiers rapatriés emmenés par Zorobabel et Josué. Il est vrai que les chantres et les portiers, respectivement 128 et 139, ne sont pas encore comptés parmi les lévites (Esd 2,36-42). Dans le groupe en partance vers Jérusalem, Esdras remarque des laïcs et des prêtres, mais aucun lévite ; il faut insister pour en trouver quelques-uns (Esd 8,15-20).

La liturgie a repris dans le second Temple depuis plus d'un siècle et demi lorsque le Chroniste entreprend de relire l'histoire rapportée dans les livres de Samuel et des Rois en fonction du Temple et de sa liturgie [*voir* p. 204]. Son œuvre doit en effet dater de la fin de la période perse, vers 350. Le rappel de la descendance de chaque tribu, dans les 9 premiers chapitres, met en valeur Juda, tribu de la dynastie davidique, la tribu de Lévi, et la tribu de Benjamin, sur le territoire de qui le Temple est construit. Ce Temple focalise tellement l'attention qu'une très grande partie de l'activité royale concerne la liturgie. Ainsi David et Salomon sont-ils exaltés, l'un pour avoir préparé l'organisation liturgique, l'autre pour avoir construit le Temple au mont Moriyya, lieu légendaire du sacrifice d'Abraham (2 Ch 3,1).

La tribu de Lévi occupe le centre de ce dispositif. Avec lui le Chroniste atteint le point central de toutes les listes généalogiques. Ceci reflète sans doute la signification qu'il attache à cette tribu pour la communauté de son époque. Le Chroniste est probablement à chercher dans les milieux lévitiques « autochtones », qui ne sont pas partis en Exil et qui se représentent Israël à partir de la tradition cultuelle de Jérusalem. Le sanctuaire c'est le Temple de pierre stable et non pas la Tente qui accompagnait le peuple durant le séjour au désert avec Moïse. On comprend mieux ainsi que, dans son ouvrage, il ait pu occulter l'Exode et développer une théologie concurrente de celle des écrivains sacerdotaux. Le Chroniste reprend en fonction de son propre langage et des développements de son époque la structure mise en place par le document sacerdotal, tout en laissant apparaître les orientations qui lui sont chères.

L'organisation du Temple

Malgré la diversité des traditions, il est possible de dégager les grandes lignes de l'organisation du Temple. Le titre de grand prêtre n'était pas encore fixé et celui qui dirigeait le Temple pouvait être appelé simplement « prêtre », ou « chef du Temple de Dieu », ou encore « prêtre en chef ». C'est lui qui avait la direction des affaires religieuses. Il était en relation avec les chefs politiques et son rôle pouvait être capital en cas de crise. Une liste des grands prêtres, descendants d'Aaron par Éléazar, est donnée en 1 Ch 5,27-41.

Les Aaronides ont l'exclusivité des fonctions sacerdotales. « Aaron et ses fils faisaient fumer les offrandes sur l'autel des holocaustes et sur l'autel des parfums ; ils s'occupaient exclusivement des choses très saintes et du rite d'expiation sur Israël ; ils se conformaient à tout ce qu'avait ordonné Moïse, serviteur de Dieu » (1 Ch 6,34). C'est ainsi que, dans le récit de la réforme d'Ézéchias, on voit les prêtres immoler les animaux du sacrifice, recueillir leur sang et le verser sur l'autel. Ils accomplissent le rite d'expiation* pour tout Israël (2 Ch 29,20-24). Ils font sonner les trompettes (2 Ch 29,26). C'est à eux qu'il revient de faire fumer l'encens sur l'autel des parfums, et le roi Ozias, au VIIIe siècle, fut exclu du sanctuaire par le prêtre Azaryahou pour avoir osé s'arroger cette prérogative (2 Ch 26,16-20). Ce dernier incident atteste la montée en puissance du sacerdoce. Lors de la réforme de Josaphat, au siècle précédent, des prêtres accompagnaient les lévites pour enseigner la religion yahviste dans les cités judéennes, « munis du livre de la Loi du SEIGNEUR » (2 Ch 17,7-12 ; voir 2 Ch 15,3).

Les (autres) lévites, non descendants d'Aaron, sont entièrement adonnés au service de la Demeure, ce qui est conforme à la théologie sacerdotale (1 Ch 6,33). L'importance donnée aux chantres est par contre plus nouvelle (1 Ch 6,16-17). Une notice indique le chiffre de 38 000 lévites, ce qui est sans doute excessif, mais elle précise surtout leurs quatre fonctions : « 24 000 présidaient aux offices de la maison du SEIGNEUR, 6 000 étaient scribes et juges, 4 000 portiers, et 4 000 louaient le SEIGNEUR, avec les instruments que David avaient faits à cette intention » (1 Ch 23,3-5). Les lévites peuvent être aussi responsables des trésors du Temple (1 Ch 26,20). Dans la mission d'enseignement de la Loi confiée par le roi Josaphat, les lévites sont nommés en premier et ils sont les plus nombreux (2 Ch 17,8-9).

La tendance lévitique du Chroniste

Le Chroniste ne porte pas sur l'organisation du Temple un regard entièrement neutre. C'est un lévite qui écrit pour soutenir les revendications lévitiques. Sans doute reconnaît-il avec objectivité le peu d'empressement des lévites quand Joas réunit les prêtres et les lévites pour la restauration du Temple, après le règne d'Athalie (2 Ch 24,5). Il est cependant plus prompt à relever les déficiences des prêtres qui, avec le peuple, « multiplièrent les infidélités, imitant toutes les abominations des nations et souillèrent le Temple que le SEIGNEUR avait consacré à Jérusalem » (2 Ch 36,14). Il ne se prive pas de souligner que, lors de la reprise du culte sous Ézéchias, « les lévites avaient été mieux disposés que les prêtres à se sanctifier » (2 Ch 29,34).

Si, dans l'ensemble de son œuvre, le Chroniste accorde beaucoup plus d'attention aux lévites, il a une prédilection particulière pour les chantres, et l'on est fortement tenté de le chercher parmi eux. Ces chantres ont été « au service du chant devant la demeure de la Tente du Rendez-vous » et David leur confie cette charge dans le Temple du Seigneur (1 Ch 6,16-17). Les trois chefs des chantres appartiennent à chacun des clans de la tribu de Lévi : Hémân à celui de Qehat, Asaph à celui de Guershom et Étân à celui de Merari (1 Ch 6,18-32). L'Arche* une fois amenée à Jérusalem par David, les chantres vont désormais s'adonner à la célébration avec le chant des psaumes (1 Ch 15–16). David leur donne un statut permanent. Désormais ils accompliront leur service au Temple, donnant à sa liturgie sa note de joie, de liesse, de louange, d'action de grâces et ils accompagneront les chants à l'aide de divers instruments de musique. On va même jusqu'à leur concéder les trompettes, habituellement réservées aux prêtres (1 Ch 15,42, à comparer avec 1 Ch 16,6). Le Chroniste paraît présenter un plaidoyer pour la catégorie à laquelle il appartient.

Pour le Chroniste, les chantres ne sont pas les simples exécutants du chant religieux et les spécialistes de la musique sacrée. À plusieurs reprises, il les montre remplis de l'esprit prophétique. David et les officiers mettent à part les fils d'Asaph, de Hémân et de Yedoutoun, « les prophètes qui s'accompagnaient de lyres, de cithares et de cymbales » ; Asaph « prophétisait sous la direction du roi » ; Yedoutoun « prophétisait au son des lyres en l'honneur et à la louange du SEIGNEUR » ; Hémân, le voyant du roi, « transmettait la parole de Dieu pour exalter sa puissance » (1 Ch 25,1-6). Attaqué par les Moabites et les Ammonites, le roi Josaphat prend peur et se tourne vers le Seigneur. Alors, au milieu de l'assemblée, l'Esprit du Seigneur fond sur l'un des fils d'Asaph, Yahaziel, qui prononce un oracle de réconfort (2 Ch 20, 10-19). En un sens, les chantres participent à l'esprit prophétique de leur fondateur, David, à qui fut attribué le livre des Psaumes. Le Chroniste exalte les lévites-chantres en reconnaissant en eux les héritiers des prophètes.

Le dernier mot n'est cependant pas dit avec ce plaidoyer en faveur des lévites en général, et des chantres en particulier. Quelques additions repérables dans le texte indiquent que l'ouvrage a été ensuite repris par un réviseur prosacerdotal. C'est à lui en particulier que l'on doit le système des 24 classes des prêtres et des lévites (1 Ch 23–27). Il entend à son tour fonder la légitimité et les droits du sacerdoce.

Les Hasmonéens, les Sadducéens et les Esséniens

Deux événements décisifs délimitent la période hasmonéenne* (ou asmonéenne) : la révolte maccabéenne (167-164) et la prise de Jérusalem par Pompée (63). Au nom de la Tora, le prêtre Mattathias avait sonné le signal de la résistance à l'héllénisation forcée de la Palestine. Alliant l'habileté diplomatique à la force des armes, ses trois fils – Judas Maccabée (166-160), Jonathan (160-143) et Simon (143-134) – accumulèrent les succès, depuis la purification et la dédicace du Temple (1 M 4) jusqu'à la prise de la Citadelle de Jérusalem (1 M 13,49-53). Simon laissait à sa mort un territoire restreint, qui ne dépassait guère les limites de la Judée, mais indépendant.

C'est à partir de Simon et de ses fils que l'on peut véritablement parler de dynastie hasmonéenne [*voir* p. 388]. Ses deux souverains les plus ambitieux et les plus belliqueux, Jean Hyrcan Ier (134-104) et Alexandre Jannée (103-76), menèrent de véritables guerres de conquête, à la faveur de l'affaiblissement du pouvoir séleucide. À sa mort, Alexandre légua à sa veuve, Alexandra (76-67), un vaste royaume englobant la Galilée, la Samarie, la Judée, l'Idumée, le littoral depuis le mont Carmel jusqu'à Raphia et, en Transjordanie, une bande de terre s'étendant depuis le lac Houlé jusqu'au sud de la mer Morte. Signe d'indépendance, les Hasmonéens frappaient monnaie. L'idéologie et la réalité du grand empire de David et Salomon revivaient enfin. Mais les querelles entre les deux fils d'Alexandra, Hyrcan II et Aristobule II, firent le jeu des Romains qui s'emparèrent de Jérusalem en 63. Ainsi s'achevait une époque glorieuse, mais qui ne fut pas sans problèmes.

Les Hasmonéens grands prêtres et rois

Au cours de ces quelque cent années, le sacerdoce traversa de graves crises et connut de profonds bouleversements. Après la déposition d'Onias III (175), dernier représentant légitime de la lignée sadocide, le souverain pontificat – la charge de grand prêtre – passa à des usurpateurs, adeptes fervents de l'hellénisation de la Palestine. Jason était le propre frère d'Onias ; Ménélas, lui, appartenait à la classe sacerdotale de Bilga, la quinzième des vingt-quatre (2 M 4). L'opposition fut quelque peu apaisée quand Alkime, impie certes mais de la descendance d'Aaron, lui succéda, de 163 à 159.

Que la fonction de grand prêtre soit restée vacante pendant sept ans, de 159 à 152, en dit long sur la perte de son prestige. C'est alors que Jonathan, jouant des querelles internes du pouvoir séleucide, réussit à se faire nommer « grand prêtre de la nation », et il revêt les ornements sacrés lors de la fête des Tentes (1 M 10,17-21). Quelque temps plus tard, il est institué « stratège et gouverneur » (1 M 10,65). Son successeur Simon est appelé « grand prêtre éminent, stratège et chef des Juifs » (1 M 13,42). Aristobule (104-103) est probablement le premier à prendre le titre de roi. La présence d'une dynastie de rois-prêtres à la tête de l'État juif est un phénomène original qui provoqua un certain nombre de réactions.

Les mouvements de contestation

Les événements qui ont amené la révolte maccabéenne avaient posé avec acuité la question de la légitimité du sacerdoce. Alors qu'Onias IV, le successeur légitime d'Onias III, partait fonder un temple à Léontopolis pour la diaspora juive d'Égypte, les éléments les plus fervents, les Assidéens (ou Hassidéens, de *Hassidin*), manifestaient leur opposition. L'achat à un souverain étranger de la charge de grand prêtre impliquait une sujétion inacceptable au pouvoir politique. De plus, la politique d'hellénisation d'un Jason et d'un Ménélas s'accommodait mal d'une réelle fidélité à la Tora. Le prestige du sacerdoce était atteint.

Les conditions mêmes de l'accession de Jonathan au souverain pontificat provoqua des réactions, et certains placent à ce moment-là la fondation de la communauté de Qoumrân*. Si Jean Hyrcan rompit avec les Pharisiens* à la fin de son règne, c'est parce que l'un d'eux lui signifia qu'en tant que fils d'une prisonnière – sa mère avait été captive quelque temps – il était inapte au sacerdoce. Alexandre Jannée dut faire face à une révolte le jour de la fête des Tentes : « Ils l'injurièrent, lui reprochant d'être issu de captifs et indigne de l'honneur d'offrir des sacrifices. Alexandre, irrité, en massacra environ six mille ; puis il entoura l'autel et le sanctuaire jusqu'au chaperon d'une barrière de bois que les prêtres seuls avaient le droit de franchir » (Flavius Josèphe, *Antiquités juives* XIII, 372-373). Les raisons de cette impopularité n'étaient pas que religieuses. Elles pouvaient être aussi économiques et sociales.

La critique essentielle portait sur le cumul du pouvoir royal et du pouvoir sacerdotal. Les éléments les plus religieux jugeaient cette innovation inacceptable. N'étant pas descendants des Davidides, les Hasmonéens n'ont aucun droit, selon les Pharisiens, à la royauté. Il ne faut pas conférer l'onction royale, disaient-ils, à des prêtres devenus rois. Les Esséniens* allaient dans le même sens en exigeant la séparation des deux pouvoirs.

Les Sadducéens

La dernière synthèse en français sur les Sadducéens est intitulée : *Qui sont les Sadducéens ? Tentative pour cerner leur mystère* (J. Le Moyne). On n'a conservé en effet qu'une partie infime de leurs écrits. De plus, les meilleures informations viennent des Pharisiens ou des Chrétiens, qui ont été leurs adversaires et manquent donc d'impartialité. Les traits qui les caractérisent indiquent tout au plus des tendances, qu'il est dangereux de généraliser.

L'étymologie du mot « sadducéen » (*çaddouq*) reste discutée. La plus plausible les rattacherait à Sadoq, l'ancêtre du sacerdoce de Jérusalem, au temps de David (voir 2 S 15,24-29). Leur origine est tout aussi obscure. La crise maccabéenne avait favorisé l'éclosion de tendances diversifiées au sein du milieu religieux des Assidéens. C'est à propos du règne de Jonathan que l'historien Flavius Josèphe parle des trois « sectes » des Juifs : les Pharisiens, les Sadducéens et les Esséniens (*Antiquités juives* XIII, 5-9). Le mouvement sadducéen vient probablement d'une sécession. Il est difficile d'en dire plus.

L'expression « aristocratie sacerdotale » s'applique assez bien aux Sadducéens. Appartenant pour la plupart aux grandes familles sacerdotales et aux couches les plus élevées de la noblesse laïque, ils avaient une haute idée du sacerdoce et ils entendaient conserver le lustre de sa fonction au sein de la société juive. Il est clair que tous les Sadducéens n'étaient pas prêtres et que tous les prêtres n'étaient pas Sadducéens. Moins proches du peuple que les Pharisiens, ils défendaient volontiers les positions les plus favorables aux classes aisées. Très attachés au passé, ils se démarquaient encore des Pharisiens par leur conservatisme foncier. Les critiques de leurs adversaires ne doivent pas oblitérer la sincérité de leur engagement religieux.

S'en tenant rigoureusement à la lettre de la Loi écrite, les Sadducéens adoptent une lecture de l'Écriture que l'on dirait aujourd'hui « fondamentaliste ». Ils rejettent les traditions pharisiennes et ne pensent pas qu'une Loi orale puisse remonter à Moïse, indépendamment de l'Écriture. S'ils voient dans la Tora, le Pentateuque, le seul texte faisant autorité, ils ne devaient pas ignorer les autres écrits bibliques, mais ils les considéraient comme moins importants. Deux de leurs principales positions doctrinales sont mentionnées dans les Actes des Apôtres, à propos du procès de Paul : « Les Sadducéens disent en effet qu'il n'y a pas de résurrection, ni ange, ni esprit, tandis que les Pharisiens professent l'un et l'autre » (Ac 23,8). De la remarque de Flavius Josèphe sur la négation de la Providence par les Sadducéens, on peut retenir leur double souci de sauvergarder le libre arbitre humain et de dégager la volonté divine de toute responsabilité dans l'origine du mal.

D'abord partisans de la lignée sadocide d'Onias, les Sadducéens n'ont pas accepté du premier coup le sacerdoce des Hasmonéens. Mais leur opposition ne fut ni générale ni très durable. Outre qu'ils ont toujours été plus à l'aise dans les allées du pouvoir, ils n'étaient pas des adversaires irréductibles du cumul du sacerdoce et de la royauté. Flavius Josèphe rapporte que Jean Hyrcan Ier et Alexandre Jannée étaient Sadducéens. C'est sur eux que Jean Hyrcan s'est appuyé après sa rupture avec les Pharisiens, et ils ont gardé une influence prépondérante jusqu'à la fin du règne d'Alexandre Jannée. Ce dernier, avant sa mort, conseilla à sa femme Alexandra de se réconcilier avec les Pharisiens. Jusqu'à la ruine du Temple en 70 de notre ère, les liens étroits entre les Sadducéens et les grandes familles sacerdotales se sont maintenus.

*Les Esséniens à Qoumrân**

Les informations relativement succinctes fournies par Flavius Josèphe et Philon d'Alexandrie sur les Esséniens ont été considérablement enrichies par la découverte des manuscrits de la mer Morte. La communauté de Qoumrân est rattachée aux Esséniens, même si le mouvement était plus large et pouvait comporter d'autres branches.

Les origines du mouvement essénien – probablement un rameau du courant assidéen – sont encore mal élucidées. Les débuts de la communauté de Qoumrân pourraient remonter au moment où Jonathan accéda au souverain pontificat, en 152 [*voir* p. 392]. L'impulsion fut donnée par une personnalité d'exception appelée le « Maître de Justice ». On l'identifie parfois à un grand prêtre, qui aurait été déposé au profit de Jonathan. Mais, à ce jour, aucune identification ne s'est vraiment imposée.

Séparée du Temple de Jérusalem et de son culte jugé illégitime, la communauté de Qoumrân se définit comme une Communauté-Temple. Elle considère « l'offrande des lèvres » supérieure aux sacrifices sanglants, dont l'efficacité expiatoire est contestée. Même si tous les membres ne sont pas prêtres, cette communauté est sacerdotale, dans le sens où les prêtres y ont la préséance et où l'idéal est de vivre au quotidien l'exigence de la pureté sacerdotale, comme dans le Temple. En réaction contre la dynastie des rois-prêtres hasmonéens, les gens de Qoumrân prônent la séparation des pouvoirs et leur espérance s'oriente, du moins est-il permis de le penser, vers la venue d'un Messie sacerdotal et d'un Messie davidique.

La *Règle de la Communauté* établit la prédominance des prêtres et annonce la venue d'un Messie-prêtre à côté du Messie d'Israël

Seuls les fils d'Aaron commanderont en matière de droit et de biens et sur leur avis sortira aussi le sort pour toute disposition (concernant) les hommes de la Communauté et les biens des hommes de sainteté qui

REPÈRE

LES MANUSCRITS DE LA MER MORTE

La découverte des premiers manuscrits de la mer Morte remonte à 1947. Les quelque 800 rouleaux disponibles ont été retrouvés dans onze grottes voisines de l'installation communautaire de Qoumrân. Les grottes 1, 4 et 11 abritaient les lots les plus abondants. Les pièces recueillies sont, dans la très grande majorité, très fragmentaires. Les douze rouleaux les plus complets proviennent des grottes 1 et 4. La publication des documents a exigé, le plus souvent, un long et pénible travail de reconstitution. Au moment du cinquantième anniversaire de la découverte des manuscrits, un spécialiste estimait que 85 à 90 % des documents avaient été publiés. On situe la rédaction de ces écrits entre la fin du IIIe siècle ou le début du IIe siècle et l'année 68 de notre ère, date de la destruction du monastère par les Romains. Les textes se regroupent aisément en trois catégories.

Les écrits bibliques
Parmi les livres bibliques recueillis à Qoumrân figurent tous les livres de la Bible hébraïque canonique à l'exception d'*Esther*. On trouve aussi des fragments hébreux du livre de *Tobie* et du *Siracide* (ou *Ecclésiastique*), et la *lettre de Jérémie*. Plusieurs livres – davantage utilisés – figurent en plusieurs exemplaires, comme le livre d'*Isaïe*, le livre des *Psaumes*, le *Deutéronome*, le *Lévitique*. Tous les manuscrits bibliques sont des fragments de rouleaux ; seul un rouleau d'Isaïe (sigle : 1QIsa[a]) est complet (Is 1–66). Les spécialistes disposent ainsi des témoins les plus anciens du texte hébreu et peuvent faire des comparaisons fructueuses avec les autres traditions textuelles. Les manuscrits de Qoumrân, de dix siècles plus anciens que les manuscrits connus avant 1947, permettent de mieux suivre l'histoire du texte hébreu [*voir* p. 519].

Les apocryphes* de l'Ancien Testament
Le judaïsme des deux siècles qui ont précédé l'ère chrétienne a produit d'importants ouvrages qui n'ont pas été retenus dans le canon des Écritures. Émanant des différents courants du judaïsme, ils apportent un éclairage précieux sur les milieux religieux de l'époque et sur leurs croyances. Le texte original faisant souvent défaut, ils ont été conservés en diverses versions par les milieux juifs et chrétiens. Parmi les plus importants, on peut citer : le livre d'*Hénoch*, apocalypse juive du IIe siècle avant notre ère ; le livre des *Jubilés*, ouvrage sacerdotal composé en hébreu vers le milieu du IIe siècle av.J.C. ; la *Prière de Nabonide*, qui se rapproche du livre de Daniel ; le *Testament de Lévi* et le *Testament de Nephtali*. La

marchent dans la perfection [...] Et qu'ils soient jugés d'après les ordonnances premières selon lesquelles les hommes de la Communauté ont commencé à se corriger jusqu'à la venue du Prophète et des Messies d'Aaron et d'Israël (1 QS IX, 7-11 ; trad. J. Pouilly).

La *Règle de la Communauté* et le *Florilège* s'accordent sur la réinterprétation audacieuse des sacrifices chère à la communauté.

Plus que la chair des holocaustes et que la graisse des sacrifices, alors l'offrande des lèvres selon le droit sera comme une odeur agréable de justice, et la pureté de conduite sera comme le don volontaire d'une oblation (qui attire) la bienveillance (divine) » (1 QS IX, 4-5 ; trad. J. Pouilly).

présence de textes d'inspiration sacerdotale n'a rien d'étonnant chez des Esséniens.

La littérature essénienne et qoumrânienne
Les textes propres à la « secte » sont nombreux et divers. Plusieurs documents importants renferment des informations précieuses sur la vie de la Communauté, son organisation, sa discipline, son espérance : le *Document de Damas ;* la *Règle de la Communauté ;* la *Règle de la Congrégation*. La piété qoumrânienne se manifeste dans le *Rouleau des Hymnes* et d'une autre manière dans le *Recueil des Bénédictions*. Pétrie de réminiscences bibliques, la *Règle des Fils de Lumière contre les Fils des Ténèbres* décrit la guerre des derniers temps. Le commentaire biblique est une tâche majeure de la communauté ; le *Pesher d'Habaquq* fournit un bel exemple d'interprétation actualisante du livre d'un prophète. L'*Apocryphe de la Genèse* est une amplification des récits du livre de la Genèse sur Abraham. L'Écriture est encore honorée dans les *Florilèges* et les *Témoignages*. La *Légende hébraïque de Melchisédech* s'attache à une figure qui prendra une place de plus en plus importante dans la tradition juive. Légiférant pour tout Israël, le *Rouleau du Temple* formule quelques-unes des idées fondamentales de la « secte » sur le culte et sur la conduite humaine[1].

Les découvertes de Qoumrân ont fait sensation en leur temps. La connaissance du milieu juif du Nouveau Testament en a été élargie et approfondie. On a parfois exagéré l'influence de l'essénisme sur les origines chrétiennes, jusqu'à faire de Jésus une « copie » du Maître de Justice, le fondateur de la secte. Cinquante ans après, ces découvertes suscitent encore débats et polémiques. On a lu à tort dans un fragment grec un passage de l'évangile de Marc au prix d'une reconstitution trop ingénieuse pour être juste. On a cru trouver dans telle ou telle découverte des arguments pour faire remonter la datation des évangiles jusqu'au milieu du Ier siècle. Des polémiques sans grand intérêt ont eu pour objet des retards soi-disant intentionnels apportés à la publication de certains manuscrits, soupçonnés de porter atteinte à la foi chrétienne. Les spécialistes, eux, continuent à travailler dans le calme. Il n'y a rien à cacher, ni rien qui puisse remettre en cause le christianisme.

1. Les principales œuvres sont désormais à la disposition des lecteurs dans *La Bible. Écrits intertestamentaires*, Bibliothèque de la Pléiade, Gallimard, Paris, 1987.

Et Il ordonna de Lui bâtir un sanctuaire d'hommes dans lequel seraient offerts des sacrifices (d'encens) devant Lui, les œuvres de la Loi (1 Qflo.1 ; trad. J. Pouilly).

Fixant l'ordre des préséances dans les réunions et les repas de l'époque messianique, la *Règle de la Congrégation* attribue la priorité au « Prêtre ».

[Voici l'ordre de ses]sion des hommes de renom, (convoqués) à la réunion pour le Conseil de la Communauté, au cas où [Dieu] ferait naître [amènerait ?) le Messie avec eux ; [le Prêtre] viendra en tête de toute la Congrégation d'Israël, puis tous [ses frères, fils] d'Aaron, les

prêtres, convoqués à la réunion, hommes de renom. Et ils prendront place de[vant lui], chacun selon sa dignité. Et ensuite [prendra place le Mes]sie d'Israël, et devant lui prendront place les chefs des [milliers d'Israël, cha]cun selon sa dignité, selon leur [poste]dans les campements et selon leurs déplacements. Puis tous les chefs de la fa[mille de la Congré]gation, avec les sage[s de la Congrégation sainte] prendront place devant eux, chaun selon sa dignité. (1 QSa II, 11-17 ; trad. J. Pouilly)

J. Au.

Le Temple d'Hérode

Lieu du pouvoir sacerdotal, le Temple est avant tout le centre du peuple juif, car c'est là que Dieu a promis sa présence pour son peuple [*voir* p. 413]. Ce temple a été incendié et détruit en 70 de notre ère par les armées romaines de Titus, mais les textes du Talmud et les descriptions de Flavius Josèphe permettent néanmoins de se faire une idée assez précise de ce qu'était ce Temple aux alentours de l'ère chrétienne.

Peu après le retour d'Exil, Zorobabel le gouverneur et Josué le grand prêtre, secondés par les prophètes Aggée et Zacharie, avaient fait reconstruire le Temple entre 520 et 515. Le monument n'avait rien de glorieux cependant, et de nombreux Judéens conservaient la nostalgie des fastes d'antan, quand se dressait le Temple de Salomon, avant 587. Soucieux de gloire et désireux de satisfaire une opinion juive qui ne lui était guère favorable, le roi Hérode le Grand entreprit, en 20 avant notre ère, d'énormes travaux qui rendirent au Temple une beauté inégalée jusqu'alors.

Hérode commença par faire construire une vaste esplanade de 14,4 hectares qui reposait sur une série de voûtes empilées à l'intérieur du mur, haut à certains endroits de 50 m, au sud, là où le rocher était le plus bas. L'esplanade elle-même formait une enceinte de 470 m de long pour le mur est, 485 pour le mur ouest, 315 pour le mur nord et 280 pour le mur sud. Elle était bordée sur ses quatre côtés par des galeries couvertes, dont le Portique royal au sud, deux fois plus large que les autres. Depuis la vallée du Cédron, plus profonde alors d'une douzaine de mètres, l'effet devait être saisissant pour les pèlerins accourus de toutes les parties du monde romain. À ce gigantisme des volumes s'alliait la perfection de la taille des pierres et de l'agencement des blocs, encore visible aujourd'hui au Mur occidental, naguère appelé « Mur des lamentations ».

Sur le côté sud, un escalier monumental conduisait à la Porte double (ou Porte de Houlda) et à la Porte triple. De là on accédait au parvis intérieur par des tunnels et des escaliers souterrains. Mais d'autres accès ouvraient sur le côté ouest, comme les impressionnantes voûtes qui supportaient le viaduc reliant le Temple à la ville haute (arche de Wilson) et un autre escalier enjambant le ravin pour mener au Portique royal (arche de Robinson). À l'est enfin s'ouvrait la Belle Porte, murée depuis le temps des croisades.

L'esplanade intérieure était structurée en divers parvis ou cours. Un premier parvis, appelé « parvis des Gentils » (des Païens) était ouvert à tous, Juifs et Païens. S'y côtoyait toute une foule de prêtres et de lévites, de marchands, de changeurs, de boutiquiers, de pèlerins et de gardes, sans oublier les animaux des sacrifices ; le tout sous la haute surveillance de la garnison romaine de la forteresse Antonia, dont les hautes tours dominaient l'ensemble. Une barrière haute de deux mètres séparait ce premier parvis d'une seconde cour ; des inscriptions en grec en interdisaient l'accès à tout non-Juif, sous peine de mort.

Cette seconde cour comprenait un premier espace carré de 60 m de côté, la cour des Femmes ; c'est là qu'on célébrait avec faste et illuminations la fête de *Soukkot* ou des Tentes. Aux quatre coins de cette cour, divers bâtiments abritaient le Sanhédrin*, les dépôts d'offrandes sacrées et la maison de purification où l'on venait faire constater par un prêtre qu'on était guéri de la lèpre. Une arcade séparait cette enceinte de la cour d'Israël, à laquelle seuls les hommes pouvaient accéder par un escalier de quinze marches en demi-cercle qui menait à la Porte de Nicanor. Ces quinze degrés correspondaient aux quinze Psaumes des Montées (Ps 120–134) et c'est là que se tenaient les lévites chantres et musiciens.

Par cette succession de parvis et d'escaliers, on arrivait progressivement vers le Lieu saint entre tous, l'espace central du sanctuaire, qui obéissait lui-même à une hiérarchisation très stricte : au-delà de la porte de Nicanor, la cour d'Israël (longue de 60 m sur 5) n'était accessible qu'aux hommes juifs en état de pureté. Un petit parapet de pierre délimitait autour du grand autel des sacrifices et du sanctuaire proprement dit une nouvelle cour intérieure, le Parvis des prêtres, domaine exclusif des prêtres rituellement purs pour officier.

À la droite du grand autel, des tables et des anneaux étaient destinés à recevoir les animaux des sacrifices ; à gauche, un vaste bassin (la « Mer de bronze »), soutenu par douze taureaux de bronze, contenait l'eau pour la purification des prêtres après l'offrande des sacrifices.

Venait alors le sanctuaire lui-même, constitué de trois parties en enfilade : le vestibule (*oulam*), le Saint (*hékal*) et le Saint des saints (*debir*). Seules les deux premières parties étaient visibles. À l'entrée du

Saint, une vigne en or recouvrait la porte, et le chandelier à sept branches (la *menora*) l'éclairait perpétuellement. Pour tout mobilier : un autel en or pour l'offrande de l'encens, matin et soir, et la table où étaient rangés les « pains de proposition » offerts à Dieu. L'endroit le plus sacré, le Saint des saints, était entièrement vide et privé de toute lumière : lieu obscur de la présence divine.

Cette structure complexe du Temple d'Hérode qui, de montées en montées, culmine dans l'espace sacral du Saint des saints, reflète la stricte hiérarchisation de la société juive du Ier siècle où, par zones concentriques, tout s'organise autour d'un clergé au sein duquel le grand prêtre est l'unique médiateur pour tout Israël. Symboliquement, n'a-t-il pas accès, à ce titre, au Saint des saints, une seule fois dans l'année, lors de la fête de *Kippour* (le jour du Pardon ou des Expiations) ?

Sur le mur sud, le Portique royal célèbre en ses fastes la puissance toute laïque d'Hérode et de sa dynastie, tandis que la puissance romaine s'affirme dans la forteresse Antonia qui occupe l'angle nord-ouest de l'esplanade.

Pour percevoir quelque chose de la splendeur d'un Temple dont il ne reste aujourd'hui que quelques assises de pierres, il faut lire la description de l'historien juif Flavius Josèphe évoquant ce Temple avec son revêtement de marbre blanc et ses placages en or, brillant de mille feux au soleil levant. Il faut imaginer la foule des grandes fêtes de pèlerinage à la Pâque, à la Pentecôte et à la Fête des Tentes, amenant brebis, chèvres et colombes à offrir. Il faut humer les fortes odeurs d'encens et de la graisse des holocaustes innombrables qu'une troupe de prêtres fait monter au ciel, matin et soir. Il faut entendre enfin, dominant le brouhaha de la foule, le son des trompes mêlé aux chants des psaumes de cette « maison de prière ».

P. A.

La Tora et les scribes

L'étude des traditions sacerdotales d'après l'Exil ne saurait se limiter au culte du Temple. En effet, l'enseignement de la Loi de Dieu fait aussi partie intégrante des fonctions sacerdotales, comme le reconnaît la bénédiction de Moïse sur Lévi et ses descendants (Dt 33,9-10). Or, depuis le IIe siècle avant notre ère, cet enseignement de la Loi a commencé de se développer parmi les scribes laïcs ; c'est la naissance du mouvement pharisien, lors de la contestation des grands prêtres hasmonéens illégitimes [*voir* p. 421].

Les prêtres scribes et la Tora

L'Exil à Babylone, suivi du retour en Judée, s'est révélé extrêmement fécond ; à travers l'épreuve, une nouvelle impulsion a été donnée qui a permis au peuple juif de repartir sur des bases renouvelées. Certes, on ne veut pas couper avec le passé, et les énergies des petits groupes d'exilés, revenus à Jérusalem à partir de 538, se concentreront sur la reconstruction du Temple et la restauration du culte. Le rôle des prêtres s'en trouvera ainsi conforté.

Les exilés, privés de Temple, conservaient les Écritures, ressourcement de leur foi. Elles allaient devenir de plus en plus centrales dans la vie du peuple juif. Et au centre des Écritures, la *Tora*, notre Pentateuque. La traduction de ce mot par « loi » (à partir du grec *nomos*) entraîne un appauvrissement de sens ; en fait la Tora est un enseignement, une règle de vie. Pour Israël, elle est révélation de Dieu, Parole de Dieu. Elle est donc le centre et la source du judaïsme.

Dès le retour d'Exil, le pouvoir perse confie l'administration du peuple juif aux prêtres ; en effet le sacerdoce demeure la seule institution juive depuis la disparition de la royauté. Cela explique aussi que le rite de l'onction royale, devenu sans objet, ait été transféré à la consé-

BIBLE

LE PSAUME DE LA LOI (PS 119)

La Tora est longuement célébrée dans le *Psaume 119*, le plus long de tous avec ses 176 versets. En effet, son auteur l'a composé en 22 strophes de 8 versets, commençant chacun par l'une des 22 lettres de l'alphabet hébreu ; c'est l'un des « psaumes alphabétiques ». Dans chaque verset revient l'un des huit synonymes qui désignent la Tora : « loi, témoignage, préceptes, volontés, commandements, jugements, parole, promesse ». À travers sa forme répétitive, cette méditation de la Loi divine fait la joie du scribe et de tout fidèle.

1 *Heureux, impeccables en leur voie,*
ceux qui marchent dans la loi du SEIGNEUR !
2 *Heureux, gardant son témoignage,*
ceux qui le cherchent de tout cœur,
3 *et qui, sans commettre de mal,*
marchent dans ses voies !
4 *Toi, tu promulgues tes préceptes,*
à observer entièrement.
5 *Puissent mes voies se fixer*
à observer tes volontés.
6 *Alors je n'aurai nulle honte*
en revoyant tous tes commandements.
7 *Je te rendrai grâces en droiture de cœur*
instruit de tes justes jugements.
8 *Tes volontés, je les veux observer,*
ne me délaisse pas entièrement.
9 *Comment, jeune, garder pur son chemin ?*
À observer ta parole.
10 *De tout mon cœur c'est toi que je cherche,*
ne m'écarte pas de tes commandements.
11 *Dans mon cœur*
j'ai conservé tes promesses
pour ne point faillir envers toi.
12 *Béni que tu es, SEIGNEUR,*
apprends-moi tes volontés !
13 *De mes lèvres je les ai tous énumérés,*
les jugements de ta bouche.
14 *Dans la voie de ton témoignage je jubile*
plus qu'en toute richesse.
16 *Je trouve en tes volontés mes délices,*
je n'oublie pas ta parole.

cration du grand prêtre, désormais appelé « prêtre messie » (ex. Lv 4,3.5). Deux siècles plus tard, lorsqu'Alexandre le Grand s'approcha de Jérusalem, l'historien Flavius Josèphe raconte qu'une procession solennelle vint à sa rencontre, avec le grand prêtre à sa tête (*Antiquités juives*, 11 326-332). Le récit n'est sans doute pas dépourvu de légende, mais le rôle qu'il accorde au grand prêtre est tout à fait plausible : il est devenu le chef de la nation juive.

Traditionnellement, les prêtres étaient les gardiens de la Tora [*voir* p. 356-359]. Au sanctuaire de Jérusalem, leurs fonctions ne se limitaient pas aux actes du culte (sacrifices et offrandes) ; elles comprenaient aussi l'enseignement des règles religieuses, qui est même prioritaire dans cette évocation des descendants de Lévi : « Oui, ils ont gardé ta parole et ils retiennent ton alliance. Ils enseignent tes coutumes à Jacob et ta Loi à Israël. Ils font monter l'encens à tes narines et mettent l'holocauste sur ton autel » (Dt 33,9-10). L'organisation sociale et politique du peuple juif, dominée par l'institution sacerdotale, fut dans les début de type théocratique, marquée par un système hiérarchique fort.

Le livre de Néhémie rapporte une lecture publique solennelle de la Loi, vers 400 ; la tradition rabbinique l'a mise en relief, car elle y a lu son origine. La lecture est faite par le prêtre scribe Esdras : « Tout le peuple se rassembla comme un seul homme sur la place située devant la porte des Eaux. Ils dirent au *scribe Esdras* d'apporter le livre de la Loi de Moïse, que le SEIGNEUR avait prescrite à Israël. Alors le *prêtre Esdras* apporta la Loi devant l'assemblée, qui se composait des hommes, des femmes et de tous ceux qui avaient l'âge de raison. C'était le premier jour du septième mois » (Ne 8,1-2 ; *voir* le texte cité p. 357).

Une évolution qui donnera de plus en plus d'influence aux scribes laïcs se dessine avec la double titulature d'Esdras, à la fois prêtre et scribe ; mais la tradition rabbinique le considérera avant tout comme scribe. Cette lecture solennelle de la Tora se fait hors du Temple. La lecture faite par Esdras s'adresse à tout le peuple : « l'assemblée, qui se composait des hommes, des femmes et de tous ceux qui avaient l'âge de raison » : personne n'est exclu. C'est pourquoi les lévites expliquent la lecture, pour que tous comprennent. Un courant puissant se manifeste, de plus en plus pris en mains par des scribes laïcs, pour confier à tout le peuple la révélation donnée à Moïse au Sinaï. Sous les souverains hasmonéens (142 à 4 avant notre ère), les Pharisiens prendront le relais de ce mouvement que certains auteurs qualifient aujourd'hui de « démocratique », en opposition au système sacerdotal, théocratique.

De la Grande Assemblée au Sanhédrin

L'histoire de cette institution, qui sera désignée au temps d'Hérode le Grand sous le nom de Sanhédrin (du grec *synédrion*, « assemblée siégeant »), peut aider à suivre l'évolution de ce mouvement. Les problèmes historiques sont malheureusement nombreux, et la recherche dans ce domaine doit souvent recourir à des hypothèses. Ceci se vérifie dès les origines, à propos de la « Grande Assemblée » dont il est question au début du traité de la Mishna nommé *Pirqê Avot* (ou *Maximes des Pères*, 1,1) : « Moïse reçut la Tora au Sinaï et la transmit à Josué. Josué la transmit aux Anciens et les Anciens la transmirent aux Prophètes. Les Prophètes la transmirent aux hommes de la Grande Assemblée. Ceux-ci dirent trois choses : "Soyez pondérés dans l'exercice de la justice ; suscitez beaucoup de disciples ; faites une haie autour de la Tora." »

On peut au moins retenir comme vraisemblable qu'au temps d'Esdras se constitua un corps de scribes, présidé par le grand prêtre, pour décider en matière d'interprétation de la Tora. Ce conseil était composé de prêtres et de laïcs. *Pirqê Avot* (1,2) fixe le terminus *ad quem* de cette création au temps de Simon le Juste, qui « fut parmi les derniers de la Grande Assemblée ». Il doit s'agir non pas du grand prêtre Simon I, qui vécut vers 300, mais du grand prêtre Simon II (220-195) dont le Siracide fait l'éloge : « C'est Simon fils d'Onias, le grand prêtre, qui pendant sa vie répara le Temple et durant ses jours fortifia le sanctuaire. [...] Qu'il était magnifique, entouré de son peuple, quand il sortait de derrière le voile, comme l'étoile du matin au milieu des nuages, comme la lune en son plein, comme le soleil rayonnant sur le Temple du Très-Haut, comme l'arc-en-ciel brillant dans les nuages de gloire ! » (Si 50,1-7).

C'est à cette époque que l'on entend parler pour la première fois de *gerousia*, terme grec que l'on peut traduire par « Assemblée des Anciens ». Josèphe mentionne ce terme en décrivant la procédure du Sanhédrin rabbinique légitimée par un texte de la Tora : « Si tu as à juger un cas qui te dépasse, affaire de meurtre, contestation ou voie de fait, un litige quelconque dans ta ville, tu partiras et tu monteras au lieu choisi par le SEIGNEUR ton Dieu, tu iras trouver les prêtres lévites et le juge alors en fonction. Ils feront une enquête, et ils te feront connaître la sentence » (Dt 17,8-9). Et l'historien de commenter : « Si les juges (des villes de province) ne peuvent donner une juste sentence en certaines affaires, comme il arrive souvent, qu'ils expédient l'affaire non décidée à la Ville sainte ; et là, que le grand prêtre, le prophète et la *gerousia* décident selon ce qui leur semble bon » (*Antiquités Juives*, IV, 218).

Le Sanhédrin des Pharisiens est décrit dans les sources rabbiniques rédigées seulement après 70, lorsque le Temple fut détruit. On peut légitimement se demander si l'idéal de l'assemblée qu'ils constituèrent alors à Yavné, dans la plaine côtière de Judée, n'est pas en partie projeté sur la période qui précède, d'autant plus que les sources grecques (Nouveau Testament et Flavius Josèphe) parlent d'un ou de plusieurs sanhédrins différents sous bien des rapports. Mais il faut par ailleurs tenir compte de la volonté incontestable des Pharisiens de rapporter avec le maximum d'exactitude ce qui se passait au temps du Temple et de continuer, dans une fidélité adaptée aux conditions nouvelles, une tradition dont les racines remontaient aux siècles antérieurs.

Un traité entier de la Mishna est consacré au Sanhédrin ; voici comment est décrit le fonctionnement de cette institution, nommée « maison du jugement » (*bet-dîn*), à propos d'un cas de désaccord entre les anciens d'une localité sur la pratique de la Tora :

« *Si tu as à juger un cas qui te dépasse…* » (Dt 17,8).

Il y avait là [au Temple de Jérusalem] trois bet-dîn : *l'un siégeait à la porte de la montagne du Temple, l'un siégeait à la porte du parvis et l'un siégeait dans la salle de la Pierre Taillée. Ils vont vers le* bet-dîn *sis à la porte de la montagne du Temple et [l'ancien] dit : « J'ai interprété ainsi, et mes compagnons ont interprété ainsi ; j'ai enseigné ainsi, et mes compagnons ont enseigné ainsi. » S'ils avaient entendu, ils leur disaient [ce qu'ils avaient entendu] ; sinon, ils se rendaient vers ceux qui siégeaient auprès de la porte du parvis ; [l'ancien] disait : « J'ai interprété ainsi, et mes compagnons ont interprété ainsi ; j'ai enseigné ainsi, et mes compagnons ont enseigné ainsi. » S'ils avaient entendu, ils leur disaient [ce qu'ils avaient entendu] ; sinon, ceux-ci et ceux-là se rendaient au grand* bet-dîn *qui est dans la salle de la Pierre Taillée, car c'est de lui que sort la Tora pour tout Israël, car il est dit : « À partir de ce lieu que le Seigneur aura choisi* » (Dt 17,10). *Si [l'ancien] retournait à sa ville et recommençait à enseigner comme il avait enseigné, il était exempt ; mais s'il enseignait à pratiquer, il était coupable.* » (Mishna, *Sanhedrin*, XI,2 ; trad. J. Massonnet)

Les anciens montent exposer leur cas à Jérusalem où, nous dit-on, résidaient trois instances, *bet-dîn*, toutes situées sur la montagne du Temple, et dont l'importance était proportionnelle à leur proximité du Saint des saints. Le premier réflexe pour régler le cas est d'interroger la tradition, la pratique vécue dans le peuple. En cas d'insuccès, l'affaire était portée devant la dernière instance, celle de la « salle de la Pierre Taillée », qui tranchait en votant. La décision avait force de Tora, c'est-à-dire de Parole de Dieu. C'est de là, précise la Mishna, que « sort la Tora pour tout Israël ».

La théologie pharisienne

Le Sanhédrin, continué après 70 par l'académie ou assemblée de Yavné, avait un rôle créateur. Il importe de bien noter que, dans la théologie pharisienne, la notion de Tora englobe et dépasse le simple écrit. En effet, la Tora reçue par Moïse au Sinaï n'est pas seulement le Pentateuque, désigné comme « Tora écrite », mais aussi tous ses commentaires oraux ; « même, tout ce qu'un disciple patenté enseignera un jour devant son maître, tout cela a déjà été dit à Moïse, à partir du Sinaï » (*Talmud de Jérusalem, Meguilla* IV, 1, 74d). Ailleurs, on précise que Dieu « a montré à Moïse toutes les explicitations de la Tora et toutes les explicitations des scribes et tout ce que les scribes seraient amenés à innover dans l'avenir » (*Talmud de Babylone = TB, Meguilla* 19b). Cette Tora non écrite, vécue dans le peuple, actualisée dans l'étude, la pratique et la prière, est la « Tora orale ». Le texte de *Pirqê Avot* montre à lui seul que la Tora transmise est plus que le Livre, car elle est illustrée par des sentences qui ne viennent pas de la Bible.

Cette conviction des sages d'Israël est naturellement d'ordre théologique et elle ne dispense pas de s'interroger sur le développement de la Tora au niveau historique. Elle invite par contre à en explorer les richesses inépuisables, confiées à Moïse qui n'a pas pu en faire l'inventaire, pour y découvrir des trésors toujours nouveaux. Rabbi Yehoshoua (début IIe siècle), devenu vieux, reçoit un jour ses disciples qui rentrent d'une réunion sur la Tora ; il les interroge : « Quelle nouveauté y a-t-il eue dans la maison d'études ce jour ? » Poliment, les disciples répondent qu'ils ne peuvent rien lui apprendre de nouveau : « Nous sommes de tes élèves et nous buvons de ton eau. » Mais le maître n'est pas satisfait de cette réponse : « Malgré cela, leur répond-il, il est impossible qu'il n'y ait pas de nouveauté dans la maison d'études... » (*TB, Haguiga* 3a-b). Rabbi Yehoshoua, qui a connu le Temple dans sa splendeur, formule une conviction acquise dans sa jeunesse : si un groupe qui s'est penché sur la Tora se sépare sans avoir rien trouvé de nouveau, il n'a rien fait. La suite du récit rapportée dans le Talmud montre d'ailleurs que, ce jour-là, des « perles » ont été découvertes dans ce trésor, ce qui réjouit le vieux maître.

L'un des conseils des « hommes de la Grande Assemblée » est de « susciter beaucoup de disciples ». La Tora ne peut en effet exister que si elle est vécue par des individus, mieux encore par une communauté. L'idéal du sage est d'être une Tora vivante. Un maître du Talmud du

IIe siècle rapporte une coutume qui veut que, lorsque meurt un Israélite, on déchire son vêtement en signe de deuil. « Pourquoi donc ? se demande-t-on. Parce que cela est semblable à un rouleau de la Tora qui est brûlé » (*TB, Shabbat,* 105b). Et Rachi de commenter, neuf siècles plus tard : « L'âme d'Israël qui est enlevée ressemble à cela, car il n'y a pas de personne en Israël qui soit vide, qui n'ait ni Tora (étude, enseignement) ni commandements (action). » Souvent, le maître est comparé à une Tora vivante.

Si chaque membre du peuple est responsable de la Tora, et en est pour une part l'expression, cette dernière se manifestera d'autant plus pleinement lorsque le plus grand nombre possible en aura connaissance et la pratiquera ; d'où l'invitation à « susciter beaucoup de disciples ». Lorsqu'une question se pose au sujet de la Tora, un adage de la tradition rabbinique conseille : « Vois ce que fait le peuple. » Déjà au tournant de notre ère, Rabbi Hillel, le maître le plus illustre de cette époque, invitait à avoir confiance dans le peuple. Le Talmud le montre en discussion avec un groupe d'interlocuteurs sur la question de savoir, lorsque la Pâque* tombe un sabbat, laquelle des deux fêtes l'emporte. Hillel parvient à convaincre en faisant appel à ce qu'il a entendu des deux grands maîtres de la génération précédente. C'est donc l'argument de la tradition vécue dans le peuple qui l'emporte.

Reste un problème ; puisque la Pâque l'emporte sur le sabbat, le peuple doit apporter les animaux pour le sacrifice de la fête au Temple. Mais il est interdit de porter des ustensiles le sabbat ; que faire ? Hillel tranche : « Laissez-les trouver la solution ; l'Esprit Saint est sur eux ; s'ils ne sont pas prophètes, ils sont fils de prophètes. » Et le Talmud d'enchaîner : « Que firent les Israélites à cette heure ? Celui dont la (victime pour la) Pâque était un agneau enfouit le couteau dans sa laine, celui dont la Pâque était un chevreau attacha le couteau entre ses cornes. Ils apportèrent donc couteaux et Pâques au sanctuaire et immolèrent leurs Pâques » (*Tosephta Pesahim,* IV, 13-14). L'exemple peut paraître bien léger par rapport à la vérité théologique qu'il illustre, mais le judaïsme a un sens prononcé du concret et du détail ; si on étudie, c'est pour pratiquer, et les deux aspects sont inséparables. Hillel exprime sa confiance dans le peuple : l'Esprit Saint, la présence divine, repose sur lui ; il a le sens de la Tora et sait mieux que les savants comment la mettre en pratique.

Exemple d'interprétation de l'Écriture : la résurrection

Au cœur de la Tora, il y a le Livre, et tout spécialement les cinq premiers livres, le Pentateuque, la Tora écrite. Les « hommes de la Grande

Assemblée » invitent à « l'entourer d'une haie », c'est-à-dire à prendre toutes les précautions pour ne pas l'enfreindre. Elle est l'objet d'une grande vénération et d'interprétations toujours renouvelées grâce au *midrash*, à la « recherche », qui se déploie dans les domaines législatif (la *halakha*, la conduite) et spirituel (la *haggada*, les récits). Elle demeure lettre morte sans cette activité de la Tora orale, c'est-à-dire sans une communauté qui la lit, l'interroge et l'interprète. Lorsque saint Paul écrit : « la lettre tue, l'Esprit vivifie » (2 Co 3,6), il est en accord avec sa propre tradition pharisienne. Connaître les Écritures suppose que l'on fait partie du peuple de ceux sur lesquels repose l'Esprit Saint.

L'avènement de la foi en la résurrection*, qui n'est attestée dans la Bible qu'au IIe siècle avant notre ère, illustre bien le rapport entre Tora orale et Tora écrite. En effet, la Tora écrite, c'est-à-dire le Pentateuque, ne contient pas d'affirmations claires en ce sens, et les premières expressions de cette foi ne s'appuient pas sur l'Écriture. Un texte du Talmud rapporte un dialogue entre un certain Gebiha ben Pesisa, portier du Temple à l'époque d'Alexandre le Grand, et un hérétique qui nie la résurrection. « Un hérétique dit à Gebiha ben Pesisa : "Malheur à vous, méchants, qui dites que les morts vivront ! Les vivants meurent et les morts vivraient ?" Il lui dit : "Malheur à vous, méchants ! qui dites que les morts ne vivront pas ! Ceux qui n'étaient pas sont vivants ; ceux qui sont vivants, combien plus vivront-ils !" » (*TB, Sanhedrin*, 91a). Deux logiques s'affrontent, l'une descendante, de la vie à la mort, l'autre montante, du néant à la vie.

Gebiha ben Pesisa, que ne contredirait pas Blaise Pascal (*Pensées*, n° 110), appuie sa logique sur le sens de Dieu vécu en Israël : celui qui a donné la vie ira jusqu'au bout de ce qu'il a entrepris. La foi en la résurrection naît sur le terrain de la foi vécue dans la communauté. Ce n'est que plus tard que l'on trouvera des appuis dans l'Écriture. Le Talmud en donne un exemple dans une discussion entre Rabban Gamaliel, chef du collège rabbinique à Yavné, et des « hérétiques ». Gamaliel fournit, à partir de l'Écriture, une série d'arguments qui ne sont pas acceptés par ses adversaires, sauf le dernier : selon le sens littéral, Dieu promet la Terre aux pères, or, ils sont morts, donc…

Des hérétiques interrogèrent Rabban Gamaliel : "D'où [savons-nous par l'Écriture] que le Saint – béni soit-Il ! – ressuscite les morts ?" Il leur répondit à partir de la Tora, à partir des Prophètes et à partir des (autres) Écrits. Cependant ils n'acceptèrent pas son enseignement. […] [Ainsi ne put-il les convaincre] jusqu'à ce qu'il leur eût cité ce passage de l'Écriture (Dt 11,21) : *"[…afin d'avoir de longs jours, vous et vos fils, sur la terre] que le Seigneur a juré à vos pères de leur donner". Il n'est pas dit : "de vous donner", mais "de leur donner" ; de là résulte que la résurrection des morts est [enseignée] par la Tora.* (*TB, Sanhedrin,* 90 b)

Si la Tora écrite est englobée dans la Tora orale et dépend d'elle, elle demeure en son centre comme un joyau sans prix aux mille facettes porteuses d'autant de sens. « On a enseigné dans l'école de Rabbi Ishmaël : « Ma parole n'est-elle pas comme un feu – parole du Seigneur – comme un marteau qui pulvérise le roc ? » (Jr 23,29). « Comme un marteau (fait que le rocher) se partage en plusieurs étincelles, ainsi une seule Écriture donne plusieurs sens » (*TB, Sanhedrin,* 34a). L'écrit, quoique fixé en un canon définitivement établi à l'époque de Yavné, reste ouvert à une pluralité de sens à explorer sans cesse, car jamais épuisée. La seule limite est le contrôle par la communauté que chaque interprétation s'inscrive bien dans le cadre général du dynamisme de la Tora.

Les signes de l'Alliance

La vie selon la Tora, ou l'Alliance* dans laquelle le peuple s'est engagé au Sinaï, implique en premier lieu l'accueil de Dieu qui a fait sortir son peuple de l'esclavage d'Égypte, comme il est dit dans la première des Dix Paroles du Décalogue (Ex 20,2). C'est aussi prendre sur soi « le joug du royaume des Cieux », c'est-à-dire accepter la souveraineté unique du Dieu Un, engagement répété deux fois chaque jour par le juif dans sa prière : « Écoute, Israël : le Seigneur notre Dieu est le Seigneur UN. Tu aimeras le Seigneur ton Dieu de tout ton cœur, de toute ton âme et de tout ton pouvoir. Que ces paroles que je te dicte aujourd'hui restent dans ton cœur ! » (Dt 6,4-6). Parmi les nombreux commandements qui concrétisent cet engagement, nous en relevons trois particulièrement importants : l'observation du sabbat, de la circoncision et des règles alimentaires.

Le roi grec Antiochus Épiphane, en 167-164 avant notre ère, prit un certain nombre de mesures destinées à fondre le particularisme juif dans l'hellénisme ambiant. Certains cercles juifs aisés – parmi lesquels des prêtres ! – jouèrent un rôle important dans la promulgation de ces édits royaux *contre* les pratiques juives, dont le sabbat, la circoncision et les règles alimentaires (1 M 1,44-50, cité p. 376). La fraction du peuple restée fidèle à la Tora ne put que se sentir atteinte dans ce qui faisait le cœur de sa foi ; les « pieux » (*hassidim*) se joignirent au prêtre Mattathias et à ses fils révoltés.

LE SABBAT : Le *shabbat* (« cessation » du travail), chaque septième jour, est au centre de toutes les fêtes juives. Il est le signe par excellence de l'élection et de la mise à part d'Israël : « J'allai jusqu'à leur donner mes sabbats comme signe entre moi et eux, afin qu'ils sachent que c'est moi, le SEIGNEUR, qui les sanctifie » (Ez 20,12). Le Décalogue exprime deux fondements différents du sabbat : il est soit l'imitation de Dieu qui s'est reposé le septième jour après avoir créé le monde (Ex 20,11), soit le mémorial de la libération d'Égypte qui arracha le peuple à un travail d'esclave (Dt 5,15). Le sabbat, comme jour sans activité, semble désigner d'abord la fête mensuelle de la pleine lune (Am 8,5), avant d'être célébré chaque septième jour. Après l'Exil, son observation a dû être d'abord imposée par la contrainte (Ne 13,5-22), avant de devenir l'un des principaux commandements de la Tora. En effet, dans le poème sacerdotal de la création (Gn 2,1-4), « Dieu bénit et sanctifia le septième jour ».

La Bible mentionne laconiquement quatre travaux interdits le jour du sabbat : labourer et moissonner, allumer du feu et ramasser du bois. La tradition rabbinique a dû préciser et développer dans le détail la nature de ces interdictions. Elle s'est basée sur les activités déployées lors de la construction du Temple, d'où elle a tiré trente-neuf travaux types (semer, labourer, faucher, lier des gerbes, battre le blé, vanner, etc.) ; chacun d'eux fut par la suite détaillé en six travaux secondaires. En effet, la complexité de la vie, qui déborde toutes les énumérations, explique l'ampleur des règles que les sages consacrent à cette fête.

Les Esséniens* observèrent le repos du sabbat de manière rigoureuse : « Fais savoir et énonce aux enfants d'Israël la règle de ce jour, qu'ils le célèbrent et ne l'abandonnent pas dans l'égarement de leur cœur : qu'il n'y ait aucun travail à faire en ce (jour), où il ne convient pas de faire ce que l'on veut ; qu'on n'apporte aucune nourriture et aucune boisson, en ce (jour) où il ne convient ni de puiser de l'eau ni de faire entrer ou sortir aucune charge par ses portes ; (qu'on use seulement) de ce qu'on a préparé le sixième jour dans sa demeure. Qu'on n'apporte et qu'on n'emporte rien de maison à maison ce jour-là, car il est saint, il est béni par-dessus tout jour de jubilé des jubilés » (*Jubilés* 2,29-30).

Les Pharisiens*, par contre, eurent le souci de faciliter l'observation de ce commandement, qui, loin d'être pesant, devait être vécu de manière festive. Par exemple, l'interdiction de transporter des objets, mentionnée dans les *Jubilés*, fut tempérée par le principe de l'*érouv*, procédé qui permettait de réunir en un seul domaine plusieurs domaines distincts.

Quoique représentant le sommet de la vie religieuse, le sabbat est relatif aux valeurs qu'il veut promouvoir, au premier rang desquelles il y a la vie. Ce jour totalement consacré à Dieu et à sa Tora est en effet un avant-goût des temps messianiques et de la vie éternelle. La tradition commente ainsi l'intitulé du Psaume 92, chanté dans le Temple le septième jour : « "Psaume. Chant. Pour le jour du sabbat" ; c'est le jour qui est tout entier sabbat, dans lequel n'est nulle nourriture, nulle boisson et nulle tractation, mais où les justes sont seulement assis, leur couronne sur la tête, se nourrissant du rayonnement de la Présence divine (*Shekinah*) » (*Avôt de Rabbi Nathan* A 1).

L'interdiction de travailler n'est pas un tabou ; elle cède en présence d'une cause majeure, par exemple lorsque la vie et en danger : « D'où tient-on que la vie en danger rend nul le Sabbat ? De ce qu'il est écrit : "Gardez mes décrets et mes coutumes : c'est en les mettant en pratique que l'homme vit par eux" (Lv 18,5), et non pas : "meurt par eux" ! Et à propos de la circoncision il est écrit : "Le huitième jour, on circoncit l'enfant, etc." (Lv 12,3) ; on le circoncit, même si c'est un sabbat. N'y a-t-il pas là un argument *a fortiori* ? Si la loi de la circoncision, qui concerne seulement l'un des 248 membres de l'homme, annule le Sabbat, combien plus lorsqu'il s'agit de tout le corps de l'homme ! » (*Tanhouma* sur Nb 33,1 *Parasha Masê*).

La circoncision : Ce rite fort ancien, qui consiste à couper le prépuce des garçons, est pratiqué par diverses populations du Moyen Orient, surtout comme rite d'initiation des adolescents (ex. Jr 9,24-25). Il a reçu en Israël une signification religieuse : il exprime l'entrée dans le peuple de l'alliance ; c'est pourquoi il est désormais lié à la naissance et obligatoire pour tous les petits garçons. La circoncision est ordonnée, non pas dans la loi de Moïse, mais dès l'alliance avec Abraham, dans un texte de la tradition sacerdotale du Pentateuque, rédigé pendant l'Exil.

Dieu dit à Abraham : « Et toi, tu observeras mon alliance, toi et ta race après toi, de génération en génération. Et voici mon alliance qui sera observée entre moi et vous, c'est-à-dire ta race après toi : que tous vos mâles soient circoncis. Vous ferez circoncire la chair de votre prépuce, et ce sera le signe de l'alliance entre moi et vous. Quand ils auront huit jours, tous vos mâles seront circoncis, de génération en génération. […] Mon alliance sera marquée dans votre chair comme une alliance perpétuelle. L'incirconcis, le mâle dont on n'aura pas coupé la chair du prépuce, cette vie-là sera retranchée de sa parenté : il a violé mon alliance. » (Gn 17,9-14)

Lors de la campagne d'hellénisation sous Antiochus Épiphane, les jeunes juifs hellénisants s'arrangeaient pour cacher leur circoncision :

« Ils construisirent un gymnase à Jérusalem, selon les usages des nations, se refirent des prépuces et renièrent l'alliance sainte pour s'associer aux nations. Ils se vendirent pour faire le mal » (1 M 1,14-15). L'importance centrale de ce signe est sans cesse rappelée dans les prières d'action de grâce après les repas, avec la sortie d'Égypte et le don de l'Alliance :

Nous te rendons grâce, Seigneur notre Dieu, d'avoir légué à nos pères une terre belle, bonne et vaste, et de nous avoir fait sortir, Seigneur notre Dieu, du pays d'Égypte, et de nous avoir libérés de la maison de servitude. (Nous te rendons grâce) pour ton alliance que tu as scellée dans notre chair, pour la Tora que tu nous as enseignée, et pour les lois que tu nous as fait connaître ; pour la vie, la bonté et l'amour dont tu nous as gratifiés, et pour la nourriture que tu nous donnes, parce que tu pourvois sans cesse à nos besoins, chaque jour, en tout temps et à tout instant. (trad. J. Dessellier)

LES RÈGLES ALIMENTAIRES : S'il est une pratique qui a contribué à maintenir la particularité d'Israël face aux autres nations, c'est bien l'ensemble des règles concernant la nourriture. Leur origine lointaine s'apparente à la notion de tabou commune aux diverses religions, mais dès les temps bibliques l'observation de cette législation fut considérée comme un signe d'appartenance à l'alliance : « Car c'est moi, le SEIGNEUR, qui suis votre Dieu. Vous vous êtes sanctifiés et vous êtes devenus saints car je suis saint ; ne vous rendez donc pas impurs avec toutes ces bestioles qui rampent sur terre. Oui, c'est moi le SEIGNEUR qui vous ai fait monter du pays d'Égypte pour être votre Dieu : vous serez donc saints parce que je suis saint » (Lv 11,44-45). La Bible énumère en détail la liste des animaux *kasher*, « aptes » à la consommation du point de vue de la pureté rituelle. Sont autorisés les ruminants qui ont le sabot fendu ; les oiseaux de proie sont interdits ; parmi les poissons est autorisé « tout ce qui a nageoires et écailles » (Lv 11,2-23).

L'importance décisive des interdits alimentaires se manifeste clairement dans la persécution d'Antiochus IV : « Cependant plusieurs en Israël se montrèrent fermes et furent assez forts pour ne pas manger de mets impurs. Ils acceptèrent de mourir plutôt que de se contaminer par la nourriture et de profaner la sainte alliance et, en effet, ils moururent » (1 M 1,62-63). Manger du porc revenait à apostasier, et le 2e livre des Maccabées en donne deux exemples : « Éléazar, un des premiers docteurs de la Loi, homme déjà avancé en âge et du plus noble extérieur, était contraint, tandis qu'on lui ouvrait la bouche de force, de manger de la chair de porc » (2 M 6,18), et les septs frères arrêtés avec leur mère que « le roi voulut contraindre, en leur infligeant les fouets et les nerfs de bœuf, à toucher à la viande de porc interdite par la loi » (2 M 7,1) ; tous préférèrent la mort. Quant à l'interdiction de manger, dans un même repas, des laitages et de la viande, elle repose sur un interdit de la Tora (Ex 23,19).

La question des règles alimentaires juives sera plus tard un problème majeur pour la jeune Église chrétienne, encore composée exclusivement de Juifs. Ce sont d'ailleurs ces questions de pratique concrète : circoncision et règles de pureté, qui marquèrent la première scission entre Juifs et chrétiens, avant les débats d'ordre théologique qui ont évidemment leur importance. L'alliance est manifestée par des signes forts, en particulier par les règles alimentaires. À la fin du Ier siècle, Rabbi Éléazar ben Azaryah justifie ces interdits, parmi lesquels il mentionne celui du porc, à partir de : « "Soyez-moi consacrés puisque moi, le SEIGNEUR, je suis saint, et je vous mettrai à part de tous ces peuples pour que vous soyez à moi" (Lv 20,26) : cela signifie que l'on s'éloigne de la transgression et que l'on accepte sur soi le joug du Royaume des Cieux » (*Sifra* sur Lv 20,26).

J. M.

La fin du prophétisme

Après avoir parcouru les divers aspects de la tradition *sacerdotale*, l'étude de la formation du judaïsme nous amène maintenant aux traditions *prophétiques*. Comme déjà indiqué, des prophètes se sont manifestés à la fin de l'Exil et au retour [*voir* p. 330 et 341], mais cela n'a pas duré. La prédication de Malachie, autour de 450 avant notre ère, clôt cette tradition caractéristique de la religion biblique, le prophétisme. Désormais commence avec Esdras (vers 400) le règne des scribes. Comment en est-on arrivé là ?

L'extinction de la prophétie

Selon un adage bien connu de la tradition rabbinique, puisque repris maintes fois, « Quand moururent les derniers prophètes, Aggée, Zacharie et Malachie, l'Esprit Saint cessa en Israël » (*Tosefta Sota* 13,2). On ne peut alléguer le caractère tardif de cette tradition pour nier cette réalité particulière : la période de la restauration judéenne connut l'extinction progressive de la prophétie. De nombreuses données bibliques traduisent de fait la crise que traversa alors ce courant inauguré par Élie au IXe siècle, et plus profondément encore par Moïse selon Dt 18. Ainsi, la rédaction deutéronomiste de Jr 1,7.9.17, qui reprend Dt 18,18, donne l'impression que Jérémie est le dernier parmi les « serviteurs, les prophètes » du Seigneur, au terme d'une longue histoire qui commença avec l'exode hors de l'Égypte (Jr 7,25). Sans affirmer la fin de la prophétie, cette rédaction donne le sentiment qu'une longue phase de cette histoire appartient désormais au passé. Certaines allusions en Za 1,1-6 et 7,7 vont dans ce sens.

De manière plus profonde encore, certains textes disqualifient la prophétie elle-même. Dans un texte tardif du livre d'Amos, on lit : « Ils erreront du nord au levant pour chercher la parole du SEIGNEUR, et ils ne la trouveront pas » (Am 8,12), ce qui rejoint l'absence dont témoigne Ézéchiel : « Viendront désastre sur désastre, mauvaise nouvelle sur mauvaise nouvelle ; ils réclameront une vision au prophète, le prêtre ne donnera plus d'instruction » (Ez 7,26), et l'auteur du livre des Lamentations : « Même les prophètes ne trouvent pas de vision venant du Seigneur » (Lm 2,9).

L'échec de la prophétie elle-même

Comment expliquer pareille crise ? Plusieurs facteurs ont dû jouer comme l'échec de la prophétie elle-même. Tant Jérémie qu'Ézéchiel ont été confrontés à des « prophètes optimistes » qui prédisaient une fin rapide de l'Exil et du temps d'épreuves. À cet égard, le récit de Jr 28 est exemplaire : la parole du prophète y est contredite par celle du prophète Hananya. L'hésitation même de Jérémie lors de ce duel prophétique montre combien fragile paraissait alors la frontière entre la vraie et la fausse prophétie.

Dans une situation semblable, Ézéchiel dénonce violemment les « prophètes optimistes » : « J'étendrai la main sur les prophètes aux visions vaines et à la prédiction mensongère : ils ne seront pas admis au conseil de mon peuple, ils ne seront pas inscrits au livre de la maison d'Israël, ils ne pénétreront pas sur le sol d'Israël, et vous saurez que je suis le SEIGNEUR. Car ils égarent mon peuple en disant : "Paix !", alors qu'il n'y a pas de paix » (Ez 13,9-10).

D'où des mises en garde aux exilés : « Ne vous laissez pas égarer par les prophètes qui sont parmi vous, ni par vos devins, n'écoutez pas les songes que vous faites » (Jr 29,8). Plus radicalement encore, Ézéchiel oppose la sentinelle qui avertit du danger (Ez 3,16-21 ; 33, 1-20) et ces hommes aux « prédictions trompeuses » (Ez 13,7-9.23), aux visions vaines et aux présages menteurs (Ez 22,28). La prophétie en serait-elle venue à n'être qu'œuvre de divination ? Le propos d'Ézéchiel se veut incisif, plus polémique encore quand il dénonce des prophétesses aux pratiques magiques et aux sortilèges nombreux (Ez 13,17-23).

Autour de l'Exil, il y a bien crise d'une parole qui a perdu sa crédibilité et sombre dans le syncrétisme religieux (lire Ez 14,1-11). « Les formes traditionnelles de la prophétie israélite cèdent la place devant l'attrait de la magie babylonienne, de la divination par des techniques variées et de l'interprétation des rêves » (J. Blenkinsopp). Mais il ne s'agit que d'un message d'assurance fallacieuse dont la source est des visions et des rêves extatiques. On notera qu'en ces divers textes, les prophètes optimistes « ne sont pas condamnés comme apostats ou dévoués à des divinités étrangères. Ils adoraient le même Dieu, employaient les mêmes formules traditionnelles du langage prophétique (par ex. Jr 23,28 ; 28,2) et ne se distinguaient probablement pas des prophètes comme Jérémie en apparence et en conduite » (J. Blenkinsopp). D'où le discernement impossible pour beaucoup entre le vrai et le faux. « L'incapacité des gens de distinguer entre des déclarations conflictuelles et des prédictions qui s'opposaient aboutit à l'effritement de l'autorité du prophète en général et à un questionnement largement répandu des prémisses religieuses sur lesquelles la société reposait et qui l'expliquaient à elle-même » (*id.*).

Pareille incapacité ne suffit pas à expliquer le discrédit qui frappa bientôt la prophétie ; il faut y ajouter un certain déni prophétique dans sa veine la plus authentique. L'argumentation traditionnelle de Jr 28, 5-9, selon laquelle c'est au prophète qui annonce le bonheur de faire ses preuves, se retourna contre les prophètes eux-mêmes. On en voit un premier exemple dans l'échec de la prédication de Jérémie à la petite diaspora de l'Égypte (Jr 44,1-19), signe que même les prophètes qui annonçaient des malheurs n'étaient pas automatiquement justifiés après les événements ! Ézéchiel lui-même dut reprendre un oracle sur Tyr (Ez 29,17ss, daté de 571), après l'échec d'une première annonce (Ez 26,8-9, daté de 585). Nul n'était à l'abri de l'erreur.

Que dire aussi de l'écart entre les grandes visions d'espérance du Deuxième Isaïe (le nouvel Exode ; la gloire retrouvée de Sion) et la dure réalité qui s'imposait aux exilés revenus en Judée (Ag 1,2-11) ? Et comment comparer la beauté surréaliste du Temple entrevu en Ez 40–48 et le modeste édicule reconstruit par Zorobabel entre 520 et 515 (Ag 2,3) ? Les espérances fondées sur certains oracles d'Aggée et Zacharie en une restauration de l'héritier davidique s'avérèrent aussi sans lendemain. La relecture de Za 6,11 qui substitue à la figure originelle du prince Zorobabel celle du prêtre Josué témoigne d'une telle déception. Que cette réécriture donne au texte une certaine validité ne saurait faire oublier son inaccomplissement premier.

Si prophète il y a encore dans le livre de Néhémie, c'est un prophète soudoyé qui cherche à perdre le gouverneur juif aux yeux des autorités perses (Ne 6,5-14) !

S'il est vrai que le seul critère de fausseté historique, ou d'accomplissement partiel, méconnaît la complexité de la prophétie en la réduisant à la prédiction, il n'en est pas moins vrai que le partage entre vraie et fausse prophéties a paru de plus en plus flou à la fin de la période royale et au premier temps des retours. À cette lumière, le récit complexe de 1 R 22, qui met en scène les propos contradictoires des prophètes « officiels », habités d'un esprit de mensonge, et ceux de Michée, fils de Yimla, prend un certain relief et trouve quelque écho en Ez 14,9 : « Mais si le prophète se laisse séduire et parle, c'est que moi, le SEIGNEUR, j'aurai séduit ce prophète. » D'où le cri de Jérémie : « Et je dis : Ah ! Seigneur DIEU, tu as vraiment trompé ce peuple et Jérusalem quand tu disais : “Vous aurez la paix”, alors que l'épée nous a frappés de mort ! » (Jr 4,10).

On doit en conclure qu'un courant fort du judaïsme après l'Exil considéra révolu le temps des prophètes, et le livre des Chroniques rapporte en 2 Ch 24,19-21 l'assassinat du dernier d'entre eux. À une époque plus tardive encore, le Deuxième Zacharie ironise : « J'ôterai aussi du pays les prophètes et l'esprit d'impureté [...]. Il arrivera en ce jour-là que les prophètes auront honte de leurs visions, chacun pour sa part quand il prophétisera et il ne revêtira plus le manteau de poil pour tromper. Il protestera : “Je ne suis pas prophète, je suis un paysan, moi, je possède même de la terre depuis ma jeunesse” » (Za 13,2-6). On retiendra le double écho ironique au manteau prophétique d'Élie (voir 2 R 1,8) et à la réponse d'Amos au prêtre Amasias de Béthel (voir Am 7,14).

La perte du patronage royal

Un deuxième facteur peut expliquer encore l'extinction de la prophétie, la perte du patronage royal. La force d'un tel lien ressort à travers divers « couples » de rois et de prophètes (Saül et Samuel, David et Natan, Achab et Élie, etc.). Au retour d'Exil, les prophéties d'Aggée (Ag 1,12-15 ; 2,21-23) et de Zacharie (Za 4,6-10) attestent encore de cette relation organique à travers la figure davidique de Zorobabel. Ces prophètes héritaient ainsi des oracles d'Ézéchiel selon lesquels la promesse dynastique gardait toute sa validité : en dépit des errements du passé – les rois, « mauvais bergers » –, le Dieu berger remettra à son serviteur David la conduite d'Israël, troupeau purifié (Ez 34,23-24) et restauré dans son unité (Ez 37,24-25).

Il en était de même dans les cercles jérémiens du retour d'Exil (Jr 33,14-16, qui reprend 23,5-6) : dans l'avenir, le Seigneur suscitera un « germe juste » dont le nom sera « Le SEIGNEUR-notre-justice » ; ce nom symbolique renvoie au dernier roi de Juda, Sédécias (« Yahvé est ma justice »). Sans doute la libération de Joiakîn, roi déporté en 597, favorisa-t-elle ces espérances (2 R 25,27-30), qu'on retrouve encore en Zacharie 3,8 et 6,12. Pour preuve, cet oracle d'Aggée : « En ce jour-là – oracle du SEIGNEUR Sabaot –, je te prendrai, Zorobabel, fils de Shéaltiel, mon serviteur [...], je t'établirai comme un *anneau à cacheter*, car c'est toi que j'ai choisi, oracle du SEIGNEUR Sabaot » (Ag 2,23) ; ce qui annule la condamnation portée jadis par Jérémie contre l'ancêtre de Zorobabel, Joiakîn : « Par ma vie – oracle du SEIGNEUR –, même si Joiakîn, fils de Joiaqîm, roi de Juda, était un *anneau à cacheter* à ma main droite, je t'arracherais de là » (Jr 22,24).

Mais les grands bouleversements n'eurent pas lieu, la Judée ne connut pas de restauration royale davidique. S'imposa plutôt, dès la fin de l'époque perse, et plus encore durant toute l'époque grecque, un pouvoir hiérocratique* où le grand prêtre reçut l'onction jusqu'alors réservée au roi. Par un effet de ricochet, les rois d'antan furent présentés comme « prêtres et liturges » dans l'œuvre du Chroniste.

Aux marges sans doute des sphères du pouvoir, les Psaumes développèrent le thème majeur de la royauté de Dieu (Ps 93 à 99), qui trouvera son plein accomplissement dans la relève apocalyptique* (ainsi en Za 14).

Le règne de la Tora

Un dernier facteur explique la fin des temps prophétiques, le règne de la Tora qui s'imposa comme la charte du judaïsme et dont l'autorité ne cessera de grandir sous l'impulsion des prêtres. Ainsi ce texte de Zacharie établit-il une sorte d'équivalence entre la Loi et les oracles prophétiques : « Ils firent de leur cœur un diamant, de peur d'écouter *la Loi et les paroles* que le SEIGNEUR Sabaot avait envoyées – par son esprit – *par le ministère des prophètes du passé* » (Za 7,12).

La figure d'Esdras, le prêtre-scribe versé dans l'étude de la Loi (Esd 7,6.10), devint de plus en plus emblématique à l'heure où s'éloignait celle du prophète. D'autant que le pouvoir perse favorisa pareil mouvement qui conduisit à la codification du Pentateuque comme loi reconnue de tous les Juifs dans l'Empire, étouffant la dissidence qui caractérisait certaines formes de prophétie sous la monarchie.

La relève apocalyptique

Il serait faux cependant de penser que l'espérance prophétique disparut d'Israël ; elle se maintint dans certains cercles, le plus souvent éloignés du pouvoir sacerdotal. Nous en voyons une première trace dans la relecture du petit livret prophétique de Malachie. Celui-ci évoque la figure d'un messager envoyé pour aplanir le chemin devant le Seigneur (Ml 3,1), qu'on assimila plus tard à une figure prophétique : « Voici que je vais vous envoyer Élie le prophète, avant que n'arrive le Jour du SEIGNEUR, grand et redoutable » (Ml 3,23).

Au-delà de ces traces, une littérature nouvelle prend véritablement naissance au lendemain de l'Exil, et le Troisième Isaïe (Is 56–66) en est la première manifestation (vers 500). Dépassant les perspectives historiques propres aux oracles prophétiques préexiliques, ces courants visionnaires envisagent la fin des temps dans un avenir indéterminé, élargissant les perspectives aux dimensions du cosmos par l'annonce de l'avènement du règne de Dieu sur toutes les nations. En naît une tension avec les cercles sacerdotaux au pouvoir : si ceux-ci, maîtres du Temple et des institutions, déploient une « eschatologie* réalisée » (la restauration annoncée par les Prophètes de l'Exil – par ex. Jr 25,11-14 et 29,10 – a effectivement commencé avec le retour à Jérusalem d'une partie des exilés), les visionnaires, héritiers des prophètes, mettent l'accent sur une « eschatologie ouverte », qui vient critiquer toutes les institutions, à commencer par le Temple « fait de mains d'hommes ». Tel est le milieu d'où surgit l'écriture apocalyptique.

L'héritage prophétique

Selon la thèse d'un exégète (P. Hanson), la position sociale de chaque groupe détermina les modèles selon lesquels ils mettaient en avant leurs programmes réformateurs. Ainsi le parti « théocratique* » au pouvoir misa sur la reprise du culte et la reconstruction du Temple, inscrivant son espérance en totale continuité avec les institutions préexiliques. À l'inverse, les « éléments aliénés et opprimés », exclus de l'organisation du second Temple par le contrôle de plus en plus ferme du clergé sadocide*, développèrent un modèle en rupture avec ce passé. Dans leur reprise de la prophétie (surtout le Deuxième Isaïe), ils mirent en avant la sévère condamnation des institutions préexiliques, plaçant leur espérance non dans leur restauration, mais dans l'avènement « des cieux nouveaux et d'une terre nouvelle » (voir Is 65,16b-17 ; 66,22). « En d'autres termes, le parti de l'Utopie exprime une espérance de dimensions cosmiques, et de caractère métahistorique. C'est cela exactement qu'est l'apocalyptique » (A. Lacocque).

Que retenir de cette thèse ? Au-delà d'un côté trop systématique et de préjugés tenaces, l'auteur a le mérite d'envisager l'apocalyptique comme la littérature d'hommes opprimés pour qui il n'y avait plus de raison d'espérer sur le plan politique ou sur celui de l'histoire humaine. La tragédie de l'Exil posait fondamentalement la question de l'identité d'Israël en tant que peuple parvenu à sa fin. Il fallait alors dépasser les cadres de l'histoire et s'ouvrir à la dimension eschatologique*, en pensant une « fin » de l'histoire. Mais de la prophétie à l'apocalypse, le passage s'opéra sans rupture. La source de l'apocalyptique n'est donc pas à chercher du côté d'exaltés ayant perdu le sens prophétique de l'histoire, mais vers les disciples des grands prophètes ; en quoi on peut véritablement parler de relève apocalyptique de la prophétie.

*L'héritage sapientiel**

Il faut aussi compléter la matrice de l'apocalyptique en reconnaissant ce que cette littérature doit aux courants sapientiaux. Ainsi, sur des points majeurs, elle s'écarte de la compréhension prophétique pour rejoindre la sagesse. Les auteurs d'apocalypses vident l'histoire de tout contenu de salut en la divisant en « périodes numériques », dissimulant sous le procédé de la « pseudépigraphie* » l'époque réelle où ils se trouvent. Tout est subordonné à l'idée d'un déterminisme, fixé dès les origines, sous l'absolu contrôle de Dieu ; ce qui rejoint en profondeur la pensée sapientielle. Un autre trait commun entre les deux courants est son effort encyclopédique qui s'inscrit sur l'axe d'une connaissance universelle.

Enfin, les héros des apocalypses sont le plus souvent dotés d'une sagesse divinatoire dans l'art d'interpréter les songes et les rêves. Par exemple, le jeune Daniel et ses compagnons, « instruits en toute sagesse, experts en savoir, comprenant la science » (Dn 1,4 ; voir aussi le v.17) ; et le récit s'achève ainsi : « En toute affaire de sagesse et de discernement dont le roi s'enquit auprès d'eux, il les trouva dix fois supérieurs à tous les magiciens et conjureurs qu'il y avait dans tout son royaume » (Dn 1,20). Comme dans l'histoire « sapientielle » de Joseph dans le livre de la Genèse, les premiers chapitres du livre de Daniel sont empreints de cette sagesse divinatoire proche-orientale, l'art d'interpréter les rêves. Au demeurant, cet art ne relève pas d'une performance du héros, mais est inscrit dans une révélation proprement apocalyptique : « Alors le mystère fut révélé à Daniel dans une vision de nuit » (2,19), et surtout : « Le mystère dont le roi s'enquiert, ni sages, ni conjureurs, ni magiciens, ni devins ne peuvent l'exposer au roi. Mais il y a un Dieu dans le ciel qui révèle les mystères » (2,27-28 ; voir 2,44-45). Plus que simple reprise, il y a réinterprétation dans le cadre apocalyptique.

Le livre de Daniel

À n'en pas douter, le livre de Daniel hérite à la fois de la relève prophétique et de cet héritage sapientiel. Après la présentation de ce livre [p. 377], voici quelques compléments concernant son genre littéraire apocalyptique. Le livre de Daniel est le fruit d'une lente élaboration dont voici les grandes lignes (selon J.J. Collins). Dans sa première partie (Dn 1–6), une série de contes rapporte l'histoire de Daniel et de ses compagnons. Daniel interprète devant le roi le songe de la statue (Dn 2) et échappe miraculeusement aux dents de lions devenus doux comme des agneaux (Dn 6), tandis que ses trois compagnons, jetés aux flammes, ressortent indemnes de la fournaise (Dn 3). Par contraste, le roi Nabuchodonosor est frappé de soudaine folie, réduit à l'état animal (Da 4), tandis que Balthazar succombe à son festin orgiaque (Dn 5). Ces récits s'inscrivent dans un Orient de tragi-comédie où des despotes enivrés et colériques, des eunuques et magiciens s'opposent à la fragilité des serviteurs de Dieu, tout remplis de sagesse et d'une foi indéfectible. Mais ce cadre exilique est totalement fictif et ne renvoie à aucune réalité historique : Nabonide se cache derrière Nabuchodonosor ; et Darius le Mède est une pure invention de l'auteur. Écrits au Ve siècle, dans la diaspora de Babylone, ces contes reflètent plutôt l'idéal de sages juifs qui, tout en acceptant les modes de révélation utilisés par leurs collègues païens (prédiction du futur au moyen des songes), met en lumière la supériorité de la sagesse hébraïque révélée par Dieu (au prix du miracle). Comme dans le livre d'Esther, l'intention est clairement apologétique, mais sans que la tension soit aussi vive avec le milieu ambiant.

Certains de ces sages juifs retournèrent en Judée, vraisemblablement entre le IIIe et le IIe siècle ; sous l'effet de la persécution d'Antiochus (167), ils reprirent ces vieux récits. Ainsi relus, ces contes de Dn1–6 devinrent alors le point de départ des grandes visions* apocalyptiques qui achèvent le livre, les plus connues étant le jugement des bêtes et la venue du « Fils d'homme* » (Dn 7) ou le jugement dernier et la résurrection finale (Dn 10–12). Celles-ci s'apparentent davantage au modèle prophétique de la vision (voir Amos ou Zacharie), relisant même d'antiques prophéties comme celle des « soixante-dix années d'épreuve » (Jr 25,11-12 repris en Dn 9,24). L'univers symbolique de ces visions partage le monde en sphères contrastées : d'un côté, le ciel où trône « l'Ancien des Jours » qui suscite le jugement par le « Fils d'homme », assisté de tout un monde angélique où se détachent Gabriel et Michel ; et de l'autre, la terre dominée par des monstres surgis de la mer, qui représentent la succession des empires perse, mède et grec. La symbolique reste donc étroitement historique, opposant le

REPÈRE

LE « FILS D'HOMME », DE DANIEL 7 AUX *PARABOLES D'HÉNOCH*

D'un emploi courant dans le livre d'Ézéchiel (93 fois), l'expression « fils d'homme » désigne le prophète comme être humain, que Dieu interpelle. Au pluriel il s'agit de l'humanité tout entière (Dn 2,38). L'ange Gabriel interpelle Daniel par ce titre (Dn 8,17). Mais en Dn 10,16.18 le personnage de la vision renvoie à une « apparence d'homme », qui peut aussi être un ange, comme en 9,21.

Ce bref rappel des textes donne un relief certain à l'usage particulier de l'expression qui est fait en Dn 7,13 : « et voici qu'*avec* les nuées du ciel venait comme un fils d'homme ». Mais la traduction grecque des Septante est légèrement différente : « et voici que *sur* les nuées du ciel... » ; ce qui souligne la transcendance de ce personnage du monde céleste. À s'en tenir au seul texte hébreu, cette figure renvoie au « peuple des Saints du Très-Haut », selon l'interprétation donnée au v.27. L'Ancien des jours (v.9) – c'est-à-dire Dieu – leur remettra « la souveraineté et la grandeur de tous les royaumes » après que les empires, signifiés par les bêtes monstrueuses, auront été vaincus et jugés. La vision rattache donc cette figure au jugement final des impies, dans un contexte royal.

Il reste à déterminer à quoi renvoie ce « peuple des Saints du Très-Haut ». Un parcours dans l'Ancien Testament montre que « les Saints » désignent le plus souvent la cour céleste qui entoure Dieu, soit les anges. Mais il peut s'agir aussi de ceux qui observent la Loi (Ps 34,10) ou des prêtres (Ps 106,16). Cette double signification affleure en Dn 7, où l'expression désigne à la fois les armées angéliques (voir « Michel, le grand Prince » en Dn 10,13.21 et 12,1) et le peuple d'Israël resté fidèle à la Loi. Ce qui n'a rien d'étonnant, vu l'étroite liaison des réalités célestes et des réalités terrestres qui traverse le livre et lui donne sa couleur apocalyptique. Mais qu'on privilégie l'un ou l'autre sens, aucune confusion n'est encore possible à ce stade entre le « fils d'homme » (collectif) et le roi-messie (individualisé).

Un tournant important est pris dans le livre des *Paraboles d'Hénoch*, probablement du Ier siècle, contemporain (ou presque) du ministère de Jésus. Ce livre (appelé aussi *1 Hénoch*) est la pièce maîtresse de tout un ensemble littéraire rattaché au patriarche Hénoch, d'avant le déluge (Gn 5,24). Il met en scène un personnage précis, mais dont la dénomination varie : il est surtout appelé « l'Élu » (39,6-7 ; 40,5 ; etc.), mais aussi « le Fils d'homme » (46,1-6 ; 48,2-7 ; etc.), « le Juste » (53,6), « le Juge » (41,9) et enfin « le Messie » (48,10 ; 52,4). L'Élu et le Fils d'homme – désignations dominantes – exercent des fonctions identiques : le jugement final des hommes et la révélation de mystères jusqu'alors tenus secrets. D'abord distincte, la figure de l'Élu ne semble pas dépendre de Dn 7, à l'inverse de celle du Fils d'homme, qui l'amplifie. Mais le rapprochement, voire la fusion, s'opère dans le livre, plus sur la base d'éléments empruntés à l'Élu que sur la relecture de Dn 7. Désormais, le Fils d'homme revêt un statut strictement individuel, sans plus aucune dimension collective. Son rôle devient actif dans le jugement ; il ne se contente plus de recevoir la royauté. C'est cette figure réinterprétée que reçoit le Nouveau Testament, à partir des paroles de Jésus.

« peuple des Saints du Très Haut » (les Juifs) à leurs persécuteurs, en particulier Antiochus IV Épiphane qui interdit, en 167, la circoncision et les coutumes juives [*voir* p. 376].

Avec ses accentuations propres, le livre de Daniel atteste de l'existence d'un mouvement qui, issu de la diaspora babylonienne, a vu surgir au temps de la persécution un groupe distinct, les « enseignants » (*maskilim*), dont la tâche fut d'instruire de la Loi juive le peuple de Judée (Dn 12,3). Quels liens ce groupe entretenait-il avec les « courants visionnaires » qui sont à l'origine du Troisième Isaïe et du Deuxième Zacharie ? Il est difficile de répondre ; ce qui démontre la grande complexité du phénomène apocalyptique qu'on ne saurait réduire à une seule origine. Contre certains auteurs, il faut probablement identifier ces *enseignants* « pacifiques » et les « belliqueux » *hassidim* (pieux, fidèles), qui soutinrent l'insurrection des Maccabées jusqu'à l'avènement du grand prêtre Alkime.

P. A.

Les Sages et la théologie

Sous la domination des Perses, puis des Grecs, le milieu des sages juifs continue de former des scribes pour l'administration et les responsabilités civiles, mais ils sont très marqués par leur foi juive. Ils connaissent les recueils des prophètes, ils héritent des traditions nationales à travers la lecture de l'Histoire deutéronomiste, et surtout ils s'efforcent de vivre selon la Tora, la loi qu'enseignent les prêtres. Pourtant leur formation humaniste les a ouverts aux autres sagesses d'Égypte, de Perse ou de Grèce et ils s'affrontent aux courants de pensée et aux œuvres littéraires de ces cultures étrangères. Ces scribes vont faire progresser la théologie juive en cherchant dans leur propre religion des réponses aux questions posées par leurs contemporains.

C'est particulièrement visible avec le livre de *Job*, qui tente de répondre à l'énigme du mal et de l'innocent malheureux, sans pour autant accepter l'idée grecque du destin ou de la fatalité. Mêmes efforts, plus tard, avec les œuvres de *Qohélet* et du *Siracide*, qui cherchent à concilier la foi juive et la sagesse des nations, non sans buter sur la question de l'au-delà. Quant au livre le plus tardif de l'Ancien Testament, la *Sagesse*, s'il utilise un certain vocabulaire de la philosophie grecque, c'est pour dire à ses lecteurs juifs d'Égypte les croyances traditionnelles d'Israël et leur permettre de relire leurs antiques traditions nationales. Finalement l'espérance en une vie après la mort se fait jour et s'exprime, à propos des martyrs du temps des *Maccabées.* Le livre de *Tobie*, venu de la diaspora orientale, témoigne des croyances aux anges et aux démons. Enfin seul le *Cantique des cantiques* pouvait venir couronner cette perspective sur les livres des sages, lui qui est tellement imprégné de toutes les autres traditions bibliques. Il est d'ailleurs l'un des livres de l'Ancien Testament qui sera le plus lu et commenté par les chrétiens, du moins dans les monastères.

Le livre de Job, l'énigme du mal

Mal et malheur dans la culture mésopotamienne

Dès que les peuples du Proche Orient ancien ont disposé de l'écriture, ils ont tenu à laisser trace de leurs réflexions sur la condition humaine et spécialement sur le malheur et la souffrance. En Mésopotamie, textes sumériens et akkadiens confondus, les questions sur la destinée de l'homme ont été posées dès la plus haute époque dans le cadre de la relation aux dieux.

Les humains, les « têtes noires » comme on disait, se situaient en sujets et en serviteurs face aux dieux, en principe bienveillants, qui étaient censés régir l'univers avec justice. Dans une attitude religieuse empreinte d'admiration, de respect, ou d'étonnement craintif, toute la collectivité assurait le « service » des dieux par des processions, des

DOCUMENT

LA COMPLAINTE D'OURNAMMOU

Ournammou, fils du dernier roi sumérien, semble être disparu prématurément et de mort violente (avant 2000). La fin brutale d'un roi si remarquable apparaît au poète comme une injustice des dieux An et Enlil, qui fixent le destin des hommes et qui, lors de son intronisation, ont promis au roi un tout autre destin.

Le malheur a frappé Sumer,
le juste Pasteur a été emporté,
le juste pasteur Ournammou a été emporté,
oui, le juste Pasteur a été emporté !
An a changé sa parole sainte,
le cœur est inconsolable.
Enlil, par tromperie, a changé
tous les destins fixés.

« Quant à moi, [dit Ournammou]
voici comment j'ai été traité.
Je servais bien les dieux,
aux dieux Anounnaki j'assurais noble prospérité.
Pourtant aucun des dieux ne m'a porté secours ni apaisé le cœur.
Mon présage favorable a disparu aussi loin que le ciel.
Moi qui servais les dieux nuit et jour,
comment ai-je été payé de ma peine ?
Pour moi, qui servais les dieux nuit et jour,
le jour maintenant s'achève sans sommeil ! Comme si mon épouse s'était noyée, je passe le jour dans les larmes. »

(Trad. J. Lévêque.)

repas festifs et des liturgies, agrémentés de chants et de musique. En retour le peuple attendait de ses dieux la prospérité du pays et la paix aux frontières.

En privé, le Mésopotamien utilisait souvent des formules codifiées d'avance dans les rituels, et priait surtout pour l'obtention d'une guérison, l'éloignement d'un danger, ou encore des lumières sur l'avenir. Les exorcismes tenaient également une grande place dans sa prière. À haute époque, ce que nous appelons les démons étaient supposés agir en toute indépendance et apporter aux humains angoisses et tourments par une sorte de sadisme incontrôlé. Plus tard on estima que les démons n'étaient finalement que des exécutants, mandatés par les dieux irrités par les infractions des hommes. Dès lors c'est aux dieux responsables que l'on demanda de contenir la malfaisance des démons, et comme les grands dieux tutélaires pouvaient paraître lointains et insensibles, chaque fidèle recourait volontiers à la médiation et à la protection de son dieu personnel (subalterne).

On pensait que la fidélité aux dieux garantissait le bonheur. À l'inverse la souffrance et le malheur devaient s'interpréter comme des punitions pour des fautes et des négligences commises. Les grands dieux en personne amenaient la châtiment sur l'individu, ou encore le dieu personnel suspendait sa protection, laissant aux démons le champ libre.

Mais dès l'époque de la IIIe dynastie d'Our (2100-2000) on s'avisa que les faits souvent démentaient le principe. L'énigme du juste souffrant commença d'affleurer dans les textes. On remarqua de plus en plus que les dieux parfois rompaient leur contrat avec les hommes, et l'on tenta plusieurs explications pour rendre raison de cette injustice.

Dans les complaintes sumériennes ou akkadiennes, tantôt le juste se contente de dénoncer l'arbitraire dont il est victime de la part des dieux (*Complainte d'Ournammou*, avant 2000) ; tantôt il décide de s'en remettre à son dieu et de poursuivre devant lui sa plainte jusqu'à ce qu'il se montre de nouveau favorable (*L'Homme et son Dieu*, vers 2000) ; tantôt enfin, tout en implorant des dieux sa délivrance, le juste insiste sur son innocence et même sur l'incapacité, pour les mortels, de connaître « la voie du dieu ». L'homme au savoir limité ne peut distinguer le bien du mal. Il est laissé sans remède dans son ignorance, et par ailleurs les critères humains de la justice n'ont pas cours dans le monde des dieux, comme on le voit dans le poème babylonien *Loudloul bel néméqi* («Je veux louer le Seigneur de sagesse », voir p. 452).

Comme dans tous les poèmes sur le juste souffrant, comme d'ailleurs dans beaucoup de prières akkadiennes, le pardon des offenses

DOCUMENT

LOUDLOUL BEL NEMEQI

Ce poème babylonien, dont les premiers mots signifient « Je veux louer le Seigneur de sagesse », rapporte les souffrances et les supplications d'un fidèle, jusqu'à ce que le dieu Mardouk mette fin à ses épreuves. Ce texte date de la période cassite (vers 1300-1100).

De cette année à la suivante voici le seuil franchi.
Où que je me tourne, c'est malheur sur malheur ! [...]
Partout, quel étrange cours des choses !
Si je regarde en arrière : persécution et détresse.
Comme un homme qui n'aurait pas apporté régulièrement
l'offrande à son dieu,
ou qui n'aurait dans la bouche ni supplication ni prière,
comme un tel homme je suis traité !
Moi, pourtant, j'ai été fidèle à la supplication et à la prière. [...]
J'ai célébré le roi à l'instar d'un dieu
et inculqué au peuple la déférence pour le palais.
Si seulement je savais que cela puisse plaire au dieu !
Mais ce qui paraît bon à un homme
pourrait être une offense à son dieu ;
ce qui est méprisable au jugement d'un homme
pourrait plaire au dieu !
Qui peut saisir la volonté des dieux dans le ciel ?
Qui peut saisir le dessein du dieu des profondeurs ?
Où les mortels ont-ils jamais appris la voie du dieu ?

(Tablette II, 1... 38 ; trad. J. Lévêque.)

sera ici le préalable nécessaire à la guérison et au retour du bonheur. Le revirement de la situation, opéré alors par le dieu Mardouk, illustre le postulat traditionnel : la souffrance du juste ne peut être que temporaire. Le héros, longuement, va rendre grâce ; mais il a dû imposer silence à sa question.

Comment situer le malheur ? Les présupposés de l'Ancien Testament

Si l'on s'interroge sur la manière dont les hommes de la Bible abordent l'énigme du mal, il faut garder en mémoire quelques convictions et quelques questionnements qui tantôt les rapprochaient, tantôt les différenciaient de la culture ambiante du Proche Orient ancien.

Rien n'échappe au pouvoir du Seigneur. La responsabilité de l'homme n'est pas niée pour autant ; elle est même partout implicite, dès lors que l'homme est partenaire de l'Alliance. Mais l'Ancien Testament insiste rarement sur les causes secondes, si bien que certaines expressions, qui allaient de soi dans l'ancien Israël, peuvent heurter le lecteur moderne. Ainsi lorsque Amos, au VIIIe siècle, écrit sans sourciller : « Arrive-t-il un malheur dans une ville sans que le SEIGNEUR en soit l'auteur ? » (Am 3,6), il ne cherche pas à insinuer que Dieu agit selon un dessein arbitraire ou sadique, mais veut simplement affirmer qu'il est vain d'en appeler à de faux dieux, puisque le Seigneur, à lui seul, contrôle toutes les choses humaines : le malheur n'arrive pas sans une cause, que Dieu connaît toujours. On trouve encore après l'Exil des expressions de même tonalité ; par exemple chez le Deuxième Isaïe : « Je façonne la lumière et je crée les ténèbres, je fais le bonheur et je crée le malheur ; c'est moi, le SEIGNEUR, qui fais tout cela » (Is 45,7). À quoi fait écho Ben Sira (l'Ecclésiastique) au IIe siècle : « Bonheur et malheur, vie et mort, pauvreté et richesse, tout vient du Seigneur » (Si 11,14).

On relève souvent dans la Bible, spécialement dans le Pentateuque, des traces de *la vieille mentalité clanique :* les fautes commises par l'individu sont volontiers reportées sur sa famille, sa tribu ou sa descendance (Ex 20,5 ; Dt 5,19 ; 7,10). Il faudra attendre la période de l'Exil pour voir les prophètes soutenir vigoureusement la thèse de la responsabilité individuelle (Jr 31,29-30 ; Ez 14,12-20 ; 18 ; 33,10-20 ; voir Dt 24,16).

C'est seulement dans le courant du IIe siècle av.J.C. que s'est imposée progressivement l'idée d'un au-delà bienheureux et d'une revivification des corps. Jusqu'à cette période tardive, le croyant confronté à la mort n'avait d'autre certitude que *la perspective désolante du shéol**, le monde des morts. Non pas le néant absolu, mais une demi-existence malheureuse et terne, sans relations, sans projets, sans lumière, dans le monde souterrain des trépassés [*voir* p. 476]. Il est vrai que dès le Ve siècle cette conception du shéol laissait les esprits insatisfaits. L'auteur de Job, par exemple, fait dire à son héros : « L'homme qui est mort, où donc est-il ? » (Jb 14,10).

Pour les hommes de l'Ancien Testament, la rétribution* du bon et du méchant ne pouvait avoir lieu que sur terre. Au moins jusqu'au retour de l'Exil la sagesse traditionnelle ira répétant avec force la même thèse : *la rétribution temporelle* est infaillible et vérifiable. Si l'impie n'est pas puni dans sa propre existence, il le sera à coup sûr dans ses enfants. En durcissant ce principe, on en tirait deux corollaires désespérants : le bonheur et la réussite manifestent toujours la bénédiction de Dieu ; la souffrance et l'échec sont toujours signes d'une culpabilité. On peut s'étonner que des thèses aussi rigides aient résisté si longtemps aux nombreux démentis de l'expérience. Seuls le traumatisme collectif de l'Exil et la véhémente contestation du livre de Job parviendront à ébranler les vieux postulats.

L'énigme du malheur se pose donc avec acuité dans l'Ancien Testament, et ce d'autant plus que l'Alliance maintient en dialogue deux partenaires pleinement responsables. Les sages, par moments, exagèrent même la responsabilité humaine, puisque leur conception automatique de la rétribution ose imputer à l'homme son propre malheur. Quant à l'implication de Dieu dans la destinée humaine, elle apparaît toujours en vive lumière, puisqu'il ne partage avec personne sa seigneurie et qu'aucune divinité secondaire ne peut endosser la responsabilité des épreuves de l'homme.

Souffrance humaine et dessein de Dieu

Un grand nombre de textes de l'Ancien Testament envisagent la souffrance humaine dans l'axe de la pédagogie de Dieu. Rappelons les principaux accents de cette catéchèse sur le malheur.

La souffrance permise par Dieu apparaît avant tout comme un moyen de *purification*. L'image favorite est celle du creuset du fondeur, reprise très souvent par les psalmistes comme par les prophètes (Ps 17,3 ; 26,2 ; 66,10 ; Is 1,25 ; 48,10 ; Za 13,9 ; Dn 11,35 ; 12,10). L'épreuve est censée révéler puis éliminer les impuretés du cœur comme les scories emportent celles du métal (Jr 6,29-30 ; Ps 105,19 ; Si 2,2-5). Cette purification par le malheur est présentée à la fois comme nécessaire (Si 2,1.17) et comme bienfaisante (Lm 3,26-30).

En lien avec cette valeur purificatrice, l'Ancien Testament assigne souvent à la souffrance un rôle *d'instruction*, ou de révélation des desseins de Dieu. Le Deutéronome affectionne ce thème (Dt 8,2 ; voir 4,36) qui sera valorisé par les psalmistes d'après l'Exil (Ps 94,12 ; 119,71) et repris par Ben Sira (Si 4,17-18).

Grâce de lumière et de lucidité, la souffrance devient un *appel à la conversion* (Os 2,8-9 ; 2 Ch 32,26 ; Ba 2,6-10.27-35 ; Ps 119,67 ; Sg 12,2). Les penseurs d'Israël ont particulièrement souligné cet aspect de la « pédagogie » (*mousar*) de Dieu, et la méditation de ce thème leur a permis d'approfondir le mystère de sa paternité éducatrice (Pr 3,12 ; voir He 12,5-13). Ils ont reconnu cette dimension paternelle du *mousar* à plusieurs indices : le châtiment du fils ne va jamais jusqu'à la mort (Ps 118,18) ; la punition annoncée demeure toujours conditionnelle ; la fidélité de Dieu à son dessein d'amour (c'est-à-dire sa « justice ») garantit la valeur salvifique des épreuves traversées par ses fidèles (Lm 3,31-33 ; Ps 119,75) : c'est bien le même Dieu qui blesse et qui panse les plaies (Os 6,1 ; Dt 32,39 ; 1 S 2,6-7 ; 2 R 5,7 ; Ps 75,8 ; Si 2,18 ; 18,13 ; 2 M 7,33). Dans les deux derniers siècles avant le Christ, la foi en la résurrection corporelle viendra illuminer de l'intérieur cette théologie de la souffrance éducatrice (2 M 6,13-16 ; 7,36 ; Sg 4,10-11.17).

Bien avant cette période des Martyrs d'Israël, on avait su reconnaître à la souffrance des amis de Dieu une valeur d'*intercession* et de rachat. Soulignée d'abord à propos de Moïse, homme de prière (Ex 17,11-12 ; Nb 11,1-2) capable d'offrir sa vie (Ex 32,30-33), elle sera reprise et privilégiée dans le portrait du Serviteur* de Dieu (Is 52,13–53,12) : le « châtiment » qui défigure « l'homme de douleur » cache en réalité « la réussite du dessein de Dieu « (Is 52,14 ; 53,3-4.10) et la « révélation de son bras » (53,1). L'innocent qui se laisse confondre avec les pécheurs intercède pour eux (53,12) et offre sa vie en expiation (53,10).

Le livre de Job et la théologie de la souffrance

Plus encore qu'un long poème sur la souffrance, le livre de Job est une question posée à Dieu sur le sens des épreuves que l'homme traverse. L'auteur du Ve siècle a utilisé un vieux récit en prose qui présentait le destin de Job dans la perspective optimiste de la sagesse traditionnelle. Ce récit subsiste actuellement dans le Prologue (ch. 1–2) et l'Épilogue du livre (42,7-17). Entre ces deux courtes unités, le poète a inséré de longs discours subversifs où Job dialogue successivement avec trois visiteurs (3–31), puis avec un quatrième, Élihou (32–37), et enfin avec Dieu lui-même (38,1– 42,6).

En suivant l'ordre actuel du livre, on repère plusieurs tentatives successives pour rendre raison de la souffrance imméritée.

La soumission muette : Une première réponse à l'énigme du malheur est proposée par Job au moment où il vient d'être privé de ses biens et de ses enfants : « Nu, je suis sorti du sein maternel ; nu, j'y retournerai ! Le Seigneur a donné, le Seigneur a repris : que le nom du Seigneur soit béni ! » (1,21). La souffrance n'est pas niée, mais Job s'interdit d'en chercher la cause : il s'en remet de tout à un Dieu libre. Même ton dans la réponse qu'il fait à sa femme, alors que cette fois il est touché dans sa propre chair : « Si nous accueillons le bonheur comme un don de Dieu (*Élohim*), comment ne pas accepter de même le malheur ! » (2,10). On ne pose pas de questions à Dieu, et l'alternance du bonheur et du malheur émane d'une sagesse que l'homme n'a pas à sonder. C'est ce renvoi à une pure transcendance qui a semblé insuffisant au poète du Ve siècle.

Le Satan, l'Adversaire : Ce même Prologue du livre suggère une autre explication : la souffrance humaine serait imputable à l'« Adversaire », le *Satan* que Dieu laisse « rôder » dans le monde (1,7 ; 2,2). C'est bien lui, en effet, qui semble chargé des basses œuvres : ruines, morts subites, maladies incurables. En réalité ce Satan a tout d'une image virtuelle. Il apparaît hors scène dans un dialogue avec Dieu, il demeure astreint, comme tous les messagers célestes, à se présenter devant le Seigneur, dont il doit demander l'aval avant toute malfaisance (1,11 ; 2,4), et surtout l'initiative du test imposé à Job vient du Seigneur (1,7 ; 2,3) et non de l'Adversaire. La responsabilité du malheur n'est donc pas vraiment transférée de Dieu au Satan. C'est pourquoi sans doute la suite du poème et même l'épilogue ignorent totalement le rôle joué par le Satan.

Sa présence dans le Prologue souligne en tout cas efficacement que l'origine du malheur peut fort bien être extérieure à l'homme : l'épreuve de Job est *déjà* programmée lors de la rencontre entre le Seigneur et le Satan, alors même que Job, sur terre, « persévère dans son intégrité » (2,3). En même temps le conteur prend bien soin de noter que la malveillance du Satan est d'avance circonscrite par un dessein de Dieu. C'est un rappel discret de la seigneurie totale du Seigneur : il ne se décharge jamais sur une puissance seconde de la responsabilité qu'il a, même dans le malheur des hommes. Toute tentative de réinsérer le polythéisme est ainsi d'avance écartée. Dans l'énigme du mal, seul Dieu fait vraiment face à l'homme.

Les discours des trois amis : Les longs discours des amis de Job reviennent à satiété sur quelques thèmes traditionnels censés rendre compte des souffrances du croyant : les méchants s'attirent toujours le malheur (15,21-24) ; la fidélité assure infailliblement le bonheur du juste (5,17-26) ; et de toute façon nul n'est jamais pur devant Dieu (4,17-21). Selon eux, le malheur advient, certes, par une volonté du Seigneur, mais toujours comme sanction d'une faute. Il n'y a pas d'injustice du malheur, mais simplement une logique de la culpabilité : l'éprouvé est toujours un réprouvé. Il « moissonne ce qu'il a semé » (4,8) ; « Qui conçoit la souffrance engendre le malheur » (15,35) ; il ne doit donc s'en prendre qu'à lui-même, et seule la conversion lui apportera l'abondance matérielle et une intimité grandissante avec Dieu (22,21.23).

Les plaintes de Job : Ce sont les plaintes de Job, spécialement ses griefs exposés directement à Dieu, qui viennent bouleverser de manière décisive cette thématique du malheur et du mal. Job reconnaît l'indignité radicale de l'homme devant Dieu (13,28 – 14,12), mais, en faisant appel à l'expérience commune et à son propre destin, il réfute aisément les dires des sages sur la rétribution immanquable. Puis, non content de revendiquer avec passion son innocence, il entreprend de culpabiliser Dieu. À l'action et à l'inaction de Dieu (appelé *Éloah*, singulier d'*Élohim*), qu'il interprète toutes deux comme un désir de faire mal, Job répond par des reproches où il libère son agressivité. En évoquant des scènes de brutalité, de chasse ou de procès, il fait apparaître Dieu à la fois comme le méchant et l'injuste (16,9-14 ; 27,2). Il va même jusqu'à l'accuser de joie mauvaise au spectacle du malheur des hommes : « J'ose dire : il fait périr de même l'homme intègre et le méchant ! Quand un fléau mortel s'abat soudain, il se rit de la détresse des innocents ! » (9,22-23).

La conduite de Dieu à son égard, Job la décrit comme un acharnement irrationnel. Il met ainsi en cause la *sagesse* d'Éloah, qui « méprise l'œuvre de ses mains » (10,8-12) et qui déploie une telle puissance contre un être fragile dont les jours sont comptés (10,3-7 ; 13,25-27). Job s'en prend également à la *bonté* de Dieu : Dieu sait et veut la souffrance du juste ; c'est là « ce qu'il cache en son cœur depuis toujours » (10,13) : son intention première et dernière est de « mener à la mort, au rendez-vous de tout vivant » (30,23). Même la *sainteté* de Dieu se voit contestée : le Saint invente la culpabilité pour pouvoir l'imputer (10,6-7.14-15). Job rejette ainsi sur Dieu la responsabilité non seulement du malheur, mais du mal, et c'est par l'agression, par la méchanceté actuelles de Dieu qu'il tente d'expliquer sa souffrance. C'est la faute de Dieu ; la faute est en Dieu.

Finalement les griefs de Job ébranlent les fondements mêmes de l'Alliance. Dieu le premier a renoncé à sa « justice » ; en d'autres termes, il ne s'est pas montré cohérent dans son dessein de bonté. Désormais toute « justice » de l'homme devant Dieu échouera, car toute réciprocité dans le don et toute fidélité deviennent impensables entre deux partenaires qui ne se reconnaissent plus. C'est Dieu qui a besoin de rédemption, telle est la réponse que Job maintiendra jusqu'à la fin des dialogues avec ses amis, car il n'a plus de son Dieu qu'une image éclatée et des perceptions contradictoires.

À vrai dire, ce trop simple transfert de la culpabilité ne peut constituer la réponse ultime au mystère du mal, et une faille importante affaiblit les certitudes de Job : l'interprétation du malheur comme châtiment vient des amis, et non pas de Dieu. Et de ce postulat terrible Job lui-même ne s'est pas libéré.

Les discours d'Élihou : Un nouveau pas est franchi dans l'exploration théologique du malheur par les discours d'Élihou, le quatrième visiteur (32–37). Dans un long développement sur la pédagogie de Dieu (36,5-23), Élihou reprend les arguments classiques : Dieu ne laisse pas vivre le méchant, mais fait asseoir les pauvres sur le trône avec les rois (36,6-7). Même si des croyants sont « liés par les cordes du malheur », Dieu leur offre une chance « d'achever leurs années dans la joie » : accueillir le *mousar* de Dieu à la fois comme un avertissement et une correction (36,8-11). Mais ensuite Élihou innove par une formule d'une hardiesse tout à fait inattendue : « Dieu sauve le malheureux *par* son malheur et lui ouvre l'oreille par la détresse » (36,15). Élihou n'envisage pas, comme le texte d'Is 53,10, que la souffrance d'un serviteur de Dieu puisse servir au rachat d'un peuple, mais il valorise pleinement l'épreuve du juste au niveau individuel : le malheur peut être, dans le dessein de Dieu, un instrument de salut pour l'homme. La détresse elle-même est révélante : elle « ouvre l'oreille » du pécheur. Ce qui manque ici, cependant, c'est l'aspect proprement paternel de la pédagogie de Dieu. Il va se faire jour dans le long discours du Seigneur (38,1 – 41,26).

Les discours de Dieu : Dieu répond, en effet (38,1), et Job le « voit de ses yeux » (42,4) ; mais un décalage subsiste entre les griefs de Job et les thèmes développés par Dieu dans sa réponse. Au tableau tragique de la condition humaine, le Seigneur a simplement juxtaposé la fresque de ses œuvres. Comment unifier la perspective, comment articuler les deux approches de l'action divine ?

Au niveau du cosmos et des vivants, Dieu équilibre les contraires, assure les alternances, tempère les lois par sa fantaisie et sa puissance par la tendresse. Là sa sagesse n'est pas prise en défaut ; l'œuvre est cohérente. Là ne se rencontrent ni mérite à récompenser, ni méchants à punir ; et même si le gouvernement de ce monde pluriel implique souvent une sagesse paradoxale, nulle part on ne se heurte au chaos. Selon Job, le chaos existe bien, mais à l'autre niveau, celui de l'homme et de sa liberté. Dans ce monde où l'homme doit vivre autonome et responsable, il est confronté malgré lui au mal moral et au malheur. Bien plus, le malheur est à ce point aléatoire qu'il est déconnecté du mal et peut être totalement immérité.

Quand enfin le Seigneur sort de son mutisme, il ne répond pas directement sur le chaos moral que Job lui reproche, car sur ce thème la parole du serviteur est piégée par l'imaginaire. Dieu juge, Dieu inquisiteur, Dieu cruel : autant d'images par lesquelles Job a tenté d'objectiver son angoisse. Le Créateur ne répond pas à ce niveau des fantasmes, mais au niveau du réel qui manifeste ce qu'on peut connaître de lui ; il donne la parole à ses œuvres et laisse finalement Job devant le spectacle de leur harmonie paradoxale. Il n'argumente pas, pied à pied, à partir des griefs de Job, mais suggère à sa foi un chemin lui aussi paradoxal : pour échapper au chaos qui l'obsède, Job doit renoncer à contraindre Dieu. Bien loin d'imposer au Créateur des critères figés, il doit accepter de ne pas savoir, pour entrer dans la sagesse de Dieu qui fera éclater ses limites.

Et Job répondit au SEIGNEUR et dit :
« Je sais que tu peux tout
et qu'aucun projet n'est pour toi impossible.
Qui est celui qui offusque (ton) plan par manque de science ?
De fait, j'ai évoqué, sans les comprendre,
des merveilles hors de ma portée, et que je ne savais pas.
Daigne écouter, et moi je parlerai ;
je vais te questionner pour que tu m'instruises.
Par ouï-dire j'avais entendu parler de toi,
mais à présent mon œil t'a vu,
c'est pourquoi je me rétracte et me repens
sur la poussière et sur la cendre. » (42,1-6)

Des questions demeurent, que Job va poser (v.4), mais dans un nouveau climat et en totale soumission à Celui qui est toute la réponse. La rencontre avec Dieu débouche donc pour Job à la fois sur le silence (40,4-5) et sur le dialogue (42,4). Le silence ramène Job à sa vraie place, et dans le dialogue qui s'amorce, Dieu va « faire savoir » à Job quel est son véritable visage.

Dans l'Épilogue (42,7-17), le Seigneur, au moment où il va restaurer le bonheur de Job, s'adresse à Éliphaz, le premier des visiteurs, et lui dit : « Vous n'avez pas parlé de moi avec droiture comme l'a fait *mon serviteur Job*. Et maintenant procurez-vous sept taureaux et sept béliers, puis allez vers *mon serviteur Job*. Vous offrirez pour vous un holocauste, tandis que *mon serviteur Job* priera pour vous. Ce n'est que par égard pour lui que je ne vous infligerai pas ma disgrâce pour n'avoir pas, comme *mon serviteur Job,* parlé avec droiture de moi » (42,7-8).

On mesure aisément l'importance théologique de cette parole du Seigneur qui, à quatre reprises, réhabilite Job en le nommant « mon serviteur ». Sans cette parole qui énonce l'appréciation de Dieu, même le nouveau bonheur de Job resterait marqué d'ambiguïté. On pourrait dire tout au plus que la situation de Job, objectivement, a changé. Mais puisque Dieu a parlé, les visiteurs savent désormais que Job était réellement innocent et qu'il est présentement encore le familier de Dieu. Désormais ils pourront, et tous avec eux, interpréter le nouveau bonheur de Job comme la bénédiction que Dieu renouvelle à son serviteur.

Tout n'est pas éclairé pour autant, et le livre de Job laisse encore sans réponse tout un pan de la question, qui importe tant pour l'image de Dieu. Si Dieu, en effet, livre bien le sens du bonheur de Job, il ne dit pas clairement pourquoi le malheur est venu le frapper. Toutefois Job sait maintenant que rien ne l'autorisait à privilégier l'aspect « ténébreux » et « voilé » (38,2 ; 42,3) du visage de Dieu, aux dépens de sa bonté et de sa fidélité qui lui sont de nouveau révélées avec surabondance.

Qohélet ou l'Ecclésiaste

Qohélet est un pseudonyme qui signifie « celle / celui qui rassemble » (en grec : Ecclésiaste). Par fiction littéraire, l'auteur s'identifie à Salomon, « fils de David, roi d'Israël, à Jérusalem » (1,1.12). Il a écrit, au IVe ou au IIIe siècle, une sorte d'essai sur la condition humaine. C'est une œuvre inclassable, composée sans grand souci de logique, mais qui surprend et touche par son accent d'authenticité. Qohélet revient d'abord sur la réussite exceptionnelle de ses projets royaux (2,1-26) ; puis il s'interroge longuement sur la réalité du bonheur des hommes (3,1 – 7,14) et sur la valeur de la sagesse et de ses postulats traditionnels (7,15 – 9,6), avant de conclure par une série de remarques et de conseils (9,7 – 12,8) d'où émergent deux consignes réalistes : il faut entreprendre, en toute lucidité (9,10 ; 11,1-6) et « faire aboutir la sagesse » (10,10), même si elle n'est pas toujours récompensée ; et en même temps il faut savourer les joies que Dieu donne (9,7-9 ; 11,9-10), avant que vienne le soir de la vie (12,1-7).

Qohélet face à la sagesse humaine

Qohélet, bien après Job, se fait lui aussi l'écho d'un malaise des esprits à une époque où, pour Israël, administré par des dynasties étrangères, tout rêve théocratique s'est estompé. Il critique la sagesse comme système clos et comme tentative d'explication totale du réel. Intimement solidaire de tous les hommes en désarroi qu'il voit vivre autour de lui, il découvre au cœur de tout effort et de tout projet un indice de fragilité et de « vanité » : le *hèbèl* (en hébreu : « souffle impalpable, buée »). Ce mot *hèbèl* résume toute ses découvertes et recouvre les trois secteurs principaux de sa recherche : le temps, les valeurs, et le lien de l'homme aux choses de son univers.

Vanité des vanités, dit Qohélet ; vanité des vanités, tout est vanité. Quel profit trouve l'homme à toute la peine qu'il prend sous le soleil ? Un âge va, un âge vient, mais la terre tient toujours. Le soleil se lève, le soleil se couche, il se hâte vers son lieu et c'est là qu'il se lève. Le vent part au midi, tourne au nord, il tourne, tourne et va, et sur son parcours retourne le vent. Tous les fleuves coulent vers la mer et la mer n'est pas remplie. […] Ce qui fut, cela sera ; ce qui s'est fait se refera, et il n'y a rien de nouveau sous le soleil ! (Qo 1,1-7.9)

LE TEMPS : Le point de départ de la réflexion de Qohélet est une perception très fine de la temporalité. Toute chose a son rythme (1,5) et souvent obéit à une loi d'alternance ou d'inexorable succession (3,1-8 ; 1,4)

Il y a un moment pour tout et un temps pour toute chose sous le ciel.
Un temps pour enfanter et un temps pour mourir ;
un temps pour planter et un temps pour arracher le plant.
Un temps pour tuer et un temps pour guérir ;
un temps pour détruire et un temps pour bâtir.
Un temps pour pleurer et un temps pour rire ;
un temps pour gémir et un temps pour danser […]
Un temps pour aimer et un temps pour haïr ;
un temps pour la guerre et un temps pour la paix. (Qo 3,1-4.8)

Les biens les plus précieux, telles la force et la jeunesse, ne sont jamais que temporaires (11,10), et les promesses des choses cachent toujours un leurre. Comme la mer insatiable attire toutes les eaux, les yeux de l'homme et sa bouche quêtent au long de la vie des joies qui jamais ne comblent (1,7-8 ; 4,7-8 ; 5,9 ; 6,7). Tout passe ; et pourtant le temps qui fuit n'apportera jamais rien de nouveau sous le soleil (1,9), car ce temps se referme sur lui-même pour ramener demain ce qui fut hier (3,15). Le cours cyclique des événements engendre l'oubli, la monotonie et l'ennui (1,6-11), et l'homme se lasse d'essayer de penser ce monde où « il n'y a rien à ajouter et rien à retrancher », puisque « tout ce que Dieu fait sera pour toujours » (3,14).

LES VALEURS : Même déception devant la perversion des valeurs. Les hommes ne sont pas à leur place, ni le juge inique, ni le roi gâteux et insensé (3,16 ; 4,13-16), et dans le royaume l'autorité se dégrade à tous les niveaux, laissant l'indigent sans recours (5,7). Ni le bien, ni le travail, ni la dignité morale ne trouvent leur récompense (8,10-14) ; les compétences ne sont pas reconnues, et la sagesse est méprisée quand elle vient d'un pauvre (9,11.13-16). Dès lors la tentation de l'indifférence devient irrésistible pour Qohélet : puisque les contraires s'annulent (3,1-8), puisqu'une même mort confond le sot et le sage et ravale tous les hommes au rang des bêtes (2,12-15 ; 9,2 ; 3,18-21), à quoi bon l'effort, à quoi bon la sagesse ? « Tout ce qui vient est vanité » (11,8). Les valeurs, faussées et bafouées dans le monde, finissent par s'inverser dans le cœur du sage : mieux vaut l'avorton que l'homme aux cent fils (6,4), mieux vaut la mort que l'existence : « Alors je félicite les morts qui sont déjà morts plutôt que les vivants qui sont encore vivants. Et plus heureux que tous les deux est celui qui ne vit pas encore et ne voit pas l'iniquité qui se commet sous le soleil » (4,2-3).

Les biens : Le troisième axe de réflexion de Qohélet est le lien qui existe entre l'être de l'homme et son avoir. Là non plus, l'homme ne trouve aucune sécurité ni aucun point d'appui : « où abonde le bien, abondent ceux qui le mangent » (5,10) ; celui qui a travaillé n'en jouit pas, et c'est l'étranger qui en profite (2,18-23 ; 6,1-2). Aucune fortune n'est à l'abri d'une catastrophe, et l'homme qui a peiné toute sa vie ne laissera peut-être rien à son fils : « Quel profit retire-t-il d'avoir travaillé pour le vent ? » (5,15). Puisque l'homme ne connaît pas son heure (9,2), puisque l'avoir de l'homme n'est en rien lié à son être, mieux vaut jouir, au jour le jour, de ce que Dieu accorde : « Mieux vaut ce que voient les yeux, que le mouvement du désir » (6,9).

Ce qui rend Qohélet particulièrement percutant dans cette critique de la sagesse humaine, c'est qu'il focalise ses observations et ses remarques sur le thème unique de l'échec. Il saisit l'homme au moment où, de tous côtés, il se heurte à ses propres limites, et c'est par les fissures de l'avoir qu'il glisse en l'homme le désir d'un supplément d'être. Qohélet vient de la richesse, et sans rupture. C'est la pesanteur même de la richesse, du pouvoir et du savoir qui lui révèle sa finitude ; c'est la fermeture de son univers qui l'accule à prendre conscience de l'étroitesse de son cœur d'homme. Il bute sur le temps et la mort, qui lui apparaissent comme des chiffres du *hèbèl,* et il amorce sa réflexion sur Dieu au moment où la trajectoire du bonheur commence à s'infléchir.

La part de Dieu et la part de l'homme

Qohélet achoppe sur le mystère impénétrable de l'action divine. Dieu n'explique ni son dessein ni les moyens qu'il choisit, et l'homme se retrouve seul avec sa question, dans un monde muet. Il vit sous le signe du travail, de la peine (*amal*), c'est-à-dire du devoir, de l'occupation (*inyân*), des choses qui l'accaparent. Il ressent douloureusement sa disharmonie avec la société et avec l'histoire. Sans racines dans l'existence, sans point focal pour une vision cohérente du monde (3,11), il se sent vulnérable de tous côtés. Dieu est loin, le monde n'est pas accueillant : partout c'est l'insécurité. La tentation de l'homme est alors de projeter sur Dieu la responsabilité de la dissonance. Qohélet lui aussi semble prendre plaisir à accumuler les apories, et par là, indirectement, il ne se prive pas de questionner Dieu. Mais il s'arrête avant de le juger et se résigne à ne pas tout dire.

Il parlera donc de Dieu et de la réponse à Dieu, mais avec une sorte de réserve et de modestie contrainte. Ce qu'il préconise se résume en quatre points.

1. Il faut affirmer, en toute hypothèse, *l'existence d'une Providence divine.* Si l'homme ignore le sens de sa propre aventure, si, face au shéol égalitaire et inéluctable, il se sent désarmé, et si personne n'est « dispensé du combat » de la mort (8,5-8), cette incertitude et cette vulnérabilité mêmes sont providentielles, parce qu'elles découragent tout essai de maîtriser l'avenir. Si le mal existe, troublant les relations sociales et l'ordre de la création, il vient du cœur de l'homme : « Vois seulement ce que j'ai trouvé : que Dieu a fait l'homme tout droit, mais eux, ils cherchent bien des calculs ! » (7,29).

2. Partant de la certitude de la mort, l'homme doit *accepter ses autres limites*, sans surprise ni colère. En particulier il doit consentir à se trouver en porte-à-faux dans le monde. Le rythme des choses n'épouse pas forcément celui des hommes ; chaque chose a son moment propice et il est normal que l'homme, dans la création, soit le seul être à contretemps, puisqu'il est le seul à demander le sens de sa temporalité.

3. Il faut agir, tout *en ignorant le sens dernier de l'action.* Il faut accepter la course, malgré le handicap. Ni désertion ni abstention ne seraient sagesse pour l'homme qui ne vivra qu'une fois (9,10).

4. Le bonheur fanant très vite lui aussi, *saisir les joies saines* quand elles passent c'est rejoindre une volonté de Dieu qui a donné à l'homme cette « part » : « Va, mange avec joie ton pain et bois de bon cœur ton vin, car Dieu a déjà apprécié tes œuvres. En tout temps porte des habits blancs et que le parfum ne manque pas sur ta tête. Prends la vie avec la femme que tu aimes, tous les jours de la vie de vanité que Dieu te donne sous le soleil, car c'est ton lot dans la vie et dans la peine que tu prends sous le soleil » (9,7-9).

Mais, selon Qohélet, l'homme ne pourra goûter avec sécurité aux joies terrestres que s'il sait demeurer consciemment dans ses limites et s'il consent à éviter en tout la démesure. L'ennemi, c'est l'excès dans le désir. Qohélet lui-même en fait l'expérience, et c'est pourquoi sa sérénité reste douloureuse. Elle masque une disproportion entre ses désirs et son engagement personnel. Il attend des choses ce qu'elles ne peuvent donner ; il demande trop au monde et pas assez à lui-même.

Par ailleurs, pour mieux comprendre ce que Dieu fait dans la création, Qohélet devrait entendre ce qu'il dit à son peuple. En n'intégrant jamais l'histoire sainte d'Israël dans sa perspective théologique, l'auteur épaissit encore le silence de Dieu. Les questions qu'il pose à la sagesse divine demeurent sans réponse hors du champ de l'Alliance.

Le Siracide (ou l'Ecclésiastique)

Le scribe Jésus fils de Sira (en hébreu *ben Sira*, d'où en grec : le Siracide), notable de Jérusalem, a écrit vers 190 av.J.C. le plus long des livres bibliques de sagesse. À cette époque l'hellénisme, paré du prestige de l'intelligence, de la beauté et de la liberté individuelle, faisait de rapides progrès dans tout le Proche Orient. La Palestine venait de passer, en 198, sous le contrôle des Séleucides, dynastie grecque héritière en Syrie de l'empire d'Alexandre. Chaque grande ville voulait avoir son gymnase, c'est-à-dire en fait une institution d'éducation « secondaire » pour les jeunes citoyens des classes aisées. À Jérusalem même, le Temple et ses cérémonies étaient de plus en plus négligés, et l'exemple de l'ouverture à la nouveauté venait de haut, par exemple de la puissante famille aristocratique des Tobiades [*voir* p. 366].

La sagesse du judaïsme

Ben Sira, sans rejeter *a priori* tous les usages grecs (voir 31,12–32,13), s'est donné pour tâche de réaffirmer les valeurs traditionnelles du judaïsme. Il n'accumule pas les sentences isolées, comme dans le livre des Proverbes, mais, dans une longue première partie (1,1–42,14), il procède par tableaux ou portraits successifs où la pensée a le temps de s'articuler, à la manière de la sagesse égyptienne tardive (en langue démotique). Tout l'intéresse : la vie sociale, les réflexes moraux, les rapports de Dieu avec sa création, mais surtout la fidélité à la Loi et la recherche de la sagesse. La deuxième partie de l'œuvre, beaucoup plus courte (42,15–50,29), est centrée sur la gloire de Dieu dans la création et dans l'histoire. Ben Sira innove en introduisant dans la réflexion sapientielle le souci du passé d'Israël, et son Éloge des Pères (44–50), bien qu'utilisant des matériaux purement bibliques, se rapproche du modèle grec de l'*encômion :* une sorte d'éloge, de panégyrique. L'auteur clôt son livre à la première personne par une hymne d'action de grâces (51,1-12) et un retour enthousiaste sur sa vie de sage (51,13-30).

Le propre petit-fils de Jésus ben Sira, voyageant en Égypte vers 132, trouvera un exemplaire de « cette importante instruction » et se fera un devoir de le traduire en grec « à l'usage de ceux-là aussi qui, à l'étranger, veulent s'instruire, réformer leurs mœurs, et vivre conformément à la Loi » (fin du Prologue). Cette traduction grecque fut longtemps le seul texte connu du Siracide. Des fragments hébreux ont été découverts au Caire (1895 et 1931), puis dans la grotte 2 de Qoumrân (1956) et enfin à Massada (1964). L'ensemble de ces fragments couvre environ les deux tiers du livre. Dès avant l'ère chrétienne le texte original de Ben Sira semble avoir été remanié par endroits dans un hébreu plus récent, ce qui explique la présence, dans les versions postérieures, d'un texte court et d'un texte plus long qui atteste quelques infléchissements théologiques.

Les grands enseignements du Siracide

LE DIEU DE TOUJOURS : Ben Sira reprend les affirmations traditionnelles touchant le Dieu unique (36,5 ; 42,21), éternel (18,1-7 ; 36,17), saint (23,9), et créateur omniscient (42,18-25). Il ose toutefois écrire : « Pour le dire en un mot : Il est le tout » (43,27). La formule surprend, mais elle rappelle Jr 23,24 et Ps 139,7-12, et par ailleurs l'accent mis sur la transcendance et la liberté de Dieu (43,28) écarte tout soupçon de panthéisme.

Selon Ben Sira la création de Dieu est parfaite sous tous ses aspects (39,12-35), et cela en dépit de la misère de l'homme (40,1-11) et de la menace constante de la mort (41,1-4). Programmée pour durer indéfiniment (42,33), la création obéit à une curieuse loi structurelle : « Toutes les choses vont deux par deux, en vis-à-vis, et Dieu n'a rien fait de déficient » (42,24). Cette loi de polarité, qui vaut pour les hommes (33,13-15) comme pour le cosmos, traduit une volonté souveraine du Créateur. Le mal, physique et métaphysique, est repris finalement dans l'harmonie de l'œuvre divine (42,22-25 ; 43,10).

L'HOMME ET SA LIBERTÉ : Ce savoir et ce pouvoir englobants de Dieu ne veulent aucunement réduire l'homme au silence ni le stopper dans sa quête. L'homme doit exalter Dieu « selon tout son pouvoir » (43,30) et selon toute la sagesse que Dieu lui a départie (v.33). À plusieurs reprises Ben Sira insiste sur le libre arbitre de l'homme (15,11-17 ; 17,7 ; 27,8 ; voir Dt 30,15.19) : « C'est le Seigneur qui au commencement a fait l'homme et l'a remis aux mains de son conseil » (15,14). Ce qui détermine l'action de l'homme, c'est donc son *diaboulion*, sa délibération. Le texte hébreu, ici et en 27,6, emploie le mot *yéçer*, qui désigne la libre décision de chacun (voir 21,11 ; 37,3).

Rien qu'ici-bas : Alors que le principe strict de la rétribution temporelle avait été battu en brèche par Job, Qohélet et les Psaumes 43 et 73, Ben Sira reprend sur ce point les postulats de la vieille sagesse israélite, en les colorant de sa vénération pour la Tora : les transgressions de la Loi appellent dès cette vie le châtiment de Dieu ; au contraire la fidélité assure au croyant tous les biens qu'il peut désirer, bien-être, santé, et souvenir durable après la mort (1,13 ; 2,8 ; 7,36 ; 28,6 ; 37,26 ; 39,9-11 ; 41,5-13). Dieu lui-même se porte garant de cette juste rétribution (11,26 ; 12,6 ; 27,23), mais toujours dans le cadre de la vie terrestre, ou tout au plus au moment de la mort (28,6), et jamais Ben Sira ne laisse entrevoir une survie outre-tombe.

La prière et le culte : La prière personnelle tient une grande place dans l'œuvre de Ben Sira, qu'il s'agisse de la louange (17,8-10 ; 39, 14-15.35 ; 43,30), de l'action de grâces (51,1-12.22) ou de la supplication (21,1 ; 22,27 – 23,6 ; 28,2-4 ; 35,16-22 ; 36,1-22). En revanche Ben Sira cite peu de prières liturgiques, alors même qu'il porte un grand intérêt au culte et au sacerdoce. Les éloges appuyés qu'il fait d'Aaron, de Pinhas et du grand prêtre Simon (45,6-22.23-26 ; 50,1-21) se comprennent aisément à une époque où le sacerdoce des fils de Sadoq voyait grandir son influence politique.

La Sagesse aimée : Ben Sira, dont la vie fut une longue quête de la sagesse (51,13-30 ; 24,30-34), insiste sur l'importance de cet apprentissage (6,18-37) et sur le discernement qu'il requiert (19,20-30 ; 37, 16-26). Comme le cultivateur, il faut attendre patiemment les fruits de la sagesse (6,27 ; 14,2), et comme un esclave volontaire « ne pas s'irriter de ses liens » (6,25). Le bonheur du sage est à ce prix (14,20 – 15,10). Avec la sagesse qui le nourrit et l'abreuve (15,3) il entretient une relation vraiment personnelle, car cette sagesse devient pour lui une épouse accueillante (15,2) et une mère qui éduque et révèle ses secrets (4,11-19).

Pour Ben Sira comme dans les Proverbes (1,7 ; 9,10) la base et le sommet de toute sagesse, c'est la crainte du Seigneur, entendue comme une attitude de respect et d'ouverture qui se traduit dans une obéissance filiale (1,11-21 ; 2,7-10.15-17 ; 21,11). Toute crainte du Seigneur entraînant la fidélité à sa Loi (2,15-16 ; 23,27), le sage va s'appliquer à garder les préceptes (1,26 ; 6,37 ; 19,20). Ce sera pour lui comme un culte spirituel (35,1-2). Dans le texte central du ch. 24, Ben Sira envisage non plus les préceptes particuliers, mais la Tora dans son ensemble, en tant que révélation des desseins et de l'œuvre de Dieu. Pour lui la Tora, sans être proprement identifiée à la sagesse, en est certainement l'expression privilégiée : « Tout cela (tout ce qui a été dit de la Sagesse, de son rôle et de ce qu'elle apporte), n'est autre que le livre de l'alliance du Dieu Très-Haut, *la Loi* promulguée par Moïse, laissée en héritage aux assemblées de Jacob. C'est elle qui fait abonder *la Sagesse* comme les eaux du Phisôn (le fleuve du Paradis) » (24,23.25).

Ben Sira valorise à ce point la Sagesse qu'il envisage à deux reprises sa préexistence auprès de Dieu : « Avant toutes choses fut créée la sagesse, l'intelligence prudente vient des temps les plus lointains » (1,4 ; 24,3 ; *voir* p. 473).

1 La Sagesse fait son propre éloge,
au milieu de son peuple elle montre sa fierté [...]
3 « Je suis issue de la bouche du Très-Haut
et comme une vapeur j'ai couvert la terre.
J'ai habité dans les cieux
et mon trône était une colonne de nuée.
Seule, j'ai fait le tour du cercle des cieux,
j'ai parcouru la profondeur des abîmes.
Dans les flots de la mer, sur toute la terre,
chez tous les peuples et toutes les nations, j'ai régné.
Parmi eux tous j'ai cherché le repos,
j'ai cherché en quel patrimoine m'installer.
Alors le créateur de l'univers m'a donné un ordre,
celui qui m'a créée m'a fait dresser ma tente.
Il m'a dit : "Installe-toi en Jacob,
en Israël reçois ton héritage".
Avant les siècles, dès le commencement, il m'a créée,
éternellement je subsisterai.
Dans la Tente sainte, en sa présence, j'ai officié ;
c'est ainsi qu'en Sion je me suis établie,
et que dans la cité bien-aimée j'ai trouvé mon repos,
qu'en Jérusalem j'exerce mon pouvoir. [...]
13 J'y ai grandi comme le cèdre du Liban,
comme le cyprès sur le mont Hermon. [...]
16 J'ai étendu mes rameaux comme le térébinthe,
ce sont des rameaux de gloire et de grâce. [...]
19 Venez à moi, vous qui me désirez ;
et rassasiez-vous de mes produits. [...]

22 Celui qui m'obéit n'aura pas à en rougir
et ceux qui œuvrent par moi ne pécheront pas. »

23 Tout cela n'est autre que le livre de l'alliance du Dieu Très-Haut,
la Loi promulguée par Moïse,
laissée en héritage aux assemblées de Jacob.
(Si 24,1...23)

La Sagesse de Salomon

La Sagesse de Salomon a été écrite vers 30-10 avant notre ère, très probablement à Alexandrie, foyer de culture où, depuis plusieurs siècles, les Juifs de langue grecque s'efforçaient d'harmoniser leur foi avec les valeurs de l'hellénisme [*voir* p. 365]. Ce livre est une œuvre vigoureuse, originale et attachante, dont les trois parties bien distinctes sont dues au même auteur.

BIBLE

LES ARTISANS ET LE SCRIBE

En bon scribe, Ben Sira est persuadé de l'importance de l'instruction qui permet à la fois d'étudier la loi de Dieu et d'obtenir un certain rang social. Sans mépriser les artisans, il montre la supériorité du scribe sur eux. Mais plus tard, les pharisiens recommanderont d'allier l'étude de la Loi et le travail manuel ; par exemple Saul de Tarse sera tisserand et le grand rabbi Shammaï charpentier, comme Jésus.

La sagesse du scribe s'acquiert aux heures
de loisir
et celui qui est libre d'affaires devient sage.
Comment deviendrait-il sage, celui
qui tient la charrue ? [...]
Son cœur est occupé des sillons qu'il trace
et ses veilles se passent à engraisser
des génisses.
Pareillement tous les ouvriers et
gens de métier
qui travaillent jour et nuit [...]

Suit la description du travail du graveur, du forgeron et du potier.

Tous ces gens ont mis leur confiance
en leurs mains
et chacun est habile dans son métier.
Sans eux nulle cité ne pourrait se construire
[...]
Mais on ne cherche pas à les avoir
au conseil du peuple [...]
Ils ne brillent ni par leur culture
ni par leur jugement
Mais ils assurent une création éternelle
et leur prière a pour objet les affaires
de leur métier.

Il en va autrement de celui qui applique
son âme
et sa méditation à la loi du Très-Haut.
Il scrute la sagesse de tous les anciens,
il consacre ses loisirs aux prophéties [...]
Dès le matin, de tout son cœur,
il se tourne vers le Seigneur, son créateur [...]
Lui-même répandra ses paroles de sagesse,
dans sa prière il rendra grâces au Seigneur
[...]
Il mettra sa fierté dans la loi de l'alliance
du Seigneur.

(Siracide 38,24... 39,8.)

Un livre juif de forme grecque

La *première partie*, dans la pure tradition sapientielle*, oppose la destinée des justes à celle des impies (1,1 – 6,21). La mort, même prématurée, des justes les introduit dans le salut et l'immortalité ; les impies, au contraire, après une vie gâchée et décevante, ne connaissent pas la récompense auprès du Seigneur. Au centre de cette partie (ch. 3–4) l'auteur professe sa foi en l'immortalité qui récompense les justes.

Dans la *deuxième partie* (6,22–9,18), Salomon lui-même est censé s'adresser aux autres rois, d'où le titre du livre. Simple mortel, il a prié pour obtenir la sagesse, et celle-ci l'a comblé en lui enseignant tout. C'est pourquoi il est à même de préciser sa nature et son origine mystérieuse : esprit intelligent et saint, elle est unie si intimement à Dieu qu'elle s'identifie avec son agir dans le cosmos et dans les âmes.

La *troisième partie* (10–19) décrit la Sagesse à l'œuvre tout au long de l'histoire, d'abord dans la vie des héros de la Genèse (10), puis au cours de l'exode* du peuple de Dieu (11–19). Ce dernier développement est un moment interrompu par une digression sur le culte des astres, des idoles et des animaux (13–15).

Cet ordonnancement du livre répond aux requêtes du genre littéraire démonstratif (ou épidictique) bien connu de la rhétorique grecque (Aristote, Isocrate) avec ses trois moments typiques : l'exorde, l'éloge, et la syncrisis (« comparaison », ou apport d'exemples, ici tirés surtout de l'Exode). Jamais, avant la *Sagesse*, un livre biblique n'a reflété à ce point la culture grecque, et pourtant, par bien des traits, l'œuvre demeure profondément juive. Pour l'auteur, en effet, la Sagesse ne peut qu'être reçue comme un don, qu'il faut demander à Dieu dans la prière (7,15-21 ; 9). Par ailleurs l'épopée d'Israël est célébrée avant tout comme la geste de salut accomplie par Dieu, qui a constamment usé de clémence et de modération, tant envers son peuple qu'envers l'Égypte et Canaan (11,15-20 ; 12,4-11). À partir de 11,1 la Sagesse s'efface (sauf incidemment en 14,5), et Dieu occupe tout le champ de l'action, au point que l'auteur s'adresse directement à lui, transformant sa fresque historique en une longue prière. Autre trait spécifiquement juif : partout où l'auteur renvoie à un texte ou à un épisode bibliques, son commentaire s'apparente à l'exégèse libre du « midrash » juif : le commentaire enrichi d'amplifications légendaires.

De toute évidence, l'auteur s'adresse à des Juifs, sans avoir besoin d'expliciter ses allusions à la Genèse (Sg 10,1-14). Au-delà de l'élite intellectuelle, et spécialement des jeunes, futurs cadres de la communauté, il vise tous ceux que menacent la tiédeur, le rejet des commandements (2,12) ou la fascination des systèmes philosophiques et des religions à mystères. Il les rappelle tous à leurs devoirs envers la tradition et la mission d'Israël, « par qui devait être donnée au monde l'incorruptible lumière de la Loi » (18,4).

L'apport théologique

L'auteur de la Sagesse souligne, à sa manière personnelle, des traits de l'action divine que déjà la tradition avait mis en lumière. Créateur, maître de l'univers, ami de l'homme, Dieu est le sage par excellence. C'est pourquoi sa pédagogie, qui sait se montrer forte (12,20), se nuance toujours de modération (12,15-18) et de miséricorde (11,23 ; 12,20).

Mais la Sagesse de Dieu apparaît déjà sous un jour nouveau lorsque l'auteur écrit : « Dieu a créé l'homme pour l'incorruptibilité ; il en a fait une image de sa propre nature » (2,23) ; « ceux qui sont fidèles demeureront auprès de lui dans l'amour » (3,9). Dieu leur prépare un au-delà de bonheur. L'énigme de la rétribution*, qui pesait si fort sur la théologie des sages antérieurs (Job, Qohélet), s'éclaire de manière définitive : l'au-delà manifestera la valeur réelle d'un croyant aux yeux de Dieu [*voir* p. 479].

Un pas de plus est franchi dans l'audace théologique quand l'auteur s'applique à faire de la Sagesse une réalité proprement divine. Concentrant en elle les principaux attributs de Dieu, elle exprime adéquatement les divers modes de son agir dans le monde. Elle n'est pas présentée comme intermédiaire entre Dieu et le monde, mais comme le signe d'une présence intense à l'univers et à la conscience de l'homme. Parallèlement, dans certains passages le « moi » personnel de la Sagesse semble prendre une certaine consistance : elle est reine, aimée du Maître de l'univers, en symbiose avec lui et initiée à la science même de Dieu, et elle est à l'œuvre partout dans le gouvernement du cosmos. De plus elle peut être donnée en partage aux croyants. Elle est alors en l'homme sans cesser d'être de Dieu [*voir* p. 473-474].

Une nouvelle anthropologie

Le livre de la Sagesse superpose parfois à la conception juive de l'être humain des schèmes empruntés à l'anthropologie grecque. Comme les autres écrivains de l'Ancien Testament, l'auteur de la Sagesse voit dans l'âme (*psychè*) à la fois le principe vital qui anime le corps, la source de toutes les énergies et de toutes les activités de l'homme (15,11), et le siège du moi individuel, donc de l'effort moral et des aspirations religieuses. Cette notion très riche occupe une place prépondérante dans l'anthropologie de la *Sagesse*. Le mot *pneuma*, pour désigner l'esprit, le souffle de l'homme, apparaît seulement au voisinage d'un thème de création : l'homme est « un être au souffle d'emprunt » (15,16 ; 16,14).

Par d'autres traits le livre trahit l'influence de la pensée grecque.

– Les notions, typiques de l'Ancien Testament, de « cœur » (*kardia*) et de « chair » (*sarx*) ont perdu toute importance.

– L'accent est mis sur le binôme âme-corps (*psychè-sôma*) et le livre souligne la distinction de nature et d'origine entre l'âme, qui a sa réalité propre, et le corps corruptible (9,15).

– Ce contraste se trouve renforcé en 4,12 et 9,15 par la présence du mot *noûs* (esprit pensant), de résonance très grecque.

– Si l'on peut parler d'un dualisme grec dans la *Sagesse*, c'est uniquement dans le sens d'un dualisme psychologique et moral. En effet, sur plusieurs points essentiels, l'auteur prend ses distances par rapport aux penseurs grecs. Pour lui l'âme n'est pas étrangère au corps, et il ne semble pas qu'il la considère comme réellement préexistante (même en 8,19-20). Jamais l'union de l'âme et du corps n'est décrite comme une déchéance ; au contraire l'âme est créée par Dieu *pour* être unie au corps, et ce corps est son expression normale. Certes, la *Sagesse* réserve une grande place aux valeurs de connaissance (4,12 ; 6,15 ; 7,7.15 ; 8 ; 9,13-18), mais le salut concerne l'homme tout entier ; corps et âme, il doit se soumettre aux exigences de l'Esprit ou de la Sagesse (1,4-5). Dans la perspective de ce livre, à la différence de la philosophie platonicienne, il n'est jamais question, pour l'âme, de s'affranchir de la matière ou de s'évader du corps pour retrouver sa liberté et sa pureté premières. Ainsi, dans la *Sagesse*, le réalisme biblique équilibre remarquablement les apports grecs.

La Sagesse personnifiée

Cinq textes bibliques, largement espacés dans le temps, évoquent les relations privilégiées de Dieu avec la Sagesse plus ou moins nettement personnifiée :

– *Proverbes 8,22-31*, qui pourrait être préexilique, même si l'ensemble Pr 1–9 a été retravaillé après l'Exil ;

– *Job 28*, que l'on peut dater, avec l'ensemble du livre, du Vᵉ siècle, ou considérer comme un ajout du IVᵉ ;

– *Siracide 24*, dont l'original remonte aux années 190-180 ;

– le texte sapientiel de *Baruch 3,9 – 4,4* qui se situe vers 100-80 av.J.C. ;

– et enfin le livre grec de la *Sagesse de Salomon*, vers 30-10 avant notre ère.

« Moi, la Sagesse » (Proverbes 8,22-21)

Dans les premiers chapitres des Proverbes, la Sagesse est personnalisée à un premier niveau comme l'archétype féminin du sage : femme désirable qu'il faut s'attacher à tout prix (Pr 4,5-9), sœur ou amie (7,4), capable d'interpeller les humains comme un prophète (8,1-3), mais dans le style des sages (1,22-33 ; 8,4-11). À partir de 8,12 elle se présente personnellement, énumère les attributs qui la rapprochent de Dieu (8,12-21) et revendique une place de faveur auprès de lui (8,22-31). C'est le porche d'entrée pour toute enquête sur la sagesse personnifiée.

La Sagesse ne possède pas, par nature, l'éternité divine, puisqu'elle a été créée (ou acquise) par Dieu (v.22). Toutefois elle existait déjà lors de la création du monde, et pour rejoindre le moment où elle a été « enfantée » (v.24), il faut remonter avant les temps primordiaux, « avant que fussent implantées les montagnes » (v.25). Première en date et en dignité, la Sagesse ne peut donc être alignée sur les autres œuvres de Dieu. Elle n'est rien de matériel à l'intérieur de la création et elle est venue à l'existence d'une autre manière que les êtres visibles.

Dès le début, dès son début, elle est en relation personnelle avec le Seigneur, distincte de lui, mais issue de sa vie, et témoin privilégié de son œuvre. Par là elle revendique une autorité spéciale, voulue par Dieu lui-même. Elle se décrit comme un personnage féminin, probablement une jeune adulte, qui a vécu près de Dieu le début du monde : « J'étais à ses côtés comme le maître d'œuvre (ou : fidèle), je faisais ses délices, jour après jour, m'ébattant tout le temps en sa présence, m'ébattant sur la surface de la terre » (v.30-31). Son rôle a donc consisté à réjouir Dieu sans cesse et à acquiescer joyeusement au lancement du monde, par une sorte de danse inaugurale. Mais cette présence à Dieu créateur semble fonder sa présence parmi les humains : elle qui faisait la joie de Dieu trouve sa propre joie, ses « délices parmi les enfants des hommes » (v.31).

« La Sagesse, d'où vient-elle ? » (Job 28)

Le poème de Jb 28 situe de manière originale la sagesse par rapport à Dieu. Alors que l'homme s'avère incapable de découvrir son lieu (v.12.20) et sa valeur (v.15-19), « Dieu seul en a discerné le chemin et connu, lui, où elle se trouve » (v.23) ; « il vit » la sagesse au moment où il créait le monde ; « il l'évalua, il la pénétra et même la scruta » (v.27) comme le secret d'intelligence et d'amour immanent à son œuvre. Cette sagesse dont Dieu dispose restera, certes, toujours au-delà des prises de l'homme, mais il est une sagesse plus humble qui se trouve à sa mesure et à sa portée, un chemin révélé : la « crainte du Seigneur » (v.28).

« Elle a vécu parmi les hommes » (Baruch 3,9 – 4,4)
Le même message sera explicité dans le texte sapientiel du livre de Baruch [*voir* p. 387]. Ni les grands ni les savants de ce monde ne se soucient de la sagesse (3,16-23), mais l'homme la trouvera si Dieu lui donne de la rencontrer, et il lui suffit pour cela de la chercher en Israël, puisque Dieu l'a donnée sans retour à son peuple choisi : « Il l'a montrée à Jacob, son serviteur, à Israël, son bien-aimé ; puis elle est apparue sur terre et elle a vécu parmi les hommes » (3,37-38). Elle s'offre chaque jour dans la Loi, porteuse de la volonté de Dieu, de sa vie et de sa lumière (4,1-4).

« Installe-toi en Jacob » (Siracide 24, voir p. 467)
La relation personnelle de la Sagesse à Dieu fait également l'objet de la méditation de Ben Sira. Pour lui la Sagesse est « issue de la bouche du Très-Haut » (24,3) ; elle a été créée avant toutes choses, dès l'éternité et pour toujours, par Dieu qui seul est sage (1,4-5 ; 24,9). Dieu « l'a vue, et dénombrée, il l'a répandue sur toutes ses œuvres, en toute chair selon sa largesse ; il l'a distribuée à ceux qui l'aiment » (1,9-10). Concrètement, Dieu l'a établie en Israël, en Jérusalem et dans la Tente sainte, le sanctuaire (24,8-11). Enracinée dans le peuple glorifié (v.12), elle ne cesse d'appeler ceux qui la désirent (v.19), car elle « n'est autre que le livre de l'alliance du Dieu Très-Haut, la Loi promulguée par Moïse » (v.23). Ainsi sa relation privilégiée avec Dieu fait d'elle tout naturellement la médiatrice de son dessein dans l'histoire. Venue de Dieu, la Sagesse reste tournée vers l'homme.

« Le miroir sans tache de l'activité de Dieu » (Sagesse 6–9)
Quelques décennies avant l'ère chrétienne, dans le livre qui porte son nom [*voir* p. 468], la Sagesse apparaît plus nettement encore comme une entité inséparable de Dieu et située dans le rayonnement direct de son essence. « Elle est un effluve de la puissance de Dieu, une émanation toute pure de la gloire du Tout-Puissant [...], un reflet de la lumière éternelle, un miroir sans tache de l'activité de Dieu, une image de sa bonté » (7,25-26). D'autres traits suggèrent davantage son autonomie quasi personnelle : elle est « celle qui partage le trône (de Dieu) » (9,4), elle est en « symbiose » avec Dieu et « le Maître de tout l'a aimée. Elle est, de fait, initiée à la science de Dieu, c'est elle qui décide de ce qu'il

fait » (8,3-4). De plus, dans son action elle est mise en parallèle avec l'Esprit du Seigneur (1,6-7 ; 9,17).

À ceux qui s'unissent à elle, la Sagesse communique les richesses qu'elle tient elle-même de son union à Dieu : l'immortalité, l'incorruptibilité (6,18), l'amitié du Seigneur (7,13), la connaissance de son dessein et de ce qui lui plaît (9,13.17-18). Sa totale réceptivité à la lumière de Dieu fait d'elle une médiatrice de la révélation, et ceux qui lui font confiance deviennent à leur tour des relais du savoir que Dieu donne : « D'âge en âge passant en des âmes saintes, elle en fait des amis de Dieu et des prophètes » (7,27). Enfin, grâce à elle, « les hommes ont été instruits de ce qui t'est agréable et, par la Sagesse, ont été sauvés », comme il est affirmé en 9,18 : verset charnière qui annonce le long développement sur la Sagesse de Dieu à l'œuvre dans l'histoire (10–19 ; *voir* p. 469).

Conclusion

L'évolution que nous venons de retracer au long de six siècles du mouvement sapientiel n'est pas continue ni vraiment homogène. Plusieurs faits majeurs peuvent toutefois être retenus, touchant le rôle de la Sagesse.

1. Elle est présentée comme médiatrice dans *la création* primordiale puis dans le gouvernement de l'univers.
2. Les textes soulignent sa fonction de médiatrice dans *la révélation* aux hommes des richesses de Dieu et de ses desseins, tant dans la vie de chaque homme que dans l'histoire des peuples.
3. Sa pédagogie et son amour des humains font d'elle une médiatrice *de salut*. Venant de Dieu, elle chemine avec les hommes et leur donne d'expérimenter, par leur union avec elle, les réalités divines qui lui viennent de sa « symbiose » avec Dieu.
4. Son rôle, relayant ou non celui de la Tora, se veut *universel*.
5. Enfin la méditation patiente des sages sur ce personnage attachant et insaisissable de la Sagesse leur a permis de mieux penser *les relations de Dieu* au monde, à l'homme et au peuple élu, et, dans une certaine mesure, à son reflet ou à son image.

Bon nombre de ces textes fourniront aux chrétiens un langage pour parler du Fils de Dieu, créateur et sauveur, à la fois auprès du Père et parmi les hommes. Il sera appelé Sagesse de Dieu par saint Paul et Verbe, parole de Dieu, par saint Jean. Certains textes sur la Sagesse seront également appliqués à l'Esprit Saint.

J. L.

La croyance en l'au-delà

L'Israël biblique a mis du temps, comparativement aux nations voisines (Mésopotamie, Égypte et Grèce), à former et à expliciter sa croyance en l'au-delà. Pourtant l'enseignement des prophètes avait nourri des avancées significatives au plan de l'espérance collective, mais leurs images sur une vie après la mort n'étaient que symboliques (Os 6,1-3 ; Is 26,19 ; 25,8 ; Éz 37). Maintes fois dans les Psaumes s'exprime aussi une espérance individuelle (30,4 ; 33,19 ; 56,14 ; 115,17-18 ; 118,17-18), mais, là non plus, on ne dépasse guère les images et les symboles. La pensée biblique est traversée par une valorisation extrême de la vie terrestre, car c'est là seulement que Dieu peut rétribuer chacun en lui envoyant bonheur ou malheur, selon son comportement. Cette conception compose plus ou moins sereinement avec le caractère inéluctable de la mort et avec sa réalité parfois violente. Ce n'est que longtemps après l'Exil, sous le coup des persécutions du roi syrien Antiochus Épiphane (à partir de 167 avant notre ère), que la croyance en l'au-delà a finalement trouvé son expression dans la Bible, avec le livre de Daniel (voir une présentation historique et théologique de ce livre aux p. 377 et 447). À la fin de sa dernière vision, qui concerne la fin de l'histoire, le voyant écrit :

> « *En ce temps-là, ton peuple échappera : tous ceux qui se trouveront inscrits dans le Livre. Un grand nombre de ceux qui dorment au pays de la poussière s'éveilleront, les uns pour la vie éternelle, les autres pour l'opprobre, pour l'horreur éternelle. Les doctes resplendiront comme la splendeur du firmament, et ceux qui ont enseigné la justice à un grand nombre, comme les étoiles, pour toute l'éternité.* » (Dn 12,1-3)

Les affirmations de l'auteur restent encore floues, mais opposent clairement le sort final des persécuteurs et celui des Juifs qui ont continué d'enseigner la Loi de Dieu au péril de leur vie. Les images du shéol (« pays de la poussière ») et du monde céleste (« la splendeur du firmament, les étoiles ») désignent désormais la résurrection personnelle des martyrs et des justes. Ce texte est le seul de la Bible hébraïque à affirmer la foi au Dieu qui peut ressusciter les morts. Des formules comme « Dieu fait mourir et fait vivre » (Dt 32,39 ; 1 S 2,6 ; 2 R 5,7 ; etc.) expriment seulement le fait que toute vie dépend de Dieu, et notamment qu'il peut guérir les malades et les sauver de la mort.

On ne peut toutefois pas parler d'un discours unique sur l'au-delà, car deux approches distinctes vont se profiler à l'horizon des croyances religieuses au sein d'Israël. La première, représentée par le 2e livre des Maccabées, est très liée à une période de crise et au besoin d'affirmation du nationalisme religieux : c'est celle de la *résurrection* et elle cadre avec un appel urgent à la fidélité à la religion ancestrale. La seconde, exprimée par le livre de la Sagesse, relève au contraire d'un souci de dialogue avec la culture hellénistique et s'inscrit dans un contexte d'adaptation, voire d'inculturation de la foi traditionnelle : cette seconde approche invoque la notion d'*immortalité*.

La résurrection dans 2 Maccabées 7

Le deuxième livre des Maccabées date de la fin du 2e s. av.J.C, mais les événements qu'il relate et commente se situent entre 180 et 160. Les propos du traducteur (et abréviateur) ont une teneur fortement didactique et apologétique. Apologétique, puisqu'il fait l'éloge du Temple et

REPÈRE

VIE ET MORT DANS LA BIBLE

Les croyances en la résurrection et en l'immortalité ne peuvent se comprendre, dans la Bible aussi bien qu'ailleurs, qu'à la lumière de l'appréciation qu'on fait de la vie et de la mort. L'Ancien Testament tient la vie en très haute estime et y voit non seulement un attribut central de Dieu mais un don qu'il partage avec l'ensemble de ses créatures et tout particulièrement avec l'humanité. L'être humain occupe, en effet, une place à part dans le cycle de la vie puisque c'est Dieu lui-même qui lui transmet le souffle vital : « Le SEIGNEUR Dieu insuffla dans ses narines une haleine de vie, et l'homme devint un être vivant » (Gn 2,7). Pour cette raison, la vie est considérée comme le plus précieux des biens, voire comme une bénédiction divine, qui se traduit par la longévité : « Cette Loi, ce n'est pas pour vous une vaine parole, car elle est votre vie, et c'est par elle que vous vivrez de longs jours » (Dt 32,47) ; « Je te propose la vie ou la mort, la bénédiction ou la malédiction. Choisis donc la vie, pour que toi et ta postérité vous viviez, en aimant le SEIGNEUR ton Dieu » (Dt 30,19).

En même temps – et sans doute parce que la foi biblique valorise la vie présente, terrestre –, elle se doit de composer avec la réalité de la mort. Celle-ci ne semble pas faire problème, lorsqu'elle survient après une longue vie et une vieillesse paisible (Gn 25,8 ; Jg 8,32 ; 1 Ch 29,28). Mais l'inéluctabilité et l'universalité de la mort ne vont pas sans poser de redoutables questions : pourquoi la mort ? pourquoi la vie si brève ? Job a bien résumé la pensée biblique sur le sujet : « L'homme, né de la femme, a la vie courte, mais des tourments à satiété. Pareil à la fleur, il éclôt puis se fane, il fuit comme l'ombre sans arrêt [...]. Quand un humain expire, où donc est-il ? » (Jb 14,1-2.10). Les questions de Job (voir aussi Jb 3,21-23) et les propos tragiques de Qohéleth (2,16 ; 3,18-21 ; 9,1-6) témoignent en creux de l'appréciation de la vie présente, celle qui se passe « sous le soleil », et montrent bien qu'Israël a longtemps cherché des réponses à sa quête de l'au-delà et de la survie.

Il existe toutefois un au-delà de la mort qui s'appelle le *shéol*, pays de l'ombre-mort et rendez-vous ultime de tous les vivants. C'est le lieu où tous sans exception, justes aussi bien qu'impies, séjournent en menant une forme d'existence diminuée dans les ténèbres, la poussière et le silence, et surtout privés de tout contact avec Dieu (Ps 88,6.11-13). La croyance en l'au-delà devra, par conséquent, comporter la certitude d'une délivrance de cette existence diminuée : « Ma chair reposera en sûreté, car tu ne peux abandonner mon âme au shéol, tu ne peux laisser ton fidèle voir la fosse. » (Ps 16,10)

du sacerdoce ainsi que de la stricte fidélité à la Loi. Didactique d'autre part, puisqu'il fait appel à des figures exemplaires (le vieillard Éléazar, la mère et ses sept fils) pour en faire les porte-parole de son enseignement sur la résurrection. C'est dans ce contexte qu'il faut comprendre 2 M 7, ce haut lieu d'expression de la foi en la résurrection.

Sept frères – le chiffre sept indiquant sans doute le caractère plénier de leur argumentation – vont périr sous les tortures les plus cruelles, et leur mère, qui les exhorte à tenir ferme dans la foi, les suivra également dans cette mort héroïque. On assiste à un véritable crescendo dans l'affirmation de la foi en la résurrection. Chacun des fils contribue à poser une pierre dans l'édifice de l'argumentation.

Le premier des sept fils ne dit rien sur la résurrection, mais s'en remet tranquillement à la miséricorde de son Dieu : « Le Seigneur Dieu voit, et il a en vérité compassion de nous, selon que Moïse l'a annoncé par le cantique qui proteste ouvertement en ces termes : *Et il aura pitié de ses serviteurs* » (7,6 citant Dt 32,36 ; voir v.39). Le témoignage du second fils est nettement plus explicite : « Scélérat que tu es, tu nous exclus de cette vie présente, mais le Roi du monde nous ressuscitera pour une vie éternelle, nous qui mourons pour ses lois » (7,9). À noter ici la distinction entre « vie présente » et « vie éternelle », et l'apparition du verbe « ressusciter » (en grec *anistanai,* littéralement : relever). Le troisième laisse entrevoir le caractère corporel de la résurrection : « C'est du Ciel que je tiens ces membres, mais à cause de ses lois je les méprise, et c'est de lui que j'espère les recouvrer de nouveau » (7,11).

Le quatrième approfondit le discours : « Mieux vaut mourir de la main des hommes en tenant de Dieu l'espoir d'être ressuscité par lui, car pour toi il n'y aura pas de résurrection à la vie » (7,14). Il affirme que son bourreau sera exclu de cette vie. Les deux frères suivants affirment qu'un jugement divin tourmentera les persécuteurs (7,16-19).

Enfin le septième, dernier porte-parole de la famille, reprend le thème précédent et y ajoute de nouveaux arguments :

> « *Quant à nos frères, après avoir supporté une douleur passagère, en vue d'une vie intarissable, ils sont tombés pour l'alliance de Dieu, tandis que toi, par le jugement de Dieu, tu porteras le juste châtiment de ton orgueil. Pour moi, je livre comme mes frères mon corps et ma vie pour les lois de mes pères, suppliant Dieu d'être bientôt favorable à notre nation et de t'amener par les épreuves et les fléaux à confesser qu'il est le seul Dieu.* » (7,36-37)

Quant à la mère, son témoignage est destiné à raffermir le courage de ses fils et leur espérance en la résurrection. Ses arguments, d'ordre théologique, reposent sur sa foi au Dieu créateur et sur son expérience de mère :

« *Je ne sais comment vous avez apparu dans mes entrailles ; ce n'est pas moi qui vous ai gratifiés de l'esprit et de la vie ; ce n'est pas moi qui ai organisé les éléments qui composent chacun de vous. Aussi bien le Créateur du monde, qui a formé le genre humain et qui est à l'origine de toute chose, vous rendra-t-il, dans sa miséricorde, et l'esprit et la vie, parce que vous vous méprisez maintenant vous-mêmes pour l'amour de ses lois.* » (7,22-23)

Et à son dernier fils qui va mourir elle ajoute :

« *Mon fils, aie pitié de moi qui t'ai porté neuf mois dans mon sein, qui t'ai allaité trois ans, qui t'ai nourri et élevé jusqu'à l'âge où tu es (et pourvu à ton entretien). Je t'en conjure, mon enfant, regarde le ciel et la terre, et vois tout ce qui est en eux, et sache que Dieu les a faits de rien et que la race des hommes est faite de la même manière. Ne crains pas ce bourreau, mais, te montrant digne de tes frères, accepte la mort, afin que je te retrouve avec eux dans la miséricorde.* » (7,27-29)

DOCUMENT

GUILGAMESH ET L'IMMORTALITÉ

Déjà au IIe millénaire av.J.C., l'épopée de Guilgamesh, le célèbre mythe mésopotamien [*voir* p. 67], fait état d'une quête de l'immortalité mais la présente comme un rêve impossible. Le héros réussit momentanément à s'emparer de la plante qui donne « la vie », mais pour la perdre aussitôt, car l'immortalité demeure une prérogative des dieux.

« Guilgamesh, où cours-tu ?
La vie que tu cherches, tu ne la trouveras pas !
Quand les dieux créèrent l'humanité,
ils attribuèrent la mort à l'humanité
et ils retinrent la vie entre leurs mains !
Toi, Guilgamesh, que ton ventre soit plein,
jour et nuit réjouis-toi,
fais la fête chaque jour,
jour et nuit danse et joue.
Que tes vêtements soient propres,
que ta tête soit lavée, que tu sois baigné d'eau ;
regarde le petit qui te tient par la main ;
qu'une épouse se réjouisse en ton sein ;
c'est tout ce que peut faire l'homme ! »
(Tablette X, colonne III,1–14)

Outanapishtim lui [dit à] Guilgamesh :
« Guilgamesh, toi qui, pour venir ici, as enduré fatigues et peines,
Que vais-je te donner pour que tu retournes dans ton pays ?
Je veux te révéler, Guilgamesh, un secret
Et te dire [...]
Il existe une plante ; sa racine est comme celle du lycium épineux,
Son épine comme celle de la ronce ; elle pi[quera ta main ;
Si tes mains réussissent à la saisir, [tu auras trouvé la Vie (éternelle). »
À ces mots, Guilgamesh, [...]
D'attacher de lourdes pierres [à ses pieds],
De descendre dans l'abîme
De se saisir de la plante bien qu'elle lui p[iquât la main].

En conclusion, relevons trois points dans ce texte.
1) L'auteur ne parle pas encore de résurrection universelle ni de résurrection à la fin des temps mais bien de la résurrection des martyrs : Dieu leur rendra justice en les ramenant à la vie.
2) L'argument fait appel à la foi au Dieu créateur : puisqu'il a donné la vie (Gn 1–2), il peut très bien la redonner.
3) La foi en la résurrection s'appuie sur une conception anthropologique selon laquelle la vie est indissociable du corps : la chair (*basar*) aussi bien que l'"âme" (*nephesh*) indiquant l'une et l'autre la totalité de l'être humain.

L'immortalité dans le livre de la Sagesse

Depuis longtemps admise par les Égyptiens et par les Grecs, la notion d'immortalité n'a fait son apparition dans l'Ancien Testament que dans les dernières décades avant l'ère chrétienne, et encore, dans un livre rédigé en grec, et donc absent de la Bible hébraïque (et du canon protestant) : le livre de la Sagesse (ou Sagesse de Salomon). Ce livre est largement redevable des conceptions hellénistiques prévalant dans la communauté juive d'Alexandrie. Il marque une avancée remarquable

Il coupa (alors) les lourdes pierres
[à ses pieds] ;
La mer le rejeta sur la rive.
Guilgamesh dit, à Ourshanabi,
le nautonier :
« Ourshanabi, cette plante est un remède
contre les états désespérés,
Grâce à laquelle l'homme atteint
sa guérison.
Je veux l'emporter à Ourouk-l'Enclos
afin de pouvoir faire manger et essayer
cette plante ;
Son nom sera « Le – vieillard – rajeunit »
(Alors) moi-même je la mangerai
assurément
et reviendrai bel et bien à ce que fut
ma jeunesse. »

À vingt doubles-lieues, ils mangèrent
un morceau,
À trente doubles-lieues, ils s'arrêtèrent
pour la nuit.
Alors Guilgamesh vit une fontaine
aux fraîches eaux.
(Comme) il était descendu pour se laver
à ses eaux,
Un serpent qui avait senti l'odeur de la plante
Silencieusement sortit (de terre) et emporta
la plante.
Tout aussitôt il rejeta ses écailles.
Dès lors Guilgamesh, immobile,
reste à pleurer ;
Ses larmes coulent le long de ses joues.
Il dit à Ourshanabi, le nautonier
« Pour qui, parmi les miens, mes bras
ont-ils peiné ?
Pour qui, parmi les miens, le sang
de mon cœur s'est-il écoulé ?
Je n'ai même pas pu assurer
mon propre bien.
C'est au "lion-du-sol" que j'ai fait le bien. »

(Tablette XI, colonne I, 263-296 ;
trad. F. Malbran-Labat.)

concernant les croyances juives en l'au-delà. Voir la présentation de ce livre p. 468. Au centre de l'exorde (1–6), aux ch. 3–4, l'auteur affirme sa thèse, avec une profession de foi en l'immortalité et en la récompense des justes au-delà de la mort. L'éloge de la Sagesse qui suit présente celle-ci comme source d'immortalité. Examinons de plus près la position de l'auteur.

Il est le premier auteur biblique à employer le mot « immortalité » (en grec *athanasia* : 3,4 ; 4,1 ; 8,13.17 ; 15,3). En dehors de ces cinq emplois, le mot n'est attesté que dans un livre apocryphe* de la Septante (4 Maccabées 14,5 et 16,3). C'est manifestement un terme qui vient du monde grec, dans lequel il a pris une importance sans cesse grandissante, sous l'impulsion de la réflexion élaborée par Platon. Pour l'auteur de la Sagesse, comme pour le grand penseur grec du IVe s., l'immortalité comporte la permanence du souvenir (8,13 et 4,1), et elle est liée à la pratique de la vertu (4,1). Mais l'auteur biblique fait aussi preuve d'originalité lorsqu'il en dévoile la source : « L'immortalité se trouve dans la parenté avec la Sagesse » (8,17) et la met en relation avec la justice (1,15) et plus directement avec la foi dans le Seigneur : « Te connaître, en effet, est la justice intégrale, et reconnaître ta souveraineté est la racine de l'immortalité » (15,3). L'immortalité est le fruit

DOCUMENT

L'AU-DELÀ EN ÉGYPTE

En Égypte, le culte des morts est largement illustré par le célèbre Livre des morts, dont la formation s'échelonne entre 2300 et 1700 av. J.C. Il présente des affirmations non équivoques de la foi en une survie après la mort :

Formule pour sortir au jour ; vivre après la mort. Paroles dites par N. : « Ô l'Unique qui se lève en lune, ô l'Unique qui brille en lune, puisse N. sortir au dehors parmi cette foule de tes gens. Délie-moi, (ainsi que) les habitants de la lumière ! » (...) Et voilà que N. est sorti au jour, pour faire tout ce qu'il peut désirer (faire) parmi les vivants.

(Le livre des morts des Anciens Égyptiens, trad. P. Barguet.)

On trouve également une multitude de textes des sarcophages, couvrant en gros la même époque que le Livre des morts, et attestant d'une indéfectible foi en la survie, voire en une « résurrection » :

Ô Osiris N. que voici, tu vis par là, tu es âme par là, tu es considéré par là. Tu as l'usage de ton corps. Puisses-tu monter vers Rê et entendre les paroles de victoire auprès de Rê, auprès du grand dieu ! Tu ne périras pas, tes membres ne seront pas détruits, tes... n'auront pas souffert ; tu ne seras jamais anéanti, toi qui es vivant, qui es âgé, qui es prospère, qui es durable devant toi. Ta vie après la vieillesse est ce qu'a fait pour toi Horus lui-même, maître des hommes. Puisses-tu monter vers Rê dans l'horizon.

(Les textes des sarcophages égyptiens du Moyen-Empire)

DOCUMENT

L'IMMORTALITÉ CHEZ PLATON

Pour Platon, l'immortalité est non seulement objet de discours philosophiques, mais aussi, de son propre aveu, objet de croyances :

Eh bien, ces choses donc, Simmias, dont nous avons fait au long l'exposé, voilà en vue de quoi il faut tout faire pour participer en cette vie à une vertu constituée par la pensée : c'est que la récompense est belle et grande notre espérance ! Au demeurant, s'acharner à prétendre qu'il en est de ces choses comme je l'ai exposé, voilà qui ne sied pas à un homme ayant son bon sens. Que cependant ce soit cela ou quelque chose d'approchant pour nos âmes et pour leurs résidences, puisque aussi bien l'immortalité appartient manifestement à l'âme, voilà à mon sens le risque qu'il sied aussi de courir, celui qui en vaut la peine quand on croit à cette immortalité. Ce risque est beau en effet, et dans des croyances de cette sorte il y a comme une incantation qu'il faut se faire à soi-même. C'est, ma foi, pour cette raison que, depuis longtemps même, je m'attarde sur cette histoire. Eh bien ! dis-je, ayant égard à ces croyances, il doit être confiant sur le sort de son âme, l'homme qui, durant sa vie, a dit adieu aux plaisirs qui ont le corps pour objet, à ses parures en particulier, car ce sont des choses étrangères et qui de plus, à son jugement, produisent bien plutôt l'effet opposé.

(Platon, *Phédon*, 114.
Trad. Léon Robin,
Les Belles Lettres, 1960.)

qui accompagne la reconnaissance, dans la foi, de l'intervention du Seigneur dans l'histoire de son peuple. L'auteur a bénéficié de la réflexion grecque sur l'immortalité, mais son enracinement dans la foi d'Israël est total. C'est là son originalité et son intérêt : il n'a pas hésité à recourir à un langage nouveau pour traduire la foi traditionnelle, portant ainsi à son aboutissement et consacrant du même coup une évolution de plusieurs siècles.

L'auteur fait écho aux propos de Gn 1–3, qu'il commente de façon originale :

Dieu n'a pas fait la mort, il ne prend pas plaisir à la perte des vivants. Il a tout créé pour l'être ; les générations dans le monde sont salutaires, en elles il n'est aucun poison destructeur, et l'Hadès (le monde des morts) *ne règne pas sur la terre ; car la justice est immortelle* (Sg 1,13-15).

L'auteur sait très bien qu'il existe une thèse contraire, selon laquelle il n'y a pas d'autre vie et qui invite à ne se soucier que du plaisir du moment.

Mais les impies appellent la mort du geste et de la voix, la tenant pour amie, pour elle ils se consument, avec elle ils font un pacte, dignes qu'ils sont de lui appartenir. Car ils disent entre eux, dans leurs faux calculs : « Courte et triste est notre vie ; il n'y a pas de remède lors de la fin de l'homme et on ne connaît personne qui soit revenu de l'Hadès. Nous sommes nés du hasard, après quoi nous serons comme si nous n'avions pas existé. C'est une fumée que le souffle de nos narines, et la pensée, une étincelle qui jaillit au battement de notre cœur ; qu'elle s'éteigne, le corps s'en ira en cendre et l'esprit se dispersera comme l'air inconsistant. Avec le temps, notre nom tombera dans l'oubli, nul ne se souviendra de nos œuvres ; notre vie passera comme les traces d'un nuage (Sg 1,16 – 2,4).

Cette thèse adverse n'est citée, à vrai dire, que pour être vivement contestée et renversée au profit d'une vibrante profession de foi en l'immortalité : « Oui, Dieu a créé l'homme pour l'incorruptibilité, il en a fait une image de sa propre nature » (Sg 2,23). Et l'auteur d'illustrer cette vérité par un enchaînement de paradoxes : les justes meurent, oui, mais ils sont dans la paix (3,1-9) ; si l'homme et la femme justes peuvent parfois être stériles, ils n'en porteront pas moins du fruit au temps de la « visite des âmes » (3,13) ; et enfin, même le juste qui meurt prématurément est aimé de Dieu et il « trouvera le repos » (4,7).

De l'enseignement de la Sagesse sur l'immortalité, on peut donc retenir les points suivants.

1. La nouveauté radicale du discours de l'auteur n'a été possible que grâce à une ouverture au monde hellénistique et à ses croyances philosophiques. Il lui emprunte, à propos de la survie après la mort, une constellation d'images déjà bien présentes dans le monde grec : « paix, voyage, repos, illumination », etc.

2. L'immortalité s'inscrit ici au cœur d'une argumentation solide. Alors que les chapitres 1 et 6 développent les motivations positives de cette croyance, les chapitres 2 et 5 montrent l'impasse à laquelle aboutit la thèse contraire, tandis que les chapitres 3 et 4 expriment, sous le mode du paradoxe, les convictions profondes de l'auteur en l'immortalité des justes et en leur salut au-delà de la mort.

3. La notion d'immortalité est intégrée à la foi juive de l'auteur, qui la met en lien avec la Sagesse personnifiée (Pr 8,22-31 ; *voir* p. 472) et avec une théologie de la création (Sg 1,13-14 ; 2,23 ; 9,1-2).

J.-P. P.

Anges et démons. Le livre de Tobie

Les anges et l'Ange du Seigneur

Comme les autres peuples anciens, Israël a imaginé que son Dieu, tel un roi, était entouré d'êtres célestes, à son service. Ainsi le prophète Michée fils de Yimla : « J'ai vu le Seigneur assis sur son trône ; toute l'armée du ciel se tenait en sa présence, à sa droite et à sa gauche » (1 R 22,19). Leur nom de « fils de Dieu » signifie « êtres proches de Dieu » ; dans le livre de Job, le Satan est d'ailleurs l'un d'eux : « Le jour où les Fils de Dieu venaient se présenter devant le SEIGNEUR, le Satan aussi s'avançait parmi eux » (Jb 1,6). Mais le nom le plus fréquent est celui de « messager » (en hébreu *mal'ak*, en grec *angelos*). Ces êtres servent d'intermédiaires entre le Dieu invisible et les hommes, comme dans le songe de Jacob à Béthel : « Voilà qu'une échelle était dressée sur la terre et que son sommet atteignait le ciel, et des anges de Dieu y montaient et descendaient ! » (Gn 28,12). Le sens de la transcendance de Dieu impose de multiplier ces intermédiaires entre le Dieu invisible, inaccessible et les humains.

C'est seulement dans le Pentateuque que Dieu parle « en direct » aux Patriarches et à Moïse et Aaron ; ensuite il parle aux hommes par ses prophètes et par ses anges. Les visions des prophètes s'inspirent aussi des images de l'Ancien Orient : Isaïe voit des séraphins (litt. des « brûlants »), des serpents ailés, qui chantent la gloire du Dieu saint (Is 6,2-3) et Ézéchiel voit des chérubins (*keroubim*), des taureaux ailés, portant la Gloire de Dieu (Ez 10,1-5) ; ils sont même représentés dans le Temple et sur l'arche d'alliance. De plus en plus, l'ange vient transmettre les paroles de Dieu, puisqu'il n'y a plus de prophètes, et les voyants d'apocalypses mettent en scène un « ange-interprète » qui vient expliquer leurs visions mystérieuses (par ex. en Za 1–6).

Beaucoup de textes parlent aussi de l'Ange du Seigneur comme d'un personnage particulier. Il est à la fois le messager de Dieu... et Dieu lui-même qui se manifeste pour venir parler aux hommes. Par exemple à Abraham prêt à sacrifier Isaac : « Je sais maintenant que tu crains Dieu : tu ne m'as pas refusé ton fils, ton unique » (Gn 22,11.16). Ou bien à Moïse : « L'Ange du SEIGNEUR lui apparut dans une flamme de feu, du milieu d'un buisson. [...]. Dieu l'appela du milieu du buisson [...] et dit : Je suis le Dieu de ton père » (Ex 3,2-6). Mais parfois l'Ange du Seigneur est bien distingué de Dieu, notamment avec un rôle guerrier : contre les Égyptiens la nuit de la Pâque (Ex 12,23), ou contre Balaam sur son ânesse (Nb 22,22-35). Pour le prophète Zacharie, l'Ange du Seigneur est devenu une personne précise, une sorte de premier ministre auprès de Dieu ; il envoie ses anges inspecter l'empire et il intercède pour Israël (Za 1,8-13).

Satan et les démons

L'Ancien Testament mentionne divers démons et esprits malfaisants, souvent proches de certains animaux : par exemple Lilith (Is 34,14), un démon femelle nocturne, ou Azazel, un démon du désert auquel on envoie le bouc « émissaire », le jour de Kippour (Lv 16,10.20-22). On voit aussi apparaître des divinités étrangères plus ou moins dangereuses, comme Mot (la Mort) ou Deber (la Peste), et les monstres marins Léviathan, Rahab et le Dragon (Is 51,9-10). Mais c'est surtout la figure de Satan qui a cristallisé la réflexion théologique en Israël.

Un *satan*, en hébreu, c'est un adversaire (David en 1 S 29,4), en particulier un accusateur au tribunal (Ps 109,6.20). C'est aussi la fonction de l'un des Fils de Dieu, qui doit surveiller les humains et les accuser, tel un procureur. Ce *satan*, dans le prologue du livre de Job, reste soumis à Dieu, mais il cherche à séparer Job de lui, en le mettant à l'épreuve (1,6-12 et 2,1-7). Après l'Exil, en effet, l'influence de la religion perse, où abondaient anges et démons, s'est fait sentir sur les croyances juives. Zacharie rapporte une vision où l'Ange du Seigneur s'oppose au Satan, « l'accusateur », et prend la défense du grand prêtre juif en présence de Dieu (Za 3,1-7). En fait la théologie juive n'ose plus dire que Dieu est l'origine du malheur ; elle préfère l'attribuer à Satan : le nom commun est devenu le nom propre de l'être qui s'oppose à Dieu et à ses fidèles. En voici un exemple : alors qu'avant l'Exil un récit sur David pouvait dire : « La colère du Seigneur s'enflamma encore contre les Israélites et il excita David contre eux » (2 S 24,1), le texte parallèle du IVe s. dit : « Satan se dressa contre Israël et il incita David à dénombrer les Israélites » (1 Ch 21,1).

Dans les apocryphes* juifs, Satan (ou Bélial) est l'ange déchu : lors de la création, il devint jaloux de l'homme créé à l'image de Dieu et il se révolta contre le Créateur, entraînant avec lui les anges rebelles, les démons. Aux alentours de l'ère chrétienne, on tend à identifier les divinités païennes aux anges ou aux démons, selon qu'elles sont bénéfiques ou maléfiques. L'angélologie juive, influencée par la gnose, développera ces croyances aux Puissances angéliques ou démoniaques : « les Trônes, Seigneuries, Principautés et Puissances » (Col 1,16).

Le livre de Tobie

Ce roman juif est un livre deutérocanonique* [*voir* p. 370] : il n'appartient pas à la Bible hébraïque, mais seulement à la Bible grecque des Septante. Il raconte l'histoire d'une famille juive de Médie, à Ninive au VIIIe s., au temps des Assyriens. En fait ce roman semble écrit vers 200 avant notre ère, selon les canons littéraires du roman hellénistique. C'est donc un témoignage précieux sur la vie juive en diaspora, au royaume des Parthes : un des maillons qui relient l'Ancien Testament à l'époque de Jésus.

Voici les grandes lignes de ce roman. Le héros, le vieux Tobit, a connu bien des épreuves. Après la prise de Samarie en 722, il est exilé à Ninive (près de Mossoul), où il s'efforce de garder sa religion israélite au milieu d'une société païenne, ce qui lui vaut bien des ennuis. Devenu aveugle, il connaît la misère que sa femme Annna supporte mal. Il envoie leur fils Tobie chez un vieil ami à Raguès (près de Téhéran) pour récupérer un ancien dépôt d'argent. Un autre exilé rencontré par hasard, Azarias, sert de compagnon au jeune Tobie. En route il lui conseille de récupérer le foie, le cœur et le fiel d'un gros poisson. À Ecbatane (Hamadan), ils logent chez des cousins dont la fille Sarra cherche en vain à se marier ; sept fois déjà, ses précédents maris sont morts dès la nuit de noces. Encouragé par Azarias, Tobie épouse sa cousine et, une fois dans la chambre, il fait brûler le foie et le cœur du poisson dont l'odeur fait fuir le démon qui tuait les maris. Après avoir fait récupérer l'argent à Raguès, Tobie revient à Ninive avec Sarra. Sur les indications d'Azarias, Tobie applique le fiel du poisson sur les yeux de son père et celui-ci retrouve la vue. Alors seulement Azarias révèle qu'il est l'ange Raphaël, que Dieu a envoyé pour protéger et conseiller Tobie, et pour apporter le salut à Sarra et à Tobit.

Cet enseignement met en valeur divers points du judaïsme d'alors : l'action des anges et des démons (voir ci-dessous), l'importance de la prière, le respect des valeurs familiales, du mariage et de la sexualité, la fidélité aux règles morales juives pour vivre en pays païen. L'auteur récupère même la figure du sage assyrien Ahikar (VIIe s.), dont la vie et les maximes étaient célèbres dans tout l'Orient ; il en fait ici un parent de Tobit (Tb 1,22 ; 14,10). Bref, ce roman montre une famille juive inculturée dans le monde hellénistique mais qui continue de vivre sa foi en suivant les règles du judaïsme.

Anges et démons dans le livre de Tobie

Le véritable fil conducteur du roman est bien la mission de l'ange Raphaël. Le lecteur le sait avant même qu'on parle d'Azarias, car aussitôt après avoir rapporté la prière de Tobit l'aveugle à Ninive et celle de la malheureuse Sarra à Ecbatane, l'auteur ajoute : « Cette fois-ci, leur prière, à l'un et à l'autre, fut agréée devant la Gloire de Dieu, et Raphaël fut envoyé pour les guérir tous les deux. Il devait enlever les taches blanches des yeux de Tobit, pour qu'il voie de ses yeux la lumière de Dieu ; et il devait donner Sarra, fille de Ragouel, en épouse à Tobie, fils de Tobit, et la dégager d'Asmodée, le pire des démons » (Tb 3,16-17). De même lorsque Tobie sort chercher un compagnon de route, l'auteur explique : « Dehors il trouva Raphaël, l'ange, debout face à lui, sans se douter que c'était un ange de Dieu » (Tb 5,4). Voici les dernières paroles d'Azarias-Raphaël à Tobit et aux siens :

« Lorsque vous étiez en prière, toi et Sarra, c'était moi qui présentais vos suppliques devant la gloire du Seigneur et qui les lisais ; et de même lorsque tu enterrais les morts [...], j'ai été envoyé pour éprouver ta foi, et Dieu m'envoya en même temps pour te guérir, ainsi que ta belle-fille Sarra. Je suis Raphaël, l'un des sept Anges qui se tiennent toujours prêts à pénétrer auprès de la gloire du Seigneur. [...] Pour moi, quand j'étais avec vous, ce n'est pas à moi que vous deviez ma présence, mais à la volonté de Dieu : c'est lui qu'il faut bénir au long des jours, lui qu'il faut chanter. Vous avez cru me voir manger, ce n'était qu'une apparence. [...] Je vais remonter à Celui qui m'a envoyé. Écrivez tout ce qui est arrivé. » Et il s'éleva. Quand ils se redressèrent, il n'était plus visible. (Tb 12,12-15.18-21)

Telle est la triple mission de Raphaël : guider sur la route, apporter guérison et salut (« *Rapha-El* » signifie « Dieu guérit »), et intercéder pour les fidèles. C'est l'origine de la croyance chrétienne en l'Ange gardien. La croyance aux « sept Anges » les plus proches de Dieu provient de la cour perse (voir Esd 7,14) ou peut-être même de la religion

REPÈRE

MICHEL ET GABRIEL

La Bible ne nomme que trois anges : Michel, Gabriel et Raphaël. Ce sont les apocryphes juifs comme le Livre d'Hénoch qui en nomment d'autres, notamment Ouriel (« Dieu est ma lumière »), associé à la Création (par exemple dans l'oratorio de J. Haydn).

D'après le livre de Daniel, *Michel* est « le grand prince », l'ange protecteur du peuple de Dieu ; en effet chaque peuple a son Ange, sa puissance céleste (Dn 12,1 ; voir 10,13.20-21). Son nom *Mi-ka-El* signifie « Qui (est) comme Dieu ? » ; il proclame la foi d'Israël au Dieu Unique. Dans l'Apocalypse il mène victorieusement l'ultime combat de Dieu contre le Dragon et ses anges (Ap 12,7). Jude 9 l'oppose à Satan, d'après un apocryphe juif. La tradition juive le présente comme avocat des justes lors du jugement. La tradition chrétienne en a plutôt fait l'ange du jugement dernier : celui qui, après avoir combattu Satan (d'où son armure et son épée) porte la balance pour la pesée des âmes (comme le dieu égyptien Anubis).

Quant à *Gabriel*, dont le nom signifie « Dieu est ma force », le livre de Daniel le met en scène comme révélateur auprès de Daniel le voyant : « Gabriel, l'être que j'avais vu en vision au début, fondit sur moi en plein vol, à l'heure de l'oblation du soir. Il vint, me parla et me dit : "Daniel, me voici : je suis sorti pour venir t'instruire dans l'intelligence. [...] Pénètre la parole, comprends la vision." » (Dn 9,21-23). En lui expliquant le sens de sa vision, il lui dira la célèbre prophétie des « septante semaines » jusqu'à la venue du messie. C'est pourquoi l'évangéliste Luc en a fait l'ange de l'Annonciation à Marie, celui qui apporte la bonne nouvelle de l'incarnation du Fils de Dieu (Lc 1,26 ; voir 1,19).

perse ; elle se transmettra jusqu'à l'Apocalypse (8,2). Mais le livre de Daniel insistera sur la multitude innombrable des anges au service de Dieu : « mille milliers le servaient ; myriade de myriades, debout devant lui » (Dn 7,10).

Quant au démon Asmodée, dont le nom pourrait signifier en hébreu « celui qui fait périr », il ressemble beaucoup à l'un des esprits du mal dans la religion perse, Aesma-Deva, opposé au dieu de la lumière Ahoura-Mazda.

P. Gr.

Le Cantique des cantiques

Le *Cantique des cantiques* est à bien des égards un texte singulier dans la Bible. Son titre, à lui seul, exprime l'exception. Le « Chant des chants » (*Shir ha-shirim* en hébreu) se présente comme un superlatif. En même temps, son propos et sa tonalité surprennent bien des lecteurs. Le nom de Dieu (*Yah*, abrévation de Yahvé) n'y apparaît que fugitivement, dans une comparaison : les traits de l'amour sont « des traits de feu, une flamme de Yah » (Ct 8,6). En revanche, tout ce petit livre est rempli des mots vibrant de passion amoureuse que s'adressent un homme et une femme. Avec une franchise jubilante, ils disent la beauté des corps, l'ardeur du désir, la bonté de la création. Cette centaine de versets constitue aux yeux de beaucoup un des sommets de la littérature amoureuse universelle.

D'un autre côté, et paradoxalement, ce livre n'a cessé d'être fréquenté au long des siècles par des lecteurs croyants, juifs ou chrétiens, qui y ont trouvé les mots pour célébrer, de façon non moins ardente, l'amour de Dieu et leur expérience religieuse. Par là, ce texte appartient autant à la littérature mystique. Tout cela nimbe le *Cantique des cantiques* d'un halo de mystère et explique que bien des débats se soient élevés à son propos, y compris pour contester la légitimité de sa présence dans la Bible. On continue aujourd'hui à discuter âprement de son identité et à en proposer des interprétations variées. Les exégètes eux-mêmes s'accordent avec peine sur la structure du texte autant que sur sa provenance. Il existe cependant un assez large consensus pour dater ce livre, pris dans l'état final où nous le lisons, de la fin du ve siècle av. J.C.

Un dialogue amoureux

Mise à part une finale qui se présente sous la forme d'un aphorisme et d'épigrammes (8,7b-14), le Cantique est tout entier constitué par un dialogue. Une voix féminine (la « bien-aimée », désignée à l'occasion par le nom de Sulamite) et une voix masculine (le « bien-aimé ») s'appellent, se répondent, se chantent, expriment leur émoi devant la beauté du corps de l'autre, disent le bonheur d'aimer :

Qu'il me baise des baisers de sa bouche.
Tes amours sont plus délicieuses que le vin ;
l'arôme de tes parfums est exquis,
ton nom est une huile qui s'épanche,
c'est pourquoi les jeunes filles t'aiment ;
Entraîne-moi sur tes pas, courons !
Le roi m'a introduite en ses appartements ;
tu seras notre joie et notre allégresse.
Nous célébrerons tes amours plus que le vin ;
comme on a raison de t'aimer ! (1,2-4)

À plusieurs reprises, les amants en appellent à des témoins (filles de Jérusalem, gardes, compagnons du bien-aimé, un chœur) qui introduisent une dimension de socialité dans leur célébration mutuelle. Parce que ce dialogue est jalonné de moments de séparation, de quête de l'autre, de retrouvailles, certains ont voulu y voir une sorte de livret de théâtre mettant en scène un drame amoureux. Le roi Salomon chercherait à séduire une jeune bergère décidée à rester fidèle au berger que son cœur aime. Cette hypothèse, développée en particulier au siècle dernier par Renan, force le texte à bien des égards. Plus simplement le Cantique se présente comme une suite de poèmes reliés entre eux et unifiés par un rédacteur final. Des refrains, en particulier, donnent son unité et son mouvement au livre. Ainsi, par exemple, des variations sur ces mots de la bien-aimée aux filles de Jérusalem, qui jalonnent le texte :

Je vous en conjure, filles de Jérusalem,
par les gazelles, par les biches des champs,
n'éveillez pas, ne réveillez pas mon amour,
avant l'heure de son bon plaisir (2,7 ; voir 3,5 ; 8,4).

Un point culminant de la quête amoureuse est atteint au milieu du livre :

J'entre dans mon jardin, ma sœur, ô fiancée,
je récolte ma myrrhe et mon baume,
je mange mon miel et mon rayon,
je bois mon vin et mon lait.
Mangez, amis, buvez,
enivrez-vous, mes bien-aimés ! (5,1)

De part et d'autre de cette éminence dramatique se succèdent paroles d'admiration, expressions du désarroi lorsque l'aimé s'esquive, appels, célébration des retrouvailles. Un motif caractéristique est ici celui de la distance préservée au sein de la relation amoureuse. À certains instants, cette distance est ressentie comme un douloureux tourment :

J'ai ouvert à mon bien-aimé,
mais tournant le dos, il avait disparu !
Sa fuite m'a fait rendre l'âme.
Je l'ai cherché mais ne l'ai point trouvé,
je l'ai appelé, mais il ne m'a pas répondu ! (5,6)

Mais l'inquiétude de l'absence est aussi la forme d'un amour qui s'émeut, s'inquiète pour l'autre. Elle est aussi simplement la condition du dialogue entre les amants, loin de toute fusion qui anéantirait la parole et exténuerait le désir. D'ailleurs les derniers mots du texte sont une étrange invitation de la bien-aimée au bien-aimé :

Fuis, mon bien-aimé. Sois semblable à une gazelle,
à un jeune faon, sur les montagnes embaumées. (8,14)

D'autres mouvements animent ce texte traversé par la ronde des saisons, la course d'animaux sauvages, les senteurs de parfums qui enveloppent les fleurs et les corps :

Mon bien-aimé élève la voix, il me dit :
« Viens donc, ma bien-aimée, ma belle, viens.
Car voilà l'hiver passé, c'en est fini des pluies, elles ont disparu.
Sur la terre les fleurs se montrent.
La saison vient des gais refrains,
le roucoulement de la tourterelle se fait entendre sur notre terre.
Le figuier forme ses premiers fruits
et les vignes en fleurs exhalent leur parfum.
Viens donc, ma bien-aimée, ma belle, viens ! » (2,10-13)

Tout se passe ici comme si la création tout entière était conviée à célébrer l'amour. Biches, gazelles, faons, renards, colombes, tourterelles, troupeaux de chèvres, cavale de Pharaon se succèdent au fil des versets. De même une flore odorante et gracieuse sert de cadre au dialogue amoureux, en lui fournissant les appuis de nombreuses métaphores qui créent une atmosphère de jardin d'Éden (4,12-15).

L'unité du monde se refait autour des deux amants qui se célèbrent. On évoque irrésistiblement les mots par lesquels s'achèvera un jour la

Divine Comédie de Dante, désignant « l'amour qui meut le soleil et les étoiles ». Enfin, ce texte valorise, comme aucun autre de la Bible, le registre esthétique. Par tous ces aspects, le Cantique constitue, sans en avoir l'air, un véritable et précieux petit traité sur l'amour. Il campe au cœur de la Bible, et sans aucune réserve, l'affirmation de la bonté de ce que l'homme et la femme vivent, corps et âme, en s'aimant. Il affirme la puissance de ce qui se joue en cette relation :

> *Car l'amour est fort comme la mort,*
> *la passion inflexible comme le shéol.*
> *Ses traits sont des traits de feu, une flamme de* YAH.
> *Les grandes eaux ne pourront éteindre l'amour,*
> *ni les fleuves le submerger.* (8,6-7)

Dans les cultures de l'Ancien Orient

Peut-être parce que l'amour se chante avec des accents comparables en tous lieux et en tous temps, on a proposé de rapprocher le Cantique de multiples textes de littératures non bibliques, censés lui avoir servi de sources. À proximité d'Israël, on a ainsi évoqué les ressemblances qu'il entretiendrait avec la littérature mésopotamienne qui met en scène des situations de rivalité amoureuse entre Doumouzi, le dieu sumérien de la végétation, et la déesse Inanna, et qui connaît des dialogues amoureux dont les accents rappellent le Cantique. Mais l'arrière-plan mythique de cette littérature, associée à des cultes dont la tradition d'Israël se démarque résolument, rend un tel emprunt peu probable.

Plus convaincants probablement sont les rapprochements avec les textes de l'Égypte ancienne que l'archéologie moderne a mis au jour.

DOCUMENT

UN CHANT D'AMOUR DE L'ÉGYPTE ANCIENNE

Le papyrus Harris 500, trouvé au Ramesseum de Thèbes, nous a conservé un recueil de chants d'amour étrangement consonants au Cantique des cantiques. Qu'on en juge avec ces quelques strophes qui entrent en écho direct avec Ct 2,10-13 cité plus haut :

La voix de la colombe se fait entendre,
elle dit : « La terre s'éclaire,
quelle est ta route ? »
Ah ! laisse, oiseau, tu me fais reproche !

J'ai trouvé le bien-aimé dans sa chambre,
mon cœur fut inondé de joie.
Nous avons dit : « Jamais je ne te quitterai,
ma main est dans ta main. »

J'ai tourné mon visage vers le portail :
vois, le bien-aimé vient !
Mes yeux sont sur le chemin,
mes oreilles écoutent.

(Trad. S. Schott.)

La statuaire égyptienne, de même, semble une source d'inspiration plausible des portraits que le bien-aimé et la bien-aimée du Cantique tracent l'un de l'autre. Les diverses parties du corps y sont énumérées successivement et serties de comparaisons et de métaphores :

Mon bien-aimé est frais et vermeil, il se reconnaît entre dix mille.
Sa tête est d'or, et d'un or pur.
Ses boucles sont des palmes, noires comme le corbeau.
Ses yeux sont des colombes, au bord des cours d'eau,
se baignant dans le lait, posées au bord d'une vasque.
Ses joues sont comme des parterres d'aromates, des massifs parfumés.
Ses lèvres sont des lys ; elles distillent la myrrhe vierge.
Ses mains sont des globes d'or, garnis de pierres de Tarsis.
Son ventre est une masse d'ivoire, couverte de saphirs.
Ses jambes sont des colonnes d'albâtre, posées sur des bases d'or pur
(5,10-15).

Le fait que le Cantique comporte en ouverture une référence au nom de Salomon vient conforter le rapprochement avec la culture égyptienne. Le Xe siècle, en effet, est en Israël une période d'ouverture cosmopolite au monde ambiant. La royauté y noue des relations étroites avec l'Égypte dont Salomon épouse une princesse. L'idée émise au Ve siècle de notre ère par Théodore de Mopsueste, selon laquelle le Cantique serait un épithalame, un chant d'amour destiné à célébrer cette union royale, trouve ainsi des échos chez des exégètes contemporains qui rattachent résolument le texte à la tradition de sagesse israélite, incarnée en particulier par le roi Salomon. Ce n'est que plus tard, selon cette thèse, que ce livre biblique aurait été tiré du côté de l'allégorie, afin de rendre acceptable un texte trop vénérable pour être écarté de la tradition d'Israël et trop sensuel pour continuer à y être lu littéralement.

Le Cantique des cantiques et l'Alliance

Cette interprétation intéressante laisse de côté des éléments du texte qui servent, précisément, de point de départ à la lecture qui relie le Cantique à la thématique de l'Alliance placée au cœur de la révélation biblique. Ainsi le livre comporte diverses allusions à la géographie d'Israël (mentions de Jérusalem, du Liban, d'En-Gaddi, de Tirça, etc.) qui, si l'on tient à une origine égyptienne du texte, impliquent, au minimum, une réécriture ayant intégré les poèmes empruntés à l'univers biblique. De plus, il est clair que l'on ne peut négliger les autres textes bibliques qui entourent le Cantique, ni les problématiques théologiques qui lui servent de toile de fond. Ainsi il est important de se souvenir que la Bible a trop de réalisme pour ignorer les défigurations qui touchent l'amour humain et qui empêchent de le célébrer naïvement comme une réalité naturellement simple. Cette clairvoyance biblique rend forcément un peu problématique toute lecture qui refuse d'entendre dans le Cantique plus que la voix du lyrisme amoureux.

Plus encore, on se souviendra que l'histoire d'Israël est dominée par une Alliance fondatrice, tout aussi souvent trahie que les serments humains et pourtant indéfectiblement maintenue : celle que Dieu met entre lui et son peuple. À partir du VIIIe siècle, ce qui auparavant pouvait encore s'entendre dans les termes d'un contrat entre vassal et suzerain, se colore d'une note résolument conjugale. Les textes prophétiques explicitent l'Alliance en déclarant que Dieu aime Israël d'un amour d'époux pour son épouse, endossant même de façon parfois très anthropomorphique* des sentiments de jalousie quand le peuple-épouse l'abandonne pour se vouer aux idoles des païens.

L'histoire d'Israël se conçoit dès lors comme une histoire conjugale, pleine de péripéties (voir Ez 16), mais où Dieu maintiendra envers et contre tout l'affirmation de sa fidélité à l'Alliance. C'est ainsi encore que l'espérance que les prophètes vont éduquer dans le cœur du peuple va être celle du don d'un cœur nouveau capable d'aimer Dieu d'un amour fidèle, grâce à quoi l'Alliance ne sera plus jamais rompue. Le prophète Osée, au VIIIe siècle, donne la première grande formulation de cette espérance, laissant entrevoir de nouvelles fiançailles : « Je te fiancerai à moi pour toujours ; je te fiancerai dans la justice et dans le droit, dans la tendresse et dans l'amour. Je te fiancerai à moi dans la fidélité, et tu connaîtras le SEIGNEUR » (Os 2,21-22). Dans des oracles qui annoncent à la fois le châtiment de l'infidélité et sa guérison, le prophète évoque la stratégie de Dieu. Il va séduire l'infidèle, la ramener au désert comme au temps de l'Exode. Alors, dans le dénuement, elle se tournera vers son époux, dont elle réentendra la parole. Au terme de l'épreuve, il lui rendra la jouissance de tous les biens de la terre dont elle a besoin pour vivre : « … C'est pourquoi je vais la séduire, la conduire au désert et parler à son cœur. Là, je lui rendrai ses vignobles, et je ferai du val d'Akor une porte d'espérance. Là, elle répondra comme aux jours de sa jeunesse, comme au temps où elle montait du pays d'Égypte » (Os 2,16-17).

Ce dialogue de l'amour réouvert, au milieu d'une terre florissante, évoque irrésistiblement l'échange du Cantique, avec sa généreuse et joyeuse parité où les mots circulent du bien-aimé à la bien-aimée pour dire le même émerveillement. De même, un prophète du retour d'Exil (VIe siècle) va évoquer à son tour l'œuvre de Dieu comme l'imprévisible conversion de l'infidèle qui sera changée en la sainte Sion : cité rayonnante de beauté dans le manteau de justice dont Dieu la revêtira (Is 61,10). Une série de thèmes se font écho, du Cantique aux oracles du livre d'Isaïe. Tel, par exemple, celui du réveil de la ville-épouse qui, au jour du salut, sera relevée de son humiliation et reconnaîtra dans son créateur son époux (Is 54,5). Ces convergences ont paru suffisamment fortes à certains exégètes pour considérer que le Cantique a été d'emblée écrit en allusion à ces textes prophétiques.

Replacé en ce contexte, le Cantique acquiert une dimension remarquable. Il chante incontestablement l'amour d'un homme et d'une femme mais évoque non moins fortement, à travers ces mots très humains, la perfection et le bonheur de l'autre Alliance, celle qui constitue la promesse portée par les oracles des prophètes. En ce sens, il devient à son tour parole prophétique. Cette vision prend encore un relief supplémentaire si l'on s'avise que le Cantique des cantiques fait discrètement mais obstinément allusion aux rois David et Salomon qui, à l'époque post-exilique, servent de référence à l'espérance messianique. Un jeu subtil de sonorités (*shlomo*-Salomon, *shalom*-paix, *shulamit*-Sulamite, *shem*-nom, *shemen*-huile) inscrit, au-delà de la référence explicite, le nom de Salomon dans la texture du livre.

Ainsi, dans cette préfiguration de l'Alliance parfaite, une figure de messie vient se superposer, de façon très mystérieuse, à la figure familière du Dieu-époux. Cette rencontre suggère une réalité inouïe : que le messie attendu par Israel puisse être Dieu venant en personne visiter son peuple et renouer le dialogue de l'amour. Un jour l'Église verra en Jésus, désigné comme l'Époux par les évangélistes, celui qui accomplit cette incroyable prophétie, tandis que l'Apocalypse de Jean dira de la Jérusalem céleste qu'elle est « belle comme une épouse parée pour son époux » (Ap 21,2). On comprend, dans ces conditions, que des générations chrétiennes aient inlassablement interrogé le mystère de l'Église en lisant et commentant les versets du Cantique.

Les deux interprétations du Cantique des cantiques

L'histoire de l'interprétation du texte met en contraste deux types de lecture. L'une, dite littérale, considère que ce livre de la Bible est – au plus près du sens que saisit immédiatement le lecteur – un dialogue amoureux entre un homme et une femme. L'autre, dite allégorique*, voit dans le bien-aimé et la bien-aimée des figures qui renvoient à autre chose qu'eux-mêmes. Ainsi, la tradition juive y reconnaît Dieu et Israël unis dans le dialogue de l'Alliance vécu au long de l'histoire. Le *Targoum** comme le *Midrash** lisent en ce sens, de même que le *Zohar* (XIIIe siècle) qui valorise fortement ce livre biblique. En effet, le Cantique est familier à la conscience juive qui l'engage dans la célébration domestique du sabbat, accueilli chaque vendredi soir comme une fiancée. La tradition chrétienne, elle, associe, d'une part, le bien-aimé au Christ et, d'autre part, la bien-aimée à l'Église, comprise comme collectivité ou identifiée individuellement à chaque baptisé.

Cette distinction entre lecture littérale et lecture allégorique partage l'histoire du Cantique des cantiques en deux. Jusqu'à l'époque classique, l'interprétation allégorique règne pratiquement sans partage. Les grands commentaires patristiques (Origène, Grégoire de Nysse, par exemple), médiévaux (Bernard de Clairvaux, Guillaume de Saint-Thierry, Gilbert de Hoyland, entre autres) ou encore le *Cantique spirituel* de Jean de la Croix au XVIe siècle, relèvent de cette lecture. Mais depuis le XVIIe siècle, et avec de plus en plus d'insistance, la lecture littérale tend à s'imposer. Cette dernière est pour partie défendue par des lecteurs qui se situent en marge de la foi. Le Cantique n'est alors qu'un poème humain, éventuellement érotique, auquel on dénie toute portée spirituelle. Il serait par erreur dans la Bible, va-t-on jusqu'à affirmer. Mais cette interprétation est également accueillie par des croyants, arguant de ce que la présence du Cantique dans la Bible vaut comme affirmation forte et précieuse de la bonté de la création et de l'amour humain, proclamée dès le départ, au chapitre 1 de la Genèse, lorsque Dieu déclare, au sixième jour que « cela était très bon». Dans cette ligne, on a pu attribuer au Cantique des cantiques une fonction de démythologisation : alors que les paganismes voisins d'Israël confondent volontiers sacré et sexualité, ce texte qui chante l'amour humain sans référence au divin, exprimerait l'autonomie de l'amour qui n'a nul besoin d'implications sacrales.

Si nombre d'auteurs contemporains opposent ces deux lignes d'interprétation en y voyant deux options exclusives l'une de l'autre, il n'est pourtant pas sûr qu'elles soient si définitivement inconciliables. L'approfondissement contemporain du sens anthropologique des réalités de la Bible d'une part, de la profondeur spirituelle attachée aux grandes expériences de la vie humaine, d'autre part, amènent à contester cette opposition. Le Cantique des cantiques peut être lu à la fois comme la pointe extrême de la révélation de l'Alliance entre Dieu et son peuple et comme pure expression de l'amour humain. Sa grandeur est alors de conjoindre l'un et l'autre.

On rejoint ainsi les perspectives développées par Paul dans sa lettre aux Éphésiens, lorsque, parlant de l'union de l'homme et de la femme, il déclare : « Ce mystère est grand… il s'applique au Christ et à l'Église » (Ep 5,32). On notera d'ailleurs que l'ordre dans lequel, historiquement, lecture allégorique et lecture littérale se succèdent, correspond bien à la conviction chrétienne, nourrie de la lecture de Gn 2–3 : bonté et harmonie constituent la vérité de création de la relation homme-femme, mais cette vérité est brouillée par le péché qui sépare l'homme de Dieu. Il faut donc d'abord que l'humanité soit réconciliée avec Dieu pour retrouver ensuite la justesse heureuse de la relation entre homme et femme. Ce qu'accomplit précisément l'Alliance que célèbre le Cantique des cantiques dans sa lecture allégorique.

A.-M. P.

Les Psaumes ; la Synagogue

Après ce vaste parcours des trois grandes traditions qui ont présidé à la formation du judaïsme : celles des prêtres, des prophètes et des sages, deux éléments essentiels de la foi juive formeront une magnifique conclusion à ce volume : le livre des Psaumes et l'institution qu'est la Synagogue.

Le livre des *Psaumes* est impossible à dater dans son ensemble, puisqu'il rassemble des prières écrites sur bien des siècles. Son état actuel semble ne remonter qu'au IIe siècle avant notre ère, alors que ses pièces les plus anciennes datent du temps des rois. Le Psautier forme une sorte de miroir de « l'homme biblique », reflétant ses expériences religieuses, ses cris et ses chants au fil des siècles. Rien d'étonnant si les chrétiens, après Jésus et ses disciples, continuent de chanter et de méditer les Psaumes : ces paroles inspirées au croyant pour qu'il apprenne à parler à Dieu.

Quant à la *Synagogue*, où les Juifs continuent de prier les Psaumes en hébreu, elle est toujours le foyer du judaïsme. Même si nous ne savons pas de quand datent les premières synagogues, la vie juive s'est tellement identifiée à elles qu'elles doivent s'enraciner bien des siècles avant notre ère, peut-être même lors de l'Exil à Babylone. C'est en elles, depuis plus de deux millénaires, que sont lus fidèlement, chaque sabbat, la Loi et les prophètes, que sont chantés les psaumes et les bénédictions. C'est là aussi que Jésus a commencé d'annoncer la venue du Règne de Dieu, en Galilée, voici près de 2 000 ans.

Les Psaumes

Ce livre du Premier Testament est exceptionnel : à la différence de tous les autres il se présente, non comme la parole de Dieu aux hommes, mais comme les paroles données aux hommes pour qu'ils s'adressent à Dieu. Autre particularité : ce livre de prières juives a toujours été utilisé aussi par les chrétiens, notamment par les moines et les moniales, dans l'office des Heures qui rythme leur prière quotidienne. Précisons que nous désignerons ici les Psaumes selon la numérotation des Bibles modernes, qui suit celle de la Bible hébraïque, alors que tous les livres de prière catholiques suivent la Bible grecque des Septante, qui les décale d'un chiffre depuis le Ps 10 (= 9 B) jusqu'au Ps 147 (= 146-147).

La formation du Psautier

La collection des 150 psaumes qui forme le Psautier présente, de toute évidence, les marques d'une longue histoire de composition et d'utilisation. En témoigne d'abord la référence constante à l'époque de David : 73 psaumes lui sont attribués ou dédiés et près d'une trentaine sont associés à l'œuvre de lévites de son époque (Asaph, Coré et quelques autres). Les références à la reconstruction du temple (Ps 51,20) et au séjour à Babylone (Ps 137) ou au retour à Sion depuis

BIBLE

DEUX DES PLUS ANCIENS PSAUMES

Le genre psalmique est richement attesté dans toute la Bible : on trouve en effet une centaine de poèmes, prières, chants et cantiques répartis à travers l'ensemble de la Bible hébraïque. Voici un extrait de deux des psaumes les plus anciens de toute la Bible.

Le cantique de Moïse (Ex 15,1-3)
Alors Moïse et les Israélites chantèrent
pour le SEIGNEUR le chant que voici :
« Je chante pour le SEIGNEUR
car il s'est couvert de gloire,
il a jeté à la mer cheval et cavalier.
YAH est ma force et mon chant,
à lui je dois mon salut.
Il est mon Dieu, je le célèbre ;
le Dieu de mon père et je l'exalte.
Le SEIGNEUR est un guerrier,
son nom est le SEIGNEUR. »

Le cantique de Débora (Jg 5,1-5)
En ce jour-là, Débora et Baraq,
fils d'Abinoam, chantèrent, disant :
« Puisqu'en Israël des guerriers
ont dénoué leur chevelure,
puisque le peuple s'est offert librement,
bénissez le SEIGNEUR.
Écoutez, rois ! Prêtez l'oreille, princes !
Moi, pour le SEIGNEUR, moi je chanterai.
Je célébrerai le SEIGNEUR, Dieu d'Israël.
SEIGNEUR, quand tu sortis de Séïr,
quand tu t'avanças des campagnes d'Édom,
la terre trembla, les cieux se déversèrent,
les nuées fondirent en eau.
Les montagnes ruisselèrent
devant le SEIGNEUR, celui du Sinaï,
devant le SEIGNEUR, le Dieu d'Israël. »

la captivité (Ps 126) empêchent toutefois de restreindre à la période davidique le temps de composition des psaumes. La complexité et le caractère énigmatique des titres (Ps 7,1 ; 8,1 ; 9,1 ; 34,1 ; etc.) témoignent, à leur tour, d'une certaine distance temporelle par rapport au contexte primitif des psaumes auxquels ils sont rattachés. Le phénomène de la réutilisation de certains refrains ainsi que celui des doublets (par exemple Ps 14 = Ps 53 ; Ps 31,2-4 = Ps 71,1-3 ; Ps 40,14-18 = Ps 70 ; etc.), confirme la complexité de l'histoire éditoriale, et enfin le caractère tantôt ancien tantôt récent du vocabulaire utilisé fournit un bon indice des limites chronologiques de la composition.

L'antiquité de la tradition psalmique en Israël n'est plus à prouver. Il existe une centaine de psaumes hors collection disséminés à travers toutes les couches de l'Ancien Testament, et dont certains relèvent de la plus haute antiquité : c'est le cas du cantique de Moïse et de celui de Débora (Ex 15 ; Jg 5 : voir ci-contre), antérieurs au XIe siècle av.J.C.

La figure de David et son influence déterminante sur la tradition psalmique, au tournant de 1000 av. J.C., apparaît également comme une donnée ferme de la tradition biblique, depuis la rédaction deutéronomiste du livre de Samuel qui lui attribue une complainte sur Saül et Jonathan (2 S 1) et un psaume d'action de grâces (2 S 22), jusqu'à la relecture de l'histoire d'Israël consignée dans les Chroniques (1 Ch 15–16 ; 22–25) et même au-delà, avec le Siracide (Si 47,8-10). Le jeune David n'avait-il pas été appelé auprès de Saül comme musicien, pour apaiser les fureurs du roi (1 S 16,14-23) ? [*voir* p. 218].

Le Psautier se situe, d'autre part, au confluent des grandes traditions bibliques : historique, prophétique et sapientielle. Il est peu vraisemblable que le Psautier soit ce livre unique qui aurait inspiré *tous* les courants théologiques en Israël. Il est plus normal, en revanche, de considérer que les psaumes ont été nourris de ces différents courants. Ainsi les Ps 1 et 34, par exemple, présentent de larges affinités avec le monde des sages : genre littéraire des béatitudes (Ps 1,1 ; 34,9 ; comparer avec Pr 3,13 ; 8,34 ; 14,21 ; Jb 5,17 ; Qo 10,17), préoccupation pour la rétribution des justes et des pécheurs (Ps 1,6 ; 34,13-15 ; comparer avec Pr 10,7.16.24), procédé du poème alphabétique (Ps 34 ; 37 ; 119 ; comparer avec Pr 31).

La tradition prophétique n'est pas en reste. Le plaidoyer divin du Ps 50,7-23, par exemple, rejoint la protestation entendue en Am 5 et Os 5 et 14. En outre, une trentaine de psaumes porte la marque de la théologie de Jérémie (Ps 1,3 = Jr 17,8), tandis que le Ps 51 (le *Miserere*), avec son vocabulaire et sa thématique du « cœur nouveau » et de

REPÈRE

PLUSIEURS COLLECTIONS DE PSAUMES

Des collections individuelles ont existé à l'état indépendant avant d'être intégrées au livre biblique qu'on connaît maintenant. C'est ainsi, par exemple, qu'on trouve une collection des Psaumes des fils de Coré (42–49 et 84–88) ou encore d'Asaf (73–83), tandis que d'autres psaumes sont regroupés autour d'un thème théologique particulier, comme les « psaumes du Règne » (93–100) célébrant la victoire du Dieu créateur ou encore les « chants des montées » ou des pèlerinages (120–134), dédiés à la gloire de Jérusalem et qui se distinguent également par leur brièveté et par leur style de reprises « en escalier ».

Dans son état actuel, le Psautier se présente comme une collection de cinq livres, dont la division est repérable par l'addition, certainement tardive, de quatre doxologies semblables en conclusion des quatre premiers livres, soit à la fin des Ps 41 ; 72 ; 89 et 106. La conclusion du cinquième livre est fournie par une doxologie développée tout au long du Ps 150 ; c'est un appel à louange universelle, qui s'achève, tel un point d'orgue, sur le refrain *Alleluia*, si caractéristique de ce dernier livre ; en fait, ce refrain ne se trouve nulle part ailleurs dans tout l'Ancien Testament.

Répartition des « livres »	Formules de clôture
Livre I : **Ps 2 – 41**	41,14 : « **Béni soit le SEIGNEUR**, le Dieu d'Israël, depuis toujours jusqu'à toujours ! **Amen ! Amen !** »
Livre II : **Ps 42 – 72**	72,18-20 ; « **Béni soit le SEIGNEUR**, le Dieu d'Israël, qui seul a fait des merveilles ! Béni soit à jamais son nom de gloire, toute la terre soit remplie de sa gloire ! **Amen ! Amen !** *Fin des prières de David, fils de Jessé.* »
Livre III : **Ps 73 – 89**	89,53 : « **Béni soit le SEIGNEUR** à jamais ! **Amen ! Amen !** »
Livre IV : **Ps 90 – 106**	106,48 ; « **Béni soit le SEIGNEUR**, le Dieu d'Israël, depuis toujours jusqu'à toujours ! Et tout le peuple dira : **Amen ! *Alleluia* !** »
Livre V : **Ps 107 – 150**	150,6 : « Que tout ce qui respire loue le SEIGNEUR ! ***Alleluia !*** »

La division en cinq livres a permis à la tradition juive de faire un rapprochement entre David et Moïse : « De même que Moïse a donné les cinq livres des lois à Israël, de même David a donné à Israël les cinq livres des Psaumes » (*Midrash Tehillim* sur Ps 1,2).

« l'esprit nouveau », reprend des thèmes chers à ce même Jérémie ainsi qu'à Ézéchiel. Enfin, les grands credos historiques que sont les Ps 113–115 et 136 renvoient aux événements de l'exode et à l'avènement de la monarchie. On trouve également des références significatives à l'événement-charnière de l'Exil à Babylone et de la fin de la royauté (597-587 av.J.C.) : Ps 74 ; 79 ; 88 ; 137.

Le processus éditorial

L'histoire éditoriale n'est pas moins complexe, ainsi qu'en témoigne l'introduction de quatre doxologies ou bénédictions placées en conclusion de certaines grandes collections.

Les études récentes, surtout du côté américain, ont accordé beaucoup d'attention au processus éditorial et à la « mise en forme » du Psautier. Selon la « lecture canonique » (B. Childs), bien des auteurs ont cherché à rendre compte de l'état actuel du Psautier. Même si tout demeure objet d'hypothèse, il n'en ressort pas moins des observations pertinentes sur la construction du Psautier. Aux deux extrémités, on reconnaît la fonction particulière des Ps 1 et 150, le premier ouvrant littéralement les « deux voies » qui traversent l'ensemble du Psautier (justice et injustice), et le dernier qui vient conclure un vaste crescendo de la louange, amorcé depuis le Ps 100. On a fait remarquer à juste titre que ces deux psaumes définissent les deux pôles du monde des psaumes : le bonheur humain et la gloire de Dieu.

On suggère notamment un regroupement en deux sections majeures pour l'ensemble de la collection : les Ps 2–89 (livres I-II-III) d'une part, et les Ps 90–149 (livres IV-V) d'autre part. Selon W. Brueggeman, le premier regroupement – qui renferme d'ailleurs la majorité des psaumes attribués ou dédiés à David –, atteste des espoirs placés en la royauté (Ps 2 ; 72 et 89) et de l'échec historique de cette même royauté. Le second regroupement viserait à fournir une réponse au problème posé par l'échec historique de la royauté et inviterait les croyants à placer leurs espoirs dans la célébration de la royauté du Seigneur et dans l'exercice de la louange qui lui est due.

Si cette dernière hypothèse est juste, on conviendra que le Ps 73 joue le rôle de psaume-charnière. En effet, la conclusion du Ps 72 porte la seule indication explicite de la fin d'une collection (« Fin des prières de David, fils de Jessé ») ; le v.1 du Ps 73 reprend en ses mots la thèse du Ps 1 sur la rétribution des justes, alors que les v.2-13 la défont, et que les v.23-26 lui substituent une thèse qui met en valeur la présence de Dieu et la communion avec lui.

La question des genres littéraires*

L'étude des genres littéraires a largement dominé et enrichi l'exégèse des Psaumes au cours du siècle qui vient de s'écouler. La contribution de l'exégète allemand H. Gunkel, de 1904 à 1926, demeure la plus importante et la plus significative. Il s'est appliqué à l'étude des « formes littéraires » des Psaumes et du « milieu de vie » (*Sitz im Leben*) qui les a fait naître. Sa méthode s'appuyait principalement sur la critique littéraire, stylistique, et sur l'étude comparative des religions. Gunkel distinguait trois grands genres : hymnes, supplications et actions de grâces, dont voici quelques exemples :

	supplications	*actions de grâces*	*hymnes*
individuelles :	Ps 3 ; 5 ; 6 ; 7 ; 13 ; 22A	Ps 18 ; 22B ; 30 ; 32 ; 118 ; 138	Ps 8 ; 19 ; 29 ; 33 ; 104
collectives :	Ps 44 ; 74 ; 79 ; 80	Ps 57 ; 124 ; 129	

Citons un exemple de chacun de ces genres.

Hymne

Bénis le Seigneur, mon âme.
Seigneur, mon Dieu, tu es si grand !
Vêtu de faste et d'éclat,
drapé de lumière comme d'un manteau,
tu déploies les cieux comme une tente,
tu bâtis sur les eaux tes chambres hautes ;
faisant des nuées ton char,
tu t'avances sur les ailes du vent. [...]
Tu poses la terre sur ses bases,
inébranlable pour les siècles des siècles.
De l'abîme tu la couvres comme d'un vêtement
sur les montagnes se tenaient les eaux (Ps 104,1-6).

Supplication individuelle

Mon Dieu, mon Dieu, pourquoi m'as-tu abandonné,
insoucieux de me sauver, malgré les mots que je rugis ?
Mon Dieu, le jour j'appelle et tu ne réponds pas,
la nuit, point de silence pour moi. [...]
Et moi, ver et non pas homme,
risée des gens, mépris du peuple,
tous ceux qui me voient me bafouent,
leur bouche ricane, ils hochent la tête.

« Qu'il s'en remette au S*EIGNEUR, qu'il le délivre !*
qu'il le libère, puisqu'il l'aime ! » (Ps 22,2-3.7-9).

Supplication collective
Pourquoi, ô Dieu, rejeter jusqu'à la fin,
fumer de colère contre le troupeau de ton bercail ? [...]
Élève tes pas vers ce chaos sans fin
il a tout saccagé, l'ennemi, au sanctuaire ;
dans le lieu de tes assemblées ont rugi tes adversaires. [...]
Ils ont livré au feu ton sanctuaire,
profané jusqu'à terre la demeure de ton nom. [...]
Jusques à quand, ô Dieu, blasphémera l'oppresseur ?
l'ennemi va-t-il outrager ton nom jusqu'à la fin ? (Ps 74,1.3-4.7.10).

Action de grâces individuelle
Rendez grâce au S*EIGNEUR, car il est bon,*
car éternel est son amour !
De mon angoisse, j'ai crié vers le S*EIGNEUR,*
il m'exauça, me mit au large.
Le S*EIGNEUR est pour moi, plus de crainte,*
que me fait l'homme à moi ?
Le S*EIGNEUR est pour moi, mon aide entre tous,*
j'ai toisé mes ennemis (Ps 118,1.5-7).

Action de grâces collective
Sans le Seigneur qui était pour nous
– à Israël de le dire –
quand on sauta sur nous,
alors ils nous avalaient tout vifs
dans le feu de leur colère. [...]
Béni le S*EIGNEUR qui n'a point fait de nous*
la proie de leurs dents !
Notre âme comme un oiseau s'est échappée
du filet de l'oiseleur.
Le filet s'est rompu et nous avons échappé ;
notre secours est dans le nom du S*EIGNEUR*
qui a fait le ciel et la terre (Ps 124,1-3.6-8).

Gunkel distingue encore d'autres genres mineurs comme les « psaumes royaux » (Ps 2 ; 18 ; 20 ; 27 ; 45), les « chants de pèlerinage à Jérusalem » (Ps 84 ; 122), les « psaumes didactiques » (1 ; 37 ; 49 ; 73), etc.

Pour ce qui est du *milieu de vie*, Gunkel conclut à l'étroite parenté entre les psaumes et le culte ancien d'Israël, et partant, à la primauté de la dimension collective. Il reconnaît toutefois que les psaumes ont pu se détacher de leur contexte primitif pour alimenter la prière individuelle, notamment sous l'influence du prophétisme, dès la période préexilique.

Reprenant une intuition de Gunkel qui distinguait, à l'intérieur des hymnes, une catégorie spéciale de chants d'intronisation du Seigneur, l'exégète norvégien S. Mowinckel a, pour sa part, étudié la dimension liturgique des psaumes et cherché à les mettre en relation avec les principales fêtes liturgiques de l'Israël biblique. Il a surtout postulé l'existence d'une fête de « l'intronisation de Yahvé », qui aurait coïncidé avec les fêtes d'automne : le Nouvel An et la fête des Tentes, pour expliquer notamment les psaumes de la « royauté de Yahvé » qui proclament : « le Seigneur règne ! » (47 ; 93 ; 96–99).

Cl. Westermann, de son côté, regroupe les Psaumes en deux grandes catégories : les louanges et les lamentations. Il a montré que les frontières entre les hymnes, les supplications et les actions de grâces n'étaient

DOCUMENT

PRIÈRES DE L'ANCIEN ORIENT

On trouve déjà chez les Babyloniens, au IIe millénaire av.J.C., des prières pénitentielles appelées « élégies du cœur » qui posent, comme dans les Psaumes bibliques, la question du pourquoi de la souffrance et pressent les dieux de mettre fin à leur silence. On pourra comparer le texte qui suit avec les Ps 6 ; 13 ; 38–39 et 69, parmi tant d'autres.

J'ai pleuré et personne ne s'est approché
de moi ;
J'émets des plaintes mais personne
ne m'écoute,
Je suis tourmenté, je suis aveuglé,
je ne vois plus.
Mon dieu miséricordieux, tourne-toi vers moi,
je t'implore.
Ma déesse, je baise tes pieds,
je me traîne sans cesse devant toi.
Ô dieu, qui que tu sois, tourne-toi vers moi,
je t'implore,
Ô déesse, qui que tu sois,
tourne-toi vers moi.
Quand donc, ô mon dieu
ton cœur en colère se calmera-t-il ?

(Trad. M.-J. Seux.)

Un hymne égyptien du XIVe s. av. J.C., composé à la gloire d'Aton, dieu-soleil, présente plus d'un trait commun avec les chants de création qu'on trouve dans les Ps 8 ; 19 ; 33 ; 104 : multitude, splendeur et mystère des œuvres créées, unicité du Créateur et sollicitude universelle de sa part pour sa création. La comparaison avec le Ps 104 est particulièrement éclairante [*voir* p. 129].

Comme elles sont nombreuses tes créations !
Elles sont cachées au visage des hommes,
ô Dieu unique, à qui nul autre
n'est semblable.
Tu as créé la terre selon ton désir
alors que tu étais seul :
hommes, troupeau, petit bétail,
tout ce qui est sur le sol et marche
sur ses pattes,
ce qui est dans l'air et vole de ses ailes,
les pays étrangers : Syrie, Soudan
et le pays d'Égypte.
Tu mets chacun à sa place et crées
ce dont il a besoin.
Chacun a ce qu'il faut pour manger
Et sa durée de vie est calculée.

(Trad. A. Barucq.)

pas aussi étanches que le disaient Gunkel et ses disciples. Il n'est pas rare, en effet, qu'on observe à l'intérieur d'un même psaume, le passage de l'hymne à la supplication ou l'inverse (ex. Ps 7 ; 9 ; 18 ; 22).

Si elle continue de faire école et de meubler la plupart des introductions aux commentaires classiques des psaumes, la position de Gunkel sur les genres littéraires des psaumes, commence toutefois à être remise en question, si ce n'est dépassée. Chez ceux qui se réclament de son étude des formes, on est étonné par l'extrême diversité dans la classification individuelle des 150 psaumes ; ce qui témoigne d'un certain degré d'arbitraire dans la classification. D'autre part, l'étude des formes, et surtout de leur préhistoire, a tendance à masquer la singularité de chacun des psaumes étudiés. À force de chercher des structures « caractéristiques », on aboutit à des modèles dont aucun ne se vérifie intégralement dans les psaumes assignés à tel ou tel genre.

Enfin, les études récentes sur les Psaumes ont favorisé de nouvelles approches. De ce nombre, deux types de lecture émergent. Les études de structure (structurales et surtout structurelles) et les lectures canoniques (voir plus haut) s'appliquent davantage à faire ressortir l'unité de chaque poème individuel aussi bien que la complexité et l'agencement de sa structure stylistique.

La symbolique

Malgré – ou peut-être à cause de – la richesse de la symbolique des psaumes, il manque, jusqu'à ce jour, une étude exhaustive de cette symbolique. Il n'est pas rare, en effet, que des études classiques et des commentaires ne fassent que l'effleurer. Fort heureusement, la situation semble vouloir changer depuis 1980, date de la parution de trois études notables.

Celle de W. Brueggemann suggère un schéma inspiré de la pensée de P. Ricœur sur les fonctions du langage, et propose une typologie qu'on pourrait qualifier d'existentielle selon un schéma : *orientation*, *désorientation*, et *nouvelle orientation*. P. Beauchamp définit pour sa part les deux pôles de la prière des psaumes (louange et supplication) selon la dialectique temporelle *« nuit et jour » :* « La parole de louange, c'est le côté jour. Or il y a un côté nuit dans la louange elle-même ». Enfin L. Monloubou met à profit l'œuvre de G. Durand (*Les structures anthropologiques de l'imaginaire*), et propose une symbolique *corporelle / anthropologique*, définie selon le rapport de l'homme au mouvement : *debout, assis, en marche.*

Du côté des commentateurs, G. Ravasi est l'un des rares à aborder la question de façon systématique. Dans son commentaire il croit pouvoir déceler quatre grands axes dans la symbolique des psaumes : *vertical théologique* ou *infernal* et *horizontal anthropologique* ou *cosmologique.*

Le sujet est très riche et appellerait d'autre études, notamment pour mieux comprendre le *bestiaire* des psaumes (lion, chacal, taureau, chien, oiseau, dragon, etc.), ou encore la symbolique *des profondeurs* (fosse, shéol, ravin, abîme, eaux, etc.), ou pour mieux définir le sens des innombrables *métaphores* que déclinent les titres et attributs divins contenus dans les psaumes : berger, roi, rempart, citadelle, bouclier, rocher, refuge, lumière, etc. Il y a là un trésor qui demande encore à être examiné et dont l'exploration ne manquerait pas d'enrichir notre compréhension de l'ensemble de l'univers biblique.

La prière chrétienne des Psaumes

Le Nouveau Testament s'appuie d'une manière toute particulière sur le témoignage du livre des Psaumes pour interpréter la vie, la mission et la destinée de Jésus. C'est en effet ce livre qui est le plus cité de tous les livres de l'Ancien Testament : environ un tiers des quelque 360 citations de l'Ancien Testament proviennent des Psaumes. Et c'est aussi le livre le plus cité par Jésus lui-même, avec environ un tiers des citations

REPÈRE

LES PSAUMES COMME ÉCRITURE INSPIRÉE

Les Psaumes n'ont pas tardé à être reconnus comme Écriture inspirée. Déjà peu de temps avant l'Exil, l'historien deutéronomiste qui rédige le livre de Samuel n'hésite pas à ranger David, auteur présumé d'un bon nombre de psaumes, parmi les grandes figures prophétiques d'Israël :

> *Voici les dernières paroles de David :*
> *Oracle de David, fils de Jessé,*
> *oracle de l'homme haut placé,*
> *de l'oint du Dieu de Jacob,*
> *du chantre des cantiques d'Israël.*
> *L'esprit du SEIGNEUR s'est exprimé par moi,*
> *sa parole est sur ma langue* (2 S 23,1-2).

Le deuxième livre des Maccabées, au IIe siècle av. J.C., invoque le témoignage de Néhémie pour classer, à son tour, les *livres de David* parmi la bibliothèque des écrits prophétiques :

> *Il était encore raconté dans ces écrits et dans les Mémoires de Néhémie comment ce dernier, fondant une bibliothèque, y réunit les livres qui concernaient les rois, les écrits des prophètes et de David, et les lettres des rois au sujet des offrandes* (2 M 2,13).

C'est toutefois le premier livre des Maccabées, rédigé à la même époque, qui fournit la première citation explicite, dans la Bible, d'un psaume comme Écriture inspirée :

> (L'impie Alkime) *fit arrêter soixante d'entre eux, qu'il exécuta le même jour, suivant la parole de l'Écriture : « Ils ont dispersé la chair de tes saints et répandu leur sang autour de Jérusalem, et il n'y avait personne qui les ensevelît. »* (1 M 7,16-17 : la citation est tirée de Ps 79,2-3.)

de l'Ancien Testament mises dans sa bouche. Jésus et les premiers chrétiens citent les Psaumes avec les formules usuelles de citation de l'Écriture : « N'avez-vous jamais lu dans les Écritures... ? » (Mt 21,42 ; voir aussi Mc 12,10 ; Lc 4,10 ; 24,44 ; Ac 1,16.20).

La concentration la plus forte des citations et allusions aux Psaumes se trouve dans les récits de la Passion, en conclusion des évangiles : on y compte une vingtaine de références tirées d'une dizaine de psaumes différents. Pour la même raison, les Psaumes tiennent une place significative dans la prédication missionnaire primitive qui annonce à la

Repère

Prier à l'enseigne de la violence ?

Parmi les questions qui dérangent le plus les lecteurs et utilisateurs des Psaumes aujourd'hui, celle de la violence est l'une des plus graves et des plus persistantes. Comment, en effet, accepter que des psaumes fassent étalage de violence et laissent libre cours au désir de vengeance (Ps 18,38-43 ; 55,10-16 ; 58,8-12 ; 69,23-29 ; 83,10-19 ; 109,6-20 ; 137,7-9) ? Plus grave encore, comment pourrait-on prétendre que Dieu exauce d'aussi étranges prières ?

Les Psaumes, il est vrai, ne font pas l'économie de la violence. Tant s'en faut. Ils ne la censurent pas non plus. Tant et si bien que le lecteur d'aujourd'hui est livré à ses propres choix face à la réalité aussi bien qu'à la tentation de la violence. En ce sens, les Psaumes ont à tout le moins le mérite de nous obliger à prendre position : qu'en est-il de notre rapport à la violence ?

La première violence dont il est question dans les Psaumes est *la violence observée*, celle dont les psalmistes sont témoins, celle qu'ils trouvent et observent dans le monde autour d'eux, un monde fracturé, et dont ils ne font que refléter l'étrange réalité : « Je vois en effet la violence et la discorde en la ville » (Ps 55,10). Le constat est sans merci : la violence est dans les Psaumes – et dans le reste de la Bible – parce qu'elle est là dans la ville. Les Psaumes, miroir d'humanité, nous renvoient cette image peu enviable de nous-mêmes et du monde dans lequel nous vivons.

Il est une deuxième violence pour laquelle les psalmistes font preuve d'une extrême sensibilité : il s'agit de la *violence infligée*, celle qui est le fruit de l'injustice et que les psalmistes, comme l'ensemble de la Bible, démasquent et dénoncent sans aucun ménagement : « Juge-moi, Dieu, défends ma cause [...] de l'homme perfide et pervers délivre-moi » (Ps 43,1). Les psalmistes protestent haut et fort contre la violence dont les pauvres sont victimes et en appellent chaque fois à la justice et à la compassion divines : « Seigneur, qui est comme toi pour délivrer le petit du plus fort, le pauvre du spoliateur ? » (Ps 35,10).

Enfin, il est une autre violence, plus problématique encore et carrément inacceptable : c'est celle qui est *affichée, revendiquée :* « Je poursuis mes ennemis [...] je ne reviens pas qu'ils ne soient achevés ; je les frappe [...] ceux qui me haïssent, je les extermine » (Ps 18,38-39.41) ; « Ô Dieu, brise en leur bouche leurs dents, arrache les crocs des lionceaux, Seigneur. [...] Joie pour le juste de voir la vengeance ; il lavera ses pieds dans le sang de l'impie » (Ps 58,7.11). Que voilà des propos peu édifiants ! On dira qu'il y a une part d'exagération verbale, que le psalmiste ne passe pas aux actes, etc. Rien n'y fait. De tels propos, qu'ils viennent de la Bible ou d'ailleurs, ne sauraient être légitimés. Car Dieu, comme l'ont bien compris les psalmistes, n'est pas du côté de la violence et encore moins de la vengeance : « Le Seigneur est tendresse et pitié, [...] il est bon, le Seigneur, envers tous, et ses tendresses pour toutes ses œuvres » (Ps 145,8-9).

fois le sens de la mort de Jésus et sa résurrection (Ac 2,25-28.34-35 ; 4,11 ; 13,22.33.35 ; etc.).

Aussitôt après les premières difficultés de Pierre et Jean avec les autorités juives, une prière de la communauté montre bien le principe de la prière chrétienne des Psaumes. Dans les éditions actuelles du Nouveau Testament, les citations de l'Ancien Testament sont indiquées par un changement de caractère (habituellement l'italique, mais ici le romain) :

C'est toi qui as dit par l'Esprit Saint et par la bouche de notre père David, ton serviteur : « Pourquoi cette arrogance chez les nations, ces vains projets chez les peuples ? Les rois de la terre se sont mis en campagne et les magistrats se sont rassemblés de concert contre le Seigneur et contre son Oint. »

Oui vraiment, ils se sont rassemblés *dans cette ville contre ton saint serviteur Jésus, que tu as* oint, *Hérode et Ponce-Pilate avec* les nations *païennes et* les peuples *d'Israël, pour accomplir tout ce que, dans ta puissance et ta sagesse, tu avais déterminé par avance. À présent donc, Seigneur, considère leurs menaces.* (Ac 4,25-29).

Le psaume est actualisé, c'est-à-dire appliqué à la situation présente : il est adressé à Dieu à propos de son Oint, son Messie ou Christ, Jésus. Une telle prière vient éclairer et réconforter les disciples, puisque leurs épreuves, tout comme la Passion de Jésus, font partie de ce que Dieu a déterminé par avance pour réaliser son dessein de salut. L'actualité relue à la lumière des Psaumes, de l'Écriture, reçoit son vrai sens : elle est le lieu de l'histoire du salut aujourd'hui.

La tradition chrétienne développera la prière des Psaumes en deux sens, selon les cas : soit l'Église s'adresse *au Père* et prie les Psaumes comme Jésus le faisait ; soit elle adresse les Psaumes *au Père* et / ou *au Fils*, le Seigneur ressuscité. Dans les deux cas, c'est toujours une prière d'Église faite avec les croyants, ou au nom de tous les humains.

J.-P. P.

La synagogue

La synagogue d'aujourd'hui plonge ses racines dans une longue histoire, en s'imposant comme une institution originale à bien des égards. Cette création du judaïsme a modelé l'âme de tout un peuple, sans parler de son influence sur l'institution chrétienne. Il faudrait ici remonter des synagogues modernes jusqu'à celles du Moyen Âge, et plus encore jusqu'aux magnifiques synagogues galiléennes des IIIe au VIe siècle de notre ère. Nous parlerons surtout des synagogues aux premiers siècles avant et après J.C., qu'il faut bien distinguer des synagogues qui suivront la seconde destruction du Temple, après l'an 135 de notre ère. Disons-le d'emblée, avant cette époque, la synagogue désignait d'abord un rassemblement ou une assemblée qui se réunissait pour répondre aux besoins divers d'une communauté urbaine juive. Ainsi, plusieurs assemblées de ce genre étaient connues à Rome où se débattaient les affaires de la communauté.

Après 135, le bâtiment synagogal est devenu un lieu surtout cultuel, largement enrichi des pratiques du Temple maintenant détruit. Par exemple, des prières, autrefois dites aux Temple, sont alors introduites dans le cadre d'un office liturgique ; ou encore, le chandelier à sept branches aura désormais sa place à la synagogue, à l'image du chandelier d'or du Temple d'hier. Il importe donc de ne pas trop vite projeter les pratiques coutumières d'une synagogue d'aujourd'hui dans les synagogues dont parlent, entre autres, les évangiles. Rappelons d'un mot l'origine et les fonctions de ces anciennes synagogues touchant en particulier la lecture de la Loi et les prières.

Les maisons de prière et les synagogues anciennes

Au début de notre ère, on usait du mot grec *synagogué* pour désigner une assemblée ou un rassemblement de Juifs au sein d'une ville de la diaspora*, c'est-à-dire au sein de la dispersion des Juifs dans le bassin méditerranéen et jusqu'en Mésopotamie. Dans ce large contexte, le mot grec *proseuque* ou « maison de prière » désignait le lieu ou la construction où se réunissait cette assemblée. Par exemple, le livre des Actes mentionne une proseuque juive près d'un cours d'eau de la ville grecque de Philippes (Ac 16,13). En Israël, le mot synagogue pour désigner un bâtiment ne deviendra courant qu'au Ier siècle de notre ère. En dehors des évangiles qui en parlent souvent (Lc 4,15-16), l'un des plus anciens témoignages à ce sujet est celui du philosophe juif Philon d'Alexandrie (entre 20 av. et 40 ap.J.C) à propos des Esséniens* : « De ces lois de Moïse, ils s'instruisent en tout temps, mais spécialement le sabbat*, car ce septième jour est réputé saint. Ce jour-là, ils s'abstiennent des autres ouvrages et se rendent dans les lieux sacrés qu'on appelle synagogues. »

De quelle époque date la coutume de se réunir au matin du sabbat ? Selon une tradition déjà reçue au Ier siècle, l'origine des synagogues remonterait à Moïse lui-même. L'auteur des Actes des Apôtres déclare : « Depuis des générations, en effet, Moïse dispose de prédicateurs dans chaque ville, puisqu'on le lit tous les sabbats dans les synagogues » (Ac 15,21). De même, à la fin du Ier siècle, l'historien juif Flavius Josèphe précise : « Moïse a ordonné de se réunir chaque semaine [...] pour écouter la Loi et l'apprendre exactement par cœur » (*Contre Apion* II, 175). En fait, d'après les anciens témoignages littéraires et les découvertes archéologiques, il faut situer l'apparition des premières maisons de prière en Égypte dès le IIIe siècle avant notre ère ; puis, celle des lieux d'une assemblée communale et religieuse en Israël, dès le milieu du IIe siècle av.J.C, à l'époque maccabéenne probablement.

La plus ancienne mention d'une proseuque ou maison de prière se trouve sur une plaque de marbre provenant de Shédia, à 20 km d'Alexandrie ; elle date de l'époque de Ptolémée III Évergète (247-221 av.J.C.) : « En l'honneur du roi Ptolémée et de la reine Bérénice, sa sœur et son épouse, et de leurs enfants, les Juifs ont dédié cette proseuque. » D'autres inscriptions on été découvertes à Crocodilopolis en Égypte et ailleurs encore, jusqu'au Ier siècle de notre ère au moins. En est-il de même en Israël ? Plusieurs découvertes archéologiques de bâtiments datant d'avant l'an 70 de notre ère laisseraient plutôt penser à des synagogues. Ainsi, à Gamla, sur le Golan, au nord-est de la mer de Galilée, on devait découvrir en 1967 un bâtiment communautaire susceptible d'accueillir une centaine de juifs qui, assis sur des bancs de pierre, pouvaient écouter les lectures de la Bible. De même, on a découvert un bâtiment de ce genre lors des fouilles de la forteresse de Massada, avec quatre rangées de bancs, en terre et plâtre, courant le long des murs ; des fragments du Deutéronome ont été trouvés, cachés dans le sol d'une petite pièce attenante. Signalons encore une découverte semblable dans la forteresse de l'Herodium où Hérode le Grand venait d'être enterré. D'autres découvertes en Israël et dans la diaspora mériteraient aussi une mention, par exemple à Ostie, l'ancien port de Rome.

Cela dit, en dehors de quelques bâtiments plus importants connus à Antioche de Syrie, à Tibériade et à Alexandrie, les nombreuses synagogues de l'époque, sises souvent sur la place des bourgs ou près de la porte d'une ville, n'attiraient guère le regard, sans caractéristiques architecturales particulières. Elles ne peuvent être comparées aux riches synagogues galiléennes du IIIe au VIe siècle de notre ère. Il s'agissait à l'origine d'un lieu de réunion publique où se discutaient les affaires de la communauté, quitte à servir aussi de lieux où les scribes pouvaient lire et apprendre à lire le texte biblique. Mais bientôt, sans doute dès le milieu du Ier siècle avant notre ère, devait vite s'imposer la coutume religieuse d'une réunion le jour du sabbat au matin. Cette coutume prit alors comme modèle la lecture de la Loi faite par le scribe Esdras à l'approche de la fête des Tentes (*Soukkot*), selon Ne 8,1-8. La lecture et l'écoute de la Loi devinrent alors privilégiées. Mais longtemps encore, une synagogue devait servir comme le lieu du rassemblement communal, ou encore comme école et même, dans les pièces attenantes, comme lieu où l'on pouvait héberger un voyageur et servir un repas communautaire, une veille de sabbat. Sur une inscription trouvée à Jérusalem et datant probablement du IVe siècle de notre ère, on peut lire les mots suivants : « Theodotos, fils de Vettènos, prêtre et archisynagogue (chef de synagogue) [...] a construit cette synagogue pour la lecture de la Loi et pour l'enseignement des préceptes, ainsi que l'hôtellerie, les chambres et les aménagements des eaux, comme auberge pour ceux de l'étranger qui en auraient besoin. »

Revenons au Ier siècle. Il existe évidemment des liens entre les proseuques découvertes dans la diaspora, jusqu'à Rome, et les synagogues d'Israël ou d'Antioche de Syrie, mais aussi des différences signifiantes. En Israël, le Temple de Jérusalem demeurait le lieu privilégié de la prière et des sacrifices. La synagogue servait pour les affaires communes et comme lieu de la lecture et de l'approfondissement d'un texte biblique ; des prières, ou plutôt des bénédictions, pouvaient accompagner toutefois ces lectures. On en a déjà l'écho à l'époque hasmonéenne : « (les Juifs) se mirent à célébrer le sabbat, multipliant les bénédictions et louant le Seigneur » (2 M 8,27 ; 12,38). Mais, aux yeux d'un Judéen, la « maison de prière » n'en demeurait pas moins le Temple de Jérusalem (Is 56,7 et Mc 11,17). Au contraire, loin d'Israël, les Juifs de la diaspora n'hésitèrent pas à désigner leurs lieux de réunion comme des « maisons de prière ». La proseuque devenait le centre de leur vie religieuse, sans cependant mettre en question la primauté de Jérusalem.

La lecture de la Loi et des Prophètes

Les fonctions allouées à une synagogue ont donc varié au cours des temps, avant d'être surtout centrées sur la lecture et l'étude de la Tora. Plus tard, la synagogue se distinguera d'une maison d'étude (*bet hamidrash*). Par ailleurs, une synagogue pouvait servir de tribunal et même de lieu où l'on pouvait flageller un coupable (Mt 23,34). Des archontes et des Anciens, c'est-à-dire les dirigeants et leur conseil, étaient à la tête des nombreuses communautés urbaines juives et devaient veiller aux divers bâtiments communaux, telle la synagogue. Mais la bonne marche de cette dernière relevait finalement de l'archisynagogue (chef de la synagogue) et de son serviteur ; ils sont mentionnés dans Luc, par exemple Lc 4,20 et Ac 13,15. Le jour du sabbat en particulier, l'archisynagogue fait respecter l'ordre et désigne les lecteurs et l'homéliaste, celui qui dit le mot d'exhortation après les lectures. Après le IIe siècle de notre ère, il présidera aussi la prière. Il est aidé par un serviteur, plus tard appelé le *hazzan*, chargé entre autres de remettre les rouleaux bibliques au lecteur et d'exécuter une sentence du tribunal. En cette haute époque, les femmes pouvaient accéder à la synagogue. Du moins, aucune indication ancienne ne suggère l'existence d'une quelconque séparation entre les hommes et les femmes, comme la marqueront plus tard ces galeries disposées pour les femmes dans les synagogues galiléennes du IVe siècle et après.

La lecture de la Tora durant le sabbat est une coutume déjà largement acceptée au Ier siècle de notre ère, en Israël et dans la diaspora. Les témoignages sont nombreux à ce sujet, chez le philosophe juif Philon d'Alexandrie et l'historien Flavius Josèphe. Citons seulement ce mot de Philon, transmis par Eusèbe de Césarée : « Que fit donc Moïse ? Il voulait, lors de ces septièmes jours, les voir réunis au même lieu et assis ensemble pour écouter avec respect et dignité les lois afin que nul ne les ignorât. »

Comment se faisait cette lecture ? Diverses coutumes existent alors en Israël et dans la diaspora. À Alexandrie par exemple, on lisait la Loi de Moïse directement en grec, avant de se livrer à quelques commentaires à son propos. Les textes prophétiques, et *a fortiori* les écrits de Sagesse, pouvant assurément servir à la piété privée n'apparaissent pas dans le contexte d'une lecture publique. Du moins, Philon d'Alexandrie qui commente attentivement toute la Loi de Moïse ne s'appuie guère sur les Prophètes. Un autre groupe religieux, appelé Thérapeutes ou serviteurs (de Dieu), sis près d'Alexandrie, n'use aussi que des cinq rouleaux de Moïse. Toutefois, quelques prédications synagogales, issues du judaïsme alexandrin et connues sous le nom de « Sur Jonas » et « Sur Samson », témoignent aussi d'un réel intérêt à l'endroit des Prophètes.

En Israël, la situation variait de même selon les groupes religieux. Les grands prêtres et les notables dits sadducéens s'appuient seulement sur la Tora. Au contraire, les Esséniens ou les sectaires de la Nouvelle Alliance à Qoumrân méditent jour et nuit l'Écriture ; ils s'appuient sur la Tora et sur les Prophètes au point de produire des commentaires détaillés de ces derniers. De leur côté, les scribes d'affinité pharisienne insistent aussi sur l'importance des Prophètes, dans la mesure où certains morceaux choisis tirés des Prophètes permettent de mieux faire résonner le message essentiel, d'abord véhiculé par la Tora de Moïse. Les écrits prophétiques ne sont pas directement normatifs comme la Loi, mais ils aident à la comprendre et à l'interpréter.

Les anciennes synagogues, sous l'influence pharisienne surtout, devaient donc mettre en relief la lecture de la Loi et des extraits des textes prophétiques. Ces lectures étaient suivies d'une homélie, comme le rappelle Luc dans le contexte de la synagogue d'Antioche de Pisidie : « Le jour du sabbat (Paul et ses compagnons) entrèrent dans la synagogue et s'assirent. Après la lecture de la Loi et des Prophètes, les archisynagogues leur firent dire : Frères, si vous avez quelque parole d'exhortation pour le peuple, parlez » (Ac 13,14-15). On reconnaît ici la succession devenue coutumière : la lecture de la Tora accompagnée d'un élément tiré des Prophètes ; puis, une exhortation de type homilétique. Mais une telle coutume ne s'imposait cependant pas partout, et certains pouvaient user d'un court élément tiré des Prophètes, seulement au terme du mot d'exhortation.

Quant à l'homélie, elle pouvait prendre des formes assez diverses, depuis la harangue pieuse jusqu'à une relecture du texte biblique à partir du trésor des anciennes traditions orales sur l'Écriture – à la manière des premiers targoums, c'est-à-dire des anciennes traductions araméennes, souvent largement paraphrasées, qui permettaient de mieux comprendre le sens des lectures faites en hébreu, du moins en Israël. La coutume d'ouvrir une homélie à partir d'une phrase tirée des Prophètes semble déjà plus tardive. Par ailleurs, on savait aussi commenter tous les éléments du texte scripturaire d'une manière très détaillée. Philon en est déjà le témoin dans ses « Questions sur la Genèse et sur l'Exode ». Plus tard, des commentaires exégétiques du rabbinisme ancien (tels la *Mekhilta* sur l'Exode ou *Sifra* sur le Lévitique) porteront l'écho de cette ancienne lecture juive de l'Écriture.

La lecture du Pentateuque s'effectuait en continu, au long des sabbats d'une année. Là encore, Philon d'Alexandrie en offre un témoignage dans le cadre de ses commentaires quasi homilétiques de la Loi. Par la suite, dès le IIe siècle de notre ère sans doute, deux manières d'organiser les lectures prirent leur essor. La première coutume, d'origine palestinienne, divisait la Tora en 154 sections à répartir sur trois ans, à commencer après la fête des Tentes (*Soukkot*) ; on connaît encore la liste de ces lectures du « cycle triennal palestinien », accompagnée chacune d'un passage des Prophètes, bien adapté à la leçon du jour. Par exemple, après la lecture de Ex 3,1 à 4,17, sur Moïse le pasteur et le buisson ardent, on pouvait lire Is 40,11-19.31, débutant par : « Comme un berger il fait paître son troupeau. » Ainsi le morceau choisi des Prophètes permettait-il d'orchestrer le texte de la Loi et d'annoncer le discours du prédicateur chargé de mettre en relief le motif propre à chacun des sabbats. La seconde coutume, dite « cycle annuel babylonien », répartissait les lectures dans l'année, à commencer après Soukkot également. Ce cycle de 54 lectures (ou *parashyot*) est encore suivi de nos jours dans les synagogues, avec quelques variantes selon les rites. Là encore, des morceaux prophétiques (les *haftarot*) accompagnent le texte de Moïse.

De cet ensemble un peu complexe, retenons l'importance alors accordée à la lecture hebdomadaire de l'Écriture, dans les cercles pharisiens en particulier, avec la conviction que Dieu continue de parler aux siens par le truchement de la lecture et de l'étude de la Parole divine. Retenons aussi l'intérêt désormais porté aux livres des Prophètes, dont la religion vibrante transperce toujours le cœur des synagogues anciennes et modernes.

Le Shema Israel, *les chants et les bénédictions*

Si donc, au Ier siècle, la synagogue était déjà le lieu privilégié de la lecture et de son commentaire, était-elle aussi un lieu cultuel, en concurrence avec le Temple encore debout ? La réponse est négative, bien que la synagogue fût déjà en train de devenir un lieu où la prière s'exprimait plus particulièrement. Au Ier siècle de notre ère en Israël, la synagogue n'est pas une maison de prière qui se substituerait au Temple. Un office synagogal ou une liturgie de prière à la synagogue n'apparaîtront qu'à partir du IIIe siècle de notre ère. La récitation des bénédictions et les prières n'étaient cependant pas inconnues, d'autant plus que la distinction mise aujourd'hui entre le domaine de la piété privée et un office dit public n'existait guère à l'époque. Une obligation coutumière de type privé, telle la récitation du *Shema*, pouvait dès lors être remplie dans le cadre d'une synagogue, le jour du sabbat entre autres.

Le *Shema Israel* (« Écoute Israël… ») n'est pas une prière, mais une parole de Dieu à réciter à la manière d'une confession de foi. Dès le IIe siècle de notre ère, il comprend les passages suivants : Dt 6,4-9 ; 11,13-21 et Nb 15,37-41, encadrés de bénédictions. Cette récitation coutumière date d'avant la ruine du Temple, comme en témoignent Mc 12,29 et Flavius Josèphe. Plusieurs fragments découverts à Qoumrân en rapportent le texte, avec quelques variantes, et le tout est enchâssé dans des phylactères (ou *tefillin*) de cuir. Par ailleurs, avant la destruction de l'an 70, les prêtres récitaient le *Shema* après le sacrifice de l'encens dans une salle du Temple, et de même, durant les Stations de garde, lorsque chacune des vingt-quatre circonscriptions d'Israël envoyait successivement sa députation au Temple de Jérusalem. Plus tard, la *Mishna* (fin du IIe siècle de notre ère) demandera la présence de dix personnes (le *minyan*) pour la récitation commune de ces paroles bibliques, entourées de bénédictions.

Ajoutons une remarque importante. Jusqu'au Ier siècle de notre ère au moins, la récitation du décalogue précédait celle du *Shema*. Un ancien fragment biblique, le Papyrus Nash, datant probablement du milieu du IIe siècle av.J.C., porte à la suite le décalogue et le *Shema*. Le texte du décalogue suivait Ex 20,2-17, parfois mêlé à des éléments tirés de Dt 5,6-21. Nous sommes encore à une époque où l'on ne craignait pas d'emmêler des textes bibliques pour mieux énoncer la parole divine. Après le Ier siècle de notre ère, la récitation du décalogue fut progressivement supprimée dans les synagogues ; elle devait néanmoins subsister jusqu'au XIIe siècle en Égypte.

Par ailleurs, les chants, les hymnes et de nouveaux psaumes, en plus du Psautier biblique, étaient largement connus dans le judaïsme ancien, comme en témoignent encore les manuscrits de Qoumrân et de nombreux textes dits apocryphes ou pseudépigraphes, non acceptés dans le canon des Écritures. Ainsi on possède un recueil des *Psaumes de Salomon* à l'accent très messianique, écrit en 43 avant notre ère dans un milieu apparemment pharisien. À Qoumrân il est même question de 3 600 psaumes qui seraient attribués à David (!), et parmi les pièces redécouvertes on trouve des *Chants pour le sacrifice du sabbat*, pleins d'un étonnant élan mystique. Ajoutons qu'en dehors du Temple, il n'est jamais question d'utiliser un instrument de musique pour le culte.

Dès l'époque hasmonéenne, le sabbat devient le temps privilégié où l'on récite des bénédictions (2 M 8, 27 ; 12,38). C'est l'une des formes de la prière de louange, commençant par « Béni soit le Seigneur » (2 M 15,34), puis, suivie d'un motif anamnétique débutant par « qui… » (Dt 33,24) ou par « car… » (Ps 28,6), et s'achevant par le *Amen* repris par la foule. Plus tard, on en arrivera à une formulation à la seconde personne : « Béni sois-tu, SEIGNEUR », d'allure plus dialogale (Ps 119,12 ; 1 Ch 29,10). On découvre ces bénédictions au début de certaines prières (Ps 144,1) et surtout à la fin des cinq livrets de Psaumes (Ps 41,14 ; 72,18 ; etc. ; *voir* p. 498). Empruntées au Temple (Ps 134), ces bénédictions vont s'épanouir dans les proseuques d'Égypte, puis dans les synagogues en Israël. Rapportons seulement ce mot de Rabbi Aquiba : « Que trouvons-nous à la synagogue ? Que tous, nombreux ou pas, disent : Bénissez le Seigneur ! » (Mishna, traité *Berakhot* VII,3).

Plusieurs de ces bénédictions, d'abord en usage au Temple, seront ensuite rassemblées après la ruine du Temple ; elles constitueront la *Tefillah* (la « prière » par excellence), dite aussi le *Shemoné Esré*, les « Dix-huit (Bénédictions) » (en fait, il y en a dix-neuf), ou encore la *Amida*, la prière « debout », chez les Juifs de rite sefarade. Cette prière est dite le matin, l'après-midi et le soir, en correspondance avec les sacrifices du Temple du matin et de l'après-midi (*minha*, « offrande »). Les trois premières et les trois dernières bénédictions, sous forme de prières de louange ou de remerciement, entourent une série de treize prières de demande. Le jour du sabbat et les fêtes, on ne lit que les trois premières, accompagnées d'une bénédiction sur « la sanctification du jour », puis, les trois dernières ; donc sept bénédictions seulement.

Parmi les prières de demande, on trouve la douzième bénédiction, selon l'ancienne recension palestinienne : « Qu'il n'y ait pas d'espérance pour les apostats. Déracine promptement le royaume orgueilleux durant nos jours. Que les Nazaréens (*nozrim*) et les apostats (*minim*) périssent en un instant. Qu'ils soient effacés du livre des vivants [...] Béni sois-tu, SEIGNEUR ! » Quels sont ces *minim ?* S'agit-il des Samaritains, des Esséniens ou d'autres ? Cette bénédiction, ou plutôt son contraire, cette malédiction, daterait de l'an 95 environ. Elle est sans doute à relier avec les excommunications dont parlent Jn 9, 22 et 16,2.

D'autres prières encore étaient en train de devenir coutumières au Ier siècle de notre ère, au point d'aviver la réaction de Jésus selon Mt 6,5-7. Toutefois, les rabbis insistaient aussi sur la vérité d'une prière faite avec cœur. Au reste, les rituels de prière, qui en fixaient définitivement le texte, n'apparurent guère qu'après le VIe siècle de notre ère. Ainsi, à la fin du Ier siècle, Rabbi Éliézer ben Hyrcan pouvait dire : « Celui qui fait sa prière, sous une forme fixée, sa prière n'est pas une supplication (recevable par Dieu) » (Mishna, traité *Berakhot* IV,4). Une prière doit sortir du cœur, à mots nouveaux, même si sa trame fondamentale ou ses motifs de base relèvent déjà de la tradition. Plus tard, les rituels de prière distingueront mieux les prières dites d'obligation et les prières privées dans la spontanéité de leur jaillissement. Parmi les prières les plus anciennes, citons surtout le *Qaddish* (lit. « le Saint »), dont les liens avec le Notre Père sont évidents : « Que son grand nom soit magnifié et sanctifié [...] Qu'il fasse régner son règne [...] devant notre Père dans le ciel. » À la synagogue, dans le contexte du sabbat surtout, la prière est presque exclusivement tissée de louanges et de bénédictions. Mais dans la prière de Jésus on relève aussi des demandes.

C. P.

Annexes

Annexe 1

Les manuscrits hébreux de la Bible

Reconstituer l'histoire du texte hébreu de la Bible n'est pas chose facile car celui-ci nous est parvenu à travers des formes variées. On peut cependant évoquer les grandes lignes de la fixation du texte consonantique et l'invention de signes supplémentaires pour assurer une lecture conforme à la tradition. On peut également jeter un regard sur les principaux manuscrits en notre possession afin de mieux comprendre les étapes de la transmission du texte massorétique.

Le texte massorétique (TM)

Fixation du texte consonantique

Le texte hébreu de la Bible est connu sous l'appellation de texte massorétique (TM). Celui-ci est l'œuvre des *massorètes* (de *massora :* « tradition ») qui ont cherché à transmettre les Écritures avec la plus grande fidélité possible. Ils ont indiqué à l'aide de signes dans les marges les passages douteux ou difficiles. Les principaux indices qui subsistent dans notre texte actuel sont les suivants.

Le ***sevir***, « supposition ». Lorsque le texte consonantique présente une forme inattendue, les *massorètes* indiquent en marge la forme normale à l'aide d'un *sevir.* Il en existe environ 350.

Le ***ketiv***, « ce qui est écrit », et le ***qeré***, « ce qui est à lire ». Quand les Massorètes estiment qu'un mot du texte traditionnel (*ketiv*) est fautif, ils le gardent, par respect pour la tradition, mais ils indiquent en marge sa correction, son *qeré :* « à lire ». Par exemple en 1 S 25,3 le texte dit à propos de Nabal, le premier mari d'Abigaïl, future femme de David : « il était Calébite ». Ce dernier mot est écrit : *klbw,* ce qui est une erreur ; dans la marge le *qeré* corrige : *klby.* Le texte massorétique (TM) compte 1 300 *ketiv / qeré,* hormis ceux déclarés « perpétuels », censés être connus de tous et qui ne sont même pas indiqués. Le plus connu est celui du nom propre de Dieu dont le *ketiv* est *Yhwh* mais qu'il faut lire selon le *qeré : Adonaï* « Seigneur » ; en ce cas, il ne s'agit pas d'une erreur, mais d'un usage religieux pour éviter de prononcer le nom sacré.

Le ***tiqqoun sofer***, « correction de scribe » (au nombre de 18). Il intervient dans le texte pour éviter qu'un mot inconvenant accompagne le nom de Dieu. Par exemple en Job 1,5 : « Peut-être mes fils ont-ils péché et *maudit Dieu* dans leur cœur. » En fait le texte hébreu ne porte pas « maudit », mais « béni », pour éviter la juxtaposition de « maudire » et du nom de Dieu. Mais le *tiqqoun sofer* indique en marge : « maudit ». L'inverse se produit en 1 S 3,13, quand Dieu parle à Samuel des fils du prêtre Éli : « Je condamne sa maison pour toujours, parce qu'il a su que ses fils *maudissaient Dieu* et qu'il ne les a pas corrigés. » Ici, le verbe « maudire » se trouve bien dans le texte, mais c'est le nom de Dieu (*Élohim*) qui a été remplacé par « à eux » (*lahem*) et indiqué en marge.

Intégration de la massore

Les annotations marginales indiquées par les Massorètes constituent la « massore » qui se subdivise en trois parties. La « petite massore », sous forme de notes dans les marges latérales, concerne la fréquence ou les particularités de tel mot ou passage du texte. La « grande massore », dans les marges supérieures et inférieures, indique la concordance des mots ou passages cités dans la « petite massore ». Enfin la « massore finale », à la fin de chaque livre, indique le total des versets, celui des sections liturgiques (*sedarim*) et les mots qui se trouvent au centre du livre. Voici par exemple celle du livre de l'Exode : « Somme des versets du livre : mille deux cent neuf (*'alef, resh, ṯet* = 1 209) ; la moitié : « tu ne blasphémeras pas Dieu » (Ex 22,27) ; somme des *sedarim :* trente-trois (*lamed, guimel* = 33). »

Unification de la vocalisation

Les Massorètes ont vocalisé le texte de la Bible selon différents systèmes : babylonien, palestinien et de Tibériade (ou tibérien). Le système babylonien notait généralement six voyelles : â, a, i, e, o, ou, représentées par des lettres hébraïques placées au-dessus des consonnes. Le système palestinien marquait ces voyelles à l'aide de traits ou de points placés au-dessus des consonnes. Le système de Tibériade ressemble au précédent mais le perfectionne notablement. En outre, il rend davantage compte de l'intonation des mots ou des phrases en renforçant les accents. Inventé dans les écoles massorétiques de Tibériade vers le

VIIIe siècle de notre ère, il a supplanté les deux autres systèmes. Les manuscrits dans lesquels se retrouvent le TM témoignent surtout du système de vocalisation de Tibériade. Les grands codex du Caire, d'Alep et de Leningrad s'inscrivent pour une large part dans la tradition des ben Asher : une famille de scribes réputés de Tibériade.

Les principaux manuscrits bibliques

Avant les manuscrits de la mer Morte

Le petit papyrus ***Nash*** (à Cambridge), trouvé en 1902, contient le texte du Décalogue et le *Shema* ; sa date varie, selon les auteurs, entre le IIe siècle avant et le IIe siècle après notre ère. Il était donc le plus ancien manuscrit hébreu connu.

Le plus ancien manuscrit médiéval est le codex de la synagogue qaraïte du ***Caire***. Il renferme le texte complet des Prophètes : de Josué à 2 Rois et d'Isaïe à Malachie. Selon le colophon final, il a été vocalisé et muni d'une massore en 896 par Moshé ben Asher. Son fils Aaron, mort vers 950, a également vocalisé et muni d'une massore le codex d'***Alep***, qui contenait toute la Bible hébraïque ; mais celui-ci a été endommagé par un incendie en 1947, et se trouve aujourd'hui à Jérusalem. C'est ce codex d'Alep qui a servi de base principale à l'édition critique du texte de la Bible de l'Université hébraïque (*The Hebrew University Bible*) sous la direction de M.H. Goshen-Gottstein.

En revanche, l'autre grande édition critique, la *Biblia Hebraica de Kittel-Kahle* (BHK), 3e édition en 1937, et à sa suite la *Biblia Hebraica Stuttgartensia* (BHS) reproduisent le texte du codex de ***Leningrad.*** Celui-ci, copié en 1008-1009 et conservé à la Bibliothèque Chtchedrine de Saint-Pétersbourg, appartient à la tradition des ben Asher. Depuis l'incendie qui a endommagé le codex d'Alep, il demeure le seul ancien manuscrit complet de la Bible. La tradition massorétique a ainsi donné lieu à diverses éditions critiques du texte hébreu, dont les plus anciens témoins directs datent du IXe siècle de notre ère.

Depuis les manuscrits de la mer Morte

À partir de 1947, des fragments de tous les livres de la Bible (sauf Esther), et des manuscrits presque intacts, dont un rouleau complet d'Isaïe (long de 7,34 m) sont découverts par des bergers bédouins dans des grottes surplombant les ruines du monastère essénien de Qoumrân, près de la mer Morte. Ces découvertes révèlent des textes du IIe siècle av.J.C. au Ier siècle après, encore peu influencés par la normalisation qui marquera le texte de la Bible hébraïque, vers la fin du Ier siècle de notre ère. En revanche, les découvertes ultérieures des manuscrits dans les grottes du Wadi Murabba'at (1951-1952), du Nahal Hever (1960-1961) et de Massada (1964) révèlent des textes plus tardifs (de 70 à 135 de notre ère), presque identiques au texte consonantique des Massorètes. Il est donc vraisemblable que la normalisation a eu lieu entre les deux révoltes juives (70 et 135), sous l'influence des rabbins de l'académie de Yavné (ou Jamnia), dont l'autorité fut considérable.

La comparaison de tous ces manuscrits avec ceux du Moyen Âge montre l'étonnante fidélité de transmission du texte hébreu de la Bible sur plus d'un millénaire. Mais les variantes entre divers manuscrits de Qoumrân du même texte biblique démontrent aussi l'existence d'une pluralité de traditions textuelles ; l'une est proche de celle du Pentateuque samaritain, tandis que l'autre est proche du texte hébreu qui est supposé par la traduction grecque de la Septante.

Signalons enfin la découverte à Qoumrân de manuscrits en araméen contenant Daniel 2,4 – 7,28 et Esdras 4,9-11 et 5,17 – 6,5.

A. T.

Annexe 1

L'hébreu et l'araméen bibliques

L'hébreu biblique

Écriture et phonétique

L'alphabet : 22 consonnes

Comme la plupart des autres langues sémitiques, cette langue s'écrit de droite à gauche et présente un alphabet de 22 consonnes. Ces consonnes sont rendues par des caractères qui affectent une forme plus ou moins angulaire : c'est l'écriture dite « carrée » qui est l'écriture araméenne adoptée par les Juifs au ve siècle avant notre ère. Mais avant l'Exil, les scribes d'Israël et de Juda utilisaient l'écriture ancienne, d'origine phénicienne. Dans le tableau ci-dessous, cinq consonnes ont une forme différente en finale de mot (entre parenthèses).

Les signes vocaliques

Les Juifs de l'Antiquité n'écrivaient que les consonnes. Familiers des Écritures, ils se transmettaient le texte oralement. Mais vint le temps, après l'Exil (ve s.), où l'araméen supplanta l'hébreu comme langue parlée. C'est alors que la confusion s'installa : le peuple de la Bible sut de moins en moins comment prononcer le texte. Afin de remédier à cela, les scribes décidèrent de le fixer. Plusieurs étapes se succédèrent entre le Ier et le Xe siècle de notre ère. Outre le recours aux *matres lectionis* (« mères de lecture »), consonnes utilisées dès le IXe siècle avant notre ère pour signaler certaines voyelles (ex. : la consonne *yod* pour les voyelles i et e), d'autres signes furent introduits. Ces signes sont des combinaisons diverses du trait horizontal, vertical et du point. Ils rendent les voyelles du système proto-sémite à trois timbres : *a - i - ou*, développé en : *a - e - i - o - ou.* Ces voyelles peuvent être brèves ou longues, ouvertes ou fermées.

Nom	écriture ancienne	écriture carrée	prononciation	transcription
'alef	𐤀	א		'
bet	𐤁	ב	b ou v	b ou v
guimel	𐤂	ג	g	g
dalet	𐤃	ד	d	d
hé'	𐤄	ה	h aspiré	h
waw	𐤅	ו	w ou v	w
zayin	𐤆	ז	z	z
<u>h</u>et	𐤇	ח	ch allemand	h/ <u>h</u>
<u>t</u>et	𐤈	ט	t	t/ <u>t</u>
yod	𐤉	י	y	y
kaf	𐤊	כ (ך)	k ou kh	k ou kh
lamed	𐤋	ל	l	l
mem	𐤌	מ (ם)	m	m
noun	𐤍	נ (ן)	n	n
samekh	𐤎	ס	s	s
'ayin	𐤏	ע	(gutturale)	'
pé'	𐤐	פ (ף)	p ou f	p ou ph / f
çadi	𐤑	צ (ץ)	ts	ç / <u>s</u>
qof	𐤒	ק	q	q
resh	𐤓	ר	r	r
shin ou *sin*	𐤔	שׁ שׂ	ch ou s	sh ou s
taw	𐤕	ת	t	t

prononciation	écriture (avec *'alef*)	nom
a ouvert	אַ	*pata<u>h</u>*
â	אָ	*qamaç*
è ouvert	אֶ	*ségol*
é fermé	אֵ אֵי	*çéré* (suivi d'un *yod : çéré* long)
i	אִ אִי	*<u>h</u>iriq* (suivi d'un *yod : <u>h</u>iriq* long)
o bref	אָ	*qamaç qatan*
o long	וֹ	*<u>h</u>olam*
ou bref	אֻ	*qoubbouç*
ou long	וּ	*shourouq*

La non vocalisation d'une consonne est marquée par le signe אְ appelé *sheva'*.

La prononciation

Reconstituer la prononciation de l'hébreu aux différentes étapes de son développement est impossible. Comme les autres langues sémitiques, l'hébreu utilise des consonnes inconnues de notre phonétique française : des *gutturales* et des *emphatiques.* La prononciation de ces consonnes s'est modifiée avec le temps et suivant les lieux où vivaient les Juifs.

Six consonnes peuvent être prononcées de manière soit explosive, soit spirante ; dans le premier cas, elles sont accompagnées d'un point interne, le *daguesh.* Ce sont les six consonnes b, g, d, k, f, t (mémorisées en *begadkefat*) ; mais aujourd'hui trois seulement sont prononcées de manières différentes : *bet* (b ou v), *kaf* (k ou kh) et *pé* (p ou f).

Structures caractéristiques

Le groupe nominal

La majorité des mots comporte trois consonnes, car en hébreu les mots sont créés le plus souvent à partir de racines trilittères. Les mots composés de plus de trois consonnes reflètent souvent des emprunts à d'autres langues. Ces racines trilittères sont en quelque sorte le « squelette » de la forme linguistique, qui se combine avec un autre élément : le schème. La racine DBR (דבר) par exemple, qui signifie « parler », donne le nom *davar* (דָּבָר) «parole, événement », en combinaison avec le schème □a□a□, mais aussi le nom *midbar* (מִדְבָּר) « désert », en combinaison avec le schème à préfixe mi□□a□.

En français, le complément de nom est exprimé par la préposition « de » : « la parole *du* Seigneur ». En hébreu biblique, ce rapport est exprimé par l'union des deux mots en une seule unité, et le premier mot prend « l'état construit ». Exemple : *davar* « parole », à l'état absolu, devient à l'état construit : *devar-Yhwh,* « la parole d'Adonaï » (דְּבַר־יְהוָה) : le premier mot perd son accent tonique et sa vocalisation est allégée.

L'hébreu possède deux genres : le masculin et le féminin, et trois nombres : le singulier, le pluriel et le duel (par ex. pour les parties doubles du corps comme *oznayim,* « oreilles »). Au singulier, le genre du mot n'est guère visible : le masculin n'a pas de désinence propre ; seuls sont caractérisés comme féminins presque tous les noms se terminant par la désinence *-ah* (*-at* à l'état construit), ex. : *torah* « enseignement, loi ». En revanche, au pluriel, les noms masculins reçoivent la désinence *-im* (et *-ey* à l'état construit), et les noms féminins la désinence *-ot* (à l'état absolu comme à l'état construit). Il existe aussi des exceptions, à commencer par le nom *'av* « père », dont le pluriel est féminin : *'avot* !

L'hébreu biblique exprime la possession en ajoutant des désinences au nom à l'état construit ; ex. : *'avi* « mon père » (la désinence *-i* de la première personne du singulier), *'avikha* « ton père », *'avinou*, « notre père », etc.

Le groupe verbal

Les formes verbales

La langue hébraïque sait exprimer divers sens à partir d'une racine verbale. On compte sept formes verbales possibles ; trois formes à l'actif :

– la forme ordinaire, *qal* ou *pa'al*
– la forme intensive, *pi'el*
– la forme factitive, *hif'il*,

auxquelles correspondent trois formes au passif :

– le *nif'al*
– le *pou'al*
– le *hof'al*.

En plus de l'actif et du passif, il existe un réfléchi :

– le *hitpa'el*.

	voix active	**voix passive**	**réfléchi**
ordinaire :	*pa'al* (ou *qal*)	*nif'al*	
intensif :	*pi'el*	*pou'al*	*hitpa'el*
factitif :	*hif'il*	*hof'al*	

Le nom de ces différentes formes verbales provient de la racine *pa'al* « agir », choisie comme modèle de conjugaison de tous les verbes. Rares sont les racines qui s'emploient aux sept formes. Par exemple : ***ra'ah***, qui prend le sens de « voir » au *pa'al*, « être visible, paraître » au *nif'al*, « montrer, être montré » au *hif'il* et au *hof'al*, « se regarder l'un l'autre » au *hitpa'el*, n'a ni *pi'el* ni *pou'al*. En revanche, ***dibber***, qui prend le sens de « parler » au *pi'el*, « être raconté » au *pou'al*, « s'adresser à » au *hitpa'el*, n'a ni *hif'il* ni *hof'al* et ne s'emploie quasiment pas à la forme ordinaire (au *pa'al* ou au *nif'al*).

L'aspect et le temps

Dans notre système verbal français, la notion de temps prédomine. Par exemple lorsqu'on dit : « il a parlé », on utilise un passé, qui indique que l'action est achevée, par rapport au moment de l'énonciation. De même une forme de présent indique que l'action est simultanée : « il parle », et une forme de futur indique que l'action est à venir : « il parlera ». En hébreu biblique, ces oppositions temporelles existent, mais le système verbal rend compte surtout des différences d'*aspect*. La forme verbale ne vise pas seulement à situer l'action dans le temps mais surtout à exprimer la manière dont elle se manifeste ou dont elle est vécue : instantanée ou durable, unique ou répétitive, achevée ou inachevée. Cette opposition d'aspect est rendue par deux formes : *l'accompli* renvoyant au passé, mais pouvant aussi couvrir le présent ou le futur, et *l'inaccompli*, le plus souvent situé dans le champ du futur, mais pouvant aussi couvrir celui du présent ou du passé.

Voici deux exemples de ces aspects différents du temps. Dans la sphère du passé : « Ainsi faisait (*inaccompli*) Job, chaque jour » (Jb 1,5), et dans la sphère du futur : « Tu béniras le Seigneur ton Dieu en cet heureux pays qu'il t'aura donné (*accompli*) » (Dt 8,10).

Prenons un autre exemple dans le Cantique de Débora, probablement le plus ancien poème en hébreu (Jg 5). Comme c'est souvent le cas en poésie, les verbes accomplis et inaccomplis alternent. L'accompli décrit ici la situation antérieure aux jours de Débora, tandis que l'inaccompli exprime uniquement l'aspect de l'action : répétée ou durative, mais sans valeur de futur puisqu'il renvoie au passé. « Aux jours de Yaël, il n'y avait plus (*accompli*) de caravanes ; ceux qui s'en allaient par les chemins prenaient (*inaccompli*) des sentiers détournés. On renonçait (*accompli*) aux campagnes, on y renonçait en Israël, jusqu'à ton lever, ô Débora, jusqu'à ton lever, mère en Israël ! On choisissait (*inaccompli*) des dieux nouveaux… » (Jg 5,6-8).

À cette prédominance de l'aspect sur le temps, s'ajoute la présence de formes « inverties » : il s'agit de formes verbales, à l'accompli ou à l'inaccompli, précédées d'un *waw* inversif qui entraîne la conversion de l'aspect dans l'aspect opposé : l'accompli précédé d'un *waw* inversif a un sens d'inaccompli, et l'inaccompli précédé d'un *waw* inversif un sens d'accompli. Cet emploi de l'inaccompli avec un *waw* inversif est la forme la plus fréquente des verbes dans un récit ; aussi l'emploi de l'accompli, plus rare, vient indiquer un sens consécutif, un certain lien de cause à effet.

Exemple : le récit de la vocation du petit Samuel (1 S 3,5), dont voici d'abord une traduction littérale : « Il (Samuel) courut (*inaccompli avec* waw *inversif, sens d'accompli*) vers Éli, et il dit (*idem*) : "Me voici ! car tu m'as appelé (*accompli*)." Et il dit (*inaccompli avec* waw *inversif*) : "Je n'ai pas appelé (*accompli*), retourne, couche-toi." Et il alla (*inaccompli avec* waw *inversif*) et il se coucha (*idem*). » Une traduction élaborée offre des articulations logiques là où la phrase hébraïque est faite d'une suite de propositions reliées par le *waw* inversif : « Il courut vers Éli et dit : “Me voici, puisque tu m’as appelé.” – “Je ne t’ai pas appelé, dit Éli ; retourne te coucher.” Il alla se coucher. »

Quelle que soit la traduction, la structure hébraïque qui la sous-tend est celle de la narration par excellence. Elle est caractéristique de la prose classique. Avec le temps une évolution interne de la langue intervient, les formes converties d’avant l’Exil cèdent alors le pas aux formes simples et l’on repère la présence d’accomplis coordonnés pour exprimer le passé. La valeur temporelle – passé et futur – des formes verbales s’affirme ; l’absence de temps présent est comblée par le participe, de valeur intemporelle à l’origine : « je parle » se dit littéralement : « moi parlant ». Voici un exemple de cet emploi du participe : « Que le pécheur fasse (*participe masc. sing., valeur de présent*) cent fois le mal, il survit (*idem*). Mais moi, je sais (*idem*) aussi qu’il arrive du bien à ceux qui craignent Dieu » (Qo 8,12).

L’infinitif

Une autre forme verbale mérite enfin d’être mentionnée. Il s’agit de l’infinitif qui peut être absolu ou construit. De façon générale, l’infinitif absolu, surtout avant l’Exil, sert à donner un ordre ; par exemple : « Observe (*infinitif absolu*) le jour du sabbat pour le sanctifier, comme te l’a commandé YHWH ton Dieu » (Dt 5,12). L’infinitif sert également à insister sur une action ; pour cela, le verbe est redoublé : d’abord à l’infinitif absolu puis à une forme conjuguée. Exemples : « … car le jour où tu en mangeras, tu devras mourir (*litt.* mourir tu mourras) » (Gn 2,17) ; « J’ai vu, j’ai vu (*litt.* voir, j’ai vu) la misère de mon peuple » (Ex 3,7). Quant à l’infinitif construit, qui est une sorte de nom verbal précédé d’une préposition, son usage se multiplie après l’Exil. Par exemple : « Au bord des fleuves de Babylone nous étions assis et nous pleurions, nous souvenant de Sion » (Ps 137,1) : « nous souvenant », litt. : « dans-le-(fait-de)-se-souvenir, de nous ».

Le vocabulaire

Le vocabulaire hébreu, comme celui des langues sémitiques anciennes, est très concret. Les racines verbales expriment des actions ou des états concrets. Les termes abstraits – notamment ceux de la théologie juive – ont toujours des origines concrètes, proches de l’expérience ; ce qui permet souvent un langage très imagé. En voici quelques exemples :

– *‘olam* « éternité », qui vient de « être caché, non vu »
– *kavod* « gloire », de « être lourd, important »
– *çèdeq* « justice », de « être juste, en accord avec la situation »

– *rouah* « esprit », de « souffle, vent »
– *nèfesh* « âme », de « souffle, respiration »
– *dèrek* « conduite », de « chemin, route »

Peu développé dans l'ancien Israël, le vocabulaire s'est considérablement étendu au fil des siècles. Des mots nouveaux ont été créés, soit par l'adjonction de préfixes et de suffixes aux racines verbales, soit par la combinaison des racines avec de nouveaux schèmes, souvent influencés par l'araméen. Par exemple *ketav* « un écrit » (racine hébraïque KTB, et schème araméen *pe'al* fréquent après l'Exil). Enfin on trouve aussi des emprunts de mots étrangers :

– sumériens : *hekhal* « palais, temple » ; *'aron* « coffre »
– akkadiens : *'adar* (un mois du calendrier babylonien adopté par les exilés) ; *peha* « gouverneur » ; *segan* « préfet »
– persans : *'ahashdarpan* « satrape » ; *pitgam* « décret » ; *dat* « loi »
– grecs : *darkemon* « darique, drachme » (monnaie de Darius) ; *'apiryon* « palanquin »
– égyptiens : *par'oh* « pharaon » ; *hartom* « magicien ».

Même lorsqu'il ne fut plus parlé, après l'Exil (Vᵉ s. avant notre ère), l'hébreu resta la langue du culte, de la prière et des Écritures, et cela jusqu'à sa résurgence comme langue moderne, autour de 1900. C'est aujourd'hui la langue de l'État d'Israël. Bien entendu l'hébreu a évolué depuis les temps bibliques, tant dans sa grammaire que dans son vocabulaire, notamment sous l'influence des langues européennes.

L'araméen biblique

L'araméen, langue diplomatique de la chancellerie perse de 583 à 333 avant notre ère, se substitua petit à petit, dans la vie courante, à toutes les autres langues sémitiques du Nord, dont l'hébreu, et limita même le développement de la langue grecque en Asie. Le Premier Testament comporte trois sections en araméen : Esd 4,8 – 6,18 ; 7,12-26 et Dn 2,4b – 7,28. Les textes araméens d'Esdras présentent des documents officiels qui datent de la restauration du Temple de Jéru-salem à l'époque perse (VIᵉ siècle avant notre ère). Les textes araméens de Daniel offrent des récits à visée apocalyptique qui relatent des événements de l'époque babylonienne alors même que la rédaction des textes date de l'époque maccabéenne (IIᵉ siècle avant notre ère). À ces textes on peut aussi ajouter Jr 10,11 et un toponyme en Gn 31,47.

Écriture et phonétique

Comme l'hébreu, l'araméen biblique fait partie du sémitique occidental et présente par conséquent des structures similaires. Il s'écrit de droite à gauche et compte 22 consonnes : cette écriture est devenue celle de l'hébreu après l'Exil. Mais phonétiquement, certaines consonnes diffèrent de celles de l'hébreu. Voici quelques exemples de ces correspondances :

– *dalet* araméen = *zayin* hébreu, ex. : « or » : *dehav* et *zahav*
– *ṯet* araméen = *çadi* hébreu, ex. : « rocher » : *ṯour*, et *çour*
– *'ayin* araméen = *çadi* hébreu, ex. : « terre » : *'ara'* et *'ereç*
– *tav* araméen = *shin* hébreu, ex. : « bœuf » : *tor* et *shor*

Structures caractéristiques

Le groupe nominal

Comme l'hébreu, l'araméen connaît deux genres : le masculin et le féminin, et trois nombres : le singulier, le pluriel et le duel. Au singulier, le nom masculin n'a pas de désinence propre. En revanche, le féminin a le plus souvent la désinence *-ah* à l'état absolu et *-at* à l'état construit ; ex. : *medinah* « province », *medinat* « province de ». Au pluriel, les noms masculins ont la désinence *-in* à l'état absolu et *-e(y)* à l'état construit ; ex. : *malkhin* « rois », *malkhe(y)* « rois de ». Les noms féminins pluriel en *-ah* reçoivent la désinence *-an* à l'état absolu et *-at* à l'état construit ; ex. : *medinan* « provinces », *medinat* « provinces de ». Mais il existe aussi des exceptions : des féminins pluriels en *-in* et des masculins pluriels en *-an*.

La détermination du nom se fait par l'ajout du suffixe *-a'* (fém. *-ta'*), ex. : *malka'* « le roi » ; *malkhayya'* « les rois ». Comme en hébreu, les possessifs sont des désinences ajoutées à l'état construit ; ex. : *'elahakh* « ton Dieu » ; *'elahi* "mon Dieu" (voir *Elôï, Elôï, lema sabachtani* – en araméen – : « Mon Dieu, mon Dieu, pourquoi m'as-tu abandonné ? », Ps 22 cité en Mc 15,34).

Comme en hébreu, le nom se met à l'état construit pour exprimer le complément déterminatif ; ex. : *mèlekh-Bavel* « le roi de Babylone ». Mais ce complément peut aussi être exprimé à l'aide de la particule *di ;* ex. : *malka' di Vavel* « le roi de Babylone » (Esd 5,13). Il peut enfin être rendu par la particule *di* avec l'utilisation conjointe du pronom suffixé ; ex. : *'elaheh di Daniyyel* « son Dieu, (celui) de Daniel » (Dn 6,27).

Le groupe verbal

L'araméen biblique présente trois formes verbales à la voix active, la forme *pe'al* ou *qal ;* la forme intensive ou factitive *pa'el ;* la forme factitive *haf'el*, à chacune desquelles correspond une forme à la voix passive : le *pe'il*, le *pou'al* et le *ho / uf'al*. Aux formes *pe'al* et *pa'el* correspondent les formes réfléchies ou passives *hitpe'el* et *hitpa'al*.

Le verbe a deux aspects, comme en hébreu : l'accompli et l'inaccompli. Mais contrairement à l'hébreu, seul l'inaccompli peut être précédé d'un *waw* inversif. L'accompli est d'ailleurs souvent préféré à cette forme convertie dans le cadre de la narration avec l'ordre des mots suivants : verbe - sujet - complément ; ex. : *'azal* « alla » (accompli), *malka'* « le roi », *lehekheleh* « dans son palais » : « Le roi entra dans son palais » (Dn 6,19).

Enfin le participe, qui peut être employé dans la sphère du passé, du présent ou du futur, en vient même à exprimer le temps de la narration. Ainsi : *'aneh malka' we'amar* « le roi répondit et dit » (deux participes *pe'al ;* Dn 2,5) ou : *'anu we'amerin* « ils répondirent et dirent » (accompli et participe *pe'al*, Dn 3,9).

Le vocabulaire

Le vocabulaire araméen biblique reflète les influences étrangères akkadienne, perse, grecque qui se sont exercées dans les domaines culturel, juridique et administratif. L'influence de l'hébreu s'est également exercée dans le domaine religieux avec des mots traditionnels : *neviyy'ah* « les prophètes », *nevou'ah* « prophétie », *kahanayyah* « les prêtres », *lewaye'* « les lévites », *netinayya'* « les serviteurs du temple », *minhah* « offrande », etc.

A. T.

ANNEXE 3

CHRONOLOGIE

HISTOIRE GÉNÉRALE	HISTOIRE D'ISRAËL	
Babylone, 1er dynastie (vers 1900)		
Hammourabi (1792-1750)		
Égypte :		
période Hyksos (1730-1550)		
Nouvel Empire (1550-1070)	le clan du patriarche Jacob en Palestine	
Akhénaton (1364-1347)		
Ramsès II (1304-1238)	*Moïse* en Égypte ; l'exode des Israélites ?	
la guerre de Troie ?		
les « Peuples de la mer » en Égypte		
les Philistins sur la côte (1180)	les « Juges » (1200-1030) :	
	Gédéon, Samson, etc.	
	Samuel (v. 1040) ;	
	les rois : *Saül* (v. 1030)	
	David (1010-970)	
	Salomon (972-932) puis division :	
	JUDA	ISRAËL
Shéshonq Ier en Palestine (926)	*Roboam* à Jérusalem	*Jéroboam* à Sichem
		Omri fonde Samarie (880)
		Achab (875-853) ; Élie
	Athalie (841-835)	*Jéhu* (841-814) ; Élisée
		Jéroboam II (787-747)
		Amos
Assyriens :		Osée
Téglat Phalasar III (747-727)		
Sargon II	*Achaz* (735-716) ; Isaïe	prise de Samarie (722)
Sennachérib	*Ezéchias* (728-687)	
fin de l'Empire assyrien (612)	*Josias* (640-609) ;	
	réforme deutéronomique de 622	
Babyloniens :	*Joyaqim, Joyakin ;* Jérémie	
Nabuchodonosor (604-562)	prises de Jérusalem en 597 et 587 ; déportations	
	Exil en Babylonie : Ézéchiel ; le « 2e Isaïe »	

HISTOIRE GÉNÉRALE	HISTOIRE D'ISRAËL
Perses :	
Cyrus (551-529)	*Cyrus* à Babylone (539) ; retours d'exil, *Zorobabel*
Darius (522-486)	Aggée, Zacharie ; le 2e Temple (515)
Xerxès Ier (486-464) :	les derniers prophètes (le « 3e Isaïe »,
Guerres Médiques	« Malachie »)
Artaxerxès Ier (464-424)	*Néhémie* gouverneur de Judée, réformes (445)
Artaxerxès II (404-359)	*Esdras :*
	réformes et promulgation de la Loi (398 ?)
Grecs :	
Alexandre le Grand (334-323)	conquête de la Palestine (332)
division de l'Empire (323)	soumission aux Lagides d'Égypte (320-200)
Ptolémée II (282-246)	essor de la diaspora d'Égypte ; la Septante
Antiochus III (223-187)	soumission aux Séleucides de Syrie (200-142)
Antiochus IV (175-164) :	insurrection de *Judas Maccabée* (167-164)
persécution	
	Simon : dynastie hasmonéenne (142-63)
	Jean Hyrcan (134-104), *Alexandre Jannée* (103-76)
Romains :	*Pompée* prend Jérusalem (63)
César assassiné (44)	*Hyrcan II* grand prêtre (50)
Auguste, empereur (27 à 14 ap.J.C.)	*Hérode le Grand* roi à Jérusalem (37-4 av.J.C.)

Annexe 4

Bibliographie

Bibles de travail en français

La Bible de Jérusalem, nouvelle édition revue et augmentée, Cerf, Paris, 1998.
C'est d'elle que sont tirées les citations bibliques dans ce livre.

La Bible, traduction œcuménique (T.O.B.), Cerf / Société biblique française, Paris, 1988.
Ces deux bibles sont actuellement les meilleurs instruments d'étude. Leurs introductions et notes, abondantes, forment de véritables guides de lecture et fournissent des informations à la fois historiques, littéraires et théologiques.

La Bible Osty, Seuil, Paris, 1973.
Très belle traduction. Les introductions et notes sont surtout historiques et littéraires.

La Bible. Ancien Testament, E. Dhorme éd., la Pléiade, Gallimard (2 vol.), Paris, 1956-1959.
Traduction très proche de l'hébreu ; les introductions et notes commencent à dater.

La Bible sur CD-Rom

Bible de Jérusalem 4, Cerf, Paris, 1999 (Mac-PC)
La Bible de Jérusalem intégrale, avec introductions et notes, trois dictionnaires, une concordance et une translittération de l'hébreu (et du grec).

La Bible On Line, Clé, 1999 (PC)
Nombreuses versions françaises et étrangères de la Bible, avec des outils de recherche et d'étude (hébreu et grec).

Texte hébreu de l'Ancien Testament

Biblia Hebraica Stuttgartensia, K. ELLIGER et W. RUDOLPH éd. (B.H.S.), Deutsche Bibelstiftung, Stuttgart (2e éd. 1983).

La meilleure édition critique.

INSTRUMENTS DE TRAVAIL

Dictionnaires et vocabulaires

X. LÉON-DUFOUR (éd.), *Vocabulaire de théologie biblique*, nouvelle édition, Cerf, Paris, 1968.

Une présentation des mots clés et des thèmes théologiques de la Bible.

O. ODELAIN, R. SÉGUINEAU, *Dictionnaire des noms propres de la Bible*, Cerf / Desclée de Brouwer, Paris, 1978.

Pour identifier un personnage ou un lieu biblique et retrouver les textes bibliques le concernant.

Dictionnaire culturel de la Bible, Cerf / Nathan, Paris, 1990.

Les principaux personnages et thèmes bibliques (près de 600 entrées) sont présentés, avec des indications littéraires, artistiques et cinématographiques. Illustrations et cartes.

M. CARREZ, *Dictionnaire de culture biblique*, Desclée de Brouwer, Paris, 1993.

Ouvrage plus complet que le précédent (1 200 entrées), mais sans indications littéraires ni artistiques et sans illustration.

Dictionnaire encyclopédique de la Bible, sous la direction du Centre : Informatique et Bible, Maredsous, Brepols, Turnhout (B), 1987.

Ouvrage assez complet (3 750 entrées, avec bibliographies), comprenant aussi l'histoire de l'exégèse, l'archéologie et la place de la Bible dans la culture contemporaine.

Histoire d'Israël

M.F. BASLEZ, *Bible et Histoire. Hellénisme, judaïsme, christianisme*, Fayard, Paris, 1998.

J. BRIEND, M.J. SEUX, *Israël et les nations*, Supplément au Cahier Évangile 69, Cerf, Paris, 1989, 114 p.

Recueil pratique des textes de l'Ancien Orient concernant l'histoire biblique. Des introductions et commentaires comparent ces documents aux textes bibliques.

H. Cazelles, *Histoire politique d'Israël, des origines à Alexandre le Grand*, Petite bibliothèque des sciences bibliques, Desclée, Paris, 1982, 264 p.

Manuel érudit, très attentif aux institutions politiques et aux temps prémonarchiques.

P. Garelli, V. Nikiprowetzky, *Le Proche-Orient asiatique. Les empires mésopotamiens, Israël*, Nouvelle Clio 2bis, PUF, Paris, 1974, 392 p.

Le manuel classique, déjà un peu daté, dans la collection bien connue.

D. Noël, *Au temps des rois d'Israël et de Juda*, Cahiers Évangile 109, Cerf, Paris, 1999.

Le regard d'un bibliste historien sur les textes de David à l'exil.

C. Saulnier, C. Perrot, *Histoire d'Israël*, t. III : *De la conquête d'Alexandre à la destruction du Temple*, Études annexes de la Bible de Jérusalem, Cerf, Paris, 1985, 567 p.

Manuel complet, facile à consulter, avec des fiches de synthèse et des documents cités.

R. de Vaux, *Histoire ancienne d'Israël*, Études bibliques, Gabalda, Paris, t. I : *Des origines à l'installation en Canaan*, 1971, 674 p. ; t. II : *La période des Juges*, 1971, 159 p.

Vaste étude érudite qui confronte les textes des périodes anciennes aux connaissances historiques et archéologiques des années soixante.

R. de Vaux, *Les Institutions de l'Ancien Testament*, t. I : *Institutions familiales et civiles*, 352 p. ; t. II : *Institutions militaires et religieuses*, 540 p., Cerf, Paris, 1959-1960.

Le manuel classique et pratique, pour s'informer sur toutes les institutions d'Israël et leur évolution au fil des siècles, d'après les textes.

Atlas bibliques

Y. Aharoni, M. Avi-Yonah, *La Bible par les cartes*, Brepols, Turnhout, 1991, 185 p.

246 cartes, très proches du texte biblique. Dessins.

J. Pritchard, *Atlas du monde biblique*, Larousse, Paris, 1989, 256 p.

130 très belles cartes ; photos, dessins et plans.

J. Rogerson, *Nouvel Atlas de la Bible*, Brepols, Turnhout, 1985, 237 p.

Grande introduction (25 cartes), puis présentation du pays en 12 régions (16 cartes) ; 20 sites précis. Photos, dessins et plans.

H.H. Rowley, *Atlas de la Bible*, Bayard / Centurion, Paris, 1969, 62 p.

Atlas plus simple et peu coûteux. Une histoire d'Israël ; 25 cartes ; index avec notices.

Introductions générales à l'Ancien Testament

R. Rendtorff, *Introduction à l'Ancien Testament*, Cerf, Paris, 1989.
Bon ouvrage de formation, faisant le point sur l'état actuel de la recherche.

Introduction à la Bible, édition nouvelle t. II : *Introduction critique à l'Ancien Testament*, H. Cazelles éd., Desclée et Cie, Paris, 1973, 852 p.
Le grand manuel classique de la génération précédente, toujours largement valable.

Petite bibliothèque des sciences bibliques, Desclée, Paris, 1982-1990. Sont parus : 1. *Histoire politique d'Israël ;* 2. *Écrits de l'Orient ancien et sources bibliques ;* 4. *Les prophètes et les livres prophétiques ;* 5. *Les Psaumes et les autres Écrits.*

Commentaires

Collection *Commentaires*, dirigée par le Service biblique catholique Évangile et Vie, Bayard-Centurion, Paris, depuis 1998.
Commentaires simples des textes de l'Ancien Testament utilisés dans la liturgie catholique (3 volumes parus : *La Genèse ; Les livres de la Loi* (Ex-Dt) ; *Les Prophètes-II* (Ez, Dn et les 12 petits prophètes).

Collection *Commentaire de l'Ancien Testament*, Éditions Labor et Fides, Genève.
Commentaires plus techniques rédigés par des exégètes protestants (12 volumes parus).

Revues

Cahiers Évangile, Cerf, Paris (quatre numéros par an).
Bonne vulgarisation sur des livres ou des thèmes bibliques. La plupart des livres de l'Ancien Testament ont été présentés. Plus de 110 titres.

Suppléments aux Cahiers Évangile, Cerf, Paris (deux numéros par an).
– Ancienne série (1979-1994) : 30 recueils de textes de l'Ancien Orient éclairant la Bible.
– Nouvelle série (depuis 1995) : commentaires de textes importants de chaque Testament au fil des siècles, dans les traditions juive (musulmane) et chrétienne.

Le Monde de la Bible, Bayard-Presse, Paris, (huit numéros par an). Revue culturelle sur la Bible et le Proche Orient (art, histoire, archéologie, histoire des religions).

Collections

Lire la Bible, Cerf, Paris.
Exégèse vulgarisée sur des textes, des livres et des thèmes bibliques. Plus de 120 titres.

Lectio Divina, Cerf, Paris.
Une collection prestigieuse d'exégèse sur des livres ou des thèmes bibliques. Niveau parfois un peu technique. Plus de 180 titres.

Le Monde de la Bible, Labor et Fides, Genève.
Instruments de travail et études sur des livres et des thèmes bibliques, par des universitaires protestants. (Attention : ne pas confondre avec la revue du même nom, publiée par Bayard-Presse, Paris)

Lectures culturelles de la Bible

A.-M. PELLETIER, *Lectures bibliques. Aux sources de la culture occidentale*, Nathan / Cerf, Paris, 1995, 384 p.
Présentation magistrale de dix-sept textes de l'A.T. et de huit textes du Nouveau Testament pour faire découvrir à des étudiants en lettres la culture biblique et sa dimension religieuse.

C. SALLES, *L'Ancien Testament*, coll. Sujets, Belin, Paris, 1993, 255 p.
Démarche analogue à celle de l'ouvrage précédent, mais à partir de neuf grands thèmes.

Pour lire les textes bibliques. Collège et lycée, CRDP de l'Académie de Créteil, 1998, 270 p.
Un groupe d'enseignants et de biblistes protestants ont préparé des éléments pour un travail culturel et non confessionnel sur dix textes de l'Ancien Testament et 10 textes du Nouveau Testament.

CD-Rom sur la Bible

Découvrir la Bible, Intelligere / Cerf / Desclée de Brouwer, 1997 (Mac-PC).
Initiation à toute la Bible à partir de 36 textes commentés et illustrés. Histoire biblique, atlas, glossaire, 36 personnages, notices sur le Proche-Orient et la vie quotidienne, jeu-quizz de 777 questions.

Annexe 5

Glossaire

Accomplir, accomplissement : Termes théologiques chrétiens principalement utilisés pour dire que Jésus Christ accomplit l'Écriture juive ; c'est en lui qu'elle trouve sa signification ultime. (Voir Typologie).

Action symbolique : Geste spectaculaire d'un prophète qui visualise ainsi un message important pour ses auditeurs.

***Adonaï* :** Mot hébreu signifiant : « mon Maître, mon Seigneur », prononcé à la place du nom de Dieu : YHVH (voir Yahvé).

Allégorie : Du grec : « parler d'autre chose ». Interprétation d'un texte biblique qui consiste à le décoder, éléments par éléments, comme s'il avait été codé pour parler d'une autre réalité cachée. Forme d'exégèse courante en milieu alexandrin, inspirée du platonisme.

Alliance : Pacte ou accord entre deux personnes ou deux groupes, entraînant droits et devoirs réciproques. L'Ancien Orient a connu des « traités de vassalité » liant ainsi des vassaux à leur suzerain. La religion d'Israël est fondée sur l'alliance avec Dieu, conclue au Sinaï par Moïse. Avant cela, le livre de la Genèse parle d'une première alliance avec Noé, puis d'une seconde avec Abraham et ses descendants.

Anathème : voir Interdit.

Anciens : Chefs de famille, âgés et pleins d'expérience, qui gèrent ensemble un clan, une tribu ou une ville ; en particulier ils rendent la justice. Ils forment l'un des trois collèges du Sanhédrin, avec les grands prêtres et les scribes.

Ange : Le mot grec *angelos* (comme l'hébreu *malak*) signifie « messager » au sens profane. Dans les récits bibliques, les anges sont des êtres célestes au service de Dieu, qu'il envoie porter ses messages aux humains. Dans certains récits, « l'ange du Seigneur » est une manière de nommer Dieu lui-même lorsqu'il se manifeste, parle ou agit.

Anthropomorphisme : Procédé littéraire qui consiste à parler de Dieu comme s'il était un humain ; par exemple dans le récit de la création : Dieu modèle l'homme comme un potier et lui donne la vie en soufflant dans ses narines, puis il lui fait des vêtements de peau.

Apocalypse : Apocalypse (du grec *apocalupsis*) signifie « dévoilement, révélation ». Un livre apocalyptique se donne comme le récit de visions, souvent célestes, dont un visionnaire fut bénéficiaire. Rédigés dans des époques troublées, ces récits sont porteurs d'un message d'espérance pour les justes. Le terme n'a pas, dans l'Antiquité, le sens moderne qu'il a pris depuis de « catastrophe ».

Apocryphe : En grec « caché, secret » : désigne les écrits juifs et chrétiens non retenus par le canon, la liste officielle des Écritures. Ils étaient cependant bien connus et même populaires.

***Aqéda* :** En hébreu : « ligature » (d'Isaac) : nom donné au sacrifice d'Abraham prêt à offrir son fils Isaac en holocauste, après l'avoir ligoté (Genèse 22).

Araméens : Au sens large : peuple de la vallée de l'Euphrate ; au sens précis : population de Syrie, organisée en plusieurs royaumes, dont le plus important est celui de Damas, souvent en rivalité avec Israël. La langue araméenne s'est diffusée dans tout le Proche-Orient vers le ve siècle. et a remplacé l'hébreu chez les Juifs après l'Exil.
Arche du Seigneur, d'alliance : Dans les récits sur les Juges et David, l'arche est un coffre de bois renfermant des objets de culte, et qui symbolise la présence de Dieu au milieu de son peuple, notamment lors de la guerre sacrale. C'est pour l'abriter que David décide la construction d'un temple à Jérusalem ; ce que Salomon réalisera. Mais les textes sur l'exode imaginent que cette arche existait déjà au désert et qu'elle contenait les tables de la Loi donnée à Moïse au Sinaï.
Azymes : En grec : « (pains) sans levain ». Pendant la semaine de la fête juive des Azymes (*Maççot*), commençant avec la Pâque, on ne mange rien de fermenté, donc pas de pain levé.

Bénédiction : Le mot hébreu *beraka* signifie avant tout « fécondité, fertilité ». Toutes les formes de réussite : grande famille, santé, richesse, prestige sont considérées comme des dons de Dieu. Bénir quelqu'un consiste à demander à Dieu de le combler de ces dons. En retour, les humains ainsi favorisés sont appelés à bénir Dieu pour lui rendre grâce.
Bétyle : Du grec décalquant l'hébreu *beth-El*, « maison de Dieu ». Dans les religions de l'Ancien Orient, pierre sacrée, souvent dressée, mais sans image, considérée comme l'habitation d'un dieu ou le dieu lui-même.
Bouc émissaire : À la fête des Expiations (*Kippour*), un bouc était symboliquement chargé par le grand prêtre de tous les péchés du peuple d'Israël et emmené loin des habitations, vers un démon du désert, Azazel.
Bronze, âge du : Les archéologues du Proche-Orient désignent ainsi la période de 3300 à 1200, pendant laquelle l'invention et l'utilisation du bronze (cuivre + étain) a été caractéristique de la civilisation, avant d'être remplacé par le fer. On peut distinguer : le Bronze ancien (3300-2200), le Bronze moyen (2200-1550) et le Bronze récent (1550-1200).

Canon : En grec « roseau, mesure, règle ». Le canon biblique est la liste officielle des livres reçus comme inspirés par Dieu, formant l'Écriture sainte. Pour l'Ancien Testament, les juifs (et les protestants) ont gardé le canon hébraïque, tandis que les chrétiens catholiques et orthodoxes suivent le canon grec de la Septante, incluant les livres « deutérocanoniques ».
Chérubin : En hébreu le *keroub* (pluriel : *keroubim*) est un animal de la mythologie mésopotamienne : sorte de taureau ailé qui garde les lieux sacrés. Dans le temple de Jérusalem, l'arche d'alliance était surmontée de deux chérubins.
Chroniste : On appelle ainsi l'auteur anonyme du livre des Chroniques, au IVe siècle avant notre ère.
Circoncision : Rite d'initiation des adolescents chez beaucoup de peuples, donc lié à la sexualité. Mais en Israël il est lié à la naissance (le huitième jour) et signifie l'appartenance aux descendants d'Abraham et l'entrée dans l'alliance avec Dieu.
Code de l'Alliance : Nom biblique donné à la collection des lois anciennes qui suit le décalogue et la théophanie du Sinaï, dans le livre de l'Exode (20,22 à 23,19).
Code deutéronomique : Nom du code législatif contenu dans le livre du Deutéronome (Dt 12 à 26).
Concentrique, structure : Procédé littéraire qui consiste à agencer les éléments d'un texte (mots, expressions ou phrases) de manière concentrique, afin de mettre en valeur l'élément central : a, b, c, D, c', b', a'. On dit aussi « chiasme ».
Crainte de Dieu : Attitude religieuse centrale dans toute la Bible : elle exprime le sens du sacré, l'adoration de la présence de Dieu, mais aussi la soumission libre à sa volonté et même la joie de la fidélité.

Création : Notion propre à la Bible qui affirme non seulement que le Dieu unique est l'auteur de tout ce qui existe, mais aussi qu'il est radicalement différent de tout être, visible ou invisible.

Cunéiforme : Nom donné aux écritures anciennes de Mésopotamie (sumérien puis akkadien), depuis 3300 jusqu'à l'ère chrétienne. Les signes syllabiques sont en effet formés d'assemblages de « coins », par application d'un stylet triangulaire sur les tablettes d'argile fraîche, avant leur cuisson. Dans le cunéiforme alphabétique (Ougarit), les signes correspondent à des consonnes et non plus à des syllabes.

Cycle narratif : Ensemble de récits plus ou moins indépendants mais concernant un même personnage et donc agencés pour former une suite à peu près cohérente.

Décalogue : En grec (*déka logos*) : « dix paroles » ; ce sont les dix commandements (huit interdits et deux ordres) que Dieu donne à Moïse au Sinaï, et qui expriment les fondements de la religion et des lois d'Israël. Il en existe deux versions légèrement différentes : Ex 20,2-17 et Dt 5,6-21.

Démon : En grec (*daïmôn*) : « génie, esprit » bon ou mauvais qui influence les humains. Dans la Bible, le mot désigne surtout les divinités païennes qui s'opposent au Dieu unique ; d'où le sens négatif d'esprit du mal, « esprit impur ». « Le démon », autre nom de Satan.

Deutérocanonique : En grec : « du deuxième canon ». Nom donné aux sept livres juifs de l'Ancien Testament, rédigés ou conservés en grec, mais exclus du canon juif à partir du IIe siècle de notre ère. Les catholiques les admettent dans le canon de l'Ancien Testament, mais pas les protestants (qui préfèrent les appeler « apocryphes »).

Diachronique : Qualifie une étude qui recherche les étapes successives de la formation d'un texte ou d'une œuvre au fil de son histoire : de ses parties anciennes aux additions ou relectures les plus récentes. S'oppose à synchronique.

Diaspora : En grec : « dispersion » : désigne tous les Juifs établis en dehors de la terre d'Israël, à partir du VIIe siècle avant notre ère (Égypte, Syrie, Mésopotamie, etc.).

Douze prophètes : Nom donné aux douze « petits prophètes », comme Osée, Amos ou Zacharie : personnages importants, mais dont les livrets sont beaucoup plus brefs que les « grands » : Isaïe, Jérémie, Ézéchiel et Daniel.

Doxologie : En grec « parole de gloire (*doxa*) », louange exprimée à Dieu, sous forme d'hymne ou d'acclamation.

Écrits : En hébreu *Ketoubim :* nom traditionnel de la troisième partie des Écritures juives (ou Bible hébraïque), qui comprend les Psaumes, les livres de sagesse (Job, Proverbes, Ruth, Cantique, Qohéleth) et divers autres livres (Lamentations, Esther, Daniel, Esdras, Néhémie, Chroniques).

Élohim : En hébreu : pluriel de « dieu, divinité » (*Éloah*). Dans l'Ancien Testament, c'est le nom commun habituel de Dieu pour Israël comme pour les peuples voisins. Il s'agit d'une sorte de pluriel de majesté ou de plénitude.

Élohiste : Dans la théorie documentaire, nom donné à l'une des quatre traditions du Pentateuque, qu'on pensait pouvoir identifier par le nom de Dieu, *Élohim*, qu'elle emploie habituellement, à la différence de la tradition yahviste.

Emmanuel : En hébreu : « Dieu-avec-nous » : sorte de cri de guerre des armées d'Israël. Nom symbolique donné à un nouveau roi (Is 7,14), puis au Messie. Il est appliqué à Jésus dans les évangiles.

Éphod : Mot hébreu désignant divers objets cultuels, notamment une sorte de poche que le prêtre portait sur la poitrine (d'où le nom de « pectoral »), et de laquelle il tirait au sort un des deux objets semblables (*ourim* et *toummim*) censé donner la réponse divine à une question posée précédemment (comme notre pile ou face).

Eschatologie : En grec *eschata* signifie « les derniers (temps) » ; l'eschatologie désigne le temps de la fin annoncé par les prophètes où Dieu doit mener à son terme l'histoire humaine et établir le monde nouveau. Pour les chrétiens, ce temps verra le retour glorieux, la « parousie » du Christ.

Esséniens : Membres de l'un des grands mouvements du judaïsme aux abords de l'ère chrétienne, avec les Pharisiens et les Sadducéens. D'origine sacerdotale, ils contestent la légitimité des grands prêtres de Jérusalem, descendants des Maccabées. Ils sont surtout connus par leur installation communautaire à Qoumrân, et par leurs écrits découverts dans des grottes près de la mer Morte (1947).

Étiologie : Du grec *aitia :* « cause, explication » ; se dit surtout d'un récit plus ou moins légendaire qui vise à expliquer l'origine d'un nom, d'une coutume, d'un lieu sacré, d'une institution, etc.

Exégète : Spécialiste du texte biblique.

Exil : Dans la Bible, il s'agit de la déportation de quelques milliers de notables judéens à Babylone, après la prise de Jérusalem en 597 puis en 587. L'arrivée de Cyrus en 539 marquera la fin de l'Exil, mais beaucoup de Judéens resteront en Babylonie et y feront souche.

Exode : En grec (*ex-odos*) signifie « route de sortie » : l'exode est la sortie, la libération des Israélites esclaves en Égypte, sous la conduite de Moïse. Les événements de l'exode (le passage de la mer Rouge, toute la marche au désert, avec le don de la Loi et l'alliance au Sinaï) sont rapportés dans le livre de l'Exode (avec une majuscule), le deuxième livre du Pentateuque.

Expiations, fête des : En hébreu : *Kippour* (ou *Yom ha-Kippourim :* jour des Expiations ou plutôt des Absolutions) : fête juive, dix jours après le Nouvel An (vers l'équinoxe d'automne). Un jeûne de vingt-quatre heures accompagne encore les diverses liturgies de pénitence, pour obtenir de Dieu le pardon des péchés. Le rituel des sacrifices exceptionnels au Temple (avec notamment le rite du bouc émissaire) est décrit en Lévitique 16.

Fer, âge du : Les archéologues du Proche-Orient désignent ainsi la période de 1200 à 800, pendant laquelle l'utilisation du fer a été caractéristique de la civilisation. On distingue : le Fer I (1200-1000) et le Fer II (1000-800).

Fils d'homme : Expression sémitique pour désigner tout être humain, car « fils de » signifie l'appartenance à un groupe. Une vision de Daniel (ch. 7) parle d'un mystérieux envoyé divin qui sauve Israël persécuté et juge tous les peuples. Jésus reprend souvent le titre de « Fils de l'homme » pour parler de lui-même, de sa mort et de sa résurrection.

Formule de messager : Dans l'Ancien Orient, tout message transmis par un messager (avec ou sans lettre), commence toujours par : « Ainsi parle X... ». Les prophètes d'Israël, qui se considèrent comme des messagers envoyés par Dieu, commencent leurs oracles par « Ainsi parle le Seigneur.... » et les ponctuent ou les terminent par « Oracle du Seigneur ».

Genre littéraire : Tous les écrits peuvent être classés par genre littéraire. Celui-ci indique normalement le milieu d'origine du texte, sa fonction sociale et culturelle, éventuellement son époque ; ce qui est indispensable pour l'interpréter correctement. Les principaux genres littéraires sont les récits (historiques, légendaires ou symboliques), les discours, les lois, les oracles prophétiques, les visions, les prières, les poèmes, les proverbes, les paraboles, etc.

Grand prêtre : Après l'Exil et la disparition des rois, c'est le grand prêtre du temple de Jérusalem qui a assuré la fonction de médiateur entre Dieu et Israël, dans la liturgie ; il a aussi représenté le peuple juif devant les pouvoirs perse, puis hellénistique et romain.

Guerre sacrale : Dans l'Ancien Orient, la guerre relève d'abord du dieu national qui l'ordonne et la conduit. Israël, qui a mené des guerres à différentes époques – plutôt pour se défendre que pour s'étendre – a aussi pensé que son Dieu combattait avec lui et lui donnait la victoire. Beaucoup de récits de guerre sont très tardifs et sont plus idéologiques qu'historiques.

Haggada : L'une des deux grandes formes d'exégèse juive. Tandis que la *halaka* (« conduite ») cherche dans l'Écriture des règles pratiques de conduite, la *haggada* («récit ») commente les événements et personnages célèbres de la Bible, et les développe souvent de façon légendaire pour y puiser des enseignements utiles à la foi juive.
Hanoukka : En hébreu c'est la « dédicace » du temple de Jérusalem, en 164, après sa profanation par Antiochus IV qui déclencha l'insurrection de Judas Maccabée en 167. La fête dure huit jours pendant lesquels on allume le chandelier à huit branches.
Hapirou, Habirou 201 : Nom égyptien donné à des groupes de sémites marginaux, parfois utilisés comme mercenaires ou esclaves, juqu'au XIIe siècle avant notre ère. Certains rapprochent ce nom de celui d'Hébreux.
Hasmonéens (ou Asmonéens) : Dynastie des rois juifs issus de la famille des Maccabées, qui organisèrent la révolte juive contre les tentatives d'hellénisation forcée au IIe siècle avant notre ère. Ils régnèrent de 142 à 4 av.J.C.
Hébreux : Nom donné aux Israélites par les Égyptiens au temps de Moïse, puis par les Philistins au temps de Saül et David. Il désigne probablement leur statut d'étrangers ou d'immigrés. Le nom n'est ensuite employé qu'au Ier siècle de notre ère, pour désigner les Juifs de Palestine. Il désigne également la langue des Israélites (l'hébreu ou parfois l'araméen).
Hellénistique : Concerne la civilisation d'origine grecque qui se répandit dans tout le Proche Orient grâce aux conquêtes d'Alexandre (depuis 333). Son influence s'exerçait encore sous l'occupation romaine, au Ier siècle de notre ère.
Hiérocratie : En grec « pouvoir sacré » : celui exercé en Judée après l'Exil par les prêtres et notamment le grand prêtre de Jérusalem. Dépositaires de la Loi, la Tora, ils sont chargés de l'enseigner et de la faire appliquer au nom de Dieu. Voir Théocratie.
Histoire deutéronomiste : On appelle ainsi l'ensemble des quatre livres de Josué, des Juges, de Samuel et des Rois, qui vont de la mort de Moïse à l'Exil à Babylone (587). C'est la théologie de la réforme deutéronomique (exprimée dans le livre du Deutéronome) qui inspire tout cet ensemble.
Holocauste : En grec : « entièrement brûlé ». Une sorte de sacrifice où la bête, une fois saignée et dépouillée, est entièrement consumée et donc donnée à Dieu. Ce sacrifice est souvent appelé « offrande au parfum agréable » à Dieu.

Inclusion : Procédé littéraire consistant à terminer un texte ou un passage en rappelant son début.
Interdit : Traduction de l'hébreu <u>h</u>*erem* (réservé, tabou), rendu en grec par « anathème », offrande votive. Lors de la guerre sacrale, l'ennemi vaincu et ses biens sont voués à Dieu, donc interdits, et même parfois supprimés. Du moins en théorie, car ce rite ne semble pas avoir été souvent pratiqué. Il apparaît surtout dans des récits tardifs.
Isaïe, Deuxième : Nom donné au prophète anonyme de la fin de l'exil (vers 539), dont les oracles ont été mis à la suite de ceux du prophète Isaïe (VIIIe siècle) et forment les chapitres 40 à 55.
Israël : Nom du peuple de la Bible, « les fils d'Israël » ou Israélites, d'après le surnom donné par Dieu à leur ancêtre Jacob (Genèse 32,29). Israël désigne soit l'ensemble du royaume de David et Salomon, soit ensuite le royaume du Nord, capitale Samarie (de 932 à 722). C'est aussi le nom de l'État juif moderne (depuis 1948), dont les habitants sont les Israéliens.

Jour du Seigneur : Jour où Dieu intervient, notamment lors d'une victoire militaire ; puis jour de fête anniversaire. Les prophètes annoncent le jour où Dieu jugera ses ennemis et viendra sauver son peuple et établir son règne.

Juda : Nom du quatrième fils de Jacob-Israël, ancêtre de la tribu établie autour d'Hébron, dans les montagnes du Sud. À partir de David, c'est la tribu royale, autour de Jérusalem. De 932 à 587, elle forme le royaume de Juda. Après l'Exil elle devient la province de Judée. Ses habitants sont les Judéens, ou Juifs.
Judaïsme : Nom formé sur Juda, l'un des fils de Jacob, ancêtre de David et de sa dynastie qui régna à Jérusalem, centre du royaume de Juda puis de la province de Judée. Le judaïsme désigne la religion israélite sous la forme qu'elle prit après l'Exil (VIe siècle).
Juges : Dans la Bible, ce sont surtout des chefs de guerre, comme Samson ou Jephté, qui libèrent leurs tribus des voisins dangereux, les Philistins et autres Cananéens. À cause de leur prestige on leur demande aussi de rendre la justice, comme Débora ou Samuel.
Juif : Déformation française de Judéen, habitant de Juda. Après l'Exil, on parle des Juifs, même s'ils habitent dans des pays voisins ou éloignés, en Diaspora, car les noms « juif » et « judaïsme » désignent désormais la religion d'Israël.
Justice : Notion biblique importante, qui déborde largement le domaine judiciaire. Le juste est d'abord celui qui vit des relations correctes avec les autres parce qu'il les respecte. C'est surtout celui qui est en relation juste avec Dieu parce qu'il se conduit selon sa Loi. On revendique la justice auprès des responsables et auprès de Dieu en faveur des petits et des pauvres. Or Dieu est juste : il est fidèle à son alliance et défend les droits des plus faibles.

Kippour : voir Expiations.

Lévites : Descendants de Lévi, troisième fils de Jacob-Israël. Leur tribu a été mise à part des autres et chargée du culte dans les sanctuaires israélites. Parmi les Lévites, seuls les descendants d'Aaron, le frère de Moïse, exercent le sacerdoce : eux seuls peuvent monter à l'autel pour y offrir sacrifices et offrandes végétales.
Loi : La loi juive ou *Tora* (voir ce mot) est présentée dans la Bible comme la Loi révélée par Dieu à Moïse au Sinaï et que résume le décalogue. Le mot Loi désigne aussi le Pentateuque, les cinq livres contenant les diverses lois d'Israël, placées sous l'autorité de Moïse.
Loi de sainteté : Nom donné au code législatif contenu dans le livre du Lévitique (ch. 17–26) ; son nom lui vient de la formule fréquente : « Soyez saints, comme moi, le SEIGNEUR, je suis saint. » La sainteté est le propre de Dieu ; les Israélites lui sont consacrés pour vivre selon sa Loi.

Maccabées : Surnom donné à Judas, le libérateur de la Judée (164 avant notre ère) puis par extension à ses frères Jonathan et Simon, qui le remplacent et finissent par fonder la dynastie juive des Hasmonéens.
Massorètes : En hébreu « hommes de la tradition » : nom donné aux scribes juifs qui, du Ve au XIe siècle, étudièrent le texte des Écritures et le fixèrent. Ils lui ajoutèrent aussi des points-voyelles pour en indiquer la prononciation exacte ainsi que divers signes pour en donner la ponctuation et la psalmodie.
Messie : Translittération du terme hébreu (*mashiah*) qui signifie « consacré » et s'applique surtout aux rois d'Israël, oints le jour de leur avènement. Après l'Exil, en l'absence de rois, les grands prêtres de Jérusalem reçurent une consécration analogue. Mais se développa aussi l'attente d'un roi idéal, qui établirait un règne de justice et de paix, le Royaume de Dieu. En grec, messie est traduit par *christos*, d'où Christ, titre donné à Jésus par ses disciples.
***Midrash* :** En hébreu : « recherche, étude, interprétation ». Le *midrash* du texte biblique, fait par un maître, un rabbi, est surtout un commentaire mais peut aussi s'enrichir de développements légendaires.
Mythe : Un mythe est une manière symbolique d'expliquer le monde, l'humanité, la société ou la religion en racontant comment

ont commencé les relations des dieux et des hommes. Certaines traditions d'Israël ont puisé dans ce fonds commun des mythologies de l'Ancien Orient, surtout pour exprimer les origines du monde et de l'humanité (Genèse 1–11).

Noms de Dieu : Dans la Bible, le Dieu d'Israël reçoit plusieurs sortes de noms. Les deux plus fréquents sont : « le Dieu » (*El, Élohim*) et YHVH (Yahvé ?), remplacé par *Adonaï*, « le Seigneur ». Il existe des formes dérivées comme *Éloah*, *El-Shaddaï* (« Dieu des montagnes » ?), *YHVH Sabaoth* (« Seigneur des armées »). D'autres noms encore sont traduits : « le Saint d'Israël », « le Puissant de Jacob », « le Très-Haut ».

Nord, royaume du : Après la mort de Salomon (932), les tribus du Nord se séparent de Juda et du roi de Jérusalem ; elles forment le royaume d'Israël, dont le premier roi est Jéroboam. Ce royaume a sa capitale à Samarie et dure jusqu'en 722.

Nuée : Différente des nuages qui apportent la pluie, la nuée est une image théologique pour exprimer la présence de Dieu. À la fois obscure et lumineuse, elle cache et manifeste la gloire de Dieu sur la montagne du Sinaï, sur la tente du culte et dans le Temple. Peut-être l'image vient-elle de la nuée d'encens offerte dans le sanctuaire ?

Offrande végétale : Le culte d'Israël ne se limite pas aux victimes animales ; on offre également à Dieu les trois aliments préparés par l'homme : le pain (farine ou galettes) et des libations d'huile et de vin.

Oracle : Terme générique pour désigner les paroles d'un prophète s'exprimant au nom de Dieu. C'est souvent une brève déclaration, centrée sur une image forte qui doit frapper les auditeurs. « L'oracle de jugement » annonce un malheur qui va sanctionner les infidélités d'Israël, et « l'oracle de salut » annonce une libération ou une restauration après un temps d'épreuve.

Pâque : Mot dérivé de l'hébreu *Pesah*, qui désigne la fête juive célébrant la sortie d'Égypte, l'exode, à la première pleine lune de printemps. Comme Jésus est mort et ressuscité au moment de *la* Pâque, on distingue la fête chrétienne de sa résurrection en l'appelant Pâques (au pluriel).

Paradis : Terme grec issu du persan : « jardin ». C'est d'abord le lieu idéal des origines où Dieu place l'homme qu'il a créé, avant que celui-ci n'en soit expulsé à la suite de sa faute (Genèse 2–3). C'est aussi un des noms du monde nouveau où Dieu, au terme de l'histoire, rassemblera tous les humains qui ne l'auront pas refusé.

Patriarches : En grec : « pères de familles » ; le plus souvent ce sont les trois ancêtres du peuple d'Israël : Abraham, Isaac et Jacob-Israël. Leurs épouses sont les matriarches : Sara, Rébecca, Léa et Rachel.

Pentateuque : En grec « cinq rouleaux », c'est-à-dire les cinq premiers livres des Écritures, attribués à Moïse : la Genèse, l'Exode, le Lévitique, les Nombres et le Deutéronome.

Pères de l'Église : Nom donné aux écrivains chrétiens du IIe au VIIIe siècle, dont la prédication a été transmise par écrit et qui ont fortement influencé l'évolution des Églises, en Orient comme en Occident.

Peuples de la Mer : Nom donné à des populations (probablement indo-européennes) venues envahir les côtes égyptiennes autour de 1200 av.J.C. Parmi eux, les Philistins, refoulés sur la côte sud de Canaan, où les Israélites doivent leur résister jusqu'au temps de David.

Pharisiens : Membres du plus important mouvement religieux du judaïsme, opposés aux Sadducéens et aux Esséniens. Leur nom araméen signifie « séparés », car ils entendent se séparer des « pécheurs » en pratiquant intégralement la Loi de Dieu. Ce mouvement naquit sous les Hasmonéens (IIe s. avant notre ère) et fut le seul des trois à survivre à la destruction du Temple en 70. Tout le judaïsme actuel est donc d'origine pharisienne.

Plaies d'Égypte : Nom traditionnel des dix fléaux envoyés par Dieu sur les Égyptiens, pour les obliger à libérer les Israélites, d'après le livre de l'Exode. Le dixième fléau, le plus terrible, est la mort de tous les premiers-nés.

Prémices : Premiers fruits de la récolte, que l'on devait apporter en offrande au sanctuaire. Les premiers-nés des animaux d'élevage (bovins, ovins et caprins) devaient être sacrifiés, tandis que les garçons premiers-nés devaient être rachetés par un sacrifice animal.

Prêtre : Dans la Bible le mot désigne les prêtres juifs exerçant le sacerdoce, transmis de père en fils, c'est-à-dire, parmi les Lévites, les seuls descendants d'Aaron. Ne pas confondre avec les prêtres chrétiens, dont le nom vient de « presbytre », en grec : « ancien », responsable de communauté. Le sacerdoce chrétien ne vient pas du sacerdoce juif mais du sacerdoce symbolique de Jésus Christ.

Procès, oracle de : Parmi les oracles de jugement, certains imitent toute une procédure, avec le réquisitoire (ou l'accusation), le rappel des bienfaits de la victime envers le coupable et enfin la sentence.

Prophète : En grec *pro-phètès :* « porte-parole » de Dieu. Nom donné dans toute la Bible à ceux que Dieu inspire – souvent par une vision, une image intérieure – pour transmettre sa parole à Israël. Le prophète s'exprime par des oracles qui appellent à la conversion, sous peine de malheur, ou à l'espérance, pour ceux qui sont dans l'épreuve. Les Prophètes (en hébreu *Nebiim*) désigne aussi, dans la Bible hébraïque, la seconde partie, comprenant les livres historiques (de Josué aux Rois) et les oracles des prophètes eux-mêmes (Isaïe, Jérémie, Ézéchiel puis les Douze petits prophètes).

Prosélyte : En grec : « qui est venu s'ajouter ». Désigne le non-juif converti à la religion juive, qui s'est fait circoncire pour pouvoir suivre toute la Loi. Par contre le non-juif seulement sympathisant, non circoncis, est appelé « craignant-Dieu » (ou adorateur).

Proseuque : En grec : « prière », pour désigner les maisons de prière du judaïsme dans la diaspora, aux alentours de l'ère chrétienne. Le terme est pratiquement synonyme de synagogue.

Prostitution : Par rapport à l'alliance avec Dieu conçue comme un mariage, les infidélités d'Israël, lorsqu'il pratique des cultes païens, sont dénoncées par les prophètes comme prostitution ou adultère.

Psaumes : Le mot grec *psalmos* désigne un chant accompagné d'un instrument à corde. Cent cinquante prières chantées sont regroupées dans le livre des Psaumes, appelé en hébreu : « Louanges » (*tehillim*). La tradition attribue la plupart à David, bien qu'ils soient beaucoup plus récents.

Pseudépigraphe : En grec « écrit menteur » : désigne un écrit qui se présente comme l'œuvre d'un auteur fictif célèbre qui lui assure prestige et autorité. Le phénomène s'est beaucoup développé dans le judaïsme ancien. Par exemple le Deutéronome se présente comme des discours de Moïse, ou bien les Psaumes sont attribués à David.

Qoumrân : Sur le bord du wadi Qoumrân, qui se jette dans la mer Morte, les Esséniens s'étaient établis aux alentours de l'ère chrétienne. Leurs écrits ont été retrouvés dans des grottes voisines à partir de 1947 ; ce sont les Manuscrits de la mer Morte.

Racheter : Le verbe hébreu signifie « payer pour libérer, délivrer » quelqu'un de sa famille ou dont on est solidaire, qui est devenu endetté, esclave ou prisonnier.

Reste : Les prophètes qui annoncent la venue du jugement de Dieu sur Israël pécheur ouvrent une espérance en affirmant que Dieu gardera un reste du peuple pour poursuivre l'histoire de l'alliance et du salut. C'est ce qui arrivera après l'Exil.

Résurrection : Vers le IIe siècle apparaît dans le judaïsme la croyance que Dieu redonnera une vie nouvelle, auprès de lui, à ceux qui lui sont restés fidèles jusqu'à la mort. Ce « relèvement » ou ce « réveil » des morts est attendu à la fin des temps, pour le jugement.

Rétribution : Selon la religion d'Israël, Dieu est un juste juge ; il récompense les justes par la bénédiction, mais il châtie les pécheurs et les corrige par des épreuves. Ces croyances, souvent contredites dans la réalité, sont remises en question dans le livre de Job, figure des innocents malheureux.

Sabaoth : En hébreu : « les armées ». Ce mot suit le nom divin de YHVH pour exprimer sa puissance de créateur. Les armées sont les forces de l'univers et notamment les astres, conçus comme des êtres personnifiés et dont les Anciens admiraient les mouvements ordonnés.

Sabbat : D'après le décalogue, chaque sabbat, chaque septième jour de la semaine, est un jour sans travail et consacré à Dieu, comme le septième jour du poème de la création.

Sacerdotal (écrit) : La composition (ou écrit) sacerdotale est une œuvre rédigée par des prêtres de Jérusalem pendant et après l'Exil (VIe siècle) et qui forme l'essentiel du Pentateuque. Elle comprend une « histoire sacerdotale », qui va de la création à la mort de Moïse, et divers ensembles de lois et de rituels, dont le « code sacerdotal » appelé aussi Loi de sainteté (Lévitique 17–26).

Sacrifice : En latin : action de rendre sacré. Dans le culte israélite, ce terme générique désigne toute offrande à Dieu d'une vie animale, selon l'un des rituels fixés par la Loi. Au fil des siècles, les prophètes insistent de plus en plus sur les exigences spirituelles et éthiques envers l'offrant.

Sadducéens : Membres de l'un des trois grands mouvements du judaïsme aux alentours de l'ère chrétienne, avec les Pharisiens et les Esséniens. Leur nom vient de leur origine sadocide (voir ce mot).

Sadocide : Descendant de Sadoq qui était le prêtre de Jérusalem au temps de David et resta fidèle à Salomon. Au VIe siècle Ézéchiel revendique cette origine pour les prêtres de Jérusalem. Au IIe siècle, cette ascendance est de nouveau affirmée contre les grands prêtres illégitimes descendants des Maccabées. C'est l'origine du schisme des Esséniens et du mouvement des Sadducéens.

Samaritains : Population de la région centrale de la Palestine, autour de l'ancienne capitale israélite, Samarie. Aux yeux des Juifs de Jérusalem, les Israélites de Samarie sont métissés avec des colons païens (après 721) et donc exclus de l'Alliance. Au contraire les Samaritains se considèrent toujours comme la branche la plus ancienne et la plus fidèle d'Israël. Ils continuent de célébrer la Pâque exactement selon la Loi de Moïse, au Garizim.

Sanhédrin : Déformation juive du grec *synédrion*, « assemblée ». Ce conseil suprême du peuple juif, constitué de 70 membres, était présidé par le grand prêtre. Il était l'interlocuteur du pouvoir romain occupant la Palestine. Des sanhédrins régionaux existaient aussi.

Sapientiel : Se dit des courants et écrits de sagesse, issus du milieu des Sages d'Israël, qui sont d'abord les scribes et fonctionnaires royaux, puis après l'Exil les enseignants et théologiens juifs.

Satan : En hébreu : « adversaire, ennemi », nom commun qui peut être attribué à tout adversaire. Après l'Exil ce nom est donné à l'esprit du mal, par exemple « le Satan » qui éprouve Job ; puis il devient le nom propre de cette puissance du mal personnifiée, adversaire de Dieu et des hommes.

Septante : Nom donné à l'ancienne traduction grecque des Écritures juives. D'après un récit légendaire, le Pentateuque aurait été traduit par 70 (ou 72) scribes de Jérusalem réunis dans l'île de Pharos, à Alexandrie, au IIIe siècle avant notre ère.

Serviteur de Dieu : Titre donné par la Bible à certains personnages exerçant une fonction religieuse importante : Moïse, David et certains rois, les prophètes. À la fin de l'Exil, le titre est donné au groupe des Juifs exilés à Babylone qui sont restés fidèles à l'Alliance. Ce groupe est représenté par un personnage mystérieux qui obtient le salut pour son peuple, grâce sa fidélité à Dieu jusqu'à la mort. Les chrétiens voient en lui une figure du Christ.

Shéol : Selon les Écritures juives, c'est le séjour des morts ; il est évoqué par l'obscurité, le silence et la poussière, sans plus aucune relation possible avec Dieu.

Signe : Réalité présente et visible désignée par un prophète pour annoncer ou authentifier une autre réalité future ou invisible. Le terme peut être synonyme de miracle.

Sion : Nom de la colline sur laquelle était construite Jérusalem, la ville de David. Dans les textes, Sion est presque toujours équivalent de Jérusalem.

Synagogue : En grec : « rassemblement ». Le mot s'écrit avec une minuscule pour désigner le lieu où se rassemblent les communautés juives pour la prière et l'enseignement, mais avec une majuscule pour désigner la communauté juive dans son ensemble (par exemple distinguée de l'Église).

Synchronique : Qualifie l'étude d'une œuvre littéraire qui se désintéresse de l'histoire de sa formation pour ne retenir comme objet d'étude que son état dernier.

Talion : En latin, « la pareille » : la peine infligée équivalente à l'offense causée. La loi biblique dit : « œil pour œil, dent pour dent ». Ce principe de proportionnalité veut limiter la vengeance.

Targoum : En araméen : « traduction » (d'où *torjman* qui a donné le français « truchement »). C'est la traduction de l'Écriture en araméen, dans les lectures à la synagogue, puisque après l'Exil l'hébreu a été remplacé par l'araméen. Cette traduction pouvait être un peu large, et s'enrichir d'additions qui développaient des thèmes d'homélies traditionnels.

Temple, deuxième : Le premier temple de Jérusalem, construit par Salomon, a été détruit par les Babyloniens en 587. Au retour d'Exil, Zorobabel fait construire le second temple, qui est consacré en 515. Après sa profanation par Antiochus IV on célèbre sa « dédicace » en 164 ; c'est l'origine de la fête de *Hanoukka*. Ce temple sera agrandi et embelli par Hérode vers –20

Testament : Le latin *testamentum*, comme le grec *diathèkè*, désigne toute disposition juridique d'une personne en faveur d'une autre (dont le testament en faveur d'héritiers). Ces mots traduisent l'hébreu *berît* qui désigne l'alliance réciproque conclue entre le Seigneur et Israël ; mais c'est le Seigneur qui a l'initiative et surtout qui peut renouveler l'alliance quand Israël l'a violée.

Tétrateuque : En grec « quatre rouleaux » : les quatre premiers livres du Pentateuque (Genèse, Exode, Lévitique et Nombres) qui ont une forte parenté littéraire et théologique, et se distinguent du cinquième, le Deutéronome.

Théocratie : En grec « pouvoir divin » : autorité revendiquée par le sacerdoce juif de Jérusalem et exercée à travers la Loi divine, la Tora. Cette autorité religieuse se distingue du pouvoir politique de l'Empire perse.

Théophanie : En grec : « manifestation de Dieu ». Il s'agit de textes bibliques racontant des manifestations de Dieu (comme au Sinaï : Exode 19), en utilisant divers symbolismes : feu, lumière, voix, nuées, apparitions, etc.

Théorie documentaire : Théorie exégétique du XIXe siècle selon laquelle le Pentateuque résulterait de la fusion de quatre documents littéraires composés du Xe au VIe siècle avant note ère : le *Yahviste*, l'*Élohiste*, le *Deutéronome* et le *Sacerdotal*.

***Tora* :** En hébreu : « instruction, enseignement ». Au sens strict, le mot désigne le Pentateuque : les cinq livres comprenant les lois du judaïsme. Au sens large il désigne toutes les Écritures (ou la Bible hébraïque) comprenant le Pentateuque (*Tora*), les Prophètes (*Nebiim*) et les Écrits (*Ketoubim*).

Tribu : Organisation sociale propre aux populations nomades, avant leur sédentarisation. Israël raconte ses origines comme la réunion de douze tribus issues de douze frères, fils de Jacob-Israël. L'unité des tribus ne s'est faite que sous les règnes de David et Salomon, mais leurs rivalités ont entraîné la division en deux royaumes.

Typologie : Du grec *typos*, empreinte. C'est l'ensemble des correspondances que les chrétiens découvrent entre l'Ancien Testament et le Nouveau Testament. Dans les Écritures juives, la plupart des personnages, des institutions et des événements peuvent être lus comme des préfigurations, des figures de ceux de l'Évangile. Dans la théologie chrétienne, cela fonde l'unité des deux Testaments, l'unité de la révélation biblique.

Vocation, récit de : Pour certains personnages, et notamment des prophètes, la Bible rapporte le récit de leur appel (vocation) par Dieu et de leur envoi (mission) auprès du peuple ou des responsables.

Yahvé (YHVH) : Les « quatre lettres » (en grec : le tétragramme) YHVH sont celles du nom propre du Dieu d'Israël. Par respect, ce nom a été réservé au culte, avant d'être toujours prononcé *Adonaï*, si bien que sa vocalisation exacte s'est perdue. Certaines traductions modernes proposent Yahvé ou Yahweh.

Yahviste : Dans la théorie documentaire, nom donné à l'une des quatre traditions du Pentateuque, qu'on pensait pouvoir identifier par le nom de Dieu, *YHVH*, qu'elle emploie habituellement, à la différence de la tradition élohiste.

Zacharie, Deuxième : Nom donné au prophète anonyme (IIIe s.), dont les oracles ont été ajoutés à ceux du prophète Zacharie (vers 520) et forment les chapitres 9 à 14.

Ziggourat : Nom des tours à étages de Mésopotamie, construites en brique crue en l'honneur des dieux ou déesses. À leur sommet, lors de la fête, la divinité venait s'unir au prêtre ou à la prêtresse.

ANNEXE 6

ABRÉVIATIONS DES LIVRES BIBLIQUES

PAR ORDRE ALPHABÉTIQUE

Ab	Abdias
Ac	Actes des Apôtres
Ag	Aggée
Am	Amos
Ap	Apocalypse
Ba	Baruch
1 Ch	1er livre des Chroniques
2 Ch	2e livre des Chroniques
1 Co	1re épître aux Corinthiens
2 Co	2e épître aux Corinthiens
Col	Épître aux Colossiens
Ct	Cantique des Cantiques
Dn	Daniel
Dt	Deutéronome
Ep	Épître aux Éphésiens
Es	Isaïe (ou Ésaïe)
Esd	Esdras
Est	Esther
Ez	Ézéchiel
Ga	Épître aux Galates
Gn	Genèse
Ha	Habaquq
He	Épître aux Hébreux
Is	Isaïe (ou Ésaïe)
Jb	Job
Jc	Épître de Jacques
Jdt	Judith
Jg	Juges
Jl	Joël
Jn	Évangile selon Jean
1 Jn	1re épître de Jean
2 Jn	2e épître de Jean
3 Jn	3e épître de Jean
Jon	Jonas
Jos	Josué
Jr	Jérémie
Jude	Épître de Jude
Lc	Évangile selon Luc
Lm	Lamentations
Lv	Lévitique
1 M	1er livre des Maccabées
2 M	2e livre des Maccabées
Mc	Évangile selon Marc
Mi	Michée
Ml	Malachie
Mt	Évangile selon Matthieu
Na	Nahum
Nb	Nombres
Ne	Néhémie
Os	Osée

ABRÉVIATIONS DES LIVRES BIBLIQUES

1 P	1re épître de Pierre
2 P	2e épître de Pierre
Ph	Épître aux Philippiens
Phm	Épître à Philémon
Pr	Proverbes
Ps	Psaumes
Qo	Qohélet (ou Ecclésiaste)
1 R	1er livre des Rois
2 R	2e livre des Rois
Rm	Épître aux Romains
Rt	Ruth
1 S	1er livre de Samuel
2 S	2e livre de Samuel
Sg	Sagesse de Salomon
Si	Siracide (ou Ecclésiastique)
So	Sophonie
Tb	Tobie (ou Tobit)
1 Th	1re épître aux Thessaloniciens
2 Th	2e épître aux Thessaloniciens
1 Tm	1re épître à Timothée
2 Tm	2e épître à Timothée
Tt	Épître à Tite
Za	Zacharie

Annexe 7

Table des citations

Textes bibliques

Ancien Testament

Pentateuque

Livres historiques

TEXTES NON BIBLIQUES

ANCIEN ORIENT

Monde gréco-romain

Judaïsme

Christianisme

Islam

ANNEXE 8

INDEX DES NOMS PROPRES

1. PERSONNES

2. Lieux et peuples

Annexe 9

Index des notions essentielles

* les astérisques renvoient au Glossaire p. 537
(LIVRES BIBLIQUES ; *noms hébreux*)

LE PROCHE-ORIENT ANCIEN

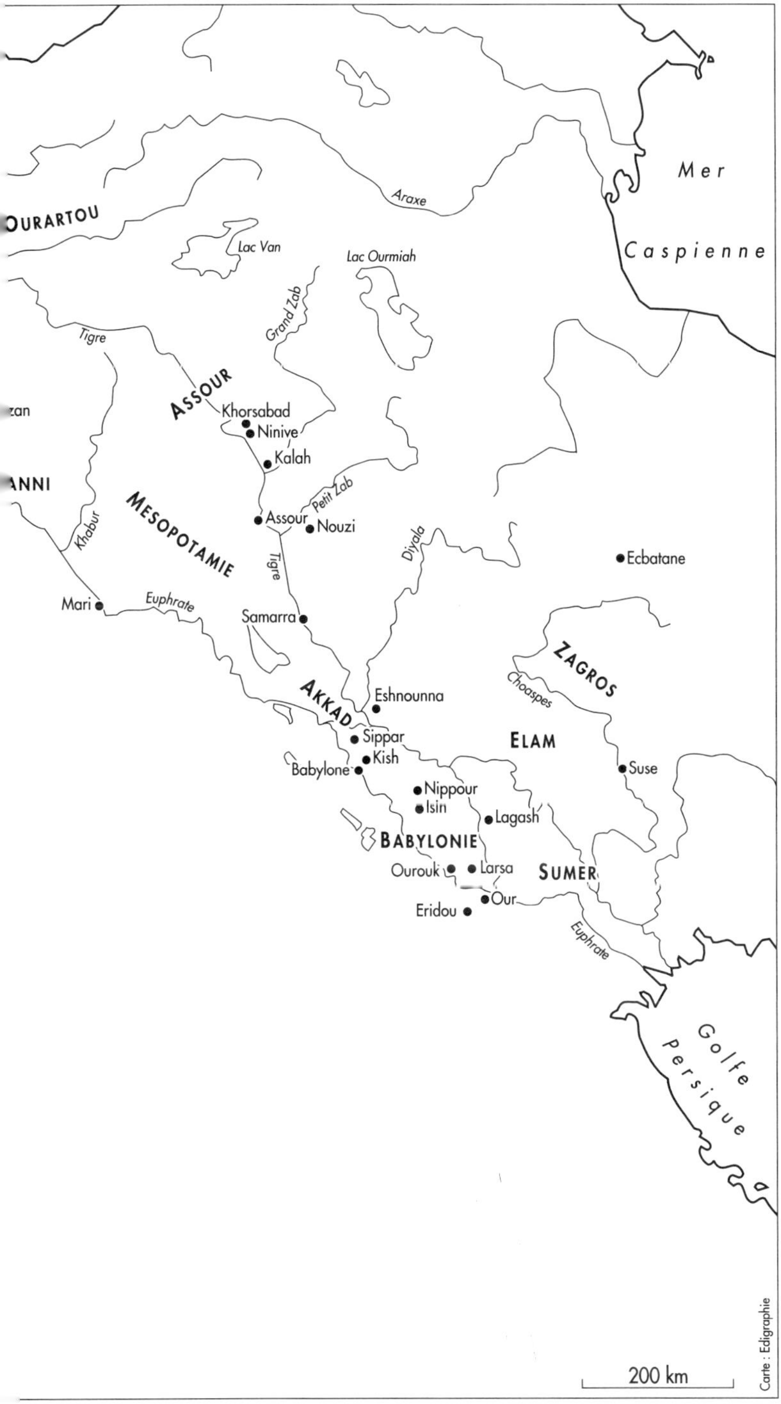

LE PROCHE-ORIENT ANCIEN

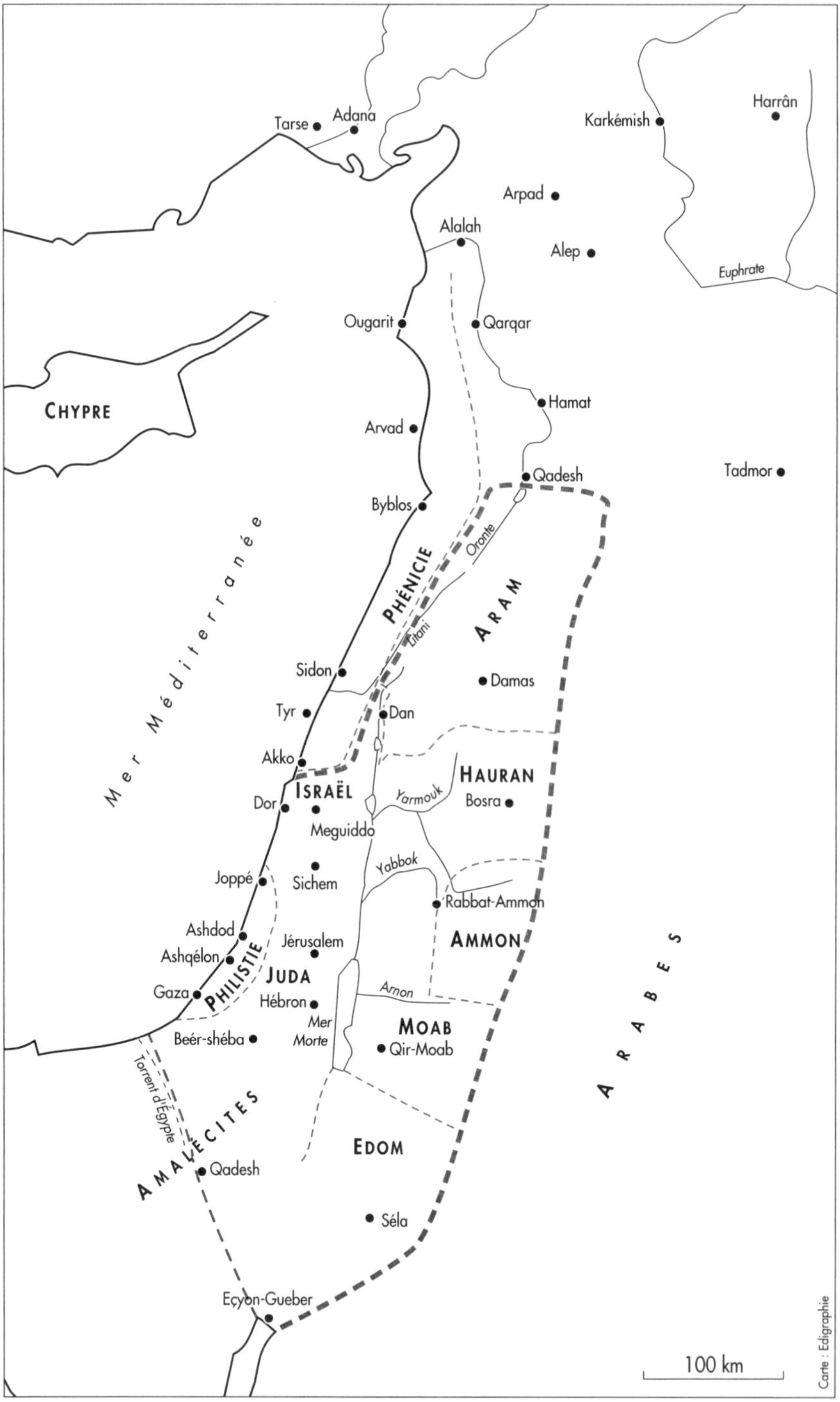

LA SYRIE-PALESTINE

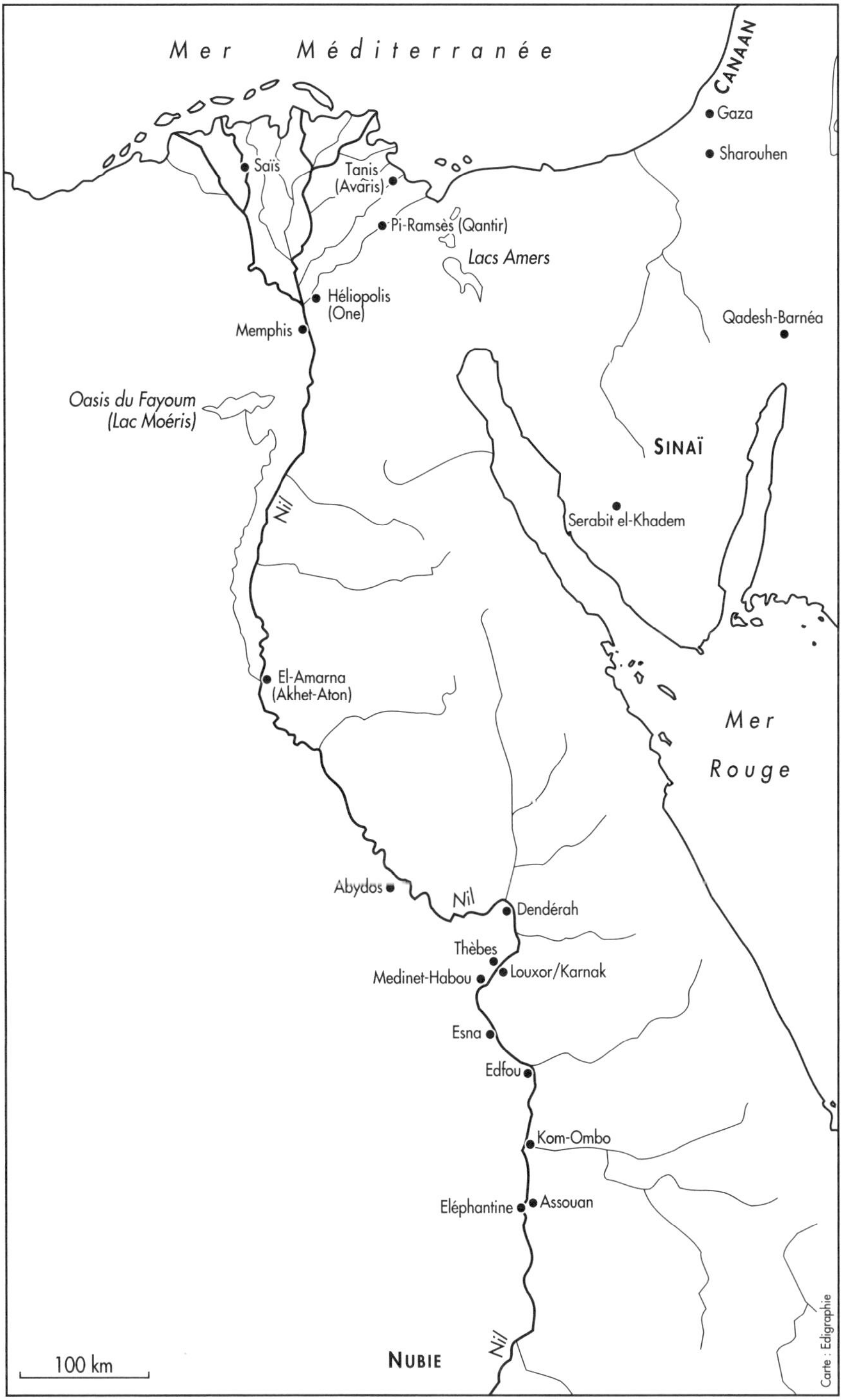
Mer Méditerranée
CANAAN
Gaza
Sharouhen
Saïs
Tanis
(Avaris)
Pi-Ramsès (Qantir)
Lacs Amers
Héliopolis
(One)
Memphis
Qadesh-Barnéa
Oasis du Fayoum
(Lac Moéris)
SINAÏ
Nil
Serabit el-Khadem
El-Amarna
(Akhet-Aton)
Mer
Rouge
Abydos
Nil
Dendérah
Thèbes
Medinet-Habou
Louxor/Karnak
Esna
Edfou
Kom-Ombo
Eléphantine
Assouan
Nil
100 km
NUBIE
Carte : Edigraphie

L' ÉGYPTE

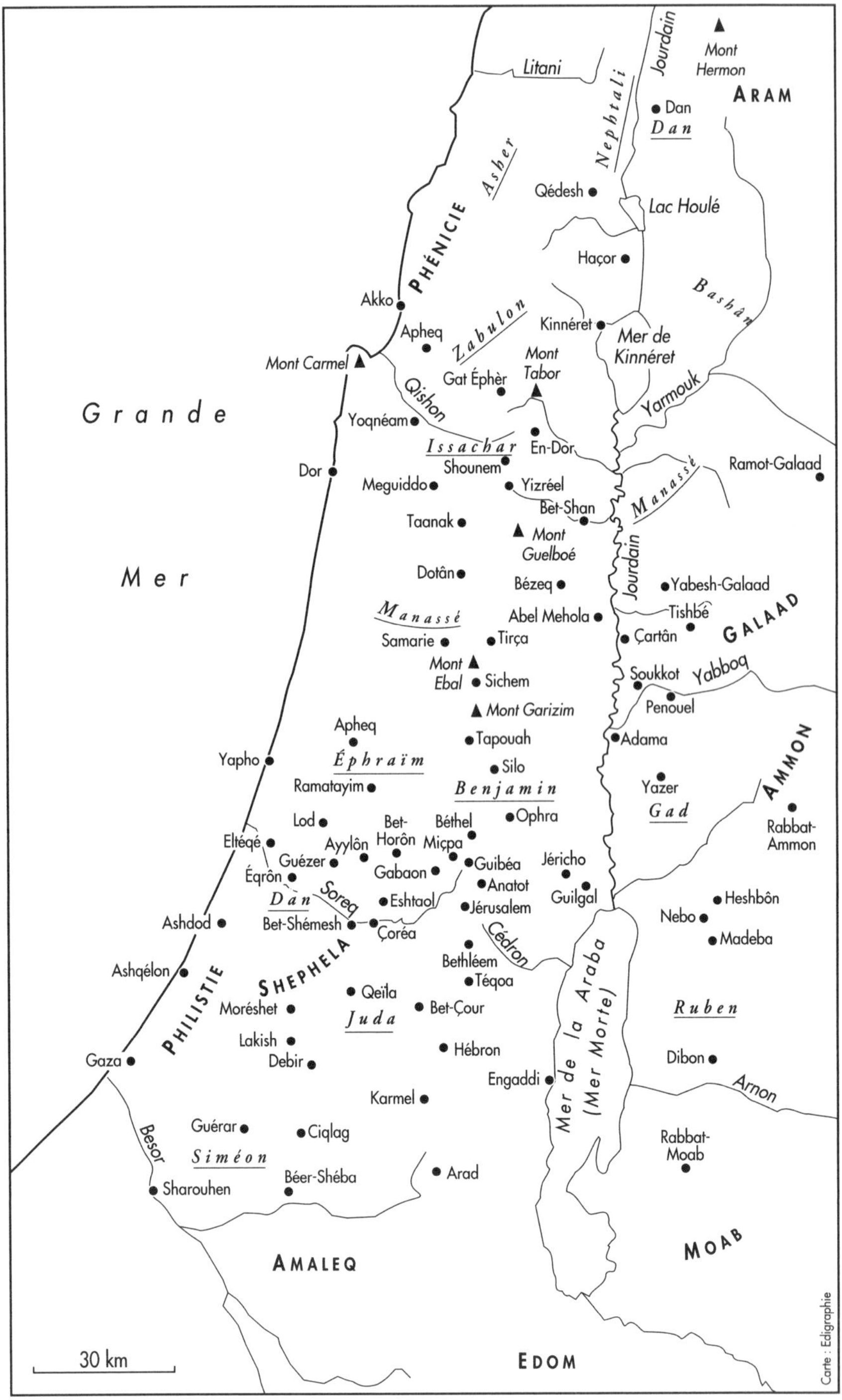

LES ROYAUMES D'ISRAËL ET DE JUDA

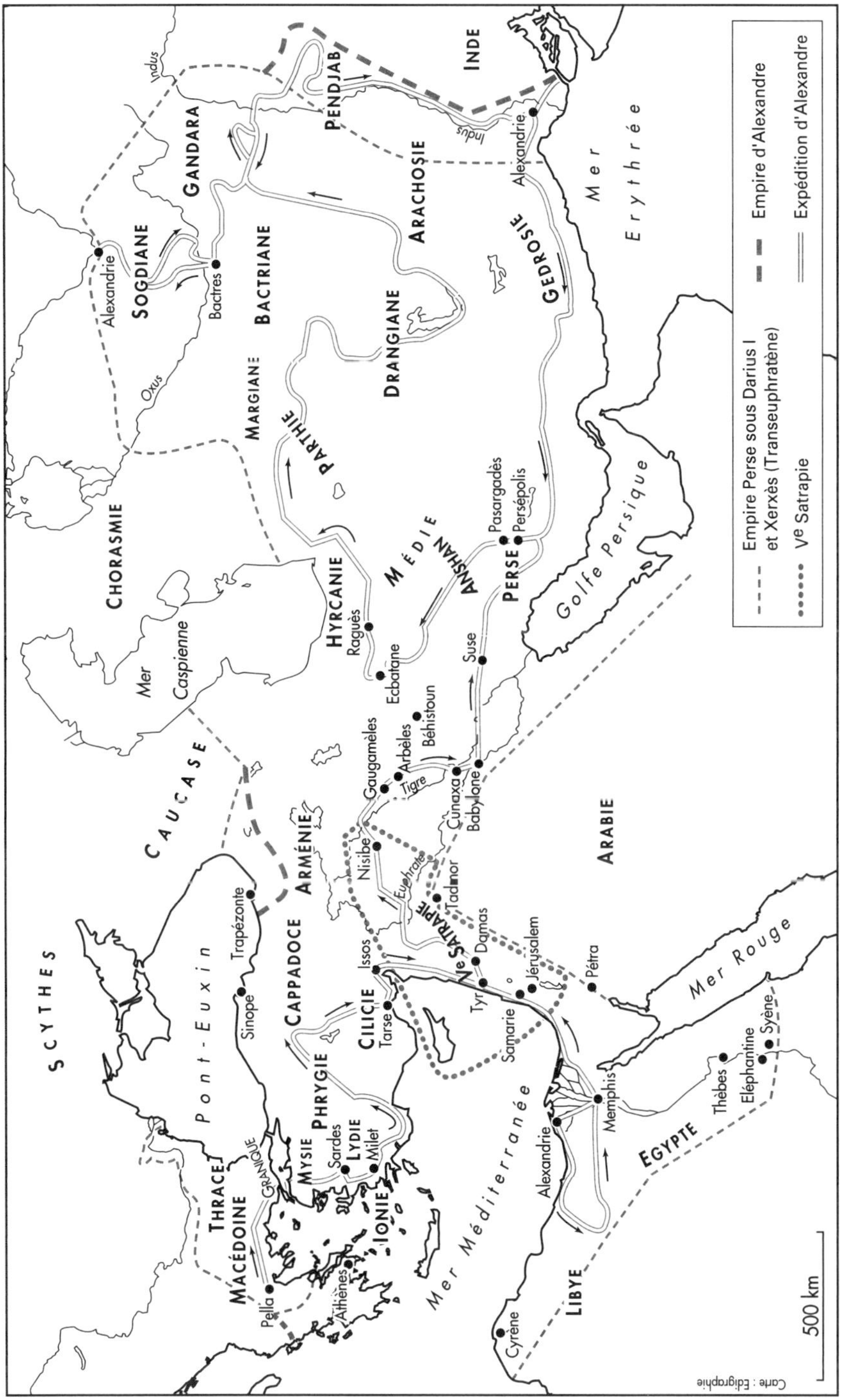

L'EMPIRE PERSE ET L'EMPIRE D'ALEXANDRE

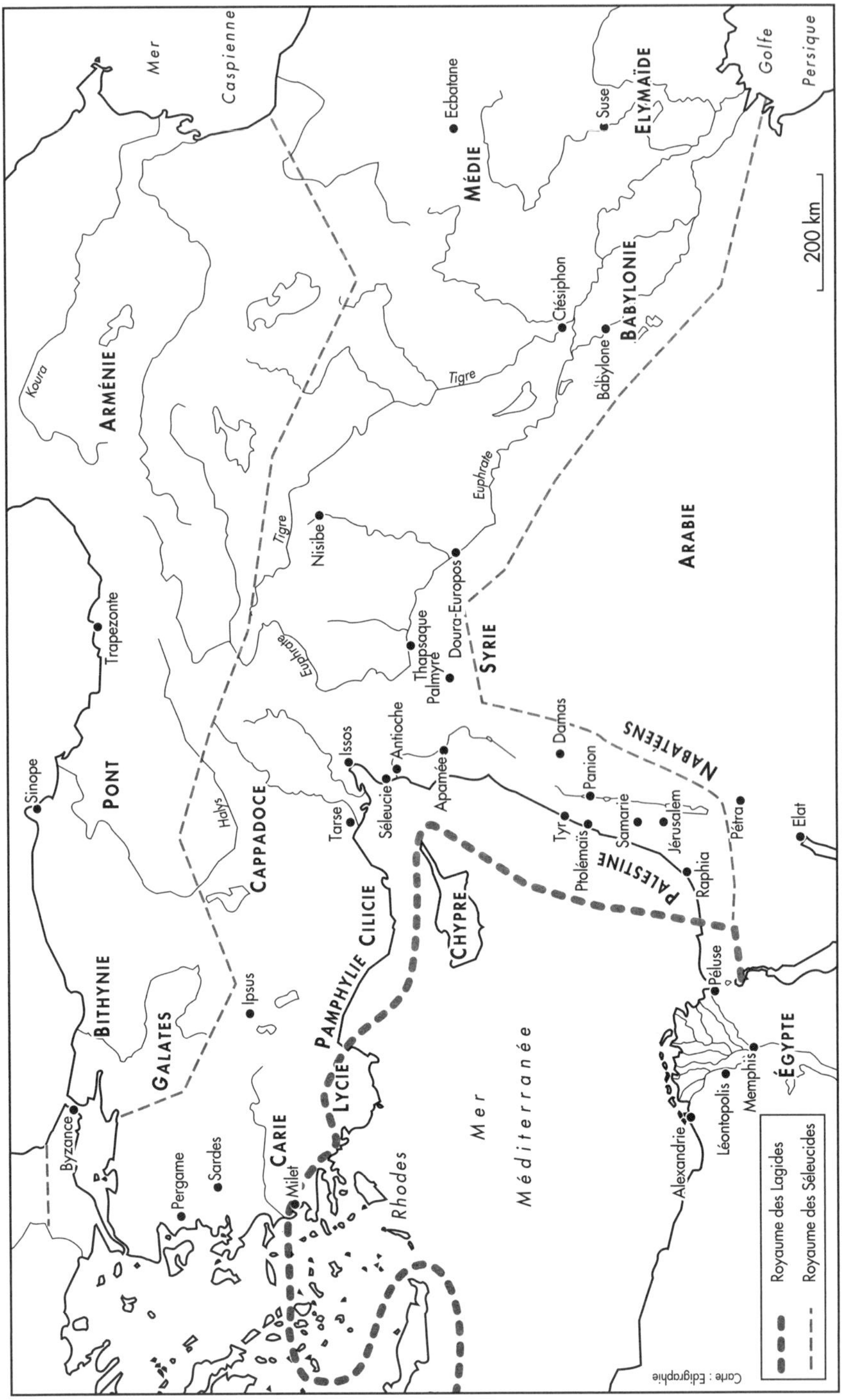

LES ROYAUMES HELLÉNISTIQUES (APRÈS 200)

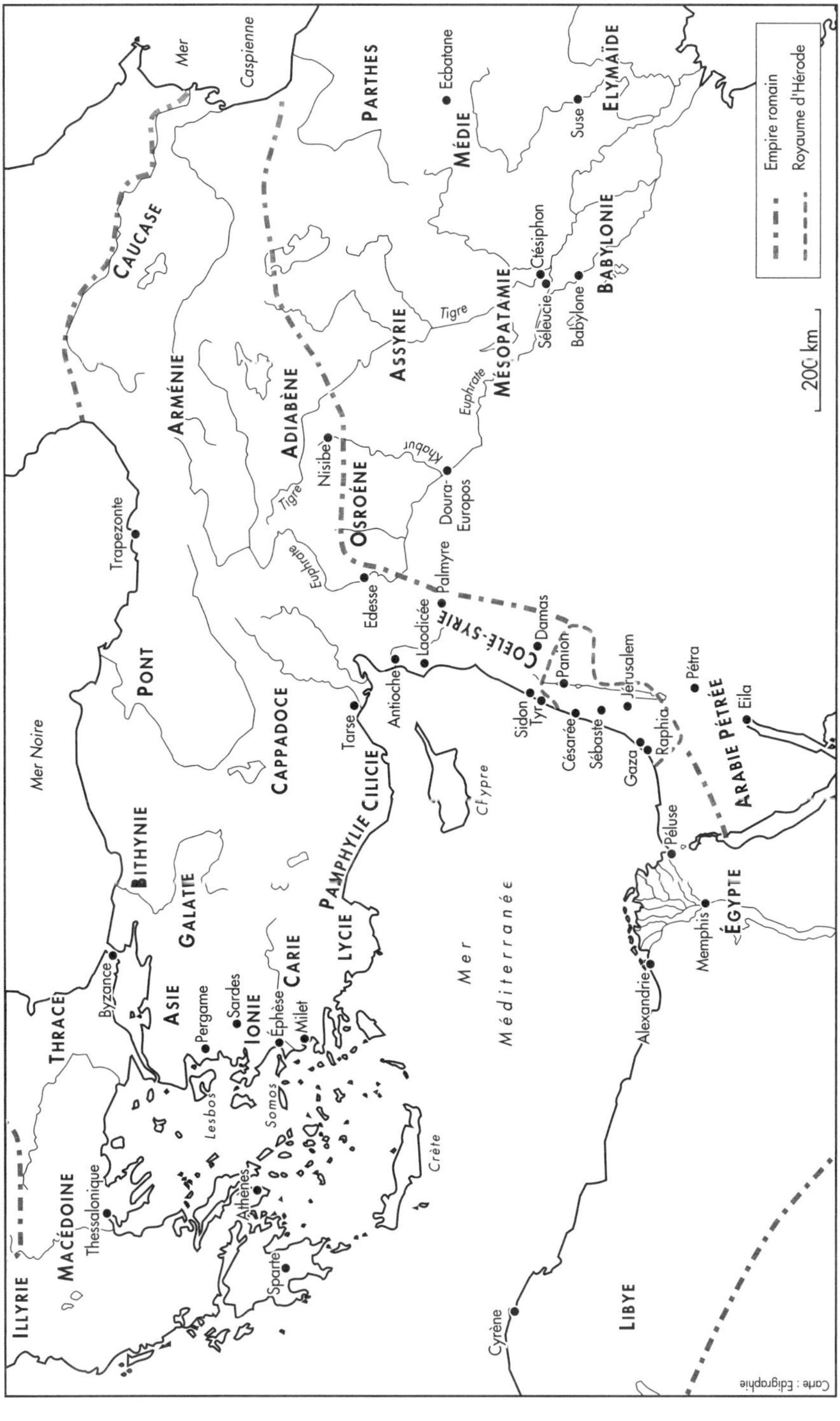

L'EMPIRE ROMAIN EN ORIENT (EN –4)

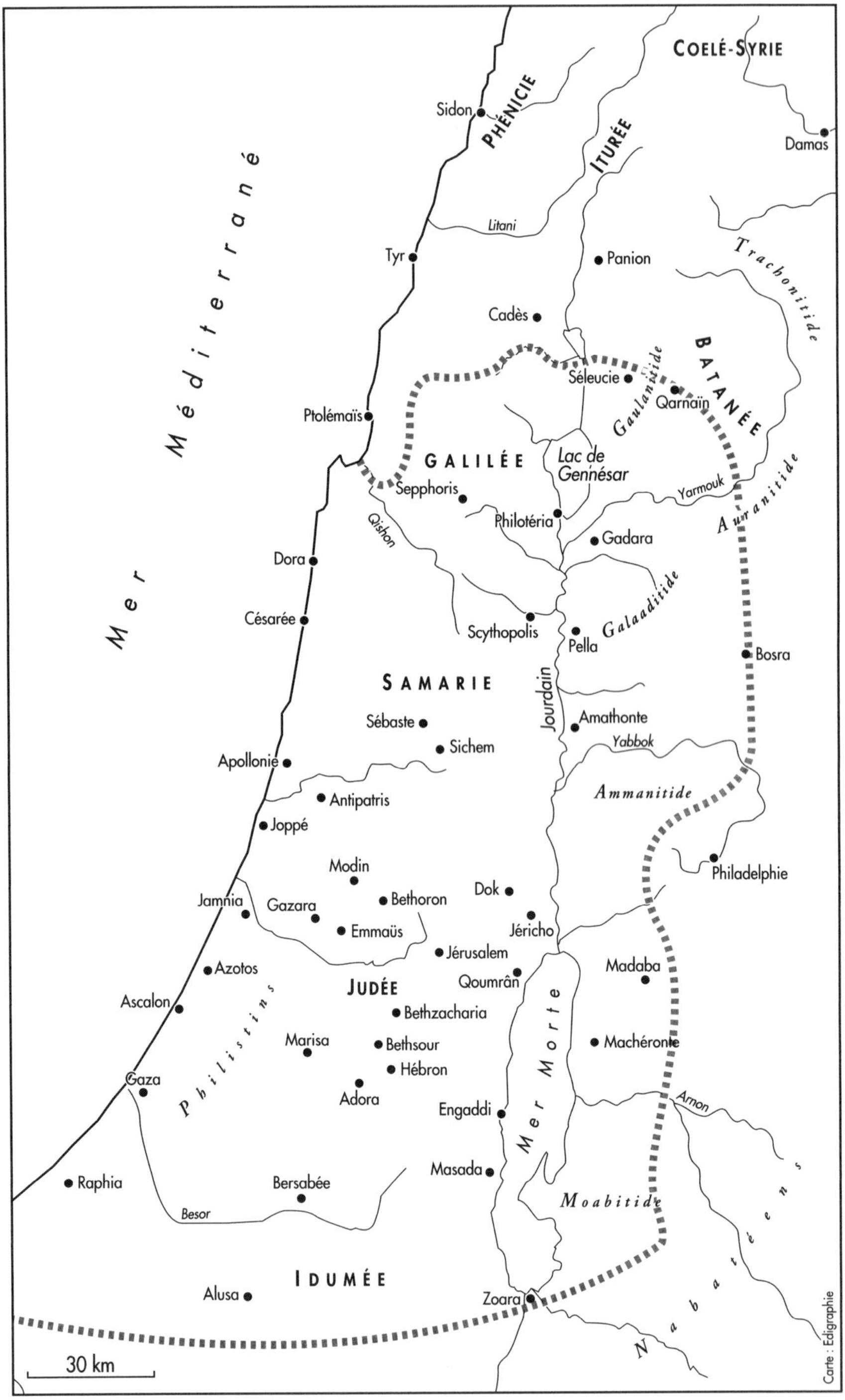

LA PALESTINE HELLÉNISTIQUE ET ROMAINE

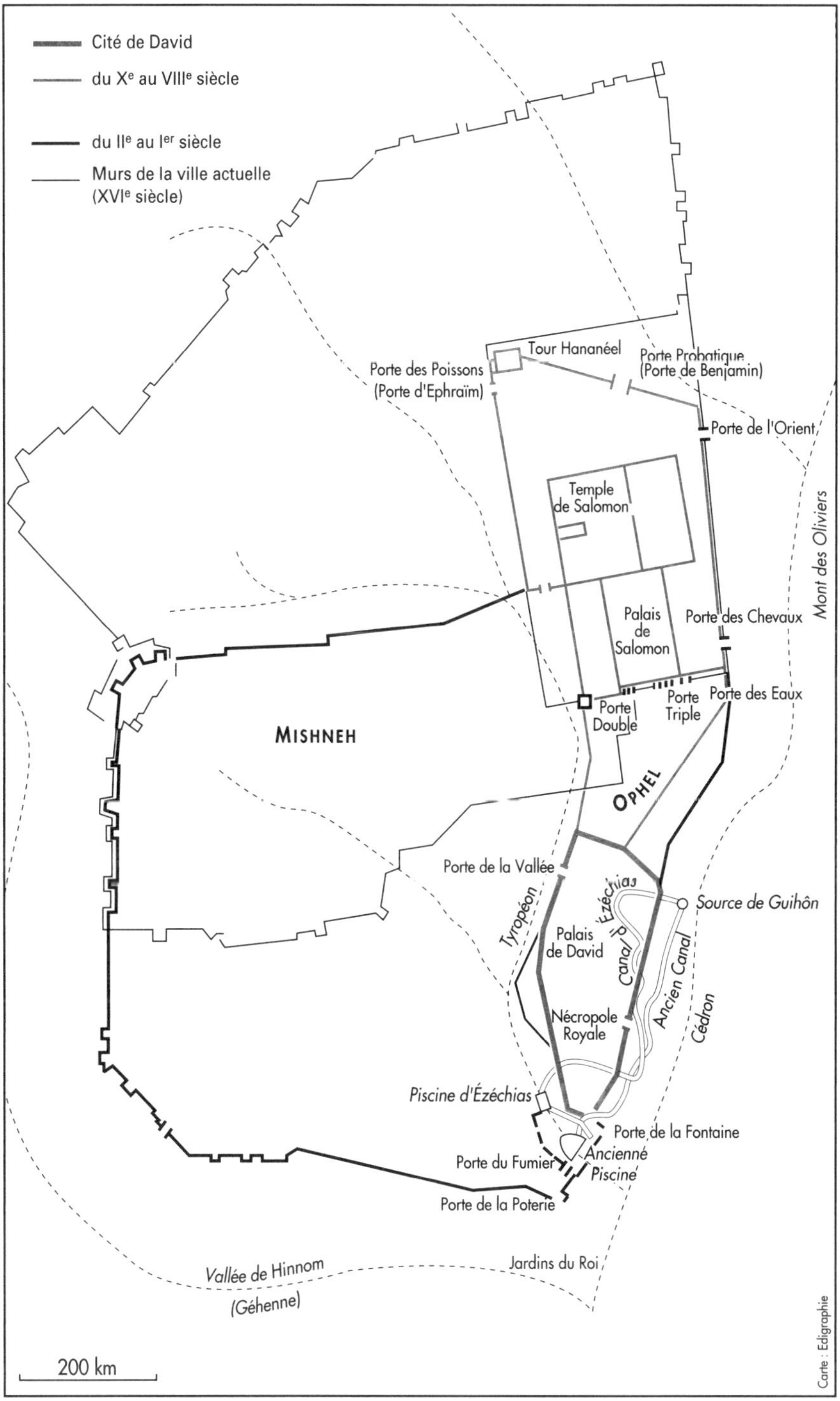

JÉRUSALEM DE L'ANCIEN TESTAMENT

Liste des auteurs

Philippe Abadie, Institut catholique de Lyon................	P. A.
Olivier Artus, Institut catholique de Paris..................	O. A.
Jesús Asurmendi, Institut catholique de Paris...............	J. As.
Joseph Auneau, Séminaire d'Issy-les-Moulineaux...........	J. Au.
Marie-Françoise Baslez , Université de Paris-XII	M.-F. B.
Christiane Dieterlé, Tournon.............................	C. D.
Joëlle Ferry, Institut catholique de Paris	J. F.
Pierre Gibert, Institut catholique de Lyon..................	P. Gi.
Philippe Gruson, Institut catholique de Paris...............	P. Gr.
Jean-Marie Husser, Université de Strasbourg...............	J.-M. H.
René Lebrun, Université catholique de Louvain (Belgique) ..	R. L.
André Lemaire, École Pratique des Hautes Études, Paris.....	A. L.
Jean Lévêque, Institut catholique de Paris..................	J. L.
Alain Marchadour, Institut catholique de Toulouse........	A. March
Alfred Marx, Université de Strasbourg.....................	A. Marx
Jean Massonnet, Institut catholique de Lyon	J. M.
Damien Noël, Institut catholique de Paris	D. N.
Anne-Marie Pelletier, Institut catholique de Paris	A.-M. P.
Charles Perrot, Institut catholique de Paris................	C. P.
René Péter-contesse, Neuchâtel (CH).....................	R. P.-C.
Jean-Pierre Prévost, Hull (Québec)	J.-P. P.
François Richard, Université de Nancy II	F. R.
Thomas Römer, Université de Lausanne (CH)................	T. R.
Agnès Tichit, Institut catholique de Paris	A. T.
Gérard Verkindère, Université catholique de l'Ouest, Angers	G. V.

Tables des matières

Introduction

PREMIÈRE PARTIE : LES ORIGINES ET LES PATRIARCHES

DEUXIÈME PARTIE : L'EXODE ET LES TRIBUS D'ISRAEL

TROISIÈME PARTIE : LES DEUX ROYAUMES

QUATRIÈME PARTIE : SOUS LES PERSES, LES GRECS ET LES ROMAINS
p. 319

ANNEXES

Conception et maquette : Atelier Daniel Leprince
Recherche iconographique : Claire Balladur
Cartes : Edigraphie
Photogravure : Les Arts Graphiques du Centre

Reliure : La Nouvelle reliure industrielle (Auxerre)
Achevé d'imprimer en novembre 2000
dans les ateliers de Normandie Roto Impression s.a.
61250 Lonrai
pour le compte des Éditions Desclée de Brouwer
N° d'imprimeur : 002798
Dépôt légal : novembre 2000

Imprimé en France